Max Beckmann – Retrospektive

Haus der Kunst München
25. Februar – 22. April 1984

Nationalgalerie Berlin
18. Mai – 29. Juli 1984

The Saint Louis Art Museum
7. September – 4. November 1984

Los Angeles County Museum of Art
9. Dezember 1984 – 3. Februar 1985

Max Beckmann
Retrospektive

Herausgegeben von

Carla Schulz-Hoffmann
Judith C. Weiss
Katalog der Zeichnungen, Aquarelle und Druckgraphik

Mit Beiträgen von

Walter Barker, Peter Beckmann
Wolf-Dieter Dube, Peter Eikemeier
Charles Werner Haxthausen, Bruno Heimberg
Stephan Lackner, Christian Lenz
Sarah O'Brien-Twohig, Carla Schulz-Hoffmann
Peter Selz, Cornelia Stabenow
Hildegard Zenser

Dokumentation zu Leben und Werk

Doris Schmidt

Prestel-Verlag München

Die Ausstellung wird von folgenden Instituten veranstaltet:

Bayerische Staatsgemäldesammlungen München und
Ausstellungsleitung Haus der Kunst München e.V.

Nationalgalerie Berlin,
Staatliche Museen Preußischer Kulturbesitz

The Saint Louis Art Museum

Los Angeles County Museum of Art

Generaldirektor der Bayerischen Staatsgemäldesammlungen
München:
Prof. Dr. Erich Steingräber

Wissenschaftliche Vorbereitung der Ausstellung und des
Katalogs der Gemälde:
Dr. Carla Schulz-Hoffmann unter Mitarbeit von
Dr. Cornelia Stabenow

Katalog der Zeichnungen, Aquarelle und Druckgraphik:
Judith C. Weiss, M. A.

Restauratorische Betreuung:
Bruno Heimberg

Ausstellungsleitung Haus der Kunst München e.V.:
Ernst Wild, Präsident
Johannes Segieth, Schriftführer
Prof. Mac Zimmermann, Schatzmeister
Andreas Bleeker, Leo Cremer, Albert Heinzinger,
Helmut Kästl, Prof. Erich Koch, Remigius Netzer,
Max Pfaller, Hannes Rosenow, Prof. Ludwig Scharl

Direktion Haus der Kunst: Dr. Hermann Kern

Koordination Ausstellung und Katalog:
Magdalena Huber-Ruppel

Ausstellungsarchitekt: Johannes Segieth

Die Ausstellung wird zum Gedenken an Morton D. May
durch eine großzügige Zuwendung
der May Department Stores Company unterstützt

Auf dem Umschlag
Doppelbildnis, Max Beckmann und Quappi, 1941 (Detail; s. a. Kat. 95)

Frontispiz:
Max Beckmann vor dem Triptychon ›Abfahrt‹ im Museum of Modern Art,
New York, 1947

Dieser Katalog enthält 563 Abbildungen, davon 165 in Farbe

CIP-Kurztitelaufnahme der Deutschen Bibliothek

Max Beckmann: Retrospektive ; [Haus d. Kunst München, 25. Februar-
22. April 1984 ; Nationalgalerie Berlin, 18. Mai-29. Juli 1984 ; The Saint Louis
Art Museum, 7. September-4. November 1984 ; Los Angeles County Museum of Art,
6. Dezember 1984-10. Februar 1985] / [veranst.: Bayer. Staatsgemäldesammlung
München...]. Hrsg. von Carla Schulz-Hoffmann ; Judith C. Weiss, Katalog d. Zeichn.,
Aquarelle u. Druckgraphik. Mit Beitr. von Walter Barker ... Doris Schmidt,
Dokumentation zu Leben u. Werk. [Wiss. Vorbereitung d. Ausstellung u. d.
Katalogs d. Gemälde: Carla Schulz-Hoffmann unter Mitarb. von
Cornelia Stabenow]. – München : Prestel, 1984.

Zweite, korrigierte Auflage, München 1984

© Prestel-Verlag, München 1984
© für die abgebildeten Werke von Max Beckmann
bei Peter Beckmann, Murnau

Printed in Germany
Offsetreproduktion: Brend'amour, München und Repro Dörfel, München
Satz: Fertigsatz GmbH, München, unter Verwendung der Times Roman (Linotron)
Druck: Karl Wenschow, München
Bindung: R. Oldenbourg, Heimstetten
ISBN 3-7913-0607-3

Inhalt

Die Veranstalter danken folgenden Museen, Galerien und privaten Sammlern
für die freundliche Überlassung von Leihgaben:

Museen und Galerien

Amsterdam, Stedelijk Museum
Ann Arbor, The University of Michigan Museum of Art
Basel, Kunstmuseum
Basel, Kunstmuseum, Kupferstichkabinett
Berkeley, University Art Museum, University of California
Berlin, Staatliche Museen Preußischer Kulturbesitz, Kupferstichkabinett
Berlin, Staatliche Museen Preußischer Kulturbesitz, Nationalgalerie
Bielefeld, Kunsthalle
Boston, Museum of Fine Arts
Cambridge/MA, Fogg Art Museum, Harvard University
Cambridge/MA, Busch-Reisinger Museum, Harvard University
Chicago, The Art Institute of Chicago
Dortmund, Museum am Ostwall
Duisburg, Wilhelm-Lehmbruck-Museum
Düsseldorf, Kunstmuseum
Düsseldorf, Kunstsammlung Nordrhein-Westfalen
Essen, Museum Folkwang
Frankfurt, Städtische Galerie im Städelschen Kunstinstitut
Hamburg, Hamburger Kunsthalle
Hannover, Kunstmuseum Hannover mit Sammlung Sprengel
Kaiserslautern, Pfalzgalerie
Karlsruhe, Staatliche Kunsthalle
Kassel, Staatliche Kunstsammlungen, Graphische Sammlung
London, Marlborough Fine Art Ltd.
Lugano/Schweiz, Sammlung Thyssen-Bornemisza
Middletown, Davison Art Center, Wesleyan University
Minneapolis, The Minneapolis Institute of Arts
Minneapolis, University of Minnesota Art Museum
München, Bayerische Staatsgemäldesammlungen, Staatsgalerie moderner Kunst
München, Staatliche Graphische Sammlung
New York, Richard L. Feigen & Co.
New York, The Metropolitan Museum of Art
New York, The Museum of Modern Art
New York, Catherine Viviano Gallery
Paris, Musée National d'Art Moderne, Centre Georges Pompidou
Philadelphia, Philadelphia Museum of Art
Portland/OR, Portland Art Museum
Saarbrücken, Moderne Galerie des Saarland-Museums in der Stiftung Saarländischer Kulturbesitz
St. Louis, The Saint Louis Art Museum
St. Louis, Washington University Gallery of Art
Stuttgart, Staatsgalerie, Graphische Sammlung
Toledo/OH, The Toledo Museum of Art
Wuppertal, Von der Heydt-Museum
Zürich, Kunstmuseum

Private Sammler

Joan Conway Crancer
Sammlung Fred Ebb
Richard L. Feigen, New York
Elise V. H. Ferber
Heinz Friedrichs, Frankfurt a. M.
Mrs. William J. Green
Hauswedell & Nolte, Hamburg
Klaus Hegewisch
Bernhard and Cola Heiden
Fielding Lewis Holmes, St. Louis
Dr. and Mrs. Henry R. Hope
Dr. Lore Leuschner-Beckmann
R. E. Lewis, Inc.

Mr. and Mrs. Paul L. McCormick
Perry T. Rathbone
The Regis Collection
The Robert Gore Rifkind Collection, Beverly Hills
Sammlung Georg Schäfer, Schweinfurt
William Kelly Simpson, New York
Otto Stangl, München
Mr. and Mrs. Jerome Stern
Dr. and Mrs. W. V. Swarzenski
Karin und Rüdiger Volhard, Frankfurt a. M.

und zahlreiche private Leihgeber,
die nicht genannt werden wollen

Vorwort

Die Organisation einer umfangreichen Max Beckmann-Retrospektive anläßlich des 100. Geburtstages des Künstlers lag allen beteiligten Instituten seit Jahren am Herzen. München und St. Louis verfügen durch die Stiftung Günther Franke einerseits und die Sammlung Morton D. May andererseits über die umfangreichsten Bestände an Werken des Künstlers. Es lag nahe, um diesen Gemäldebestand beider Museen, ergänzt durch die Hauptwerke der Nationalgalerie Berlin, eine große Ausstellung des Künstlers zu gruppieren, die sein Lebenswerk in allen wichtigen Facetten darzustellen vermag. Es war von Anfang an unsere Absicht, entsprechend der Bedeutung des Anlasses, nicht nur einen temporären Ausstellungskatalog, sondern eine darüber hinausgehende Publikation zu erarbeiten, die auch noch in den nächsten Jahren als monographische Untersuchung über Max Beckmann ihre Gültigkeit haben wird.

Die Initiative für die Ausstellung ging wesentlich von Prof. Dr. Wolf-Dieter Dube, jetzt Generaldirektor der Staatlichen Museen Preußischer Kulturbesitz, noch während seiner Tätigkeit an den Bayerischen Staatsgemäldesammlungen aus. Er leitete auch gemeinsam mit dem St. Louis Art Museum eine erste Bilderauswahl in die Wege und führte Vorgespräche mit Robert Gore Rifkind und Stephan Lackner, durch die das Unternehmen in der jetzigen Form entscheidend gefördert wurde. Anfang 1983 übernahm Dr. Carla Schulz-Hoffmann die wissenschaftliche Betreuung der Ausstellung. Auf sie geht auch die Katalogkonzeption zurück, die sich neben einem umfangreichen Aufsatzteil, an dem zahlreiche international anerkannte Beckmann-Forscher, aber auch jüngere Autoren beteiligt sind, nachdrücklich auf eine Vermittlung der oft hermetischen Bildsprache des Künstlers konzentriert. In einem ausführlichen Katalogteil werden alle ausgestellten Werke erläutert, um auch einem breiten Publikum Anregungen für weiterführende Interpretationen zu bieten. Die entsprechenden Texte für alle Ölbilder stammen neben der bereits Genannten von Dr. Cornelia Stabenow, Dr. Christian Lenz, Dr. Angela Schneider, Lucy Embick und Martina Bochow. Die Bearbeitung des Kataloges der Zeichnungen, Aquarelle und Druckgraphik übernahm dankenswerterweise Judith C. Weiss vom St. Louis Art Museum, der auch die Beschaffung der Leihgaben aller Arbeiten auf Papier für die vier Ausstellungsorte oblag. Allen an der Planung und am Katalog der Ausstellung Beteiligten herzlichen Dank!

Die organisatorische und finanzielle Betreuung dieses Großunternehmens lag bei der Ausstellungsleitung Haus der Kunst München e.V. Hier gilt unser besonderer Dank Magdalena Huber-Ruppel, die die Ausstellungstournee technisch betreute – eine bei vier Ausstellungsorten in jeder Beziehung schwierige Aufgabe. Sie wurde auf amerikanischer Seite von Helene A. Rundell und Mary Ann Steiner unterstützt.

Die restauratorische Betreuung der gesamten Ausstellungstournee übernahm Bruno Heimberg, dem die Veranstalter ebenso zu Dank verpflichtet sind wie dem Prestel-Verlag für die umsichtige und engagierte Gestaltung des Kataloges.

Ein besonderer Dank gilt auch der May Department Stores Company für die großzügige finanzielle Unterstützung der Ausstellung, die zum Gedenken an einen der engagiertesten Freunde und Sammler des Künstlers, den 1983 verstorbenen Morton D. May, gewährt wurde.

Ein so anspruchsvolles und sich über einen ungewöhnlich langen Zeitraum erstreckendes Unternehmen ist in besonderem Maße auf das Verständnis und die

Unterstützung der Leihgeber angewiesen. Aber die Bedeutung der Ausstellung, die für die nächsten Jahrzehnte wohl zum letzten Mal Gelegenheit gibt, sich in so umfassender Weise mit dem Werk des Künstlers auseinanderzusetzen, veranlaßte dann doch alle Beteiligten immer wieder zu außerordentlichem Entgegenkommen. Unser herzlicher Dank gilt deshalb allen Leihgebern der Ausstellung sowie allen, die uns bei der Vorbereitung geholfen haben. Wir können hier stellvertretend nur einige wenige nennen. Allen voran möchten wir Frau Mathilde Beckmann (New York), Dr. Peter und Maja Beckmann (Murnau) sowie Catherine Viviano (New York) danken, ohne deren große Hilfsbereitschaft – auch über die Beschaffung der Leihgaben hinaus – vieles nicht hätte erreicht werden können. Darüber hinaus seien genannt Ingo Begall (Frankfurt), Dr. Klaus Gallwitz (Frankfurt), Richard L. Feigen (New York), Allan Frumkin (New York), Barbara Göpel (München), James Hofmaier (Köln), Dr. Stephan Lackner (Santa Barbara), Marlborough Fine Art Ltd. (London), Christa Maul (München), Perry Rathbone (New York), Robert Gore Rifkind (Los Angeles), Prof. Dr. Werner Schmalenbach (Düsseldorf), Wynfried Schulz (München), Liselotte von Szilvinyi (Frankfurt).

Max Beckmanns Werk steht wie ein erratischer Block einsam in der deutschen Kunstlandschaft des 20. Jahrhunderts. Möge diese Ausstellung das Verständnis für das tiefreichende Anliegen und die besondere Schönheit seiner Bilder über die Gemeinde seiner bisherigen Verehrer hinaus weit verbreiten. Das wäre der schönste Lohn für das Engagement aller am Zustandekommen dieser Ausstellung Beteiligten.

Erich Steingräber	*Hermann Kern*	*Dieter Honisch*
Bayerische Staatsgemälde-sammlungen München	Ausstellungsleitung Haus der Kunst München e.V.	Nationalgalerie Berlin

James D. Burke	*Earl A. Powell,* III
The Saint Louis Art Museum	Los Angeles County Museum of Art

Die May Department Stores Company freut sich, die von den Bayerischen Staatsgemäldesammlungen und der Ausstellungsleitung Haus der Kunst München e.V. in München sowie vom Saint Louis Art Museum veranstaltete Beckmann-Retrospektive fördern zu dürfen.

Max Beckmann war ein enger Freund des im April 1983 verstorbenen Morton D. May, der 45 Jahre lang für die May Department Stores Company tätig war, 21 davon als Vorsitzender und Präsident des Direktionsstabes. Morton D. Mays Interesse und Bewunderung für Beckmanns Kunst begann in den mittleren Jahren, kurz bevor der Künstler 1947 von Amsterdam nach St. Louis übersiedelte. Er wurde bald der passionierteste Beckmann-Sammler.

Die ebenso qualitätvolle wie umfangreiche Sammlung, die Morton D. Mays Weitsicht zu verdanken ist, bildet einen gewichtigen Teil dieser Ausstellung. Zeit seines Lebens hat Morton D. May öffentliche Kulturarbeit großzügig gefördert und den Museen in den Vereinigten Staaten wie in Übersee Werke aus seiner Sammlung zur Verfügung gestellt. Es ist selbstverständlich, daß die May Department Company diese Tradition fortführt. So fühlen wir uns geehrt, uns an dieser Ausstellung beteiligen zu dürfen. Jene Visionen, die Max Beckmann in seinen Bildern beschwor und die Morton D. May an Beckmanns Bildern so faszinierten – mögen sie auch die Besucher der Ausstellung in Deutschland wie in den Vereinigten Staaten fesseln und bereichern.

David C. Farrell
Präsident of The May Department Stores Company
St. Louis, Missouri

Die Ausstellung steht unter der Schirmherrschaft
des
Präsidenten der Bundesrepublik Deutschland
Karl Carstens

Abkürzungen der Œuvreverzeichnisse in Text und Anmerkungen

Göpel = Erhard und Barbara Göpel:
    Max Beckmann. Katalog der Gemälde, 2 Bände, Bern 1976

von Wiese = Stephan von Wiese: Max Beckmanns zeichnerisches Werk 1903-1925,
    Düsseldorf 1978

Bielefeld = Max Beckmann – Aquarelle und Zeichnungen 1903-1950, Ausstellungskatalog
    Kunsthalle Bielefeld 1977

VG = Verzeichnis der Druckgraphik Max Beckmanns, bearbeitet von James Hofmaier,
    herausgegeben im Auftrag der Max Beckmann Gesellschaft von Klaus Gallwitz.
    In Vorbereitung.

Gallwitz = Klaus Gallwitz: Max Beckmann – Die Druckgraphik – Radierungen, Lithographien,
    Holzschnitte, Karlsruhe 1962

Peter Beckmann

Beckmanns Weg in seine Freiheit

»Lernen Sie die Formen der Natur auswendig, damit Sie sie verwerten können wie Noten in einem Musikstück. Dazu sind diese Formen da.« Diese Empfehlung legt Max Beckmann im dritten seiner ›Drei Briefe an eine Malerin‹ seinen Schülern auf ihrem Weg in die Kunst ans Herz. Und er fährt fort: »Natur ist ein wundervolles Chaos, und unsere Aufgabe und Pflicht ist es, dieses Chaos zu ordnen und ... zu vollenden.« Leid, Unendlichkeit, Wildheit, Melancholie, Lethargie – all dies gehört für ihn zum Chaos der Natur. »Das ist schon genug, um das Leid der Welt zu vergessen oder zu gestalten. Der Wille zur Gestalt trägt auf alle Fälle einen Teil der Erlösung in sich.«

Was Beckmann hier ausspricht, ist ein wesentlicher Teil seiner Wahrheit. Was für eine Wahrheit ist das? Sie spottet jeder Objektivität. Sie sieht die eigene Natur mit ihren persönlichen Gefühlen und Werten im Zusammenhang mit der Natur überhaupt. Sie ist deshalb eine Wahrheit, die er persönlich besitzt, die auf ihre Art zu erlangen er aber auch seiner imaginären Adressatin wünscht.

Nach vielen Jahren des Auswendiglernens seines Selbst – seiner Natur also – in der Vielzahl seiner Selbstdarstellungen und nach vielen Jahren des Auswendiglernens der ›anderen‹ Natur steht Max Beckmann in diesem Jahrhundert mit seinem Werk als Modell vor uns. Gegen alle Widerstände, Verlockungen und Verleitungen, sein Selbst außerhalb der Natur zu suchen, hat er es in der Durchdringung mit ihr gefunden. Diese Durchdringung im Bild zu zeigen, zu gestalten und bis in die Transzendenz konsequent voranzutreiben ist für ihn Befreiung von den Zwängen des Ichs. Die gewonnene Freiheit ist dabei nicht das Abschütteln, sondern die Kommunikation mit dem Über-Ich, das er schließlich im allumschließenden Raum findet. Der allumschließende Raum ist für ihn Sitz der Götter. Seine Freiheit bleibt dabei stets innerhalb der Bindung an die Gestalt. Er verwandelt das »wundervolle Chaos der Natur« in die Natur seiner Sicht. Das geschieht mit »Noten«, die er dem Chaos entnimmt.

Die Natur ein wundervolles Chaos zu nennen ist unzeitgemäß. Sind wir nicht gerade dabei, der Natur ihre Wunder zu nehmen und an ihr Gesetze abzulesen, die sie uns nicht mehr als Chaos verstehen lassen? Nichts in der Natur ist chaotisch. Alles folgt erforschbaren Gesetzen. Aber das ist für Max Beckmann nicht entscheidend. Ich habe von meinem Vater wiederholt in vielen Unterhaltungen empörten Widerspruch erfahren, wenn ich ihm auf Fragen um den Menschen durch wissenschaftliche Feststellungen objektive Antworten geben wollte. Das war für ihn eine Demontage der Geheimnisse, eine Verlockung und Verleitung, Individualität zu verlieren und sich irgendwo falsche Sicherheiten in geheimnisfreien Denkrastern zu verschaffen.

Der uns in seinem Werk nicht selten brutal und apodiktisch erscheinende Max Beckmann war, wie nicht zuletzt aus dem Lebensbericht seiner Frau Mathilde hervorgeht, ein extrem anteilnehmender Mensch, der mit äußerster Vorsicht und mit oft übertriebener Achtung mit anderen und der Meinung anderer umging. Niemals dozierte er im Atelier über seine Bilder. So, wie man die Bilder sah, wie man darüber sprach, war es recht. Es schien ihm geradezu darum zu gehen, den unmittelbaren, subjektiven Eindruck des Bildbetrachters frei zu halten.

Würde ich ein Bild von Beckmann objektivieren, ich sähe es nicht. Würde ich die Landschaft vor meinem Fenster objektivieren, ich sähe sie ebenso nicht. Erst,

wenn ich zugebe, daß ich in das Bild an der Wand meine Gefühle, meine Stimmung hineinsehe, erst, wenn ich zugebe, daß ich die Landschaft vor meinem Fenster mit meinem Bezug zur Unendlichkeit, zur Transzendenz auflade, meine Gefühle, meine Freude, mein Leid, mein Chaos in diese Landschaft hineinsehe, dann sehe ich. Wem ist es heute schon erlaubt, Leid, Melancholie, Lethargie, die eigene Problematik der Seele im Spiegel der Natur selbstkritisch zu erleben? Dafür haben wir Psychotherapeuten und andere Helfer, die uns Selbstkritik abnehmen und in ihre Erkenntniswelten einordnen. Wenn Beckmann eine Blume malt oder ein Meer, dann ist es seine Blume und sein Meer und dennoch die Blume und das Meer. Zeigt er sich im Bild, dann ist er als Subjekt von sich selbst objektiviert. So wird Gestaltung zur Erlösung, sei es Blume, Meer oder eigenes Gesicht.

Abb. 2   Max Beckmann: Peter mit
Handgranaten, 1919,
Lithographie, Privatbesitz

Abb. 3   Max Beckmann: Christus und Pilatus,
Blatt 15 der Mappe ›Day and Dream‹, 1946,
Lithographie, Bremen, Kunsthalle

Zeigt manche Kunst in unserer Zeit von der Natur und der natürlichen Form abgelöste Freiheit, so nimmt Max Beckmann die Bindung an die von ihm gestalteten Formen der Natur in Kauf. Er leugnet damit Ordnungen nicht, denen sich auch das Subjekt beugen muß. Er selbst hat diese Ordnungen in hohem Maße respektiert, und vielleicht geht die Faszination seines Lebenswerkes von jener Spannung aus, die zwischen der Unbedingtheit zur Freiheit und dem ebenso unbedingten Willen zur Gestaltung der eigenen Ordnung sichtbar wird.

Zur Natur gehört bei Beckmann er selbst, der andere und die anderen, so er sie sehen und studieren kann. Dazu gehört Hintergrund und Vorgang. Je genauer er studiert, um so mehr gelingt die Transzendierung, die Projektion des Vorgangs in den Raum.

Ich sehe immer wieder ein Blatt vor mir aus dem 1919 entstandenen Zyklus *Die Hölle*, bezeichnet *Die Familie* (Kat. 257, Abb. 1). Die darauf dargestellten Familienmitglieder sind meine Großmutter Minna Tube (die Mutter der ersten Frau meines Vaters), mein Vater und ich. Die Großmutter und mein Vater sind mit ganz unterschiedlichen Bewegungen dargestellt. Die alte Dame wehrt mit beiden Händen etwas ab. Der Vater distanziert sich mit der rechten Hand von etwas, mit der anderen weist er energisch aus dem Bild. Die Blickrichtung beider geht über mich, das Kind, hinweg, das zwei topfähnliche Gegenstände an Stielen sichtlich fröhlich und erwartungsvoll hochhält. Die Erklärung zu diesem Geschehen liefert das Blatt *Peter mit Handgranaten*, das ebenfalls 1919 entstand (Abb. 2). Es zeigt das fröhliche Kind mit den Töpfen am Stiel allein.

Der Vorgang ist ungewöhnlich. Er fand in der Wohnung der Großmutter in Berlin, Pariser Straße 2 statt, in einer Zeit, in der heimkehrende Soldaten in einem Park neben der nahen Meier-Otto-Straße noch einmal kampierten und gelegentlich den hungernden Kindern etwas aus ihrer Feldküche zusteckten. Graupensuppe mit Rosinen. Eine paradiesische Erinnerung für mich. Eine Erinnerung auch daran, daß ich unter den Büschen des Parks einmal zwei Büchsen fand – allerdings ohne Stiel –, die ich wohl für Konservenbüchsen hielt. Ich brachte den Fund stolz nach Hause. Der Vater sah sogleich, daß es Handgranaten waren. Hinaus damit!

Auf dem Blatt ist der mögliche Schreck über die Handgranaten und der daraus resultierende Vorwurf an mich nicht einmal angedeutet. Dem Kind wird die Freude des Fundes nicht genommen, es wird samt dem Fund geradezu übersehen. Der Vorgang wird so zu einer Demonstration der Abwehr verwandelt, Abwehr der Einsichtigen, die sich gegen das Prinzip des Krieges, des Kampfes und der Waffen richtet.

Wer – wie Beckmann – ein Leben lang um die Gestaltung, die Ordnung des Chaos in der Natur, seiner und unserer Natur, ringt, wer in der Wirklichkeit des Krieges »neue Vorstellungen von Geißelungen Christi« gewinnt, wer gleichzeitig in dieser Wirklichkeit sagen kann: »Meine Kunst kriegt hier zu fressen«, dem muß zugestanden werden, daß er die Brutalität und ihre Mittel darstellt und zugleich dagegen eine Abwehrhaltung einnimmt.

Beckmann geht noch weiter. So behutsam, so vorsichtig, so liebevoll er im Leben mit anderen Menschen, mit Gegenständen, mit Pflanzen und Himmeln umging, konnte er sich auch selbst als Modell der Brutalität in seinem Werk darstellen. Das Blatt *Christus und Pilatus* (Kat. 297, Abb. 3) ist ein Beispiel dafür. Es zeigt einen brutalen Beckmann als Pilatus, der Christus, an ihm vorbeisehend, fast unbeteiligt dem Gericht seiner Gegner zuschiebt. Dieses Blatt ist etwa 1946 entstanden. Es ist das letzte in der Folge *Tag und Traum (Day and Dream)*.

Die Natur kann sich ihrer Brutalität nicht bewußt werden. Beckmann sieht die Natur als Chaos, aber zu diesem Chaos gehört er selbst. Er gewinnt den Weg zu seiner Freiheit mit jener Brutalität, die er in sich selbst findet und mit der er sich aus dem eigenen Chaos herausgräbt. So ist wohl der Satz von Julius Meier-Graefe zu verstehen: »Ich sehe in Leuten wie Beckmann das Gegenteil von Totengräbern. Sagen wir Lebensgräber.«

Carla Schulz-Hoffmann

Gitter, Fessel, Maske

Zum Problem der Unfreiheit im Werk von Max Beckmann

> Wie hätt' er je der Phantasie widerstanden, da er nur
> *durch* Phantasie widerstand   JEAN PAUL [1]
>
> Daß wir *nichts wissen* ist unsere größte Hoffnung...
> ich bin zufrieden, daß ich *nicht weiß*,
> denn das gibt mir die Sicherheit einer ungekannten Lösung,
> die der Weg und das Ziel ist.   MAX BECKMANN [2]

Will man sich einem in Umfang und Vielfalt so gigantischen Werk wie dem Max Beckmanns nähern, so wird man sich zunächst mit Bescheidenheit wappnen müssen: Jeder Versuch, eine angemessene Interpretation zu erarbeiten, wird immer nur zu kleinen Steinen eines kaum überschaubaren Mosaiks führen. Ohne Zweifel trifft dies auf alle große Kunst zu – und daß Beckmann zu den wenigen überragenden Künstlerpersönlichkeiten des 20. Jahrhunderts zu rechnen ist, steht sicher außer Frage –, und jedes sich in einer Deutung restlos erschöpfende Werk der bildenden Kunst würde kaum zu ihren ganz großen Leistungen zu rechnen sein. Das Œuvre Max Beckmanns allerdings scheint in dieser Hinsicht ganz besondere Probleme aufzuwerfen, es ist im wörtlichen Sinn ›sperrig‹, provoziert den Betrachter und verschließt sich ihm zugleich. Es gibt keine nur schöne Malerei bei Beckmann – wenngleich er sich wie kaum ein anderer immer wieder mit dem Medium auseinandersetzte –, es gibt kein dekoratives Bild im Sinne der Formulierung von Matisse. Man mag dies positiv oder negativ werten, sein Werk bleibt auch dort, wo es sich als atemberaubende Peinture zeigt, doppelbödig, umgarnt den Betrachter mit einer trügerischen Schönheit, hinter der sich Abgründe verbergen. Darin liegt meines Erachtens die für das Frühwerk immer wieder behauptete Nähe zu mittelalterlicher Kunst [3], in der sich das Elend der Welt auch in höchste Schönheit zu kleiden vermag. Bei dem Gemälde *Frauenbad* (Kat. 20) soll Beckmann gesagt haben, daß es wie ein mittelalterliches Glasfenster wirken müsse, um seinen Vorstellungen gerecht zu werden [4]; darin ist ein Wesentliches seiner Malerei angesprochen, das nicht nur für die frühe Zeit gilt. Jene kristalline Klarheit und jenes ›Durchleuchtetsein‹ – so, als käme die Lichtquelle wie bei einem Fenster von hinten durch die Leinwand, um die Farben erstrahlen zu lassen – ist ein Merkmal dieser spezifischen Schönheit Beckmann'scher Bilder, hinter der sich Angst und Verzweiflung, Abscheu und Haß verbergen können, ein Merkmal, das rein maltechnisch etwa durch eine ungewöhnlich starkfarbige Untermalung entstehen kann (vgl. hierzu den Beitrag von Bruno Heimberg).

Eine Einführung in das Werk des Künstlers wird sich also auf einige wenige Aspekte beschränken müssen und versuchen, daran Interpretationsmöglichkeiten zu erörtern. Der Zugang wird dabei stets subjektiv sein, so objektiv auch immer die Arbeitsmethode zu sein versucht.

Insofern bedarf auch mein Vorgehen einer Erläuterung, kann es sich doch nicht auf ein verbürgtes, normatives Interpretationsmuster berufen. So stellte sich zunächst die Frage, wie im Rahmen einer Einführung, die Lesbarkeit und Verständlichkeit als wesentliches Ziel haben muß, ein Weg beschritten werden könnte, der im besonderen Allgemeines und für Beckmann Bestimmendes herauszustellen vermag. Exemplarische Bildinterpretationen in chronologischer Folge wären sicher ein möglicher Weg gewesen, wobei allerdings Verbindendes nur schwer hätte herausgestellt werden können und leicht der Eindruck einer in sich konsequenten, stufenweisen Abfolge entstanden wäre. Aufschlußreicher erschien eine Gruppierung nach

1   Norbert Miller (Hrsg.), *Jean Paul – Werke,* Bd. 3, ›Titan‹, München 1966, S. 262

2   Max Beckmann, unveröffentlichter Brief vom 27. August 1948, Unterstreichungen nach dem Original, Dr. Peter Beckmann, Murnau.

3   Nachweislich beschäftigte sich Beckmann selbst intensiv mit Bildwerken aus dieser Zeit, vgl. hierzu die Zeittafel in diesem Katalog.

4   »Das Bild soll wirken wie ein gotisches Glasfenster«, zit. nach: *Max Beckmann, Katalog der Gemälde*, bearbeitet von Eberhard Göpel und Barbara Göpel, Bern 1976, Bd. 1, S. 144, Nr. 202, im folgenden zitiert als Gemälde-Katalog, Bd. 1.

bestimmten, immer wiederkehrenden Bildzeichen und Kompositionsmustern, in denen Unterschiede und Konstanten im ›Weltbild‹ des Künstlers manifest werden.

Jedem, der das Werk Beckmanns etwas intensiver studiert hat, wird aufgefallen sein, daß sich Formen der Unfreiheit in großer Variationsbreite durch das Gesamtwerk ziehen; diese können sich – um nur einige Möglichkeiten zu benennen – als Vergitterung des Bildraumes zum Betrachter zeigen, als Fesselung, Versklavung und Verstümmelung des einzelnen, als Verstellen des Bildraumes mit Dingen und Menschen, die dadurch in ihrem Bewegungsspielraum eingeschränkt sind, oder auch durch bewußt ›falsche‹ Proportionierung der Größenverhältnisse von Innenraum und Individuum, das mit dem Kopf förmlich an die Decke stößt. Unfreiheit kann dabei, wie noch zu zeigen sein wird, unterschiedlich intendiert sein: Sie kann sich auf den Betrachter, den Menschen im Bild, den Künstler oder auf alle gemeinsam beziehen und zwanghafte Fesselung wie auch bewußtes, freiwilliges Sich-Absperren vom Außen meinen. Das letztgenannte bezieht gleichzeitig die unterschiedlichen Arten der Verkleidung und Maskierung mit ein, die sich leitmotivisch durch Beckmanns Gesamtwerk ziehen und die ja stets auch etwas mit Unfreiheit zu tun haben und dem Wunsch, nicht als der erkannt zu werden, der man ist.

Inwieweit dabei die Unfreiheit im Bild mit der des Künstlers identisch ist oder jedoch als apotropäische Waffe, als bannendes Zaubermittel benutzt wird, die ihm bis zu einem gewissen Grad Freiheit erschafft, hängt, auch dies wird näher zu erörtern sein, mit der subjektiven psychischen Verfassung des Künstlers zusammen und kann sich deshalb fortlaufend ändern.

Wenngleich in der gängigen Beckmann-Literatur diese Merkmale als grundlegend eingeführt sind [5], ist es doch ein Wagnis, sie dieser Einführung als Gerüst zu hinterlegen, denn ohne Zweifel bleiben damit wesentliche Aspekte unberücksichtigt oder zumindest peripher. Aber dieser Mangel erscheint vielleicht eher akzeptabel, wenn die Alternative in einer mehr oder weniger *aufzählenden* und *erzählenden* Reihung hätte bestehen müssen.

Die Grundlegung im Frühwerk

»Ich weiß nur das eine, daß ich der Idee, mit der ich geboren bin und die sich, vielleicht noch embryonal, schon in dem ›Drama‹ und der ›Sterbeszene‹ findet, mit dem Aufgebot aller meiner Kräfte folge, bis ich nicht mehr kann.« [6]

Mag manch einer auch geneigt sein, diese Äußerung als nachträgliche Projektion eines auf innere Kontinuität bedachten Künstlers zu interpretieren, so wird man doch akzeptieren müssen, daß sich Beckmann auch als reifer Künstler trotz aller Distanz nicht in Widerspruch zu den Leistungen seiner Frühzeit sehen wollte – eine Einsicht, die erst in der neueren Beckmann-Forschung eine systematische Auseinandersetzung mit diesem Abschnitt begünstigte. [7] Es kann hier nicht die Aufgabe sein, die Diskussion um diese bis vor wenigen Jahren kaum beachtete und zumeist negativ beurteilte Entwicklungsphase im Detail auszubreiten; wichtig erscheint in unserem Zusammenhang lediglich die Revision eines in bezug auf Beckmanns Gesamtœuvre fast sakrosankten Urteils: Der mehr oder weniger fraglos tradierte Bruch zwischen »Vor- und Nachkriegswerk«, der sich vom optischen Bildbestand her anzubieten scheint, wurde in letzter Zeit wohl mit Recht in Frage gestellt. [8] Damit soll keineswegs die erschütternde Wirkung, die der Erste Weltkrieg auf Beckmann ausübte und die damit seine Bildwelt nachträglich mitprägte, verharmlost werden. Wichtig erscheint jedoch die Feststellung, daß Beckmanns Weltbild durch diesen Einschnitt nicht aus den Angeln gehoben und durch ein vollständig anderes ersetzt, sondern stets Vorhandenes einem immer komplexer werdenden Gesamtgefüge integriert wurde. Die Akkumulation unterschiedlichster geistesgeschichtlicher Quellen im bildnerischen Repertoire des Künstlers hatte eine Erweiterung, nicht jedoch grundlegende Veränderung zur Folge. [9] Und es ist sicher zu einfach, anzunehmen, Beckmann habe sich von einem eher oberflächlichen Katastrophenmaler mit großbürgerlichem Habitus allein durch die leidvollen Erfahrungen des Krieges, d. h. von der Person her voraussetzungslos, in jenen komplizierten,

5 Vgl. hierzu besonders: Friedhelm W. Fischer, *Max Beckmann – Symbol und Weltbild*, München 1972, folgend zitiert als Fischer I. Aus Gründen der Verständlichkeit und Lesbarkeit geht die vorliegende Untersuchung nur in seltenen Fällen auf die gängige Sekundärliteratur ein.

6 Max Beckmann, zit. nach Reinhard Piper, *Nachmittag, Erinnerungen eines Verlegers*, München 1950, S. 30

7 Vgl. hierzu besonders: *Max Beckmann – Die frühen Bilder*, Ausstellungskatalog Kunsthalle Bielefeld und Städtische Galerie im Städelschen Kunstinstitut Frankfurt am Main 1982/83, folgend zitiert als: Kat. Bielefeld-Frankfurt 1982/83

8 Wichtige Neuansätze in diesem Zusammenhang bei: E.-G. Güse, *Das Frühwerk Max Beckmanns. Zur Thematik seiner Bilder aus den Jahren 1904-1914*, Frankfurt/Bern 1977

9 Von daher bedarf auch die These von F.W. Fischer, Beckmann sei es nach dem Krieg »um eine weltanschauliche Neuorientierung« gegangen, einer Überprüfung (vgl. Fischer I, S. 15)

Abb. 1 Max Beckmann: Die Schlacht, 1907,
Öl auf Leinwand, Privatbesitz

inhaltlich nahezu hermetischen Künstler verwandelt, den wir mit seinem Werk assoziieren. Vielmehr wurde latent Vorhandenes freigesetzt und auf dem Weg der Aneignung unterschiedlichster literarischer Quellen allmählich durch Bilder heterogenster Natur angereichert.

In der Erkenntnis dieses Sachverhaltes allerdings scheint umgekehrt ein Mißverständnis neuerer Beckmann-Forschung seinen Ausgang genommen zu haben: Nur zu leicht verführt die offenkundige Nähe des Künstlers zu unterschiedlichsten philosophischen und literarischen Vorbildern dazu, mit akribischer Genauigkeit Bildmotive des Künstlers konkret auf eben diese Quellen zurückführen zu wollen und Beckmann damit unwillentlich zum Illustrator philosophischer und literarischer Vorbilder zu degradieren. Beckmann war doch wohl viel zu sehr Maler, um ein Interesse daran haben zu können, hier Schopenhauer oder Nietzsche, dort Jean Paul, im nächsten Fall vielleicht eine religiöse Maxime in kongeniale Bilder zu verpacken.

Der Prozeß ist doch wohl weit eher in der Weise zu denken, daß Beckmann eine Fülle unterschiedlichster Bilder in seinem optischen Gedächtnis anhäufte und sie bei Bedarf hervorholte, ohne dann freilich noch konkret zu wissen, woher er diese (Vor-)Bilder übernommen hatte. Nur so läßt sich die Gleichzeitigkeit unterschiedlichster, auch heterogenster Motive in einem einzelnen Werk erklären, und nur so wird verständlich – vorausgesetzt, man will Beckmann nicht in die Rolle eines Scharlatans drängen –, daß er selbst stets, darauf angesprochen, nicht zu begründen vermochte, woher er diese, offensichtlich von fremden Quellen inspirierten Bildmotive hatte. Dies eben deshalb, weil er sie speicherte, nicht mit einem quellenkritisch-wissenschaftlichen Anspruch, nicht mit einem geistigen Karteikartensystem, das bei Bedarf die richtige Karte mit dem passenden Bild auszuwerfen vermöchte, sondern eher willkürlich, ganz nach seinen subjektiven Bedürfnissen und z. T. aus dem Unterbewußtsein gesteuert. Es lag ihm nicht daran, logische Bildsysteme in Entsprechung zu logischen, argumentativ aufgebauten philosophischen Gedankengebäuden zu entwickeln, sondern täglich neu erfahrene, durchlebte und damit nie

statische ›Bilder‹ zu einzelnen Werken zusammenzufügen, die sich dann allerdings letztlich doch in einem übergreifenden System (dessen einzige wirkliche Konstante meines Erachtens allerdings die Mehrdeutigkeit ist) zusammenbinden lassen.

Dies schließt selbstverständlich nicht aus, daß es immer wieder sinnvoll sein kann, einzelne Motive auf ihre Vorbilder zu untersuchen und aufzuspüren, woher Beckmann die Anregungen nahm, sondern schließt lediglich jede zu wörtliche Parallelsetzung seiner Bilder mit entsprechenden Vor-Bildern aus. So sehr Beckmann auch von der einen oder anderen philosophischen oder literarischen Quelle inspiriert worden sein mag, er war nie deren bildnerischer Exeget oder verkappter Theoretiker, der sich nur in Bildern anstatt in philosophischen Traktaten auszudrücken pflegte. Er war in erster Linie – dies ist so bekannt und selbstverständlich, daß es selten in Rechnung gestellt wird – Maler, der sich all dieser Vor-Bilder auch und ganz besonders als Material bediente, über das er bei Bedarf verfügen konnte und das er seiner subjektiven Deutung integrierte.

Zentrale Bildthemen im Frühwerk

Beckmanns bildnerisches Interesse konzentrierte sich neben Landschaft und Porträt zunächst auf Themenkreise, in denen er ein Äußerstes an Vitalität in dichtgedrängten Menschengruppen zum Ausdruck bringen konnte. »Mein Herz schlägt mehr nach einer roheren gewöhnlicheren vulgäreren Kunst, die nicht verträumte Märchenstimmungen lebt zwischen Poesien, sondern dem Furchtbaren, Gemeinen, Großartigen, Gewöhnlichen, Groteskbanalen im Leben direkten Eingang gewährt. Eine Kunst, die uns im Realsten des Lebens immer unmittelbar gegenwärtig sein kann.«[10]

Diesem »Realsten des Lebens« glaubte Beckmann durch Übersteigerung nahekommen zu können; denn auch wenn seine Bildsujets vordergründig eine aktuelle Katastrophe meinen, sind sie doch alles andere als realistisch-nüchterner Tatsachenbericht. Die Vorlage wird statt dessen zum Anlaß einer in sich stilisierten Darstellung äußerster Lebensintensität, wie sie zwangsläufig am eindringlichsten in Grenzsituationen, im Kampf mit Naturgewalten oder einzelner Menschen untereinander zum Ausdruck kommt[11] (vgl. Kat. 10, 12). Unfreiheit zeigt sich hier als Unfreiheit

Abb. 2 Pablo Picasso: Les Demoiselles d'Avignon, 1907, Öl auf Leinwand, New York, The Museum of Modern Art

Abb. 3 Max Beckmann: Die Hölle, 1911, Lithographie, Privatbesitz

10 Tagebucheintragung vom 9. Januar 1909, zit. nach: Hans Kinkel (Hrsg.), *Max Beckmann, Leben in Berlin*, Tagebuch 1908/09, München 1966, S. 21
11 Vgl. hierzu E.-G. Güse, ›Das Kampfmotiv im Frühwerk Max Beckmanns‹, in: Kat. Bielefeld-Frankfurt 1982/83, S. 189-201

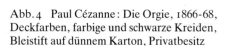
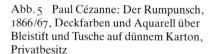

Abb. 4 Paul Cézanne: Die Orgie, 1866-68, Deckfarben, farbige und schwarze Kreiden, Bleistift auf dünnem Karton, Privatbesitz

Abb. 5 Paul Cézanne: Der Rumpunsch, 1866/67, Deckfarben und Aquarell über Bleistift und Tusche auf dünnem Karton, Privatbesitz

12 Christoph Schulz-Mons, › Zur Frage der Modernität des Frühwerks von Max Beckmann ‹, in: Kat. Bielefeld-Frankfurt 1982/83, S. 137-145 (hier S. 143)

13 Diese Parallele stellte auch Joachim Poeschke fest in seinem Beitrag: › Der frühe Max Beckmann ‹, in: Kat. Bielefeld-Frankfurt 1982/83, S. 134

des einzelnen in der Gruppe; die Menschenmasse wird zum Gegner des Individuums, indem sie es zwingt, sich selbst Freiraum zu erkämpfen. Wohl mit Recht wurde festgestellt, daß man in Bildern wie *Die Schlacht* (Abb. 1) oder auch *Szene aus dem Untergang von Messina* (Kat. 10) »den gleich massenhaften Kampf ums nackte Dasein« erlebt. »Jeder gegen jeden, könnte man sogar meinen, weil deutlich unterschiedene Parteien nicht auszumachen sind.«[12] Darin liegt gerade die Modernität dieser formal oft unbefriedigenden Bilder, die, weit entfernt von der frühreifen Virtuosität eines Picasso, immer wieder in akademischen Starrheiten, einem manchmal unangenehmen Hang zu Übertreibung und großer Geste steckenbleiben. Hinter diesem bewußten Verzicht auf moralisierende Klassifizierung steht eine Haltung, die dann wiederum gar nicht so verschieden von jener in Picassos ›Demoiselles d'Avignon‹ (Abb. 2) ist, in denen gleichfalls jede überhöhende oder neutralisierende Moral zugunsten eines rein künstlerischen Ansatzes zurückgestellt wird. War dieser jedoch bei Picasso primär formaler Natur, so schiebt sich demgegenüber bei Beckmann ein inhaltliches Interesse dazwischen – ein Problem, das bis zu einem gewissen Grad auch den Unterschied zwischen beiden Künstlern zu erklären vermag, wie wir sehen werden. Beckmann geht es um die Darstellung von Vitalität als Lebensprinzip wie auch moralische Kategorie, ein Ansatz, der ihn sowohl symbolistischen Tendenzen wie auch der Philosophie Schopenhauers und Nietzsches verpflichtet.

Diese inhaltlichen und auch formalen Kriterien verbinden Beckmann verblüffend eng mit dem frühen Cézanne[13], einem Künstler, der bekanntlich zu den wenigen von Beckmann stets bewunderten Vorbildern gehörte. Besonders auffallend sind diese Parallelen in unspektakulären, kleinformatigen Arbeiten im graphischen Bereich, in denen sich die ausufernde Phantasie des Künstlers zwangloser und unkontrollierter mitteilt. Blätter wie *Die Hölle* von 1911 (Abb. 3) oder *Die Nacht* von 1914 (Kat. 225) vermitteln in ihrer Mischung aus schwüler Erotik und Brutalität eine Atmosphäre, wie sie ähnlich u.a. in Cézannes › Die Orgie ‹ (Abb. 4) oder › Der Rumpunsch ‹ (Abb. 5) zum Ausdruck kommt. Zum Verständnis Beckmanns und speziell der hier erörterten Problemstellung ist aufschlußreich, sich der weiteren Entwicklung Cézannes zu erinnern, die die drastische Sinnlichkeit der frühen Bildwerke in einem Prozeß ungewöhnlicher Selbstdisziplinierung auszuklammern sucht.

Die eher spröden, auf ›reine Wahrnehmung‹ im wörtlichen Sinn konzentrierten Arbeiten des reifen Cézanne verbindet äußerlich nichts mit diesen ungeschlachten, chaotischen Anfängen, in denen sich sexuelle Obsessionen unverhüllt artikulieren.[14] Was in vielen der späten Werke an selbst auferlegter Strenge, dem fast manischen Festhalten an immer denselben wenigen, bescheidenen Motiven erkennbar wird, ist auch Hilfsmittel, ist Schutz gegen latente, als Bedrohung empfundene und nur mühsam bezwungene Leidenschaften. Nicht von ungefähr war für Cézanne die ›Versuchung des hl. Antonius‹, in der die Affinität von Leidenschaft und Askese thematisiert ist, von entscheidender Bedeutung. Flauberts ›Tentation de Saint Antoine‹ war 1874 in der endgültigen Fassung erschienen; wenngleich Cézannes bildnerische Umsetzungen des Themas nicht als Illustration zu Flaubert verstanden werden können, scheint zumindest doch sicher zu sein, daß er die aus unterschiedlichsten religiösen, mystischen und gnostischen Quellen zu einem komplizierten Gedankengebäude verwobene Erzählung Flauberts kannte. Das dort thematisierte Problem der Versuchung bzw. der Möglichkeiten, ihr in ihren unterschiedlichen Erscheinungsweisen zu begegnen, war zumindest zeitweilig auch für Cézanne existentiell. Sein Ausweg scheint der der Verweigerung gewesen zu sein (während sich in der Frühzeit eher Verachtung ausdrückte). Diese Position hat eine Parallele in der Lebensvorstellung Arthur Schopenhauers, ohne daß damit eine bewußte und de facto nachprüfbare Beeinflussung behauptet werden sollte.[15] Auch für Beckmann spielte Flauberts ›Versuchung des hl. Antonius‹ später eine nicht unerhebliche Rolle[16], aber wie sehr unterschied sich seine Konsequenz doch von der Cézannes! Der Askese Cézannes, dessen bewußter ›Selbstverleugnung‹ steht Beckmanns Bemühen gegenüber, der Welt in *all* ihren sinnlichen Erscheinungen habhaft zu werden, nicht nur eine, sondern alle Seiten zu antizipieren. Eine Überlegung zu seiner Kriegsteilnahme vom 24. Mai 1915, deren Intention für sein ganzes Leben Gültigkeit hat, vermag dies eindringlich zu vermitteln: »Es handelt sich ja auch nicht darum, daß ich gewissermaßen als Historiker diese Angelegenheiten mitmache, sondern daß ich mich selbst in dieser Sache einlebe, die an sich eine Erscheinungsform des Lebens ist, wie Krankheit, Liebe oder Wollust. Und genau so, wie ich ungewollt und gewollt der Angst der Krankheit und der Wollust, Liebe und Haß bis zu ihren äußersten Grenzen nachgehe – nun, so versuche ich es eben jetzt mit dem Kriege. Alles ist Leben, wunderbar abwechslungsvoll und überreich an Einfällen. Überall finde ich tiefe Linien der Schönheit im Leiden und Ertragen dieses schaurigen Schicksals.«[17] Die Erkenntnis der Abhängigkeit von einem übergeordneten, fremden und nicht begreifbaren Schicksal, aber auch das Wissen um die existentielle Bindung an *alle* Erscheinungsformen des Lebens waren für Beckmann reale Tatsache, der es sich zu stellen galt und mit der man umgehen mußte, um irgendwann vielleicht ein »Selbst« zu werden.[18]

Diese Einsicht schlägt sich in den frühen Bildern oft als lärmende und manchmal aufgesetzte große Geste nieder. Und es mutet zunächst vielleicht eigenartig an, daß ihm alles – auch tiefe Betroffenheit – zu einem Bildvorwurf gerinnt. Dies verdeutlicht gut eine kleine Episode, die Beckmann als »unangenehme Scene« charakterisiert; seine Eindrücke von einer brutalen Schlägerei enden mit der bezeichnenden malerischen Skizze: »Merkwürdig war die schwarze kleine Masse auf dem großen mit Schnee bedeckten Platz und die traurige zornige Stimme hallte an den Häusern des Platzes empor zu dem riesigen dunklen Nachthimmel, an dem helle lange schmale Wolkenfetzen rasend schnell dahinzogen.«[19]

Es ist weniger das Entsetzen über die Brutalität der Menschen untereinander als vielmehr die Faszination über Geräusche sowie Farb- und Formkontraste, in denen sich vitales Leben unmittelbar ausdrückt und die zur stets neu gesuchten Anregung für die großformatigen Katastrophen- oder Historienbilder wie die *Szene aus dem Untergang von Messina* (Kat. 10) werden.

Die dort umgesetzte Verlorenheit und Isolation des Individuums wird mit anderen Mitteln auch in einigen Familien- und Selbstbildnissen thematisiert. In *Unterhaltung* (1908, Kat. 7) zeigt Beckmann sich abseits sitzend, außerhalb der ihm nahestehenden Personen, die wiederum untereinander beziehungslos, ohne Blick-

14 Eine Tatsache, die nicht allein durch den Themengeschmack der Zeit verständlich wird.

15 Vgl. hierzu ausführlicher: Carla Schulz-Hoffmann, ›Paul Cézanne – Aquarelle‹, in: *Kunstchronik*, 35. Jahr, Heft 4, April 1982, S. 122-127

16 Die Auseinandersetzung mit dem Text von Flaubert fand u. a. ihren Niederschlag in dem Triptychon ›Versuchung‹.

17 Max Beckmann, *Briefe im Kriege*, München 1955, S. 64, folgend zitiert als: Briefe im Kriege

18 So notiert er am 4. Mai 1940: »Ich habe mich mein ganzes Leben bemüht, eine Art Selbst zu werden. Und davon werde ich nicht abgehen und es soll kein Winseln um Gnade und Erbarmen geben und sollte ich in aller Ewigkeit in Flammen braten. Auch ich habe ein Recht.«, in: Max Beckmann, *Tagebücher 1940-1950*, München 1979, S. 21, folgend zitiert als: Tagebücher 1940-1950. Aufschlußreich ist in dieser Hinsicht auch eine Äußerung gegenüber einem seiner Schüler in St. Louis (vgl. Aufsatz von Walter Barker). Er erklärt darin, daß jeder Künstler, will er einen Gegenstand wiedergeben, zwei Dinge erreichen muß: »... first the identification with the object must be perfect, and secondly, it should contain in addition, something quite different ... In fact it is this element of our own self that we are all in search off.« Das heißt, daß sich Realität letztlich nur in bezug auf den Künstler als bildnerisch wichtig erweist; nur soweit, wie ich mich selbst in den Dingen erkennen kann, werden die Dinge für mich relevant. Hier kommt eine romantische Definition von Erkenntnis als reiner Selbsterkenntnis zum Tragen, wie sie schon Novalis in dem schönen Zitat formulierte: »Einem gelang es – er hob den Schleier der Göttin zu Sais – Aber was sah er? Er sah – Wunder des Wunders – Sich Selbst.« (in: Novalis, *Monolog, Die Lehrlinge zu Sais*, Hamburg 1963, Neuauflage, S. 241).

19 Max Beckmann, *Sichtbares und Unsichtbares*, hrsg. von Peter Beckmann, Stuttgart 1965, S. 68, folgend zitiert als: Sichtbares und Unsichtbares

Abb. 6 Max Beckmann: Doppelbildnis Max Beckmann und Minna Beckmann-Tube, 1909, Öl auf Leinwand, Halle, Staatliche Galerie Moritzburg

kontakt zum Gegenüber dargestellt sind. Die Verlorenheit des Blicks, der ein von der Umwelt abgesondertes Bei-Sich-Sein signalisiert, wird zu einem Charakteristikum in Porträts des Künstlers und begegnet in modifizierter Form bis hin zu dem letzten Bildnis seiner zweiten Frau *Quappi* (Kat. 119). Auch das sich in selbstsicherer Attitude und großbürgerlichem Habitus präsentierende *Selbstbildnis Florenz* (Kat. 8) läßt trotz der repräsentativen Frontalansicht keinen direkten Blickkontakt mit dem Betrachter zu. Beckmann blickt auf ein unbestimmbares, uns unzugängliches Ziel, und es besteht kein Zweifel daran, daß er Distanz zwischen sich und den anderen sieht, eine Barriere, die ihm stets und oft leidvoll bewußt war. Auch das *Doppelbildnis* (Abb. 6), das ihn gemeinsam mit seiner Frau Minna zeigt, wird von dieser melancholischen Abgeschiedenheit sogar im Kontext größter Nähe und Vertrautheit dominiert. Dieses, wie auch die vorhergehenden Beispiele, deutlich an der Peinture Manets orientierte Gemälde (vgl. Abb. S. 35) versucht gar nicht erst, die Illusion einer schrankenlosen Zweisamkeit zu erwecken, sondern beläßt vielmehr das Individuum in seiner existentiell bedingten Vereinsamung. Im positiven Sinn bildet diese Haltung die Voraussetzung für jene konsequente Achtung der Eigenart des anderen, die für die großen Bildnisse des Künstlers symptomatisch ist und die sie in einer Aura der Unberührbarkeit umschließt.

Was hier mit Beckmanns eigenen Worten erst »embryonal« anklingt, nimmt in der Entwicklung seiner Kunst nach dem Zusammenbruch des Ersten Weltkrieges eindringliche Gestalt an. Im folgenden wird die damit verbundene Frage nach Beckmanns bildnerischer Auseinandersetzung mit dem Problem menschlicher (Un-)Freiheit an durchgehenden Kompositionsmustern und Bildzeichen diskutiert.

Abb. 7   Max Beckmann: Fastnacht, 1925,
Öl auf Leinwand, Mannheim, Städtische
Kunsthalle

Der Bildaufbau als Metapher von Unfreiheit

Das Chaos einer Welt, in der der einzelne existentiellen Bedingungen unterworfen
ist, deren Sinnhaftigkeit nicht erkennbar wird, findet im Werk Beckmanns zunächst
vorrangig in kompositionellen und strukturellen Faktoren einen angemessenen
Ausdruck. Ein dichtgedrängter Bildaufbau in winzigen Kastenräumen, die dem
einzelnen keinen Bewegungsspielraum lassen, gegeneinander verschobene, die Gegenstände verzerrende Blickpunkte sowie eine betont ›unordentliche‹ Anordnung
sind hierfür anschauliche bildnerische Entsprechungen.

   Das *Frauenbad* von 1919 (Kat. 20), eine bis an die Grenzen des Lächerlichen
reichende Pervertierung dessen, was man gemeinhin mit dem Thema verbindet,

Abb. 8 George Segal: *Richard Bellamy Seated*, 1964, Gips und Metall, St. Louis, Sammlung Mr. und Mrs. Adam Aronson

zeigt ein bunkerähnliches, beklemmendes Verlies, das mit Figuren förmlich › vollgestopft ‹ ist. Die Frauen und Kinder sind sowohl vom Außen abgeschlossen als auch untereinander isoliert und damit in doppeltem Sinne Gefangene. Die Trennung von der Außenwelt, die sich in der vom Tageslicht abgeschirmten Raumsituation ausspricht, wird durch die kompositionelle Barriere zum Betrachter hin verstärkt: Die Figuren sind wie in einem Reigen aufeinander bezogen und damit als geschlossene Bildform charakterisiert. Dieser formalen entspricht jedoch keine psychische Bindung: Bis auf das mit dem Kind spielende Mädchen vorne fehlt jeglicher Blickkontakt untereinander. Damit ist die Gruppe nicht nur nach außen isoliert, sondern gibt auch dem Individuum keinen Halt. Diese Vereinzelung in der Gruppe wird in dem überfüllten Raum bedrängende Realität.

Ähnliches gilt auch für *Der Traum* (Kat. 23), in dem die Figuren sowohl in ein steiles Hochformat als auch einen zu engen Innenraum gepfercht sind; durch diese doppelte Einschnürung – ein Bildmittel, das Beckmann immer wieder einsetzte – werden die Dargestellten ausweglos in der ihnen einmal zugeteilten Rolle festgeschrieben, ja, man gewinnt sogar den Eindruck, daß ihre Gesten und zum Teil aberwitzigen Verrenkungen ihnen unabdingbares Attribut geworden sind, das sie so und nicht anders vorweisen müssen. Zu einer unveränderlichen Bildfigur zusammengeschweißt, gewinnen sie emblematischen Charakter. Um einen heutigen Vergleich zu gebrauchen: Sie wirken wie eingefrorene Happenings, für immer und ewig auf ihr ebenso albernes wie zufälliges Kostüm fixiert. Darin und in der ihnen eigenen Melancholie und stillen Ergebenheit, die sich dem gesamten Bild mitteilt – eine Stimmung, die weite Bereiche von Beckmanns Bilderwelt prägt –, drückt sich ein zutiefst › modernes ‹, fast existentialistisches Lebensgefühl aus, wie man ihm in neuerer Zeit durchaus vergleichbar in den Arbeiten von George Segal begegnet (Abb. 8): jene Verlorenheit des modernen (Großstadt-)Menschen, seine Heimatlosigkeit, die hier in dem Durcheinander der Einrichtung augenfällig wird. Sie wurde in der expressionistischen Literatur eindringlich von Alfred Döblin charakterisiert[20] und – in einer Beckmann entsprechenden Weise – bei Kafka zu einem zentralen Thema. Die Kostümierung der Figuren, ihr vorgeschriebenes Rollenspiel, scheint bereits die Idee des Welttheaters aufzugreifen, wie sie Beckmann durch die Auseinandersetzung mit Schopenhauer geläufig war[21] und wie er sie selbst später immer wieder in eigenen Äußerungen formulierte.[22] Es mag genügen, hier eine oft zitierte Tagebuchstelle von 1946 anzuführen, die den Zusammenhang aus der Sicht des reifen Künstlers formuliert: » Salz leckst Du, armer größenwahnsinniger Sklave und Du tanzt lieblich und unendlich komisch in der Arena der Unendlichkeit unter dem tosenden Beifall des göttlichen Publikums. Je besser Du's machst, um so komischer bist Du. «[23]

Obwohl die Personen im *Familienbild* von 1920 (Kat. 25) und in der die Vorlage deutlich variierenden Zweitfassung *Vor dem Maskenball* von 1922 (Kat. 26) nicht wirklich maskiert sind (sieht man von der Larve ab, die Beckmann im zweiten Bild trägt), entsteht dennoch durch den wie mit einem Weitwinkel erfaßten Innenraum der Eindruck einer Guckkastenbühne, auf der die Darsteller wie lebende Bilder regungslos stehen. Die Zwanghaftigkeit, mit der die Figuren in ihrem festgeschriebenen, statischen Part isoliert verharren, der Mangel an Lebensraum, in dem sich der einzelne frei entfalten könnte, die Verrückung der Perspektiven – dies alles trägt zu einer Atmosphäre der Unausweichlichkeit bei, die auch den Betrachter mit in ihren Sog zieht. Denn wenn Beckmann sich selbst und ihm nahestehende Menschen als Gefangene einer ihnen aufgezwungenen Rolle charakterisiert, so läßt sich folgern, daß er darin eine allgemeine menschliche Grundbedingtheit sieht.

Trapez (Kat. 33) und *Tanz in Baden-Baden* (Kat. 34) fügen dieser beklemmenden Einsicht weitere Aspekte hinzu, die auf das Verhältnis der Menschen untereinander eingehen. Hier wie dort wird den Figuren kein Lebensraum zugeteilt, sie agieren dichtgedrängt in flachen Bühnenstreifen. Anders jedoch als bei den vorhergehenden Bildern entsteht der Eindruck bedrückender Enge primär nicht aus dem Raum, sondern der körperlichen Nähe der einzelnen zueinander. Im *Trapez* bilden die Akteure eine unentwirrbare, geschlossene Bildfigur, die jeden unlösbar zu ver-

20 Alfred Döblin, *Berlin Alexanderplatz*, 1929
21 Vgl. *Sichtbares und Unsichtbares*, S. 96 ff.
22 Zu einer detaillierten Auseinandersetzung mit diesem Thema vgl. Fischer I, S. 30 ff.
23 *Tagebücher 1940-1950*, 4. Juli 1946, S. 169

klammern scheint. *Tanz in Baden-Baden* schweißt die Tanzenden, die selbst zu körperlosen Folien erstarrt sind, in einem von der Tanzhaltung diktierten diagonalen Flächenmuster zusammen. Erschreckend ist in beiden Fällen, daß die extreme körperliche Nähe keine emotionale Entsprechung hat, die Figuren beziehungslos aneinandergekoppelt sind. Der einleuchtende Hinweis, daß im *Trapez* die Idee des Lebensrades angesprochen sein könnte, die Beckmann geläufig war[24], erhellt diese zutiefst negative Einschätzung in ihrer ganzen Tragweite: Die Unfreiheit des Individuums erhält damit ein absolutes Ausmaß und betrifft sowohl die Unmöglichkeit freier Selbstbestimmung (und schließt damit die Wahl freien Handelns und selbstgewählte Entscheidungen aus) als auch die offener Beziehungen der Menschen untereinander. Ihr Verhältnis erscheint als erzwungenes Miteinander der Geschlechter im Ablauf des Lebens *(Das Trapez)* und als durch gesellschaftliche Normen und Verhaltensmuster geprägte hohle Konvention *(Tanz in Baden-Baden)*.

Räumliche Enge, klaustrophobisch bedrängende Bildeinschnürungen sind nicht nur für zahlreiche mehrfigurige Kompositionen kennzeichnend, sondern dienen auch in einigen Porträts, insbesondere der ersten Nachkriegsjahre, als anschauliches Äquivalent subjektiver physischer oder psychischer Unfreiheit. In Verbindung mit einer oft nahezu bildsprengenden Vitalität der Dargestellten entsteht der Eindruck einer gewaltsamen Beschneidung des individuellen Lebensraumes. So wird der Komponist Max Reger in dem posthum entstandenen Bildnis (Abb. 9) in ein viel zu kleines Bildformat gepreßt, das ihn nicht nur rigoros an den Rändern anstoßen läßt, sondern darüber hinaus sogar drastisch beschneidet. In dem *Selbstbildnis auf gelbem Grund mit Zigarette* (Kat. 36) kontrastiert die kompakte, fast brutale Körperlichkeit, insbesondere von Gesicht und Händen, mit dem optisch extrem flach wirkenden Bildraum, ein Eindruck, der durch den Verzicht auf perspektivische Orientierungshilfen zur Kennzeichnung der räumlichen Verhältnisse entsteht.

Auf einer vergleichbaren Bedeutungsebene liegt in letzter Konsequenz auch der umgekehrte Vorgang: Die Körperlichkeit der Figuren scheint von der Bildfläche aufgesogen, sie wirken folienhaft, sind in ihrer sinnlichen Erscheinung nicht mehr präsent. Bedrängender als in dem *Selbstbildnis im Frack* (Kat. 75) könnte die damit einhergehende Negation individuellen Lebensraumes nicht zum Ausdruck gebracht werden. Die schemenhaft flache Darstellung bildet eine schmerzliche Entsprechung der existentiellen Auszehrung, der sich Beckmann durch den Nationalsozialismus ausgesetzt sah und die kurz darauf die Emigration nach sich zog.

Das fünf Jahre früher entstandene *Selbstbildnis im Hotel* (Abb. S. 67) bildet hierfür gewissermaßen eine Vorstufe. Durch die beengende, ihn fest im Bildmittelgrund versperrende Innenraumarchitektur sowie die Figur und Grund gleichmäßig überziehende Farbigkeit aus tonigen Grau-Rosa-Werten schließt sich Beckmann hier unmißverständlich in der Bildfläche ein. Sein › Sich-Zurückziehen ‹ – verstärkt durch die fast vermummende Kleidung, in die sich Beckmann wie fröstelnd eingräbt – hat hier allerdings gleichzeitig eine deutliche Schutzfunktion: Er ist nicht nur unfrei in dem ihn versperrenden Bildgehäuse, sondern gleichzeitig auch in dieser wenn auch deprimierenden Isolation vom Außen geschützt.

Fesselung, Folterung, Verstümmelung

Waren die bisher erörterten Zeichen von Unfreiheit die Konsequenz formaler bzw. struktureller Bildverfahren und insofern nur indirekt zu erschließen, so zeigen darüber hinaus zahlreiche Werke Beckmanns Gewalt als aktiven Prozeß – als Fesselung, Verstümmelung und Folterung –, dem der einzelne meist passiv unterworfen ist und dessen Ursache ihm wie auch dem Betrachter verborgen bleibt. Eines der eindringlichsten Bilder unbegreiflicher, sinnloser Brutalität schuf Beckmann mit der *Nacht* (Kat. 19). Auf eine detaillierte Deutung dieses Hauptwerkes der ersten Nachkriegszeit kann in diesem Zusammenhang verzichtet werden (vergleiche Katalogtext, S. 204 ff.). Es sei hier lediglich auf zwei Merkmale verwiesen, die für unser Thema besonders aufschlußreich sind: Zunächst ist jene das Bild insgesamt prägende Atmosphäre der Gewalt gemeint, die den Mikrokosmos des Gemäldes förm-

Abb. 9 Max Beckmann: Bildnis Max Reger, 1917, Öl auf Leinwand, Zürich, Kunsthaus

lich aus den Angeln hebt, ihn in seinen › natürlichen‹ Gesetzmäßigkeiten sprengt; denn hier üben nicht nur Menschen untereinander und aneinander Gewalt aus, Gewalt und Aggressivität drücken sich vielmehr bis ins kleinste Detail der Einrichtung aus, Mensch und Innenraum sind ihr gleichermaßen unterworfen – unabhängig davon, ob sie ihr tatsächlich unmittelbar ausgesetzt sind.

Mit vergleichbar extremen Übertreibungen, die letztlich auch zu einer Stilisierung des Grauens führen und das Bild in eine › negative Ikone‹ – Sinnbild nicht des Heiligen, sondern der Verworfenheit – verwandeln, arbeitete Beckmann später nicht mehr. Bei allem Entsetzen, das *Die Nacht* im Betrachter hervorrufen mag, bleibt dadurch dennoch eine Möglichkeit der Distanzierung.

Damit hängt der zweite in diesem Kontext wichtige Punkt zusammen: Das Bild ist Parabel des Bösen schlechthin; da gibt es niemanden, mit dem man aufrichtig mitzuleiden vermöchte. Täter und Opfer sind moralisch nicht in der einen oder anderen Weise klassifiziert, und die Rollenverteilung scheint eher auf Zufall als auf Charaktereigenschaften zurückzuführen zu sein. So erinnert z. B. die männliche Hauptfigur, das grauenvoll mißhandelte und strangulierte Opfer, durch die Körperverrenkungen und insbesondere die betont nach außen gekehrte Hand formal an traditionelle Darstellungen der Kreuzabnahme (Kat. 17). Dies trifft mehr oder weniger prägnant auch auf andere Figuren zu, wie z. B. das weibliche Opfer vorne, das formal-motivisch nicht weit von Beweinungsszenen entfernt ist (vgl. u. a. bei Beckmann selbst *Große Sterbeszene,* Kat. 5). Aber niemand wird auf den Gedanken kommen, Beckmann habe tatsächlich Christus gemeint; naheliegender ist vielmehr die Vermutung, daß hier ein zentrales Thema des Heilsgeschehens in negativer Umkehrung erscheint: Nicht das Gleichnis für eine mögliche Erlösung, sondern für menschliche Bedingtheit und Unfreiheit ist hier gemeint, die Nacht als Sinnbild der Hölle des Menschen. Niemand kann sich diesem geschlossenen System entziehen, und weder Täter noch Opfer sind wirklich schuldig: »…das Unheil beruht nicht auf diesem oder jenem Umstand, es liegt in der Schöpfung selbst, wurde vom Demiurgen installiert und pflanzt sich fort nach dem Gesetz der Begierde, der Unfreiheit und des Todes.«[25]

Diese der menschlichen Existenz immanente, ausweglose Unfreiheit läßt sich für den Künstler nur durch Trotz bis zu einem gewissen Grad ertragen. Die oft zitierte Äußerung von 1919 in einem Gespräch mit Reinhard Piper weist darauf hin: » Ich werfe in meinen Bildern Gott alles vor, was er falsch gemacht hat. … Meine Religion ist Hochmut vor Gott, Trotz gegen Gott. Trotz, daß er uns so geschaffen hat, daß wir uns nicht lieben können.«[26]

Gerade der letzte Passus scheint mir bezeichnend für Beckmanns Haltung insbesondere in der von innerer und äußerer Depression und Verzweiflung geprägten ersten Nachkriegszeit zu sein. Die Erkenntnis, alles Kreatürliche nicht wirklich lieben, sondern statt dessen nur in all seinen negativen ›Erscheinungen darstellen zu können, schlägt sich in der Malerei und Graphik dieser Jahre immer wieder nieder. Zwar betont er 1920: »Eigentlich ist es ja sinnlos, die Menschen, diesen Haufen von Egoismus (zu dem man selbst gehört), zu lieben. Ich tue es aber trotzdem. Ich liebe sie mit all ihrer Kleinlichkeit und Banalität. Mit ihrem Stumpfsinn und billiger Genügsamkeit und ihrem ach so seltenen Heldentum. Und trotzdem ist mir jeder Mensch täglich immer wieder ein Ereignis, als wenn er eben vom Orion heruntergefallen wäre.«[27] Aber daran wird auch deutlich, daß Liebe hier eher ein bildnerisches Interesse an menschlichen Eigenarten meint als tätiges Mitfühlen. Neben zynischen Statements des › So sind die Menschen eben‹ begegnet einem allerdings immer wieder auch Melancholie und Trauer über die Dummheit und Unwissenheit der Menschen. Besonders eindringlich ist in dieser Hinsicht wohl *Der Traum* von 1921 (Kat. 23), einem in all seiner Absurdität und seinem Widersinn zutiefst melancholischen Gleichnis der Vergeblichkeit menschlichen Handelns. Und gerade das Motiv der Verstümmelung wird hier zum anschaulichen Bild einer dem Individuum nicht bewußten, jedoch unentrinnbaren Unfreiheit: Der Blinde, der Kriegskrüppel und der Mann mit den Armstümpfen strampeln sich sinnlos in einem Gehäuse ohne Ausweg ab, nicht sehend, daß ihr Tun weder ihnen selbst noch einem anderen irgend etwas nützt.

24 Fischer I, S. 46, Anm. 133

25 Fischer I, S. 40. Die kürzlich von Alexander Dückers vorgeschlagene Neuinterpretation der › Nacht‹ läßt sich m. E. am optischen Bildbestand nicht mehr schlüssig vermitteln. Dückers vermutet in dem Strangulierten Max Beckmann, in dem Gangster mit Ballonmütze Lenin und der Frau, die er wie ein Paket hält, Peter Beckmann(!), in dem der tote Vater eine Reinkarnation und Rettung unter der Führung des Proletariats erfahre. In: Alexander Dückers, *Die Hölle,* 1919, Kat. Ausst. Berlin 1983, S. 94 f.

26 Zit. nach R. Piper, a. a. O. (Anm. 6), S. 33

27 Max Beckmann, › Schöpferische Konfession‹, in: *Tribüne der Kunst und Zeit,* XIII, hrsg. von Kasimir Edschmid, Berlin 1920, S. 63 f.

Abb. 10 Max Beckmann: Stilleben
mit Holzscheiten, 1926, Öl auf Leinwand,
Privatbesitz

Überblickt man die Arbeiten der folgenden Jahre, so fällt als erstaunlichstes Phänomen der weitgehende Verzicht auf mehrfigurige Bildkompositionen auf, in denen das oben Erörterte weitergeführt würde (die *Strandbilder* aus der Mitte der zwanziger Jahre, die für diesen Kontext nicht ergiebig sind, bilden einen eher emblematisch-verschlüsselten Bildtypus an sich; s.u.). Bis zu den ersten Triptychen und damit einhergehend dem erneuten Interesse an komplizierten Figurenkompositionen verlagert sich der Schwerpunkt neben dem Selbstbildnis ganz entscheidend auf das Stilleben und – nicht ganz so nachdrücklich – auf die Landschaft. Dies legt die Frage nahe, ob und inwieweit der hier zur Diskussion stehende Problemkreis in diesen Themenbereichen relevant wurde.

Das Prinzip der kompositionellen Vergitterung im Stilleben

Im *Stilleben mit Fischen und Papierblume* von 1923 (Kat. 28) erhalten die einzelnen Bildgegenstände eine vegetabilisch-quellende Existenz, in der sie zu einer geschlossenen Kompositionsfigur zusammengebunden werden. Organisches und Anorganisches führt ein vom Außen abgesondertes Eigenleben, akzentuiert noch durch das an sich banale Motiv der schräg auf den Kopf gestellten Signatur, die das scheinbar Lebendige als Fiktion entlarvt. Die enge Verbindung der Requisiten untereinander sowie die Abtrennung zum Bildrand durch den dunkleren Streifen vorne und die Staffelei rechts schließen das Bildinnere zwar bereits deutlich in sich ein, ohne es jedoch gleichzeitig vom Betrachter abzusondern.

Ganz anders präsentiert sich das motivisch ungewöhnliche, befremdliche *Stilleben mit Holzscheiten* (1926, Abb. 10), das den Betrachter in einer fast aggressiven Weise ausklammert und gleichzeitig im Bildinneren den Eindruck von beunruhigendem Durcheinander vermittelt: Stuhllehne und Deckelgläser, aber auch der ovale Spiegel, der, obwohl nach oben gerichtet, ein Stück Wand und Fußboden mit der trennenden Leiste wiederzugeben scheint, wirken als Barriere nach außen, eine Maßnahme, die unnötig scheint, da das Innere wenig verlockend anmutet. Die in spitzen Zacken nach allen Seiten ausfahrenden, unmotiviert und scheinbar willkürlich auf einem Tablett angeordneten Holzscheite und die dazwischenstehenden Sektflaschen[28] mit offensichtlich abgeschlagenem Hals lassen an die achtlos zurückgelassenen, unbrauchbaren Überreste eines geselligen Beisammenseins denken. Der Bildsinn wird verständlicher, wenn man weiß, daß Beckmann das Stilleben zum Tode seines um achtzehn Jahre älteren Bruders Richard malte[29]; die wie abgestorben wirkenden Relikte einer Feier schließen sich unmißverständlich zu einer traditionellen Vanitas-Allegorie zusammen, in der lediglich die Bedeutungsträger ausgewech-

28 Die Bezeichnung ›IROY‹, die auf dem Flaschenetikett lesbar ist, verweist auf den Namen einer Lieblingsmarke des Künstlers.

29 Vgl. Gemälde-Katalog, Bd. I, S. 185, Nr. 254

Abb. 11 Max Beckmann: Totenkopfstilleben
(beschnitten), 1945, Öl auf Leinwand,
Boston, Museum of Fine Arts

Abb. 12 A.B. van der Schoor: Vanitas,
ca. 1660/70, Amsterdam, Rijksmuseum

selt wurden: Die reifen Früchte, das erlegte Wild, Dinge, die zumindest noch den
flüchtigen Genuß versprachen, haben sich in ungenießbares, hohles › Gerümpel‹
verwandelt, sind Abfall einer vergangenen Lebenssituation. Eine ähnlich drastische
Umfunktionierung klassischer Stillebenmotive oder auch eine Hinzunahme unkonventioneller Requisiten gibt es meines Wissens nur noch in dem *Totenkopfstilleben*
von 1945 (Abb. 11), in dem sich das Entsetzen über den Wahnwitz des Krieges, der
auch wiederum nur Ausdruck der in sich widersinnigen menschlichen Existenz ist,
in grotesker Ironie und makabrem Witz Luft macht. Zwar gibt es auch für diese
Darstellung Vorbilder, so z.B. ein Vanitas-Stilleben des Holländers A.B. van der
Schoor aus der zweiten Hälfte des 17.Jahrhunderts, das in der Kombination von
sechs Totenköpfen, weit heruntergebrannter Kerze, Sanduhr und abgebrochenen,
verwelkenden Blumen das Thema der Vergänglichkeit in eine überdeutliche, in
der Entstehungszeit zumindest nicht gängige Bildsprache umsetzt (Abb. 12). Falls
Beckmann das ungewöhnliche Gemälde von einem seiner Besuche im Rijksmuseum kannte, interpretierte er es allerdings ganz entscheidend um. In der ihm
eigenen Mischung aus Ironie und Sarkasmus, die seine innere Betroffenheit zu
kaschieren sucht, vermerkt er am 10. April 1945 im Tagebuch: »›Totenköpfe‹ wirklich fertig. Ganz lustiges Bild – wie überhaupt alles ziemlich lustig und immer
gespensterhafter wird.«[30] Durch die ostentativ ins Bild gesetzten Spielkarten – im
Zentrum eine schwarze, auf den Kopf gestellte Herzkarte – erhält die Vanitas-
Allegorie einen fast zynischen Akzent.[31] Das ›Spiel des Lebens‹ gerinnt zur sarkastischen Persiflage.

Beckmann hielt sich sonst in der Wahl der Stillebenmotive relativ eng an klassische Vorbilder, die er allerdings, sei es durch ungewöhnliche Häufung, sei es durch
formale und kompositionelle Umstrukturierung, inhaltlich erweiterte. Deutlich
wird dies in *Großes Stilleben mit Musikinstrumenten* (1926, Abb. 13). Musikinstrumente, Notenblätter, Blumen, Spiegel- bzw. Bilderrahmen sowie Kerzen- oder
Blumenständer gehören zum traditionellen Repertoire dieser Bildgattung. Die
dichte Anordnung in einem schmalen Querformat und die Kombination extremer
Blickpunkte, als deren Konsequenz die Gegenstände nicht nur übergroß, sondern
auch nach ihrer Bedeutung akzentuiert erscheinen, sowie die ostentative Verdoppe-
lung – zwei Saxophone, zwei Klarinetten, zwei Blumenständer – geben dem Stilleben
jedoch jene betont subjektive Ausprägung, die nur innerhalb der persönlichen Bildsprache des Künstlers faßbar wird. Die Aufschriften auf den Musikinstrumenten
(›Bar African‹, ›On New York‹) sowie das Programmheft mit einem Farbigen auf
dem Titelblatt verbinden sich assoziativ mit Großstadt, Jazz und Nachtleben, das
in den Bildmotiven darüber hinaus recht eindeutig mit sexueller Verlockung und

30 *Tagebücher 1940-1950*, S. 116
31 Zwar kommt das Motiv der Spielkarten auch in
traditionellen Stilleben vor, nicht jedoch in dieser
Kombination.

Bedrohung in Beziehung gesetzt wird. Die deutliche Phallus-Schoß-Symbolik des Saxophons, das Beckmann seit der Mitte der zwanziger Jahre in diesem Bedeutungsrahmen einsetzte, wird in Ständern, Klarinetten und Fastnachtstute, die eine Puppe zu verschlingen scheint, aufgegriffen. Die suggestiv-vitale Wirkung der an sich leblosen Gegenstände wird mit der eher bedrohlichen Dunkelheit der Schallöcher konfrontiert, die eindringlich mit der Schwärze der Türöffnung am rechten Bildrand korrespondieren. Eine fast animalische, in Farbe und Form jedoch kalte, ›feindliche‹ Sinnlichkeit, die in der Verbindung zum ›Schwarzen Jazz‹ geläufige Klischees miteinbezieht, wird als (bild-)bestimmendes Faktum wertfrei vorgewiesen, ihr unterliegt die gesamte Komposition und zieht sie in ihren Sog. Nicht von ungefähr erscheinen Sonne, Meer und Himmel nur als Illusion im Bild, während die Schwärze des Nichts reale Bedrohung hinter dem Türdurchgang ist. Beckmann konstatiert gewissermaßen einen gegebenen Sachverhalt, dem er sich ausweglos unterworfen sieht und der ihn negativ vorbestimmt. Schon 1918 schrieb er jene sarkastischen Bemerkungen, hinter denen sich abgrundtiefe Verzweiflung verbirgt: »...je schwerer und tiefer die Erschütterung über unser Dasein in mir brennt, um so verschlossener wird mein Mund, um so kälter mein Wille, dieses schaurig zuckende Monstrum von Vitalität zu packen und in glasklare scharfe Linien und Flächen einzusperren, niederzudrücken, zu erwürgen.«[32]

Das in einigen Teilen vergleichbare *Stilleben mit Musikinstrumenten* von 1930 (Abb. 14) verstärkt deutlich den dunkel-bedrohlichen Aspekt. Das extrem gestreckte Querformat – das Bild diente als Supraporte[33] – schnürt die Stillebenrequisiten ein, nimmt ihnen jeglichen Bewegungsspielraum und bildet dadurch einen

Abb. 13   Max Beckmann: Großes Stilleben mit Musikinstrumenten, 1926, Öl auf Leinwand, Frankfurt a. M., Städtische Galerie im Städelschen Kunstinstitut

Abb. 14   Max Beckmann: Stilleben mit Musikinstrumenten (Supraporte), 1930, Öl auf Leinwand, Verbleib unbekannt

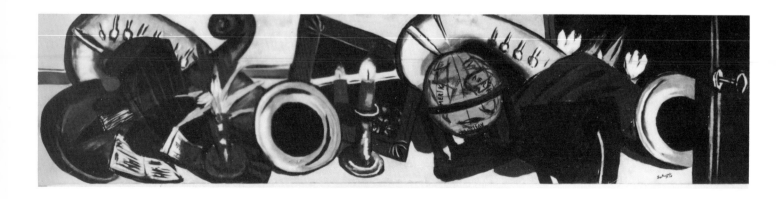

Abb. 15   Max Beckmann: Großes Stilleben
mit Fernrohr, 1927, Öl auf Leinwand,
München, Bayerische Staatsgemäldesammlungen, Staatsgalerie moderner Kunst

nahezu körperlich spürbaren Kontrast zu der animalischen, quellenden Vitalität der sich schlangenähnlich windenden Saxophone. An die Stelle des lichten Meerbildes ist ein Spiegel getreten, in dem sich geheimnisvolles Dunkel und eine davorstehende brennende Kerze spiegeln. Die schwarze Türöffnung akzentuiert einen gleichfalls dunklen Türstreifen vorne rechts, der dem Betrachter das Bild aufschließt. Durch die massive Ausbreitung der Dunkelwerte wie auch die Hinzufügung unmißverständlicher Vanitas-Zeichen erhält die Sexualsymbolik eine deutliche Wendung in den Bereich schicksalhafter Todesmystik, sie wird zur Metapher vorgezeichneten Verderbens.

Auf eine ganz andere Weise hermetisch ist *Großes Stilleben mit Fernrohr* (Abb. 15); es scheint ein Geheimnis zu bergen, dessen der Künstler, nicht jedoch der Betrachter, inne wird. Als undurchdringliche, geschlossene Kompositionsfigur präsentieren sich das berückend schöne Stillebenarrangement aus vier Blumensträußen, astrologischen Geräten, einer Zeitschrift mit dem Titel › Saturn ‹, sowie die mit einem Fächer abgewandt sitzende Frau. Ein leuchtendblauer, thronähnlicher Sessel schimmert verheißungsvoll, gleichwohl unzugänglich, im Hintergrund. Eine dunkle Tür mit noch steckendem Schlüsselbund scheint uns den Einblick in dieses berauschende, geheimnisvoll schöne Ambiente geöffnet zu haben, ohne uns jedoch gleichzeitig den Schlüssel zum Verständnis mitzuliefern. Die Funktion des Künstlers als Magier, als Wissender im Zeichen des Saturn, der sich dem Weltgeheimnis zu nähern vermag – diese Interpretation wurde wohl zu Recht mit dem Stilleben in

32   Max Beckmann, *Schöpferische Konfession*,
a.a.O., (Anm. 27), S. 63f.

33   Gemälde-Katalog, Bd. 1, S. 239, Nr. 338

Abb. 16   Henri Matisse: Stilleben mit
Geranien, 1910, Öl auf Leinwand, München,
Bayerische Staatsgemäldesammlungen,
Staatsgalerie moderner Kunst

Verbindung gebracht.[34] Die strahlende Farbigkeit eines zwar geheimnisvollen,
jedoch nicht beunruhigenden Bildrepertoires entrückt auch den Betrachter in einen
phantastischen, märchenhaften Bereich, in dem Unwahrscheinliches vorbehaltlos
als wahr akzeptiert wird. Das Gemeinte wird wohl am ehesten durch einen Vergleich mit Matisse (Abb. 16) deutlich, dem Beckmann bekanntermaßen mit größten
Vorbehalten begegnete[35], dem er jedoch insbesondere in den Stilleben der zwanziger Jahre, was die dekorative Farbigkeit betrifft, nahekam. Ähnlich wirkt bis zu
einem gewissen Grad auch die formale Behandlung; so ist etwa die Art, wie bei
Beckmann der Tisch nach oben in die Bildfläche geklappt erscheint und wie die
Requisiten bildparallel auf ihm angeordnet sind, ohne das Vorbild Matisse kaum zu
denken. Während jedoch bei Matisse der Bildsinn mit dem optischen Bestand identisch ist, Schönheit und Wahrheit zusammenfallen, läßt sich bei Beckmanns Still-
leben die formale und farbliche Schönheit auch als trügerischer Schleier erfahren,
der ein tieferliegendes Geheimnis birgt – ein Geheimnis, von dem wir nicht wissen,
ob und in welcher Weise es uns betrifft.

Eine Mischung aus Kälte und Aggressivität geht demgegenüber von *Großes
Fisch-Stilleben* (Kat. 48) aus, das wesentliche Motive des Künstlers auf höchst eigenwillige Weise kombiniert. Vor der Rückseite einer aufgespannten Leinwand[36] und
einem darüber drapierten Tuch sind zwei Blasinstrumente, eine Zeitung und drei
Fische in einer dichtgeschlossenen Bildfigur angeordnet. Ein in der Wand schwarzer, im Boden brauner Grund hinterfängt dieses ›abgestorbene Leben‹, das sich
in Symbolen der Sinnlichkeit (Schalloch, Fische) präsentiert, die tatsächlich leblos
sind und damit dem zur Schau getragenen, aggressiven Habitus widersprechen.
Berücksichtigt man die Verbindung zur Existenz des Künstlers, wie sie in der aufgespannten Leinwand zum Ausdruck kommt, wird man kaum umhinkommen, dieses
Stilleben als Metapher jener von Beckmann immer wieder zitierten Verstrickung
des Menschen in Sexualität zu begreifen. Das Bedrohliche der dunklen Hintergrundsfolie, die in einigen Partien metallisch-kalten Fischleiber, das schwarze,
ostentativ vorgewiesene Schalloch sowie insgesamt das Hermetische des sich vom
Betrachter abriegelnden und ihn gleichzeitig in seinen Bann zwingenden Stillebenarrangements machen dieses Bild zum zynischen Gegenpol des *Großen Stillebens
mit Fernrohr*. War dort aus einer optimistischen Grundhaltung heraus der Künstler
als Magier angesprochen, dem ein in sich strahlendes Bildambiente sinnlich greifbare Schönheit verlieh, so wird dieser Höhenflug hier auf eine recht drastische
Weise wieder in die Realität zurückgeholt.

Wie weit Beckmann auch die Stillebenmotive als Zeichen menschlicher Grund-
bedingtheiten Formen von Unfreiheit unterworfen sieht, zeigt eindringlich das
Atelier mit Tisch und Gläsern (Abb. 17).[37] Die Stillebenrequisiten bilden ein dicht-
gedrängtes Flächenmuster, das zu allen Seiten ausweglos versperrt wird: Im Hintergrund schließen dunkle Wand, Vorhang und Sprossenfenster zur freien Außenwelt

34   Fischer I, S. 58 ff.

35   So schrieb er bereits am 7. Januar 1909 nach
einem Ausstellungsbesuch: »Die Matisseschen
Bilder mißfielen mir höchlichst. Eine unverschämte
Frechheit nach der anderen. Warum machen die
Leute nicht einfach überhaupt Zigarettenplakate!«,
in: *Sichtbares und Unsichtbares*, S. 64

36   Dieses Bildmotiv begegnet uns so oft im Werk
des Künstlers, daß eine Auseinandersetzung mit
dessen Bedeutungsmöglichkeiten lohnend wäre.
Vermutlich ist hier nicht nur die Rolle des Künstlers
allgemein angesprochen, sondern darüber hinaus
auch ein dem Mensch verschlossenes Geheimnis, das
sich dem Maler im schöpferischen Prozeß enthüllt,
um sich dann jedoch wieder von seinem Zugriff zu
lösen. Vgl. hierzu die bezeichnende Tagebuch-
eintragung vom 19. Oktober 1943 (zit. bei Anm. 85).

37   Nicht nachvollziehbar ist mir die Deutung der
Szenerie als »einer friedvollen Ansicht vertrauter
Dinge« bei Stephan Lackner, *Max Beckmann*, Köln
1978, S. 96

Abb. 17 Max Beckmann: Atelier mit Tisch
und Gläsern, 1931, Öl auf Leinwand,
München,
Bayerische Staatsgemäldesammlungen,
Staatsgalerie moderner Kunst

ab, während zum Betrachter hin ein kantig gefaltetes Tuch und der Flügel einer Sprossentüre als Barriere dienen. Die Komposition ist weder in sich frei – die einzelnen Stillebenmotive sind so dicht verzahnt, daß sie sich gegenseitig in ihrer Ausdehnung behindern –, noch ist sie gegenüber dem Betrachter offen. Die Dinge scheinen vielmehr ein rätselhaftes Eigenleben zu führen: Der brutal wuchernde Kaktus, das dunkle Saxophon mit geheimnisvoll vergittertem Schalloch, das merkwürdige Kopfprofil einer Vase sowie ein mexikanisches Gefäß wirken in ihrer schwülen Sinnlichkeit ebenso gefangen wie abschreckend.

Als spätes Beispiel sei noch *Großes Stilleben-Interieur (blau)* (Kat. 125) erwähnt, in dem sich das Prinzip der kompositionellen Vergitterung wie auch das der inhaltlichen Festlegung einzelner Dingzeichen auf eigenartige Weise umgekehrt hat. Eine unangenehm kalte, fast stechende Farbigkeit wirkt auf einer allgemeinen Ebene abweisend, verhindert eine gefühlsmäßige Identifikation. Darüber hinaus verschließt das nach oben in die Bildfläche geklappte Stillebenarrangement den Zugang zu einem dahinterliegenden Raum. Während ein zur Löwenpranke ausgearbeitetes Tischbein relativ plastisch und fast lebendig erscheint, sind die tatsächlich ›lebenden‹ Requisiten, die gefährlich spitzen, scharfkantigen Blumen und Blätter, von kalter Künstlichkeit. Die oft bedrohliche, gleichwohl vitale Sinnlichkeit früherer Stilleben ist einer harten, abweisenden Atmosphäre gewichen, die jegliche Form von Sinnlichkeit ausschließt und damit auf einer anderen Ebene gleichermaßen unfrei erscheint.

Die Landschaft als Sinnbild der Freiheit?

Wenn irgendwo, so müßte sich im Bereich der Landschaft Freiheit (als Unabhängigkeit von menschlichen Bedingtheiten) am ehesten artikulieren können. Beckmann war zwar zutiefst ein ›Stadtmaler‹, nur im städtischen Bereich konkretisierte sich für ihn menschliche Existenz in all ihren Absurditäten; seine Sehnsucht allerdings galt der Natur als einer möglichen ungeschiedenen Einheit. Natur wird dabei mehr oder weniger mit dem Begriff Meer identisch, bzw. das Meer wird deren höchste Form, wird zur Metapher der Unendlichkeit schlechthin (vgl. hierzu auch den Beitrag von Christian Lenz in diesem Katalog). Größtmögliche Offenheit des Raums steht darin den geschlossenen, dichtgedrängten Innenraumkompositionen gegenüber, in denen die Begrenztheiten der menschlichen Existenz sinnfällig werden. Im Nebeneinander beider sah Beckmann seine Aufgabe als Künstler: »Raum – Raum – und nochmals Raum – die unendliche Gottheit, die uns umgibt und in der wir selber sind. Dies suche ich zu gestalten durch Malerei.«[38]

Es fällt auf, daß Beckmann recht oft Landschaftsbilder malte – eine Häufung ist besonders in der zweiten Hälfte der zwanziger und dem Beginn der dreißiger Jahre festzustellen – und daß darunter Meeresdarstellungen überwiegen. Landschaft im Sinne einer freien, unkultivierten Natur kommt daneben äußerst selten vor; es gibt vielmehr ›Parklandschaften‹, also vom Menschen bearbeitete und seinen Gesetzen unterworfene Natur. Wenn also im folgenden versucht wird, Beckmanns Freiheitsbegriff an seinen Landschaftsbildern zu verdeutlichen, so sind damit ausschließlich Meeresdarstellungen gemeint, in denen allein, wie ich glaube, Freiheit als etwas Absolutes offenbar wird.

»Und dann an das Meer, meine alte Freundin, zu lange schon war ich nicht bei dir. Du wirbelnde Unendlichkeit mit deinem spitzenbesäten Kleide. Ach, wie schwoll mein Herz. Und diese Einsamkeit. ... Wenn ich der Kaiser der Erde wäre, würde ich als mein höchstes Recht mir ausbitten, einen Monat im Jahr allein zu sein am Strand.«[39] Schon in diesem Brief von 1915 an seine erste Frau Minna bringt Beckmann in einem für ihn ungewöhnlich emphatischen Ton das Glücksgefühl zum Ausdruck, das sich für ihn mit der Erfahrung der Weite und Grenzenlosigkeit des Meeres verbindet. Und bezeichnenderweise sind unter den ersten Gemälden des Künstlers vorwiegend Meeresdarstellungen (vgl. u.a. Kat. 1, 3, 4), die, trotz des formal zunächst dem Jugendstil und dann dem Impressionismus verpflichteten Duktus, bereits wesentliche Elemente seiner Interpretation des Themas aufweisen:

38 *Sichtbares und Unsichtbares*, S. 22
39 16.3.1915, *Briefe im Kriege*, S. 25

Bewußt sind einfache Ausschnitte gewählt, deren klares, in die Breite gehendes Kompositionsgefüge durch möglichst wenig vertikale Formen im Vordergrund unterbrochen wird. Die Horizontlinie ist entweder deutlich ausgeprägt, oder die Wasserfläche bedeckt bis auf kaum sichtbare Reste im oberen Teil den Bildgrund bis zu den Rändern. Hier sind erstaunliche Parallelen zu den frühen Ozeanbildern von Piet Mondrian feststellbar (Abb. 18), dem aus einer durchaus vergleichbaren Grunddisposition heraus – wenn auch calvinistisch strenger – die Weite des Meeres zum Gleichnis metaphysischer, religiös intendierter Vorstellungen wurde.[40] Himmel und Meer präsentieren sich als autonome Gewalten, in ihnen vollzieht sich ein für den Betrachter nicht vorherbestimmbares Geschehen, das sich ihm vielleicht irgendwann enthüllt. Und wie sehr Beckmann dahinter ein Geheimnis apokalyptischen Ausmaßes vermutete, belegt die schöne Tagebuchstelle vom 23. August 1903, die leitmotivisch über seinem ganzen Leben stehen könnte: »Jetzt fängt das Gewitter wieder stärker an. Eben war der ganze Himmel voll mit Blitzen geädert. Ach, und es donnert so prachtvoll. Das ist einmal ein Ton. Da stecken sie noch alle, ungebändigt, die feinen, großen Naturgewalten. Nun, los Himmel, donnere doch, blitze doch. Laß mich mehr sehen von deinen wundervollen Schönheiten. Oder kannst du nicht einmal mehr ein ordentliches Gewitter hervorbringen. ... Spiele einmal wieder deine Urweltsymphonie, bei deren Klängen mir all das Komische und Kleine versinken soll. Da, naja, ich danke dir für das fahle Leuchten, aber mehr, stärker, du siehst, daß ich warte. Ich warte auf den Riß von oben in der grauen Decke, durch welchen ich hineinsehen kann in die Unendlichkeit.«[41] Und je nach dem Grad subjektiver Gestimmtheit konkretisiert sich dann der unendliche Raum in Himmel und Meer als Ort unerreichbarer Verheißung oder jedoch berechtigter Hoffnung. Dem Meer scheint dabei die Funktion eines Katalysators zuzukommen; je nachdem, wie weit es sich enthüllt, sein Geheimnis preisgibt, zerfällt oder schließt sich das Kaleidoskop unverständlicher Formen, die die Realität ausmachen: »... und immer spielt das Meer von nah und weit durch Sturm und Sonne in meine Gedanken. Dann verdichten sich die Formen zu Dingen, die mir verständlich erscheinen in der großen Leere und Ungewißheit des Raumes, den ich Gott nenne.«[42]

Nach den auffallend zahlreichen Meerbildern der Vorkriegszeit, die in sich ein ungewöhnliches Maß an Freiheit und Bindungslosigkeit enthalten, folgen die ersten Bilder zu diesem Themenkreis erst wieder in der zweiten Hälfte der zwanziger Jahre. Und wie groß ist hier zunächst die Differenz, was die Offenheit und damit auch Zugänglichkeit für den Betrachter betrifft!

Nimmt man zum Beispiel das geheimnisvolle *Viareggio* (Abb. 19), das Beckmanns Beschäftigung mit südlicher Landschaft, aber auch der › Pittura metafisica ‹ eines de Chirico oder Carrà verrät, so wird der inhaltliche Abstand offensichtlich. An die Stelle des offenen, sich frei und weit darbietenden Meeres ist ein enger Wasserausschnitt getreten, dessen Unbegrenztheit sich nur erahnen läßt. Allerdings wird der Blick des Betrachters durch die seitliche Architektur und die dazwischenliegende Straße auf das Meer und die drei Segelboote hin kanalisiert. Sie erscheinen als juwelartiger, leuchtender Höhepunkt zwischen düster-abweisendem Vordergrund und dem undurchdringlichen, bleiernen Grau des Himmels. Es wird niemand umhinkommen, diese Konstellation als bewußte Verrätselung einer alltäglichen Szenerie zu begreifen. Eine offensichtliche Bedeutungshierarchie gibt dem Meer und den Booten eine dominante, den Blick magisch anziehende Stellung: Sie werden als verheißungsvolles, gleichwohl unerreichbares Ziel dargeboten.

Eine ähnlich irreale, an den phantastischen Realismus eines Franz Radziwill erinnernde Stimmung vermittelt *Der Hafen von Genua* (Kat. 49). Das kalt-grüne Meer und die Schwärze des Nachthimmels wirken als Barriere; sie suggerieren nicht den Eindruck unendlicher Weite, sondern einer undurchdringlichen Wand.

Als in sich unbegrenzt, gleichwohl nicht erreichbar, bietet sich das Meer in einigen Darstellungen der späten zwanziger Jahre dar (u. a. Kat. 50, 51). Der Betrachter ist in die Rolle des Zuschauers verbannt, er sieht die Natur durch ein Fenster bzw. von einem Balkon und hat damit nur als Außenstehender an ihr teil.

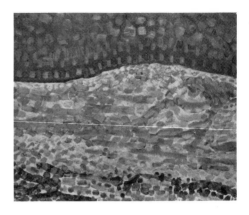

Abb. 18   Piet Mondrian: Düne II, 1909, Öl auf Leinwand, Den Haag, Gemeentemuseum

40   Vgl. hierzu auch Ulrich Weisner, › Konstanten im Werk Max Beckmanns ‹, in: Kat. Bielefeld-Frankfurt 1982/83, S. 157-173

41   *Sichtbares und Unsichtbares*, S. 45 f.

42   Ebenda, S. 23 f.

Abb. 19 Max Beckmann: Kleine Landschaft,
Viareggio, 1925, Öl auf Leinwand,
St. Louis, The Saint Louis Art Museum

Eine ganz andere Funktion erhält dann das Motiv in zwei großen Figurenkom-positionen der dreißiger Jahre, der *Reise auf dem Fisch* (Kat. 70) und dem Tripty-chon *Abfahrt* (Abb. 27). Die Todessymbolik der Figurengruppe im erstgenannten Beispiel, ihr auswegloser Sturz in einen schwarzen Abgrund wird im Bildgrund durch ein eindringliches Hoffnungszeichen hinterfangen: Zwar werden auch dort die Dunkelwerte der vorderen Bildebene aufgenommen, und zudem spannt sich hinter bleigrauer Himmelsfläche das silberblaue Meer wie eine begrenzte Scheibe, verstärkt durch die deutliche Krümmung des farblich akzentuierten Horizontstrei-fens. Aber zumindest scheint hier ein Ausweg angedeutet zu sein, wenngleich wir nicht wissen, wie er gemeint ist, ob er uns zu einem positiven oder negativen Ziel führt.[43] Beckmann selbst geht in den 1948 entstandenen ›Drei Briefen an eine Male-rin‹ nochmals auf die dem Bild zugrundeliegende Idee ein; ein Passus schildert besonders eindrucksvoll jene emotionalen Verstrickungen, die den Sturz unweiger-lich nach sich ziehen, und jenes dunkle Ziel, das dahinter verborgen steht und in ferner Zeit eine uns unbekannte Erlösung verspricht: »... ließen dich nicht träumen die weiten Meere in heißen Nächten, in denen wir brennende Funken waren, weit über dem Meer und den Sternen auf dem fliegenden Fisch. – Herrlich war Deine Maske des schwarzen Feuers, in dem Dein langes Haar brannte, und Du glaubtest, endlich – endlich den Gott in den Armen zu halten, der Dich erlösen würde aus Armut und Sehnsucht! – Dann kam das andere – das kalte Feuer – der Ruhm. – ... Unter dem kalten Eis nagt noch immer die Leidenschaft, die Sehnsucht, geliebt zu werden von dem Anderen, wenn auch auf einer anderen Ebene wie in der Hölle der tierischen Sinne. Das kalte Eis brennt ebenso wie das heiße Feuer – und unruhig gehst Du allein durch Deine Paläste von Eis. – Denn Du willst noch nicht aufgeben die Gefilde der Täuschung, noch brennt in Dir das Pünktchen – der Andere! Und darum bist du Künstlerin, mein armes Kind. Und weiter wandelst Du in Träumen wie ich selber – aber auch durch dies alles müssen wir hindurch, meine geliebte Freundin. Du Traum meines Selbst in Dir – Du Spiegel meiner Seele. – Vielleicht werden wir einmal erwachen, allein oder zusammen, das ist verboten zu wissen. Ein kühlender Wind der jenseitigen Ebenen wird uns erwecken im traumlosen All und wir sehen dann uns und doch nicht uns, entronnen den Gefahren der dunklen Erde, den glühenden Trauergefilden der Mitternacht. Erwacht sind wir dann im Kreis der Atmosphären – und Wille und Leidenschaft, Kunst und Täuschung sinkt herab wie ein Vorhang von grauem Nebel – und ein Licht strahlt auf, dahinter ein unbekann-tes riesiges Leuchten. Dort, ja dort werden wir erkennen, meine Freundin – allein oder zusammen – wer kann das wissen?! – «[44]

In *Abfahrt* (Abb. 27) wird das, was sich in *Reise auf dem Fisch* noch als dunkle Ahnung artikulierte, zur strahlenden Verheißung. Meer und Himmel, die sich hin-ter den ›Abfahrenden‹ in unbestimmbare Tiefe ausdehnen, erhalten in ihrer Abstraktheit eine absolute Dimension: An ihnen läßt sich assoziativ unendliche Weite, Tiefe und Unbegrenztheit erfahren, verstärkt noch durch die bedrängenden Innenraumsituationen in den Flügeln. Gerade die Härte dieses Kontrastes steigert auch den Eindruck vollkommener Stille im Mittelteil, in dem sich Meer und Him-mel als Meditationsobjekt darbieten. Allerdings beläßt Beckmann auch hier dieses Reich der Freiheit in einer nur dem Auge erreichbaren Sphäre, dem unmittelbaren Zugriff durch das quer versperrende Boot entzogen. Wichtig erscheint darüber hinaus, daß von dessen Insassen nur das blondhaarige nackte Kind – sicher nicht von ungefähr an den Jesusknaben erinnernd und bedeutungsvoll ins Zentrum gestellt – auf die weite Meeresfläche blickt und damit dessen eigentlicher Partner wird. In der lautlosen Zwiesprache der beiden scheint sich als mögliche Realität zu konkretisieren, was sich uns nur als ferne Verheißung und ersehnte Utopie ge-staltet.[45]

Seit der Mitte der dreißiger Jahre entstanden einige Meerbilder, in denen Beck-mann mit anderen Bildmitteln an seine ersten Darstellungen des Themas an-knüpfte. In einer Zeit existentieller Bedrohung durch den Nationalsozialismus äußert sich hier erneut jenes Refugium unbegrenzter Freiheit in einer ungewöhnlich offenen, oft fast spontan-gestisch anmutenden Malerei (Abb. 20, Kat. 76). ›Freiheit‹

43 Die ausschließlich negative Deutung dieses Motivs bei Fischer vermag nicht zu überzeugen, da das unbestimmte Ziel des Segelbootes nicht in der einen oder anderen Richtung eindeutig klassifiziert ist. Vgl. Fischer I, S. 122

44 *Sichtbares und Unsichtbares*, S. 40-41

45 Das Versperrende des Bootes wie auch die Blickrichtung der Beteiligten bleibt bei Fischer unberücksichtigt. Von daher ist seine Deutung des Mittelteiles zu einseitig positiv motiviert. Vgl. Fischer I, S. 93 ff.

Abb. 20   Max Beckmann:
Nordseelandschaft II, 1937, Öl auf Leinwand,
Santa Barbara, Calif., Sammlung Stephan
Lackner

kann sich durchaus auch als schrankenlose, fast brutale Selbstverwirklichung zeigen – das Meer etwa in *Nordseelandschaft I mit Gewitter* ist alles andere als Heimat bietendes, aufnehmendes Gegenüber, sondern vielmehr wild sich gebärdende, dunkle Urgewalt. Freiheit meint wohl weit eher Unabhängigkeit von materiellen Zwängen, ein Eingehen in die Ungeschiedenheit von Geist und Materie, wie sie sich für Beckmann in Meer und Himmel symbolisch andeutete.

Das Gemeinte gewinnt eindringliche Gestalt in *Schwimmbad Cap Martin* von 1944 (Kat. 104). Das an sich banale Bildsujet wird zur Metapher dieses zentralen Gedankens im Werk des Künstlers: In dem Gegenüber der Weite des offenen Meeres und dem beengten Viereck des Bades findet der Gegensatz von Freiheit und Unfreiheit eine sinnfällige, bildnerische Form. Da sind einerseits die großen Flächen von Himmel und Meer mit einigen Segelbooten und andererseits der durch übergroße Wellenbrecher fast brutal abgeschirmte Bereich des künstlich angelegten Schwimmbades, das durch ein formal aggressives Ambiente aus überwiegend spitzen, kantigen Elementen wenig einladend wirkt. Und bezeichnenderweise ist dieses Bad menschenleer, während auf dem offenen Meer eine vitale Auseinandersetzung mit dem Element Wasser stattfindet: Nur hier spiegelt sich ein Abglanz jener Weite des unendlichen Raumes, die Beckmann stets Herausforderung und Ziel war.

Meer und Horizont

Auffallend ist, daß das Meermotiv immer wieder in Stilleben – manchmal auch Figurenkompositionen – als gerahmtes Bild oder Spiegelung erscheint. Im Zusammenhang mit den erörterten Deutungsmöglichkeiten von Landschaftsbildern und Stilleben, in denen Beckmanns Weltsicht in ihrem positiven und negativen Extrem manifest wird, erhält diese Beobachtung besonderes Gewicht. F. W. Fischer, der Beckmanns Auseinandersetzung mit gnostischen und kabbalistischen Geheimlehren und Quellen untersucht und in oft zwingende inhaltliche Beziehung zum Gesamtwerk gebracht hat [46], sieht in diesem Bildmotiv das kabbalistische Symbol »En-Soph«, den »Horizont der Ewigkeit«, der nach Papus, einem der wichtigsten Anhänger dieser Vorstellungswelt, auch »reines Sein, das Absolute, das Höchste, die Gottheit, das Unendliche«[47] bedeutet. »Man stellt es dar als Kreisring, dessen Inneres durch eine Horizontlinie halbiert wird. Die untere Hälfte ist waagrecht schraffiert und dunkel, die obere hell. In der Hierarchie kabbalistischer Zeichen

46   Trotz der oft nicht mehr am optischen Bildbestand nachprüfbaren und wohl auch zu rigiden Deutungen und Einseitigkeiten handelt es sich wohl immer noch um die anregendste, kaum verzichtbare Gesamtdarstellung zum Werk des Künstlers.

47   Papus (= Gerard Encaussé), *Die Kabbala*, Leipzig 1910, S. 100

Abb. 21   Max Beckmann: Sonnenaufgang,
1929, Öl auf Leinwand, Privatbesitz

nimmt En-Soph die höchste Stellung ein; als Emblem bildet es die Spitze aller
kabbalistischen Erkenntnis-Schemata.«[48] Fischer wertet dieses Bildzeichen, dessen
Herkunft er einleuchtend erklärt, im Kontext des Beckmann-Œuvre allerdings in
einigen Fällen zu positiv. Wenn das Stilleben in seinen gültigsten Formulierungen
neben der Vanitas-Symbolik als Allegorie menschlicher Grundgegensätze und Un-
vereinbarkeiten zwischen den Geschlechtern gefaßt werden konnte und sich damit
zum allgemeinen Lebensbild zusammenschloß, kann das Horizont-Meermotiv über
das von Fischer Gemeinte hinaus zum Bild unerreichbarer und vergeblicher Verheißung werden. So nimmt in dem kompositionell undurchdringlichen Bildgefüge in
Großes Stilleben mit Musikinstrumenten (1926, Abb. 13) das gerahmte Meer mit
der aufscheinenden oder auch verschwindenden Sonne eine unzugängliche Stelle
im Hintergrund ein und wird damit zum Objekt unerfüllbarer Sehnsucht. In dem
farblich berückend schönen *Sonnenaufgang* (1929, Abb. 21)[49] wird die aufgehende
Sonne nicht über dem Meer, sondern in einem kleinen Handspiegel sichtbar. Das
Bild, ohnehin schon Abglanz des realen Lebens, steigert im Motiv der Spiegelung
den irrealen, unerreichbaren Aspekt. Auch die kompositionelle Anordnung trägt
dazu bei, daß der Sonnenaufgang über dem unendlichen Meer als unerfüllbare
Verheißung wahrgenommen wird: Die dunkle Holzbarriere, die das Bild zum Betrachter abschließt, schützt damit auch die im Licht aufleuchtenden Gegenstände
vor dessen Zugriff. Besondere Bedeutung hat dies für das zum Himmel gerichtete
Fernrohr, dessen Öffnung sich und damit gleichzeitig auch das, was sich im Fernrohr dem Betrachter an Erkenntnis zu erschließen vermöchte, hinter den Holzlat-
ten verbirgt.

   Die Kombination der Dingzeichen ruft eine eindringliche Textstelle im ›Titan‹ von
Jean Paul in Erinnerung, die Beckmann für diesen Motivbereich vielleicht auch als ein
sprechendes Bild im Gedächtnis gehabt haben mag. Der jugendliche Held Albano
besucht dort eine Sternwarte, wo er »den alten, einsamen, mageren, ewig rechnenden,
weib- und kinderlosen Sternwärtel immer freundlich und unbefangen wie ein Kind«
vorfand: »Aber funkelnd blickte das alte Auge unter den sparsamen Augenbrauen in
den Himmel, und poetisch erhob sich ihm Herz und Zunge, wenn er von der höchsten
irdischen Stelle, dem lichten Himmel über der schwarzen, tiefen Erde, sprach – von
dem unüberwindlichen Welt-Meer ohne Ufer, worein der Geist, der vergeblich
überfliegen will, ermüdet sinke und dessen Ebbe und Flut nur der Unendliche sehe
unten an seinem Throne – und von der Hoffnung auf den Sternenhimmel nach dem

48 Fischer I, S. 67
49 Vgl. hierzu bes. Fischer I, S. 66

Tode, den dann keine Erdscheibe wie jetzt durchschneide, sondern der sich um sich selber ohne Anfang und Ende wölbe.«[50]

Dieser Gedankengang entspricht deutlich Beckmanns bildnerischen Fassungen eines seiner zentralen Themen, und es erscheint naheliegend, daß er auch das kabbalistischen Quellen entstammende En-Soph-Zeichen mitprägte bzw. in einigen Fällen umdeutete. So wäre im *Sonnenaufgang* das Spiegelmotiv einleuchtender als jener begrenzte, irdische Kosmos zu fassen, jener winzige und vergängliche Ausschnitt einer Unendlichkeit, die uns im Hier und Jetzt durch die ›Erdscheibe‹ durchschnitten wird, wie sie im Spiegel erscheint. Die auffallend geschwungene Horizontlinie zwischen Meer und Himmel im Bild läßt die Form der Erdkugel als in sich abgeschlossenen Planeten präsent werden, und das Fernrohr, zu dem wir keinen Zugang haben, ist auf die uns nicht sichtbare Unendlichkeit des Kosmos gerichtet. Gerade die gleißende Schönheit des Stillebenarrangements, die etwas Trügerisches hat, macht diese Deutung wahrscheinlich.[51]

Von daher erscheint mir auch ein neuer Interpretationsversuch von Joan Wolk problematisch[52], wenngleich die Verbindung der Beschriftung des aufgeschlagenen Buches mit Jean Pauls ›Neues Kampaner Tal oder die Unsterblichkeit der Seele‹[53] etwas Bestechendes hat. Er mündet in die These, daß »*Sonnenaufgang* als Meditationsbild angesehen werden« könne, »da es dem Betrachter die Vorstellung einer neuen Welt vermittelt oder sogar den Wunsch auslöst, in diese einzutreten.«[54] Letzteres mag zwar von Beckmann durchaus mitgemeint sein, jedoch ist diese vorgestellte »Welt« ja nicht im Bild real präsent, sondern kann nur als im Fernrohr aufleuchtender, uns jedoch hier verschlossener Kosmos der Unendlichkeit gedacht sein.[55] Und diesen als Ort für eine mögliche Weiterexistenz nach dem Tode zu definieren, der durch die Liebe zu einem anderen Menschen erschlossen werden könne, erscheint mir in bezug auf Beckmanns Weltsicht kaum verständlich. Auch wenn man die Heirat mit seiner zweiten Frau Quappi als Ursache einer Konsolidierung und Beruhigung seiner äußeren Lebensumstände in Anspruch nimmt, kommt man doch in erhebliche Schwierigkeiten, wenn man daraus gleichzeitig eine Umstrukturierung seiner Ausgangsposition folgert und mit Bezug auf Jean Paul auch für Beckmann die Idee einer durch Liebe erwirkten Unsterblichkeit in Anspruch nimmt.[56]

Wie sehr Beckmann trotz der engen Beziehung zu einer ihn in den Alltäglichkeiten des Lebens stützenden und bewahrenden Frau seiner Grundanschauung verpflichtet blieb, vermittelt anschaulich das *Doppelbildnis Karneval* (Kat. 43). Maskierung, Rollenspiel und Vereinzelung des Individuums bei größtmöglicher physischer und psychischer Nähe sind ebenso Thema dieses auf eigenartige Weise unfrohen Bildes wie auch die von Beckmann immer wieder formulierte Idee der Konfrontation mit der Dunkelheit eines unbekannten Schicksals: Der hinter dem Paar (und damit ihm unsichtbar) sich öffnende Vorhang zeigt dem Betrachter wohl nicht von ungefähr ein Stück schwarzen, undefinierbaren Raumes. Und der bereits von Reifenberg festgestellte Zusammenhang zwischen Beckmanns Selbstinterpretation hier und Antoine Watteaus ›Gilles‹ (Abb. 22)[57] verdeutlicht jene Mischung aus Trauer und Melancholie des sich seiner vorgeschriebenen Rolle bewußten Individuums.

Zur fast metaphysischen, feierlich-sakralen Bedeutungshieroglyphe wird das Meer-Motiv dann in dem letzten vollendeten Triptychon, in den *Argonauten* (Abb. 23).[58] Freilich scheint hier eine Umkehrung stattgefunden zu haben: Die klassisch-antikisch anmutenden Figuren im Vordergrund sind nicht mehr von der Unendlichkeit des Meeres als ferner Verheißung hinterfangen, sondern stehen optisch gewissermaßen über ihm, sind der überirdischen Sphäre unwirklicher violett-roter Gestirne zugeordnet. Und die Leiter, sonst bei Beckmann immer wieder als Metapher vergeblichen Bemühens ins Leere oder gegen eine undurchdringliche Decke gerichtet, wird hier zum verbindenden Element, ist im übertragenen Verständnis Jakobs- und Himmelsleiter.

Abb. 22 Antoine Watteau: Gilles, 1717-19, Öl auf Leinwand, Paris, Louvre

50 *Titan*, a.a.O. (Anm. 1), S. 442-443

51 Überblickt man die lange Reihe von Beckmanns Stilleben, wird man diesem Merkmal immer wieder begegnen: Die Schönheit aufgeblühter Blumen z.B., die kurz vor dem Verblühen ihren Höhepunkt erreicht, hat Beckmann aus dem klassischen Vanitas-Zusammenhang des Stillebens oft in diesem Verständnis übernommen!

52 Joan Wolk, ›Das Vanitas-Motiv bei Max Beckmann und Jean Paul – Symbole der Unsterblichkeit und der Liebe‹, in: *Max Beckmann – Frankfurt 1915-1933*, Ausstellungskatalog Städtische Galerie im Städelschen Kunstinstitut Frankfurt am Main, 1983/84, S. 51-57

53 Die bei Beckmann erkennbaren Buchstaben »NEU-PER/ORN« ergänzt sie wie folgt: »NEU(es) (Kam)P(an)ER(Tal) O(de)R (die) (U)N(sterblichkeit der Seele)«, ebenda S. 55. Unberücksichtigt bleiben bei dieser Kombination allerdings die letzten Ziffern, die wie eine römische Zwei aussehen.

54 Ebenda, S. 55

55 Woher Wolk die Gewißheit nimmt (ebenda, S. 54), in dem Bild befinde man sich auf einer Insel, bleibt offen. Vermutlich kommt diese Deutung von der zu engen naturalistischen Interpretation des Spiegelmotivs, das ja nichts im Bild Erkennbares wiedergibt. Falls wirklich eine Insel gemeint sein sollte, könnte der Spiegel allerdings Meer und Sonne dennoch nicht so reflektieren, da er betont schräg nach hinten geklappt ist, also im photographischen Verständnis etwas schräg über sich Befindliches wiedergeben müßte.

56 Ebenda

57 Benno Reifenberg und Wilhelm Hausenstein, *Max Beckmann*, München 1949, S. 70

58 Vgl. Fischer I, S. 221 ff.

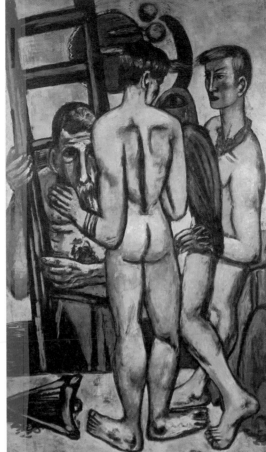

Abb. 23   Max Beckmann: Argonauten.
Triptychon, 1949/50, Öl auf Leinwand, New
York, Privatbesitz

Die Modifikation des Bildraumes

Waren es in den frühen zwanziger Jahren dichtgedrängte Kastenräume, die den
in sie gepferchten Menschen keinen Bewegungsspielraum ließen, so werden die
Räume jetzt eher zu flachen Bühnenstreifen oder flach hinter- und übereinanderge-
schichteten Kompartimenten, die zwar über die Ränder hinausführend denkbar
sind, jedoch gleichwohl keine angemessene Tiefenausdehnung haben. Dies trifft
insbesondere auf die Triptychen und darunter am entschiedensten auf *Blindekuh*
(Abb. 24) zu. Die friesähnliche, traditionellen Repräsentationsformeln folgende
Anordnung auf einem schmalen Vordergrundstreifen, wie sie etwa für *Perseus*
(Abb. 29), *Karneval* (Abb. 26) oder *Ballettprobe* (Kat. 132) bezeichnend ist, wurde
hier in ein eher reliefartiges, die gesamte Bildfläche überziehendes Gefüge verwandelt, das allein aus den dichtgedrängten, miteinander verzahnten Figuren
entsteht. Raum wird optisch kaum als begeh- und bewohnbarer Bildinnenraum
begreifbar, sondern als ein Nebeneinander einzelner Raumkompartimente, die sich
aus der Körperlichkeit der Figuren vor flachem Grund ergeben. Der Eindruck
beziehungslosen Durcheinanders im formalen Bereich wird durch das eigenartig
kontroverse ›Hauskonzert‹ im Mittelteil verstärkt: Harfenistin, Flötenspieler und
Trommler bilden ein dissonantes, halb klassisch-antikisches, halb heidnisch-bar-
barisches Ensemble, ergänzt noch durch die Figur mit Pferde- und Stierkopf, die
wie eine Paraphrase auf Picassos ›Guernica‹ wirkt (Abb. 25).[59] Dieses Spiel der
»Götter« wird durch die Figuren in den Seitenflügeln gerahmt, von denen zwei, das
in Adorantenstellung kniende Mädchen links und der junge Mann mit Augenbinde
rechts, geheimnisvoll aufeinander bezogen zu sein scheinen.[60]

Aufschlußreich für unsere Fragestellung ist der Kontrast zwischen Mittel- und
Seitenteilen, hier das selbstvergessene, freie Spiel der »Götter«, das in der gegen-
einanderstrebenden, unkontrollierten Bildstruktur eine Entsprechung findet, dort
eine eher statische Verquickung der Figuren, die, Zuschauern vergleichbar, diesem

59   Ich denke dabei besonders an den im Fenster
sichtbaren Pferdekopf.

60   Beckmann bezeichnete die Figuren auf der
mittleren Tafel zunächst als »Die Götter«, Angabe
bei Gert Schiff, ›Die neun vollendeten Triptychen
von Max Beckmann, Marginalien zu ihrer Deutung‹,
in: *Max Beckmann – Die Triptychen im Städel*,
Ausstellungskatalog Städtische Galerie im
Städelschen Kunstinstitut, Frankfurt a. Main 1981,
S. 75. Folgend zitiert als Kat. Ausst. Frankfurt 1981.
Vgl. hierzu Gert Schiff, ebenda S. 78

ungezwungenen Miteinander als Außenseiter beiwohnen. Und daß Beckmann selbst sich dabei als nur temporär zugehörig sah, belegt seine Äußerung vom 19. September 1945: »Nun bin ich wirklich mit ›Blindekuh‹ fertig und ich muß leider die dunklen und doch so festlichen Räume verlassen.«[61]

Die Darstellung physischer Gewalt seit den dreißiger Jahren

Physische Gewalt und Versklavung des Menschen werden in drei Triptychen zu zentralen Bildmotiven: *Abfahrt* 1932/33, *Versuchung* 1936/37, *Perseus* 1940/41. Waren es in den frühen zwanziger Jahren meist bemitleidenswert unbedarfte Geschöpfe, die eine wirkliche Identifikation des Betrachters kaum ermöglichten und von daher subjektive Betroffenheit nur bedingt aufkommen ließen, so sind es jetzt weit eher heroische, stolze Figuren, die Qual und Erniedrigung scheinbar ungebrochen erleiden. Der manchmal fast an den Bereich der Satire grenzende Zynismus, wie er u. a. im *Frauenbad* (Kat. 20) beobachtet werden konnte, wie auch die damit einhergehenden anatomischen Verzerrungen, die vollgestopften, beklemmend winzigen Kastenräume etc. sind jetzt Figurationen gewichen, die in jeder Beziehung *wahrscheinlicher* wirken, wie verschlüsselt auch immer das Geschehen sein mag, das sich in ihnen vollzieht. Das Geheimnis entsteht nun aus den einzelnen Dingsymbolen und deren Verbindung untereinander. Waren früher die Figuren selbst unwissend, so scheint es sich jetzt oft so zu verhalten, daß die Beteiligten in Beckmanns Bilddramen durchaus ihr Schicksal kennen, daß *uns* jedoch der Bildsinn verschlossen bleibt.

   In der *Abfahrt* (Abb. 27), Beckmanns erstem Triptychon, verbindet sich die hier angesprochene Problematik zu einer der gültigsten Lösungen im Œuvre des Künstlers.[62] Der Gegensatz zwischen dumpfer, physischer Gewalt, Sklaverei und psychischer Blindheit einerseits und kontemplativer Ruhe und Offenheit andererseits

Abb. 24   Max Beckmann: Blindekuh. Triptychon, 1944/45, Öl auf Leinwand, Minneapolis, Minn., The Minneapolis Institute of Arts

Abb. 25   Pablo Picasso: Guernica, 1937, Öl auf Leinwand, Madrid, Prado

Abb. 26   Max Beckmann: Karneval. Triptychon, 1942/43, Öl auf Leinwand, Iowa City, Ia., The University of Iowa Museum of Art

61   Ebenda S. 49
62   Vgl. hierzu bes. Fischer I, S. 93ff. und allg. Kat. Ausst. Frankfurt 1981

Abb. 25

wird in dem Kontrast von Innen- und Außenraum unmittelbar sinnfällig. Zwar bewegt sich das Geschehen in allen drei Teilen – wie dies für Beckmanns Triptychen insgesamt symptomatisch ist – auf einem relativ flachen, bühnenähnlichen Raumstreifen, aber während im Mittelteil offenes Meer und unbegrenzter Horizont zumindest dem Blick ein absolutes Maß an Freiheit suggerieren, schließen in den Flügeln eigenartige Architekturversatzstücke und Wände Bildfiguren und Betrachter unentrinnbar in die dumpfe Enge der Szenerie ein. Das Innen wird zum Gefängnis, zum Ort der Unfreiheit sowohl physischer als auch psychischer Natur. Eigenartig fällt auf, daß trotz aller Brutalität und Härte kein wirklich aktives, vitales Moment spürbar wird. Die Figuren wirken eher in ihrem Handeln erstarrt, nicht jedoch als Gewalt ausübend und Gewalt erleidend. Ein Ausdruck unmittelbaren Schmerzes artikuliert sich noch am deutlichsten im Blick und der angespannten Muskulatur der verstümmelten und gefesselten Frau im linken Flügel. Alle anderen Figuren verharren eher reglos in dem ihnen zugeteilten Part, wobei die Gesichter der unmittelbar Gewalt erleidenden Figuren abgewandt sind: Wir erfahren sie nicht als identifizierbare Individuen, sondern als Typus. Darüber hinaus könnte mit die-

sem Moment auch jene Blindheit gegenüber einer vorbestimmten, zwanghaften Existenz gemeint sein, wie sie Beckmann immer wieder thematisierte. Denn daß hier trotz aller möglichen Nähe zu den Schrecken des bedrohlich aufsteigenden Nationalsozialismus keine konkrete historische Situation[63], sondern ein existentielles Grundphänomen angesprochen ist, bedarf wohl keiner näheren Begründung. Ein meines Erachtens bisher zu wenig berücksichtigter Unterschied zwischen den beiden Flügeln kann vielleicht das zugrundeliegende allgemeine Problem näher spezifizieren: Im Gegensatz zum linken ist im rechten Teil das Thema nicht Folterung *und* Fesselung, sondern *nur* Fesselung. Einem Uniformierten sind die Augen verbunden und ein zweiter Mann hängt kopfüber und hilflos mit Bandagen an eine Frau gefesselt, dahinter ein gnomenhaftes nacktes Kind, dem hämischen Zwerg im Mittelteil der *Akrobaten* (Kat. 89) vergleichbar. In beiden Fällen ist diese Mißgeburt dem aufeinander bezogenen Paar zugeordnet, das in dem frühen Triptychon – unentrinnbar und weltvergessen – in eine kalt berechnende Leidenschaft verstrickt erscheint, während es hier emotionslos und zwanghaft aneinandergebunden wirkt, wobei der Frau eine offensichtlich dominante Rolle zukommt: Denn nicht sie ist an den Mann, sondern umgekehrt er an sie gefesselt. Vergleichbare Gewichtungen und damit auch Wertungen der von Beckmann als existentiell unausweichlich verstandenen Verstrickung von Mann und Frau begegnet man immer wieder, man denke u. a. an die *Luftakrobaten* (Abb. 28) oder die *Reise auf dem Fisch* (Kat. 70). Entscheidend erscheint mir in diesem Zusammenhang, daß der Frau dabei zunehmend ein größeres Maß an Freiheit und Selbstverständlichkeit in einem allerdings gleichermaßen unfreien Ausgangskontext zufällt als dem Mann.

Noch weiter zurückgenommen, was die Unmittelbarkeit von Gefühlsäußerungen betrifft, sind die Figuren in der *Versuchung* (Kat. 73), in der sich Unfreiheit im

Abb. 27   Max Beckmann: Abfahrt. Triptychon, 1932-1935, Öl auf Leinwand, New York, The Museum of Modern Art

63   Fischer sieht die unmittelbaren Auswirkungen wohl noch zu konkret, wenn er vermerkt: »Man mag hier innehalten und sich fragen, ob für den Maler dies alles nicht noch viel mehr bedeutet als eine aus den Zeitumständen geborene Allegorie der Hoffnung«, in: F. W. Fischer, *Der Maler Max Beckmann*, Köln 1972, S. 52, folgend zitiert als Fischer II

Motiv der Fesselung unmittelbar ausdrückt. Der Jüngling im Mittelteil sowie die beiden aufrechtstehenden Frauen in den Seitenflügeln sind dieser direkten Form der Versklavung unterworfen, während der ekelhafte Kopffüßler links und die abgerissene Kriechende rechts nicht nur auf einer niedrigeren Stufe stehen, sondern auch auf einer physisch gewissermaßen niedrigeren Ebene mißhandelt werden. In bezug auf die drei Gefesselten bzw. in einen Käfig Gesperrten erscheint mir ein Faktor in unserem Zusammenhang besonders aufschlußreich, der meines Wissens bisher kaum berücksichtigt wurde: Über allen liegt Melancholie und stille Resignation, durch die das Thema Versuchung eine Wendung in ein Mit-sich-Geschehenlassen erfährt. Die von der Kritik immer wieder als der Versuchung erlegen interpretierten Frauen[64] wirken kaum wie die Opfer ihrer Leidenschaft, sondern vermitteln weit eher den Eindruck apathischen Gewährenlassens, ohne daß sie dadurch allerdings als psychisch Gebrochene erscheinen. Noch offensichtlicher wird dies bei dem Jüngling, der ja nicht als von Versuchungen gepeinigt charakterisiert ist, dessen sehnsuchtsvoll die Frau umschließender Blick vielmehr Trauer und Resignation enthält. Nirgendwo wird hier auch nur der Ansatz von Leidenschaftlichkeit und Unmittelbarkeit erkennbar, wie es das Thema ohne Zweifel nahelegen würde. Es herrschen vielmehr der Eindruck stillen Erduldens und ein Gefühl von Unausweichlichkeit, das sich bei den Frauen zudem mit einem gewissen Überdruß verbindet. Das Schicksal des Menschen, immer wieder an die Materie gebunden, nie wirklich frei zu sein, wird hier als ausweglos konstatiert, und obwohl die Protagonisten dies zumindest zu ahnen scheinen, sind ihr Stolz und ihre Würde nicht gebrochen. Die bemitleidenswert jämmerlichen Geschöpfe im *Traum* (Kat. 23) sind frei denkenden und frei ihr Schicksal annehmenden Menschen gewichen. Der positive Aspekt der *Versuchung* liegt damit meines Erachtens nicht in der Andeutung eines möglichen Auswegs aus dieser existentiellen Unfreiheit, sondern in der Aura psychischer Unberührbarkeit, die die de facto versklavten Figuren umschließt. Nicht in Trotz oder wildem Aufbegehren, sondern in dieser stolz erduldenden Haltung scheint Beckmanns geringe Hoffnung in einer Zeit gelegen zu haben, in der die Unfreiheit der menschlichen Existenz in der Barbarei des Nationalsozialismus physisch greifbare Realität wurde.

In der *Hölle der Vögel* (Kat. 84) konzentriert sich Beckmann ganz auf diese andere, Gewalt ausübende Seite. Bezeichnenderweise sind es nicht Menschen, sondern leuchtend bunte Riesenvögel, die als Folterknechte fungieren und so das Geschehen auf eine irreale Ebene heben. Damit wird der sicher auch mitgemeinte Bezug auf den Nationalsozialismus in einen allgemeinen Kontext gestellt. Das Gemälde wird zur Metapher für Terrorismus schlechthin, zur Allegorie jener Hölle auf Erden, der das Individuum unausweichlich ausgeliefert ist, die aber auch ihn selbst mitbestimmt und die ihn verschlingt, wenn er sich ganz seinen Begierden hingibt. Dieser auf den ersten Blick vielleicht sehr gewagte Interpretationsansatz gewinnt bei einem Vergleich mit der *Versuchung* an Wahrscheinlichkeit: Der junge Mann, der hier gefoltert wird, weist Ähnlichkeiten mit dem Jüngling dort auf, die Vögel sind zu Ungeheuern verwandelte Gegenbilder des Paradiesvogels im rechten Flügel, und das Fruchtbarkeitsidol Diana von Ephesus im Mittelbild hat sich in eine Furie verwandelt. In einer formal und farblich nahezu orgiastischen Malerei wird die Perversion menschlicher Begierden bedrückender Alptraum, real und irreal zugleich.

Auch das *Perseus-Triptychon* (Abb. 29) konzentriert sich im Mittelteil auf den Aspekt der Gewaltanwendung, der jedoch hier nicht nur als faktische Realität vorgeführt, sondern darüber hinaus auch wertend beurteilt wird. Das mythologische Vorbild, die Befreiung der Meere von dem Schlangenungeheuer und die Rettung der Andromeda durch Perseus, hat Beckmann auf eine höchst eigenwillige Weise uminterpretiert[65], denn ohne Zweifel ist der Held hier negative Identifikationsfigur. Sein brutales Äußeres, das unangenehm verschlagene Gesicht, der struppige Bart und die rötliche Haarmähne – Fischer vermutet hier wohl mit Recht eine Perversion nordischer Heldenfiguren[66] – lassen ihn nicht als Retter, sondern eher als Aggressor erscheinen, und die Frau und die Schlange wirken als geschlos-

Abb. 28 Max Beckmann: Luftakrobaten, 1928, Öl auf Leinwand, Wuppertal, Von der Heydt-Museum

64 Vgl. hierzu u. a. Fischer I, S. 136ff. und Kat. Ausst. Frankfurt 1981 und Stephan Lackner, *Max Beckmann – Die neun Triptychen*, Berlin 1965, S. 9

65 Vgl. Fischer II, S. 65ff.

66 Ebenda S. 68; allerdings scheint mir die damit verbundene Vermutung, Beckmann habe in dieser Figur die Angst vor einer Invasion der Deutschen in England oder auch Holland allegorisch gefaßt, als zu spekulativ.

sene Figur, sind *ein* Opfer. Perseus wird zum brutalen Unterdrücker, der sich nicht irgendwen, sondern eine Frau unterwirft, und Beckmann läßt keinen Zweifel daran, daß dies für ihn keine Lösung eines menschlichen Grundproblems sein kann: Die Unfreiheit des Individuums, die für Beckmann stets auch eine Folge der Trennung der Geschlechter war, läßt sich nicht durch Unterwerfung aufheben. Freiheit, so läßt sich daraus folgern, war für ihn stets auch die Freiheit des anderen, eine Einsicht, die in dieser Deutlichkeit erst seit den dreißiger Jahren in seinem Werk manifest wird.

Isolation, Unfreiheit und Gewalt spielen auch in dem Triptychon *Schauspieler* (Abb. 30) eine nicht unwesentliche Rolle. Wie schon bei den 1939 entstandenen *Akrobaten* (Kat. 89) handelt es sich bei den dargestellten Figuren um eine in sich geschlossene, eindeutig identifizierbare Gesellschafts- bzw. Berufsgruppe, ein Umstand, der zumindest eine vordergründige Beschreibung des Bildgeschehens etwa im Vergleich zu *Versuchung* (Kat. 73) erleichtert. Allerdings ist die Szenerie ungleich komplizierter als in *Akrobaten;* mehr Personen nehmen an verschiedenen Orten und auf verschiedenen Ebenen an den Vorbereitungen eines Theaterstückes teil, eine Tatsache, die an die Idee der expressionistischen Simultanbühne erinnert, bei der in einem komplizierten über- und ineinandergeschachtelten Bühnenaufbau mehrere Szenen gleichzeitig gespielt werden.[67] Allerdings betrifft die Parallelität lediglich das formale Problem einer Darstellung gleichzeitig ablaufender Szenen, die jedoch hier die Situation bei Theaterproben allgemein, nicht den komplexen Inhalt eines Bühnenstücks vermitteln sollen.

Im Mittelteil begeht der als König verkleidete Schauspieler – Beckmann selbst nicht unähnlich – Selbstmord; ob dies nur ein Spiel oder Wirklichkeit ist, bleibt ungewiß; allerdings scheinen der geöffnete Mund und die wie erschreckt erhobenen

Abb. 29 Max Beckmann: Perseus. Triptychon, 1940/41, Öl auf Leinwand, Essen, Museum Folkwang

67 Vgl. hierzu die Untersuchung von Claude Gandelmann, › Max Beckmanns Triptychon und die Simultanbühne der zwanziger Jahre ‹, in: Kat. Ausst. Frankfurt 1981, S. 102-113

Hände der Souffleuse sowie die verwirrt in ihrem Lied innehaltende Sängerin auf eine tatsächlich tragische, unerwartete Wendung hinzudeuten. Während der Regisseur in stoischer Gelassenheit den Text kontrolliert, beobachtet ein unsympathisch wirkender Hofnarr, auch er die Hand wie erstaunt erhoben, mit offenem Zynismus und Mißbehagen die Szene; ihm wiederum ist eine unangenehme Alte zugeordnet – ein an Kindermärchen erinnerndes Gespann vom bösen Zwerg und der Hexe. Ein versonnen auf der Bühnentreppe sitzendes Mädchen stellt die Verbindung zum offenen Orchesterboden her, in dem ein grünlicher Männerkopf und wütend aufeinander losgehende Bühnenarbeiter erkennbar sind.

Unerklärlich bleibt die Zugehörigkeit der fünf nackten Füße, die in dem Loch neben der Treppe im linken Flügel sichtbar sind. Die Metallringe an den Knöcheln erinnern an Fesseln, wie sie Beckmann immer wieder in seinen Bildern als Zeichen totaler Unfreiheit benutzte. Hier kommt jedoch noch als eigenartiger Faktor hinzu, daß die den Füßen zugehörigen Körper nirgendwo Platz finden, daß für sie kein Raum vorgesehen ist. Dadurch entsteht der Eindruck, als handle es sich tatsächlich um abgeschnittene Füße, die als Zeichen für etwas anderes vorgewiesen werden. Lärm artikuliert sich in diesem Triptychon nur in den unteren Bildebenen, während sich in den oberen Zonen alles in einer lastenden Stille zu vollziehen scheint, verbunden jeweils auf allen drei Flügeln durch außerhalb des Geschehens stehende, psychisch abwesende Figuren. Besonders bedrückend wird dieser Gegensatz im Mittelteil, wo der offenen Aggressivität unten eine Resignation oben gegenübersteht, die Aggressivität nur noch in melancholisch-elegische Verzweiflung verwandelt, gegen sich selbst zu wenden vermag: Denn der Selbstmord des Königs – sei er nun gespielt oder echt – vollzieht sich so stumm und apathisch, daß nur der Dolch und die Wunde auf den Vorgang hinweisen, der Körper selbst jedoch unbewegt verharrt.

Abb. 30 Max Beckmann: Schauspieler. Triptychon, 1941/42, Öl auf Leinwand, Cambridge, Mass., Harvard University, Fogg Art Museum

Bei Gert Schiff[68] findet sich in Zusammenhang mit dem König der einleuchtende Hinweis auf die Figur des Roquairol im ›Titan‹ von Jean Paul. Aus zahlreichen Äußerungen des Künstlers geht hervor, daß Beckmann an diesem von ihm hochgeschätzten Roman besonders die zerrissene Persönlichkeit des Roquairol faszinierte, jenes negativen Helden, der sich auf der verzweifelten Suche nach der eigenen Identität schließlich auf offener Bühne in einem von ihm selbst verfaßten Stück ermordet. Der Absolutheitsanspruch des Roquairol, seine rasende Suche nach »totalen« Gefühlen – seien sie negativ oder positiv –, seine Verachtung jeglicher Normalität, müssen Beckmann in besonderer Weise entsprochen haben. Es mag durchaus sein, daß Beckmann, der sich in der Königsfigur ja selbst porträtierte, hier eine vergleichbare Haltung gegenüber der ihn umgebenden Wirklichkeit auszudrücken versuchte.

Aufschlußreich ist in diesem Zusammenhang die befremdliche Parallele zwischen Zwerg und König im Mittelteil: Ihre Kleidung gleicht einander farblich spiegelverkehrt; sie ist bei beiden grün, rot und gelb. Das hat natürlich einerseits als komplementärer Kontrast eine kompositionelle Funktion: Der Mittelteil wird nicht durch Formen, sondern durch die Farbe zusammengehalten. Andererseits verbindet sich damit jedoch auch eine inhaltliche Bedeutung: Der ekelhafte Zwerg und der melancholische König werden – verstärkt durch die graue Gesichtsfarbe – zu eigentlichen Gegenspielern. Der Zwerg ist in seiner negativen, boshaft zynischen Märchenrolle gefaßt und könnte damit als Lebensalternative zu dem resignierten, sich selbst in einem Akt der Vergeblichkeit auslöschenden Künstler-König gemeint sein.

Die beiden Flügel, die formal durch leicht nach außen fliehende Linien in Wand, Tür und Boden den Mittelteil optisch nach vorne schieben, ergänzen die dort angeschnittene Problematik. In der ruhig belehrenden, sich selbst vertrauenden Christusfigur[69] einerseits und dem Januskopf andererseits, die sich spiegelverkehrt wie Jung und Alt gleichen, könnten Christliches und Antikisches als gleichwertige Möglichkeiten angesprochen sein, wie jedoch gleichzeitig auch soziales Verhalten in einer Gruppe und isolierte Kontemplation.

Das Motiv der Verschleierung

Auf einer anderen Anmutungs- und Bedeutungsebene liegt das Motiv der Verschleierung, das Beckmann in unterschiedlichen Variationen in inhaltlich weit auseinanderliegenden Kompositionen integrierte. Maske oder Larve sowie die Verkleidung insgesamt lassen das Individuum als ein anderes erscheinen, als es tatsächlich ist; die Maskierung wird zum Alter ego oder gibt sogar vor, das eigentliche Ich des Dargestellten zu sein. So wird in *Maskerade* (Kat. 117) die Frau durch die Larve zur Katze, dem Betrachter wird jeglicher Anhaltspunkt für ihre eigentliche Identität verwischt, und er ist geneigt, die sich in der Maske ausdrückenden Charaktereigenschaften mit der Person zu identifizieren. Demgegenüber verbirgt ein Schleier das Gesicht, ohne gleichzeitig eine andere Person vorzutäuschen; indem er verhüllt, weckt er den Wunsch zu sehen, was er verdeckt. Die Figur wird zum verlockenden oder bedrohlichen Geheimnis, dessen Sinn sich nur durch eine Entschleierung aufschließen ließe, jedoch im Bild als unlösbares Rätsel manifest bleibt.

Eines der frühesten, thematisch noch deutlich erklärbaren Beispiele dieses Figurentypus begegnet uns in der *Auferstehung* von 1916 (Abb. S. 85). Die auf der Seite der Verdammten oben links aus dem Bild schreitende Gestalt hat sich eng in das Leichentuch gehüllt, Arme, Kopf und einen Teil des Gesichts verdeckend. Offen bleibt, ob die Geste des Sich-Verbergens als Schutz vor einer feindlichen Außenwelt, als vergeblicher Versuch, getarnt und unerkannt zu entfliehen, oder jedoch als Verzweiflung über das nun endgültig besiegelte Schicksal der Verdammnis zu werten ist. Damit eignet diesem Bildmotiv bereits hier etwas von der ergründlichen, mehrdeutigen Sinnstruktur, die in späteren Fassungen bestimmend wird. Während die verschleierte Figur in dem Bild *Lido* von 1924 (Kat. 40) als ebenso absurde wie geheimnisvolle Barriere zwischen Betrachter – den sie mit ihrem Blick an das Bildgeschehen bindet – und dem grotesken Treiben im Meer

68 Kat. Ausst. Frankfurt 1981, S. 24
69 Nach Erhard Göpel, *Max Beckmann – Die Argonauten*, Reclams Werkmonographien zur bildenden Kunst 13, Stuttgart 1957, S. 4

Abb. 31 Max Beckmann: Der Leiermann,
1935, Öl auf Leinwand, Köln,
Museum Ludwig

erscheint, bringt sie in *Fastnacht* von 1925 (Abb. 7) ein karikierendes wie auch abgrundtief erschreckendes Element ein: Hinter der Pierrette sitzend, deren lässig-elegante Haltung ohne deren Wissen ins Lächerliche konterkarierend, richtet eine Figur mit vermummtem Kopf ihre dunklen Augenhöhlen ins Nirgendwo. Das Absurde ihrer akrobatischen Übung steigert die ohnehin gespenstische Wirkung des Kopfes in einer fast surrealistischen Weise.

Im *Leiermann* (Abb. 31), einem bedrängenden, rebusartigen »Lebenslied«[70], treten uns zwei halbverschleierte, wie Yin und Yang einander ergänzende Figuren entgegen, im unteren Spiegel nochmals durch das von Beckmann mehrfach benutzte kabbalistische Symbol En-Soph[71] wiederholt: Die Linke mit einem greisenhaft wirkenden Neugeborenen im Arm, wie es uns ähnlich auch in der *Geburt* (Kat. 81) begegnet, und die rechte, dunkelhäutige mit blutigem Schwert, Holzbein und einer dunklen, kopfähnlichen Form im Arm, scheinen den Kreislauf des

70 Fischer II, S. 57 ff.
71 Fischer I, S. 66 ff.

Lebens, Geburt und Tod, aber auch stille Gewaltlosigkeit und brutale Aggressivität zu bedeuten.[72] Das Motiv der nur teilweisen Verschleierung, wie Beckmann es hier anwendet, könnte als Zeichen für jenen menschlichen ›Grundmangel‹ verstanden werden, alle Existenz, wie auch Geburt und Tod, nur aus dem Mikrokosmos der eigenen Individualität sehen und begreifen zu können, nie etwas ganz zu wissen; und stets dann, wenn wir glauben, etwas zu erkennen, verdeckt uns ein ›Schleier‹ jede umfassende Sicht.

Unfreiheit ist demnach nicht der Figur selbst zugehörig, sondern es ist hier ein Gefühl, das sich im Betrachter einstellt; seine Unwissenheit und damit auch existentielle Unfreiheit wird ihm demonstriert, anschaulich ebenso in der selbstvergessenen träumenden Jünglingsfigur im Harlekinkostüm, die zu allem Überfluß noch eine Augenbinde trägt, in naiver Unkenntnis der nicht eben beruhigenden Szene hinter ihr. In Verbindung mit der übergroßen Blume, halb blaue Blume der Romantik, halb Todessymbol, gerät dieser doppelt blinde Jüngling zum Inbegriff des sich durch Unwissenheit sicher wähnenden Menschen, der glaubt, frei zu sein, weil er nichts sieht.[73]

Im *Atelier* von 1938 (Kat. 85) entzieht sich die verschleierte Figur jeder Einsicht. Ihre an sich banale Existenz – das Tonmodell für die Plastik wird nachts mit einem Tuch zugedeckt, um das Austrocknen zu verhindern – verwandelt sich im Dunkel der Nacht, das ihre eigene Dunkelheit ins Geheimnisvolle steigert, in ein furchterregendes Wesen. Und man bleibt im Zweifel, ob diese Figur wissend oder ebenso unwissend ist wie wir, ob sie ein uns unbekanntes Schicksal personifiziert oder ob sich hinter dem schützenden Tuch dumpfe Leere verbirgt. Eindeutiger, gleichwohl nicht weniger bedrohlich erscheint die Figur im *Bildhaueratelier* von 1946 (Abb. S. 143): Aufrecht hinter einem übergroßen Schwert verborgen, hat sie sich in eine dunkel verhüllte Frau verwandelt, die eigenartig mit der halbnackten hellen Frau kontrastiert, deren Rückenansicht im Spiegel erscheint. Dieser dunklen Göttin scheint der Blick des Mannes zu gelten, auch er nur als Spiegelbild im Bild erkennbar. Das Verschlossene, Abseitige wird damit zur eigentlichen Bildrealität, alles in seinen Bann ziehend, gleichwohl durch das Schwert vor jedem Zugriff geschützt.

Weniger kompliziert taucht das Motiv auch in *Abschied* von 1942 (Abb. 32) auf; in der verschleierten Figur wird der Schmerz über die bevorstehende Trennung unmittelbar anschaulich, eine Trennung, die dunkle Vorahnung ihr als endgültige erscheinen läßt. Denn die Figur hat etwas von jener unwiderruflichen, endlosen Trauer, wie sie die berühmten ›Pleurants‹ von Claus Sluter (Abb. 33) in unterschiedlichen Varianten eindrucksvoll verkörpern. Beckmanns Bilderfindung der verschleierten Figur ist, dies wird hier meines Erachtens klar, nicht ohne dieses Vorbild zu denken, das er vermutlich kannte.[74] Schon in der *Auferstehung* (Abb. S. 85) wird diese Parallele offensichtlich, die sich dann, mehr oder weniger deutlich, bei den meisten Beispielen innerhalb dieser Bildfigur nachweisen läßt. Man gewinnt den Eindruck, als habe Beckmann die bei Sluter vorgeprägten versteinerten Symbole psychischen Schmerzes, die sich hier auf das Todesthema konzentrieren, zwar übernommen, jedoch erweitert und konfrontiert mit jenem anderen, auch im Motiv der Verschleierung enthaltenen Thema eines geheimnisvollen Schicksals, wie es u. a. in *Die Reise* (Kat. 103) anklingt. Diese Interpretation wird in *Traum von Monte Carlo* (Abb. 34) bestimmend, einer vielschichtigen Allegorie menschlicher Grundverhaltensweisen und konkreter historischer Bedrohungen. Die lasziv sich auf dem Tisch darbietende, halb liegende Frau, deren nackte Brust wie bei der sitzenden gewissermaßen als Trophäe vorgewiesen wird, scheint im Besitz der Trumpfkarte zu sein, die sie mit halb abgewandtem Gesicht dem Betrachter präsentiert. Auf sie ist die gesamte Komposition konzentriert. Die Bankhalter oder Spieler am hinteren Tisch scheinen mit diesem gemeinsam unwiderruflich in einem Sog auf sie hingezogen zu werden. Ihr gieriger Blick und die martialisch gezückten Schwerter – auch der kleine Junge im Arm der Frau ist so in einer Drohgebärde bewaffnet – lassen keinen Zweifel, daß sie sich den Gewinn um jeden Preis rücksichtslos erkämpfen werden.[75] Sie merken nicht, daß sie sich damit ganz in die Fänge eines entsetzlichen Schicksals begeben haben, das gräßlich vermummt und

Abb. 32 Max Beckmann: Abschied, 1942, Öl auf Leinwand, Privatbesitz

[72] Die von Fischer behauptete Identität der beiden dunklen Figuren oben als indische Gottheiten Kali und Devi, die Lebenszerstörung und Lebenserhaltung personifizieren, geht m. E. am optisch Sichtbaren vorbei. Zwar ist die linke Figur nicht so negativ gedeutet wie die rechte, aber es fällt dennoch schwer, sie als Verkörperung positiver Werte zu sehen. Und die rechte Figur, die ein Holzbein hat und zudem nicht als weiblich klassifiziert ist, könnte ebenso ein allgemein martialisches Element meinen (s. Fischer ebenda, S. 134).

[73] Der schwarze Teppich trennt zwischen Vorder- und Hintergrund und deutet damit eventuell eine Scheidung von diesseitiger und jenseitiger Welt an, denn die verschleierten Figuren sind vermutlich fremden Sphären zugeordnet. Die Beziehung von Mann und Frau im ›Lebenslied‹ wird durch die bedeutungsvolle Anordnung der Blumen augenfällig. In dem emotional unbeteiligten Leiermann verbinden sich Liftboy und der geschlechtslose Krieger der ›Versuchung‹ (Kat. 73), wie auch Feuer und zweigeteilte Spiegelung im Spiegel als ähnliche Motive im Triptychon auftauchen.

[74] Ähnlichkeiten sind darüber hinaus zu mittelalterlichen Kreuzabnahme- und Beweinungsszenen festzustellen, man denke z. B. an Albrecht Dürers ›Beweinung Christi‹ (›Glimsche Beweinung‹) oder die ›Kreuzigung Christi‹ des Meisters der Tegernseer Tabula Magna, beide Alte Pinakothek, München.

[75] Vgl. hierzu ergänzend Fischer II, S. 59

Abb. 33 Claus Sluter: Trauernder Mönch vom Grabmal Philipps des Kühnen, 1404-5, Dijon

bandagiert bereits neben ihnen wartet, eine Zeitbombe mit brennender Lunte in Händen haltend. Die linke Figur mit ihren merkwürdigen, übereinandergestaffelten blicklosen Augen erinnert erschreckend an die monströsen *Kinder des Zwielichts* (Kat. 87), die Fischer wohl treffend als Seelenfänger interpretiert hat, die den Menschen in den Kreislauf des Werdens zurückwerfen.[76] Im *Traum von Monte Carlo* sind sie den beiden Männern ohne deren Wissen zugehörig, als ihr dunkler Schatten, der auch farblich deutlich zur fast gleißenden Helligkeit ihrer Gesichter kontrastiert.

Der *Traum von Monte Carlo* wird zur Vision einer existentiell unausweichlichen, tödlichen Spielerleidenschaft mit all ihren möglichen Implikationen: vordergründig als Spiel um Geld, das wiederum nur Metapher eines wahnwitzigen Kampfes um den Fetisch Frau bedeutet, die als die › Femme fatale ‹[77] der Jahrhundertwende figuriert. Ob damit gleichzeitig, wie Fischer meint, auch die sich zuspitzenden politischen Verhältnisse in Europa antizipiert sind, also eine konkret greifbare Bedrohung menschlicher Freiheit zum Ausdruck kommt, sei dahingestellt; im Sinne Beckmanns wahrscheinlicher wäre, daß auch diese reale Kriegssituation als Anlaß genommen wird, auf die übergreifende und stets vorhandene Unfreiheit einzugehen, die den einzelnen zur Marionette unbekannter Mächte werden läßt. Eine vergleichbare Funktion mag auch die verschleierte und maskierte Schicksalsgöttin in dem Triptychon *Karneval* haben (Abb. 26). Allerdings scheint das Entsetzen hier diese Figur selbst auch zu berühren: Ihr vor den Körper gehaltenes Schwert und die Abwehrgeste der Hand schaffen Distanz zu dem jungen Mann, der in verbissenem Trotz die naiv-vertrauend ihn umschlingende Frau auf dem Rücken wegzutragen versucht.

Das Verhältnis von Mann und Frau

Im Verhältnis von Mann und Frau ist eines der wichtigsten Themen, wenn nicht sogar das eigentliche Zentrum im (bildnerischen) Denken Beckmanns präzise formuliert: der unüberwindliche und ebenso zerstörerische wie lebensnotwendige Gegensatz zwischen Mann und Frau als Metapher existentieller Unfreiheit, als anschauliches Sinnbild vorbestimmter Bindung an die Materie. In der stets neuen und vergeblichen Sehnsucht, diese Entfernung aufzuheben und sich im anderen zu erfüllen, kettet sich das Individuum unentrinnbar an die Vergänglichkeiten und Banalitäten der Existenz. Es mag genügen, aus den zahllosen Äußerungen des Künstlers zu diesem Problemkreis eine oft zitierte, besonders markante Tagebucheintragung vom 4. Juli 1946 herauszugreifen: »Der kalte Zorn herrscht in meiner Seele. Soll man denn nie von dieser ewigen scheußlichen vegetativen Körperlichkeit los kommen. Sollen alle unsere Taten immer nur lächerliche Belanglosigkeiten im Verhältnis zum grenzenlosen Universum bleiben. ... – Nichts bleibt uns als Protest – Grenzenlose Verachtung gegen die geilen Lockmittel, mit denen wir immer wieder an die Kandare des Lebens zurückgelockt werden. Wenn wir dann halb verdurstet unseren Durst löschen wollen, erscheint das Hohngelächter der Götter. – Salz leckst Du, armer größenwahnsinniger Sklave und tanzt lieblich und unendlich komisch in der Arena der Unendlichkeit unter dem tosenden Beifall des göttlichen Publikums. Je besser Du's machst, um so komischer bist Du. Am komischsten die Asketen, die sich immer noch eine neue Sinnlichkeit im Entsagen oder Selbstpeinigen erfinden – am traurigsten der absolute Wollüstling, weil er Pech säuft statt Wasser. – Halten wir uns an die Verachtung. «[78]

»Askese und Wollust « – Beckmann setzte sich zwar mit beiden Extremen auseinander, aber ohne Zweifel war für ihn im bildnerischen Bereich bereits eine ursprüngliche Beziehung zu allen unmittelbar sinnlichen Lebensäußerungen vorgegeben. »Ergebt Ihr Euch der Askese, der Abkehr von allen menschlichen Dingen, so erreicht Ihr wohl eine gewisse Konzentration, aber Ihr könnt auch vertrocknen dabei. Stürzt Ihr Euch rücksichtslos in die Arme der Leidenschaft, so könnt Ihr leicht verbrennen. Kunst, Liebe und Leidenschaft sind sehr nahe verwandt. Denn mehr oder weniger dreht sich alles um Erkenntnis oder den Genuß der Schönheit in

76 Auf die Frage, was die Aufschrift » Sortie « hier konkret bedeute, äußerte Beckmann gegenüber Stephan Lackner: »Na, so wie in der Metro «, was bereits Lackner auf die Unterwelt, den Styx bezog. Vgl. Stephan Lackner, *Ich erinnere mich gut an Max Beckmann*, Mainz 1967, S. 79

77 Inwieweit dabei symbolistische Vorstellungen Beckmanns Frauenbild indirekt mitprägten, müßte gesondert untersucht werden.

78 *Tagebücher 1940-1950*, S. 168 f.; vgl. zu diesem Thema auch Christian Lenz.

irgendeiner Form. Und der Rausch ist schön – nicht wahr, meine Freundin?«[79] Offensichtlich, zu welcher Seite sich dabei die Waage neigt! Und gerade darin scheint die Ursache für den bereits erörterten Unterschied zu dem stets bewunderten Cézanne zu liegen, wie aber auch umgekehrt zu Picasso. Die Askese Cézannes widersprach letztlich seinem Lebensgefühl, und das, was Picasso eher selbstverständliche, nicht stets neu zu reflektierende Grundlage war, wurde Beckmann zum existentiellen Problem. Das Bewußtsein einer von fremden Mächten vorprogrammierten Bindung an die Materie, das immer wieder schmerzlich empfundene Wissen um die jedem einzelnen immanente Unfreiheit, der es nur mit Verachtung und Trotz zu begegnen galt, hatte jenen mehr oder weniger deutlichen Konflikt zur Konsequenz, der Eigenart und Größe von Beckmanns bildnerischem Œuvre entscheidend mitbestimmt. Das Widersprüchliche der Existenz spiegelt sich in einer › unreinen ‹, oft betont auf den Gegensatz von schöner › Peinture ‹ und › Ruppigkeit ‹ bauenden Malerei.

Bilder unlösbarer Verstrickung der Geschlechter begegnen uns in verschlüsselter oder offener Form immer wieder in Beckmanns Werk. Es gibt kaum ein Beispiel einer entspannten, ausgeglichenen Beziehung, und die Problematik zwischenmenschlicher Kontakte allgemein, die Beckmann in Gruppenbildnissen und Figurenkompositionen immer wieder in unterschiedlichsten Nuancierungen formulierte, findet in diesen Bildnissen ihre eigentliche Begründung.

Abb. 34   Max Beckmann: Traum von Monte Carlo, 1939-1943, Öl auf Leinwand, Stuttgart, Staatsgalerie

Schon in *Fastnacht Paris* (Kat. 61) erhält das Beieinander eines verkleideten Paares durch die Farbigkeit, die eigenartig statuarische Haltung und einzelne Attribute einen dämonisch-unergründlichen Zug, der das karnevalistische Treiben als leicht durchschaubare Hülle eines bitterernsten Geschehens entlarvt, in dem sich das Spielzeugschwert unversehens in eine gefährliche Waffe verwandelt: Der › Einstich ‹ am Rücken der Frau weist blutig-rote Farbspuren auf. Die dunkle Barriere am vorderen Bildrand – ein Motiv, das uns immer wieder im Werk des Künstlers begegnet – schließt das aufeinander fixierte Paar in den Raum ein und ein finsterer, kahlköpfiger Harlekin, Archetyp des geheimnisvoll dunklen, in der Bedeutung schwankenden Wesens aus einer jenseitigen Welt, das in verschiedenen Bildern auftaucht, bläst auf einer Fastnachtstute die dissonante Begleitmusik zu dem immer wiederkehrenden Spiel von Verführung, Begierde und Gewalt. Bereits hier kommt der Frau durch die fordernd-herausfordernde Haltung, ihre ungewöhnliche Plastizität im Vergleich zur schwächlich-flachen Statur des Mannes sowie ihre kriegerisch-heroische Verkleidung – die sehr viel später bezeichnenderweise ähnlich im Mittelteil der *Ballettprobe* wiederkehrt – eine dominante Stellung zu. Im Vergleich zu dem eher lächerlichen › Pappkameraden ‹ wirkt sie stark und letztlich unverletzbar, die rote › Blutspur ‹ signalisiert eine nur äußerliche, harmlose Verwundung. Diese Wertung, die trotz aller immer wiederkehrenden Kritik, Abwehr und auch negativen Implikationen meines Erachtens für Beckmanns Frauenbild bezeichnend ist, wird uns noch weiter zu beschäftigen haben. Wichtig erscheint es zunächst nur, sich der Stärke dieser Figur zu erinnern, die im Entstehungsjahr wohl am ehesten der eigenen Auffassung Beckmanns vergleichbar ist, wie er sie in dem *Selbstbildnis mit Saxophon* (Abb. S. 67) umsetzte. Und was er hier in einer fast brutalen, aggressiv-selbstsicheren Pose für sich in Anspruch nahm, bleibt im Selbstbildnis bezeichnenderweise unwiederholt, während diese Elemente zunehmend bei den porträtierten Frauen eine Rolle spielen.

So nimmt auch in der hieroglyphisch-verschlungenen Bildstruktur der *Geschwister* (Kat. 69), die eine ausweglose erotische Verstrickung anschaulich umsetzt, die weibliche Figur eine bestimmende Position ein. Während der Mann durch die bizarre Verdrehung des Körpers und seine unstabil nach oben in die Fläche geklappte Lage den Eindruck hilflosen Ausgeliefertseins vermittelt, wirkt die Frau durch ihre kompakte Körperlichkeit, die blonde Haarmähne, besonders jedoch die bildbestimmende und festere Position weniger gefährdet. Sie fungiert vielmehr als verlockende Bedrohung, zwar gleichermaßen in einer ausweglosen Situation verstrickt wie der Mann, aber ohne daran zu zerbrechen.

Eine allgemeine Wendung erfährt das Thema wiederum in der *Messingstadt* (Kat. 102), die einem nackten Paar ebenso kaltes wie aggressives Gefängnis wird. Die Brutalität der um das Bett gruppierten spitzen Speere und Türme schließt Mann und Frau unentrinnbar ein, wird ihnen zum eigentlichen › Lebensraum ‹. Und daß dieser mit einer kalten, emotionslosen Sexualität identisch ist, vermittelt sich unmißverständlich im formalen Bildbestand. Das Phantastisch-Träumerische der Gesamtszenerie sowie das selbstverlorene, wahrnehmungslose Verharren des Paares deuten jene von Beckmann immer wieder angesprochene Blindheit des Individuums an, die es hindert, die Vorbestimmtheit menschlicher Existenz zu durchschauen, und die es deshalb immer wieder dem »geilen Lockmittel«[80] verfallen läßt, die fremde Mächte ihm bereithalten.

Eine der in diesem Zusammenhang eindringlichsten Konstellationen zeigt das auf den ersten Blick vielleicht unspektakuläre *Atelier* von 1946 (Kat. 109). Weiß man, daß die Darstellung auch mit dem Titel › Olympia ‹ geführt wird[81], so wird man sich an Manets gleichnamiges Gemälde erinnern (Abb. 35), zu dem Beckmanns Version eine bewußte oder unbewußte Paraphrase bildet. In beiden Bildern ist dem weiblichen Akt eine dunkle Figur zugeordnet – bei Manet eine farbige Dienerin, die der Kurtisane als Hintergrundsfolie dient und so deren Schönheit betont, bei Beckmann eine männliche Aktskulptur, die mit der Frau in einem fast lebendig wirkenden Blickkontakt steht. Während bei Manet ein primär formal-farblicher Kontrast gemeint ist, deutet sich bei Beckmann ein inhaltlicher Gegensatz an; Männlich

79 *Sichtbares und Unsichtbares*, S. 38
80 Vgl. Anm. 78
81 Der ehemalige Besitzer, Morton D. May, gab dem Bild diesen Titel, mit dem Beckmann angeblich auch einverstanden war. Vgl. Gemälde-Katalog Bd. I, S. 431, Nr. 719

und Weiblich, Schwarz und Weiß bestimmen die Komposition, allerdings hier mit der Andeutung eines möglichen Auswegs, wie er in dem Yin- und Yang-Symbol exemplarisch gefaßt ist: Hell und Dunkel stehen einander nicht unverbunden gegenüber, sondern enthalten jeweils Spuren des anderen. Unter welchen Voraussetzungen allerdings ein harmonisches Miteinander beider nur denkbar wäre, verdeutlicht die Konfrontation von lebendigem, vitalem Akt einerseits und versteinerter Männlichkeit andererseits.

Erinnert sei zudem noch an einige der herausragenden Frauenbildnisse, in denen Beckmann mit unterschiedlicher Distanz und Objektivität ein ihn subjektiv zutiefst berührendes Thema umsetzte. Dabei handelt es sich nicht nur um die ›Femme fatale‹, jene männerbetörende und -verschlingende Lulu und dämonische Schicksalsmacht, wie sie eindrucksvoller als in der *Columbine* von 1950 (Kat. 130) kaum vorstellbar ist, sondern es sind immer wieder auch ganz in sich ruhende, sich ihrer selbst gewisse Frauen, die keine Attitude nötig haben. Man denke etwa an die *Tänzerin mit Tamburin* (Kat. 107), die dem Betrachter lässig-burschikos und ohne jede Koketterie gegenübersteht. Es handelt sich um eines der seltenen Beispiele im Werk des Künstlers, in dem jene physische und psychische Präsenz und Stärke, die für Beckmanns Frauenporträts kennzeichnend ist, gleichzeitig nicht auch als direkte oder indirekte Bedrohung empfunden wird; vielmehr findet die offensichtlich ausgeglichene, den anderen in seiner Andersartigkeit problemlos akzeptierende und gewährenlassende Haltung in der unaggressiven Farbigkeit und zurückhaltenden Gesamtstimmung ihren unmittelbaren Niederschlag. Aber auch den mit selbstverständlicher Lässigkeit unprätentiös sich ausruhenden halbnackten Dirnen in *Mädchenzimmer* (Kat. 113), ein Bild, das trotz der schwülen Farbigkeit nichts wirklich Aufreizendes oder gar Moralisierendes hat, eignet diese Selbstverständlichkeit. Weitaus bedrohlicher wirkt demgegenüber das ›bürgerliche‹ Gegenstück *Großes Frauenbild. Fischerinnen* (Kat. 121) in seiner zielstrebigen, kalt berechnenden Sexualität. Auch hier sind es drei halbnackte Frauen und eine ausgemergelte Alte als Konterpart und Aufpasserin. Aber wie bestimmt und eindeutig sind hier die Reizmittel eingesetzt: Ostentativ werden einzelne nackte Körperteile wie Fetische vorgewiesen. Durch schwarze Umrandungen wird die Plastizität oder auch Flächigkeit einzelner Bildsegmente hervorgehoben, wodurch die Komposition – einer Bleiverglasung ähnlich – Reliefcharakter erhält. Es entsteht nicht der Eindruck eines Raumkontinuums, noch der in sich geschlossener Rundkörper, sondern vielmehr einzelner, halbplastischer Bildteile, die zwischen flachen Partien angelegt sind. Indem die Plastizität auf die unbekleideten Körperteile beschränkt bleibt, wird deren Verweis- und Fetischcharakter verstärkt. Dazu stehen die Gesichter der Frauen in auffallendem Kontrast; sie haben nichts Frivoles oder gar Obszönes, ihr Tun scheint für sie vielmehr den Ernst einer rituellen Handlung zu besitzen, in der die gefangenen Fische – überdeutliche männliche Sexualsymbole – Trophäe und Opfertier zugleich sind.

Soweit die unfertige *Ballettprobe* (Kat. 132) eine Beurteilung zuläßt, hat Beckmann in diesem reinen ›Frauenbild‹ ein ungewöhnlich hohes Maß an innerer und äußerer Freiheit als realistische Existenzmöglichkeit zum Ausdruck bringen wollen. Die Amazonen – diese Bezeichnung wurde von ihm auch in Erwägung gezogen – scheinen keinem versteckten oder offenen, direkten oder indirekten Zwang zu unterliegen. Sogar das Mädchen im rechten Flügel, der an einen Speer gefesselten Figur in der *Versuchung* (Kat. 73) vergleichbar, ist nicht sichtbar an die Waffe gebunden, sondern hält sie eher wie zufällig. Und das immer wiederkehrende Leitermotiv hat hier eine eindeutige, praktische Funktion, ist nicht im geringsten Instrument vergeblichen Bemühens und unerfüllbarer Sehnsucht: Es dient als Zugang zum Bühnenboden. Damit wird es dann wiederum auch zum Zeichen für jene das ganze Bild bestimmende Unkompliziertheit, Klarheit und ›Lebenstüchtigkeit‹, die sich fern aller den Sturz schon vorprogrammierenden Höhenflüge bodenständig behauptet. In dieser Richtung sind hier meines Erachtens auch die übergroßen, die gesamte Bildhöhe einnehmenden, bzw. sie sogar sprengenden Figuren zu sehen: Sie werden nicht erkennbar in einem beengenden Architekturumraum ein-

Abb. 35   Edouard Manet: Olympia, 1863,
Öl auf Leinwand, Paris, Louvre

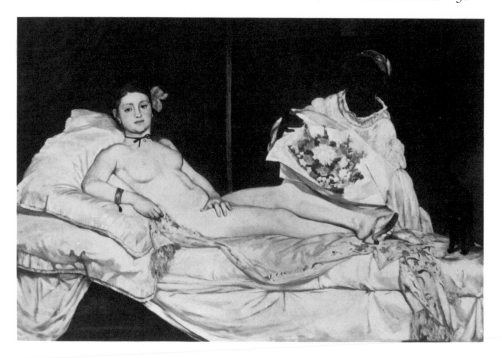

gezwängt, sondern scheinen umgekehrt durch ihre unmittelbare Lebensfülle und
Körperlichkeit die Bildfläche zu dominieren, sie nach eigenem Gutdünken zu
beherrschen. Dabei erstreckt sich die Darstellung dieser in sich freien Figuren von
einer aggressiven, wörtlich ›die Zähne zeigenden‹ Darstellung bei den beiden linken Frauen des Mittelteils, die wohl nicht von ungefähr und in barbarisch-obszöner
Manier Fische essen, bis hin zu den selbstvergessen und selbstsicher sich präsentierenden Frauen in den Seitenflügeln. Besondere Bedeutung erhält dabei wohl die
bekrönte Schlangenbändigerin links.[82] Die fast organische Einheit mit dem sie zärtlich umschlingenden Reptil – aus dem traditionellen biblischen Verführungskontext
gelöst und damit in seiner ursprünglichen, moralisierenden Bedeutung aufgehobe-
nes Symbol des Sündenfalls – deutet auch in Zusammenhang mit der Krone eine
positive Alternative für die im rechten Flügel der *Abfahrt* (Abb. 27) gemeinte,
negative und ausweglose Verstrickung von Mann und Frau an. Und der im Spiegel
rechts aufscheinende Männerkopf, den die davorstehende Tänzerin offensichtlich in
ihrem Handspiegel betrachtet, ist doppelt entferntes Abbild, nicht mehr greifbares
(und angreifbares) Gegenüber.

   Freiheit kann sich für Beckmann – dies mag die Untersuchung gezeigt haben –
nicht im Hier und Jetzt realisieren; sie ist vielmehr auf eine Zukunft verwiesen, die
dem Individuum als nie erreichbare Utopie, als Phantasterei oder jedoch geglaubte
und zwangsläufige Entwicklung erscheinen mag. Trotz aller Skepsis, Selbstzweifel
und unverhohlenem Sarkasmus scheint bei Beckmann doch ganz deutlich ein Erlö-
sungsgedanke Gestalt angenommen zu haben, der zwar nicht in traditionell christlichen Vorstellungen, sondern in einem durch unterschiedlichste Quellen gespeisten
religionsphilosophischen Verständnis gründet, der jedoch zweifellos auf einen wie
auch immer gearteten Zustand nach dem Tod fixiert bleibt.

   Insofern ist sein Werk dort, wo es ein positives Ziel, einen Ausweg andeutet,
immer Projektion auf ein Danach, nie Freiheit als ›diesseitige‹ Realität. Bei dieser
kann es sich höchstens um jenen kleinen Freiraum handeln, der sich durch Trotz
erreichen läßt: »Eins ist uns wenigstens noch frei. Haß – Zorn und innerlicher
Gehorsam aufkündigen den widerwärtigen, ewig unbekannten Gesetzen, die über
uns verhängt sind seit Endlosigkeit in namenloser schauerlicher Unfreiheit des
Willens. – Nichts bleibt uns als Protest – Protest und Hochmut, des elenden Sklaven
– die einzige innerliche Freiheit – und mit der zu leben ist. «[83]

   Aber gerade in der Umkehrung und negativen Formulierung dessen, was sich
für Beckmann mit Gott oder den Göttern verbindet, kommt ein zutiefst religiös
intendiertes Weltverständnis zum Tragen, das zwar kaum dazu angetan ist, Trost in

82   Daß in dem Triptychon »das Weib als solches…
kritisiert« wird und die Schlangenbändigerin »sich
mit einem nicht sehr gefügigen Sexobjekt abgibt«,
läßt sich m. E. nicht erkennen. Vgl. Stephan Lackner,
in: Kat. Ausst. Frankfurt 1981, S. 85

83   Max Beckmann, *Tagebücher 1940-1950*, S. 168

einer vorbestimmten, im Ansatz unfreien Existenz zu gewähren, das aber an eine
Freiheit durch und nach dem Tod als ersehnten Endzustand glaubt. Wenngleich
deren konkrete Form ungewiß bleibt, es auch die Freiheit des Nichts sein kann, so
hebt sich in ihr doch zumindest alle materielle Beschränkung auf. »Sah meine Bilder in ferne Götter aufstrahlen in dunkler Nacht – aber – war ich es noch? – nein –,
fern von mir, meines armen Ich's, kreisten sie als selbständige Wesen, die höhnisch
auf mich herabsahen, ›das sind wir‹ und ›Du n'existe plus‹ – oho – Kampf der
selbstgeborenen Götter gegen ihren Erfinder? – Nun auch das muß ich tragen – ob
Ihr wollt oder nicht – bis jenseits der großen Wand – dann werde ich vielleicht ich
selber sein und ›tanzen den Tanz‹ der Götter – außerhalb meines Willens und
außerhalb meiner Vorstellung – und *doch ich selber.*«[84]

84 Ebenda, S. 72

Hildegard Zenser

Zu den Selbstbildnissen 1915-1930

»Die größte Gefahr, die uns allen Menschen droht, ist der Collectivismus. Überall wird versucht, das Glück oder die Lebensmöglichkeiten der Menschen auf das Niveau eines Termitenstaates herabzuschrauben. Dem widersetze ich mich mit der ganzen Kraft meiner Seele.«[1] Das sagt Max Beckmann in einer Rede, die er im Juli 1938 in der Ausstellung ›Twentieth Century German Art‹ in London hält – genau ein Jahr, nachdem einige seiner Werke zusammen mit denen anderer moderner Künstler in diffamierender Weise als ›entartete Kunst‹ in München zur Schau gestellt worden waren. In der Rede heißt es weiter: »Denn das ›Ich‹ ist das größte... Geheimnis der Welt. Hume und Herbert Spencer haben das ›Ich‹ auf eine Reihe von Vorstellungen zurückgeführt, an deren Ende sie nichts finden können. Nun – ich glaube an das ›Ich‹ in seiner ewigen und unvergänglichen Form... Aus diesem Grunde interessiere ich mich für das Individuum, das gesamte sogenannte Individuum, und suche es auf jede Weise zu ergründen und darzustellen.«[2]

Auf die besondere Vorstellung, die dem Ich in diesem Text wie in anderen Aussagen seiner späten Jahre zugrunde liegt, wird noch einzugehen sein. In der allgemeinen Form aber, in der Beckmanns Worte hier aus dem Zusammenhang genommen erscheinen, können sie für ihn als Person und Künstler als kennzeichnend gelten. Wie viele andere von den Auswirkungen der politischen Fehlleistungen seiner Zeit und seines Landes persönlich betroffen, reflektiert ein wesentlicher Teil seines Werkes und der weitaus größte der Selbstbildnisse auch diese außerkünstlerischen existentiellen Bedingungen – ohne daß Beckmann, dem die gegenständliche Darstellung seiner Weltsicht und -erfahrung immer wichtig war, dabei je ins Illustrative, etwa nur ein bestimmtes Zeitgeschehen Betreffende, abgeglitten wäre. Aus Malerei und Denken des 19. Jahrhunderts kommend, lernt er auch von der älteren Tradition, insbesondere der spätgotischen Malerei, deren Motive und Symbole er sich zeitweise bewußt zunutze macht, und steht unter dem Einfluß der bildnerischen Entwicklungen und geistigen Strömungen seiner Zeit, ohne darum einer der Stilrichtungen wie Expressionismus oder Neuer Sachlichkeit ganz angehört oder an den Antworten einer philosophischen bzw. religiösen Lehre definitiv festgehalten zu haben, sei es der christlichen oder der der Gnosis und Kabbala, die sich seit Jahrhundertbeginn eines relativ breiten Interesses erfreuten. Wenn Max Beckmann diesen bei starkem Eingebundensein in Tradition[3] und Zeitgeschichte nie konformistischen Weg gehen konnte, dann liegt das auch an seinem alles durchdringenden Willen zur Selbstbehauptung, so wie dieser sich uns aus Zeugnissen und Selbstzeugnissen und nicht zuletzt an der außergewöhnlich großen Zahl der Selbstdarstellungen erschließt. Kaum ein anderer Maler unseres Jahrhunderts hat sich selbst öfter dargestellt: allein 66mal in Gemälden, 39 davon sind Selbstbildnisse im engeren Sinn, die übrigen Bilder christlicher, mythologischer, Fastnachts- und anderer Thematik.

Wenn ich hier nicht einzelne Gemälde vom ersten *Selbstbildnis 1899* bis zum letzten, in seinem Todesjahr gemalten *Selbstbildnis 1950* (Kat. 126) mehr oder minder willkürlich herausgreife, sondern mich auf den Abschnitt zwischen 1915 und 1930 konzentriere, so läßt sich das begründen. Es ist die Zeit, in der Beckmann Anschluß an die zeitgenössische Malerei findet, in der er dann im Unterschied zu den meisten seiner Malerkollegen das einmal Erarbeitete, zum Stil Gewordene, in einer weitergehenden Entwicklung überwindet. In den dreißiger Jahren setzt ein

Der Beitrag beruht weitgehend auf der ungedruckten Dissertation der Verfasserin: Studien zu den Selbstbildnissen Max Beckmanns, München 1981.

1 Max Beckmann, ›Über meine Malerei‹, Rede in den New Burlington Galleries 1938, zit. nach Mathilde Q. Beckmann, *Mein Leben mit Max Beckmann,* München 1983, S. 195

2 Ebenda, S. 195 f.

3 Vgl. Barbara Copeland Buenger, *Max Beckmann's Artistic Sources.* The Artist's Relation to Older and Modern Tradition. Ungedruckte Diss., Columbia University 1979

neuer Abschnitt ein. Der Künstler arbeitet von nun an mit allen ihm inzwischen verfügbar gewordenen Mitteln. Und mit den ihn 1932 auch persönlich betreffenden Auswirkungen der Weltwirtschaftskrise, den bis 1932 bereits stark zugenommenen Angriffen der Nationalsozialisten auf seine Kunst und der kurz nach ihrer Machtübernahme einsetzenden konkreten Bedrohung seiner ganzen Existenz, mit diesen Ereignissen zeitlich zusammenfallend und durch sie zum Teil mitbedingt, in jedem Fall aber verstärkt, kommt es in den Selbstbildnissen zu einer in ihrer Intensität, später, in der Amsterdamer Emigration, in ihrer Direktheit neuartigen Konzentration auf die eigene Person. Beckmann geht gleichsam von außen (Kat. 75) nach innen (Kat. 80), vom Befinden in der Öffentlichkeit (Abb. 19) zu den Gedanken in Abgeschlossenheit und Einsamkeit (Kat. 68, 86, 93), von der großen Distanz des Ganz- und Dreiviertelporträts, das bis 1932 sehr oft, dann aber bis 1950 nur noch dreimal auftaucht, zum kleinen bis kleinsten Ausschnitt mit – ebenfalls im Gegensatz zu früher – zumeist zeitloser, bisweilen nicht einmal genau zu definierender Kleidung. Um der Bedeutung dieser Bilder gerecht zu werden, bedürfte es eines zweiten Ansatzes, in dem veränderte Gestaltungsweise und Haltung Max Beckmanns u. a. auch im Zusammenhang mit der allgemeinen und seiner persönlichen Situation im nationalsozialistischen Deutschland sowie mit dem, was Emigration für einen Künstler meint, darzulegen wären.[4]

Abb. 1 Max Beckmann: Selbstbildnis mit rotem Schal, 1917, Öl auf Leinwand, Stuttgart, Staatsgalerie

I

Es ist bezeichnend für Max Beckmanns Selbstverständnis, daß sich unter seinen Selbstdarstellungen kaum Berufsbildnisse befinden, etwa in der Art, wie Corinth sich häufig mit Palette und Pinsel als Maler ausweist. Nur auf dem *Selbstbildnis mit grauem Schlafrock* von 1941 (Kat. 93) sehen wir ihn als Künstler eindeutig und direkt an seinem Werk arbeiten. Wie er hier ausgerechnet eine menschliche Figur formt – er hat sich nur ausnahmsweise mit Skulptur beschäftigt[5] –, und in welcher Weise diese, einem Schatten ähnlich, auf ihn bezogen ist, dahinter steht auch der Anspruch, als Künstler Schöpfer des eigenen Menschenbildes zu sein. Der Beruf im engen Sinn tritt in allen in Frage kommenden Bildern hinter dem Menschen zurück. Im *Selbstbildnis mit rotem Schal*, 1917 (Abb. 1), nimmt Beckmann die tatsächliche Arbeitssituation des Malers in seinem Atelier zum Ausgang der Darstellung, so wie sie Corinth u. a. in den Selbstbildnissen ›im Atelier‹, 1914, und ›im weißen Kittel‹, 1918, zeigt. Im Unterschied zu Corinth jedoch eliminiert Beckmann alles, was den Ort als Atelier, den Dargestellten als Maler und seine Gestik als aus der Stellung zwischen Leinwand und Modell begreifbar eindeutig bestimmen könnte. Indem so das physische Verhalten weitgehend aus dem Zusammenhang genommen ist, dem es entstammt, charakterisiert es weniger die Tätigkeit als vielmehr die innere Situation des Dargestellten. Es wird zur Ausdruckskomponente, ebenso wie Physiognomie, Kleidung und Ort, so daß Beckmann hier über eine anatomisch genaue Darstellung des Körpers, ohne gewaltsame Deformationen und expressionistische Farbgebung, einen psychischen Zustand zur Anschauung zu bringen vermag. Die Gestaltung ist derart bis ins Detail von auseinanderstrebenden Richtungen beherrscht, daß sich das Bild einer zum Zerreißen gespannten Person vermittelt. Kopf und Gesicht erscheinen, neben der bei Beckmann im allgemeinen breiten und mächtigen Form mit fast gleichbleibend verschlossener Mimik, hier scharfkantig hager, in allem offen und verwundbar; ebenso der halbnackte Oberkörper, auf dem das Halstuch in seinem Hellrot eher wie eine Wunde denn als ein Schutz wirkt. Eine Substanz ist weder in dieser Physiognomie zu spüren noch in der zurückgenommenen Farbigkeit oder dem dünnen Farbauftrag, der überall die Leinwandstruktur durchscheinen läßt. Allein die Spannung hält die Person aufrecht, was sich wiederum in der Komposition ausdrückt. Obwohl die rechte Bildseite mit der Gestalt und ihrem in der unteren Ecke aufgestützten Arm übergewichtig wird, kippt das Bild nicht nach rechts um, und zwar hauptsächlich wegen des bis an den linken Bildrand vorgestreckten rechten Armes. Stark verkürzt, durchstößt er formal die breite, farblich betonte Senkrechte des Vorhangs, was seine Kraft erhöht

4 Vgl. Hildegard Zenser, a.a.O., S. 116ff.

5 Es gibt nur insgesamt acht Skulpturen von Max Beckmann; die erste, ›Mann im Dunkel‹, entstand 1934. Vgl. Katalog der Catherine Viviano Gallery, New York 1959 (hier Abb. S. 140).

Abb. 2 Max Beckmann: Selbstbildnis mit
Hut, 1910, Öl auf Leinwand, verbrannt um
1944 bei einem Luftangriff in München

Abb. 3 Max Beckmann: Selbstbildnis in Olive
und Braun, 1945, Öl auf Leinwand, Detroit,
The Detroit Institute of Arts

Abb. 4 Oskar Kokoschka: Selbstbildnis,
1917, Öl auf Leinwand, Wuppertal, Von der
Heydt-Museum

und ihm das kompositionell nötige Gewicht verleiht. Der Bildrand, in der heutigen Präsentation der Bildrahmen, wird als Stütze beider Arme in die Gestaltung einbezogen und hält so den Dargestellten sprichwörtlich im Rahmen.

Das Selbstbildnis nun aber nur als Ausdruck einer »seelischen und geistigen Auswäschung«[6] verstehen zu wollen, wäre zu einseitig. Den Ausgang bildet doch immerhin die Situation im Atelier und, wie etwa im *Selbstbildnis mit Hut*, 1910 (Abb. 2), jene während des Malens. Gerade neben dem frühen Bild, in dem sich der junge Maler als ernster und ernstzunehmender Herr präsentiert, erkennt man das Muß, das in der künstlerischen Arbeit liegt, wie Beckmann es 1917 ohne irgendeinen berufsspezifischen Gegenstand allein durch die Gestalt zur Anschauung bringt; denn die den Dargestellten aufrechthaltende Spannung kommt ja auch aus seinem Tun. Denkt man sich den rechten Arm heruntergenommen, d. h. die Person in einer untätigen Haltung, geriete das Bild aus dem Gleichgewicht. Und jetzt noch neben ein spätes Gemälde gestellt, das *Selbstbildnis in Olive und Braun* von 1945 (Abb. 3), dann mag das die Spannweite des Künstlers deutlich machen. Im kleinsten Ausschnitt zählt hier allein das konzentrierte Schauen, die Beziehung des Malers zum Modell bzw. zu sich selbst, und diese nur mit der Distanz, die die seitlich als Barriere fungierende aufgespannte Leinwand – also die künstlerische Arbeit – ihm verschafft. In der für die späten Jahre der Emigration typischen Weise geht Beckmann sich ganz direkt an und dabei längst ohne die ehemals psychologisierende Auffassung. Um Mißverständnissen vorzubeugen: Beckmann hat nie in einer Weise psychologisierend gemalt wie etwa Oskar Kokoschka (Abb. 4). Er reicht nach 1915 für einige Jahre zwar ins psychologische Porträt hinein, aber die Grundlage, von der aus das geschieht, bildet im Unterschied zum frühen Kokoschka immer der Mensch in seiner Gemeinschaft, seinem Rang oder Glauben, so wie etwa im Selbstbildnis von 1917 dem grau bewölkten Himmel ein Kirchturm und Sonnenball als Positives gegenübergestellt sind. Die Grundlage ist also etwas, was nicht zum Sonderfall des einzelnen führt, sondern eher die Voraussetzung für eine Typenbildung schafft.

II

Das *Selbstbildnis mit rotem Schal* ist nicht zu verstehen ohne die Erfahrung, die Max Beckmann 1914/15 als freiwilliger Sanitätssoldat an der Front machte. Die große Zahl von Zeichnungen aus jener Zeit und viele Bemerkungen in den damals an seine Frau geschriebenen Briefen zeugen davon, wie ihm gerade in diesen lebensbedrohenden Umständen seine künstlerische Arbeit zu einer existentiellen Notwendigkeit wurde. In der Folge des Kriegserlebnisses veränderten sich seine Lebenssituation und seine Kunst. Den ersten Schritt dazu finden wir 1915 in *Gesellschaft III.*

6 Gotthard Jedlicka, › Max Beckmann in seinen Selbstbildnissen ‹, in: *Blick auf Beckmann: Dokumente und Vorträge,* Hrsg.: Hans Martin von Erffa und Erhard Göpel, München 1962, S. 118

Abb. 5   Max Beckmann: Gesellschaft III.
Battenbergs, 1915, Öl auf Leinwand, Verbleib
unbekannt

Battenbergs (Abb. 5). Es ist wieder kennzeichnend für Max Beckmann, zeigt die »Intensität der Ichbehauptung«[7], daß er nach dem physischen und psychischen Zusammenbruch, den er Mitte 1915 an der Front erlitt, zuerst (Kat. 15) und gleich zweimal kurz hintereinander sich selbst, d. h. hier im Gruppenporträt seine äußere und innere Situation zum Bildgegenstand macht.

Mit der Numerierung bezieht Beckmann das Gemälde auf die beiden Gruppenporträts *Unterhaltung (I)*, 1908 (Kat. 7), und *Gesellschaft (II)*, 1911.[8] Jedesmal stellt er sich im engsten Familien- bzw. Freundeskreis dar, worin sich die Gemeinsamkeit des 1915 geschaffenen Werkes mit den beiden früheren auch schon erschöpft. Den Ausgang bildet der häusliche Kreis bei Ugi und Fridel Battenberg, Freunden, die ihn nach seiner Beurlaubung vom Sanitätsdienst bei sich in Frankfurt am Main aufgenommen hatten.[9] Er stellt sie, ebenso wie die eigene Person, in einer für ihn neuartig freien Gestaltung dar. Nur der realistischen Beschreibung dienende Details sind weitgehend ausgespart. In der Sicht von oben, derer sich der Maler in dieser Form hier erstmals bedient, erscheinen die Figuren vielmehr deformiert, und dort, wo Details gegeben sind, bestimmen sie die Befindlichkeit der Personen. Ohne natürlichen Ort, wie 1908 und 1911 ein Innenraum, sind die Figuren – ähnlich wie längst zuvor in Ernst Ludwig Kirchners flachen Bildräumen – auf einen fast gleichmäßig hellen Grund gemalt, so daß sie ihren Standort hauptsächlich durch ihre Beziehung zueinander gewinnen. Beckmann steht dabei nicht mehr nur räumlich im Abseits wie in den frühen Beispielen, sondern wird – bei großer physischer Nähe – durch seinen persönlichen Zustand, der von dem ihn überschattenden Tod bestimmt ist, zum Außenseiter. Das Ehepaar mit Hausmädchen ist ihm kompositorisch und formal als Gruppe gegenübergestellt, und während sich seine Physiognomie auf das Skelett im Hintergrund bezieht, erscheint ihnen eine große Kreisform zugeordnet, deren Rund sich in der fülligen, das Totengeripp nahezu verdrängenden Gestalt des Freundes in Abwandlungen wiederholt.

Wie Kirchner hat Beckmann das Skelett nur einmal als ihn selbst bedrohende Gestalt des Todes verwendet. Bei beiden ist dies als Folge ihres Zusammenbruchs aufgrund der Kriegserlebnisse zu sehen; auch Corinth, der das Skelett allerdings häufig einsetzte, hat ihm in seinen Selbstdarstellungen erst nach seiner schweren Krankheit 1911/12 wieder diese traditionelle Bedeutung verliehen. Beckmann macht es nun weder zum lebendigen Gegenüber, wie Kirchner 1918 in dem Holzschnitt ›Selbstbildnis mit tanzendem Tod‹ (Abb. 6), noch fungiert es als bloßes Requisit wie in dem ›Selbstbildnis mit Skelett‹ (Abb. 7), mit dem Corinth sich 1896 offensichtlich noch gegen die bedeutungsbeladene Rolle wandte, die ihm im

7   Armin Kesser, ›Das mythologische Element im Werk Max Beckmanns‹ in: ebenda, S. 27

8   Vgl. Erhard und Barbara Göpel, *Max Beckmann – Katalog der Gemälde*, Bern 1976, zu Nr. 188, S. 130

9   Vgl. ebenda, zu Nr. 188, S. 129 f.

Abb. 6   Ernst Ludwig Kirchner: Selbstbildnis mit tanzendem Tod, 1918, Holzschnitt

Abb. 7   Lovis Corinth: Selbstbildnis mit Skelett, 1896, Öl auf Leinwand, München, Städtische Galerie im Lenbachhaus

19. Jahrhundert bei Künstlern wie etwa Arnold Böcklin oder Hans Thoma zukam.[10] In Beckmanns Gemälde ist es – wie 1896 bei Corinth – als lebloser Gegenstand an einem Haken aufgehängt, gewinnt aber Bedrohlichkeit durch die eindeutige Beziehung zur vor ihm kauernden Gestalt.

Gesellschaft III ist das erste Bild, in dem Max Beckmann sich persönlich als vom Leid betroffen und darin als von anderen unterschieden darstellt. Keineswegs als Ausnahme – denkt man nur an Ludwig Meidners Katastrophenlandschaften von 1912/13 – hatte er Unheil und menschliches Leid schon vor dem Ersten Weltkrieg, und dort zumeist mit viel Pathos, zu Themen seiner Bilder gemacht (Kat. 6, 9, 12). Im Gegensatz zu Meidner, der nach dem Krieg als Maler solcher Katastrophen resignierte, muß Beckmann das Erlebte auf dem Weg über die Gestaltung verarbeiten. Er gibt keine Kriegsszenen wieder wie Otto Dix. Bildthemen wie die Geißelung Christi oder das Jüngste Gericht stehen ihm, wie seine Kriegsbriefe zeigen[11], bei bestimmten Fronteinsätzen vor Augen, und in dieser Weise gedenkt er seine Erfahrungen später zu verarbeiten und umzusetzen.[12] Daß er immer etwas Zeitloses im Aktuellen sucht, ist ein für Max Beckmann insgesamt charakteristisches Denken. Es führt später, mit Beginn der dreißiger Jahre, zu der besonderen Dimension in seinen Bildern, jetzt, nach 1915, zunächst zur Umsetzung in ausdrücklich biblische Themen, die nun zum letzten Mal gehäuft in seinem Werk auftreten. In diesen zwischen 1916 und 1917 in dichter Folge entstandenen Werken geht es um Tod, Leid und Schuld, das, was ihn als Frage offenbar am meisten bedrängt. In *Christus und die Sünderin* (Kat. 18) verleiht er der Gestalt Christi selbstbildnishafte Züge, so wie sich in der modernen Malerei vor ihm u. a. Paul Gauguin und James Ensor in Beziehung zu Christus gesetzt haben. In der 1916 begonnenen, nie vollendeten *Auferstehung* (Abb. S. 85) läßt er sich mit Familie und Freunden als Zuschauer dem Weltuntergang beiwohnen. In dem gleichnamigen Gemälde von 1909 (Abb. S. 87) stellte er sich mit Ehefrau, Schwiegermutter und Freunden unter den das Jüngste Gericht Erwartenden in einer vergleichsweise konventionellen Auferstehungsszenerie mit zum lichten Himmel aufsteigenden Toten dar. Für das Bild von 1916 waren das Breitformat, der hochliegende Horizont mit schmalem Himmelsstreifen – einer Auferstehung entgegenwirkende Faktoren also –, zwei große Gestirne und die hügelartige Landschaft schon in zwei Kompositionsskizzen angelegt, die um 1914 entstanden.[13] Bezeichnend für die neue Entwicklung sind die extrem deformierten Gestalten in starken Verkürzungen, mit überlangen, aus den Gelenken gedrehten Gliedern und expressiv verspannter Gestik sowie das an die Katastrophenlandschaften Meidners (Abb. 8) erinnernde bodenlose Chaos unterschiedlicher

10   Vgl. Armin Zweite, ›Bemerkungen zu Corinths Aufenthalt in München‹, in: *Lovis Corinth 1858-1925*, Ausstellungskatalog Städtische Galerie im Lenbachhaus, München 1975, S. 32

11   Max Beckmann, *Briefe im Kriege*, 2. Aufl. München 1955, S. 50, 55

12   Vgl. ebenda, S. 45

13   Vgl. Max Beckmann in der *Sammlung Piper*, Ausstellungskatalog Kunsthalle Bremen 1974, Nr. 5, 6

Abb. 8 Ludwig Meidner: Apokalyptische
Landschaft um 1913, Öl auf Leinwand, Berlin,
Staatliche Museen Preußischer Kulturbesitz,
Nationalgalerie

Standflächen und Blickwinkel, mit denen der Maler hier die Vorstellung eines
Weltuntergangs schafft. Beckmann hat viele Jahre im Angesicht dieser Unter-
gangsszenerie gearbeitet; denn das Bild blieb bis 1933 sichtbar im Atelier aufgestellt.[14]

III

Die autobiographische Bedeutung der bisher genannten Selbstdarstellungen ist
offensichtlich. Das heißt nicht, daß man die Selbstbildnisse in ihrer Gesamtheit
ohne weiteres im Sinne einer Selbstbiographie lesen könnte. Die Frage, ob, inwieweit und auf welcher Ebene Privates oder persönlich erlebtes Zeitgeschehen in
einem Bild eine Rolle spielt, ist sicher ein das Selbstporträt besonders betreffen-
des Problem. Die Antwort fällt bei Beckmann je nach Entwicklungsphase, bisweilen auch von Darstellung zu Darstellung anders aus. Es macht einen Unterschied,
ob er sich, wie zumeist in den frühen Bildern, in verschiedenen Posen studiert und
widerspiegelt, ob er 1911 seine Reaktion auf einen kritischen Zeitungsartikel mit
einem verächtlichen Lächeln dokumentarisch festhält, wie noch 1915 den zeichnen-
den Krankenpfleger (Kat. 15), oder ob ein komplexeres Erleben dahinter steht, das
er, wie in *Gesellschaft III* und im *Selbstbildnis mit rotem Schal* in einem vorherrschend psychologischen Erfassen der eigenen Person auszudrücken vermag. Es ist
weiter von Bedeutung, inwieweit er Erlebtes nur als Persönliches, ihn allein Betref-
fendes begreift oder inwieweit ein Selbstbildnis im Zusammenhang mit anderen
Menschendarstellungen steht.

So ist das *Selbstbildnis mit Sektglas* von 1919 (Kat. 22) nicht in demselben Sinn
eine Selbstdarstellung wie die vorangegangenen, in denen es Beckmann eher um
seinen persönlichen, ihn von anderen unterscheidenden Zustand ging. Er stellt sich
nicht in einen privaten, sondern in einen öffentlichen Raum, eine enge, überfüllte
Bar. Durch den betonten Ausschnittcharakter des Bildes scheint die eigene Person
wie willkürlich aus einem Kreis von Menschen herausgegriffen. Der Mann im
Nebenraum wirkt in seiner profillosen Physiognomie wie eine groteske Steigerung
der Maskenhaftigkeit im Ausdruck Beckmanns; in nochmals kleinerem Ausschnitt
taucht ein weiteres, im Spiegel zur schwammigen Fratze verzerrtes Gesicht auf.
Indem der bei allen drei im Ausdruck, bei Beckmann auch in der Kopfwendung
vorausgesetzte Kontakt zu einem Gegenüber nicht gegeben ist, wird einmal der
Eindruck der Beziehungslosigkeit, zum anderen das grimassenhaft Leere der Ge-

sichter verstärkt. Ähnlich wie im Bildganzen die Personen vereinzelt und isoliert zusammengebracht sind, hat der Maler die eigene Figur gestaltet. Die Körperteile passen in den Proportionen nicht zusammen, wobei aber jedes für sich genau bis ins Detail durchgezeichnet ist. Anstatt einem Organismus zugehörig, erscheinen sie vielmehr als Einzelformen wie gewaltsam in der Gestalt zusammengehalten, um so mehr, als jedes Teil anders gerichtet ist. Dies und die Modellierung mit Hilfe von Weiß und Grautönen, die Formung der Figur im Rund, geben der menschlichen Gestalt eine Härte und Dinglichkeit, die im Widerspruch zum Charakter des Lebendigen steht.

Warum hat Beckmann sich in dieser Form fast grotesk gnomenhaft dargestellt? Nicht nur, daß die aus einer solchen Gestaltung notwendig resultierende Häßlichkeit[15] dem natürlichen Gefühl der Eigenliebe zuwiderläuft, widerspricht die Darstellungsweise auch der vom Sujet her zu erwartenden entspannten Atmosphäre. Die das Selbstbildnis bestimmende Menschendarstellung taucht in den Gemälden erstmals in *Die Nacht*, 1918/19 (Kat. 19), auf – ein Bild, in dem sich der Künstler in schwer zu ertragender Schärfe und Genauigkeit mit sinnloser Gewalt und Qual auseinandersetzt. Ist dort das Verquälte in den überstrafften, aus den Gelenken gedrehten, sich versteifenden Gliedern in Tortur und Schmerz begründet, erscheint im Selbstbildnis die wenn auch gemilderte Verunstaltung ohne vergleichbare Bedingtheit. Ebenso unbedingt, d. h. unveränderbar und schicksalhaft, findet sie sich im *Frauenbad* (Kat. 20), einem Gemälde aus demselben Jahr. Im *Traum* (Kat. 23), dem letzten, 1921 gemalten Gruppenbild mit einer solcherart ausdrücklich deformierenden Gestaltung[16], ist deren Bedingheit wieder unmittelbar verständlich. Bei der förmlichen Ansammlung von Nachkriegselend muß man an »Gerümpel« denken, so wie der Maler die drei Kriegskrüppel, das offenbar heimatlose Kind und die Dirne inmitten eines scheinbaren Durcheinanders verschiedener Gegenstände in der schmalen und niedrigen Kammer eingesperrt darstellt. Das dichte Gedränge auf engstem Raum bei um so auffallenderer Beziehungslosigkeit und Isolation des einzelnen ist für alle mehrfigurigen Menschendarstellungen dieser Jahre bestimmend, eingeschlossen das Selbstbildnis.

Diese Bilder reflektieren, was Max Beckmann im Nachkriegsdeutschland täglich in irgendeiner Form präsent sein mußte: das aus dem verlorenen Krieg resultierende wirtschaftliche Chaos mit allgemeinem Elend auf der einen und brutalem Schiebertum auf der anderen Seite, sowie die auf die Umwandlung der konstitutionellen Monarchie in eine Republik folgenden bürgerkriegsähnlichen Zustände mit Aufständen der politischen Linken und Rechten, mit Morden an kommunistischen Parteiführern wie an Regierungsangehörigen. Hatten Beckmann schon in seiner Frühzeit lediglich durch öffentliche Medien erfahrene Katastrophen zu Gemälden angeregt (Kat. 10, 12), und erlebte er dann die schrecklichen Anblicke an der Front oftmals bewußt unter dem Aspekt, für seine Kunst zu lernen[17], so drängten ihn die jetzt herrschende Not, Brutalität und Unsicherheit nicht weniger zu künstlerischer Umsetzung. Davon zeugen auch die graphischen Bildfolgen der ersten Nachkriegsjahre, in denen er sich direkter als in den Gemälden mit seiner Umwelt auseinandersetzte.[18] In seinen schriftlichen Äußerungen jener Zeit geht es ihm noch nicht wie in den dreißiger und vierziger Jahren ausdrücklich um das Individuum oder das Selbst, sondern vielmehr um das Schicksal des Menschen. In einem erstmals 1918 veröffentlichten Text verlangt er als Rechtfertigung für die »eigentlich recht überflüssige und selbstsüchtige Existenz« des Künstlers, dieser möge »teilnehmen an dem ganzen Elend, das kommen wird ... Herz und ... Nerven ... preisgeben dem schaurigen Schmerzensgeschrei der armen getäuschten Menschen«, und ihnen »ein Bild ihres Schicksals geben«.[19] Dies könne man nur, wenn man in der Stadt, unter den Menschen bleibe – eine Forderung, der er selbst mit seiner jetzt auffallenden Konzentration auf Städtebilder und Gruppendarstellungen in engen Räumen und dichtem Nebeneinander entspricht. Über die Art und Weise, wie er diese »Schicksalsbilder« darzustellen beabsichtigt, schreibt er in demselben Aufsatz: »Ich glaube, daß ich gerade die Malerei so liebe, weil sie einen zwingt, sachlich zu sein. Nichts hasse ich so, wie Sentimentalität. Je stärker und intensiver mein Wille, die

14 Göpel, a.a.O., zu Nr. 190, S. 131

15 Vgl. Wilhelm Fraenger, ›Max Beckmann: Der Traum‹, in: *Blick auf Beckmann*, a.a.O., S. 36 ff., der am Beispiel des ›Traumes‹ (Kat. 23) die Beckmannsche Menschendarstellung jener Zeit, die sie charakterisierende Häßlichkeit und ihre Motivierung als zentrales Problem untersucht.

16 Vgl. ebenda

17 Vgl. Max Beckmann, *Briefe im Kriege,* a.a.O.

18 Vgl. Christian Lenz, ›Max Beckmann – Das Martyrium‹, in: *Jahrbuch der Berliner Museen,* 16. Bd., Berlin 1974, S. 185 ff.

19 Max Beckmann, ›Schöpferische Konfession‹, in: *Tribüne der Kunst und Zeit,* XIII, Berlin 1920, S. 63 f.

unsagbaren Dinge des Lebens festzuhalten, je schwerer und tiefer die Erschütterung über unser Dasein in mir brennt,... um so kälter [wird] mein Wille, dieses schaurig zuckende Monstrum von Vitalität zu packen und in glasklare scharfe Linien und Flächen einzusperren, niederzudrücken, zu erwürgen. ...Ich denke immer nur an die Sache.«[20]

Abgesehen davon, daß Beckmann für seinen Figurenstil dieser Jahre von der altdeutschen Malerei und von Henri Rousseau gelernt hat und daß dieser Stil schon 1922 in den weiteren Umkreis der nachexpressionistischen Malerei, der sogenannten Neuen Sachlichkeit, gestellt worden ist[21], also keineswegs als Sonderfall begriffen werden kann, abgesehen davon gibt sein Bekenntnis eine Erklärung für die ihm zwischen 1918 und 1921 eigene, obsessiv unsentimentale Darstellungsweise. Wenn er die Deformation des Menschlichen bis ins kleinste beschreibt und, sich eher subjektiv wirkender Mittel wie Farbe und Handschrift des Farbauftrags weitgehend enthaltend, den Menschen in Dingen ähnlicher Form darstellt, dann erscheint das Lebendige in der Tat wie eingesperrt und im wörtlichen Sinn versachlicht.

Es konnte Max Beckmann nach 1918 demnach nicht am Einmaligen und am Problem des einzelnen gelegen sein. 1919 malt er Gesichter fratzenhaft, 1920/21 zwar beruhigter, aber dennoch maskenhaft. Beides führt weg vom Individuellen. Im *Selbstbildnis mit Sektglas* ist mit der physiognomischen Genauigkeit im Detail gerade das hervorgehoben, was allen Menschen gemein ist, wobei die profillose Gestalt und die Grimasse im Spiegel wie als Steigerungen zur Hauptperson ganz ohne Identität bleiben. Besonders in diesen beiden Fratzen steht Beckmann dem satirischen Zeichenstil nahe, den etwa um dieselbe Zeit George Grosz für seine die gesellschaftspolitischen und sozialen Mißstände attackierenden Darstellungen zu entwickeln begann (Abb. 9). Das Bar-Vergnügen derer, die es sich leisten konnten, wohlgenährt – wie es die Köpfe im Hintergrund erkennen lassen – mit Sekt und Zigarre, muß ihm inmitten des Nachkriegselends so hohl und grotesk erschienen sein, wie er es hier darstellt: in den Fratzen eher verurteilend, in der eigenen Gestalt durch das gezwungene Lächeln, die Verspanntheit der Haltung und das Verquälte der überstrafften Glieder stärker in Frage stellend.

Abb. 9   George Grosz: Zuhälter des Todes, 1919 (Aus: ›Gott mit uns‹ 1920), Berlin, Malik Verlag

IV

Um ein ganz anderes Problem geht es scheinbar im nächsten, 1921 entstandenen *Selbstbildnis als Clown* (Kat. 31). Beckmann zeigt sich hier mit den Attributen eines Clowns. Zum ersten Mal seit der Vorkriegszeit stellt er sich in einem Gemälde wieder nahezu frontal und in ruhiger Haltung dar, Kopf und Körper gleichgerichtet. Wie er sich dafür aus der seitlichen Stellung des Stuhles mit untergeschlagenem Bein unbequem in Positur gebracht hat, das drückt die Bewußtheit aus, die in der Hinwendung zur eigenen Person liegt. Und wie er ohne sichtbare Regung gerade aus dem Bild blickt, die Innenseite des entblößten rechten Armes mit geöffneter Hand uns bedeutungsvoll zugedreht und die Linke mit Maske, Pritsche und Zigarre vor die Brust genommen, das gibt der Konfrontation eine Ernsthaftigkeit und Wichtigkeit, die weder ganz mit der Umgebung noch mit der Hockstellung, noch auch dem Bild eines Narren in Einklang zu bringen sind. Unorganisch, mit proportional nicht zueinanderpassenden Körperteilen, so hat Beckmann seit 1918 fast immer die menschliche Figur dargestellt. Was dieses Selbstbildnis besonders hervorhebt, ist, daß es darüber hinaus aus inhaltlich unterschiedlichen Motiven zusammengebaut scheint. Friedhelm W. Fischer zieht Verbindungen zu verschiedenen Traditionen in der bildenden Kunst: Im Vorhangmotiv sieht er ein »Repräsentations- und Würdezeichen« des barocken Herrscherporträts, im Lehnsessel das Motiv des Thrones parodiert; die linke Hand erinnere »an den Gestus, mit dem Christus auf Darstellungen der Verspottung meist das Zepter hält«, und im Gestus der rechten Hand und ihrer Durchbildung – dem dunklen Schatten – seien »Leidensgesten des Dornengekrönten in spätgotischen Werken« variiert.[22] Da Beckmann sich nun gerade nach 1918 in auffälliger Weise bekannter traditioneller Symbole bedient und sich auch einzelne, an Darstellungen des leidenden oder toten Christus erin-

20   Ebenda

21   Vgl. G. F. Hartlaub aus: ›Ein neuer Naturalismus?? Eine Rundfrage, 1922‹, in: Uwe M. Schneede (Hrsg.), *Die zwanziger Jahre. Manifeste und Dokumente deutscher Künstler*, Köln 1979, S. 122.

22   Friedhelm Wilhelm Fischer, *Max Beckmann – Symbol und Weltbild*, München 1972, S. 38 f.

Abb. 10 Georges Rouault: Kopf eines tragischen Clowns, um 1904, Aquarell und Pastell, Zürich, Kunsthaus

nernde Motive in unterschiedlichen Bildern zunutze macht[23], dürften die genannten Verbindungen in der Tat bestehen. Sie erhalten aber schon allein deswegen – eben weil nicht ausschließlich auf die eigene Person bezogen – einen anderen Stellenwert. Zudem läßt sich daraus, daß Motive aus der Tradition übernommen werden, noch nicht ohne weiteres schließen, der Künstler habe sich auch mit den inhaltlichen Zusammenhängen identifiziert, denen sie entstammen, etwa wenn Fischer vorschlägt, Beckmann wollte sich hier – möglicherweise an Christus vor Pilatus denkend – als »ein König in der Erniedrigung« verstanden wissen.[24] Es scheint vielmehr so, daß – was dem antitragischen Prinzip entspräche, das in der Gestalt des Narren traditionsgemäß verkörpert ist, – nicht nur Vorhang- und Thronmotiv, sondern jeder überhöhte Anspruch, jedes tragische Element sogleich ironisch durchbrochen werden soll: die Leidensgeste der Rechten durch das verspielte Kätzchen mit Rükkenwärmer direkt daneben, die an Christi Verspottung erinnernde Gestik der Linken durch die mit eben dieser Hand gehaltene Zigarre, die Zepterassoziation durch die real gegebene Narrenpritsche, die einen hohen Anspruch signalisierende Pose im purpurroten Sessel durch das lässig untergeschlagene Bein. Eine solche Darstellungsweise setzt beim Künstler ein Maß an Distanz voraus – und drückt es auch aus –, das eine Identifikation, sei es mit der Rolle des Herrschers, des leidenden Christus oder des Narren, ausschließt.

Die Tatsache, daß Beckmann sich nunmehr überhaupt der Narrenvorstellung bedient, zeugt von einem neu gewonnenen Abstand. Mit *Fastnacht* (1920; Göpel, a.a.O., 1976, Nr. 206) und *Familienbild* (Kat. 25) tritt die Narrenthematik 1920 neben die bis dahin beherrschende Leidensthematik, zu der sie in einem inneren Zusammenhang steht. Das zeigt schon die Stimmung. Es herrscht eine beinahe bedrohliche Spannung und Beklommenheit, und wieder ist die Isoliertheit des einzelnen bei großer physischer Nähe auffallend. Im Vergleich aber mit den düster leidvollen Clowns von Georges Rouault (Abb. 10) und dem halluzinatorischen Gewimmel der körperlosen Masken James Ensors erscheinen Beckmanns Narren in ihrer formalen Härte mit einer Sachlichkeit dargestellt, die auch Raum für Ironie läßt.[25] Alle Figuren in den drei Gruppenbildern – 1922 entstand nach einem Auftrag noch *Vor dem Maskenball* (Kat. 26) – sind nach Familienangehörigen und Freunden bzw. Bekannten gemalt; jedes Bild enthält zudem eine Selbstdarstellung.[26] Man gewinnt jedoch nicht viel, wenn man die Dargestellten mit Namen benennen kann. Beckmann geht von einer bestimmten biographischen Situation aus: In *Familienbild* etwa liegt das Verbindende zwischen seiner Frau und ihm – die seit 1915 getrennt lebten – mit Spiegel, erloschener Kerze und Narrenkostüm in der Vanitas. Die Gesichter sind aber zu stilisiert oder zu weit verdeckt, als daß dem Maler an der Darstellung des Individuellen hätte gelegen sein können. Wie er die ihm befreundeten Personen im Bild gleichsam verwertet, läßt sich insbesondere an der Gestalt von Frau Tube, seiner Schwiegermutter, verfolgen, die er sehr geschätzt hat und die er sowohl in *Familienbild* als auch in *Vor dem Maskenball* zu einem positiven Pol werden läßt – ohne sie dabei jedoch mit ihrem Gesicht, in ihrer Individualität, darzustellen.

In *Fastnacht* läßt Beckmann alles bedeutungsträchtig erscheinen. Warum der Mann angstvoll besorgt blickt, worauf sein Zeigefinger weist, bleibt unbeantwortet. Die Kleidung macht ihn nicht weniger zum Narren als die verträumt dreinblickende Frau neben ihm. Seine Besorgnis erscheint ebenso sinnlos wie das offensichtlich lächerliche Tun des maskierten Clowns auf dem Boden. Sogar die in einem Zimmer zu erwartenden Gegenstände sind in kein verständliches Bezugssystem gesetzt. Der Maler wirkt mit verschiedenen Mitteln jeder möglichen Hierarchie der Zuordnung entgegen. Alles ist gleich deutlich gezeigt. In der Formbildung wie 1919, in der die menschliche Figur verdinglicht und umgekehrt die Gegenstände durch eigenwillige Unregelmäßigkeiten ihrer Formen verlebendigt sind, ist alles einander angeglichen; im Motivischen ist Banales unmittelbar neben bekannte Symbole gestellt. Dies führt zu einer Vereinzelung und in gleichem Maß dazu, daß jedes Element für sich so erscheint, als verberge sich ein tiefer Sinn dahinter. Mehr ist über diesen ›Sinn‹ vor dem Bild schlechterdings nicht zu sagen[27] – außer, daß der Künstler offenbar

23 Vgl. Hildegard Zenser, a.a.O., S. 63 f.

24 Friedhelm Wilhelm Fischer, a.a.O., S. 39

25 Ironie und Selbstironie sind eine von Beckmann seit frühester Zeit gern benutzte Möglichkeit, Abstand zu gewinnen. In seinen Briefen, Schriften und Tagebüchern läßt sich unter dem, was ihn am meisten beschäftigt oder bedrängt, kaum etwas finden, über das er sich nicht auch ironisch geäußert hätte. In den Tagebüchern der vierziger Jahre tritt er auf diese Weise am häufigsten zu sich selbst in Distanz.

26 Vgl. die Angaben bei Göpel, a.a.O., zu Nr. 206, S. 147 f., Nr. 207, S. 149 f., Nr. 216, S. 158

27 Friedhelm Wilhelm Fischer, a.a.O., S. 33, versteht demgegenüber die Darstellung als auf Gott bezogen, den erhobenen Zeigefinger des stehenden Narren als Hinweis auf diesen Gott, gegen den der auf dem Boden Liegende in einer »infantilen Trotzhaltung« protestiere. Fischer stützt sich dabei hauptsächlich auf die folgende, einmal im Gespräch – eventuell 1919 – gemachte Bemerkung Beckmanns: »Ich werfe in meinen Bildern Gott alles vor, was er falsch gemacht hat. Meine Religion ist Hochmut vor Gott. Trotz gegen Gott. Trotz, daß er uns so geschaffen hat, daß wir uns nicht lieben können.« Zit. nach Reinhard Piper, *Nachmittag,* München 1950, S. 33

einen eben gerade verborgen bleibenden Sinn spürbar machen wollte. Er bringt damit den Betrachter in eine Haltung, die seiner eigenen durchaus vergleichbar ist. Studiert man seine schriftlichen Aufzeichnungen, so findet man kein bestimmtes Bekenntnis oder philosophisches System, an dem er definitiv festhielt. Charakteristisch ist vielmehr sein beständiges eschatologisches Fragen, das sowohl auf dem Glauben an etwas Unbekanntes, aber eigentlich Wesentliches hinter den Dingen gründet als auch auf dem Bewußtsein der eigentlichen Unbeantwortbarkeit letzter Sinnfragen.[28] Nun sind zwar in *Fastnacht* drei verschiedene Haltungen gezeigt, aber Besorgnis oder Verträumtheit – alles erscheint gleichermaßen närrisch in einer Welt, deren Sinn ohnehin verborgen bleibt. Interessant ist, welche Sonderstellung Beckmann sich selbst in der Gestalt des auf dem Boden Liegenden zuweist. Die beiden anderen Gestalten sind sich ihrer Narrenrolle nicht bewußt. Nur er hat sich eine Maske aufgesetzt und spielt den Narren, d.h., er entspricht mit seinem Handeln bewußt der Rolle, die ihm das Kostüm zuschreibt. Dabei enthält gerade die starke Übertreibung auch eine Ironisierung, die wiederum ohne Distanz nicht möglich wäre.

Gibt in *Fastnacht* der Mensch unweigerlich den Narren ab, so haben wir es in *Familienbild* (Kat. 25) mit einer neuartigen Vielfalt möglicher Haltungen zu tun. Beckmann entwickelt sie stufenweise in drei verschiedenen Lebensaltern vom Kind, das ganz in seiner Phantasie lebt, über die Anteilnahme am alltäglichen Leben der zeitungslesenden Frau mittleren Alters zur weltabgewandten Innenschau der Greisin. Mit der Kerzensymbolik sind diese gegenüber dem närrisch kostümierten Paar ausdrücklich als positiv ausgewiesen. Eine ähnliche Vielschichtigkeit wie im ganzen Bild läßt sich in der Selbstdarstellung erkennen: Durch das Kostüm ist die eigene Person zum Narren gemacht; durch die Musikinstrumente ist auf ihre Künstlerschaft hingewiesen,und mit der seiner Gestalt kompositorisch zugeordneten Königsfigur in der linken oberen Bildecke hat Beckmann möglicherweise die Königsrolle auf sich beziehen wollen.[29] Dabei ist das Verhältnis zu Künstlerschaft und Königsrolle allerdings auffallend verharmlosend gestaltet: Wie Gegenstände aus der Puppenkiste wirken Instrumente und Königsfigur, gerade auch gegenüber der vor das Gesicht genommenen Hand der Greisin, in deren Darstellung der Maler mehr Würde gelegt hat, als an irgendeiner anderen Stelle des Bildes zu finden ist.

In diese Reihe gehört das schon besprochene *Selbstbildnis als Clown*. Implizierte die Einführung der Narrenvorstellung bereits eine Distanz zur Leidensthematik, und ist in *Familienbild* gegenüber *Fastnacht* der Mensch nicht mehr unbedingt Narr, so sind hier Leid und Narrentum Attributen gleich vorgewiesen. Nicht nur Maske, Pritsche, Tute und die unvollständige Verkleidung sind zu Attributen geworden. Wie Beckmann auch die Geste des rechten Armes, die an den Leidensgestus Christi erinnert, zu einem eigenen Symbol entwickelt, kann man in einer Reihe von Bildern verfolgen. In der *Nacht* ist sie in der Gestalt des Strangulierten zum Teil aus der qualvollen Verkrampfung abgeleitet. Bei dem Kind im *Traum* gibt es eine vergleichbare Bedingtheit nicht mehr; sie erhält einen zeichenhaften Charakter, der aber noch unschwer aus dem im Bild dargestellten Zusammenhang heraus zu verstehen ist. Im Selbstbildnis befindet sich die Person in keiner vergleichbaren Situation, so daß von daher der Gestus noch in einen Zustand des Erleidens eingebettet und daraus zu erklären wäre. Statt dessen ist nun in dem dunklen Fleck im Handteller die Ähnlichkeit mit dem Wundmal Christi gegeben. Diese Assoziation nutzt der Maler als ein Mittel, ertragenes Leid anschaulich machen zu können, ohne – wie in den vorangegangenen Darstellungen – die Person in einem entsprechenden Zustand darstellen zu müssen. Die Geste verweist auf ein von ihr Bezeichnetes, wobei das Bezeichnete nicht mehr mit dem Bedeutungszusammenhang, dem sie ursprünglich entstammt, in eine direkte Beziehung zu bringen ist. Ähnlich verfährt Beckmann mit der linken Hand, deren besondere Stellung in Christus-Darstellungen in der Fesselung begründet ist. Ohne diese oder eine vergleichbare Bedingtheit wirkt diese Hand im Selbstbildnis fremdartig und merkwürdig zwiespältig, was wiederum in ihrer Doppeldeutigkeit begründet ist. Zum einen hält sie Pritsche, Maske und Zigarre (Zigarre und Zigarette werden in den

Abb. 11 Max Beckmann: Selbstbildnis vor rotem Vorhang, 1923, Öl auf Leinwand, Privatbesitz

28 Vgl. Hildegard Zenser, a.a.O., S. 48 ff.
29 Vgl. Friedhelm Wilhelm Fischer, a.a.O., S. 36 f.

Abb. 12 Max Beckmann: Selbstbildnis mit Sektglas auf gelbem Grund, 1925, Öl auf Leinwand, verbrannt um 1944 bei einem Luftangriff in München

zwanziger Jahren gleichsam zu einem persönlichen Attribut Beckmanns), zum anderen hat sie eine jenseits dieser Funktion liegende Bedeutung: Wie ein Symbol benutzt, erhält sie eine mit den drei Attributen vergleichbare Stellung. Gerade hier in der Mitte der Gestalt und des Bildes verbinden sich somit in einer neuen, eigenartigen Bildprägung alle wichtigen inhaltlichen Momente: die Narrenrolle in traditionellen Attributen, erlittenes Leid im symbolhaft verwendeten Handmotiv, ein von hohem Anspruch zeugendes Selbstverständnis in der Zepterassoziation und als persönliches Attribut die Zigarre. Daß der Künstler dies auch zum formalen Knotenpunkt der Darstellung gemacht hat und sich hier die für das Gleichgewicht der insgesamt labilen Komposition wichtigsten Elemente konzentrieren, darauf soll abschließend wenigstens hingewiesen sein, um auf den Reichtum aufmerksam zu machen, der dieses Selbstbildnis als eines der vielschichtigsten im Werk Max Beckmanns auszeichnet.

V

In den Selbstdarstellungen der folgenden Jahre kommt es zu einer seit der Vorkriegszeit nicht zu beobachtenden Form der Hinwendung zur eigenen Person. Der Unterschied liegt vornehmlich in einer Beschränkung, die sich bereits an der geringen Zahl der Gegenstände zeigt. Statt in Phantasiesituationen stellt Beckmann sich jetzt zumeist nur durch entsprechende Kleidung in einen gesellschaftlichen Rahmen. Die menschliche Gestalt wird von Bild zu Bild organischer, die Form großflächiger, das Auseinanderstrebende ist gewichen, und bis 1925 tritt das Vereinzelnde, Isolierende ganz zurück. Kopf und Körper bleiben in allen Selbstporträts bis zur Mitte der dreißiger Jahre gleichgerichtet; die Gestalt ist dabei, mit einer Ausnahme (Kat. 68), frontal dargestellt oder nur in geringfügigen Abweichungen von der Frontalität. In den Selbstdarstellungen zwischen 1917 und 1922 ist Körper oder Kopf oder beides durchwegs von links nach rechts ins Bild gesetzt, 1923, im *Selbstbildnis vor rotem Vorhang* (Abb. 11) erstmalig wieder die ganze Gestalt in der für den Betrachter optisch rückläufigen und darum gefestigter wirkenden Drehung von rechts nach links. Ruhige Haltung und die geschlossen-blockhafte Form tun ein übriges, um die Hinwendung zur eigenen Person – wenn auch nur im Äußerlichen und durch eine Pose – fest und dauerhaft erscheinen zu lassen. Im *Selbstbildnis auf gelbem Grund mit Zigarette* (Kat. 36) aus demselben Jahr ist ein Rollenverhalten aufgrund der geringen Distanz des kleinen Ausschnitts weniger möglich. Beckmann macht sich zum Problem. Die hier ausnahmsweise eingesetzte, zur Einheitlichkeit in der Figur beitragende Beleuchtung soll mit den großen Licht- und Schattenpartien offenbar Bedeutsamkeit suggerieren. Ebenso wie der betont grüblerische Gesichtsausdruck mit zu schmalen Schlitzen zusammengekniffenen Augen unter den zusammengezogenen Brauen und vertikalen Stirnfalten eine Konzentration nach innen bezeichnen soll, die faktisch nicht gegeben ist. Man spürt das Posieren vor dem Spiegel, in welchem der Künstler eher sein Gegenüber sieht als im eigenen Innern.

Was Beckmann 1923 zu beabsichtigen schien, gelingt ihm 1925, einem für die Entwicklung seiner Selbstbildnisse wichtigen Jahr. Die Bedeutung der Rolle hat sich geändert. Im *Doppelbildnis Karneval* (Kat. 43) ist gerade durch die Verkleidung, d. h. durch den Gegensatz zu der in ihr gegebenen Narrenrolle, ein persönlicher Kern spürbar gemacht. Und in dem – 1944 bei einem Luftangriff in München verbrannten – *Selbstbildnis mit Sektglas auf gelbem Grund* (Abb. 12) kommt der Künstler durch den Kontrast zu dem in Smoking und Sektglas angezeigten gesellschaftlichen Rahmen zur Gestaltung seines einmaligen, unverwechselbaren Individuums. Dieser Rahmen impliziert normalerweise Umgangsformen, die eine innere Beweglichkeit, d. h. Distanz zur eigenen Person voraussetzen. Wie Beckmann aber die tiefe Stirn, Augenhöhlen, Mundpartie und Ohrmuschel verschattet darstellt und, was die Selbstporträts betrifft, erstmals wieder auf physiognomische Einzelheiten und jegliche äußerliche Details verzichtet, wirkt gleichsam wie ein Verschluß der Sinne nach außen, der auf einen inneren Vorgang verweist. Der Ausdruck, die im Blick etwas divergierenden Augen und der leicht geöffnete Mund zeigen ein

Versunkensein, das in der verharrend zögernden Bewegung der Hände, dem typisch Vagen eines sich seiner selbst unbewußten Zustands bestätigt ist. Die diesem Zustand eigene Geschlossenheit in sich – die Person befindet sich dementsprechend leicht nach links von jedem Gegenüber abgewandt – und Verschlossenheit nach außen – auch das enge Format hält fest, sperrt ein – macht Beckmann in der in ihrer einfachen Klarheit eindrucksvollen Komposition anschaulich. Ausgehend von der Tischplatte zuunterst und zuvorderst, wird das Auge des Betrachters über linke Hand, Sektglas, Rechte und Hemdbrust in einer auch räumlich konsequenten Abfolge über ineinandergreifende, sich variierend wiederaufnehmende und verstärkende Formen aufwärts zum Kopf hingeführt. Unmöglich, sich einen Raumausschnitt ohne die Gestalt denken zu wollen, da durch sie erst die Vorstellung von Raum entsteht. Das geschieht nicht mehr durch die plastische Form der frühen zwanziger Jahre, sondern durch Schatten und Überschneidungen in der nunmehr ganz aus der Fläche und im Einklang mit ihr aufgebauten Figur.

Im Vorwort des Katalogs zur ersten Gesamtausstellung der Werke Max Beckmanns 1928 in Mannheim spricht Hartlaub von »einem mühevollen Anstieg«, der erst jetzt beendet scheine.[30] Dahinter steht die Vorstellung von einer Entwicklung, wie sie bis hierher auch an den Selbstbildnissen abzulesen ist. Auch die Frage Hartlaubs, ob man aus der Veränderung der Form nicht auf eine gewisse Befreiung schließen könne[31], läßt sich zweifellos bejahend beantworten, wenn man die nächsten beiden Selbstdarstellungen, insbesondere das *Selbstbildnis im Smoking* (Kat. 53) von 1927 betrachtet. Zu fragen wäre, wie es zu diesem Bildnis kommt, das trotz des vorangegangenen schrittweisen Aufbaus in der Maßlosigkeit des Selbstbewußtseins unerwartet erscheint. Den ›Herrn‹ im ursprünglichen Sinn des Wortes verkörpernd, ist es innerhalb des Beckmannschen Œuvres sowie unter vergleichbaren Männerporträts der Zeitgenossen einzigartig. Dabei ist im einzelnen nichts wirklich neu. Ein raumbeherrschender Auftritt im schwarzen Anzug, eine weltmännische Gelassenheit demonstrierende Haltung, eine lässig hochgenommene Hand mit Zigarette, ein selbstsicher in die Hüfte gestützter Arm – einiges davon läßt sich jeweils auch in anderen Männerbildnissen des 19. und 20. Jahrhunderts finden, so wie man es etwa in der aufschlußreichen Reihe von ›Herren-Bildnissen‹ bei Manet, Marées, Munch (Abb. 13) und Kirchner sehen kann, in die Herbert Marwitz Beckmanns Selbstbildnis stellt.[32] Bei keinem treten diese Motive jedoch derart vereint und mit gestalterischen Mitteln auf die Spitze getrieben auf, würde sich der Dargestellte, wie bei Beckmann, mit – je nach Betrachter mehr oder minder – provozierender Selbstverständlichkeit respektvolle Distanz, wenn nicht Unterordnung, Raum und Ellenbogenfreiheit verschaffen.

Abb. 13   Edvard Munch: Der Franzose – M. Archinard, 1901, Öl auf Leinwand, Oslo, Munch Museet

VI

Der ab Mitte der zwanziger Jahre nicht mehr zu übersehende Wandel im Menschenbild und Selbstverständnis Beckmanns, der hier einen Höhepunkt erreicht, geht mit seinem gesellschaftlichen Aufstieg einher. Nach dem Bruch mit seiner vor 1915 geübten Malweise wird er nun erneut anerkannt, findet internationale Beachtung. Seit 1925 hat er eine Professur am Städelschen Kunstinstitut in Frankfurt/Main, 1926 werden seine Bilder zum ersten Mal in den USA, 1927 in Frankreich ausgestellt. Gotthard Jedlicka trifft in seinem kurzen Vergleich dieses Porträts mit dem zwanzig Jahre früheren *Selbstbildnis Florenz* (Kat. 8), das ebenfalls in einer Zeit besonderer öffentlicher Anerkennung entstanden ist, etwas, was das Porträt von 1927 zu mehr als nur dem eines Erfolgreichen macht (Abb. 14, 15): »Im frühen Selbstbildnis gibt er sich, in einer unbedrohten Welt, von außen her wieder; im späteren baut er sich, nach einer Zeit der Zerstörung, von innen her auf. Jede Fläche, jeder Flecken, jeder Strich ist im Hinblick auf ein Ganzes gesetzt: farbiges Äquivalent eines Blocks.«[33] Bis ins einzelne läßt sich das im Bild verfolgen. Den Hintergrund bestimmen farblich miteinander verbundene Senkrechte und Waagerechte. Formal auf diese bezogen, ist die Gestalt ihnen dabei in den differenzierten Abweichungen der Körperachse von der einfachen Senkrechten und der Schultern

30 G. F. Hartlaub, in: *Max Beckmann: Das gesammelte Werk,* Ausstellungskatalog Mannheim, Städtische Kunsthalle 1928, S. 8

31 Ebenda

32 Herbert Marwitz, ›Der Herr – zur Genealogie des modernen Menschenbildes‹, in: *Wandlungen*, Festschrift Homann Wedeking, 1975, S. 312 ff.

33 Gotthard Jedlicka, a. a. O., S. 124

Abb. 14   Max Beckmann: Selbstbildnis
Florenz, 1907, Öl auf Leinwand, Privatbesitz
(Detail)

Abb. 15   Max Beckmann: Selbstbildnis im
Smoking, 1927, Öl auf Leinwand, Cambridge,
Mass., Harvard University Busch-Reisinger-
Museum (Detail)

Abb. 16   Max Beckmann: Bildnis Frau
Dr. Heidel, 1922, Öl auf Leinwand, Hamburg,
Kunsthalle

und Unterarme von der Waagerechten als Bewegtes gegenübergestellt. Der Herr steht zwischen Licht und Dunkel, das hinter ihm in zwei klar begrenzten Flächen gegeben ist. In komplizierter Verteilung und stärkerer Intensität erscheint der Kontrast in der Gestalt im Schwarz des Anzugs und Weiß des Hemdes und weiter in Licht- und Schattenreflexen der Hände und des Kopfes variiert. Im Gesicht konzentrieren sich alle das Bildganze bestimmenden konstrastierenden Elemente in differenziertester Form, so daß die Gestalt, aus ihrem Hintergrund heraus aufgebaut, diesen ebenso beherrscht wie sie mit ihm verbunden ist.

Auch die glückliche Wende, die Beckmanns Leben Mitte der zwanziger Jahre nahm, dürfte nicht ohne Einfluß auf seine Kunst geblieben sein. Erhard Göpel konstatiert den zeitlichen Zusammenhang zwischen Beckmanns Heirat mit Mathilde von Kaulbach (›Quappi‹) im September 1925 und der Veränderung seines Stils, vor allem im Hinblick auf die erstmals im Quappi-Porträt (Kat. 45) von 1926 ausgeprägte, von der Lokalfarbe befreite neue Farbigkeit.[34] Von nun an ist sogar das Schwarz, wie im vorliegenden Selbstbildnis, flächig breit aufgetragen, ganz als Farbe behandelt. In jedem Fall kommt dem Frauenporträt in diesem Stilwandel und der damit einhergehenden Entwicklung zu einem veränderten Menschenbild eine wichtige Stellung zu. Von 1922 bis 1926 malte Beckmann nur ein Männerbildnis, dagegen zehn Frauenporträts, vier allein im Jahr 1924; im Herbst 1923 hatte er ›Quappi‹ kennengelernt. Schon das *Bildnis Frau Dr. Heidel* (Abb. 16) von 1922 zeichnet sich gegenüber den Selbstbildnissen von 1923 durch eine weniger harte Formung und die um vieles freiere Haltung aus, in der sie uns, beide Hände in die Hüften gestützt, frontal gegenübersteht. 1924 entsteht das *Bildnis Minna Beckmann-Tube* (Kat. 37), seiner ersten Frau, in dem die Gestalt längst nicht mehr vom Detail zum Ganzen gebaut, sondern umgekehrt der Blick auf das Ganze ihrer Erscheinung von Anfang an den Aufbau des Bildes bestimmt haben muß. 1926 malt Beckmann das genannte *Bildnis Quappi in Blau* und das *Bildnis la Duchessa ›di Malvedi‹* (Kat. 46) in der für ihn neuen Farbigkeit, die dann erst mit dem Ende 1926 entstandenen *Selbstbildnis mit weißer Mütze* (Abb. 17) auch in den Selbstdarstellungen auftaucht. Das Quappi-Porträt ist durchgehend blau, das Selbstbildnis in einem durchgehend leuchtend hellen Rot untermalt, von dem sich das mit breitem Pinsel flächig aufgetragene Blau der Jacke in kaltem, spannungsvollem Kontrast abhebt. Ebenfalls in den Frauenbildnissen vorbereitet ist die Haltung, in der Beckmann sich 1926 und 1927 zeigt. Er übernimmt das bereits 1922 bei Frau Dr. Heidel bestimmende, im Quappi-Porträt rahmensprengende Motiv des in die Hüfte gestützten Armes und macht es im *Selbstbildnis mit weißer Mütze* zum Teil einer demonstrativ

34   Erhard Göpel, ›Max Beckmann 1884-1950‹, in: Göpel, a.a.O., S.4

lässigen Haltung, wie sie in dieser Gelöstheit seit 1914 zwar nirgends mehr vorkam, die hier aber, gerade was die Arme betrifft, weniger überzeugt als im Quappi-Porträt und dann im Selbstbildnis von 1927.

Die Verarbeitung der Kriegs- und Nachkriegserlebnisse durch intensive Gestaltung, die Erfolge als Künstler, damit verbunden gesellschaftlicher Aufstieg, Sicherheit und Wohlergehen in finanzieller Hinsicht, und nicht zuletzt die Begegnung mit seiner zweiten Frau – das alles dürfte zu dem sich wandelnden Menschen- bzw. Selbstverständnis beigetragen haben, wie es in den Frauen- und Selbstporträts, aber auch in den vier zwischen 1927 und 1929 entstandenen Männerporträts (Kat. 52 oder Kat. 55) und darüber hinaus noch in dem 1927 veröffentlichten Aufsatz ›Der Künstler im Staat‹, ins Utopische gesteigert, zum Ausdruck kommt. In Form und Inhalt bleibt die kurze Schrift Max Beckmanns ohne Kenntnis seiner früheren weltanschaulichen Spekulationen schwer nachvollziehbar. So wird u. a. sowohl die zentrale Forderung der *»endgültige(n) Vergottung des Menschen«*[35] als auch die expressionistisch exklamatorische Art, in der er dies zum Ziel aller menschlichen Bemühungen erklärt, als Reaktion auf das ihn um 1920 beeinflussende Weltbild begreiflicher, in dem er den Menschen sinnlos leidend als hilfloses Objekt unbekannter, außermenschlicher Mächte verstand.[36] Um den Menschen von eben dieser »metaphysischen Abhängigkeit zu befreien«, fordert er jetzt »Autonomie im Verhältnis zur Unendlichkeit«, beschwört »nichts mehr von außen zu erwarten. Nur noch von uns selbst. *Denn wir sind Gott.«*[37]

Die Beckmann zeitlebens bewußte, unbedingte Unwissenheit des Menschen in letzten Fragen der Existenz taucht hier in einem Bild auf, das an seine früheren Gemälde mit den kastenartigen Innenräumen (Kat. 25, 23, 26) erinnert: »Eingesperrt wie Kinder in einem dunklen Zimmer sitzen wir gottergeben da und warten darauf, daß man uns die Tür aufmacht und uns zur Hinrichtung, zum Tode führt.« Gegen diese Haltung erhebt er nun zum Ziel der Menschheit »alles das Unverständliche, Schwächliche und Unmögliche, was wir jetzt noch Leben nennen... in seiner verborgenen Zweckmäßigkeit zu erkennen ... frei zu werden, selbst entscheiden können, ob leben oder sterben. Bewußte Besitzer der Unendlichkeit – frei von Zeit und Raum.« Wobei er sich des utopischen Charakters solcher Forderungen natürlich – und ausgesprochenermaßen – bewußt ist. Durch die Verwirklichung dieser Ideen im Kunstwerk sei der Künstler der eigentliche Schöpfer der auf der Grundlage eben dieses Menschenbildes zu schaffenden neuen Kultur und des neuen Staates; in einem derartigen Staat gebühre ihm darum eine dem Staatsmann ebenbürtige Stellung.[38]

Es ist wahrscheinlich, daß Beckmann beim Malen des Selbstbildnisses von 1927 von diesen offenbar kurz zuvor formulierten Gedanken beherrscht war.[39] Er mag sogar so direkt verfahren sein, daß er sich mit dem Auftritt im Smoking als »Priester« darstellen wollte, wie er solche Priester ausdrücklich »im schwarzen Anzug oder ... Frack« für die neuen Kultur- und Glaubenszentren fordert, in denen u. a. das Lernen am Kunstwerk zum »Gebetsersatz« werden sollte. Auch als »bewußte(r) Besitzer der Unendlichkeit«[40] mochte er sich vielleicht darstellen. Wie er seine Gestalt breit und raumgreifend vor Hell und Dunkel stellt, das spräche für eine solche Absicht, zumal er Raum – entsprechend vieler Äußerungen – als Numen, als wirkende Macht empfand.[41] Als Intention wird dies – unter der Voraussetzung, daß man den Text kennt – vor dem Bild durchaus spürbar. Die Kenntnis des Textes mag darüber hinaus dazu führen, die speziellen, verbal ausgedrückten Inhalte im Gemälde fraglos auch realisiert zu sehen. Grundsätzlich wäre hier zu bedenken, ob derartige, im Medium der Sprache relativ eindeutig formulierbare Vorstellungen wie die vom Menschen als »Besitzer der Unendlichkeit« denn überhaupt noch eindeutig und überzeugend malbar sind. Meines Erachtens wird man dem Bild mit dem Begriff des ›Herrn‹ vollends gerecht, der »die Selbstbehauptung vor sich und vor der Welt bis an die Grenze«[42] treibt. Und genau darin liegt die enge Beziehung zwischen Beckmanns Aufsatz und dem Selbstbildnis. Es scheint der Impetus des Sich-Befreiens, der beiden zugrunde liegt: Sich-Befreien mag das Übermaß an Selbstbehauptung und die ausdrückliche Demonstration der Stärke erfor-

Abb. 17   Max Beckmann: Selbstbildnis mit weißer Mütze, 1926, Öl auf Leinwand

35   Max Beckmann, ›Der Künstler im Staat‹, in: *Europäische Revue 3* (1927), S. 288; Hervorhebung vom Verfasser.

36   Vgl. insbesondere Max Beckmanns unveröffentlichtes Drama *Das Hotel,* Typoskript im Archiv der Bayerischen Staatsgemäldesammlungen München, S. 45 f.

37   Max Beckmann, ›Der Künstler im Staat‹, a.a.O., S. 288 ff.

38   Ebenda, S. 288 ff.

39   Vgl. Göpel, a.a.O., zu Nr. 274, S. 199

40   Max Beckmann, ›Der Künstler im Staat‹ a.a.O., S. 289 ff.

41   Schon 1915 heißt es in einem seiner Kriegsbriefe, a.a.O., S. 63: »Huh, dieser unendliche Raum, dessen Vordergrund man immer wieder mit etwas Gerümpel anfüllen muß, damit man seine schaurige Tiefe nicht so sieht. Was würden wir armen Menschen machen, wenn wir uns nicht immer wieder eine Idee schaffen würden von Vaterland, Liebe, Kunst und Religion, mit der wir das finstre schwarze Loch immer wieder so ein bißchen verdecken können. Dieses grenzenlose Verlassensein in der Ewigkeit. Dieses Alleinsein.« Und, um ein Beispiel aus späterer Zeit zu geben, 1938 sagt er in seinem Londoner Vortrag, a.a.O., S. 190: »Höhe, Breite und Tiefe in die Fläche zu übertragen, so daß aus diesen drei Raumgegebenheiten sich die abstrakte Bildfläche des Raums gestaltet, die mir Sicherheit gibt gegen die UNENDLICHKEIT des Raumes. ... Raum – RAUM – und nochmals RAUM – die unendliche Gottheit die uns umgibt und in der wir selber sind.« Hervorhebung vom Verfasser.

42   Gotthard Jedlicka, a.a.O., S. 123

Abb. 18 Max Beckmann: Selbstbildnis mit Saxophon, 1930, Öl auf Leinwand, Bremen, Kunsthalle

Abb. 19 Max Beckmann: Selbstbildnis im Hotel, 1932, Öl auf Leinwand, Düsseldorf, Alfred Schmela (Detail)

Abb. 20 Max Beckmann: Selbstbildnis mit schwarzer Kappe, 1934, Öl auf Leinwand, Köln, Museum Ludwig

dern, wie sie hier in zwei verschiedenen Selbstzeugnissen nahezu gleichzeitig und gleichermaßen, aber mit im einzelnen unterschiedlichen Inhalten zum Ausdruck kommen.

VII

Zu Unrecht hat das *Selbstbildnis mit Saxophon* (Abb. 18) von 1930 in der Literatur vergleichsweise weniger Beachtung gefunden als das *Selbstbildnis im Smoking*. Beide etwa in der Mitte und auf dem Höhepunkt der künstlerischen Laufbahn Max Beckmanns entstanden, steht das Porträt von 1927 eher am Ende einer Entwicklungsreihe, in der sich, seit 1915, jedes einzelne Selbstporträt auch aus seiner Stellung zwischen dem vorangegangenen und nachfolgenden bestimmt, das *Selbstbildnis mit Saxophon* hingegen eher am Beginn einer neuen Phase, in der bei chronologischer Durchsicht zuerst ein beständiger Wechsel des Bezugs auffällt, in den Beckmann sich stellt. Er konzentriert sich jeweils auf einen Aspekt oder ein bestimmtes Erleben seiner Person, ohne daß diese darum aber in einer fragmentarischen Begrenztheit erschiene. In dem Maße, in dem er von nun an in der Darstellung das Unbewußte einbezieht, wird sie zum Ausdruck seines lebendigen Selbst. Man vergleiche daraufhin etwa das *Selbstbildnis auf gelbem Grund mit Zigarette* (Kat. 36) von 1923 und das elf Jahre spätere *Selbstbildnis mit schwarzer Kappe* (Abb. 20), bei denen aufgrund der Ähnlichkeit des Ausschnitts der Unterschied besonders ins Auge fällt. Verband der Künstler 1921 (Kat. 31) verschiedene Rollen in seiner Gestalt und herrschte 1925 (Kat. 43) ein Konflikt zwischen Rolle, d. h. Verkleidung bzw. äußerer Situation, und Individuum vor, so verkörpert der Dargestellte jetzt den jeweiligen Aspekt ganz und ungeteilt, wie 1932 (Abb. 19) den sich von außen in seiner Existenz bedroht fühlenden Menschen, 1937 (Kat. 80) den in sich, in seinem Schmerz und Zweifel gefangenen Befreiten, 1940 (Abb. 21) das Memento mori. Die Selbstbildnisse erhalten exemplarischen Charakter. So zeigt auch, um ein letztes Beispiel anzuführen, das *Selbstbildnis mit Glaskugel* (Abb. 22) von 1936 nicht Max Beckmann als Seher, wie etwa das *Doppelbildnis Karneval* 1925 (Kat. 43) ihn als Clown verkleidet darstellt, es stellt vielmehr – typenbildend – einen Seher dar, der in diesem Falle Beckmann heißt.

In der diese Bilder bestimmenden Vielfalt der künstlerischen Mittel setzt das *Selbstbildnis mit Saxophon* den Anfang. Der pastose Farbauftrag mit heftiger Pinselführung aus der Zeit um 1910, die um 1917 unter der dünnen Farbe mitbestimmende Leinwandstruktur, die ab 1918/19 auf plastisches Volumen, 1926 dabei auf monumentale Ausdehnung ausgerichtete Formung, unmodulierte große Farbflä-

chen über stehengelassener Untermalung seit 1926, sowie der im letzten Drittel der
zwanziger Jahre zunehmend eingesetzte dunkle bis schwarze Kontur: Beckmann
schiebt das einmal Gelernte nicht, wie oft in den vergangenen Jahren, beiseite. Er
arbeitet mit allem, wobei ihm jede der einstmals vorherrschend angewandten
Gestaltungsweisen, jetzt gezielt eingesetzt, als Mittel dient. Inhaltlich nimmt das
Selbstbildnis mit Saxophon eine Sonderstellung ein. Es gründet auf einer derart
umfassenden Vorstellung vom Selbst, die weder mit dem psychologisch oder ethisch
verstandenen Ich noch, wie 1927, mit dem die Gesellschaft voraussetzenden Begriff
der Persönlichkeit erklärt werden kann.

Was zuerst ins Auge springt, ist die Kraft und sexuelle Virilität des athletischen
Körpers. Vor dem Leib umgreifen die prankenartigen Hände das einer Schlange[43]
oder einem Fisch[44] ähnelnde Saxophon, als hielten sie tatsächlich etwas Kreatürli-
ches fest. Was immer hier die Person dicht vor uns hinter der Rampe einer Bühne
verkörpern mag, sie tut es bei allen von ihr umfaßten Gegensätzen in ungeteilter
Intensität. Von bedrängender physischer Präsenz, ist der Dargestellte geistig abwesend; die selbstvergessene Kontemplation, veranschaulicht in den tief verschatte-
ten, glanzlosen Augen, ist verbunden mit einer inneren Anspannung, die sich in
Mundform und energisch vorgewölbtem Kinn als Entschlossenheit offenbart; parallel dazu ist die in dem breiten Stand liegende, ruhige Gelassenheit nicht ohne Kraft
und Vitalität, wie Hals und Nackenpartie und vor allem der Zugriff der Hände
beweisen. Ohne diese Gegensätze aufzuheben, verbindet Beckmann sie in einer
Komposition spannungsvoll aufeinander bezogener und sich von der Mitte der
Gestalt nach außen über sie hinaus erweiternder Bogenformen. Der Trikotaus-
schnitt antwortet dem Nackenrund, schafft Volumen. Dazu, in einer der Körperhaltung gemäßen, Spannung erzeugenden Gegenrichtung, nimmt der Brustumriß das
Rund der Kinnpartie auf. Die Schräge des Hemdausschnitts wiederholt sich in der
Schärpe, deren Richtung sich dann im Saxophon vor der Gestalt zu einer ihren Leib
teilweise umschlingenden Form und im Vorhang zu einem sie in der ganzen Bild-
breite hinterfangenden Bogen entwickelt. Die Abweichung von den so beherrschenden Schrägen im oberen Ende des Saxophons verleiht diesem sein ungewöhnliches Eigenleben. Abweichend auch die unteren Vorhangfalten, die, beidseitig des
Dargestellten aufwärtsgeführt, seinem schweren Stehen entgegenwirken und das
Hochaufragende seiner Erscheinung verstärken. Dieserart gestaltet, erscheint er
wie von Wirkungen umgeben, die von ihm ausgehen und auf ihn zurückstrahlen.
Dabei ruht er ganz in sich, wie es der die Figur umspannende Umriß nicht besser
veranschaulichen kann. Die das Bildganze bestimmende Wirkung unberechenbarer
Ausdehnung ist durch Rampe und Deckenbalken, zwei durch Parallelität und Farbe
verbundene Geraden, nach vorn und nach hinten begrenzt.

In der Farbe sind Dissonanzen durch ungewöhnliche Kontraste beherrschend.
Ihre mangelnde Sättigung erhöht die Spannung und verstärkt den Eindruck von
einem Werden, da das Auge eines reinen Tones und spannunglösender Komplementärfarben bedarf, um so mehr, als beides mit leuchtendem Gelb und sattem
Grün in geringem Maß gegeben ist. Schwarz und Weiß stehen in der Untermalung
der Figur als gleichmäßig hingestrichener Grund der durch Pinselhandschrift bewegten Oberfläche gegenüber und führen, insofern jede Farbe des Farbenkreises
bis zum reinen Schwarz und Weiß hin verdunkelt bzw. aufgehellt werden kann, alle
Farbtöne zusammen. Das unter dem Inkarnat von Kopf und Hals noch dünne
Graubraun wird erst im Leib, unter dem Rosa des Trikots, zu einem tiefen Schwarz
und tritt im Brustumriß offen zutage, wo es – im Kontrast zur Leichtigkeit des weiß
untermalten Mantels – den Eindruck von Dichte und Substanz vermittelt. Gleichzeitig bleibt dadurch die ganze Figur mit der Fläche, der Dargestellte mit seinem
Grund und auch Hintergrund verbunden; denn die als Inkarnat schäumend pastos
aufgetragene Farbe erscheint hinter ihm noch einmal als große, einfache Wandflä-
che. Mit dem pastosen Farbauftrag, der in seiner unruhig bewegten Oberfläche die
Illusion von Lebendigkeit erzeugt, zeichnet der Maler nur noch die Blüten der
Pflanze und – wenn auch zurückhaltender – das Saxophon aus, das er ja auch mit
anderen Mitteln in die Nähe des Lebendigen bringt.

Abb. 21 Max Beckmann: Selbstbildnis mit
grünem Vorhang, 1940, Öl auf Leinwand,
Hannover, Niedersächsische Landesgalerie

43 Vgl. Günter Busch, *Max Beckmann – Eine
Einführung,* München 1960, S. 30
44 Vgl. Gotthard Jedlicka, a.a.O., S. 120

Abb. 22 Max Beckmann: Selbstbildnis mit Glaskugel, 1936, Öl auf Leinwand, Privatbesitz

Das Saxophon als Symbol der Lebenskraft, wie Fischer es deutet, die von ihm betonte, in Physiognomie und – doch recht unscheinbarer – Schallöffnung des Instruments verkörperte Verbindung von Phallus- und Schoß-Symbolik scheint von hier aus und im Zusammenhang mit der im ganzen Bild verfolgten Absicht des Künstlers, gegensätzliche Aspekte in seiner Gestalt zu einem umfassenden Menschenbild zusammenzuführen, immerhin möglich.[45] Denn die Gegensätze treten in der Art auf, in der Spannung auch Entspannung voraussetzt, die Oberfläche eine Tiefe etc., in diesem Sinn also das Männliche auch das Weibliche. Hier ist auf Max Beckmanns Vorstellung vom »absoluten Selbst« hinzuweisen, d. h., was sich dazu schon aus seinem Aufsatz von 1927[46] erschließen läßt, eindeutig aus seinen schriftlichen Äußerungen aber erst seit 1938 hervorgeht, vor allem aus dem 1938 in London gehaltenen Vortrag[47] und einigen Tagebuchaufzeichnungen der vierziger Jahre[48]. Zusammengenommen fügen sich seine vereinzelten weltanschaulichen Bemerkungen zum Selbst zu einem in sich konsequenten Bild, das auf den Weltbildern der Kabbala, Tantra und Gnosis basiert.[49] Beckmann verstand – und hier sind allein seine eigenen Aussagen berücksichtigt – dieses Selbst als ebenso begrenzt, endlich, einzigartig und körperlich wie als unbegrenzt, ewig, allgemein und immateriell.[50] Als Unbegrenztes bedeutete es ihm die alle Möglichkeiten einschließende Konstante, von der im Begrenzten, im einmaligen Individuum, jeweils immer nur ein Teil, und dieses nochmals in männliche und weibliche Verkörperungen geschieden, in Erscheinung tritt. Es ist von daher nur folgerichtig, wenn er bisweilen die Identität von Selbst und Gott anspricht, expressis verbis wie bereits 1927 oder poetisch umschrieben wie am Ende des Londoner Vortrags. Sein Begriff vom Selbst gründet auf derselben Vorstellung von Ganzheit bzw. Vollständigkeit wie der Gottesbegriff und schließt, dem Gottesbild der Kabbala und Gnosis folgend, Gut und Böse oder, wie er es nennt, »das Weiße« und »das Schwarze«[51] mit ein. In diesen Kontext gehört sein vielzitierter Ausspruch vom »Suchen nach dem eigenen Selbst«[52]. Als persönliche Lebensaufgabe oder generell als Aufgabe des Menschen genannt, bezieht er diese Suche durchwegs, wenn auch in immer neuen Wendungen, auf ein metaphysisches absolutes Selbst, das sich in der bezeichneten Weise fundamental von dem empirischen, relativ festlegbaren Bild einer Person unterscheidet. Daß ein derartiges Selbst nichts sein kann, was man hat oder ist, sondern bestenfalls etwas, das man sich – so Beckmann – bemühen müsse zu finden und zu werden, versteht sich von selbst.

Hiermit sollen Max Beckmanns Bemerkungen nicht etwa in die Nähe philosophischer Texte gerückt werden. Er bleibt bildender Künstler auch in diesen schriftlichen Äußerungen, ohne daß er diese aber jemals als seine Bilder im einzelnen interpretierende Erklärungen gemeint hätte. Als solche können sie nicht benutzt, kann die »Suche nach dem eigenen Selbst« genau genommen, d. h. so wie Beckmann dieses Selbst nachweislich ab 1938 versteht, auch nicht ohne weiteres auf die Gesamtheit der Selbstdarstellungen bezogen werden, wenn man in erster Linie seinen Gemälden gerecht werden will und nicht seinen über das eigentlich Malbare hinausgehenden – vielleicht gerade darum schreibend formulierten – weltanschaulichen Spekulationen. Oder ist es möglicherweise auch dieser geistige Hintergrund, der Beckmann heute so anziehend macht? Die enorme Bedeutung, die dem Ich allein schon durch die Menge der Selbstbildnisse zukommt, der Begriff vom Individuum als einem unteilbaren Ganzen und die Vorstellung von dessen Teilnahme an einem allgemeinen Ganzen – das alles widerspricht offenkundig einer Realität, in der Vereinzelung, Bedeutungs- und Einflußlosigkeit des Einzelnen bis in die banalsten Alltagssituationen virulent sind. Das stand in ebenso eklatantem Widerspruch zu den Lebensumständen, in denen sich Beckmann besonders nach der nationalsozialistischen Machtübernahme befand. Bietet er sich also hier in seinem irrationalistischen Selbstverständnis dem heutigen Betrachter nicht vielleicht auch als kompensatorisches Ideal an?

45 Friedhelm Wilhelm Fischer, a.a.O., S. 83 ff., gelangt dazu auf einem Weg, der mir nicht immer nachvollziehbar ist, insbesondere, was die Ableitung aus Gemälden der Jahre 1918-21 betrifft, d. h. von den dortigen Tuten, Fischen und Grammophonen und deren Interpretation als niedergedrückte Vitalität. So wie diese Gegenstände dort gestaltet sind, liegt in ihnen nichts Vitales, das es niederzudrücken gäbe, womit aber erst die damals offenbar negative Einstellung Max Beckmanns zur Vitalität (vgl. auch Hildegard Zenser, a.a.O., S. 105 ff.) sichtbar werden könnte. Wenn Derartiges in jenen Bildern zum Ausdruck kommt, dann eher in der Art, wie der Maler Lebendiges, Organisches in der Darstellung verdinglicht.

46 Max Beckmann, ›Der Künstler im Staat‹, a.a.O.

47 Ders., ›Über meine Malerei‹, a.a.O.

48 Ders., *Tagebücher 1940-1950*, München 1979

49 Vgl. Friedhelm Wilhelm Fischer, a.a.O., S. 82, S. 86 ff.

50 Dazu und zum folgenden Hildegard Zenser, a.a.O., S. 108 ff.

51 Max Beckmann, ›Über meine Malerei‹, a.a.O., S. 191

52 Ebenda, S. 192

Charles Werner Haxthausen

Der Erste Weltkrieg – Katalysator eines Neubeginns?

Als Max Beckmann 1919 in der Frankfurter Buchhandlung Tiedemann und Uzielli dem Publikum einen ersten Überblick über sein im Ersten Weltkrieg entstandenes Werk darbot, hat die Ausstellung allgemeines Staunen ausgelöst. In einer Besprechung in ›Der Cicerone‹ registrierte Paul Ferdinand Schmidt eine Reaktion, die für die damalige Rezeption charakteristisch war: »Die Brücken von seinem früheren Schaffen her scheinen abgebrochen. Wer den Beckmann von 1913 kannte und bewunderte, mag beim ersten Anblick erschreckt stehen vor einem so radikalen Wandel des Stils. Es gibt wohl schwerlich ein Beispiel in der neueren deutschen Kunst, daß sich innerhalb weniger Jahre ein derartiger gründlicher Umschwung malerischer Anschauung vollzogen hätte ... Der Krieg hat, man kann nicht sagen: seine Entwicklung beschleunigt: er ist ihm zu formschaffendem Erlebnis geworden.«[1]

Seit dieser ›neue‹ Beckmann am Ende des Ersten Weltkrieges nach mehrjähriger Isolation öffentlich hervortrat, ist es zum unbestrittenen Glaubenssatz der Beckmann-Literatur geworden, die Erlebnisse des Malers im Sanitätskorps und der daraus resultierende nervliche Zusammenbruch seien für den grundlegenden Wandel in seiner Kunst ausschlaggebend gewesen. Jedoch ist seltsamerweise diese kritische Episode in Beckmanns Werdegang nur wenig untersucht worden. Erst in letzter Zeit beginnt sich die Forschungslage im Hinblick darauf allmählich zu verbessern[2]; dennoch bleiben viele Fragen noch unberührt.

Die wichtigsten Fakten über Beckmanns Kriegsdienst lassen sich kurz zusammenfassen. Beim Ausbruch des Krieges wohnte Beckmann in Hermsdorf bei Berlin. Da er keine militärische Ausbildung absolviert hatte, wurde er nicht zum Kriegsdienst einberufen. Etwa Anfang September brachte er Geschenke an die ostpreußische Front[3]; durch die Vermittlung der Gräfin von Hagen wurde es ihm erlaubt, sich dort als freiwilliger Krankenpfleger aufzuhalten. Zu einer unbestimmten Zeit im Herbst 1914 kehrte Beckmann nach Berlin zurück; eine datierte Porträtskizze seines Sohnes beweist, daß er Anfang Dezember da war.[4] Spätestens Mitte Dezember – datierte Skizzen belegen auch dieses Datum – wurde er dann als freiwilliger Sanitätssoldat nach Belgien kommandiert[5]; dort arbeitete er zunächst in einem Typhuslazarett, anschließend in einem Operationssaal. Ende März wurde er nach Wervik versetzt, um neben seinen normalen Pflichten am Feldlazarett eine Entlausungsbadeanstalt mit Wandgemälden zu dekorieren. Mitte Juni 1915 war Beckmann noch an diesem Ort; über seinen Verbleib zwischen diesem Datum und Anfang September ist aber bisher keine Dokumentation ans Licht gekommen. Ein Brief vom 5. September 1915 begründet, daß er spätestens ab dieser Zeit in Straßburg war, wo er als freiwilliger Krankenpfleger am Kaiserlichen Institut für Hygiene seinen Dienst verrichtete; weitere Briefe belegen, daß er mindestens bis Oktober dort blieb.[6] Etwa um diese Zeit wurde er aus gesundheitlichen Gründen nach Frankfurt beurlaubt, wo er 1917 aus dem Militär entlassen wurde.

Während seines Sanitätsdienstes war Beckmann auch künstlerisch tätig. Außer dem obig erwähnten Wandgemälde in Wervik sind in diesem Zeitraum über 150 Skizzen und Zeichnungen entstanden, die Beckmanns Kriegserlebnisse dokumentieren.[7] Wohl im Juni 1915 wurde er beauftragt, eine Sammlung von Kriegsliedern zu illustrieren. Das Buch erschien 1916 mit vierzehn Zeichnungen, Kriegslandschaften, von Beckmann.[8]

1   Paul Ferdinand Schmidt, ›Max Beckmann: Zur Ausstellung seiner neuesten Arbeiten in Frankfurt a. M.‹, in: *Der Cicerone*, XI (1919), S. 380

2   Siehe z. B. die ausführliche Analyse von Beckmanns Zeichnungen aus dem Ersten Weltkrieg bei Stephan von Wiese, *Max Beckmanns zeichnerisches Werk 1903-1925*, Düsseldorf 1978, S. 45-108; Hans Günter Wachtmanns Kommentar zu Beckmanns ›Selbstbildnis als Krankenpfleger‹, in: *Max Beckmann*, Von der Heydt-Museum Wuppertal, Kommentare zur Sammlung, 2, Wuppertal 1979, S. 10-15, sowie Wolf-Dieter Dubes Beitrag in diesem Katalog.

3   Vgl. ›Lebensdaten‹ in: Erhard und Barbara Göpel, *Max Beckmann: Katalog der Gemälde*, Hrsg. Hans Martin Freiherr von Erffa, Bern 1976, I, S. 17

4   Von Wiese, a.a.O., Kat. 202

5   Ebenda, Kat. 206-208

6   Ebenda, S. 171, Anm. 125

7   Ebenda, Kat. 169-328

8   *Kriegslieder des XV. Korps (von den Vogesen bis Ypern 1914/15)*, Berlin 1916. Hierzu vgl. von Wiese, Kat. 307-320

Beckmanns Kriegserlebnisse blieben damals nicht eine Privatangelegenheit, die er mit nur einigen Vertrauten teilte: Die Briefe an seine Frau, die die Hauptquelle aus dieser Zeit sind, wurden bereits während des Krieges veröffentlicht. Im Dezember 1914 waren sieben Briefe aus Ostpreußen, zusammen mit zehn Zeichnungen Beckmanns, in ›Kunst und Künstler‹ erschienen[9]; im Juli 1915 druckte die Zeitschrift sieben weitere Briefe aus Belgien, illustriert mit sieben Kriegsskizzen.[10] Dann, 1916, brachte der Bruno-Cassirer-Verlag die bisher veröffentlichten Briefe, durch 35 spätere ergänzt, als Buch mit dem Titel ›Briefe im Kriege‹ heraus.[11]

Obwohl die Zeichnungen und Briefe aus dem Krieg ein aufschlußreiches Quellenmaterial bilden, bleibt doch vieles von dieser kritischen Phase im dunkeln. Von Beckmanns »körperlichem und seelischem Zusammenbruch« ist beispielsweise noch heute so gut wie nichts bekannt, nicht einmal, wo und wann der Maler ihn erlitten hat.[12] Auch für die Zeit des eigentlichen Wandels in Beckmanns Kunst, die Jahre der Genesung in Frankfurt, ist nur wenig Dokumentation ans Licht gekommen. Solche Gebiete müßten durch die Untersuchung bisher unerforschter Quellen erschlossen werden, wenn wir die so bemerkenswerte Verwandlung dieses Malers gründlich begreifen sollen.

Der vorliegende Beitrag, der auf veröffentlichten Quellen basiert, hat notwendigerweise einen begrenzten Zweck. Ich werde hier nicht versuchen, die Frage der Einwirkungen des Krieges auf Beckmann und sein Schaffen umfassend zu behandeln, sondern mich darauf beschränken, nur zwei Aspekte dieses Themas zu erörtern: einmal Beckmanns positive Einstellung zum Krieg im Rahmen seiner Entwicklung, zum anderen die Verarbeitung seiner Kriegserlebnisse in dem 1916 begonnenen, aber nie vollendeten Gemälde *Auferstehung*.

Der zweite Aspekt überschneidet sich zwar teilweise mit dem Aufsatz von Wolf-Dieter Dube in diesem Katalog, doch scheinen mir die andersartige Sicht und der unterschiedliche Kontext eine derartige Paralleldarstellung zu erlauben, wenn man nicht sogar sagen kann, daß beide Beiträge einander ergänzen. Die wichtige Rolle, die die *Auferstehung* in der Entwicklung Beckmanns spielt, rechtfertigt eine breite Diskussionsgrundlage.

Allgemeine Kriegsbegeisterung

Als Zuschauer unter den jubelnden Menschenmengen, die im August 1914 die Mobilmachung in Berlin begrüßten, soll Beckmann zu einem Jauchzenden bemerkt haben: »Das ist die größte nationale Katastrophe.«[13] Wenn er sich tatsächlich so geäußert hat, war diese sorgenvolle Stellungnahme nur von kurzer Dauer. 1909, durch die bosnische Krise angeregt, schrieb er in sein Tagebuch, daß ein Krieg »für unsere heutige ziemlich demoralisierte Kultur gar nicht schlecht wäre, wenn die Instinkte und Triebe alle wieder mal an ein Interesse gefesselt würden.«[14] Auch die Briefe, die er später als Krankenpfleger an der Front schrieb, lassen eine positive, zuweilen begeisterte Haltung dem Kriege gegenüber erkennen. Im September 1914, nachdem er in Ostpreußen zum erstenmal eine zerstörte Ortschaft sah, schrieb er erwartungsvoll an seine Frau: »Ich hoffe noch viel zu erleben und bin froh.«[15] Im April 1915 konnte er mit Befriedigung berichten, daß er »allmählich alle Stimmungen und Möglichkeiten des Krieges« kennenlerne.[16] Die Geräusche der Schlacht wurden für ihn ein musikalischer Genuß; die aufleuchtende, verwüstete Kriegslandschaft ein apokalyptisches Spektakel. Wenn er manchmal Depressionen »über den Verlust meiner Individualität« erlitt, freute er sich doch »über alles Neue, was ich sehe«; staunte über die grenzenlose »Erfindungsfähigkeit« der Welt.[17] Der Krieg war für ihn »ein Wunder, wenn auch ein ziemlich unbequemes.«[18] Obwohl er »furchtbare Sachen miterlebt« hatte und »selbst schon einigemale mitgestorben«[19] war, und obwohl er zahllosen Verwundeten und Toten begegnet war, hatte nichts an dieser seiner Haltung rütteln können: »Mir ist ganz recht, daß Krieg ist«, schrieb er im Mai 1915 an seine Frau.[20]

In diesem Enthusiasmus war Beckmann als Künstler allerdings nicht isoliert. In den ersten Kriegsmonaten waren viele führende deutsche Künstler von der allge-

Abb. 1   Max Beckmann: Sintflut, 1908, Öl auf Leinwand, Privatbesitz

9 Max Beckmann, ›Feldpostbriefe aus Ostpreußen, mit zehn Zeichnungen‹, zusammengestellt von Minna Beckmann-Tube, in: *Kunst und Künstler,* XIII, S. 126-133

10 Max Beckmann, ›Feldpostbriefe aus dem Westen‹, zusammengestellt von Minna Beckmann-Tube, in: *Kunst und Künstler,* XIII, S. 461-467

11 Max Beckmann, *Briefe im Kriege,* Hrsg. Minna Tube, Berlin 1916

12 Gewöhnlich wird der Sommer 1915 als die Zeit von Beckmanns Zusammenbruch angegeben. (vgl. z. B. ›Lebensdaten‹ in Göpel, a.a.O., S. 17)

13 Peter Beckmann, *Max Beckmann,* Nürnberg 1955, S. 16

14 Max Beckmann, *Leben in Berlin – Tagebuch 1908/09,* Hrsg. Hans Kinkel, München 1966, S. 22 (9. Januar 1909)

15 Max Beckmann, *Briefe im Kriege,* a.a.O., S. 5 (14. September 1914)

16 Ebenda, S. 48 (27. April 1915)

17 Ebenda, S. 20-22 (2. März 1915)

18 Ebenda, S. 42 (18. April 1915)

19 Ebenda, S. 13 (3. Oktober 1914)

20 Ebenda, S. 60 (11. Mai 1915)

meinen Kriegsbegeisterung infiziert. Liebermann, Corinth, Slevogt und Barlach gehörten zu denen, die den Ausbruch des Krieges mit rückhaltlosem patriotischem Eifer begrüßt haben; Kokoschka, Marc, selbst George Grosz und Otto Dix meldeten sich als Kriegsfreiwillige.[21] Doch Beckmann war nicht aus Patriotismus motiviert, wenn er auch zu solchen Gefühlen fähig war.[22] Und der Maler teilte anscheinend nicht die utopische Hoffnung jener, die wie Franz Marc den Krieg als »Fegefeuer« begrüßten, als ein apokalyptisches Ereignis, das eine kranke, bröckelige Kultur beseitigen und dadurch die Vorstufe zu einer allgemeinen geistigen Erneuerung bilden sollte.[23] Das war wohl 1909 dann auch Beckmanns Ansicht; jedoch nichts in den 1914/15 entstandenen ›Briefen im Kriege‹ deutet darauf hin, daß er sich damals mit diesem Glauben identifiziert hat. Obwohl er noch zu diesem Zeitpunkt Krieg als permanenten Bestandteil menschlichen Lebens, jenseits des moralischen Urteils, betrachtete, lag doch für ihn dessen Bedeutung weniger in den eventuellen psychosozialen oder politischen Folgen als in den persönlichen. Vor allem schien ihm dieser Krieg als Bildungserlebnis sinnvoll:

»Es handelt sich ja … nicht darum, daß ich gewissermaßen als Historiker diese Angelegenheit mitmache, sondern, daß ich mich selbst in dieser Sache einlebe, die an sich eine Erscheinungsform des Lebens ist, wie Krankheit, Liebe oder Wollust. Und genau so, wie ich ungewollt und gewollt der Angst, der Krankheit und der Wollust, Liebe und Haß bis zu ihren äußersten Grenzen nachgehe – nun, so versuche ich es eben jetzt mit dem Kriege. Alles ist Leben, wunderbar abwechslungsvoll und überreich an Einfällen, überall find ich tiefe Linien der Schönheit im Leiden und Ertragen dieses schaurigen Schicksals«.[24]

Darüber hinaus bot dieses »schaurige Schicksal« dem Künstler ein unvergleichliches Rohmaterial, das er zu gewaltigen Katastrophenbildern verarbeiten konnte. »Meine Kunst kriegt hier zu fressen«, schrieb er vergnügt an seine Frau.[25]

Diese Einstellung war keineswegs etwas Außergewöhnliches. Karl Scheffler, der Redakteur der Monatsschrift ›Kunst und Künstler‹, vertrat eine weitverbreitete Ansicht, als er im Herbst 1914 die Erwartung zum Ausdruck brachte, der Krieg müsse »eine Schule des Talents werden.« Jene Künstler, die im Felde stehen, so prophezeite er, »werden oft überwältigt sein von der Fülle der Gesichte, von der furchtbaren Schönheit des Krieges und von dem malerisch bewegten Reichtum einer vom Kampf durchtobten Landschaft… Wir stellen uns gern unsere talentvollen Künstler vor, die, während sie brave Soldaten sind, nicht aufhören, mit allen Sinnen Künstler zu sein… Der Gewinn für unsere Kunst wird sicher groß sein.«[26]

Wohl um deutsche Maler durch historische Vorbilder zu inspirieren, veröffentlichte Emil Waldmann in Schefflers Zeitschrift einen zweiteiligen Aufsatz: ›Krieg und Schlacht in der Kunst‹.[27] Und als Zeugnisse der Kriegserfahrungen von »talentvollen Künstlern«, die seinen Erwartungen entgegenkamen, publizierte Scheffler Briefe und Zeichnungen aus dem Felde von Beckmann und dessen Freund Waldemar Roesler.[28] Der Krieg muß jedoch für Beckmann noch eine ganz eigentümliche Bedeutung angenommen haben, die über die allgemeine Kriegsbegeisterung hinausging und sich auch nicht durch den in letzter Zeit oft zitierten Einfluß Nietzsches erklären läßt.[29] Diese Bedeutung erwuchs aus dem besonderen Charakter seiner Kunst und dem Entwicklungsstadium, in dem er sich 1914 befand.

Historienbilder – maskierte Wirklichkeit

»Dieser Maler mag anpacken was er will: er gerät mehr oder weniger ins Katastrophale hinein. Er fühlt und denkt in Superlativen; er ist ganz Spannung. Er will nicht nur die Malerei an sich, sondern er will mittels der Malerei auch die ›große Idee‹, das ethische Pathos, die heroische Sensation.«[30] Diese Worte Karl Schefflers, mit denen er 1913 die frühe Leistung Beckmanns der nüchternen Kunst der deutschen Realisten und Impressionisten gegenüberstellte, halten das Besondere an dem Schaffen des jungen Malers fest. Zwischen 1906 und 1913 waren Beckmanns ehrgeizigste Werke Historiengemälde: großformatige Kompositionen mit biblischen, mythologischen oder allegorischen Themen. In diesem achtjährigen Zeitabschnitt

21 Zu diesem Thema vgl. Peter Paret, *The Berlin Secession: Modernism and its Enemies in Imperial Germany*, Cambridge/London 1980, S. 235 ff., und Annette Lettau, ›Taumel und Ernüchterung. Deutsche Künstler und Schriftsteller im 1. Weltkrieg‹, in: *Der Erste Weltkrieg: Vision und Wirklichkeit.* Ausstellungskatalog Galerie Michael Pabst, München 1982, S. 5 ff.

22 Vgl. etwa seine Bemerkungen über Hindenburg, ebenda, S. 9 (18. September 1914), sowie den Brief vom 24. Februar 1915 aus Courtrai: »Es ist imponierend, wenn man sieht, was unser Land leistet, wie es sich mit Elementarkraft ausbreitet wie ein Fluß, der über seine Ufer tritt.« Ebenda, S. 19

23 Am 26. September schrieb Marc an Kandinsky: »Mein Herz ist dem Kriege nicht böse, sondern aus tiefstem Herzen dankbar. Es gab keinen anderen Durchgang zur Zeit des Geistes. Der Stall des Augias, das alte Europa, konnte nur so gereinigt werden, oder gibt es einen einzigen Menschen, der diesen Krieg ungeschehen wünscht?« Zitiert nach Rosel Gollek, ›Franz Marc: Daten und Dokumente zur Biographie‹, in: *Franz Marc, 1880–1916.* Ausstellungskatalog, Städtische Galerie im Lenbachhaus, München 1980, S. 44

24 Max Beckmann, *Briefe im Kriege*, a.a.O., S. 67 (24. Mai 1915)

25 Ebenda, S. 43 (18. April 1915)

26 Karl Scheffler, ›Der Krieg‹, in: *Kunst und Künstler*, XIII (Oktober 1914), S. 4, und ›Chronik‹, ebenda S. 44

27 In: *Kunst und Künstler*, XIII (1914/15), S. 115 ff., S. 149 ff.

28 Waldemar Roesler, ›Feldpostbriefe aus dem Westen‹, in: *Kunst und Künstler*, XIII (1914/15), S. 123 ff., 175 ff., 212 ff., 320 ff. Zu Beckmanns Briefen siehe Anm. 9 und 10. *Kunst und Künstler* hatte bereits im November 1914 Beckmanns erste, in Berlin entstandene Zeichnungen zum Kriegsthema veröffentlicht: ›Die erste Kriegswoche in Berlin, nach Mitteilungen Berliner Tageszeitungen, mit sieben Zeichnungen von Max Beckmann‹, Jg. XIII (1914/15), S. 53-60

29 Siehe hierzu: Ernst-Gerhard Güse, *Das Frühwerk Max Beckmanns: Zur Thematik seiner Bilder aus den Jahren 1904–1914*, Frankfurt/Bern 1977, S. 14 ff., 29 ff. (folgend zitiert als: Güse 1977); vom selben Autor, ›Das Kampfmotiv im Frühwerk Max Beckmanns‹, in: *Max Beckmann: Die frühen Bilder*, Kunsthalle Bielefeld und Städelsches Kunstinstitut Frankfurt 1982, S. 189-201; Dietrich Schubert, ›Die Beckmann-Marc Kontroverse von 1912: Sachlichkeit versus Innerer Klang‹, ebenda, S. 175, 180 ff.; Wachtmann, a.a.O., S. 10, 47 f. Anm. 24

30 Karl Scheffler, ›Max Beckmann‹, in: ›*Kunst und Künstler*‹, XI (März 1913) S. 297 f.

malte er mehr als zwanzig solche Werke; darunter befassen sich die meisten mit dramatischen Themen von hohem Pathos. Es gibt zum Beispiel die *Große Sterbeszene* 1906 (Kat. 5); vier Bilder sind der Passion Christi entnommen; auch Kampfszenen (*Amazonenschlacht*, Kat. 11) und apokalyptische Visionen *(Sintflut* und *Auferstehung,* Abb. 1, Abb. S. 85) kommen vor.

In seiner 1913 erschienenen Beckmann-Monographie behauptete Hans Kaiser, daß diese Historienbilder einen durchaus modernen Inhalt – »das Pathos und die Nervenstränge der Weltstadt« Berlin – versinnbildlichten.[31] Neulich hat Ernst Gerhard Güse mehrere dieser Kompositionen als Verkörperungen der Lebensphilosophie Nietzsches gedeutet.[32] Jedoch in dem vorliegenden Zusammenhang geht es weniger um den spezifischen Inhalt der Bilder als um Beckmanns Art, diesem Inhalt Gestalt zu geben. Und da hat er die Konventionen der Historienmalerei eingesetzt. Es galt nicht, die moderne Wirklichkeit durch moderne Bildmotive darzustellen, sondern sie in überlieferten Metaphern zu maskieren, ihr Drama und ihr Pathos durch eine barocke Bildrhetorik auszudrücken. Der akademischen Tradition gemäß scheint Beckmann profunde Äußerungen mit dieser Bildgattung gleichgesetzt zu haben. Es liegt die Vermutung nahe, daß diese Reihe von Historienbildern zum Teil ein Versuch war, eine große malerische Tradition – von Corinth zur Parodie herabgewürdigt, von den meisten Progressiven als überholt oder literarisch abgetan – vor dem Aussterben in einer feindlichen, »demoralisierten Kultur« zu retten, und nicht nur zu retten, sondern neu zu beleben. Hans Kaiser hat dieses Unzeitgemäße an Beckmanns Kunst anerkannt und versucht, daraus eine Tugend zu machen: »Die kühne Geste und das volle Pathos der Malerei Beckmanns stören die Schwächlichkeit seiner Zeitgenossen... Wogegen sich unsere Zeit sträubt, und was ihr fehlt, gerade das besitzt Beckmanns Malerei, Leidenschaft und heroische Romantik.«[33]

Zwei Gemälde Beckmanns sind in dieser Hinsicht von besonderer Bedeutung: die 1909 entstandene *Szene aus dem Untergang von Messina* (Abb. 2; Kat. 10) und der 1912 angefangene *Untergang der Titanic* (Kat. 12). Diese beiden Kompositionen waren Schlüsselwerke innerhalb eines allmählichen Wandels in Beckmanns Einstellung zum Stofflichen seiner Kunst. Das Messina-Bild basiert auf Zeitungsberichten über das Erdbeben von 1908 und war, von Beckmanns Porträts abgesehen, sein erstes größeres Figurenbild mit einem ausgesprochen modernen Sujet. Allein diese Tatsache deutet an, daß zu diesem Zeitpunkt ein aktueller Gegenstand jene grandiosen, pathetischen Dimensionen der Historienbilder haben mußte, um der Dar-

Abb. 2   Max Beckmann: Szene aus dem Untergang von Messina, 1909, Öl auf Leinwand, St. Louis, The Saint Louis Art Museum, Bequest of Morton D. May

Abb. 3   Max Beckmann: Der Kaiserdamm, 1911, Öl auf Leinwand, Bremen, Kunsthalle

31   Hans Kaiser, *Max Beckmann* (›Künstler unserer Zeit‹ 1), Berlin 1913, S. 12
32   Güse 1977, S. 29 ff.
33   Kaiser, a.a.O., S. 45

Abb. 4 Max Beckmann: Das Liebespaar,
1912, Öl auf Leinwand, Mannheim, Städtische
Kunsthalle

stellung würdig zu sein. Wie Delacroix' ›Das Massaker von Chios‹ und Géricaults ›Das Floß der Medusa‹ war Beckmanns Komposition wohl ein Versuch, der Darstellung eines aktuellen Ereignisses das Pathos und die Erhabenheit der Historienmalerei zu verleihen. Wiederum ist es wahrscheinlich, daß Beckmann gerade durch die Wahl dieses aktuellen Themas die Lebensfähigkeit dieser Bildgattung demonstrieren wollte.

Szene aus dem Untergang von Messina wurde aber auf der Sezession schroff attackiert; in ›Die Kunst‹ schrieb Robert Schmidt, das Bild »wäre würdig, zum Plakat für ein Kinematographentheater verarbeitet zu werden.«[34] Dieses Experiment mit einer aktuellen Bildthematik blieb zunächst isoliert in Beckmanns Schaffen; im darauffolgenden Jahre erreichte seine Beschäftigung mit der traditionellen Geschichtsmalerei quantitätsmäßig ihren Höhepunkt.[35] Jedoch 1911 zeigte sich zum erstenmal in seiner Kunst ein deutliches Interesse an Motiven aus dem Leben der Großstadt – nicht nur an Parkanlagen oder Vororten, wie er sie früher gemalt hatte, sondern an Straßenlandschaften. In diesem Jahr malte er drei Bilder dieser Thematik; zwei darunter, *Blick auf den Nollendorfplatz* (Abb. S. 96) und *Kaiserdamm* (Abb. 3), stellten leicht identifizierbare Orte dar. 1912 gab es keine Großstadtbilder in seinem Schaffen; es entstanden Figurenbilder wie zum Beispiel *Das Liebespaar* (Abb. 4). In diesem Jahr hat sich Beckmann jedoch auch wieder die Aufgabe gestellt, eine große Komposition über ein aktuelles Thema zu malen: den *Untergang der Titanic*, durch den am 15. April 1912 1600 Menschen den Tod fanden. Beckmanns Ziel bei diesem anspruchsvollen Werk läßt sich wohl in dem Aufsatz erkennen, den er einen Monat vor der Katastrophe in der Wochenschrift ›Pan‹ veröffentlicht hat. In dieser Schrift, ›Gedanken über zeitgemäße und unzeitgemäße Kunst‹, bekannte er sich zu einer Malerei, die bestrebt war, »aus unserer Zeit mit all ihren Unklarheiten und Zerrissenheiten Typen zu bilden, die uns Heutigen das sein könnten, was denen damals ihre Götter und Helden gewesen sind.«[36]

Als aber *Der Untergang der Titanic* im Frühjahr 1913 auf der XXVI. Ausstellung der Berliner Sezession gezeigt wurde, waren die Kritiker der Meinung, dies sei Beckmann nicht gelungen. Emil Waldmann sah in dem Bild einen Beweis, daß Beckmann »von der souveränen Meisterschaft noch sehr weit entfernt« sei, daß er sich nicht scheue, »auch einmal zu scheitern«.[37] Nach Curt Glaser fehlte dem Gemälde die Überzeugungskraft völlig: »Der Eindruck des Erschütternden bleibt ganz und gar aus. Man sieht Boote und Menschen auf blaugrünem Meer, sieht im Hintergrund ein erleuchtetes Schiff, aber der Zusammenhang ist ein rein literarischer und eigentlich nur im Wissen des Betrachters begründet. Die malerischen Qualitäten, die man Beckmann nicht absprechen darf, werden seinem Titanicbilde nicht zu dem Ruhm verhelfen, den ›Das Floß der Medusa‹ als Schilderung eines ähnlichen Unglücks über die Stunde des Ereignisses hinaus immer bewahren wird.«[38]

Neben diesen negativen Besprechungen muß Beckmann auch beunruhigt haben, daß zum erstenmal viele seiner progressiven Altersgenossen in die Sezession eingedrungen waren. Kirchner, Heckel, Schmidt-Rottluff, Pechstein, Mueller und Kokoschka: alle waren dort vertreten.[39] In einer Tagebuchnotiz brachte Beckmann seine erste besorgte Reaktion auf die Ausstellung zum Ausdruck: »Wieder müde und verzagt wegen neuer Konkurrenz trotzdem ich Titanic sehr gut finde.«[40]

In Beckmanns Werke von 1913/14 zeigte sich eine entscheidende Wandlung: Das moderne Großstadtleben war zum Hauptthema geworden; zum erstenmal war sein Stoff seiner unmittelbaren Umwelt entnommen. Sein anspruchsvollstes Gemälde aus dieser Zeit, *Die Straße* (von ihm selbst 1928 zerschnitten), war ein monumentales Bild des Berliner Straßenlebens, in seinem großen Format (ca. 171 x 200 cm) und in seiner kompositionellen Komplexität offensichtlich als realistische Nachfolge zu den Historienbildern gedacht (Abb. 5, Kat. 14). Das dramatische Element, das in Beckmanns früherem Schaffen dominierte, fand nun Ausdruck in Sujets aus der großstädtischen Sportwelt, im *Ringkämpfer* (Abb. 6) und *Stürzenden Rennfahrer* (Abb. 7). Der dargelegte Mißerfolg seiner *Titanic* muß Beckmann wahrscheinlich so entmutigt haben, daß er es von nun an vorzog, die

34 Robert Schmidt, ›Die achtzehnte Ausstellung der Berliner Sezession 1909‹, in: *Die Kunst*, XIX, S. 445. Dazu vgl. auch Kinkel, *Leben in Berlin*, S. 42 ff. Anm. 6 und S. 49, Anm. 21

35 Beckmann malte 1910 fünf Bilder, die dieser Kategorie angehören: ›Die Ausgießung des Heiligen Geistes‹ (Göpel 124); ›Die Gefangenen‹ (Göpel 127); ›David und Bathseba‹ (Göpel 128); ›Christus verkündet seinen letzten Aufbruch nach Jerusalem‹ (Göpel 129); ›Kleopatra‹ (Göpel 136)

36 Max Beckmann, ›Gedanken über zeitgemäße und unzeitgemäße Kunst‹, in: *Pan*, II, Heft 17 (14. März 1912), S. 501

37 Emil Waldmann, ›Berliner Sezession‹, in: *Kunst und Künstler*, XI (Juli 1913), S. 513

38 Curt Glaser, ›Die XXVI. Ausstellung der Berliner Secession‹, in: *Die Kunst für Alle*, XX (15. Juli 1913), S. 464

39 Vgl. hierzu Peter Paret, *The Berlin Secession: Modernism and its Enemies in Imperial Germany*, Cambridge/London 1980, S. 220 f.

40 Tagebuchnotiz vom 11. April 1913, erstmalig veröffentlicht bei Güse 1977, S. 69, Anm. 287

Darstellung von Kämpfen und Katastrophen, die er nicht gesehen hatte, aufzugeben.

Vor diesem Hintergrund läßt sich seine eifrige Teilnahme am Krieg leichter
begreifen. Da wurde ihm die Gelegenheit geboten, Augenzeuge eines Dramas zu
sein, das in seinem Umfang und seiner Bedeutung die Katastrophen von Messina und der Titanic weit übertraf; da wurde ihm die Möglichkeit gegeben, eine große apokalyptische Komposition zu schaffen, nicht aus der Phantasie heraus, nicht
aus literarischen Quellen oder Zeitungsberichten, sondern aus einer geschauten
und erlebten Wirklichkeit. Die erste Andeutung einer solchen Vision taucht am
11. Oktober in einem Brief an Minna Beckmann-Tube auf: »Draußen das wunderbar großartige Geräusch der Schlacht. Ich ging hinaus durch Scharen verwundeter
und maroder Soldaten, die vom Schlachtfeld kamen und hörte diese eigenartige
schaurig großartige Musik. Wie wenn die Tore zur Ewigkeit aufgerissen werden ist
es, wenn so eine große Salve herüberklingt... Ich möchte, ich könnte dieses Geräusch malen.«[41]

Zwei Monate später, vermutlich in Berlin, zeichnete er Entwürfe zu einer Auferstehung. Aus diesen ganz summarischen Skizzen läßt sich wenig feststellen. Stephan von Wiese hat die vier hervorgehobenen Figuren im Mittelpunkt als eine
Darstellung von Beckmann und der Familie seiner Frau gedeutet, umgeben von den
auferstehenden Toten des Krieges.[42] Der Tod von Martin Tube, Beckmanns Schwager, der im Oktober an der Ostfront fiel, dürfte wohl der unmittelbare Anlaß zu
diesen Entwürfen gewesen sein. Trotz des Querformates dieser Skizzen ist ihre
Konzeption, mit einer konventionell symmetrischen Gliederung aus dichten, senkrechten Gruppierungen von Figuren, Beckmanns 1908 entstandener Fassung der
Auferstehung näher verwandt als dem Bild, das er 1916 malen sollte.

Als er diese Skizze anfertigte, hatte er doch noch verhältnismäßig wenig im
Kriege erlebt. In Ostpreußen sah er zwar ein paar zerstörte Dörfer, die verwüstete
Kriegslandschaft mit ihren Granatsplittern und »toten, grotesk gewundenen Och-
sen und Pferden«[43], im Lazarett hatte er den »scharfen Duft der Verwesung«
empfunden und unter den Kranken und Verwundeten »furchtbare Sachen miterlebt«[44]. Doch war er dem Greuel, der Verheerung des Krieges in ihrem vollen
Ausmaß noch nicht begegnet; er war nicht einmal an der Front gewesen. Dieses
Erlebnis sollte erst in Belgien kommen. Dort sollte seine Vision der Auferstehung
konkretere Form annehmen.

Um den Jahreswechsel 1914/1915 ging Beckmann als freiwilliger Sanitätssoldat
nach Belgien, wo er zunächst in einem Typhuslazarett, anschließend in einem Operationssaal in Courtrai arbeitete.

Abb. 5 Max Beckmann: Die Straße, 1914,
Öl auf Leinwand, New York, Privatbesitz

Abb. 6 Max Beckmann: Ringkämpfer, 1913,
Öl auf Leinwand

Abb. 7 Max Beckmann: Stürzender Rennfahrer, 1913, Öl auf Leinwand

Nachdem er kurz in Roeselare stationiert war, wurde er Ende März ins Feldlazarett in Wervik, »direkt an der Front«, versetzt, wo er beauftragt war, die Wände einer Entlausungsanstalt zu dekorieren.[45] Beckmann freute sich, so ganz in der Nähe des Kampfes zu sein, doch dauerte es noch einen Monat, bis er zum erstenmal an die Front kam. An jenem Tag, dem 28. April, beschrieb er in einem Brief an seine Frau die ersten Eindrücke:

»Heute war ich also das erstemal wirklich an der Front. Sehr merkwürdig und seltsam. In all den Löchern und scharfen Gräben. Diesen gespenstischen Gängen und künstlichen Wäldern und Häusern. Dies fatale Zischen der Gewehrkugeln und der Knall der Geschütze. Seltsam unwirkliche, mondgebirgartige Städte sind da entstanden. Ein eigentümliches Geräusch entsteht durch die zerrissene Luft beim Abschuß der großen Geschütze. Wie ein Schwein, das geschlachtet wird, quiekt sie auf. Tote wurden an uns vorbeigeschleppt, einen Franzosen, der halb aus seinem Grab heraussah, habe ich gezeichnet. Er war durch einen Granatschuß in seiner Ruhe gestört worden.« Er hätte wenig Angst, berichtete er weiter, eher »ein seltsam fatalistisches Gefühl von Sicherheit«, das ihm das Zeichnen ermögliche, während Schwefelgranaten in seiner Nähe explodierten. Jedoch, fügte er hinzu, die Einzelheiten wären nicht so wichtig; es ginge darum, »die Atmosphäre ins Blut« einzusaugen, sie gäbe ihm »die Sicherheit zu den Bildern, die ich eigentlich schon vorher im Geiste gesehen habe. Ich will das alles innerlich verarbeiten, um dann nachher ganz frei die Dinge fast zeitlos machen zu können: diese aus dem Grabe blickende schwarze Menschenmiene und die schweigenden Toten, die mir entgegenkommen, sind düstere Grüße der Ewigkeit, und als solche will ich sie später malen.«[46]

Zwei Wochen später, in einer Briefstelle über die Bilder, die ihm in seiner Sehnsucht nach dem Malen vorschwebten, erwähnte er Motive, die bereits Aspekte seiner *Auferstehung* hervorrufen: »Ich denke nur immer, wie malst du den Kopf des Auferstandenen gegen die roten Gestirne am Himmel des jüngsten Tages... oder das glitzernde Licht, das sich in dem blendenden Weiß der Fliegergranaten am bleiweißen Sonnenhimmel spiegelt, und die nassen, scharfen, spitzen Schatten der Häuser dazu.«[47] Dann, am 8. Juni, kam wieder eine Beschreibung der Front, visionsartig, in prägnanten, stimmungsvollen Worten, die geradezu ans Ekstatische grenzen:

»Heute früh war ich wieder an der staubigen, weißgrauen Front und sah wunderbare verzauberte und glühende Dinge. Brennendes Schwarz, wie goldenes Grauviolett zu zerstörtem Lehmgelb, und fahlen, staubigen Himmel und halb und ganz nackte Menschen mit Waffen und Verbänden. Alles aufgelöst. Taumelnde Schatten. Prachtvoll rosa und aschfarbene Glieder mit dem schmutzigen Weiß der Verbände und dem düstern, schweren Ausdruck des Leides.«[48] Hier werden wiederum Motive vorausgeahnt, auch die sonderbare Farbenharmonie seiner späteren apokalyptischen Komposition.

Es folgt dann im selben Brief die Beschreibung einer Szene, die wie eine gräßliche Parodie der Auferstehung wirkt: »Gestern kamen wir über einen Friedhof, der durch Granaten vollkommen zusammengeschossen war. Die Gräber waren aufgerissen, und die Särge lagen in höchst unbequemen Stellungen umher. Die Granaten hatten die Herrschaften indiskreterweise ans Licht gezogen, und Knochen, Haare, Gewandstücke lugten durch die geborstenen Sargspalten.«[49]

Angesichts solcher Wirklichkeit mußten seine aus der Fantasie gestalteten Katastrophenbilder ihm so naiv und akademisch erscheinen, daß Beckmann noch im Mai behaupten konnte: »Es ist mir ganz recht, daß Krieg ist. Was ich bis jetzt gemacht habe, waren alles noch Lehrjahre, ich lerne immer noch und erweitere mich.«[50]

Für diesen Gewinn forderte aber der Krieg von Beckmann einen hohen Preis. Obwohl er die Rolle des begeisterten, erlebenshungrigen, doch ironischen Zuschauers zu spielen pflegte, die »fürchterliche Schönheit« und »schaurig großartige Musik« der Schlacht wie ästhetische Genüsse auskostend, wurde er von diesen Erlebnissen allmählich psychisch verwüstet. Wie es Hans Günter Wachtmann ein-

41 Max Beckmann, *Briefe im Kriege,* a.a.O., S. 18 (11. Oktober 1914)

42 Von Wiese, S. 100, 103; vgl. auch S. 48

43 Max Beckmann, *Briefe im Kriege,* a.a.O., S. 17 (11. Oktober 1914)

44 Ebenda, S. 13 (3. Oktober 1914)

45 Ebenda, S. 30 f. (27. März 1915)

46 Ebenda, S. 49 f. (28. April 1915)

47 Ebenda, S. 58 ff. (11. Mai 1915)

48 Ebenda, S. 72 (8. Juni 1915)

49 Ebenda

50 Ebenda, S. 60 (11. Mai 1915)

sichtsvoll formuliert hat: Die Kriegsbegeisterung »dominiert zweifellos im Bewußtsein Beckmanns, während sich darunter der Zusammenbruch vorbereitet.«[51] Ab
April verraten die Briefe an Minna ein wachsendes Unbehagen. Am 20. berichtete
Beckmann aus Wervik, daß er bei der Arbeit an seinem Wandgemälde »etwas
nervös« sei, »so daß ich mich immer von Feinden umringt fühle.«[52] Dann, nach
wiederholten Erfahrungen an der Front, zeigte sich eine steigende Spannung, eine
Angst um sein Leben, die seine übliche ironische Ausdrucksweise nicht mehr verbergen konnte. Am 4. Mai war es so weit, daß er gestehen mußte: »Nun habe ich
fürs erstemal genug bekommen.«[53] Dann, am 21. Mai, nachdem er Feindesfeuer
ausgesetzt war, schrieb er: »Es ist schaurig und unangenehm. Alle Fibern meines
Körpers spannten sich und sahen und fühlten nach dem, was danach kommen
werde.«[54] Drei Tage darauf hatte er »wieder einen wunderbaren Weltuntergangstraum. Nun wohl bald mein zwanzigster.«[55]

Beckmanns veröffentlichte Briefe brechen am 12. Juni 1915 ab. Als sie 1916 als
Buch erschienen, war ihr Verfasser in Frankfurt beurlaubt, »zur Wiederherstellung
meiner Gesundheit.«[56] Noch heute ist nur wenig vom Verlauf dieser Krankheit
bekannt. Aus unveröffentlichten Quellen, die Stephan von Wiese ans Licht gebracht hat, geht hervor, daß Beckmann bei seiner Ankunft in Straßburg als Krankenpfleger noch einsatzfähig war, daß er wohl noch nicht jenen vorne erwähnten
»nervlichen Zusammenbruch« erlitten hatte.[57] Jedoch wird aus einem Brief an
Minna vom 5. September sein damals gequälter Geisteszustand ersichtlich: »Für
mich ist jeder Tag ein Kampf. Und zwar ein Kampf mit mir selbst und den bösen
Träumen, die um mein Haupt surren wie die Mücken. Wir kommen doch noch, wir
kommen doch noch! singen sie. Ach ich möchte so gern noch mein angefangenes
Werk zu Ende bringen. Arbeit hilft mir immer über meine verschiedenen Verfol-
gungswahnsinnsanfälle fort.«[58] *Wen* meinte er? *Wessen* Kommen fürchtete er so?
Die Antwort liegt wohl in einer Erinnerung von Lili von Braunbehrens. Beckmann
hat ihr später erzählt, in Belgien habe er zeitweise über einem Leichenkeller wohnen müssen: »Schließlich haben die Toten mich dann besucht.«[59]

Auferstehung als Anti-Auferstehung?

Die wiederkehrenden Weltuntergangsträume, die wiederholten Begegnungen mit
dem »Mysterium der Leiche«[60], als die »auferstandenen« Kriegstoten ihn in seinem Schlaf geplagt haben, verliehen seiner zweiten Fassung der *Auferstehung* eine
gewaltige Überzeugungskraft, die all seine bisherigen Historien- und Katastrophenbilder weit zurückließ. Dieses Gemälde war für Beckmann keine bloße Allegorie
mehr, es war vielmehr eine Vision, ihm durchaus gegenwärtig, destilliert aus gräßli-
chen Erinnerungen und qualvollen Träumen, die ihn nie in Ruhe ließen. Auch
wenn, wie Wolf-Dieter Dube vorschlägt, Textstellen aus der Bibel und Jean Paul
sowie spätmittelalterliche Darstellungen des Jüngsten Gerichts Beckmanns Konzeption beeinflußt haben[61], hatten viele Motive in seiner Komposition für ihn eine
beinahe greifbare Wirklichkeit, der zahllose Sinneseindrücke zugrunde lagen: die
verheerte Kriegslandschaft; »das glitzernde Licht« der krepierenden Fliegergranaten am »bleiweißen Sonnenhimmel«; die »aschfarbenen Glieder mit dem schmutzigen Weiß der Verbände«; »die schweigenden Toten, die mir entgegenkommen«.
Doch Beckmanns Tote steigen nicht aus aufgewühlten Gräbern herauf, sondern aus
einem unterirdischen Gewölbe (deutlicher in der Radierung als auf dem unvollendeten Gemälde), das durch eine aufgeschlagene Falltür sichtbar wird. Es ist ein
Motiv, das an den Leichenkeller in Belgien erinnert.

In Anbetracht der grausigen Assoziationen, die diese Motive für Beckmann in
seinem damaligen Geisteszustand gehabt haben mußten, erhebt sich die Frage,
inwiefern sich die zweite Fassung der *Auferstehung* im herkömmlichen Sinne des
Wortes – als Sieg über den Tod, als Erwachen zum neuen Leben – verstehen läßt.[62]
Hier wird nicht, im Gegensatz zu der 1908/09 entstandenen Fassung des Themas,
ein Jüngstes Gericht dargestellt. Es gibt unter den Auferstehenden keine offensichtlich Seligen; es gibt keinen leuchtenden Himmel, keinen richtenden Gott auf sei-

51 Wachtmann, a.a.O., S. 12
52 Max Beckmann, *Briefe im Kriege*, a.a.O., S. 43
(20. April 1915)
53 Ebenda, S. 53
54 Ebenda, S. 63
55 Ebenda, S. 67 (24. Mai 1915)
56 Das Zitat entstammt einer von Stephan von
Wiese veröffentlichten brieflichen Mitteilung
Beckmanns aus Halle an Ugi und Fridel Battenberg,
die auf der Rückseite einer Zeichnung steht. Siehe
von Wiese, a.a.O., S. 209, Kat. 350
57 Ebenda, S. 171, Anm. 125. In einer
Feldpostkarte aus Straßburg schrieb Beckmann an
Dr. Sievers und seine Frau, er sei dort »nach vielen
Irrfahrten gelandet«. Der Poststempel trägt das
Datum 8. 10. 15; Beckmann gibt seine Adresse als
»freiwilliger Krankenpfleger Beckmann,
Kaiserliches Institut für Hygiene« an. In einem Brief
an Reinhard Piper, ebenfalls Oktober datiert,
schrieb Beckmann, daß er in seiner »freien Zeit«
eine Anzahl Radierungen gemacht habe, er brauche
»jede freie Minute zur Arbeit«. In einem
unveröffentlichten Manuskript (zitiert bei Göpel I,
S. 130), erinnerte sich Fridel Battenberg, daß
Beckmann nach einem längeren Aufenthalt bei ihr
und ihrem Manne in Frankfurt »nach Straßburg
zurück zum Dienst« kommandiert sei. Diese
Quellen zeigen deutlich, daß Beckmann in Straßburg
noch als Krankenpfleger tätig war, sonst wäre er
weder »zurück zum Dienst« befohlen worden, noch
hätte er »jede freie Minute zur Arbeit« verwenden
müssen. Auch seine Absenderadresse belegt seinen
Status am Kaiserlichen Institut für Hygiene.
58 Veröffentlicht bei von Wiese, a.a.O., S. 171,
Anm. 125
59 Mündliche Mitteilung von Lili von Braunbehrens
an Stephan von Wiese, bei diesem zitiert, a.a.O.,
S. 171, Anm. 124
60 Max Beckmann, *Briefe im Kriege*, a.a.O., S. 65
(21. Mai 1915)
61 Dube, Beitrag in diesem Katalog
62 Meines Wissens hat sich Beckmann über die
Bedeutung des Bildes nicht geäußert. Das
unvollendete Gemälde, das zu Lebzeiten Beckmanns
nicht ausgestellt wurde, von 1916 bis 1933 in
seinem Frankfurter Atelier zu sehen, die Bildfläche
zum Raum gekehrt (hierzu vgl. Göpel I, S. 131 f.);
jedoch »von dem Bild... war damals nach dem
ersten Krieg nie die Rede«, so erinnerte sich
jedenfalls Benno Reifenberg (in: B. Reifenberg und
Wilhelm Hausenstein, *Max Beckmann*, München
1949, S. 7). Für ausführliche Besprechungen des
Bildes siehe: Peter Beckmann, ›Verlust des
Himmels‹, in: *Blick auf Beckmann: Dokumente und
Vorträge*, Hrsg. Hans Martin Freiherr von Erffa und
Erhard Göpel, München 1962, S. 23 f.; Klaus
Gallwitz (Einleitung), in: *Max Beckmann: Das
Porträt – Gemälde, Aquarelle, Zeichnungen*,
Badischer Kunstverein Karlsruhe 1963, S. 17 f.; Peter
Selz, *Max Beckmann*, The Museum of Modern Art,
New York 1964, S. 25 f.; Friedhelm W. Fischer, *Der
Maler Max Beckmann*, Köln 1972, S. 11 ff. (folgend
zitiert als Fischer I); von Wiese, a.a.O., S. 100 ff.;
Dube, S. 83 ff. in diesem Katalog; Karin von Maur,
›Auferstehung‹, in: *Malerei und Plastik des 20.
Jahrhunderts*, bearbeitet von Karin von Maur und
Gudrun Inboden, Staatsgalerie Stuttgart 1983,
S. 85 ff.

Abb. 8 Max Beckmann: Sturmangriff, 1916,
Radierung, 1. Zustand, Sammlung R. Piper

nem Thron – vielmehr schwebt an seiner Stelle eine finstere Sonne. Hier kriechen
nur Tote aus den Gewölben herauf; zu welchem Sinn, das läßt sich im Bild nicht
feststellen.

War denn Beckmanns Titel vielleicht ironisch gemeint? Für ihn hatte ja nun der
Begriff ›Auferstehung‹ eine konkrete, ganz persönliche, eine gräßliche Bedeutung
angenommen. Hat er das Gemälde als eine Art ›Anti-Auferstehung‹ konzipiert, in
der er den christlichen Mythos als Folie gebrauchte, um ihm die schaurige, trostlose
Wirklichkeit der eigenen Kriegserlebnisse, der allzu glaubhaften Alpträume von
auferstandenen Leichen entgegenzuhalten? Diese unerbittlich parodisierende Behandlung des Themas ließe sich in Zusammenhang bringen mit Beckmanns wohl
1919 geäußerten Worten an Reinhard Piper: »Meine Religion ist... Trotz gegen
Gott. ... Ich werfe in meinen Bildern Gott alles vor, was er falsch gemacht hat.«[63]

Wäre das Bild als Beckmanns eigene, bitter ironische Vision der Auferstehung
zu interpretieren, dann spielte die Gestalt des Malers, die unten rechts in der
geöffneten Falltür mit Frau und Sohn und den engen Freunden Ugi und Fridel
Battenberg[64] steht, nicht die Rolle eines Zeugen oder Überlebenden, sondern die
eines Deutenden.[65] Die anderen reagieren, er aber zeigt und erzählt – Minna scheint
er gerade etwas ins Ohr zu flüstern, indem er zu den auferstehenden Toten im
mittleren Vordergrund hinüberblickt. Er vermittelt seinen Vertrauten das, was er
im Felde und im Traum vom Krieg gesehen und erlebt hat.

Vielleicht ist das Gesellschaftsbild unten links zum Teil dazu da, um die Überzeugungskraft dieser apokalyptischen Darstellung zu steigern. Die normale, gewohnte Erscheinungswelt ist hier eine malerische Illusion, eben nur ein Bild, dagegen ist das Visionäre das greifbar Reale.[66] Die schaudererregende Szene, die
sich hier abspielt, ist also nicht die bloße Erfindung eines Geschichtsmalers, der sie
aus Texten nachempfunden hätte, sondern eine vom Künstler zutiefst erlebte Wirklichkeit.

Abgesehen von dem zerstörten Wandgemälde in Wervik, war *Auferstehung* das
einzige Bild Beckmanns, das direkt auf seine Kriegserlebnisse zurückging. Er schuf
1914/15 neun Kaltnadelradierungen, die auf konkrete Kriegsepisoden gründen:
Szenen aus dem Lazarett, dem Leichenhaus und dem Feld (Kat. 227, 228).[67] Jedoch
1916, das Jahr, in dem er mit der Arbeit an *Auferstehung* begann, entstand nur ein
Blatt mit einem Kriegssujet, die Kaltnadelradierung *Sturmangriff* (Abb. 8). 1918
radierte er das Motiv der *Auferstehung*, vielleicht als Ersatz für das Bild, das er
nicht vollenden konnte. Also zehn Radierungen, ein Wandbild, ein riesiges, aber

63 Reinhard Piper, *Nachmittag,* München o.J.
[1950], S. 33. Vgl. hierzu Friedhelm W. Fischer *(Max
Beckmann: Symbol und Weltbild,* München 1972,
S. 22; folgend zitiert als Fischer II), der als erster den
Zusammenhang zwischen dieser Äußerung
Beckmanns und der zweiten Fassung der
›Auferstehung‹ herausstellte.

64 Seit seiner Beurlaubung im Herbst 1916 hatte
Beckmann bei den Battenbergs in Frankfurt
gewohnt, also gerade zu der Zeit, in der die
›Auferstehung‹ entstanden ist.

65 Nach Gallwitz (a.a.O., S. 17) ist Beckmann im
Bild als Zeuge da; von Wiese (a.a.O., S. 106)
bezeichnet ihn als Überlebenden.

66 Allein Dube sieht das Gesellschaftsbild als eine
Gruppe zuschauender Personen, das Viereck der
Leinwand als »eine aufgerichtete Falltüre«. Dagegen
spricht das Größenverhältnis dieser Figuren
innerhalb des Gesamtbildes: Sie sind merklich
kleiner als die hinter ihnen stehenden Figuren sowie
die etwa in die gleiche Raumschicht gestellte
Porträtgruppe rechts unten.

67 Vgl. Gallwitz, a.a.O., Kat. Nr. 50, 52, 55-56,
58-59, 62, 64. Dazu kommen noch Radierungen, die
mit dem Krieg im Zusammenhang stehen, die aber
nicht Motive von der Front oder vom Lazarett
darstellen: Gallwitz, Kat. Nr. 49, 53, 57, 60-61

unvollendetes Gemälde: Quantitativ war das ein recht bescheidenes Resultat, im Vergleich zu der begeisterten Antizipation, mit der Beckmann in den Krieg ging, auch im Vergleich zu den über 150 Skizzen und Zeichnungen, die während seines etwa einjährigen Sanitätsdienstes entstanden. Es mag kurios erscheinen, daß er als Maler nicht zumindest von den druckgraphischen Motiven Gebrauch gemacht hat. Es scheint, daß die Arbeit an der *Auferstehung* eine kathartische Funktion für ihn angenommen hat. Sobald er sich von dieser quälenden Vision befreit hatte, war für ihn der Krieg als Stoff erledigt.

Tiefgreifender Wandel Beckmanns

Obwohl also die Zahl der Werke mit Kriegsmotiven gering war, bewirkte der Krieg doch den profundesten Wandel Beckmanns sowohl als Mensch wie als Künstler. Wenn sich der genaue Kausalnexus zwischen Beckmanns Kriegserlebnissen und der Veränderung in seiner Kunst auch schwer ergründen läßt, ist es jedenfalls klar, wie Paul Ferdinand Schmidt 1919 bemerkte, daß diese Veränderung »in die Kriegsjahre fällt, als unmittelbare Folge seiner Anwesenheit an der flandrischen Front.«[68] Übrigens, kritische Momente in diesem Wandlungsprozeß, der sich sowohl auf formaler als auch auf stofflicher Ebene vollzog, kommen in Bildern vor, die zeitlich oder thematisch mit Beckmanns Kriegserlebnissen zusammenhängen.

Die impressionistische Sehweise, die Beckmann so viel Erfolg gebracht hatte und seine Malerei noch bis Ende 1914 kennzeichnete, war während der Kriegsjahre spurlos verschwunden. Der Wandel war drastisch. »Die Augen werden zu Ritzen, die nur das Notwendigste durchlassen… Die ungeordneten Visionen des Rauschlustigen schrumpfen unter dem Drama, in dem er Statist war, zu Realitäten zusammen, hart und scharf wie Zahlen«, so hat Julius Meier-Graefe diese Entwicklung treffend charakterisiert.[69] In dem im Herbst 1915 entstandenen *Selbstbildnis als Krankenpfleger* (Kat. 15), Beckmanns erstem Ölbild seit dem wohl Ende 1914 in Berlin gemalten *Im Auto*, läßt sich die Tendenz nach Vereinfachung bereits deutlich erkennen. »Da kommt zum erstenmal heraus«, so bemerkte Beckmann, »was ich inzwischen im Krieg erlebt hatte. An dem Zug um Stirn und Nase sieht man … wie sich die spätere strenge, feste Form herausarbeitet.«[70] Dann erschienen die Hauptzüge des neuen Stils in den vollendeten Stellen der *Auferstehung* sowie in den Gemälden von 1917; in *Die Nacht* (Kat.19) wurden sie verfestigt. »Glasklare scharfe Linien und Flächen« haben hier die schimmernden, verschwommenen Formen der Vorkriegszeit verdrängt; ein dünner Farbauftrag hat die früher fette, pastose Malweise ersetzt; und die manchmal schlaffe Tiefenwirkung ist nun einer bis aufs Äußerste getriebenen Spannung zwischen Fläche und Raum gewichen.[71] In den verzerrten Formen und Perspektiven nahm Beckmanns Kunst Eigenschaften an, die gewohnterweise als ›expressionistisch‹ gelten; doch in ihrer formalen Straffheit und unerbittlichen Sachlichkeit, in ihrer Ablehnung aller »Geschwulstmystik«[72] sah sie dem nüchternen Geist der zwanziger Jahre entgegen.

In *Die Nacht* zeigte sich auch eine gründliche Neuorientierung im Bereich des Stofflichen. In seinen Historienbildern der Vorkriegszeit hatte Beckmann zumeist überlieferte Sujets als Metapher für einen vermutlich aktuellen Inhalt verwendet. In *Messina* und *Titanic* war er wohl bestrebt, nicht etwa Chronist moderner Katastrophen zu sein, sondern neue Metaphern zu erfinden, Sinnbilder für einen Inhalt, der über das Spezifische des Ereignisses weit hinausgehen sollte. In keinem dieser Bilder hatte er die Sujets der direkt erlebten Gegenwart entnommen; erst mit *Auferstehung* machte er diesen Versuch. Wie bereits vorgeschlagen wurde, hat dieses Gemälde trotz seines Titels nicht ein traditionelles Sujet: Das allgemeine Thema war zwar traditionell, aber das spezifisch Motivische und Inhaltliche des Bildes war durchaus persönlich und originell. Durch dieses Werk muß er definitiv erkannt haben, daß ein überlieferter, nachempfundener Stoff seinem intensivierten Erleben der Welt nie gerecht werden könnte[73]; für diese Realität müsse er neue Metaphern aus seiner Umwelt heraus schaffen. *Die Nacht* war ein erster Versuch in der angestrebten Richtung. Auf diese Weise sollte es Beckmann gelingen, jenes 1912 formu-

68   P. F. Schmidt, ›Max Beckmann‹, zuerst erschienen in: *Der Cicerone*, XI (1919), S. 675-684, zitiert nach dem Wiederabdruck in: *Jahrbuch der jungen Kunst*, I (1920), S. 117

69   Julius Meier-Graefe, Vorrede zu der graphischen Mappe ›Gesichter‹, München 1919, zitiert nach dem Wiederabdruck in: *Blick auf Beckmann*, a.a.O., S. 53

70   Beckmanns Bemerkungen über das Bild erschienen in einem unveröffentlichten Manuskript von Reinhard Piper: ›Besuch bei Max Beckmann‹, zitiert bei von Wiese, a.a.O., S. 173, Anm. 175

71   Diese Entwicklung ist auch in Texten von Beckmann reflektiert. 1914 hat er sich mit der »raumtiefen« Malerei identifiziert, die er einer »flach und stilisierend dekorativen« Tendenz gegenüberstellte. Für Beckmann kam die Möglichkeit einer Synthese zwischen diesen Tendenzen damals anscheinend nicht in Frage. 1918 aber, in seinem Beitrag zu dem von Kasimir Edschmid herausgegebenen Sammelband ›Schöpferische Konfession‹ schrieb er: »Das wichtigste ist mir die Rundheit … die Rundheit in der Fläche, die Tiefe im Gefühl der Fläche, die Architektur des Bildes.« Zitiert nach: *Die zwanziger Jahre. Manifeste und Dokumente deutscher Künstler*, Hrsg. Uwe M. Schneede, Köln 1977, S. 112

72   Ebenda, S. 114

73   Zwischen dem Beginn der Arbeit an ›Auferstehung‹ und der Entstehung der ›Nacht‹ hat Beckmann drei Bilder gemalt, die sich noch in die Kategorien der traditionellen christlichen Ikonographie einreihen lassen, die also stofflich auf seine Thematik der Vorkriegsjahre zurückgehen. Das war wohl, wie Fischer bemerkt hat, ein »letzter Versuch mit dem überkommenen Themengut« (Fischer II, S. 15). Dabei sollte nicht übersehen werden, daß Beckmann bis tief ins Jahr 1918 an seiner ›Auferstehung‹ weiterarbeitete, wohl bis zu dem Zeitpunkt, wo er ›Die Nacht‹ anfing. Daher ist die ›Auferstehung‹ der ›Nacht‹ nicht nur stilistisch und inhaltlich, sondern auch chronologisch viel näher als die religiösen Bilder aus dem Jahr 1917. Dazu vgl. Fischer II, S. 22

lierte, hier schon zitierte Ziel zu erreichen, »aus unserer Zeit... Typen zu bilden, die uns Heutigen das sein könnten, was denen damals ihre Götter und Helden gewesen sind.«[74] Kurz: ein modernes Äquivalent der Geschichtsmalerei zu schaffen. Bereits 1919 hat Meier-Graefe die Leistung Beckmanns geahnt: Er bezeichnete den Maler als einen »entfleischten Grünewald«, wobei er nicht die »Reduktion des Malerischen Grünewalds zugunsten des Linearen« meinte, »vielmehr die Entfernung alles zeitlich bedingten Legendarischen, Ersatz durch unsere viel reichere, viel fruchtbarere Aktualität.«[75]

Als Beckmann gegen Ende des Krieges seinen Beitrag zu dem Sammelband ›Schöpferische Konfession‹ verfaßte, war er ein auffallend anderer Mensch als der erfolgreiche Künstler der Vorkriegsjahre; er war auch nicht mehr derselbe Mann, der die ›Briefe im Kriege‹ geschrieben hatte. In seinen früheren Schriften hatte er sich fast ausschließlich mit Formfragen, mit den sinnlichen Dimensionen der Malerei befaßt; über einen höheren Sinn seiner Kunst, über deren Stellenwert in der Gesellschaft scheint er wenig nachgedacht zu haben.[76] Es kam ihm wohl primär auf Karriere an. Er mußte wohl selbst Opfer des Krieges, mußte von all dem Leiden und maßlosen Sterben gründlich zerrüttet werden, um über diese beschränkte, narzißtische Haltung hinauszuwachsen. Er schien auf seine frühere Einstellung hinzuweisen, als er 1918 schrieb: »Das war das Ungesunde und Ekelhafte in der Zeit vor dem Krieg, daß die geschäftliche Hetze und die Sucht nach Erfolg und Einfluß jeden von uns in irgendeiner Form angekränkelt hatte.«[77] Nun aber sah er für sich als Künstler eine altruistische Rolle: »Wir müssen teilnehmen an dem ganzen Elend, das kommen wird. Unser Herz und unsere Nerven müssen wir preisgeben dem schaurigen Schmerzensgeschrei der armen getäuschten Menschen. Gerade jetzt müssen wir uns den Menschen so nah wie möglich stellen. Das ist das einzige, was unsere recht überflüssige und selbstsüchtige Existenz motivieren kann. Daß wir den Menschen ein Bild ihres Schicksals geben, und das kann man nur, wenn man sie liebt.«[78]

Es ist eine Konzeption des Künstlers, die in manchem an Beckmanns Erlebnisse als Krankenpfleger erinnert.

74 Siehe Anm. 36
75 Meier-Graefe, a.a.O., S. 55
76 Vgl. hierzu Franz Marcs Kritik an Beckmann, vor allem seinen Angriff auf Beckmanns Definition von »Qualität«: Franz Marc, ›Anti-Beckmann‹, in: *Pan*, II, Heft 19 (21. März 1912), S. 555f.
77 Zitiert nach Schneede, S. 114
78 Ebenda

Wolf-Dieter Dube

Zur ›Auferstehung‹

»Nichts hasse ich so, wie Sentimentalität. Je stärker und intensiver mein Wille wird, die unsagbaren Dinge des Lebens festzuhalten, je schwerer und tiefer die Erschütterung über unser Dasein in mir brennt, um so verschlossener wird mein Mund, um so kälter mein Wille, dieses schaurig zuckende Monstrum von Vitalität zu packen und in glasklare scharfe Linien und Flächen einzusperren, niederzudrücken, zu erwürgen.

Ich weine nicht, Tränen sind mir verhaßt und Zeichen der Sklaverei. Ich denke immer nur an die Sache. An ein Bein, einen Arm, an die Durchbrechung der Fläche durch das wundervolle Gefühl der Verkürzung, an die Aufteilung des Raums, an die Kombination der geraden Linien im Verhältnis zu den gekrümmten. An die amüsante Zusammenstellung der kleinen, vielfach verschiedenbeinigen Rundheiten zu den Geradheiten und den Flächigkeiten der Mauerkanten und Tiefe der Tischflächen, Holzkreuze oder Häuserfronten. Das Wichtigste ist mir die Rundheit eingefangen in Höhe und Breite. Die Rundheit in der Fläche, die Tiefe im Gefühl der Fläche, die Architektur des Bildes.

Frömmigkeit! Gott? O schönes, viel mißbrauchtes Wort. Ich bin beides, wenn ich meine Arbeit so gemacht haben werde, daß ich endlich sterben kann. Eine gemalte oder gezeichnete Hand, ein grinsendes oder weinendes Gesicht, das ist mein Glaubensbekenntnis; wenn ich etwas vom Leben gefühlt habe, so steht es da drin…«[1]

Als Max Beckmann diesen Text schrieb, hatte er sich bereits annähernd zwei Jahre mit seiner größten Leinwand beschäftigt, auf der zwischen den Figuren mit Bleistift der Aufruf an sich selbst notiert ist: »Zur Sache.«

Im Jahre 1916, nach seiner durch einen psychischen Zusammenbruch bedingten Entlassung aus dem militärischen Sanitätsdienst, stellte Beckmann eine riesige Leinwand in seinem neuen Frankfurter Atelier auf. 345×497 cm betragen die Abmessungen des Gemäldes, welches der Maler *Auferstehung* benannt hat und das heute der Staatsgalerie in Stuttgart gehört (Abb. 1).[2] Nahezu zwei Jahre lang versuchte sich Beckmann immer wieder an dem Bilde, klärte 1918 in einer radierten Nachzeichnung[3] einige Details, ohne jedoch die Gesamtkonzeption zu verändern oder weiterzuführen. Unvollendet – unvollendbar? – ließ er das Bild schließlich stehen, dies auch im buchstäblichen Sinne, denn das Gemäldefragment blieb bis 1933, bis zum Weggang Beckmanns aus Frankfurt, an eine Wand des Ateliers gelehnt, sichtbar aufgerichtet. Allein aus dieser Tatsache läßt sich ableiten, daß die *Auferstehung* eine besondere Bedeutung für Max Beckmann besessen haben muß. Dieses ist bereits in der Literatur gesehen worden, wenn Klaus Gallwitz sagte: »Sie ist das Bild aller kommenden Bilder gewesen, die Beckmann gemalt hat.«[4] Auch Friedhelm W. Fischer, der so viel zum Verständnis Beckmanns beigetragen hat, betrachtete das Gemälde von 1916/18 als gewaltigstes Katastrophenbild und als Angelpunkt in seinem Werk: »Alle früheren Untergangsvisionen sind in ihm enthalten, und alle späteren gehen daraus hervor, der Maler variierte das Thema der Weltkatastrophe bis zu seinem Tode.«[5] Um so erstaunlicher mutet es an, daß bisher eine ausführliche Beschäftigung mit dem Bild unterblieb.[6]

Wenn dies nun hier versucht werden soll, so muß zunächst der Hintergrund von Beckmanns persönlicher Leidens- und Kriegserfahrung in den Blick genommen werden. Es ist darauf hingewiesen worden, daß Beckmann, der jede Form der

1 Max Beckmann, ›Schöpferische Konfession‹, in: *Tribüne der Kunst und der Zeit*, XIII, Berlin 1920. Zitiert nach Diether Schmidt (Hrsg.), *Manifeste – Manifeste 1905-1933*, Dresden o.J., S.139f.

2 Die zugehörigen Zeichnungen, die belegen, daß Beckmann sich seit 1914 mit der Bildidee getragen hat, sind zusammengestellt und besprochen von Stephan von Wiese, *Max Beckmanns zeichnerisches Werk 1903-1925*, Düsseldorf 1978, S.100-108. Den Interpretationshinweisen von Wieses zur ›Auferstehung‹ vermag ich nicht zu folgen.

3 Klaus Gallwitz, *Max Beckmann – Die Druckgraphik*, Ausstellungskatalog Karlsruhe 1962, Nr.103

4 Klaus Gallwitz, Katalog der Ausstellung *Max Beckmann – Das Portrait*, Karlsruhe 1963

5 Friedhelm W. Fischer, *Max Beckmann – Symbol und Weltbild*, München 1972, S.22

6 Der vorliegende Aufsatz ist die erweiterte Fassung meines Beitrages ›Auferstehung im Werke Max Beckmanns‹, in: *Kunst und Kirche*, Heft 2/82, S.67-72

Realität mit unglaublicher Intensität in sich aufnehmen konnte, selbst die Furcht-
barkeiten der kriegerischen Ereignisse um ihn herum als ein großes Erlebnis, als
einen Ausdruck des Lebens geradezu genossen hat. Seine Briefe aus den Jahren
1914 und 1915, geschrieben an seine Frau[7], bestätigen das sehr deutlich: »Draußen
das wunderbar großartige Geräusch der Schlacht« (10.10.1914) oder »... sah wunderbar verzauberte und glühende Dinge. Brennendes Schwarz bis goldenes Grau-
Violett zu zerstörtem Lehmgelb und fahlen, staubigen Himmel und halb- und ganz
nackte Menschen mit Waffen und Verbänden. Alles aufgelöst. Taumelnde Schatten.
Prachtvoll rosig und aschfarbene Glieder mit dem schmutzigen Weiß der Verbände
und dem düstern schweren Ausdruck des Leidens...« (8.6.1915). Doch zugleich
empfand er den »unsagbaren Widersinn des Lebens« (24.9.1914), war ihm »die
Existenz des Lebens wirklich zum paradoxen Witz geworden« (21.5.1915). Das
unerhörte Erlebnis von Martern und Foltern um ihn herum suchte nach einem
Ausdruck, drängte zur Verbildlichung, welche das unabsehbare, das unermeßliche
Leiden zu beschreiben vermochte. Das konnte sicher nicht realistisch mit Hilfe etwa
des Schlachtengemäldes geschehen, wie Beckmann bereits 1907 eines gemalt hatte[8],
das war nur in Form einer Vision zu bewältigen, in Anlehnung an eine überlieferte
Bildtradition. Wiederum geben die ›Briefe im Kriege‹ die Hinweise, wie sich Beckmanns bildnerische Vorstellung formte, wenn man liest: »Wie wenn die Tore zur
Ewigkeit aufgerissen werden ist es, wenn so eine große Salve herüberklingt«
(11.10.1914); »Die Straßenreihen klaffen auseinander wie am Jüngsten Tag«
(3.4.1915); »In dem halbdunklen Unterstand halbentkleidete, blutüberströmte
Männer, denen die weißen Verbände angelegt werden. Groß und schmerzlich im
Ausdruck. Neue Vorstellungen von Geißelungen Christi« (4.5.1915); »Alles versinkt, Zeit und Raum, und ich denke nur immer, wie malst du den Kopf des
Auferstandenen gegen die roten Gestirne am Himmel des Jüngsten Tages.«
(11.5.1915) und schließlich: »Heute Nacht hatte ich wieder einen wunderbaren
Weltuntergangstraum. Nun wohl bald mein zwanzigster ... Alles war wie aufgelöst
in dem Gefühl der unendlichen Weite und Höhe und dem furchtbaren Gefühl des
›Neuen‹« (24.5.1915).

Vision aus Leidenserfahrung und Bildtradition

Auf die grau-weiße Grundierung der Leinwand, die den Farbcharakter des Bildes
weitgehend bestimmt, zeichnete Beckmann eine angedeutete Landschaft, beste-
hend aus zwei Hügeln und einer Senke zwischen ihnen, in der ein zerborstenes
Haus versinkt. Am niedrigen Himmel darüber ein violett-schwarzer Mond und die
riesige, erloschene Scheibe der Sonne, die auf den Rand der Erde drückt. Die Weltkatastrophe hat die Erde verwüstet und aufgebrochen: »... Da ward ein großes
Erdbeben, und die Sonne ward finster wie ein schwarzer Sack, und der Mond ward
wie Blut, und die Sterne des Himmels fielen auf die Erde, gleichwie ein Feigen-
baum seine Feigen abwirft, wenn er von großem Wind bewegt wird. Und der
Himmel entwich, wie ein Buch zusammengerollt wird, und alle Berge und Inseln
wurden bewegt von ihrer Stätte. Und die Könige der Erde und die Großen und die
Obersten und die Reichen und die Gewaltigen und alle Knechte und alle Freien
verbargen sich in den Klüften und Felsen an den Bergen und sprachen zu den
Bergen und Felsen: Fallet über uns und verberget uns vor dem Angesichte des, der
auf dem Thron sitzt, und vor dem Zorn des Lammes!« (Offenbarung 6, 12-16). Als
ob er zu jenen gehören würde, die sich in den Klüften verbergen, so malte Beckmann sich selbst, seine Frau Minna, den Sohn Peter und die Freunde Battenberg,
halbverdeckt in einem Gewölbeeingang. Der Maler und seine Frau schauen gespannt und betroffen auf einen am unteren Bildrand liegenden Toten, vor dem eine
schwarze Katze sitzt, die zum Mond emporklagt.[9] Während aus den Katakomben
die Toten heraufdrängen und -kriechen, ereignet sich jene Auferstehung, die der
Maler verfolgt und die sich in einer Diagonalen nach rechts oben entwickelt: Der
zunächst am Boden liegende, im Tode verkrampfte Körper erhebt sich und beginnt
zu schweben. Noch ist er im Leid befangen, doch die Totenbinden lösen sich, und die

7 Max Beckmann, *Briefe im Kriege*, Berlin 1916,
2. Aufl., München 1955

8 Erhard und Barbara Göpel, *Max Beckmann –
Katalog der Gemälde*, Bern 1976, Nr. 85

9 Die Katze Titti gehörte den Freunden Battenberg
und damit in Beckmanns tägliche Umgebung. Siehe:
Lili von Braunbehrens, *Gestalten und Gedichte um
Max Beckmann*, Dortmund 1969, S. 43

Abb. 1   Max Beckmann: Auferstehung,
unvollendet, 1916-18, Öl auf Leinwand,
Stuttgart, Staatsgalerie

Figur vermag sich aufzurichten, steht da mit gesenktem Kopf und zum Gesicht
geführten Händen, langsam zum Bewußtsein erwachend.

Dieser Vorgang bildet den mittleren Teil der Komposition, den links und rechts
in ihrer Anlage symmetrische Gruppen begleiten wie die Flügel eines Triptychons.
Auf diesen ›Flügeln‹ werden die Möglichkeiten des Angenommenwerdens oder des
Verworfenseins gezeigt, wie es der Bildtradition des Jüngsten Gerichts entspricht.
Dieses wirkt auch nach in der Beachtung der Seitenwahl im Bilde. Beckmann zeigt
die Angenommenen in der rechten, der richtigen Bildhälfte, die Verworfenen dagegen links. Er vertauscht gegenüber der ikonographischen Tradition die Seiten, sieht
das Links und Rechts im Bilde von sich aus und nicht mehr vom Weltenrichter aus,
der »gleich dem Hirten die Schafe zu seiner Rechten stellen wird und die Böcke zu
seiner Linken« (Matth. 15,33). Die Diagonale von links unten nach rechts oben
wird damit formal und inhaltlich noch stärker begründet. Den Drehpunkt, an dem
sich das Schicksal entscheidet, und folgerichtig den Mittelpunkt der gesamten Bildkomposition bildet die schwebende Figur, deren Zustand das noch Unentschiedene
zeigt. Sie befindet sich derart in der Mitte, wie es im apokryphen ›Testament Abra-
hams‹ beschrieben ist: »Weil der Richter ihre Sünden und ihre guten Werke im
Gleichgewicht befunden hatte, konnte er sie nicht dem Verderben ausliefern, aber
auch nicht zu denen stellen, die gerettet werden, sondern wies sie auf den Platz der
Mitte, bis dereinst der Weltenrichter kommen würde.«[10] »Wir müssen eben annehmen«, schrieb Beckmann am 24. 4. 1915 an seine Frau, »daß das Leben nicht alles
ist. Wie, wieso und warum, das geht uns eben nichts an. Man muß auf alles gefaßt

10   Leopold Kretzenbacher, *Die Seelenwaage*,
Klagenfurt 1958, S. 57

sein und doch den Kopf oben behalten ...« Auf alles gefaßt sein, das kann für die Hauptfigur im Bild der *Auferstehung* bedeuten, daß sie, wenn erwacht, ihren Weg geradlinig fortsetzt, jenen Schritt weitergeht, nachdem sie mit himmelwärts gerichtetem Blick und betend erhobenen Händen gezeigt wird. Das zuvor graugrüne Inkarnat wird nun mit Rot verlebendigt, wie auch bei jener Gruppe kleiner Figuren mit dem Löwen im Hintergrund. Beckmann beschreibt den Vorgang der Auferstehung in einzelnen Phasen, die wie eine Sequenz von Momentaufnahmen gelesen werden können, etwa so, wie die Vision Hesekiels von der Auferstehung der Toten (Hesekiel 37,1-10) in einzelne, einander folgende Handlungsschritte zerlegt ist.[11] Den Schritt auf dem rechten Wege macht auch jene Figur mit der großen aufwärts gerichteten ekstatischen Bewegung, die noch weitgehend in Totenbinden gehüllt ist. Daneben eine Frau in weißen Strümpfen, die, von vorne gesehen, mit den seitlich erhobenen Armen in der Haltung des Oranten erscheint, also als Verstorbene in der Erwartung der Auferstehung. Ein Menschenpaar in der Gewißheit des Erlöstwerdens – wie hier dargestellt – kann nicht nur als Vertreter der auferstehenden Menschheit verstanden werden, sondern bedeutet in der Bildtradition speziell Adam und Eva, die ihren Platz als erste Erlöste in den Darstellungen des Jüngsten Gerichts haben, bei Michelangelo ebenso wie bei Rubens.[12]

Eva findet ihre Entsprechung links in jener Frauengestalt, die ebenso frontal dasteht, mit ihren blauen Strümpfen und dem grün-roten Gewand aber farbig stärker gefaßt ist. Dennoch scheinen die resignierende Haltung und ihr magerer Körper mit den leeren Brüsten nur die Hoffnungslosigkeit auszudrücken, daß ihr die Wiedervereinigung von Seele und Geist und Leib zum neuen natürlichen Menschen vergönnt sein könnte. Hoffnungslosigkeit, Leiden, Trauer und Verachtung, das sind die Haltungen, die auf der linken Bildhälfte vorgeführt werden. Das unaussprechliche Leiden, nicht nur am Jüngsten Tag, symbolisiert die entkräftete Mutter mit dem gerade geborenen Kind, beide auf einem Laken liegend, von dem man nicht recht weiß, ob es noch Geburtsstatt oder schon Leichentuch bedeutet. »Weh aber den Schwangeren und Säugenden zu jener Zeit!« heißt es bei Matthäus 24,19, worauf Beckmann vielleicht Bezug nahm. Zwei der Figuren können Trauer und Verzweiflung benannt werden. Die eine hat sich in ihr Leichentuch gehüllt und dieses wie eine Kapuze über den Kopf gezogen, die andere bedeckt mit der Linken die Augen und hat die Rechte abwehrend erhoben. Und schließlich die weit ausholende Geste der Verachtung jener Gestalt, welche die Gruppe zur Bildmitte hin abschließt und zugleich mit ihr verbindet. Sie repräsentiert ganz offensichtlich die andere Möglichkeit für die in der Mitte des Bildes gezeigte Figur, nämlich die Haltung des Protestes gegen die fehlerhafte Schöpfung, die einen Aspekt von Beckmanns »Auf-alles-gefaßt-Sein« offenbart.

Entsprechend der Symmetrie der beschriebenen Gruppen sind den Bildhälften im unteren Teil des Gemäldes Gewölbe mit geöffneten Falltüren zugeordnet, was auf der Radierung deutlicher zu erkennen ist. Rechts, wie bereits gesagt, erscheint der Maler mit Familie und Freunden, die Frauen halten die gefalteten Hände betend erhoben. Links, vor einer aufgerichteten Falltüre, hat sich eine Gruppe ebenfalls lebend zu denkender Menschen in Gesellschaftskleidung versammelt. Sie ringen, scheinbar ihres Geschickes gewiß, angstvoll die Hände, zwei Frauen sind niedergekniet: »Schrecken, Angst und Schmerz wird sie ankommen; es wird ihnen bange sein wie einer Gebärerin; einer wird sich vor dem anderen entsetzen; feuerrot werden ihre Angesichter sein. Denn siehe, des Herrn Tag kommt grausam, zornig, grimmig, das Land zu verstören und die Sünder daraus zu vertilgen« (Jesaja 13,8-9). So spiegelt sich das Geschehen in gleichen Haltungen der Lebendigen wie der Toten.

11   Vgl. Ruth Feldhusen, *Ikonologische Studien zu Michelangelos Jüngstem Gericht*, Unterlengenhardt – Bad Liebenzell 1978, S. 28

12   Sigrid Esche, *Adam und Eva*, Düsseldorf 1957, S. 52f.

Abb. 2 Max Beckmann: Auferstehung, 1909,
Öl auf Leinwand, Stuttgart, Staatsgalerie

Abb. 3 Peter Paul Rubens: Das große
Jüngste Gericht, Öl auf Leinwand, München,
Bayerische Staatsgemäldesammlungen,
Alte Pinakothek

Vorform der Triptychon-Idee

Es ist immer wieder gesagt worden, wie sehr sich die stilistische Haltung Beckmanns nach seiner Entlassung aus dem Kriege ab 1916 verändert hat, und dabei ist
auf spätmittelalterliche Anregungen verwiesen worden. Dies gilt in besonderem
Maße für die *Auferstehung,* und zwar nicht nur für die einzelnen Figuren, sondern
für die Komposition als Ganzes, was eindrücklich ein Vergleich mit der *Auferstehung 1909* (Abb. 2), gleichfalls im Besitz der Staatsgalerie Stuttgart, lehrt.[13] In
dieser frühen Fassung schildert Beckmann in steilem Hochformat das Aufsteigen
der in zwei Säulen geordneten Menge der Leiber, ihr Angezogensein von einer
gleißenden Lichterscheinung. Die Emporschwebenden scheinen dennoch von
Zweifeln und Ängsten erfüllt zu sein. Der Maler stellte sich damit formal in die
Tradition der Weltgerichtsbilder, wie sie in Italien entwickelt und im ›Großen Jüngsten Gericht‹ von Rubens (Abb. 3) zum Höhepunkt geführt worden ist. Der
unübersehbaren Menge der aus den Gräbern Steigenden und schließlich Emporschwebenden sind in der unteren linken Bildecke zwei dunkle Körper entgegengesetzt. Diese Figuren sind wie vernichtet, mit gesenktem Kopf die eine, sich die
Ohren zuhaltend die andere.

Ganz anders sind die Gewichte, wie oben gesagt, in der späteren *Auferstehung*
verteilt. Beckmann hat dem auch in der Wahl des Formats Rechnung getragen. Mit
der stilistischen Rückbeziehung auf spätmittelalterliche Malerei war auch das
Anknüpfen an eine andere Bildtradition verbunden: an die querformatigen Darstellungen des Jüngsten Gerichts, wie sie in Nordeuropa üblich waren. Als Beispiele
seien nur genannt ›Das Jüngste Gericht‹ von Stephan Lochner im Kölner Wallraf-
Richartz-Museum oder Hans Memlings Triptychon des ›Jüngsten Gerichts‹ in Dan-

13 Göpel, a.a.O., Nr. 104

Abb. 4 Hans Memling: Das Jüngste Gericht,
1466-73, Danzig, Museum Pomorskie

zig (Abb. 4). Allen diesen Kompositionen ist eigen, daß sie dreiteilig angelegt sind:
in der Mitte der Weltenrichter über den Auferstehenden, links die Seligen, rechts
die Verdammten. Daher war es naheliegend, diese Dreiteilung faktisch durchzufüh-
ren und den Schritt zum Triptychon zu tun, wie das Beispiel Memlings zeigt. Auch
Beckmann scheint diesem Gedanken gefolgt zu sein, so daß man wohl sagen kann,
daß die *Auferstehung* von 1916/18 in einer Vorform die Idee des Triptychons enthält, was durch die Präsenz des Bildes im Frankfurter Atelier dem Maler als Problem täglich vor Augen stand. Das heißt, wenn die *Auferstehung* nach dem Umzug
Beckmanns 1933 im Berliner Atelier nicht wieder aufgestellt wurde, so war das
nicht durch äußere Umstände bedingt, sondern der Maler bedurfte des Gemäldes
nicht mehr, da er mit seinem ersten Triptychon, *Abfahrt*, entstanden 1932/33[14], eine
weiterführende Lösung gefunden hatte (Abb. S. 40).

Wir haben gesagt, daß die *Auferstehung* 1916/18 in der Essenz alle späteren
Bilder enthält und auf frühere verweist. Dieser Verweischarakter läßt sich auch in
Details belegen. An einer Stelle nur zitiert Beckmann einen anderen Künstler: Jene
vollständig verhüllte Figur in der linken oberen Bildecke, die aus dem Bild heraus-
zugehen scheint, stellt eine Paraphrase dar der ›Pleurants‹ vom Grabmal des Philippe
Pot, Großseneschall von Burgund, entstanden um 1480, das Beckmann im Louvre
gesehen hatte.[15] Die anderen Verweise vollziehen sich innerhalb des Werkes. So ist
der am unteren Bildrand liegende, verkürzt gegebene Akt übernommen aus der
Radierung *Das Leichenhaus* von 1915 (Abb. 5).[16] Die von uns als Verzweiflung
benannte Figur oben links erscheint wieder 1935 als Skulptur *Mann im Dunkeln,*
woraus sich für deren Interpretation ein entscheidender Aspekt gewinnen läßt
(Abb. S. 140).[17] Zentraler aber ist, daß Beckmann die Darstellung seiner selbst, der
Familie und der Freunde von dem Gemälde von 1909 in jenes von 1916/18 übernommen hat. Hier wie dort erscheinen die Gruppen an der nämlichen Stelle im
unteren Bildteil und sind über die ganze Breite der Leinwand verteilt, das heißt, sie
zeigen in gleicher Weise die Spannung zwischen Vision und Realität. Sie offenbaren
das unausweichliche Betroffensein jedes Individuums von der Realität des Todes
und der Auferstehung, das sich nur als Vision begreifen läßt. Die Einsamkeit des
Menschen im entscheidenden Augenblick, dieses Alleinsein in der Unendlichkeit
von Raum und Zeit – Beckmanns bedrängendes Problem – wird dadurch betont,
daß der Maler durch Verwandtschaft und Freundschaft einander verbundene Menschen darstellt. Sie erscheinen kommunikationslos wie die Toten; die Einsamkeit
am Jüngsten Tag wirkt existentiell in das Leben zurück, daher sind die Personen
austauschbar (Abb. 6). 1916/18 erscheint das Ehepaar Battenberg an Stelle der

14 Göpel, a.a.O., Nr. 412

15 Kat. Paris, Musée National du Louvre 1950,
Marcel Aubert u. Michèle Beaulieu, ›Description
raisonnée des sculptures du Moyen âge, de la
Renaissance et des temps modernes‹, 1: *Moyen âge*,
S. 241-245, Nr. 355, hier Abb. S. 47

16 Gallwitz, a.a.O., Nr. 59

17 Stephan Lackner, *Max Beckmann*, New York
1977, Abb. 25

Abb. 5 Max Beckmann: Das Leichenhaus, 1915, Radierung, Frankfurt a. M., Städtische Galerie im Städelschen Kunstinstitut

Abb. 6 Max Beckmann: Auferstehung, 1916-18, Öl auf Leinwand, Stuttgart, Staatsgalerie (Ausschnitt mit Selbstbildnis)

18 Max Beckmann, ›Schöpferische Konfession‹, vgl. Anm. 1

19 Käte Hamburger, ›Das Todesproblem bei Jean Paul‹, in: *Jean Paul. Wege der Forschung*, Bd. CCCXXXVI, hrsg. von Uwe Schweikert, Darmstadt 1974, S. 80

20 Reinhard Piper, *Nachmittag*, München 1950, S. 31

Gräfin Hagen und des Franz Kempner auf dem Bild von 1909, wobei Frau Battenberg die Funktion, den Kontakt mit dem Betrachter herzustellen, von Franz Kempner übernimmt. Frau Beckmann erscheint in beiden Bildern im Gebet, auf der späteren Fassung zusammen mit ihrem Manne dieselbe Figur in den Blick nehmend. Diese Verbindung mit dem Maler durch dieselbe Blickrichtung kommt im früheren Gemälde Annemarie Tube zu, der Schwägerin Beckmanns, deren Orantenhaltung auf die Figur der Eva im späteren Bild übergeht. Beckmanns Blick aber fällt auf die Hoffnungslosen. Der Maler selbst übernahm sich wörtlich in Haltung und Kleidung vom früheren in das spätere Gemälde, wohl um deutlich zu machen, wie wenig sich für ihn die Weltsicht in den dazwischenliegenden Jahren und durch das Kriegserlebnis verändert hatte. In seinem ›Bekenntnis‹ von 1918 bestätigte er: »Der Krieg geht ja nun seinem traurigen Ende entgegen. Er hat nichts von meiner Idee über das Leben geändert, er hat sie nur bestätigt.«[18]

Einfluß von Jean Pauls Traumvisionen

Andererseits muß Beckmanns Blickrichtung, insbesondere seine Betrachtung des Auferstehenden im Bild von 1916/18 bedeuten, daß er über sich selbst reflektiert, das heißt, er malte eine Vision seiner eigenen Auferstehung. Ihm wird aus der Lektüre und Beschäftigung mit dem Werk Jean Pauls die Paradoxie des Todesphänomens bewußt gewesen sein, »daß wir als Erlebende keine Toten und als Tote keine Erlebenden sind«.[19]

Denkt man in diesem Zusammenhang über das Verhältnis von Realität zu Vision nach, so kommt einem in den Sinn, was der Verleger Reinhard Piper in seinen Lebenserinnerungen geschrieben hat: »Jean Paul war ebenso ein Visionär und Realist zugleich, wie Beckmann es ist. Wir erinnerten uns gegenseitig an seinen ›Traum von einem Schlachtfeld‹, an die ›Rede des toten Christus vom Himmel herab, daß kein Gott sei‹, an die ›Fastenpredigten in Deutschlands Marterwoche‹.«[20] Piper wies damit auf zwei wichtige Quellen zum Verständnis Beckmanns hin, auf die ›Rede des toten Christus vom Weltgebäude herab, daß kein Gott sei‹ aus ›Siebenkäs‹ und ›Die Schönheit des Sterbens in der Blüte des Lebens; und den Traum von einem Schlachtfeld‹ aus ›Herbst-Blumine‹. Beides sind Traumvisionen. Die 1796 erschienene ›Rede des toten Christus ...‹ beschreibt in einer kosmischen Vision des auseinanderbrechenden Weltalls die äußerste Verneinung alles Sinnvollen, deren Ziel, so betont Jean Paul in einer Vorrede, die Erregung des echten Glaubensgefühls durch die Erschütterung sei. In dieser Vorrede merkt der Dichter

Abb. 7   Max Beckmann: Auferstehung, 1918,
Blatt XII der Mappe ›Gesichter‹, Radierung,
Privatbesitz

an, daß sich der Atheismus ohne Widerspruch mit dem Glauben an die Unsterblichkeit verbinden lasse, »... denn dieselbe Notwendigkeit, die in diesem Leben meinen lichten Tautropfen von Ich in einen Blumenkelch oder unter eine Sonne warf,
kann es ja im zweiten wiederholen; – ja noch leichter kann sie mich zum zweiten
Male verkörpern als zum ersten Male.« Der Text ›Die Schönheit des Sterbens ...‹,
im Juni 1813 unter dem Eindruck der teilweisen Vernichtung des Lützowschen
Freikorps geschrieben, versuchte das Sterben der Blüte der deutschen Jugend als
etwas Wünschenswertes zu erklären, »wo der Jüngling und die Jungfrau nur aus
dem innern Land der Ideale überfliegen in ein höheres Land der Ideale, ... wo
ihnen, wenn manche in vielen Leidenstagen wie in kalten, düstern, bangen, gewundenen Katakomben nach Ausgang umher kriechen, plötzlich der Todesengel den
Felsen wegsprengt, der die Auferstehung verhinderte.« Beckmann, der unter dem
Eindruck eines ähnlichen Erlebnisses stand wie Jean Paul, interessierte diese Schrift
so sehr, daß er die Metapher von den Katakomben in die *Auferstehung* 1916/18
direkt übernahm (Abb. 7).

Jean Paul beschreibt im zweiten Teil des Textes einen Traum nach dem Muster
der ›Rede des toten Christus ...‹, eine grauenhafte Vision von Tod und Vernichtung. Ein Ungeheuer führt den Träumenden über mehrere Passionsstationen zum
Tor vor dem Schlachtfeld: »Auf einmal wurde hinter dem Tore ein herzschneiden-
des Wehgetön nahe geweht, welches klang, als stöhne das Weltall, weil es nicht von
Gott, sondern vom Teufel geschaffen und den folternden Ewigkeiten preisgegeben
worden sei.« Das Tor wird geöffnet und der Anblick der entsetzlichen Welt läßt den
Dichter bewußtlos niedersinken, »was ich sah, war zu gräßlich für den Menschen-
blick und hatte keinen Raum in einem Menschengedächtnis.« Dann verklärt sich
das Traumbild, es erscheinen die Inseln der Seligen, wo die für das Vaterland
gefallenen Jünglinge in steter Wonne die Ewigkeit verbringen: »Die Zederninsel
kam, wie von einem Strome gezogen, der grünen Wolke immer näher. Jünglinge,
größer als menschliche, blickten erfreut in das blaue Meer hinunter und sangen
Freudenlieder, andere schauten entzückt in den Himmel hinauf und falteten
betende Hände. Einige schlummerten in Lauben aus Regenbogen und vergossen
Freudentränen; hinter ihnen standen Löwen, über ihnen kreisten Adler.« Wir
haben oben bereits auf jene Gruppe der Jünglinge mit dem Löwen hingewiesen, die
im Hintergrund der *Auferstehung* 1916/18 erscheint und die jetzt aus dem Text Jean
Pauls erklärbar ist. Diese Jünglinge sind es, welche die Zeit der Ewigkeit geopfert

21   Ich halte es daher für ein grundsätzliches
Mißverständnis, wenn Friedhelm W. Fischer in: *Der
Maler Max Beckmann*, Köln 1972, S. 11, bemerkt,
»daß Beckmann zwei recht harmlose Bildkompositionen einfach ineinandergeschoben hat:
eine Diskussion im Salon und die Imagination der
Auferstehung«.

22   Ein Beispiel dafür bildet ›Das Weltgericht‹ von
Hermann tom Ring im Landesmuseum in Münster
(Lit.: Theodor Riewerts und Paul Pieper, *Die Maler
tom Ring*, München-Berlin 1955, Nr. 45, Taf. 46).
Zwei kniende Stifter betrachten gespannt und von
einem Engel zur Aufmerksamkeit aufgefordert das
Jüngste Gericht. Einer hält ein Buch in Händen, in
dem aus dem 143. Psalm zu lesen steht: »und gehe
nicht ins Gericht mit deinem Knechte; denn vor dir
ist kein Lebendiger gerecht.«

23   Annemarie und Wolf-Dieter Dube, *Ernst
Ludwig Kirchner – Das graphische Werk*, 2. Auflage
München 1980, Nr. 262-268

24   Piper, a.a.O., S. 19

haben zur Rettung der Individualität. Um diese Frage kreisen Beckmanns Gedanken und Vorstellungen. Deswegen bringt er sich so oft selbst ins Bild und ganz besonders in die Darstellungen der Auferstehung. Dabei wird er sicher verschiedene Bildtraditionen miteinander verbunden haben. Da wäre einmal an Michelangelo zu erinnern, der sein Bildnis im Fresko des ›Jüngsten Gerichts‹ als Teil der abgezogenen Haut des hl. Bartholomäus anbrachte. Da wäre an Albrecht Dürers Beispiel zu denken, der in den Mittelpunkt des Gemäldes ›Die Marter der Zehntausend‹, heute im Kunsthistorischen Museum in Wien, sich selbst und seinen Freund Konrad Celtis in ganzer Figur malte. Der Künstler mit seinem begleitenden Freund als Zeuge im Inferno der Martern oder des Jüngsten Gerichts könnte wohl auch – und das gilt besonders für die *Auferstehung 1909*[21] – in der Tradition der ›Göttlichen Komödie‹ verstanden werden. Schließlich wäre an die Tradition des Stifterbildes zu denken, durch welches die lebende Person in das Bild eingeführt und mit dem Heilsgeschehen verbunden wurde.[22] Diese Manifestation des Individuums hatte ja nicht nur den Sinn, die Gestalt des Menschen nach seinem Tode zu überliefern, sondern sollte auffordern, der Dargestellten zu Lebzeiten wie nach ihrem Tode im Gebet zu gedenken und ihre Reinigungzeit abzukürzen, woraus sich eine direkte Beziehung zur Auferstehung ergibt.

Die Bewährung des Ich im Diesseits, die Überwindung der Depression über den Verlust der Individualität, die Beckmann im Kriege befallen hatte, war wohl der eigentliche Anlaß zur Gestaltung der *Auferstehung* von 1916/18. Damit war aber notwendigerweise die Frage nach dem Jenseits verknüpft, für die Beckmann zu dieser Zeit keine Antwort wußte. Ähnlich wie Ernst Ludwig Kirchner – der 1915 die Angst, durch die Uniform das Ich verloren zu haben, in die Form des Holzschnittzyklus ›Peter Schlemihls wundersame Geschichte‹ nach Adelbert von Chamisso kleidete[23] – diese Folge nicht vollenden konnte, weil er nicht wußte, wie die Rückgewinnung der Seele darzustellen sei, so war für Beckmann die *Auferstehung* unvollendbar. Dabei hatte er Großes mit dem Bilde geplant, von dem er Reinhard Piper 1917 berichtet hatte: »Ich will noch vier so große Bilder malen, dazu moderne Andachtshallen bauen.«[24] Andachtshallen zu welchem Zweck? – müßte man fragen. Vielleicht um Bilder wie die *Auferstehung* auszustellen, mit demselben Gedanken, der Jean Paul die ›Rede des toten Christus …‹ schreiben ließ und den er in der Vorbemerkung dazu so formuliert hat: »Wenn einmal mein Herz so unglücklich und ausgestorben wäre, daß in ihm alle Gefühle, die das Dasein Gottes bejahen, zerstöret wären; so würd' ich mich mit diesem meinem Aufsatz erschüttern und – er würde mich heilen und mir meine Gefühle wiedergeben.«

Sarah O'Brien-Twohig

Die Hölle der Großstadt

»Gerade jetzt habe ich fast noch mehr als vor dem Krieg das Bedürfnis, unter den Menschen zu bleiben. In der Stadt. Gerade hier ist jetzt unser Platz. Wir müssen teilnehmen an dem ganzen Elend, das kommen wird. Unser Herz und unsere Nerven müssen wir preisgeben dem schaurigen Schmerzensgeschrei der armen getäuschten Menschen.«[1]

Mit dieser unmißverständlichen Äußerung bezeichnete Max Beckmann seine Reaktion auf den Ersten Weltkrieg, in dem er als Sanitäter in Feldlazaretten von Flandern diente. Sie ist darüber hinaus ein eindringliches persönliches und künstlerisches Manifest seiner schöpferischen Tätigkeit während der Nachkriegszeit.

Der Krieg setzte Beckmann nicht nur schrecklichem physischen und psychischen Leid aus, sondern auch jener ›condition humaine‹, die die etablierte Gesellschaftsordnung umkehrt und alle Menschen in einem gemeinsamen Schicksal vereint. Seine ›Briefe im Kriege‹[2] machen deutlich, wie seine anfängliche Begeisterung über die vom Krieg entfesselte Lebenskraft im Sinne Nietzsches[3] allmählich einer unabweisbaren Ernüchterung vor der Sinnlosigkeit des Leidens wich.

Beckmanns Briefe aber sind von spontanem Mitgefühl ebenso wie von Liebe zu seinen Mitmenschen durchdrungen. Erstmals ist er mit einem ›Querschnitt‹ der Menschheit konfrontiert, deren Vielfalt ihn mit Staunen und Wärme erfüllt: »Es sind wunderbare Menschen und Gesichter darunter. Viele, die ich liebe und die ich alle zeichnen werde. Grobe knochige Gesichter mit intelligentem Ausdruck und schönen primitiven unmittelbaren Ansichten ... maskenhafte, sinnlos witzige, dauernd schwatzende neben grotesk humoristischen, wirklich witzigen. Leute mit dicken Köpfen und schwarzen, wilden Brauen, neben gutmütig lächelnden, enorm fressenden Existenzen. Ach, das ist wieder einmal Leben!«[4]

Neben vom Krieg verwüsteten Städten und Szenen in Feldlazaretten und Leichenhallen zeichnete er auch seine Kriegskameraden beim Essen, Trinken, Tanzen, in der Dusche, sogar in der Latrine – jeder Aspekt ihres Lebens faszinierte ihn.[5] Und wenn er über die eindringliche Skizze von *Mann mit Krücke im Rollstuhl*[6] die Worte »Théâtre du Monde – Grand Spectakel de la Vie« schreibt, so ironisiert dies bis zu einem gewissen Grad den Vitalismus der Vorkriegszeit; doch darüber hinaus meint er auch den kriegsbedingten krassen Gegensatz von Tod und Lebensbejahung – jene Fähigkeit, die Augen vor dem Tod zu schließen (Kat. 145).

»Liebe, kleinliche Zänkerei; Handel und Ehrgeiz nehmen denselben Fortgang wie früher, trotzdem der Tod wenige Kilometer von hier sein wildes Lied singt.« Dann fügt er bezeichnenderweise hinzu: »Was für ein Glück doch die Phantasielosigkeit für die Menschen ist.«[7]

Es ist diese Toleranz gegenüber der Passivität der Massen, die Beckmanns Nachkriegseinstellung von derjenigen George Grosz' unterscheidet. Grosz kam mit einer misanthropischen Verachtung für seine deutschen Landsleute aus dem Krieg zurück: »Ich fühle keine Verwandtschaft mit diesem Menschenmischmasch...«[8], und erklärte seine Absicht, aus Perversion zu zeichnen, um die Menschheit zu überzeugen, »daß diese Welt häßlich, krank und verlogen ist«.[9]

Im Gegensatz dazu lenkt Beckmann seinen Zorn auf Gott, »daß er uns so geschaffen hat, daß wir uns nicht lieben können«.[10] Da er die Existenz des Bösen nicht mit der Vorstellung eines gütigen, liebenden Gottes vereinbaren konnte, mußte wohl die Menschheit als Ganzes grausam getäuscht worden sein; daher

1 Max Beckmann, ›Schöpferische Konfession‹, in: *Tribüne der Kunst und Zeit*, hrsg. von K. Edschmid, Berlin 1918. Hier zitiert aus ›Bekenntnis 1918‹, in: *Der Zeichner und Graphiker Max Beckmann*, Ausstellungskatalog Kunstverein Hamburg 1979/80, S. 11

2 Max Beckmann, *Briefe im Kriege*, Berlin 1916. Gesammelt von Minna Beckmann-Tube.

3 Ernst-Gerhard Güse: *Das Frühwerk Max Beckmanns*, Hamburg 1974, S. 27 ff.

4 Max Beckmann, *Briefe im Kriege*, a.a.O., 2.3.1915

5 Vgl. u. a. Stephan von Wiese, *Max Beckmanns zeichnerisches Werk 1903-1925*, Düsseldorf 1978, Kat. Nr. 236, 239, 248, 314

6 von Wiese, Kat. Nr. 211, Schwarze Tusche mit Feder, 15,7 x 12,8 cm, bez. u. l.: 21.12.14

7 Max Beckmann, *Briefe im Kriege*, a.a.O., 4.3.1915

8 George Grosz, *Briefe 1913-1959*, hrsg. v. Herbert Knust, Reinbek 1979, Brief an Robert Bell 1916/17, S. 42

9 George Grosz, ›Abwicklung‹, in: *Das Kunstblatt* 8/2, 1924, S. 36

10 Gespräch mit Reinhard Piper, in: Reinhard Piper, *Nachmittag*, München 1950, S. 33

verdienten nach seiner Ansicht alle Menschen, ob Angreifer oder Angegriffene, sein Mitgefühl.

»Eigentlich ist es ja sinnlos, die Menschen, diesen Haufen von Egoismus (zu dem man selbst gehört), zu lieben. Ich tue es aber trotzdem. Ich liebe sie mit all ihrer Kleinlichkeit und Banalität. Mit ihrem Stumpfsinn und billiger Genügsamkeit und ihrem ach so seltenen Heldentum. Und trotzdem ist mir jeder Mensch täglich immer wieder ein Ereignis, als wenn er vom Orion heruntergefallen wäre. Wo kann ich dieses Gefühl stärker befriedigen als in der Stadt?«[11]

Die Stadt wird ihm also im Frieden zum Äquivalent jenes »Schmelztiegels«, der den Krieg ausmachte. Nur in der Stadt erfüllt sich für den modernen Menschen sein tragisches Schicksal. Beckmann sieht die Verantwortung des Künstlers, ja, seine Pflicht darin, »den Menschen so nah wie möglich stellen. Das ist das einzige, was unsere eigentlich recht überflüssige Existenz einigermaßen motivieren kann. Daß wir den Menschen ein Bild ihres Schicksals geben, und das kann man nur, wenn man sie liebt.«[12]

Distanzierte Milieuschilderung

Dieses starke Bedürfnis zur Identifikation mit dem Leben der städtischen Massen unterscheidet sich erheblich von seiner Einstellung zur Stadt vor dem Krieg. Äußerlich wenigstens hatte das mondäne tägliche Leben in Berlin damals für ihn wenig von dem von Baudelaire und den Impressionisten gepriesenen »magischen Pulsschlag der Moderne«. Vielmehr strebte er danach, einen universellen Ausdruck für »das ganze pulsierende fleischliche Leben«[13] in monumentalen, archaisierenden Melodramen wie der *Amazonenschlacht*, 1911, zu finden (Kat. 11). Sein erster Biograph, Hans Kaiser, bemerkte 1913: »Beckmann ist ohne Berlin nicht gut denkbar«, er sei »der Maler, der diese Sensation des Lebens in Berlin empfindet und in den geistigen Sensationen und Visionen seiner Werke mit den Mitteln der Malerei versinnlicht«.[14] Daher ist sogar der melodramatische Tumult der *Szene aus dem Untergang von Messina* (Abb. S. 74; Kat. 10) in metaphorischer Bedeutung ein »realistisches Symbol Berlins«, das »Pathos und Nervenstränge« evoziert, wie der jeder erdenklichen Gefahr und Sensation ständig ausgesetzte Stadtbewohner sie erlebt.[15] In jüngerer Zeit sieht die Kunstkritik darin das erste Beispiel der Stadt »als Ort öffentlichen, hemmungslosen Verbrechens«.[16]

Beckmann sah während dieser frühen Berliner Jahre seine unmittelbare Umgebung hauptsächlich als einen Katalysator seiner Phantasie, als das durch die künstlerische Sensibilität zu formende Rohmaterial. Erst 1911 beginnt er Interesse an der Abbildung von Ereignissen zu zeigen, wie er sie auf der Straße oder in den Cafés der Stadt erlebte. In *Der Kaiserdamm*, 1911, (Abb. S. 74), geht es ihm darum, glänzende Lichteffekte einzufangen, ohne die materielle Substanz zu beeinträchtigen. Das Resultat ist eine merkwürdig distanzierte Milieuschilderung. *Wittenbergplatz*, 1911, seine erste Lithographie einer Stadtszene, ist ein vorläufiger Versuch, Fußgängergedränge zu beschwören (Abb. 1). Obwohl er sich des impressionistischen Kunstgriffs der beschnittenen Figur bedient, geht es ihm offenbar nicht um die psychische Spannung innerhalb einer Menge, die Munch so nachdrücklich in seinem ›Abend auf der Karl-Johan-Straße, Oslo‹ (um 1892) eingefangen hatte (Abb. 2).

Eine völlig veränderte Stimmung spricht aus *Die Straße*, 1911 (Kat. 14). In dieser Schilderung einer trostlosen Gasse mit anonymen Mietshäusern bedient er sich zum ersten Mal eines erhöhten Blickwinkels, um die klaustrophobische Wirkung der hochragenden Gebäude im Verhältnis zu den ameisenhaften Menschen auf der verlassenen Straße zu vermitteln. Kein Horizont ist sichtbar, keine Andeutung von Vegetation in diesem düsteren Bild der Stadt als einer seelenlosen, grauen Monotonie, die der Würde des Menschen feindlich ist.

Ein Vergleich zwischen dieser Szene und Mackes ›Unsere Straße in Grau‹, 1911 (Abb. 3), illustriert schlagend die Kontroverse zwischen Beckmann und Franz Marc, Mackes Freund aus dem Kreis des ›Blauen Reiters‹.[17] In Mackes Szene mit

Abb. 1   Max Beckmann: Wittenbergplatz, 1911, Lithographie, Privatbesitz

11   Max Beckmann, ›Schöpferische Konfession‹, a.a.O., S. 12

12   Ebenda, S. 11

13   Max Beckmannn, *Leben in Berlin*, Tagebuch 1908/09, hrsg. von Hans Kinkel, München 1966, S. 34

14   Hans Kaiser, *Max Beckmann*, Berlin 1913, S. 7-12

15   Ebenda, S. 28/29

16   Christian Lenz, ›Max Beckmann – Das Martyrium‹, in: *Jahrbuch der Berliner Museen*, 16. Bd., Berlin 1974, S. 185-210

17   Max Beckmann, ›Gedanken über zeitgemäße und unzeitgemäße Kunst‹, in: *Pan* II, (1911/12), Nr. 17, S. 500-501. Siehe auch Dietrich Schubert, ›Die Beckmann-Marc-Kontroverse von 1912: Sachlichkeit versus innerer Klang‹, in: *Max Beckmann – Die frühen Bilder*, Ausstellungskatalog Bielefeld 1982

Abb. 2 Edvard Munch: Abend auf der Karl-
Johan-Straße, Oslo, um 1892, Öl auf
Leinwand, Bergen, Rasmus Meyers Samlinger

Abb. 3 August Macke: Unsere Straße
in Grau, 1911, Öl auf Leinwand, München,
Städtische Galerie im Lenbachhaus

ihren zart leuchtenden Orange- und Blautönen geht es nur um den »inneren Klang«
und »die raumbildende Energie der Farbe«, d. h. um die Autonomie der Form.[18]
Beckmann, gemäß seiner Erklärung, daß wahre Kunst »die künstlerische Sinnlichkeit ... mit der künstlerischen Gegenständlichkeit und Sachlichkeit der darstellen-
den Dinge« kombinieren solle[19], bietet uns demgegenüber eine expressiv realistische Beschwörung der Straße.

Bezeichnend ist, daß einige junge expressionistische Dichter in ähnlicher Weise
intensives Gefühl in konkrete Bildlichkeit umsetzten, wie zum Beispiel Paul Zech in
seinem Gedicht ›Fabrikstraße Tags‹[20] von 1911:

> *Nichts als Mauer. Ohne Gras und Glas*
> *zieht die Straße den gescheckten Gurt*
> *der Fassaden – Keine Bahnspur surrt.*
> *Immer glänzt das Pflaster wassernaß.*
>
> *Streift ein Mensch dich, trifft sein Blick dich kalt*
> *bis ins Mark; die harten Schritte haun*
> *Feuer aus dem turmhoch steilen Zaun,*
> *noch sein kurzer Atem wolkt geballt.*
>
> *Kein Zuchthaus klemmt*
> *so in Eis das Denken, wie dies Gehn*
> *zwischen Mauern, die nur sich besehen.*

Daß Beckmann kein Expressionist im Sinne der sehr subjektiv orientierten
›Brücke‹-Künstler war, wird deutlich im Vergleich der Ansichten, die er und Kirchner 1911 bzw. 1912 vom *Nollendorfplatz* malten (Abb. 4, 5).[21] Beide Szenen werden
von einem erhöhten Blickpunkt aus gezeigt, doch während Beckmann ein flächiges
Panorama des herbstlichen Platzes gibt, bedient sich Kirchner eines Effekts, wie
man ihn ähnlich mit einem Teleobjektiv erreichen würde: Die diagonale Kreuzung
auf dem geschäftigen, trambefahrenen Platz wird nahe herangezogen. Beckmann
reagiert zwar bis zu einem gewissen Grad auf die aggressive Vitalität, wie sie sich in
der scharfkantigen Bildstruktur und spontan gesetzten Farbe der Expressionisten
äußert, aber zumindest in diesem Stadium geht es ihm mehr darum, »eine unver-
wechselbare Stimmung des konkreten Ortes« zu geben, als eine »erregend auf-
dringliche Straßenszene« darzustellen.[22] Daher hält er sich an einen distanzierteren
Standpunkt und an gebrochene Farben und interessiert sich für die spezifischen
Eigenschaften der Architektur und der Jahreszeit.

18 Gustav Vriesen, *August Macke*, Stuttgart 1953,
S. 132

19 Max Beckmann, ›Gedanken über zeitgemäße
und unzeitgemäße Kunst‹, a.a.O., S. 500

20 In: *Menschheitsdämmerung*, hrsg. von Kurt
Pinthus, Berlin 1920

21 Von 1910 bis 1914 verbrachten Beckmann und
seine Familie den Winter in einer Atelierwohnung im
Haus Nollendorfplatz 6, da das Hermsdorfer Haus
schlecht zu heizen war. Siehe Göpel, Bd. I, S. 16

22 Christoph Schulz-Mons, ›Zur Frage der
Modernität des Frühwerks von Max Beckmann‹, in:
Max Beckmann – Die frühen Bilder,
Ausstellungskatalog Bielefeld, 1982, S. 144

Anregungen durch Ludwig Meidner

Um 1912 wirft er seine Netze weiter aus und bemüht sich um eine größere Vielfalt der Aspekte des städtischen Lebens. Es entstanden die ersten Lithographien von Menschen in Cafés und Bars, wie das impressionistische *Admiralscafé* (Kat.217), das die gesuchte Konvention eines eleganten Cafés darstellt, und *Kneipe*, die wiederum das bodenständige Milieu eines gedrängt vollen Arbeiterlokals zeigt, wobei diese Darstellung möglicherweise von den Tavernenszenen Jan Steens beeinflußt ist, den Beckmann als »großen Humoristen und Dramatiker« bewundert.[23]

Zu den Faktoren, die zu diesem gesteigerten Interesse für das städtische Leben möglicherweise beigetragen haben, gehört sein Besuch des Ateliers von Ludwig Meidner im Jahre 1912, der ihn, wie er später sagte, »stark angeregt und ihm neue Impulse gegeben« habe.[24] Meidner war der erste deutsche Maler, der dem Ruf der Futuristen folgte, die »frenetische Aktivität der großen Stadt, die völlig neue Psychologie des Nachtlebens« darzustellen.[25] Deren Ziel war, eine »Synthese von Erinnerung und optischer Wahrnehmung« durch die Zerstückelung und Verschmelzung aller Gegenstände der Wahrnehmung zu schaffen, so daß ihre Bilder die Erfahrung der Simultaneität der modernen städtischen Umwelt reflektierten.

Meidner, ausgehend von der Idee, daß die Stadtlandschaft aus »Schlachten von Mathematik« bestehe, in welcher der Mensch sich physisch durch Wirbel von Linien und Winkeln belagert fühle, rief die deutschen Maler auf, »die tumultuarischen Straßen, die Eleganz eiserner Hängebrücken, die Gasometer, welche in weißen Wolkengebirgen hängen, die brüllende Koloristik der Autobusse und Schnellzugslokomotiven, die wogenden Telefondrähte ... die Harlekinaden der Litfaßsäulen, und dann die Nacht ... die Großstadtnacht« zu malen (Abb. 14).[26]

Meidners eigene Stadtlandschaften verraten allerdings wenig von der optimistischen Dynamik der Futuristen. Werke wie ›Ich und die Stadt‹ malte er meistens bei Nacht, den Rücken dem Mansardenfenster zugewandt, die Reflexion in einem Spiegel betrachtend, so daß sein Kopf optisch wie in ein zuckendes Inferno körperloser, endlos umherschwirrender linearer Fragmente eingeklemmt aussah. Meidners grundsätzlich pessimistisches, dämonisches Bild der Stadt spiegelt Georg Trakls Gedicht ›An die Verstummten‹[27]:

> *O, der Wahnsinn der großen Stadt, da am Abend*
> *An schwarzer Mauer verkrüppelte Bäume starren,*
> *Aus silberner Maske der Geist des Bösen schaut;*
> *Licht mit magnetischer Geißel die steinerne Nacht verdrängt.*
> *O, das versunkene Läuten der Abendglocken.*

Abb.4 Max Beckmann: Blick auf den Nollendorfplatz, 1911, Öl auf Leinwand, Privatbesitz

Abb.5 Ernst Ludwig Kirchner: Nollendorfplatz, 1912, Öl auf Leinwand, Privatbesitz

23 Max Beckmann, *Leben in Berlin*, a.a.O., S.25

24 Thomas Grochowiak, *Ludwig Meidner*, Recklinghausen 1966, S.38

25 Umbro Apollonio, *Der Futurismus. Manifest einer künstlerischen Revolution 1909-1918*, Köln 1972, S.38

26 Meidner, ›Anleitung zum Malen von Großstädten‹, 1914, in: Grochowiak, a.a.O., S.80

27 In: *Menschheitsdämmerung*, a.a.O.

Abb. 6 Max Beckmann: Blick auf den
Bahnhof Gesundbrunnen, 1914,
Öl auf Leinwand, Wuppertal, Von der
Heydt-Museum

Abb. 7 Max Beckmann: Im Auto, 1914,
Öl auf Leinwand, Privatbesitz

Zwischen 1912 und 1914 kommt die »starke Anregung«, von der Beckmann spricht, hauptsächlich in der kühneren Wahl seiner städtischen Themen zum Ausdruck, z. B. *Der Wasserturm bei Hermsdorf,* 1913, und *Stürzender Rennfahrer,* 1913 (Abb. S. 77), sowie in seiner Schilderung zeitgenössischer Katastrophen wie *Untergang der Titanic* (Kat. 12). In technischer Hinsicht zögerte er jedoch, sich Meidners formale und koloristische Anarchie anzueignen, und behielt seine konkretere Formensprache bei. Er übernahm lediglich Meidners formale Zersplitterung, als er das alptraumhafte Chaos einer in einer Gruppe von Soldaten explodierenden Granate darstellte, wie er es an der Kriegsfront miterlebt hatte.[28]

Im Vergleich mit Meidners »pathetischen« Visionen (Abb. S. 58) oder Kirchners aggressiv verzerrten Schilderungen der Berliner Straßen und Prostituierten, z. B. ›Friedrichstraße‹, 1914, geht es Beckmann in seiner *Straße bei Nacht* (Kat. 13) immer noch um die Wiedergabe einer objektiven Realität, in der er durch die Abbildung von Straßenbahnen, Taxis und Radfahrern im Gewühl des Abendverkehrs die Moderne andeutet. Die Synthese von Erfahrung und Erinnerung in der futuristischen Simultaneität hat er noch nicht im Griff.

In *Blick auf den Bahnhof Gesundbrunnen,* 1914 (Abb. 6), bedient er sich Meidners Kunstgriff der umrißhaften, beschnittenen, gegen das Bahnhofspanorama gesetzten Vordergrundfiguren, um ein Gefühl der Unmittelbarkeit zu erzeugen. Die betonte Horizontale der Komposition erinnert jedoch mehr an Munchs statische Konfigurationen als an Meidners dynamische Eckigkeit. Der stürmische Himmel kann entweder als weiteres Indiz seiner Bemühung um objektive Wirklichkeit oder als ein »Symbol des Gefühls nahender Gefahr« gesehen werden.[29]

Im Auto, 1914 (Abb. 7), ist von der Konzeption her weitaus kühner. Der Betrachter blickt auf die Familie Beckmann hinab, die in steifer, gespannter Haltung in einem offenen Taxi sitzt, das mehr als die Hälfte der Leinwand füllt. Hinter ihnen schießt die diagonale, verkehrsreiche Straße in entstellter Perspektive davon, um das Gefühl zu vermitteln, als befände man sich in dem dahinrasenden Fahrzeug. Doch da Beckmann weder die futuristische Zersplitterung noch die leuchtenden expressionistischen Farben verwendet, ergibt sich paradoxerweise ein Effekt monumentaler Schwere. Darüber hinaus deutet der eigenartig räumliche Kontext zwischen den Figuren zum ersten Mal in Beckmanns zeitgenössischen Szenen auf eine psychologische Spannung. Es ist bezeichnend für seine weitere Entwicklung, daß er sich auf das psychologische Wechselspiel innerhalb einer Gruppe konzentriert. Diese Tendenz erscheint vertieft in *Die Straße* (Kat. 14), wo wir zum ersten Mal Beckmanns angespanntem, beunruhigtem Gesicht begegnen, das aus dem Gedränge einer städtischen Menschenmenge herausstarrt.[30]

28 ›Die Granate‹, 1915, Gallwitz 62, VG 83

29 Siehe Hans Günther Wachtmann, Von der Heydt-Museum, Wuppertal, *Kommentare zur Sammlung 2,* S. 4-9, der eine ausführliche Analyse dieses Werkes gibt

30 Um diese gesteigerte Wirkung zu erreichen, schnitt Beckmann 1928 fast zwei Drittel von der Breite des Bildes ab und gab dem verbleibenden Teil das steile Hochformat. Siehe Göpel, Bd. 1, S. 125

Großstadtsexualität

Eine weitere Auswirkung der » neuen Impulse«, die er von Meidner empfing, ist ab 1912 sein plötzliches Interesse an der Darstellung von Sexualität in einem zeitgenössischen Kontext. Nietzsches Vorstellung der Liebe als einer grausamen Schicksalsmacht, gegen die der Mensch machtlos ist, spielte bereits in vielen seiner frühen Werke eine wichtige Rolle, dort hatte er sie jedoch hinter der Fassade mythologischer oder biblischer Szenen sicher untergebracht, wie z. B. in *Simson und Delila* (Kat. 215), einer Lithographie, 1912 auch als Ölbild geschaffen.

Jetzt nahm Beckmann die Herausforderung an, wie sie 1910 im ›Futuristischen Manifest‹ formuliert worden war, und ließ sich von der fieberhaften Atmosphäre der Stadt bei Nacht mit ihren bizarren Gestalten »des Viveur, der Kokotte, des Apachen und des Trunkenboldes« inspirieren.[31] Seine Schilderung einer Bordellszene in der Lithographie *Ulrikusstraße in Hamburg* (Kat. 216) ist die erste einer Reihe von Arbeiten, die auf seinen Erfahrungen in den Hamburger Hafenkneipen vom März 1912 beruhen.[32] Sie zeigt eine Gruppe um Kundschaft werbender Mädchen vor einem Bordell, in dessen Türe eine nackte Dirne in provokativer Pose steht und die Erfüllung der Wünsche des männlichen Voyeurs andeutet. Obwohl die Szene die kühle Distanz des zufälligen Beobachters beibehält, stellt sie dennoch Beckmanns ersten Versuch dar, eine starke Empfindung von Sinnlichkeit mit direkten, zeitbezogenen Mitteln auszudrücken. Daß er dieses Problem schon lange mit sich herumgetragen hatte, beweist der folgende Kommentar von 1909: »Machte den Entwurf zu einer Scene aus der Friedrichstraße, die ich gestern auf dem Nachhauseweg bemerkte ... Männer, die sich nach ein paar Dirnen im Gehen umdrehen. Die Frauen drehen sich ebenfalls nach ihnen um ... Möchte gern etwas von dem Zucken, dem magnetischen Zusammenreißen der Geschlechter hineinbringen; etwas, was mich gerade auf der Straße immer wieder mit Bewunderung über diese immense Pracht der Natur erfüllt.«[33]

Bordell in Hamburg, 1912 (Abb. 8), übersetzt mit ätzender Dramatik diese Phantasie in die Wirklichkeit. In dem klaustrophobischen Innenraum des Bordells wird unser Auge über den Rücken zweier nackter Prostituierten auf den vor ihnen hockenden Mann gelenkt, der ein erkennbares Selbstporträt Beckmanns ist. Distanzierte Objektivität ist hier einer intensiven Anteilnahme gewichen: Der Voyeur ist zum Beteiligten geworden. Im Vergleich mit der früheren Szene haben die Rollen sich dramatisch verkehrt: Jetzt duckt sich der Mann ängstlich vor der mächtigen Realität der weiblichen Sexualität, in einer Weise, die an Munchs ›Leidenschaft‹, 1913, erinnert (Abb. 9).

31 Umbro Apollonio, *Der Futurismus*, a.a.O., S. 38
32 Laut Göpel, Bd. 1, S. 16, fand diese Reise nach Hamburg und Helgoland im Mai 1912 statt. Allerdings sind zwei Skizzen dieser Reise genau bezeichnet: *Entwurf für die Nacht 19.3.12* (von Wiese 102) und *Fahrt nach Helgoland 24.3.12*, (von Wiese 128)
33 Max Beckmann, *Leben in Berlin*, a.a.O., S. 23

Abb. 9 Edvard Munch: Leidenschaft, 1913,
Öl auf Leinwand, Oslo, Munch-Museet

Abb. 10 George Grosz: Lustmord, 1912/13,
Feder laviert, Privatbesitz

Kompositorische Parallelen lassen sich ebenfalls nachweisen, nur wird in Beckmanns Szene der Mann nicht abgewiesen, sondern ist offenbar von der Konfrontation mit dem Weiblichen wie gelähmt. Seine defensive Haltung wird auch durch die Tatsache symbolisiert, daß er noch seinen Hut aufhat, also noch ›behütet‹ ist. Die Melone seines zufriedenen Alter ego, die symbolisch auf dem Tisch zwischen den Mädchen plaziert ist, deutet jedoch auf eine schließliche sexuelle Befriedigung.[34]

Beckmann hat den Bereich einer voyeurhaften Phantasie verlassen und sieht das Geschlecht nicht, wie Munch, als eine Möglichkeit mystischer Vereinigung oder als einfaches sinnliches Vergnügen wie Pascin, sondern als notwendiges Mittel im Kampf des Individuums um Selbstverwirklichung. Um dieser Idee Ausdruck zu verleihen, fühlt er sich bezeichnenderweise zum ersten Mal intuitiv zum Kaltnadelverfahren hingezogen, dessen Tendenz zur Schärfe und zu harten Übergängen zwischen Schwarz- und Weißflächen er ausnützt, um die Stimmung leidenschaftsloser Intensität zu schaffen. Die ätzende Qualität der Kaltnadellinie verhindert jegliche Illusion von Raum oder Atmosphäre und produziert den erwünschten ›Verfremdungseffekt‹, indem sie das Bild auf eine »entkörperlichte Aussage von Eigenschaften« reduziert.[35]

Diese Wandlung der graphischen Technik scheint unzweifelhaft mit Beckmanns Interesse ab 1912 zusammenzuhängen, die Spannungen des städtischen Lebens darzustellen. Bezeichnenderweise verwendet er die Lithographie (außer in zwei Fällen) erst wieder in *Die Hölle* von 1919. Dann erst ist er in der Lage, diese Technik von jeder malerischen, atmosphärischen Qualität zu lösen und sie so kritisch-objektiv einzusetzen wie das Kaltnadelverfahren.[36] Kurz, die Anwendung der Kaltnadeltechnik im Jahre 1912 ist seine Reaktion auf Meidners Forderung, den einzigartigen Problemen des modernen Großstadtlebens ehrlichen Ausdruck zu geben. Sie markiert außerdem eine wichtige Entwicklung in Beckmanns Suche nach Objektivität.

Eine andere Komposition, die ebenfalls während der Reise nach Hamburg im Jahre 1912 entstand, *Entwurf für die Nacht*[37], und die er später als Kaltnadelradierung ausführte (*Die Nacht*, 1914, Kat. 225), zeigt die egoistische Natur der Sexualität, die in der gefühllosen Brutalität des Sexualmords zur endgültigen Zerstörung des anderen Menschen degeneriert. Auch Grosz war damals von makabren Morden, vor allem von Sexualmorden fasziniert, angeregt durch eine Kombination von Edgar Allan Poe, billigen Kriminalromanen und Zeitungsberichten über sensationelle Mordfälle.[38] Die steigende Anzahl von Morden in den Städten um diese Zeit, häufig aus sexuellen Motiven, wurde von den zeitgenössischen Kriminologen als symptomatisch für die unmenschlichen Lebensbedingungen und die Ausbeutung der Arbeiter in den rapide wachsenden deutschen Großstädten, insbesondere Ber-

34 Siehe auch die Behandlung dieser Thematik in Beckmanns Stücken *Das Hotel*, 1921, Typoskript im Archiv der Max Beckmann Gesellschaft, München, und *Ebbi*, Wien 1924; Reprint Berlin 1973

35 Siehe Rudolf Arnheim, *Art and Visual Perception*, 2. Aufl., Berkeley-Los Angeles, 1974

36 Max Beckmann, *Leben in Berlin*, a.a.O., S. 32

37 von Wiese 102: Zwei Varianten eines Entwurfs für ›Die Nacht‹, die obere mit Farbangaben, woraus seine Absicht, die Komposition als Ölbild auszuführen, angedeutet wird.

38 Uwe Schneede, *George Grosz*, o.O. 1975, S. 16

lin, angesehen.[39] Vor allem der Sexualmord wurde mit der sozialen Krankheit der modernen Großstadt gleichgesetzt. Die Vermutung liegt nahe, daß auch Beckmann zumindest indirekt von ähnlichen Quellen beeinflußt war.

Trotzdem unterscheidet sich seine Behandlung des Themas wesentlich von der Grosz'. Dieser konzentriert sich vorwiegend auf den Höhepunkt des Mordaktes oder auf die über das Bett geschleuderte zerstückelte weibliche Leiche, z.B. in ›Lustmord‹ (1912/13, Abb. 10) und ›Doppelmord in der Rue Morgue‹ (1913). In *Die Nacht* gibt Beckmann einen Mann und zwei halb bekleidete Frauen wieder, die mit lüsternem Schrecken auf die Leiche eines Mannes starren, der im Todeskampf halb aus dem Bett geglitten ist. Sind sie Voyeure oder vielleicht auch Beteiligte? Die Ambivalenz ihrer Haltung ist deutlich und die Zweideutigkeit der ganzen Szene wird noch durch die Tatsache gesteigert, daß das Opfer nicht eine Frau, sondern ein kräftig gebauter Mann ist.

Diese Zweideutigkeit ist der Schlüssel zu dem Ölgemälde *Die Nacht* (Kat. 19), Beckmanns großer Nachkriegsaussage über das Wesen menschlicher Aggressivität und Brutalität.[40] Der anonyme Massenmord des Krieges erscheint als eine logische Weiterführung der sexuellen Aggression und der Grauenhaftigkeit des Sexualmords.[41] *Die Nacht* verleiht »dem ganzen Elend, das kommen wird«, Ausdruck, worüber Beckmann in ›Schöpferische Konfession‹ schreibt. Das Ungeheuerliche findet in einer klaustrophobischen »dachkammerähnlichen Behausung« statt, die an die unmenschliche Atmosphäre einer Mietskaserne erinnert. Wie in der früheren *Nacht* ist der Unterschied zwischen Angreifer und Angegriffenem, zwischen Verbrecher und Unschuldigem, zwischen Gut und Böse absichtlich verwischt und deutet an, daß es das Schicksal des Menschen ist, beides zu sein.[42]

Das große Menschenorchester

Vom Herbst 1915 an, als er sich in Frankfurt niederließ, war die Großstadt für Beckmann nicht mehr nur optisches Phänomen. Er vermochte nicht, in ihr das erregende Symbol der mechanisierten Schönheit zu sehen, wie Léger, noch teilte er Brechts oder Grosz' naive Verherrlichung amerikanischer Städte, vor allem New Yorks. Für Beckmann bedeutete die Großstadt von dieser Zeit an die Überfülle menschlicher Typen, denen er im Krieg begegnet war. Es ist »das große Menschenorchester«[43] der im Ringen mit ihrem gemeinsamen Schicksal eingesperrten Individuen. Seine tragisch-ironische *Auferstehung* (Abb. S. 85) zeigt charakteristischerweise eine menschliche Gesellschaft, die, wenngleich unwillig, aus dunklen, grabähnlichen Schützengräben in eine schreckliche Szenerie kriegszerstörter Städte und menschlicher Leiden eingeht, eine Verschmelzung von Meidners apokalyptischen Stadtlandschaften und den »seltsam unwirklichen mondgebirgsartigen Städten«, wie er sie auf den Schlachtfeldern von Flandern gesehen hatte.[44] Die zerstörte Stadt ist zu einer materiellen Emanation des durch den Krieg bedingten Bösen geworden, für das Beckmann in der Wut seiner »negativen Frömmigkeit«[45] Gott verantwortlich machte. Obwohl er »aus Trotz gegen Gott«[46] malte, weigerte er sich dennoch, dem vernichtenden Pessimismus zu erliegen, dem Grosz damals anheimgefallen war.

Seine Rettung war die grenzenlose Liebe zu seinen Mitmenschen. Er betrachtete den individuellen Menschen als die einzige Quelle des Guten[47] und stellte sich die Aufgabe, »das einmalige und unsterbliche Ego zu finden – in Tieren und Menschen – in Himmel und Hölle, die zusammen die Welt ergeben in der wir leben ... Aus diesem Grunde interessiere ich mich für das Individuum, das gesamte sogenannte Individuum, und suche es auf jede Weise zu ergründen und darzustellen.«[48] Er war überzeugt, daß der Mensch nur in der Freiheit der Großstadt, in der Anonymität der Menge in der Lage sei, sein wahres »Selbst« zu finden. Doch war ihm auch das Paradox bewußt, daß das Individuum seine existentielle Einsamkeit am stärksten in der Menge empfindet: »Je mehr man mit Menschen zusammenkommt, um so unwirklicher bin ich mir selbst.«[49] Da er aber auch Grosz' leidenschaftlichen Haß auf den Kollektivismus teilte und in ihm die größte Gefahr für die Menschheit

39 Siehe Dr. Erich Wulffen, *Psychologie des Verbrechens,* Berlin 1910, S. 355

40 Siehe von Wiese, a.a.O., S. 152-164

41 Zwischen 1919 und Anfang 1922 wurden mindestens 376 Menschen aus politischen Gründen ermordet, ohne daß die Täter erfaßt wurden.

42 Siehe auch Alfred Döblin, *Mein Buch ›Berlin Alexanderplatz‹,* 1932, in: ders., *Berlin Alexanderplatz,* München 1980, S. 412: »... wie es keine so straff formulierbare Grenze zwischen Kriminellen, bzw. Nichtkriminellen gibt, wie an allen möglichen Stellen die Gesellschaft – oder besser das, was ich sah – von Kriminalität unterwühlt war. Schon das war eine eigentümliche Perspektive.«

43 Max Beckmann, ›Schöpferische Konfession‹, a.a.O., S. 12

44 Max Beckmann, *Briefe im Kriege,* S. 49

45 Friedhelm W. Fischer, *Max Beckmann – Symbol und Weltbild,* München 1972, S. 34

46 Ebenda, S. 19

47 Siehe Max Beckmann, *Sichtbares und Unsichtbares,* hrsg. von Peter Beckmann, Stuttgart 1973, S. 106, bezüglich Beckmanns Randbemerkungen zu Deussens ›Allgemeine Geschichte der Philosophie‹, Bd. 1, S. 377: »Richtig ist die Entwicklung zum höchst möglichen Gut nur im Individuum, aber irgendwo ist doch – trotz allem – eine Verbindung mit der Allgemeinheit, nur muß man Zeitkomplexe nicht nach Jahrhunderten, sondern nach Jahrtausenden, wenn nicht Millionen rechnen.«

48 Max Beckmann, ›Über meine Malerei‹, Londoner Rede 1938, in: M. Q. Beckmann: *Mein Leben mit Max Beckmann,* 1983, S. 190 und 196

49 Max Beckmann, *Tagebücher 1940-50,* München 1979, 27. 10. 1945

sah, war für ihn der Kampf des einzelnen um Selbstfindung eine Frage von Leben und Tod. Daher untersuchte er in den Nachkriegsjahren, vorwiegend in dem flexiblen Medium der Graphik, die Psychologie des Individuums und seine Dynamik im Verhältnis zur Großstadtmasse.

Zunächst beobachtete er dieses Phänomen in seinen eigenen Kreisen in Frankfurt. In der Kaltnadelradierung *Gesellschaft* (Kat. 229) starrt Fridel Battenberg gespensterhaft aus dem Kreis ihrer Familie und ihrer Freunde, die klaustrophobisch dicht zusammengedrängt sind, ein Symbol des grotesken Paradoxons ihrer individuellen Isolierung. Durch die Betonung der Köpfe vereinigt die Komposition die geistige Intensität des ›Dornengekrönten Christus‹ von Bosch mit der psychologischen Intensität von Ensors ›Selbstporträt mit Masken‹.[50] In *Gesellschaft III (Familie Battenberg)*, (1915), verwendet er räumliche Verzerrung und schiefe Perspektiven, um sein eigenes Gefühl der Isolierung selbst unter so engen Freunden auszudrücken; die Illusion ihrer nur scheinbaren Nähe deutet er symbolisch durch das im Hintergrund lauernde Skelett an.[51]

Frankfurt – Hochburg des Expressionismus

Beckmann blieb von Herbst 1915 bis zu seiner Entlassung vom Städel durch die Nazis im Jahre 1933 in Frankfurt und unternahm nur gelegentlich kurze Reisen nach Berlin, Graz und in andere Städte. Dies war offenbar eine bewußte Entscheidung[52], die außerordentlich wichtig ist für jede Beurteilung seiner Einstellung zu den Problemen des Großstadtlebens bis zu seiner Abreise ins freiwillige Exil nach Amsterdam im Jahre 1937. Merkwürdigerweise gibt es von ihm nur wenige Äußerungen über Frankfurt selbst. So enthält die autobiographische Notiz, die er 1923 für den Verlagsalmanach von Piper schrieb, einzig den folgenden Kommentar mit seiner versteckten Ironie: »Durch einen Zufall landete ich in diesen Jahren in Frankfurt am Main. Hier fand ich einen Fluß, der mir gefiel, ein paar Freunde und auch ein Atelier.«[53]

Seine komplexe Beziehung zu Berlin bleibt der entscheidende Faktor in seiner Einstellung zur Großstadt und zum geheimnisvollen Wechselspiel zwischen Individuum und Menge. In den Jahren unmittelbar nach dem Krieg hatte Berlin für ihn negative Assoziationen, sowohl auf persönlicher als auch auf überpersönlicher Ebene. Er »haßte Berlin, Berliner Großmacherei, Berliner Kaltschnäuzigkeit«.[54] Er schilderte die Stadt als »dieses korrumpierte und temperamentlose Nest«[55] und bestand darauf, daß die im Jahre 1920 von I.B.Neumann, seinem Berliner Kunsthändler, geplante Ausstellung seiner jüngsten Werke zuerst in Köln gezeigt werden solle: »Cöln ist neuer, frischer und eigentlich sogar lebendiger.« Vermutlich dachte er an die Kölner Dadaisten Johannes Baader, Hans Arp und Max Ernst und ihre berüchtigten, provokativen Ausstellungen von 1919 und 1920.[56] Obwohl es keinen Nachweis gibt, daß Beckmann Köln in dieser Zeit tatsächlich besuchte, assoziiert er die Stadt deutlich mit einer aufgeschlossenen, fortschrittlichen Gesellschaft, die seine krasse Objektivität vielleicht leichter akzeptieren könne. Auf perverse Weise schien er die Tatsache zu begrüßen, daß in Frankfurt seine Nachkriegswerke in ihrer »Mischung von Somnambulismus und fürchterlicher Bewußtseinshelle«[57] kein Echo fanden.

»Es ist ganz interessant für mich, gerade jetzt hier zu sein, denn Frankfurt und die Frankfurter Zeitung sind eben eine Hochburg des Expressionismus. Trotzdem ist mir gelungen, gerade hier bereits eine ganze Anzahl von Menschen durch meine Bilder ... zu der Ansicht zu bringen, daß die expressionistische Angelegenheit doch nur eine dekorativ literarische ist, die mit einem lebendigen Kunstgefühl nichts zu tun hat.«[58]

In Beckmanns frühen Frankfurter Jahren wurden expressionistische Maler wie die der ›Brücke‹ und Kokoschka regelmäßig in der Galerie von Ludwig Schames ausgestellt. Beckmanns Verurteilung des Expressionismus im ›Schöpferischen Bekenntnis‹ als eine »falsche und sentimentale Geschwulstmystik« im Gegensatz zu seinem eigenen »Naturalismus gegen das eigene Ich«, der eine »Sachlichkeit des

50 Beckmann besuchte Ostende, wo Ensor lebte, im März 1915.

51 Ein Motiv des Memento mori, das öfters bei Ensor vorkommt.

52 z.B. lehnt er 1919 eine Berufung an die Weimarer Kunstschule als Leiter der Aktklasse ab (Göpel, Bd.I, S.18).

53 Brief an die Redaktion des Piper Verlags, März 1923, in: *Almanach 1904-1924 des Verlages R. Piper & Co.*, München 1923, S.79-86

54 Julius Meier-Graefe, ›Gesichter‹, 1919, in: *Blick auf Beckmann II*, hrsg. Frhr. v. Erffa u. E. Göpel, München 1962, S.53

55 Brief an I.B.Neumann, 3.11.1920

56 Im Mai 1920 fand beispielsweise eine Veranstaltung in der Brauerei Winter statt, wo ein kleines Mädchen im weißen Kommunionkleid obszöne Gedichte am Eingang zu den Aborten rezitierte.

57 Brief Beckmanns an Reinhard Piper, Mai 1917, in: Reinhard Piper, *Briefwechsel mit Autoren und Künstlern 1903-1953*, München 1979, S.161

58 Brief Beckmanns an Reinhard Piper, 18.2.1918, in: siehe Anm. 57, S.161/162

inneren Gesichts«[59] produziere, läßt sich mit exemplarischer Eindringlichkeit veranschaulichen, wenn man sein *Selbstbildnis mit rotem Schal* (Abb. 11) mit Kirchners Selbstporträt ›Der Trinker‹ vergleicht, das dieser während seines Nervenzusammenbruchs im Jahre 1915 gemalt und 1916 bei Schames ausgestellt hatte (Abb. 12).[60] Halb benommen von Weltüberdruß und Schmerz, starrt Kirchner hilflos vor sich hin wie in einer »in Trance vollzogenen Vereinigung mit dem Ewigen«[61], und der Eindruck der spirituellen Verlorenheit wird noch durch die grellen, hart aufeinander prallenden expressionistischen Farben verstärkt. Beckmann dagegen starrt dem Entsetzen ins Gesicht[62] und wehrt sich zähneknirschend gegen Kirchners verzweifeltes Selbstmitleid. Seine ausgestreckte Hand hat nichts von Kirchners schlaffer Passivität; sie drückt vielmehr seine grimmige Entschlossenheit aus, das Entsetzliche, dessen Zeuge er wird, so objektiv wie möglich wiederzugeben. Die leichenhaften Fleischtöne, die sparsame Farbgebung und die anatomische und räumliche Verzerrung erzeugen eine expressive, jedoch kritisch realistische Aussage, die sich in ihrem Wesen völlig von Kirchners pathetischem Expressionismus unterscheidet. Beide verwenden das Element der Groteske, um die erwünschte Schockwirkung zu erzielen, doch indem Beckmann es durch seinen erklärten Antinaturalismus filtert, vermeidet er die Rhetorik des Expressionismus, um so das »Überwahre« unter der Oberfläche zu offenbaren.[63]

Frankfurt war in diesen Jahren außerdem eine Hochburg des expressionistischen Dramas. Kaisers ›Die Koralle‹ wurde am 27. Oktober 1917 am Neuen Theater uraufgeführt, gefolgt von seinem ›Gas‹ (28. November 1918), und Fritz von Unruhs ›Ein Geschlecht‹ hatte am 16. Juni 1918 im Schauspielhaus Premiere. In diesen Stücken wird dem Gefühl der Verzweiflung und der moralischen Verurteilung der Wirklichkeit eine vage definierte, utopische Hoffnung auf die Erneuerung der Gesellschaft durch den ›Neuen Menschen‹ entgegengesetzt. Doch der naive Glaube der expressionistischen Dramatiker, daß dies zu erreichen sei, indem sie die Herzen der Menschen berührten, bedeutete, daß sie sich dem anachronistischen Luxus eines »expressiven Idealismus ... eines Idealismus des Rausches«[64] überließen, statt die Nachkriegsgesellschaft mit kritischer Objektivität zu sehen. Kaisers allzu simple Verurteilung der Mechanisierung, weil sie zum Krieg geführt und sich für die Integrität der Seele des Individuums als verderblich erwiesen habe, sowie Tollers und Unruhs Aufruf zu Bruderschaft und Menschenliebe als der Lösung für die Übel der Menschheit weichen der Auseinandersetzung mit den drängenden sozialen Problemen einer vom Kriege zerrissenen Gesellschaft, dem Aufbau einer positiven Zukunft aus der Erfahrung des Krieges sowohl in menschlicher wie in materieller Hinsicht aus. Statt dessen unternahmen sie den »fast wütenden Versuch, Wirklichkeit zu übertölpeln, die sich als härter erweist. Mit dem Rausch hat das expressionistische Stück auch das Verrauschen schon festgehalten.«[65]

Beckmann distanzierte sich völlig von der emotionalen utopischen Rhetorik dieser expressionistischen Schriftsteller und bildenden Künstler und schloß sich der pragmatischen und reifen Beurteilung der Nachkriegssituation eines Karl Kraus an: »Über alle Schmach des Krieges geht die der Menschen, von ihm nichts wissen zu wollen, indem sie zwar ertragen, daß er ist, nicht aber, daß er war.«[66]

Existentielle Hölle Berlin

Trotz aller persönlichen Vorbehalte erkannte Beckmann an, daß Berlin die höllische Arena war, wo das Nachkriegschaos, die Heuchelei und das politische und soziale Elend am intensivsten gelebt wurden. Berlin verkörpert für ihn die Quintessenz des tragischen Schicksals des Menschen im zwanzigsten Jahrhundert, die existentielle Hölle, in der das Individuum um seine Erlösung, sein wahres Selbst ringen muß.

Einige Kommentare in den Briefen an Reinhard Piper offenbaren seine zwiespältige Haltung zu Berlin: »Ich bin also glücklich wieder in Frankfurt gelandet. War vorher noch ein paar Tage in Berlin, um die übliche Stichprobe zu machen.«[67] »Ich bin ab Dienstag auf ein paar Tage in Berlin, um meine Vorstellungen über ein

Abb. 11 Max Beckmann: Selbstbildnis mit rotem Schal, 1917, Öl auf Leinwand, Stuttgart, Staatsgalerie

59 Max Beckmann, im Katalog seiner Graphikausstellung bei I. B. Neumann, Berlin 1917

60 Ebenfalls 1916 bei Schames ausgestellt wurde Kirchners ›Friedrichstraße, Berlin‹, 1914, das wohl Einfluß auf Beckmanns spätere Auffassung der Großstadtdarstellung übte.

61 Siehe Donald E. Gordon, *Ernst Ludwig Kirchner*, München 1968, S. 108

62 Max Beckmann, *Briefe im Kriege*, a.a.O., 3. 10. 1914: »Ich habe gezeichnet, das sichert einen gegen Tod und Gefahr.«

63 Siehe Thomas Mann, *Betrachtungen eines Unpolitischen*, Berlin 1918, S. 584: »Das Groteske ist das Überwahre, das überaus Wirkliche, nicht das Willkürliche, Falsche, Widerwirkliche und Absurde.«

64 Günther Rühle, *Theater für die Republik 1917-33. Im Spiegel der Kritik*, Frankfurt 1967, S. 13

65 Ebenda, S. 13

66 Karl Kraus, *Die letzten Tage der Menschheit*, Wien 1919, Vorwort

67 Brief an Reinhard Piper, 9. 5. 1921, in: R. Piper, *Nachmittag*, a.a.O.

Abb. 12 Ernst Ludwig Kirchner:
Der Trinker, 1915, Öl auf Leinwand,
Nürnberg, Germanisches Nationalmuseum

bestimmtes Thema zu ergänzen.«[68] Berlin scheint also, wie vor dem Krieg, die Funktion des wichtigsten Katalysators seiner Phantasie beibehalten zu haben, mit dem Unterschied, daß er die Stadt nicht mehr als optisches Phänomen, sondern als ein Symbol des existentiellen Traumas des zwanzigsten Jahrhunderts begriff.

Beckmann hielt immer daran fest, daß die Welt des geistigen Lebens von der Welt der politischen Realität völlig getrennt sei. Daher hat er sich nie politisch festgelegt wie beispielsweise Grosz, die Novembergruppe und die anderen Verfechter der Tendenzkunst in Berlin. Er hatte weder die idealistische Vorstellung, daß die Gesellschaft sich ändern würde, noch empfand er das zynische Bedürfnis, ihre Unzulänglichkeiten zu verspotten. Wie er in der › Schöpferischen Konfession‹ feststellte, sah er seine Rolle als diejenige des distanzierten Beobachters, des einsamen Sehers, dessen Pflicht es ist, die Oberflächenillusion der Weltereignisse zu durchschauen und ihre Wirkung auf den gewöhnlichen Menschen, der somit zum Träger der Geschichte wird, zu enthüllen. Man kann mit einiger Berechtigung sagen, daß er das gewünschte Maß an Distanz von den aktuellen Ereignissen wohl nicht erreicht hätte, wenn er in Berlin gelebt hätte, und daß er die Rolle des detachierten Außenseiters und die relative Ruhe und Isolierung von Frankfurt bewußt kultivierte, um möglichst objektive Aussagen machen zu können.

Beckmann nahm die wichtigen politischen und ökonomischen Ereignisse der Jahre 1918-1923 und die darauf folgende Armut und Verelendung der Stadtbevölkerung zum Anlaß, sich durch eine Reihe graphischer Zyklen – *Gesichter* (1918), *Die Hölle* (1919) und *Berliner Reise* (1922) – zu äußern.[69] Die beiden letztgenannten beruhen auf persönlichen Erlebnissen in Berlin und sind als zyklische Reisen durch die höllische Realität des Lebens im Berlin der Nachkriegsjahre konzipiert, wobei die Stadt selbst als ein Symbol der menschlichen Tragödien jener Zeit gesehen wird. Eine Analogie zum Theater ist hier nicht unangebracht, denn Beckmann wollte *Die Hölle* ursprünglich ›Welttheater‹ nennen und betrachtete die *Berliner Reise* als moralische Folge des früheren Zyklus.[70]

Der graphische Zyklus ermöglichte es Beckmann, den optischen Effekt eines Bewußtseinsstroms zu schaffen, um das Tempo des Großstadtlebens wiederzugeben. Durch die Gegenüberstellung verschiedener Szenen konnte er das Gefühl erzeugen, als bewegte man sich durch verschiedene Teile der Stadtgesellschaft, als könnte man ihre jeweilige Reaktion auf die historischen Ereignisse beobachten, die mitten unter ihnen stattfanden. Wie im Film, dessen begeisterter Anhänger Beckmann zeit seines Lebens war, ermöglichten ihm die Zyklen nicht nur die Einzelszene mit Sinngehalt aufzuladen, sondern dies gleichsam › unter der Hand‹ zusätzlich auch im abrupten Stimmungswechsel von einer Einstellung zur anderen zu tun. Ja, der graphische Zyklus hat gegenüber dem Film sogar den entscheidenden Vorteil, daß er, wie die Zeit, gleichzeitig synchron und diachron ist.

Durch dieses Mittel sucht die Linse von Beckmanns gewissenhaftem Auge die Straßen ab mit ihren hungernden, vom Krieg verstümmelten Menschen, brutalen politischen Morden (über dreihundert ungeklärte Fälle ereigneten sich in den Jahren 1918-1923), verarmten Arbeiterfamilien, engstirnigen, fanatischen politischen Gruppen, zügellosen Gewaltakten und Morden an unschuldigen Zivilisten, zwanghaften Ekstasen der wilden modernen Tänze und des Nachtklublebens; mit dem tödlichen Würgegriff des Patriotismus, dem letzten Widerstand der von gewaltsamen Kräften des rechten Flügels in die Enge getriebenen Spartakisten, und mit all den Konflikten und der Zwietracht, die solche Umstürze innerhalb der Familie, dem Kern einer gesunden Gesellschaft, verursachen.

Beckmanns Interesse an dem expressiven Potential des graphischen Zyklus als Mittel, den Großstadtmenschen des zwanzigsten Jahrhunderts »ein Bild ihres Schicksals« zu geben, verbindet ihn mit William Hogarth, dem englischen Maler und Graphiker des 18. Jahrhunderts. Diese Verbindung ist in der Tat kein Zufall, denn Beckmann besaß einen Stich von Hogarth, ›The Night‹, über den er im Juli 1919 zu Piper äußerte: »Mir kommt der Stich wie etwas Schönes vor. So etwas beglückt mich. Breughel, Hogarth, Goya haben alle drei die Metaphysik in der Gegenständlichkeit, die auch mein Ziel ist.«[71]

68 Brief Beckmanns an Reinhard Piper, 8. 4. 1923, in: siehe Anm. 57, S. 171

69 ›Gesichter‹ wurde nicht als abgeschlossene Mappe konzipiert, sondern von Beckmann und Meier-Graefe aus dem Nachkriegswerk zusammengestellt. Siehe Brief von Beckmann an Meier-Graefe, Mitte März 1919, Piper Archiv, München. ›Der Jahrmarkt‹, 1921, eine Folge von zehn Radierungen, 1922 von Piper herausgegeben, wird hier nicht miteinbezogen, da es sich um eine symbolische Thematik handelt, die verschlüsselt über das menschliche Dasein im Ganzen reflektiert.

70 Siehe Brief an Meier-Graefe, 7. 8. 1918, und Brief an Piper, 21. 4. 1922 (Piper Archiv, München)

71 Gespräch mit Piper, Juli 1919, Piper Archiv, München, Typoskript

Hogarth war der erste europäische Künstler, der die Korruption und Einsamkeit des Stadtlebens abbildete, und er war auch einer der ersten, der sich graphischer Zyklen bediente, weil deren geringere Kosten und größere Flexibilität es ermöglichten, für seine moralisierenden Geschichten wie ›The Harlot's Progress‹ und ›Marriage à la Mode‹ ein großes Publikum zu gewinnen. Wie Beckmann wollte er die unstete Moral seines Zeitalters, insbesondere die Ausbeutung der sozial Schwachen und Wehrlosen, und die Grausamkeit des Menschen gegen seine Mitmenschen unbarmherzig zeigen. Wie Beckmann glaubte er, daß die Menschen nur durch Handlungen ihr wahres Wesen offenbarten: »Mein Bild ist meine Bühne, und Männer und Frauen sind meine Akteure, die durch bestimmte Handlungen und Gebärden eine Pantomime aufführen.«[72] Beide Künstler waren fasziniert vom Wechselspiel zwischen Individuum und Gesellschaft, und beide wollen die Anteilnahme des Betrachters durch Darstellung des Negativen wecken.

Abb. 13   Max Beckmann: Selbstbildnis, 1919, Titelblatt der Mappe ›Die Hölle‹, Lithographie, Privatbesitz

Doch der Sozialkritik von Hogarth liegt ein im wesentlichen optimistischer, von Shaftesbury und Locke abgeleiteter Glaube an die angeborene Güte und Fähigkeit zur Vervollkommnung der menschlichen Natur und die moralische Empfänglichkeit des menschlichen Gewissens zugrunde. Daher ist Hogarth in der Lage, seine didaktische Polemik mit Satire, Posse und Parodie zu würzen, um »der Menschheit ihre liebsten Torheiten und Laster durch Gelächter zu vertreiben«[73], als da sind: Faulheit, Heuchelei, Unehrlichkeit, Heirat um des Geldes statt um der Liebe willen, Prostitution und Grausamkeit zu Kindern und Tieren. Einer seiner letzten Zyklen, ›The Four Stages of Cruelty‹ (1751), mit seiner eindringlichen Warnung, daß Bosheit unweigerlich zum Mord führe, nimmt mit beklemmender Ähnlichkeit Beckmanns Analyse der eingefleischten Aggressivität der Berliner Gesellschaft in den Jahren nach dem Ersten Weltkrieg vorweg.

Beckmann war hingegen nicht mehr in der Lage, Hogarths Glauben zu teilen, daß das moralisch Gute lehrbar sei. Seine Zyklen sind vielmehr von dem moralischen Imperativ bestimmt, seine Zeitgenossen aus ihrer Apathie zu rütteln und zu zwingen, die von ihnen angerichteten Schrecken zu sehen. Daher weicht bei ihm die optimistische Satire der tragischen Ironie: Er moralisiert, jedoch ohne Didaktik, denn in dieser modernen Hölle auf Erden gibt es keine Befreiung von der kollektiven Verzweiflung.

Zeuge und Beteiligter des Elends

Das zentrale Thema, das alle Zyklen Beckmanns durchzieht[74], ist das moralische Dilemma des Individuums, das gegen alle Widerstände ankämpft, um das erlösende Potential seines wahren Selbst zu verwirklichen. Daher eröffnet er jeden Zyklus mit einem Selbstbildnis, das als Prolog zu den folgenden Szenen menschlicher Katastrophen dient und zugleich seine Doppelrolle als Zeuge und Beteiligter ausdrücklich deklariert. Er begegnet uns verschiedentlich, seinen Griffel umklammernd, mit dem unverwandten Blick eines Raubtieres, das im Begriff ist, sich auf seine Beute zu stürzen (*Selbstbildnis mit Griffel*, Kat. 233) oder aus einem grabartigen Loch blickend, wobei die Höllenflammen sich in seinem angsterfüllten Gesicht spiegeln (*Selbstbildnis* aus *Die Hölle*, Abb. 13), oder als der verantwortungsbewußte Künstler, der von der flüchtigen Anonymität seines Hotelfensters aus gewissenhaft die Ereignisse aufzeichnet, deren Zeuge er wird (*Selbst im Hotel,* 1922).

Was sieht er? Zunächst die verheerenden Auswirkungen des Krieges und die daraus folgende gesellschaftliche Erschütterung der Familie, die sich in seiner persönlichen Erfahrung spiegelte.[75] In *Familienszene (Familie Beckmann)* (Kat. 239) sitzen seine Frau, sein Sohn und seine Schwiegermutter auf ihrem Berliner Balkon, eine geschlossene, stabile Dreiergruppe, die einen ironischen Anklang an das Renaissance-Ideal der Heiligen Familie enthält, während Beckmanns nachdenklicher Kopf unbeholfen aus einem Fenster im Hintergrund ragt und schmerzhafte Isolierung und Verzweiflung ausdrückt; die Pose ist eine ironische Abwandlung mittelalterlicher Darstellungen von Gott, dem Allmächtigen, der vom Himmel auf die Erde herabsieht.

72   Frederick Antal, *Hogarth*, London 1962, S. 143
73   Ebenda, S. 8
74   Die Zyklen werden nicht einzeln analysiert, sondern thematisch abgewogen.
75   Siehe Göpel, a.a.O., Bd. I, S. 17

Abb. 14 Ludwig Meidner: Wogende Menge, 1913, Radierung

In *Die Familie* (Kat. 257) ist seine Verzweiflung zur Wut geworden, nun zeigt er, was er für die göttliche Quelle des Bösen in der Welt hält.[76] Seine fromme Schwiegermutter entgegnet ihm mit einer emphatisch leugnenden Geste, während der kleine Peter unschuldig mit Helmen und Handgranaten spielt[77], eine sarkastische Anspielung auf die Unfähigkeit der Menschheit, aus der Erfahrung zu lernen. Beckmann verwendet die Geste ebenso wie Hogarth und Brecht, um das wahre Selbst des Menschen durch seine Handlungen und Reaktionen zu zeigen; dies ist die »Metaphysik der Gegenständlichkeit«, von der er spricht.

Die Familie ist hier überdies als schwächstes Glied der gesellschaftlichen Kette gesehen, als passivste, hilfloseste soziale Gruppe im Hinblick auf den Mangel an Nahrungsmitteln – siehe *Der Hunger* (Kat. 251) – und die unmenschlichen Lebensbedingungen, siehe *Die Nacht* (Kat. 275). Beide Werke enthalten wiederum beißende religiöse Anspielungen, im erstgenannten wird mit der Statue von Christus als Guter Hirte im Hintergrund an das Wunder der Brotvermehrung erinnert, im zweiten die notleidende Familie im leeren Zimmer einer Mietwohnung zusammengedrängt wie gefallene Soldaten, die der Auferstehung entgegenschlafen.

In *Der Nachhauseweg* (Kat. 248) beschreibt Beckmann wie in einer Nahaufnahme das soziale Elend der Großstadtstraßen. Er bildet sich selbst als den mitfühlenden, verantwortlichen Bürger ab, der bereit ist, sich dem durch den Krieg verursachten menschlichen Leiden zu stellen. Es ist eine tragische Ironie, daß er unter der sprichwörtlichen Laterne nicht der Verheißung sexueller Lust begegnet – die Dirne taucht im Hintergrund auf –, sondern einem gräßlich entstellten Kriegsversehrten, dessen physische Deformierung durch die animalische Vitalität des Hundes noch akzentuiert wird. Beckmanns Geste deutet Solidarität mit dem Krüppel an. Die ausdrucksstarken, eckigen Gestalten der Figuren scheinen den Rahmen zu sprengen, wodurch der Gummilinseneffekt noch erhöht wird. Die Figuren sprengen buchstäblich den engen Raum und veranschaulichen dadurch unmittelbar Beckmanns Auffassung, daß die Menschheit durch das Übel des Krieges jedes Recht auf »Raum ... die unendliche Gottheit, die uns umgibt und in der wir selber sind«[78], verwirkt habe.

Dann erweitert er den Blickwinkel seiner Linse, um das Panorama von *Die Straße* (Kat. 249) einzufangen, »das erschreckende Bild einer verstörten Menschenmasse ohne jede Kommunikation«.[79] Es ist dies eines der wenigen Beispiele in seinen figurativen Nachkriegsszenen, in denen er einen bestimmten topographischen Schauplatz andeutet: Die Türme der Kaiser-Wilhelm-Gedächtnis-Kirche sind am Horizont zu erkennen. Die nervösen, diagonalen Gegenstöße der kubo-futuristischen Collagetechnik werden ausgenützt, um die verzweifelte Atmosphäre räumlicher Bedrängnis zu schaffen. Die Gestalten und der Raum sind verzerrt und zu einem abgehackten Nebeneinander komprimiert mittels einer Reihe von geraden und gebrochenen Linien, schwarzen und weißen Flächen, die eine »Rundheit in der Fläche, die Tiefe im Gefühl, die Architektur des Bildes«[80] erzeugen, die Beckmann als wesentliche Voraussetzung für die metaphysische Objektivität seiner Deutung der Tragik menschlichen Daseins betrachtete. Die Straße der Großstadt wird als eine wahrhafte Hölle gesehen, in der die leidenden, verarmten und ausgebeuteten Massen, des letzten Restes ihrer menschlichen Würde beraubt, in einem grauenhaften Totentanz ihre Entfremdung und Aggression zum Ausdruck bringen. Inmitten der Kriegskrüppel, der Bettler und Dirnen stehen zwei elegant gekleidete Bürger, die sich arrogant weigern, die Wirklichkeit vor ihren Augen zur Kenntnis zu nehmen. Dies ist der sarkastische Kommentar Beckmanns zu der von den Expressionisten verkündeten Weltverbrüderungsrhetorik.

Beckmanns expressiver Realismus drückt seine Überzeugung aus, daß »der Dreck überall derselbe ist«, daß niemand in der Gesellschaft von den psychologischen Nachwirkungen des Krieges verschont bleibt. Es fällt auf, daß er von der ungezügelten Aggressivität der Berliner Nachkriegszeit fast noch mehr erschüttert ist als von der organisierten Grausamkeit des Krieges. Erst in den Großstadtzyklen der Nachkriegsjahre schöpft er die formalen und psychologischen Implikationen von Meidners dynamischer kubo-futuristischer Zersplitterung aus (Abb. 14).[81]

76 Siehe F. W. Fischer, *Max Beckmann – Symbol und Weltbild*, a. a. O., S. 19, Anmerkung 21

77 Er hielt die Handgranaten für Konservenbüchsen. Siehe den Beitrag von Peter Beckmann in diesem Katalog.

78 Max Beckmann, ›Über meine Malerei‹, a. a. O., S. 190

79 F. W. Fischer, *Max Beckmann*, Zürich 1976, S. 20

80 Max Beckmann, ›Schöpferische Konfession‹, a. a. O., S. 11

81 ›Die Granate‹, 1915, Radierung (Gallwitz 62, VG 83) ist die einzige Graphik der Kriegszeit, die formal den Einfluß Meidners aufweist.

Beckmanns Zeitkritik unterscheidet sich insofern grundsätzlich von der seiner Zeitgenossen, als sie stets durch sein Mitgefühl und seine Identifizierung mit der allgemeinmenschlichen Situation gemildert ist. Er hält seinen Zorn Gott vor, während Dix ihn gegen die Menschheit richtet und deshalb seine Kriegskrüppel als groteske, widerwärtige Karikaturen menschlicher Wesen darstellt. Zur Abschreckung bedient er sich der körperlichen Entstellung, wie Benn in seinem Gedicht ›Morgue‹ das entsetzliche Bild der Ratten verwendet, die in der Leiche eines jungen Mädchens nisten. Er nützt außerdem das psychologische Potential der Collage, um die Schockwirkung zu erhöhen, zum Beispiel mit jenem Hund, der auf den blinden ›Streichholzhändler‹, 1920, uriniert, und dem schrecklichen Sarkasmus der collagierten Reklame für künstliche Gliedmaßen und Sexualhilfen im Hintergrund der ›Prager Straße‹, 1920 (Abb. 15).

Abb. 15   Otto Dix: Prager Straße, 1920, Öl auf Leinwand, collagiert, Stuttgart, Staatsgalerie

Grosz dagegen zeigt das Nachkriegstrauma aus der Sicht des Materialismus. Sein Anliegen ist es, die rohe Gleichgültigkeit der Mächtigen und Reichen gegenüber den machtlosen und armen Großstadtmassen ins politische Rampenlicht zu rücken, etwa in ›Ich habe das Meine getan … Das Plündern ist Eure Sache‹ aus ›Die Räuber‹, 1922. Er richtet seine Polemik gegen die Machtelite sowohl des preußischen Militärs (›Zuhälter des Todes‹, Tafel 7 von ›Gott mit uns‹, 1919, Abb. S. 60) als auch gegen die der kapitalistischen Beutegeier der Inflation (›Die Kommunisten fallen, die Devisen steigen‹, Tafel 8 von ›Gott mit uns‹). Da es ihm um eine politische Aussage geht, überspitzt er das Argument viel willkürlicher als Beckmann. Er blickt aus einer Vogelperspektive auf die Straßen der Großstadt, um eine entmenschte Gesellschaft darzustellen, die in verschiedene Kategorien zerfällt: in die der Arbeiter, der Kriegskrüppel, der preußischen Militärs und der kapitalistischen Kriegsgewinner (wie im Zyklus ›Im Schatten‹, 1921). Doch während Beckmann aufgrund genauester Beobachtung von besonderen, individuellen Verhaltensweisen und Reaktionen die Gesellschaft als eine Summe individueller Persönlichkeiten sieht, reduziert Grosz im Anschluß an Brechts »Fabel der Individuierung«[82] die Gesellschaft auf eine beschränkte Anzahl von Typen nach Klassenunterschieden, die er als anonyme, ihre vorbestimmten Rollen dumpf erfüllende Karikaturen darstellt.

Beckmann ist fasziniert von der differenzierten Homogenität der Gesellschaft und setzt die diachronische Qualität des graphischen Zyklus ein, um die Ähnlichkeiten wie die Unterschiede zwischen den verschiedenen sozialen und politischen Gruppen aufzuzeigen. Daher finden wir die linken *Ideologen* (Kat. 252) und die frustrierten linken Intellektuellen, *Die Enttäuschten II*, 1922, so eng zusammengepfercht wie die Krüppel und Bettler in den Straßen, die hungernden Familien in den Dachwohnungen oder die betrogenen Wilhelminischen Wächter der Alten Garde von *Die Enttäuschten I*, 1922. Jede Gruppe wird beharrlich, mit der gleichen Sorgfalt des Details wie bei Hogarth, nach Kleidung, Körpersprache, Umgebung und Gesellschaftsmoral differenziert. Die rasanten, gegenläufigen Diagonalen, die Beckmann einsetzt, um das anarchische Chaos der Straßen zu beschwören, werden jetzt von vorwiegend vertikalen Formen abgelöst, durch die er die Engstirnigkeit der diversen ideologischen Standpunkte darstellt.

Dieselbe Zweideutigkeit der Geste, die wir bereits in *Die Nacht*, 1919, feststellten, ist in allen politischen Aussagen Beckmanns über den politischen Kampf von 1919 nachzuweisen, z. B. in *Martyrium* (Kat. 250)[83] oder in *Die Letzten* (Kat. 256), die seine apolitische humanitäre Einstellung widerspiegeln.

Auch hier ist ein Vergleich mit der Wiedergabe derselben Ereignisse durch Dix (z. B. ›Die Barrikade‹, 1920, zerstört 1954) aufschlußreich. Dix verbindet den rhetorischen Heroismus romantischer Schilderungen der Revolution mit seiner üblichen Technik der grotesken Karikatur und präsentiert damit eine gänzlich einseitige negative Kritik. In *Die Letzten* schildert Beckmann den verzweifelten Endkampf der in einer Dachwohnung zurückgedrängten linken Kräfte und vermittelt dadurch unparteiisch den Heroismus und die Tragik ihrer Situation. »Fortwährend fallen einzelne Schüsse … Café Vaterland ist hell erleuchtet. Ich gehe einen Augenblick hinein. Obwohl jede Minute Kugeln einschlagen können, spielt die Wiener Kapelle,

82   Brecht, ›Kleines Organon für das Theater‹, in *Gesammelte Werke*, Frankfurt/M. 1967, Bd. 16
83   Siehe Christian Lenz, ›Max Beckmann – Das Martyrium‹, a.a.O., S. 185-210

Abb. 16 Max Beckmann: Cafémusik, 1918,
Blatt 9 der Mappe › Gesichter ‹, Radierung,
Privatbesitz

die Tische sind gut besetzt, die Dame unten im Zigarettenhäuschen lächelt wie im tiefsten Frieden.«[84] Beckmann teilte Harry Graf Keßlers Verwunderung, daß »die ungeheure Bewegung« der Revolution eine so geringe Wirkung auf »das Babylonische, unermeßlich Tiefe, Chaotische und Gewaltige von Berlin« hatte und »in dem noch viel ungeheureren Hin und Her von Berlin nur kleine örtliche Störungen verursachte.«[85]

Erstarrte Tragik in Cafés und Bars

Beckmanns Schilderungen des Berliner Kaffeehaus- und Kneipenlebens zu dieser Zeit vermitteln die fast besessene Gier, mit der die Berliner Gesellschaft die Schrecken der zeitgenössischen Wirklichkeit in einer Orgie von Geselligkeit und Tanz zu vergessen suchte. Er war fasziniert von der Traurigkeit, die von der illusionistischen Tünche der Fröhlichkeit nur unzureichend kaschiert wurde.

Café, 1916, zieht den Betrachter so sehr in die Nähe, daß man sich beinahe als Teil der Gruppe fühlt, doch die Atmosphäre strahlt durch die nervösen Striche und die expressionistisch in die Länge gezogenen Formen Distanz und Verzweiflung statt Gemütlichkeit aus. In *Cafémusik,* 1918 (Abb. 16), läßt die steile, in ein enges vertikales Format gepreßte Perspektive den Betrachter auf die Köpfe und Schultern einer dicht gedrängten Menge hinunterblicken, die die Bildfläche zum Bersten füllt. Die klaustrophobische Atmosphäre frenetischer Aktivitäten und Geräusche – im Hintergrund sieht man ein Orchester spielen – wird durch die nervös emphatische Schraffur und die bruchstückhaften Zickzack-Formen, die in der ganzen Szene einen Stakkato-Rhythmus schaffen, noch intensiviert. Doch trotz dieser geschäftigen Aktivität sind die Figuren in diesem Querschnitt der Gesellschaft alle im Purgatorium ihrer privaten Leiden, Ängste und Phantasien eingesperrt. Die psychologische Intensität des hier evozierten Herdentriebs erinnert an Ensors › Der Einzug Christi in Brüssel im Jahre 1888 ‹ oder an das geballte Drama von Massenszenen im zeitgenössischen Film, etwa in › Der Golem ‹, 1920. Beckmanns blindes Gesicht späht vom unteren Rand des Blattes herein und wendet sich mit einer Mischung aus Verzweiflung und Ekel von der schrecklichen Szene ab.

In *Königinbar (Selbstbildnis)* (Kat. 269) ist die Komposition völlig von dem herausragenden Kopf des Künstlers beherrscht, der sich umdreht, um den Betrachter mit dem durchdringenden Blick des Sehers zu fixieren, erfüllt von teilnahmslosem Entsetzen über die Leute im Café, die hinter ihm mit gestelzten Schritten ins Vergessen tanzen wollen. Sein Kopf ist so konkret in die Komposition eingebunden wie der von Meidner in dessen Stadtlandschaften und bringt nachdrücklich seine Überzeugung zum Ausdruck, daß es aus »dem ganzen Elend, das kommen wird«, kein Entrinnen gibt.

Auch Grosz sieht das Café als den willkürlichen Treffpunkt von Illusion und Wirklichkeit. Doch für ihn liegt darin keine Tragik: Es spiegelt lediglich die Heuchelei, die eingefleischte Lasterhaftigkeit und latente Aggressivität einer materialistischen Gesellschaft. Daher sucht er diesem Widerspruch durch die Verwendung kompromißlos harter, graffitiähnlicher Linien Ausdruck zu verleihen, um die physische wie moralische Häßlichkeit seiner Protagonisten hervorzuheben. Wirklichkeit und Illusion sind hier auf eine Weise verschmolzen, daß versteckte Waffen in den Taschen grimmig entschlossener Spieler (› Kaffeehaus ‹, 1915/16) und voyeurhafte, sexuelle Phantasien (› Nachtcafé [für Dr. Benn] ‹, 1918) sichtbar werden. Doch die Cafés und Bars sind noch wichtiger als bevorzugte Aufenthaltsorte vulgärer Geldspekulanten, deren räuberische Menschenverachtung Grosz mit seiner ätzenden Kritik unter Beschuß nimmt (z.B. › Die Kommunisten fallen, die Devisen steigen ‹, 1919; › Früh um fünf Uhr! ‹, 1920/21).[86]

In *Hier ist Geist,* 1921, nähert sich Beckmann dem karikaturistischen Stil von Grosz, um die latenten Aggressionen der Kaffeehausgesellschaft zu schildern. Doch die für eine Karikatur notwendige Verallgemeinerung ist nicht ganz vereinbar mit seinem Glauben, daß die Fähigkeit zur Güte nur dem Menschen eigen sei. Seine Stärke liegt in seiner Sensibilität für die »erstarrte Tragik«, die unter der graziösen

84 Harry Graf Keßler, *Tagebücher 1918-37,* Frankfurt 1982, S. 55

85 Ebenda, S. 58

86 Siehe Georg Zivier, *Das Romanische Cafe – Randerscheinungen rund um die Gedächtniskirche,* Berlin 1965. Laut Zivier (S. 46) waren allerdings die meisten Währungsspekulanten damals junge Männer zwischen 18 und 22 Jahren, die eifrig aufgesucht wurden von den Literaten im Romanischen Cafe, wo auch Grosz Stammgast war.

Maske der Gesichter seiner Barbesucher lauert. *Gruppenbildnis, Edenbar* (Kat. 290) ist ein eindringliches Destillat der inneren Widersprüche der Gesellschaft der Weimarer Republik.[87] Zeit seines Lebens war Beckmann fasziniert von der tragischen Ironie der Augenblicke unfreiwilliger Selbstenthüllung in der Anonymität gesellschaftlichen Getriebes und Lärms der Unterhaltungsstätten, das zeigen Gemälde wie *Feminabar*, 1936, *Gesellschaft Paris*, 1925-47 (Kat. 60), oder *Prunier. Im Restaurant Prunier, Paris*, 1944.

Das stärkste Sinnbild der geistigen Dichotomie der Epoche aber war der Tanz. Nach dem Krieg wurde ganz Europa von einem wahren Tanzfieber gepackt; in Berlin ging es am turbulentesten zu. Die ekstatische rhythmische Freiheit von Tango, Ragtime, Boston, Shimmy und Foxtrott, gefolgt vom Charleston im Jahre 1925, symbolisierte insbesondere in den frühen Nachkriegsjahren das intensivste Lebensgefühl. »Mit Geschrei und Wonne stürzte man sich auf ihn ... dieses sich um jeden Preis Austoben, dieses maßlos Übertriebene, diese Orgien an Gliedverrenkungen wurden allgemein Sitte ... Wahnsinniges Tanzfieber!«[88]

Beckmann teilte die Begeisterung für modernen Tanz und Jazz, die sogar schon vor dem Krieg als Symbol der Modernität und Liberalität des Großstadtlebens, als die vereinigende Massenkultur des modernen Zeitalters angesehen wurden. In seiner Autobiographie vom Jahre 1923 schrieb er, er sei schon bei Beginn des Krieges »eifrig dabei [gewesen], Tango zu lernen«, und fügte mit charakteristischer Humorigkeit hinzu, daß er den Jazz besonders »wegen der Kuhglocken und der Autohupe« liebe.[89] Es gibt von ihm zwar nur wenige Darstellungen des Tanzfiebers der Nachkriegszeit, doch diese zeigen schärfer denn je, wie sich das Individuum in der Großstadtmenge durch seine Aktionen und Reaktionen offenbart.

In *Malepartus* (Kat. 254) werden der schnelle Rhythmus und die wilden Bewegungen des modernen Tanzes durch die dynamischen, in alle Richtungen schießenden Diagonalen der Gliedmaßen veranschaulicht, die die ganze Bildfläche zu frenetischem Leben erwecken. Wieder zieht Beckmann das Paradox der linkischen, erstarrten Bewegungen der ungleichen Paare an, die verkrampft versuchen, das überschwengliche Ritual des Tango oder Ragtime zu zelebrieren. Die narkotische Wirkung des Tanzes vermag den inneren Aufruhr und die ungelösten Spannungen nur scheinbar zu verdecken. In der »metaphysischen Gegenständlichkeit« von Beckmanns Vision ist die Szene ebenso ein Totentanz wie ein Tanz der Lebenden. Wiederum zeigt er jede Gestalt eingesperrt in die Zwangsjacke ihrer Individualität.

Sein einziges Ölgemälde mit dem Tanz als Thema, *Tanz in Baden-Baden* (Kat. 34), weiter eine Serie kleiner Holzschnitte tanzender Paare sowie die Kaltnadelradierung *Zwei Tanzpaare* aus dem Jahre 1923 (Abb. 17) konzentrieren sich sämtlich mit der vollen Intensität einer Nahaufnahme auf den tödlichen Mangel an zwischenmenschlicher Kommunikation trotz größter körperlicher Nähe. Die dynamischen Diagonalen der früheren Tanzszenen sind einer wesentlich statischeren, ja, kalten Kombination von Vertikalen, abwärts ziehenden Diagonalen und beißenden Farben gewichen, um die innere Traurigkeit der eleganten Kurgesellschaft darzustellen, die steif schlurfend die Schritte eines Foxtrotts oder Tangos ausführt. Die physische und emotionale Enge der Szene verstärkt den Eindruck mangelnder menschlicher Nähe; man ignoriert den Partner oder mustert sich gegenseitig argwöhnisch. Dieses Bild ist weit entfernt von der konventionellen Darstellung der sorglosen, wilden zwanziger Jahre, wie sie im Mittelteil von Dix' Triptychon ›Großstadt‹, 1929-32, dargestellt werden.

In *Nackttanz* (Kat. 276) und *Varieté* (Kat. 292) wird der Tanz auf die Ebene einer ästhetischen Darbietung gehoben, und der Bourgeois in die passive Rolle des Voyeurs verwiesen. Die dumpfe Trägheit des einzelnen in der Großstadtmasse, der die Verantwortung für sein Schicksal aufgegeben hat, wird nun innerhalb ein und derselben Szene der hemmungslosen Körperlichkeit und unkomplizierten, offenen Erotik der Striptease-Tänzerinnen und der animalischen Vitalität der Revue-Tänzerinnen gegenübergestellt. Die Striptease-Szene stellt einen Berliner Nachtklub dar, in dem – das zeigt Beckmann nicht – das Publikum eine Maske mieten konnte, um während der Nacktshow seine Anonymität zu wahren. Beckmann setzt seinen Figu-

87 Die Edenbar im Hotel Eden in Berlin war Treffpunkt vornehmer Künstler und Literaten, u. a. von Heinrich Mann, Gustaf Gründgens oder Erich Maria Remarque. Siehe Bernd Ruhland, *Das war Berlin, Erinnerungen an die Reichshauptstadt,* Bayreuth 1972, S. 224

88 Siehe Helmut Günther und Helmut Schäfer, *Vom Schamanentanz zur Rumba*, Stuttgart 1959, S. 205

89 Max Beckmann, Brief an die Redaktion des Piper Verlags, März 1923, a. a. O.

Abb. 17 Max Beckmann: Zwei Tanzpaare,
1923, Radierung, Privatbesitz

ren keine Masken auf, sondern er zeigt, wie eine Gruppe völlig individualisierter Gesichter das verborgene wahre Selbst sowohl offenbart als auch versteckt.

Maskenwelt

Seit den frühen zwanziger Jahren war Beckmann von der Zwiespältigkeit der paradoxen Beziehung zwischen der inneren und der äußeren Welt fasziniert und suchte nach den geeignetsten Mitteln, um ihr Ausdruck zu verleihen. Er war, wie Rilke, zu dem Schluß gekommen, daß die Menschen zwar keine Kontrolle über ihren Körper haben, daß ihr Bewußtsein jedoch eine vollständige Kontrolle über ihre Gesichter ausüben kann. Daher kann die Wahrheit der unbewußten Ängste und Sehnsüchte der Menschen sich paradoxerweise nur durch die stilisierte Symbolik der Maske manifestieren.[90]

In der Trambahn (Kat. 283) markiert den Übergang zwischen der Welt der Großstadtwirklichkeit und der symbolischen Welt der Maske. In dieser sengenden Beschwörung der städtischen Entfremdung und latenten Aggression stellt Beckmann sich selbst mit einer unbeholfenen, maskenartigen Binde um sein Gesicht dar. Doch er läßt seine Augen unbedeckt, so daß sein durchdringender Blick den Betrachter mit der vollen Gewalt seiner herausfordernden Anklage trifft. Sein Zorn scheint sich nun in gleicher Weise gegen Gott und den Menschen zu richten.

Um 1923, als sich die wirtschaftliche Lage in Deutschland wie auch Beckmanns persönliche Situation allmählich stabilisierten, zog er sich von der Beschäftigung mit der Großstadtwirklichkeit weitgehend auf die symbolische Welt des Karnevals, des Zirkus und der Bühne zurück, die er schon ungefähr seit 1920 zu erkunden begonnen hatte, um das unaussprechliche Mysterium der menschlichen Existenz philosophisch komplexer formulieren zu können. Doch hatte er schon durch die Konfrontation mit den menschlichen Problemen der Großstadt zwischen etwa 1915 und 1923, zu deren eindeutigem Ausdruck ihn die flexible, experimentelle Qualität der Graphik befähigte[91], das erste, entscheidende Stadium der Suche nach dem individuellen Selbst erreicht.

Dennoch faszinierte ihn die Dialektik zwischen dem Individuum und der Anonymität der Großstadtmasse lebenslang. Er liebte vor allem das launische Getriebe der Bars, der Hotels und Bahnhöfe, wo er Menschen unbeobachtet studieren konnte. Obgleich er nur ein Bild vom *Frankfurter Hauptbahnhof*, 1942, gemalt hat, und zwar während seines Amsterdamer Exils aus der Erinnerung, hielt er sich während seiner Frankfurter Jahre am Abend häufig dort auf, »nur um die Menschen kommen und gehen zu sehen«, wie Mathilde Q. Beckmann berichtet. »Auf diese Weise sah er die vielen ›Typen‹, die er später in seinen Bildern verwendete. Der Strom der Menschen, ihre Stimmungen und Launen, die Aufregungen der Reise, das ständige Auf und Ab des Lebens, die Freuden und Leiden faszinierten ihn und beflügelten seine Phantasie.«[92]

Merkwürdigerweise malte er nur wenige Frankfurter Szenerien. Die meisten zeigen das weite Panorama des Mains, nicht die Straßen der Stadt, müssen also als Landschaften klassifiziert werden, so die Radierung *Mainlandschaft,* 1918 (Kat. 242) und das Gemälde *Eisgang,* 1923. Der Fluß, den er als einziges Charakteristikum der Frankfurter Szenerie in seiner Autobiographie für die Redaktion des Piper Verlags im Jahre 1923 erwähnte, weckte ohne Zweifel Erinnerungen an die Freiheit und das Gefühl des Ewigen, das er mit dem Meer verband.[93] *Das Nizza in Frankfurt am Main* (Kat. 29), das die sonnigen Gärten des rechten Mainufers darstellt, beschrieb er selbst als »eine schöne Landschaft mit Seelenruhe und blauem Himmel. Alles blüht darauf...«[94]

Nur in *Die Synagoge,* 1919 (Kat. 24), *Der Eiserne Steg,* 1922 (Kat. 30), und der Radierung *Holzbrücke,* 1922 (Kat. 284), unternimmt er den Versuch, menschliche Gestalten in die Architektur der Großstadt zu integrieren. Indem er jedes dieser Bilder aus der Vogelperspektive gibt, zwingt er die Architektur in ein Netz scharf gebrochener Diagonalen und aufregend schriller Farbgegensätze und vermittelt auf diese Weise eine Atmosphäre bedrohlicher Dynamik, die die wenigen verstreuten,

90 Rainer Maria Rilke, *Duineser Elegien,* 4. Elegie, Frankfurt 1962, S. 19

91 Über zwei Drittel von Beckmanns graphischem Werk entstand zwischen 1915 und 1923

92 Mathilde Q. Beckmann, *Mein Leben mit Max Beckmann,* a.a.O., S. 16

93 Max Beckmann, *Briefe im Kriege,* a.a.O., 16.3.1915: »Wenn ich Kaiser dieser Erde wäre, würde ich als mein höchstes Recht mir ausbitten, einen Monat im Jahr allein zu sein am Strand.« Ferner Tagebucheintrag, 4.7.1950: »Freiheit und Unendlichkeit am Meereshorizont«.

94 Brief Beckmanns an Reinhard Piper, 1.6.1921, in: siehe Anm. 57, S. 165

zwergenhaften menschlichen Wesen völlig erdrückt.[95] Während in seinen Graphiken aus dieser Zeit das »große Menschenorchester« dominiert, gemahnen die beiden Gemälde mit städtischen Szenen an die Schlußworte der ›Schöpferischen Konfession‹, in denen er von seiner Hoffnung spricht, »einmal Gebäude zu machen zusammen mit meinen Bildern. Einen Turm zu bauen, in dem die Menschen all ihre Wut und Verzweiflung, all ihre arme Hoffnung, Freude und wilde Sehnsucht ausschreien können«.

Das einzige Thema aus dem Großstadtleben, das Beckmann auch in späteren Jahren als Metapher für die Vergänglichkeit und Willkür des menschlichen Daseins verwenden konnte, ist das Hotel, die Stadt innerhalb einer Stadt, ein Mikrokosmos der Gesellschaft. Während seines ganzen Lebens besuchte er mit Vorliebe die Bars und Restaurants eleganter, kosmopolitischer Hotels wie Frankfurter Hof, Hotel Eden in Berlin, Hotel Polen in Amsterdam, später Plaza in New York.

Es ist sicher nicht ohne Bedeutung, daß er – mit Ausnahme der beiden Szenen im Hotel Claridge in Paris vom Jahre 1930 *(Claridge I* und *Claridge II)* – das Thema von *Selbst im Hotel* aus der *Berliner Reise* mit seinen symbolischen Anklängen an die Unbehaustheit des Individuums in der modernen Welt erst dann aufnahm, als das Schicksal ihn in seinem Exil in Amsterdam buchstäblich zum Unbehausten machte. Wie in Murnaus Film ›Der letzte Mann‹ (1924), den er vermutlich gekannt hat, wirft die Drehtür wie ein Schicksalsrad zufällige Menschenkonstellationen in das bühnenartige Hotelfoyer (z. B. *Im Hotel,* 1937, *Zwei Frauen an der Treppe – Hotelhalle,* 1947, Kat. 116, und *Plaza (Hotellobby),* 1950). Den Hotelboy, der die Gäste in ihre Zimmer geleitet, hat Beckmann im Zusammenhang mit der Darstellung in *Departure* (Abb. S. 40) einmal als den Schicksalsboten des 20. Jahrhunderts bezeichnet.

In verschiedenen Werken der Amsterdamer Jahre mit Figuren, die durch Drehtüren gehen – *Zwei Frauen (in Glastür),* 1950, *Kleines Café, Drehtür,* 1944, *Kleine Drehtür auf Gelb und Rosa,* 1946 – werden die Protagonisten von den rotierenden Türen so eingerahmt oder zerschnitten, als seien sie buchstäblich und metaphorisch darin gefangen.

Seine Ankunft in New York im September 1947 weckte erneut Beckmanns Lust am Großstadtleben: »Babylon ist ein Kindergarten dagegen und der Babylonische Turm wird hier zur Massenerektion eines ungeheuerlichen (sinnlosen?) Willens. Also mir sympathisch.«[96] Als er zwei Jahre später nach New York zurückkehrte, erlebte er »erstmalig wieder die Freiheit der großen Stadt ... schließlich ist's mir gleichgültig wo, nur nicht Kleinstadt.«[97]

Beckmann war von der unerschöpflichen Vielfalt und den Gegensätzen New Yorks fasziniert, von Harlem bis zur luxuriösen Eleganz des Plaza, von den Wolkenkratzern bis zu seinen täglichen Unterhaltungen mit den Eichhörnchen im Central Park. Und die einzigartige Schönheit der Stadt hörte nie auf, ihn in Erstaunen zu setzen: »Die Frühmorgen sind hier vom hohen Hotelzimmer aus gesehen von unbeschreiblicher Schönheit über den endlosen Park in dessen weitestem Hintergrund ein paar verwaiste Hochhäuser wie ferne phantastische Riesenschlösser aus braunrotem Frühnebel auftauchen.«[98]

The Town (City Night) (Kat. 131), Beckmanns Huldigung an New York, ist eine phatasmagorische Verschmelzung der optischen Schönheit der Stadt mit dem wilden Reichtum an Schicksalen, die sie in sich schließt. Interessanterweise zeigt die Komposition Berührungspunkte mit Tizians ›Venus und der Lautenspieler‹. Dieses Bild, das er einige Tage, bevor er mit seinem Gemälde begann, im Metropolitan Museum bewundert hatte, beruht auf der neuplatonischen Auseinandersetzung, ob Schönheit sich nachhaltiger dem Gesicht oder dem Gehör erschließe.[99] Bezeichnenderweise setzte Beckmann Tizians lyrisch-sinnliche, apollinische Schönheit in den dionysischen Akt einer Frau um, die wollüstig auf einem phallisch verzierten Sofa hingegossen liegt, wobei ein junger Rock'n' Roll-Gitarrist sie mit den aufpeitschenden Rhythmen der Großstadt unterhält. Doch ihre Hände sind wie bei einer Gefangenen hinter ihrem Rücken gefesselt, und sie schließt ihre Augen vor dem tragischen Ausmaß menschlicher Ausbeutung und Verzweiflung, das die Stadt her-

95 Eingehende Analyse der Frankfurter Stadtbilder in: Christian Lenz, ›Max Beckmanns Synagoge‹, in: *Städel Jahrbuch*, Band 4, 1973, S. 299-320

96 Max Beckmann, *Tagebücher 1940-50*, a.a.O., 9. 9. 1947

97 Ebenda, 31. 8. 1949

98 Ebenda, 27. 9. 1947

99 Ebenda, 1. 3. 1950

100 Siehe Göpel, a.a.O., Bd. I, S. 497

101 Max Beckmann, *Tagebücher 1940-50*, a.a.O., 23. 10. 1947

vorbringt. Wie in den Werken der Jahre nach dem Ersten Weltkrieg ist die Groß-
stadtarchitektur auf zwergenhaftes Maß reduziert durch die Präsenz von Menschen,
die hier symbolisiert sind durch die Dirne, den Enttäuschten, den Zyniker, die
aggressive Autoritätsgestalt und eine dichtgedrängte Menge, die in einer Bar Vergessenheit sucht. Der Affe im Vordergrund mit der Kappe eines Postboten liest
beim Schein einer Kerze – Symbol des Lebens – einen Brief, der an Mr. Beckmann
in New York adressiert ist. Der zweite Affe hingegen ist völlig versunken in sein
Spiegelbild und symbolisiert damit die egoistische Eitelkeit des Großstadtlebens,
während die nackte Gestalt mit Goldkrone in traditioneller Gebärstellung kauert
und symbolisch Goldmünzen zählt.[100]

So hat Beckmann Tizians lyrische Verherrlichung der Schönheit als abstrakten
Entwurf zu einer Allegorie der Großstadt als vitale, potentiell positive Lebenskraft
umgestaltet. Diese Lebenskraft ist durch den unersättlichen Egoismus, die Sinnlichkeit und den Materialismus des Menschen wahrhaft in eine Hölle der Entfremdung
und Aggression verkehrt, in der die Erlösung des Geistes und die Integrität des
Individuums wie ein ferner Traum erscheinen. Diese letzte pessimistische Beschwörung der Großstadt scheint Beckmanns Kommentar kurz nach seiner Ankunft in
New York zu bestätigen: »Komisch, daß ich immer in allen Städten die Löwen
brüllen höre!«[101]

Aus dem Englischen von Susanne Schaup

Christian Lenz

Bilder der Landschaft 1900-1916

Abb. 1 Max Beckmann: Illustration zu
›Eurydikes Wiederkehr‹ von Johannes
Guthmann, 1909, Lithographie

1 Max Beckmann, Brief an Reinhard Piper,
23. November 1921
2 Friedhelm W. Fischer, *Max Beckmann*, München
1972. Vgl. die Einwände von Selz gegen Fischer in
seiner Besprechung neuer Beckmann-Literatur, in:
The Art Bulletin, LXIII, 1981, S. 170 ff. Auch Gäßler
1974 und Güse 1977 haben bei ihrer Behandlung des
Frühwerks die Landschaften fast gänzlich außer acht
gelassen.
3 Stephan Lackner, *Max Beckmann,* Köln 1978,
S. 118 äußert sich in diesem Sinne mit Bedauern, weil
er als feinsinniger Kenner von Beckmanns Kunst
stark von den Landschaften berührt worden ist. An
Literatur, die sich ausschließlich auf Beckmanns
Landschaften bezieht, können nur angeführt
werden: F. Roh, ›Beckmann als Landschafter‹, in:
Die Kunst und Das schöne Heim 50, 1952, S. 9 ff.,
sowie Stephan Lackner, ›Max Beckmann als
Landschaftsmaler‹, in: *Frankfurter Neue Presse,*
11. Februar 1967. Im übrigen sind Beckmanns
Landschaften beachtet worden u. a. von Reifenberg
1949, Buchheim 1959, Busch 1960, Lenz 1976,
Lackner 1978, von Wiese 1978, Lenz 1982.
4 Illustration zu ›Eurydikes Wiederkehr‹ von
Johannes Guthmann, VG 6

Der Ruhm Max Beckmanns gründet sich auf *Die Nacht*, den *Traum, Abfahrt, Argonauten* und ähnliche Gemälde – er gründet sich auf Figurenbilder. Der Künstler hat jedoch auch Landschaften gemalt und diese keineswegs vereinzelt, nicht als Ausnahme: 190 Gemälde von 835 sind reine Landschaften. Hinzuzuzählen sind weitere dreißig Stadt-Landschaften. Als Landschaftsmaler hat Beckmann überhaupt begonnen. Und nicht nur gemalt hat er Landschaften, sondern auch gezeichnet, radiert, lithographiert. 1921 wollte er für eine Serie von zehn Radierungen »rein landschaftliche Motive wählen«.[1] Die Landschaften beschränken sich bei ihm nicht etwa auf ein paar Jahre oder eine Epoche seines Lebens, sondern durchziehen sein gesamtes Schaffen. Noch 1950, im Jahre des Todes, sind drei wichtige Landschaftsbilder entstanden.

Um so erstaunlicher ist es, daß dieser Bereich von Beckmanns Kunst bisher kaum Beachtung gefunden hat. Keine größere Abhandlung, kein Buch ist den Landschaften gewidmet. Es wurde sogar versucht, den »Grundriß zu einer Deutung des Gesamtwerkes« zu entwerfen, ohne die Landschaften zu beachten.[2] Wer vor Kunstwerken nur fragt, was das Dargestellte bedeutet, wird sich schneller den Figurenbildern zuwenden[3], auch wenn er hier ebensowenig den Reichtum der Darstellung wahrzunehmen vermag und deshalb auch die Bedeutung, letztlich den Sinn des Werkes nicht verstehen kann. Auf einer anderen Einstellung zum Kunstwerk beruhen die folgenden Ausführungen über einige wenige Landschaftsbilder. Sie mögen als Annäherung an diesen wichtigen Bereich im Schaffen Beckmanns verstanden werden.

Der Künstler hat 1909 Orpheus in einer Lithographie[4] am Ufer des Meeres dargestellt (Abb. 1). Klar sind Strand, Meer und Himmel voneinander unterschieden. Weit erstreckt sich das Meer in die Tiefe, und dicht gestaffelt machen die Wolken diese Tiefe deutlich wie sie auch die Höhe des Raumes deutlich machen. *Einen* Raum bildet alles, *ein* Licht bringt alles zur Erscheinung. Dennoch sind Land, Meer und Himmel nicht nur gegeneinander begrenzt und räumlich getrennt, sondern haben auch ihren je eigenen Charakter: karg und struppig bewachsen der Strand, teils bloßer Sand, glänzend das Wasser in der zarten kurzen Rhythmik kleiner Wellen und darüber in längerem, schwerem Rhythmus ihrer Staffelung die Wolken, die sich aus der Verdichtung über dem Horizont nach vorn schieben. Deutlich unterscheiden sich alle drei Bereiche, und doch vereinen sie sich nicht nur im Raum und im Licht, sondern auch im Wind, den man zu spüren und zu hören meint wie das Rauschen des Meeres, vereinen sich schließlich in dem bestimmten Geruch des nördlichen Meeres, an den diese Darstellung Erinnerungen weckt (Beckmann hatte die mediterrane Welt noch nicht erlebt).

Dem Menschen ist in dieser Landschaft noch sein besonderer Ort geschaffen. Aus dem Zentrum der hellen, ihn umfassenden Sandfläche erstreckt er sich rücklings in die Tiefe und reckt den Kopf zum Himmel, wobei die in Arm- und Beinhaltung offene Figur in der prägnanten Dreiecksform des von unten gesehenen Kopfes energisch endet und die Situation dieses Menschen darin zugespitzt ihren Ausdruck findet: Niedergeschmettert durch den Tod Eurydikes, gefangen in sein Schicksal und zu den Göttern klagend, den Himmel aber verschlossen findend, gleichgültig gegenüber allem, mag es den Menschen noch so hart treffen, wie denn die Wolken und Wellen auch ein Bild des Ewig-Gleichen sind – so ist Orpheus hier dargestellt.

Abb. 2   Max Beckmann: Alter Botanischer
Garten, 1905, Öl auf Leinwand, Privatbesitz

Abb. 3   Paul Cézanne: Die Brücke in
Mennecy, ca. 1882 - 1885,
Öl auf Leinwand, Paris,
Louvre, Jeu de Paume

Ist diese Lithographie impressionistisch, wie Beckmanns Werke vor dem Ersten
Weltkrieg auch in neuerer Zeit noch pauschal bezeichnet werden?[5] Ist das wesentliche Merkmal des Impressionismus, das des Flüchtigen, hier erfüllt? Kann überhaupt eine summarische Bezeichnung, die beiläufig für Monets Kunst und die seines Kreises gefunden wurde, auch noch Beckmanns Werke charakterisieren? Nein.
Das sollte die ausführliche Beschreibung erweisen.

Aber handelt es sich hier denn überhaupt um eine Landschaft? Der Mensch ist
ja nicht Staffage, nicht unwichtig, ganz im Gegenteil. Er ist das wichtigste. Für ihn
hat Beckmann diese Landschaft geschaffen; auf ihn ist alles in der Darstellung
bezogen. In dieser Natur ereignet sich sein Schicksal. So erscheint denn Landschaft
hier als schicksalsträchtige Natur. Dieser Art kann Natur aber nur sein, weil sie
nicht begrifflich-allegorisch, sondern weil sie volle Natur, von ganz eigenem Wesen
ist und als solche erst in Beziehung zu dem Menschen tritt.

Versucht man, für eine solche Darstellung spannungsvollen Verhältnisses zwischen Mensch und Natur, wo beide aus ihrem Ganzen zueinander in Beziehung
treten, historisch Verwandtes zu finden, so wird man sich unter Beckmanns Zeitgenossen wie auch in der vorausgehenden Generation vergeblich umschauen. Erst bei
Delacroix (›Jakobs Kampf mit dem Engel‹ sei neben zahlreichen anderen Beispielen genannt) trifft man ähnliche Bilder an und wird sich dabei klar, daß es sich hier
um eine noch weiter zurückreichende Tradition handelt, denn für die Alten Meister
konnte das Verhältnis zwischen Mensch und Natur gar nicht anders sein, als daß es
sich jeweils aus dem Ganzen bestimmte. Ein Künstler der neueren Zeit freilich ist
Beckmann darin, daß er den einzelnen Menschen unmittelbar in Beziehung zur
Unendlichkeit bringt. Solcher Subjektivismus ist Erbe der Romantik und wird von
Beckmanns Zeitgenossen wieder exzessiv zum Ausdruck gebracht; man denke nur
an Böcklin, Klinger, Munch und den Jugendstil.

Allein am Meer zu sein: das ist die unmittelbare Erfahrung der Unendlichkeit,
und das heißt zugleich Ahnung der Ewigkeit. Darauf war und blieb Beckmanns
Sinnen gerichtet. Vor allem deshalb kommt dem Meer so große Bedeutung für ihn
zu. Er hat das Meer geliebt, hat es immer wieder dargestellt und hat sich in einer

5   Stephan von Wiese, *Max Beckmanns
zeichnerisches Werk 1903-1925*, Düsseldorf 1978,
S. 21 f., überträgt einerseits den von Wölfflin an van
Goyen exemplifizierten Begriff des Malerischen und
andererseits Hamanns Begriff des Impressionismus
auf eine Zeichnung Beckmanns von 1913, wobei er
selbst noch die Formulierung von der »generellen
weltanschaulichen und künstlerischen
›Oberflächlichkeit‹« auf Beckmann zutreffend
findet. Vermöchte wohl irgend jemand dergleichen
bei Monet, Renoir oder Liebermann und ihren
besten Werken wirklich nachzuweisen und nicht nur
zu behaupten? Hinsichtlich Beckmanns Zeichnung
muß von Wiese die eigentümlich klare Ordnung der
Darstellung registrieren, die mit der üblichen
Vorstellung von Impressionismus nicht zu vereinen
ist. Hier wäre der Ansatz gewesen, diesen Begriff
gänzlich aufzugeben. Statt dessen lenkt von Wiese
vom Wesen dieser Kunst wieder ab, wenn er
Beckmanns formende Art des Zeichnens in engen
Zusammenhang mit der »automatischen
Zeichenweise« bringt.

Abb. 4 Max Beckmann: Junge Männer
am Meer, 1905, Öl auf Leinwand, Weimar,
Kunstsammlungen Schloßmuseum

berühmten Briefstelle über seine Liebe auch geäußert. Als freiwilliger Krankenpfleger im Ersten Weltkrieg schildert er, wie er seit langem wieder einmal ans Meer
kam: »Und dann an das Meer, meine alte Freundin, zu lange schon war ich nicht
bei dir. Du wirbelnde Unendlichkeit mit deinem spitzenbesäten Kleide. Ach, wie
schwoll mein Herz. Und diese Einsamkeit. [...] Still war es und traumhaft wie
gegen drei Uhr morgens im Sommer. Eine fahle Zwielichtstimmung. Alles Lebende
war draußen. Jenseits. Wenn ich der Kaiser der Erde wäre, würde ich als mein
höchstes Recht mir ausbitten, einen Monat im Jahr allein zu sein am Strand.«[6]

Max Beckmann hat aber nicht nur schicksalsträchtige Landschaften gemalt,
sondern hat auch anspruchslose Motive gewählt. In dem Gemälde *Alter Botanischer
Garten* (Abb. 2) ist es das durchlichtete Grün von Bäumen und Büschen zu Seiten
eines schattigen Weges mit Blick auf eine Hauswand und den Himmel hinten, das
dem Maler zum Bilde geworden ist – der Eindruck schlichter, nahe gesehener
Natur. Alles ist in kurzen, festen Pinselstrichen gemalt, wobei die teils ockerfarbenen Stämme und Äste in ihrer Steifheit eine zusätzliche Verfestigung bewirken.
Nichts Großes, überhaupt nichts ereignet sich. Der Mensch auf dem Weg ist kaum
wahrzunehmen. Er ist eine Figur, aber keine Person; er hat kein Schicksal.

Der Natureindruck, das von Dunkel zu Hell wechselnde Licht, die kurzen Pinselstriche, der geringe Anteil von Ocker-, Braun- und Grautönen – ist nicht das ein
impressionistisches Bild? Es war Kunst wesentlich anderer Art als die Monets, der
sich Beckmann mit diesem Gemälde anschloß. Poeschke hat auf die Beziehungen
zu Cézanne gewiesen.[7] Beckmann hat in diesem Falle Bilder Cézannes der frühen
achtziger Jahre wie etwa ›Die Brücke in Mennecy‹ (Abb. 3) mit ihrem festen
Gefüge straffer, kurzer Pinselstriche, den versteifenden Stämmen und Ästen sowie
dem Kontrast zwischen grünem Laub und hell leuchtendem Mauerwerk geradezu
nachgeahmt. Auch das Motiv des kurvig in die Tiefe führenden Weges findet sich in
etlichen solchen Bildern Cézannes. Beim Vergleich erweist sich allerdings, daß
Beckmann bei allem Nachstreben doch Cézannes energische ›logische‹ Plastizität
und Tiefenräumlichkeit, die gespannte Bildordnung des Franzosen nicht erreicht,
sondern weit stärker fleckig, flächig gestaltet. Immerhin: er hatte Cézanne in den
Blick genommen und ist darin, auch im europäischen Maßstab, für seine Generation ein sehr früher Nachfolger.

Wie wichtig es Beckmann zu diesem Zeitpunkt seiner Entwicklung gewesen ist,
Plastizität und Tiefe zu erreichen, zeigen die *Jungen Männer am Meer* (Abb. 4) von
1905, das Hauptwerk der Frühzeit. Die Entstehungsgeschichte des Bildes, die sich
anhand vorbereitender Entwürfe und eines Pastells seit 1903 verfolgen läßt, macht

6 Max Beckmann, *Briefe im Kriege*, Berlin 1916,
S. 29
7 Joachim Poeschke, › Der frühe Max Beckmann ‹,
in: *Max Beckmann – Die frühen Bilder*, Katalog
Bielefeld / Frankfurt 1982/1983, S. 131.

einen Umbruch von flächig-ornamentaler Gestaltung zu entschiedener Plastizität deutlich, so daß im Gemälde schließlich die kräftig modellierten, sehnigen Gestalten der Jungen vor der Tiefe von Strand, Meer und Himmel in selbständiger Körperlichkeit stehen. Beckmann ist hier durch Signorellis ›Pan‹ beeinflußt worden, der ihm erwiesenermaßen damals schon wichtig gewesen ist. Zusätzlich muß jedoch wiederum an einen Einfluß Cézannes gedacht werden, denn auch in diesem Gemälde findet sich die Cézannesche Pinselfaktur der kurzen straffen Striche.[8] Über Cézanne ergibt sich insofern eine Verbindung zu Signorelli, als der französische Künstler Zeichnungen des Italieners kopiert hat und zwar dieselben, die sich Beckmann 1903 in der Graphischen Sammlung des Louvre hat vorlegen lassen.[9] »Aus diesem Aufenthalt stammt vor allem ein sehr starker Widerwille gegen die Hochflut von impressionistischen Nachahmungen, die dort herrschte. Aus diesem Gefühl gingen wohl damals auch meine ›Jungen Männer am Meer‹ hervor«, schilderte Beckmann seine Eindrücke Piper gegenüber und fuhr fort: »Meine größte Liebe schon 1903 war Cézanne.«[10]

Bei Cézanne wie bei Beckmann war es das Interesse an der plastischen Figurenbildung, das die Aufmerksamkeit auf Signorellis Werke lenkte und zu entsprechenden eigenen Figuren führte. Von den zahlreichen ›Badenden‹ Cézannes läßt sich zwar kein Beispiel als unmittelbares Vorbild für Beckmanns Gemälde nachweisen, aber unabhängig von einzelnen Haltungen und Gebärden ist die Auffassung von der Figur, ist auch der Pinselduktus doch so verwandt, daß Cézannes Anteil an der Entstehung der *Jungen Männer am Meer* zu berücksichtigen ist. Vor 1905 freilich läßt sich der Einfluß Cézannes im Werk Beckmanns nicht aufzeigen, weder 1904 noch gar 1903, als offenbar die erste Begegnung mit dessen Kunst stattfand.

Das Verhältnis zwischen Figur und Landschaft in *Junge Männer am Meer* wird nicht durch ein Ereignis und nicht durch Schicksal bestimmt wie in der Orpheus-Lithographie von 1909, sondern durch einfaches und entschiedenes Dasein. Dieses Dasein ist in sich selbst erfüllt und vollzieht sich auf selbstverständliche, auf natürliche Weise in der Natur. In der Entschiedenheit des Daseins, in seiner Dauer liegt der grundsätzliche Unterschied zu allen entsprechenden Bildern Liebermanns, die einen ganz momentanen, flüchtigen Charakter haben. Beckmanns Werk ist, wie die Bilder Cézannes, von einer antikischen Vorstellung des Verhältnisses zwischen Mensch und Natur geprägt. Jeder behauptet sich gegen den anderen und ist doch selbstverständlich auf ihn bezogen. Liebermann dagegen, in dieser Hinsicht ›modern‹, läßt seine Badenden in der Natur aufgehen, und das ist nur möglich, weil weder Mensch noch Natur entschiedenes Dasein haben.

Auffallend an der Malweise der *Jungen Männer am Meer* ist es, daß sich die kurzen Pinselstriche nicht nur zu langen Schraffen reihen, sondern daß sie an den Figuren wie in der Landschaft leichte Kurvaturen erzeugen, die die Tendenz zu einem größeren ornamentalisierenden Gefüge haben. Diese Eigentümlichkeit weist auf Beckmanns vorausliegende Werke zurück, die durch eine Strandlandschaft (Kat. 1) von 1904 in der Ausstellung sehr schön vertreten sind. Hier ist es ein ausgeprägtes kurviges Lineament, in dem Wellen und die Formation des Strandes gebildet sind. Der Blick ist von hoch oben genommen, so daß er nicht nur weit aufs Meer hinausgeht, sondern die Formen auch in erheblichem Maße flächig wahrnimmt. Alles ist ganz dünn gemalt; teilweise ist sogar die ockerfarbene Malpappe freigelassen, um deren Farbton einzubeziehen. Der graublaue Himmel, das blaugrüne Meer, das in den Wellen und in der Überflutung des Strandes in einem Grauweiß erscheint, der ockerfarbene Strand und schließlich ein starkes Rostrot der Dünen wirken zu einer sehr stimmungshaften, melancholischen Farbigkeit zusammen, und so wundert man sich nicht, auf dem Bilde ein stilisiertes, japanisierendes Monogramm zu finden, wie es im Jugendstil üblich war. Leistikow und Munch sind die Zeitgenossen, in deren Werken sich Verwandtes findet. Auch bei ihnen ist die Natur Ausdruck der Seele. Beckmann unterscheidet sich allerdings von beiden wie von anderen, ähnlich disponierten Künstlern darin, daß er die Natur stärker in ihrer Eigentümlichkeit beläßt, daß er mehr von deren Vielfalt zur Erscheinung bringt.

8   Zu dem Gemälde vergleiche B. C. Buenger, ›Beckmann's Beginnings: Junge Männer am Meer‹, in: *Pantheon* XLI, 1983, S. 134 ff., mit der älteren Literatur bis auf Lenz, *Beckmann und Italien*, Frankfurt/M. 1976, S. 10 f., wo der Unterschied zu Liebermann gezeigt wurde. Hinsichtlich der kurzen Pinselstriche führt die Verfasserin Impressionismus, Post-Impressionismus, Realismus, Trübner, Cézanne und van Gogh gleichberechtigt als Vorbilder für Beckmann an. Diesem verwirrenden historischen Bezugsfeld für die Malweise entspricht bei ihr das der Motive. Die vielen nackten Männer von Marées, Hofmann, Thoma, Liebermann, Klinger und Munch hätten genauer betrachtet werden sollen, um herauszufinden, was sie an Wesentlichem, was an Unwesentlichem und inwiefern sie gar nichts mit denen Beckmanns gemein haben. Gegen den »Trübnerschen Pinselschematismus« hatte sich Beckmann schon 1906 abfällig geäußert, so daß man diesen bei ihm vergeblich sucht (vgl. Brief an Piper vom 8. April 1923 mit Erinnerungen an die Frühzeit).

9   Zu Cézanne und Signorelli vgl. G. Berthold, *Cézanne und die alten Meister*, Stuttgart 1958, Nr. 247 ff. Beckmann hat zum Ende des Sommersemesters 1903 die Weimarer Kunsthalle verlassen und ist nach Paris gegangen. Daß er sich dort im Louvre hat Zeichnungen von Signorelli vorlegen lassen, ist durch Reifenberg, *Max Beckmann*, München 1949, S. 14, überliefert.

Beckmanns Verhältnis zu Cézanne ist eine eigene Untersuchung wert. Zusätzlich zu den hier erörterten Beziehungen sei noch an Beckmanns Hochschätzung früher Bilder von Cézanne – und das heißt sicher früherer Figurenbilder – erinnert, die ihn wegen ihrer Plastizität beeindruckt haben (›Das neue Programm‹, in: *Kunst und Künstler* XII, 1914, S. 301).

10   R. Piper, ›Durch vier Jahrzehnte mit Max Beckmann‹, in: *Mein Leben als Verleger*, München 1964, S. 328.

Abb. 5 Max Beckmann: Bau des
Hermsdorfer Wasserturms, 1909, Öl auf
Leinwand, Frankfurt a. M., Städtische Galerie
im Städelschen Kunstinstitut

Abb. 6 Max Beckmann: Aufklärendes
Wetter, 1909, Öl auf Leinwand, Verbleib
unbekannt

11 Christoph Schulz-Mons, › Zur Frage der
Modernität des Frühwerks von Max Beckmann ‹,
in: *Max Beckmann – Die frühen Bilder*, a.a.O.,
S. 140. Das Gemälde ›Abendwaldlandschaft‹, 1911,
das der Verfasser als Beleg für den Cézanne-Einfluß
anführt, ist für das Einsetzen dieses Einflusses zu
spät und ruft auch ansonsten nicht ohne weiteres
Vergleichsbeispiele in Werken des Franzosen herbei.

12 In anderem Zusammenhang schreibt er am
7. Januar 1909 ins Tagebuch, daß » nach der
Vereinfachung der van Goghs und Gauguins wieder
zur Vielfältigkeit zurückgekehrt werden muß « und
belegt damit, daß er entsprechende Notwendigkeiten
berücksichtigt.

In dieser frühen Zeit, wohl 1904, hat sich Beckmann auch einmal selbst in der
Landschaft dargestellt (Kat. 2). Er sitzt vor spätherbstlichen Feldern und blickt
Seifenblasen nach, die er zum Himmel aufsteigen läßt. Hinten ziehen sich die
Felder zu einem dunklen Waldstreifen hoch, über dem im letzten Licht eine Wolke
aufscheint. Die späte Jahreszeit und Tageszeit sowie die Seifenblasen als ein Bild
träumerischer Gedanken, die in die Ferne schweifen, überhaupt die starke melancholische Stimmung, in der der Mensch und die Natur aufeinander bezogen sind –
alles das, zusammen mit der merklich flächigen Gestaltung, lassen die enge Beziehung auch dieses Bildes zum Jugendstil erkennen.

Geht man im Schaffen Beckmanns noch weiter zurück, so findet man eine Reihe
kleiner Landschaften, hauptsächlich Meereslandschaften, die zwar auch schon
einen stimmungshaften Charakter haben, aber um einiges sachlicher wirken. Es
liegt wohl nicht zuletzt daran, daß es sich hier um kleine Skizzen handelt, die
wahrscheinlich unmittelbar vor der Natur entstanden sind. Sie haben eine ausgeprägte Weiträumigkeit. Sand und Meer erscheinen unter tief liegenden Wolken, im
Ablauf des Wetters, im wechselnden Licht. Auf den Menschen weisen ein paar
Häuser, ein Boot, ein Schiff hin, aber letztlich ist er hier nicht wichtig. Wichtig ist
der Eindruck der sich wandelnden Natur in ihrer sehr verhaltenen Stimmung.

Beckmann ist auch nach der Begegnung mit der Kunst Cézannes von flächiger,
ja ornamentalisierender Darstellung nicht ohne weiteres freigekommen. Das zeigen
Sonniges grünes Meer (Kat. 3) und *Große graue Wellen* (Kat. 4) mit ihren Kurvaturen und dem hoch genommenen Blick. Wenn hier dennoch das Bedürfnis nach
einem systematischen Gefüge, nach Festigkeit einer bis zu kleinen Einheiten differenzierten Struktur sichtbar ist, so läßt sich das nicht durch Cézannes Werke erklären, sondern, wie Schulz-Mons richtig bemerkt hat[11], durch Formen des Fauvismus,
die sich aus dem Neo-Impressionismus entwickelt haben, von Beckmann jedoch in
eine tonige Malerei eingebracht worden sind. Nicht leicht fällt es dem Maler, das
einmal angeeignete System mit entsprechenden Naturerfahrungen zu verbinden
und damit den Schritt über bloße Manier hinaus zu finden. In dem Bild *Nebelsonne*,
1905, ist das gelungen, da Nebel und dunstiges Licht die Körper gleichsam aufgesogen und die Tiefe weitgehend in Fläche umgebildet haben.

Beckmann hat offenbar gemerkt, daß eine derartige Malerei leicht zur Erstarrung, zum Schematismus führt[12], und so zeigen Werke der nachfolgenden Jahre,
etwa *Bau des Hermsdorfer Wasserturms* (Abb. 5) von 1909, in der Pinselfaktur eine

merkliche Lockerung, unregelmäßige, unterschiedliche Kleinformen und einen zunehmend spontanen Farbauftrag. Möglicherweise ist dafür der mit Beckmann befreundete Waldemar Roesler anregend gewesen. Die unregelmäßige Pinselfaktur und die lichtdurchtränkte Erscheinung des Dargestellten mögen auch in diesem Falle verleiten, von Impressionismus zu reden, wobei übersehen würde, daß die Spontaneität des Pinselauftrages in die sehr klare Ordnung des Weges, der Baumreihen, der Böschung und des Turmes vor hellem Himmel eingebunden ist, die eine räumliche Bildung, gleichsam eine Erschließung der Landschaft nach der Tiefe und Höhe hin bewirkt.

Solche Merkmale lassen erkennen, daß sich Beckmann hier wiederum auf Cézanne bezieht, allerdings nicht auf dessen Werke der frühen achtziger Jahre, sondern auf Gemälde, die im Jahrzehnt vorher entstanden sind, wie etwa ›Dorfstraße in Auvers‹ und ›Der Weg nach Auvers-sur-Oise‹, deren reifstes das ›Haus des Gehängten‹ ist. In diesen Werken hat Cézanne noch eine lockere Pinselfaktur, die sich erst langsam verfestigt.

Bereits 1913 war Kaiser in dem Gemälde Beckmanns das Bedeutungsvolle des Turmes aufgefallen, so daß er an den Turm von Babel erinnert wurde, und dieses offenkundige Merkmal des Bedeutungsvollen hat jüngst dazu geführt, auf eine Beziehung Beckmanns zu van Gogh zu schließen.[13] Van Gogh ist für Beckmann tatsächlich wichtig gewesen, aber ein naheliegender Vergleich etwa mit ›Kirchturm von Nuenen‹ (1885) oder ›Kirche in Auvers‹ (1890) zeigt doch – über das pathetisch gesteigerte religiöse Motiv hinaus, das bei Beckmann nur tendenziell ist – im einzelnen nicht derartig verwandte Züge, daß sie den Einfluß Cézannes zurücktreten ließen. 1909, als der *Bau des Hermsdorfer Wasserturms* entstand, ist auch das Jahr der eingangs besprochenen Lithographie. Es ist außerdem das Jahr der großen *Auferstehung*, und 1909 hat Beckmann *Die Ausgießung des Heiligen Geistes* begonnen, die im Jahr darauf vollendet wurde. So läßt sich feststellen, daß der Künstler zu dieser Zeit, wie nie zuvor in seinem Werk nachweisbar, auf den metaphysischen Bereich, auf Gott ausgerichtet war. Davon sind auch die Landschaften bestimmt, nicht nur die Orpheus-Lithographie und der *Bau des Hermsdorfer Wasserturms*, sondern zum Beispiel auch die Gemälde *Durchbrechende Sonne auf dem Meer* und *Aufklärendes Wetter* (Abb. 6), beide 1909, wo das Licht als Erscheinung des Wetters einen metaphysischen Sinn hat, und zwar als Ereignis.

Bereits hier kündigen sich die apokalyptischen Landschaften der Kriegsjahre im Schaffen Beckmanns an. Wie der Hermsdorfer Wasserturm monumental, gleich einem Mal, vorn gegen den Himmel aufragt und seine Aura hat, so erscheinen Schornsteine und Kirchturm des zerstörten Neidenburg auf einer Zeichnung von 1914, nun aber umwölkt von dichtem Rauch. Das aus den Wolken hervorbrechende Licht des *Aufklärenden Wetters* wird auf einer anderen Kriegszeichnung (Abb. 7)[14]

Abb. 7   Max Beckmann: Landschaft, 1914, Federzeichnung, Mannheim, Städtische Kunsthalle

Abb. 8   Max Beckmann: Auferstehung, 1914, Federzeichnung, Privatbesitz

13   Christoph Schulz-Mons, a.a.O. Der Verfasser will den Einfluß van Goghs nicht nur in Beckmanns Art sehen, das Motiv bedeutungsvoll zu entwickeln, sondern glaubt darüber hinaus auch die Malweise auf den Holländer zurückführen zu können. Wo aber wären die vergleichbaren Werke van Goghs?

14   ›Hügellandschaft gegen die Sonne‹ (von Wiese 326). Die Zeichnung ist oben rechts bezeichnet: »10.8.14/Beckmann«, wobei »10.8.« in einem anderen Bleistift als »14/Beckmann« geschrieben ist. Am 10.8.1914 kann die Landschaft nicht entstanden sein, da Beckmann nach einem Brief an Piper am 15. August 1914 noch in Berlin war und erst Anfang September nach Ostpreußen gefahren ist. 10.8.1915, wie Wiese vorschlägt, könnte das richtige Entstehungsdatum sein. Der Künstler hätte »14/Beckmann« später, erst beim Verkauf, hinzugefügt und sich in der Jahreszahl geirrt. Trotzdem sollte erwogen werden, ob die Bezeichnung »10.8.« nicht fehlerhaft und die Landschaft doch 1914 entstanden sein könnte. Die enge Beziehung zum ersten Entwurf der zweiten ›Auferstehung‹ spricht dafür.

15   von Wiese 205, Privatbesitz, ehemals Sammlung Piper. Beckmann hat einen anderen Entwurf in Privatbesitz, ehemalige Sammlung Piper (von Wiese 204), bezeichnet »Erster Entwurf z. Auferstehung, Dezember 14«, und so ist dieses Blatt von v. Wiese 1978, wo die Entwürfe im Katalogteil und in den Abbildungen verwechselt sind, wie überhaupt von fast allen Autoren auch als erster Entwurf angesehen worden. Die Zeichnung von Wiese 204 zeigt jedoch bereits weit mehr vom Gemälde als von Wiese 205, so daß sie sich sinnvoll

Abb. 9 Rembrandt: Landschaft mit den drei
Bäumen, 1643, Radierung, Kaltnadel und
Grabstichel, München, Staatliche Graphische
Sammlung

Abb. 10 Max Beckmann: Die Straße, 1911,
Öl auf Leinwand, Privatbesitz

zwischen von Wiese 205 und das Bild fügt. Beckmann
hat sich wahrscheinlich in der Bezeichnung des
Blattes geirrt. Erster Entwurf ist in jeder Hinsicht
von Wiese 205. Dessen technische Daten sind
folgende: Feder (nicht Kopierstift) in violetter Tinte
auf dünnem Papier, oben gezähnt mit Ausriß links,
Blattgröße 103 x 146 mm, Darstellung ca.
87 x 103 mm, bez. u. r. mit Bleistift in deutscher
Schrift: Beckmann, rs. Stempel: Sammlung
Reinhard Piper München.

16 Beckmann hat mehrfach van Gogh als einen der
Künstler genannt, die ihm besonders wichtig waren,
und er hat sich über Jahrzehnte hinweg mit dem
Leben und dem Werk des Holländers befaßt. Im
Zusammenhang mit der ›Hügellandschaft gegen die
Sonne‹ sei auf van Goghs Zeichnung ›Straße nach
Loosduinen‹ verwiesen, wo die Helligkeit am
Himmel und der Weg in diese Richtung der
Darstellung einen verwandten Sinn geben.

17 Zu diesem Thema vgl. P. Eikemeier im
vorliegenden Katalog.

18 Ölfarbe auf Leinwand, 70 x 63 cm. Das Bild
trägt rechts unten eine ungewöhnliche Signatur: in
deutscher Schrift den vollen Namen ohne Jahreszahl.
Ansonsten hat Beckmann in dieser Zeit HBSL oder
MBSL signiert und meistens vollständig oder
abgekürzt das Entstehungsjahr angegeben. Ob hier
die so bemüht gezogene Signatur echt ist? Für die
Kenntnis des Gemäldes habe ich Herrn Dr. Peter
Beckmann sehr zu danken.

von 1914 (1915?) gar zum *Tor der Ewigkeit*, vor dem eine Reihe von zerschossenen
Bäumen wie die Gestalten von Menschen in Erwartung des Jüngsten Gerichts steht.
Aus dieser Zeichnung nach der Natur hat Beckmann in demselben Jahr noch tatsächlich eine *Auferstehung* entwickelt, und zwar als ersten Entwurf (Abb. 8)[15] zu
dem großen Gemälde von 1916 (Abb. S. 85). Die Kriegszeichnung bestätigt, was
bereits die beiden Bilder von 1909 vermuten lassen, daß für die ereignishafte Landschaft im Werke Beckmanns nicht nach Vergleichsbeispielen unter den Zeitgenossen und auch nicht in der jüngeren Tradition zu suchen ist, obwohl der Maler in van
Gogh hinsichtlich der Anschauung von der Welt einen Verwandten hat[16], sondern
daß sich Beckmann hier auf die ältere Tradition bezieht, und zwar auf Rembrandt.[17]
Die *Hügellandschaft gegen die Sonne* ist ohne Rembrandts berühmte ›Landschaft
mit den drei Bäumen‹ (Abb. 9) nicht zu denken, wie auch die Darstellung des
zerstörten Neidenburg und ähnliche lavierte Federzeichnungen unter dem Einfluß
von Rembrandts Zeichnungen entstanden sein werden.

1911 hat Max Beckmann mit dem Bild *Die Straße* (Abb. 10) die erste reine
Stadt-Landschaft als Gemälde geschaffen, die seit 1906 durch andere Gemälde von
Stadträndern und Vorstädten vorbereitet worden ist, darunter ein neu aufgetauch-
tes Bild (Abb. 11).[18] In seiner lichten Farbigkeit, dem hohen Anteil flächiger For-
men, den teils kurzen geraden, teils wildbewegten Pinselstrichen ähnelt es sehr dem
Blick aus dem Atelier, Eisenacher Straße 103, das 1906 entstanden ist.

Das Gemälde von 1911 unterscheidet sich von den übrigen Stadt-Landschaften
Beckmanns jener Jahre darin, daß hier die Stadt als der unheimliche Hohlraum
einer Straße, als Leere mit rätselvoller Erscheinung von Licht wirkt, der ein kleines
Häufchen von Menschen vorn ausgesetzt ist. Bei den übrigen Stadt-Landschaften
handelt es sich um detailliertere Schilderungen von Häusern, Straßen, Plätzen,
Menschen, ohne daß die Darstellung in so hohem Maße auf eine Stimmung angelegt wäre.

Eine Stadt-Landschaft ist auch der Ort der *Auferstehung* von 1916. Aus den
Schächten, Tunneln, Löchern und Spalten einer zerborstenen Stadt kriechen die
Toten hervor zum Jüngsten Tage. Der Künstler hat – nun in Auseinandersetzung
mit dem Kubismus – die Zeichnungen der Kriegslandschaften und der zerstörten

Abb. 11   Max Beckmann: Die Straße, 1906,
Öl auf Leinwand, New York, Kunsthandel

Abb. 12   Max Beckmann: Blick aus dem
Fenster auf einen Garten, 1916,
Bleistift, Frankfurt a. M., Städtische Galerie
im Städelschen Kunstinstitut

Städte zu dieser großen apokalyptischen Landschaft umgeformt, wobei er sich
einerseits noch auf seine *Szene aus dem Untergang von Messina,* 1909, und andererseits auf apokalyptische Bilder Meidners aus den Jahren 1912 und 1913 beziehen
konnte.

Der Ort des Menschen zum Zeitpunkt seiner Daseinsentscheidung ist in diesem
Gemälde, dem aufwendigsten Bild, das Beckmann jemals unternommen hat, die
Stadt. Die Landschaft außerhalb oder das Meer, überhaupt die Natur, werden
vorerst nicht mehr dargestellt, und wenn sich der Blick innerhalb der Stadt auf
diesen Bereich richtet, wie etwa 1916 im *Blick aus dem Fenster auf einen Garten*
(Abb. 12), so nimmt er den Himmel gar nicht wahr, sondern wird nach unten
gezwungen, wo er sich in den drahtigen Linien von Wegen und Geäst verfängt.

Mit dem Blick in die Höhe und Weite, zum Himmel, zu dem er seine Träume
wie Seifenblasen aufsteigen ließ, hatte Beckmann begonnen, mit niedergezwunge-
nem, eingeengten Blick, sich verfangenden, fruchtlosen, hoffnungslosen Gedanken
endet die erste große Epoche seines Lebens. Es dauert noch einige Jahre, bis
gleichsam der abgestorbene Baum der Zeichnung wieder Blätter und Blüten trägt.
Es dauert noch einige Jahre, bis in den Bildern wieder blauer Himmel und Sonne zu
sehen sind. Erst mit *Nizza,* 1921, hat der Künstler ein Bild gemalt, wo es einen
solchen Himmel gibt und wo die Natur überdies in voller Blüte steht. Wenige Jahre
später trafen glücklichste persönliche Umstände und die Begegnung mit der mediterranen Welt zusammen, daß sich Beckmann nun auch wieder der Weite der
Landschaft und dem Meer hingeben mochte.[19] Jetzt gelangte er dazu, das südliche
Meer und dessen Heiterkeit darzustellen. In all ihrer Schönheit hatte sich der
Künstler die Landschaft wieder errungen und feierte sie in seinen Darstellungen.
Darin ließ er selbst dann nicht nach, als Verfemung in Deutschland, Emigration und
Krieg neuerlich Bedrohungen, ja Leiden mit sich brachten. Der Künstler hatte sich
die Natur im lebenslangen Betrachten und Erleben als derart wesentlichen Teil
seines Daseins erworben, daß er in den Jahren der Verfemung in Deutschland
majestätische Nordseelandschaften (Kat. 76) zu schaffen und in der größten Not des
Exils seinen Landschaften zu *Faust II* antikischen Glanz zu geben vermochte.

An dem großen Bestand allein von Beckmanns Landschaften, die sich über die
ganze erste Jahrhunderthälfte erstrecken, erweist sich bereits, wie wichtig diese
Gattung auch kunsthistorisch ist. Beckmann unterscheidet sich von fast allen anderen Künstlern des 20. Jahrhunderts – Klee ausgenommen – darin, daß er mit seinen
Werken ein Bild der Gesetzlichkeit und Schönheit der Natur, ein Bild ihres Reich-

tums geschaffen hat. Dieses ist umso höher zu schätzen, als seit Monet alles nach Vereinheitlichung strebte. Beckmann dagegen hat die unterschiedlichen Bereiche der Natur differenziert und läßt sie aus ihrer differenzierten Eigentümlichkeit kräftig zusammenwirken. So zeigen diese Werke, daß es keine hohe Kunst ohne Natur gibt.

Peter Eikemeier

Beckmann und Rembrandt

Der soziologische Nenner,
der hinter Jahrtausenden schlief,
heißt: ein paar große Männer
und die litten tief.
...
und heißt dann: schweigen und walten,
wissend, daß sie zerfällt,
dennoch die Schwerter halten
vor die Stunde der Welt.

GOTTFRIED BENN

»Während der harten und schrecklichen Zeit in Amsterdam war es Max ein Trost, in derselben Stadt zu leben, in der Rembrandt gelebt hatte – Rembrandt, den Max für den größten aller Künstler überhaupt hielt.«[1] Dieser Satz aus den Erinnerungen seiner Frau – Beckmann selbst hat sich in seinen schriftlichen Äußerungen, die in der Knappheit ihrer Andeutungen sein Inneres eher verhüllen als preisgeben, nie so prononciert ausgesprochen – bezeichnet die Intensität seiner Beziehung zu einem Künstler, den er als seinen Ahnen empfunden und mit dem er einen lebenslangen, nie abreißenden Dialog geführt haben muß. Ein ungewöhnlich hohes Maß an innerer Übereinstimmung, an wesensmäßiger Verwandtschaft verband ihn mit jenem und prägte sein Werk in vielfältiger Weise. So ist es denn nicht nur die direkte Auseinandersetzung Beckmanns mit konkret benennbaren Formulierungen und Gestaltungen Rembrandts, auf die bei einer vergleichenden Betrachtung beider Künstler hinzuweisen ist, sondern vor allem jenes breite Spektrum unbewußter Analogien und Korrespondenzen, die – bei aller Einbindung in die jeweils eigene Zeit – über die Distanz von drei Jahrhunderten hinweg einen Gleichklang grundlegender Schaffensimpulse erahnen lassen.

Beide waren besessene Arbeiter, jeder hinterließ ein umfangreiches Œuvre (in dem Malerei, Zeichnung und Druckgraphik jeweils autonomen Rang einnehmen), das in immer neuen Ansätzen das zentrale Thema ihres Schaffens umkreist: die Darstellung des Menschen in seiner Rätselhaftigkeit und Widersprüchlichkeit, in seiner Bedingtheit und Souveränität. In beiden lebte eine Spur vom Geist des Prometheus, des Menschenbildners, der den Göttern trotzte (Beckmann: »Ich werfe in meinen Bildern Gott alles vor, was er falsch gemacht hat ... Meine Religion ist Hochmut vor Gott, Trotz gegen Gott.«)[2] und der im Leid nicht zerbrach. In einer kleinen, kaum handtellergroßen Radierung hat Rembrandt den Künstler als Menschenbildner dargestellt; es ist ein Goldschmied, der letzte Hand an eine Caritas-Gruppe legt (Abb. 1).[3] Ob Beckmann dieses Blatt kannte und daraus Anregungen für sein *Selbstbildnis mit grauem Schlafrock* (Abb. 2, Kat. 93) gewann, bleibe dahingestellt – die Ähnlichkeiten in der Gliederung des unräumlich gestalteten Hintergrundes durch horizontale und vertikale Strukturen fallen ins Auge. Wichtiger erscheint die nahe Verwandtschaft des in beiden Formulierungen zum Ausdruck gebrachten Verhältnisses zwischen Künstler und Werk als Zeugnis einer gemeinsamen Grunddisposition. In tiefem Ernst und gespannter Konzentration, in gleichsam meditativer Versunkenheit verrichtet der Künstler seine Arbeit, behutsam, fast zärtlich umfaßt jeweils die Linke die Figur, wobei die betonte Größe der Hand diese Geste verdeutlicht und unterstreicht. Mit einer gewissen Scheu und Fremdheit steht er seinem Werk gegenüber, das aus Tiefen aufsteigt, die sein Verstand nicht zu ergründen vermag.

Primärer Ansatzpunkt für die Darlegung der Rätselhaftigkeit menschlicher Existenz war für beide Künstler die eigene Person. Beckmann: »Das Suchen nach dem eigenen Selbst ist der ewige, nie zu übersehende Weg, den wir gehen müssen.« Und: »Da wir immer noch nicht wissen, was dieses ›Ich‹ wirklich ist, dieses Ego,

1 Mathilde Q. Beckmann, *Mein Leben mit Max Beckmann*, München 1983, S. 150

2 1919 im Gespräch zu Reinhard Piper; zitiert nach F. W. Fischer, *Max Beckmann. Symbol und Weltbild*, München 1972, S. 17 f.

3 Adam Bartsch, *Catalogue raisonné de toutes les estampes qui forment l'œuvre de Rembrandt*, Wien 1797, Nr. 123; 77 × 56 mm; (folgend mit B. bezeichnet). Zur Charakterisierung vgl. die Bemerkungen von D. Schmidt in: Kat. Ausst. ›Graphik in Holland‹, München 1982, S. 114

Abb. 1   Rembrandt: Der Goldschmied, 1655, Radierung

Abb. 2   Max Beckmann: Selbstbildnis mit grauem Schlafrock, 1941, Öl auf Leinwand, München, Bayerische Staatsgemäldesammlungen, Staatsgalerie moderner Kunst

das dich und mich, jeden in seiner Art bildet, müssen wir tiefer und tiefer in seiner Entdeckung vordringen … Was bist du? Was bin ich? Das sind die Fragen, die mich unaufhörlich verfolgen und quälen, aber vielleicht auch zu meiner künstlerischen Arbeit beitragen.«[4] Die Zahl ihrer gemalten, gezeichneten und radierten Selbstbildnisse wird vermutlich von keinem anderen Maler übertroffen. Von den frühesten Anfängen bis zu ihrem letzten Lebensjahr haben beide ihr Antlitz und ihre Gestalt unablässig studiert, drängend und eindringlich befragt, haben sich in szenische Darstellungen einbezogen und sind durch das Mittel der Verkleidung probeweise in fremde Rollen geschlüpft. Schon im radierten Selbstbildnis des siebzehnjährigen Kunstschülers Beckmann (Abb. 4)[5] tritt der leidenschaftliche Drang nach schonungsloser Selbstbetrachtung in Erscheinung, der sich in späteren Bildern kühl distanziert und analytisch gibt, in Wahrheit aber höchste Sensibilität und Verletzlichkeit offenbart. Das frontal und nah gesehene, unschön verzerrte Gesicht mit dem zum Schrei weit aufgerissenen Mund, den entblößten Zähnen, springt den Betrachter in aggressiver Direktheit an. Ähnlich abrupt und mit der gleichen radikalen Infragestellung der eigenen Person erscheint Rembrandt in seinen frühen Selbstbildnissen, etwa dem Münchner Porträt des Dreiundzwanzigjährigen aus dem Jahr 1629 (Abb. 3).[6] Bohrender Erkenntnisdrang, der sich jegliche stilisierende Beschönigung versagt, spricht aus diesem schutzlos sich preisgebenden Antlitz mit den fragend weit geöffneten, beschatteten Augen, den klaffenden, wulstigen Lippen und dem wirren Haar.

Subjektivität – Universalität

Die tiefschürfende, unerbittliche und unablässige Auseinandersetzung mit dem eigenen Ich hat das Gesamtwerk beider Künstler geprägt, in dem sich – im Gegensatz zu ihren großen Antipoden Rubens und Picasso – entschieden introvertierte seelische Disposition[7] offenbart, die sich jedoch häufig hinter aufgesetzter Weltläufigkeit, aufwendiger Verkleidung, bramarbasierender Gebärde oder ruppigem Auftreten verbirgt. Sie sahen die Welt mit offenen Augen und nahmen Anteil an ihr, waren aufgeschlossen für die Tradition, aus der ihre Kunst erwuchs, aber beide reagierten auf Außenwelt und Überlieferung in ungewöhnlich subjektiver Weise. Daraus resultieren die Schwierigkeiten, die Teile des Werks der genauen Deutung

4   ›Über meine Malerei‹, in: Max Beckmann, *Sichtbares und Unsichtbares*, Hrsg. P. Beckmann. Stuttgart 1965, S. 26, 30

5   Gallwitz 1, 217×143 mm; entstanden im Januar 1901

6   A. Bredius, *Rembrandt*. 3. Aufl., Hrsg. H. Gerson, London/New York 1969 (folgend mit Br. bezeichnet), Nr. 2, Holz, 15,5×12,7 cm, München, Alte Pinakothek, Inv.-Nr. 11427

7   Zu Rembrandt vgl. in diesem Zusammenhang: J. Q. van Regteren Altena, ›Rembrandts Persönlichkeit‹, in: *Neue Beiträge zur Rembrandt-Forschung*. Hrsg. O. v. Simson u. J. Kelch, Berlin 1973, S. 176 ff.

entgegensetzen. Bezeichnenderweise hat Beckmann selbst sich nur selten und in knappen Andeutungen zum Inhalt seiner Bilder geäußert, andererseits unterschiedliche Interpretationen gelten lassen. Angesichts zahlreicher ungemein scharfsinniger kunsthistorischer Untersuchungen zum Werk beider Künstler erhebt sich die Frage, ob dem wirklichen Verständnis ihrer Kunst tatsächlich mit einer bis ins letzte Detail gehenden Klärung der Intentionen oder des geistigen Umfeldes gedient sei. Eine konkret zu benennende Bibelstelle, der zufällige Nachweis einer bestimmten Lektüre können allenfalls auf einen auslösenden Faktor hinweisen, niemals aber ein Werk erklären, das immer die Summe der bis zum Zeitpunkt seiner Entstehung erreichten Lebens- und Erfahrungsstufen darstellt. Auch übersteigt es, wenn es Größe hat und Gültigkeit über den Tag hinaus, die bewußten Absichten und Ziele seines Schöpfers, dessen interpretierende Äußerung allenfalls einen Aspekt der Wahrheit mitteilen könnte. Die Allgemeingültigkeit der Aussage über den konkreten Anlaß hinaus, die Transparenz und Nachvollziehbarkeit einer dargestellten Situation bestimmen Größe und Verbindlichkeit des Kunstwerks, dessen Komplexität und Eigengesetzlichkeit im Eifer der Faktengläubigkeit und -besessenheit leicht übersehen werden. Rembrandt und Beckmann haben, wo andere eine Facette der Wirklichkeit vorführten, immer das Ganze im Auge gehabt; sie gaben dem Überrationalen Raum und dem Unnennbaren Gestalt. Die von ihren Bildern ausgehende und von vielen Menschen empfundene Faszination beruht nicht zuletzt darauf, daß jene ›verstanden‹ werden, auch ohne immer und sofort in äußerem Inhalt und Anlaß faßbar zu sein, daß sie dem Gefühl ebensoviel mitzuteilen haben wie dem Verstand.[8] Höchste Subjektivität, in schlüssige künstlerische Form verwandelt, ist hier zu Universalität geworden, die die Zeiten überdauert.

Parallelen in der stilistischen Entwicklung treten vor allem im Früh- und im Spätwerk deutlich zutage. Die Tendenz geht von Bewegung und Vielfalt zu Ruhe und Einfachheit. Den Turbulenzen in den frühen Bildern folgt eine Periode der Sammlung und Konzentration, die schließlich zu einer Reduzierung des erzählerischen Moments zugunsten zunehmender Monumentalisierung der Einzelgestalt führt.[9] Kompromißlosigkeit und Rigorosität, die beider Werk von Anbeginn kennzeichnen, führten in der Spätphase zu wachsender Freiheit gegenüber der Verbindlichkeit ikonographischer Normen. Bis zu den letzten Arbeiten behauptete sich die schöpferische Kraft ungebrochen in einem nur wenigen Künstlern vergönnten Ausmaße.

8 Bei Rembrandt ist hier an Bilder wie den ›Polnischen Reiter‹ in New York, aber auch an viele seiner biblischen Darstellungen zu denken.
9 Vgl. dazu auch H. Gerson, *Rembrandt Paintings*, Amsterdam 1968, S. 112

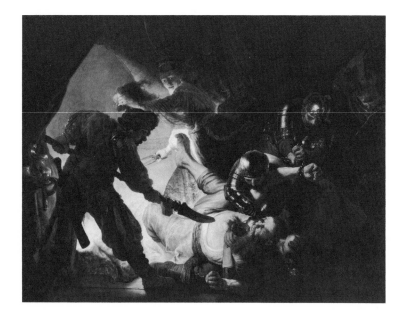

Biblisches Drama und Spießerstück

Überblickt man das Gesamtwerk Beckmanns, so glaubt man in allen Schaffensperioden neben der indirekten und wohl weitgehend unbewußten, auch vielfältige Spuren der direkten Auseinandersetzung mit einzelnen Werken Rembrandts zu erkennen, die angesichts der erfinderischen Vehemenz des Jüngeren jedoch nur selten so deutlich zutage treten wie in der Radierung *Adam und Eva* von 1917, deren Beziehung zu Rembrandts Radierung gleichen Themas von 1638 Christian Lenz charakterisiert hat.[10] An zwei Beispielen soll die Art und Weise, wie er Impulse aus dem Werk Rembrandts aufnahm und verwandelte, erläutert und damit auf die Eigentümlichkeit und Größe seiner schöpferischen Existenz hingewiesen werden: Das 1918/19 entstandene Gemälde *Die Nacht* (Abb. 6, Kat. 19), jene düstere Folter- und Mordszene, die zu den Hauptwerken aus Beckmanns Frankfurter Zeit gehört, steht in enger thematischer Beziehung zu einer gleichnamigen Radierung von 1914 (Kat. 225), die Fischer als freie Übertragung des biblischen Simson und Delila-Stoffes erkannte.[11] Zwischen beiden Formulierungen liegt das einschneidende Erlebnis des Ersten Weltkriegs, liegt nicht zuletzt aber auch die Auseinandersetzung mit Rembrandts Darstellung des gleichen Themas, der ›Blendung Simsons‹ (Abb. 5)[12] von 1636, die 1905 für das Frankfurter Städel erworben worden war. Dieses erregende Bild, das durch die drastische Wiedergabe der brutalen Handlung auf jeden Betrachter abstoßend und faszinierend zugleich wirkt, muß Beckmann, der durch die leidvolle Erfahrung dessen, was Menschen einander anzutun vermögen, seelisch bis zum Äußersten aufgewühlt war, in besonderem Maße angesprochen haben. Er übernahm in sein *Nacht*-Bild die Dichtheit der auf engem Raum zusammengedrängten turbulenten Figurengruppe[13], übernahm die – von ihm als ›magisch‹ empfundene? – Siebenzahl der Personen. Helligkeit und Dunkel drinnen und draußen sind vertauscht, aber das Licht spielt auch hier eine wichtige Rolle, nicht das gleißende, ekstatische Licht Rembrandts, sondern ein unlebendiges, eisiges, gnadenloses Licht. Hände und Füße sind hier wie dort wesentliche Bedeutungsträger. Der verkrampfte Fuß des Opfers, in dem unerträglicher Schmerz, ohnmächtiges Aufbäumen und Todeskampf sich zeichenhaft konzentrieren[14], stellt in beiden Bildern einen markanten, zentralen Kristallisationspunkt der Komposition dar. Die brutal zupackenden Hände des Mörders, die den Arm des Gehenkten umklammern, finden ihre Entsprechung in den Fäusten des Schergen mit der Kette. Gewalt und Hilflosigkeit sind in diesen Hände-Konstellationen auf eine prägnante Formel gebracht. Die glatten Kugelköpfe – der eine bandagiert, der andere behelmt – verleihen diesen Figuren, die spiegelbildlich einander nahezu gleichen, darüber hinaus einen Zug von Unmenschlichkeit und barbarischer Roheit. Übereinstimmungen zwischen beiden Bildern zeigen sich auch in der Bevorzugung

Abb. 5   Rembrandt: Blendung Simsons, 1636, Öl auf Leinwand, Frankfurt a. M., Städtische Galerie im Städelschen Kunstinstitut

Abb. 6   Max Beckmann: Die Nacht, 1918/19, Öl auf Leinwand, Düsseldorf, Kunstsammlung Nordrhein-Westfalen

10   Ch. Lenz, ›Mann und Frau im Werke von Max Beckmann‹, in: *Städel-Jahrbuch* NF 3, 1971, S. 216

11   F. W. Fischer, a. a. O., S. 23f.

12   Br. 501, 205 × 272 cm. Frankfurt am Main, Städelsches Kunstinstitut, Inv.-Nr. 1383

13   Spätere Anstückungen des Rembrandt-Gemäldes, die dessen Bildfläche seitlich und oben erweiterten, wurden anläßlich einer kürzlich erfolgten Restaurierung entfernt. Beckmann scheint sich, bewußt oder unbewußt, an dem originalen Bildausschnitt, wie ihn unsere Abbildung wiedergibt, orientiert zu haben.

14   Ähnlich verkrampfte Füße erscheinen, als Zeichen der Ohnmacht, übrigens auch bei dem gefesselten Mann im Mittelbild der ›Versuchung‹ (Kat. 73).

15   Vgl. E. Göpel, *Max Beckmann. Die Argonauten*, Stuttgart 1957, S. 4

16   F. W. Fischer, a. a. O., S. 162

17   B. 77, 549 × 447 mm

diagonaler Kompositionslinien und in der Betonung der Silhouettenwirkung; schließlich mag die lächerliche Schmachtlocke des Opfers in der *Nacht* als ironisierende Anspielung auf Simsons üppigen Schopf, das von Delila geraubte Sinnbild seiner Kraft, verstanden werden.

Aus dem von Leidenschaften durchtobten Drama, das von männlicher Stärke und weiblicher List, von Vertrauensseligkeit und Verrat, vom Selbstbehauptungswillen des Individuums und seinem Scheitern im Konflikt mit der Macht handelt, ist ein jämmerliches Spießer- und Ganovenstück geworden. Der schmählich zu Fall gebrachte biblische Held, dessen Schmerz, Wut und Verzweiflung, dessen fast hörbares tierisches Gebrüll den Betrachter so erschrecken, daß er den Anblick kaum ertragen kann, ist durch eine belanglose, anonyme Allerweltsfigur ersetzt, die so erbärmlich stirbt, wie sie zuvor gelebt hatte. Der Betrachter vermag das Geschehen nicht als tragisch zu empfinden, fühlt kein Mitleid mit den Opfern, weil er sich auf keiner Ebene mit ihnen identifizieren kann. Die Situation ist bedrückend, trost- und ausweglos in einem allgemeinen, über das persönliche Schicksal hinausgehenden Sinn. Sie ist Ausdruck der grenzenlosen Verachtung, die Beckmann vor einer Zeit empfunden haben muß, die solche Typen gebiert, in der Schinder und Geschundene gleichermaßen verächtlich sind.

Einsamkeit

Aus den dunklen Amsterdamer Jahren, in denen Beckmann Trost bei Rembrandt suchte und fand, sei als weiteres Beispiel der Anverwandlung und Umsetzung das 1941/42 entstandene Triptychon *Die Schauspieler* (Abb. 8), ins Auge gefaßt. Beckmann selbst hat eine Beziehung zur Christus-Thematik angedeutet[15], die Fischer durch den Hinweis auf die »geheime Anspielung« auf Ecce-Homo-Darstellungen präzisierte[16]. Tatsächlich scheinen Anregungen von Rembrandts 1635 entstandener Radierung (Abb. 7)[17] ausgegangen zu sein, die in Details, sicher aber auch inhaltlich zum Ausdruck kommen. Die bühnenmäßige, vielfigurige Inszenierung findet sich dort, ebenso die Aufteilung in zwei Ebenen, zwischen denen Treppenstufen und auf

Abb. 7   Rembrandt: Ecce Homo, 1635, Radierung

Abb. 8   Max Beckmann: Die Schauspieler Triptychon, 1941/42, Öl auf Leinwand, Cambridge, Fogg Art Museum (Mittelbild)

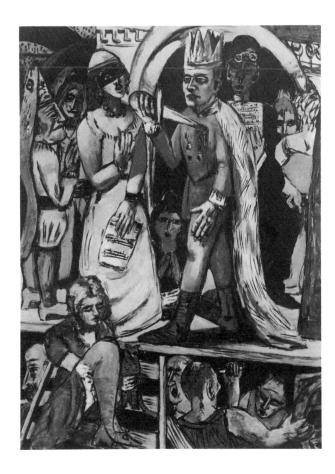

Abb. 9 Rembrandt: Selbstbildnis, 1669, Öl
auf Leinwand, London, National Gallery

Abb. 10 Max Beckmann: Selbstbildnis in
blauer Jacke, 1950, Öl auf Leinwand,
St. Louis, The Saint Louis Art Museum,
Bequest of Morton D. May

diesen postierte Personen vermitteln. Oben die beispielhafte, idealisierte Handlung, unten die lärmende, tobende Masse, die nichts begreift. Der dunkle Torbogen[18], die Palastfassade, der Soldat mit der Lanze könnten auch aus anderen Darstellungen dieses traditionsreichen Themas übernommen sein; unmittelbar auf
Rembrandts Radierung verweisen indessen die gnomenhafte Gestalt mit dem breiten Mund und dem vom Hut herabhängenden langen Stoffstreifen, deren Urbild
vor Pilatus das Knie beugt, und die janusköpfige Skulptur auf dem rechten Flügel,
die durch die Kaiserbüste auf dem hohen Sockel angeregt sein dürfte (Abb. S. 43).

Der dornengekrönte Christus, die Spottfigur des ›Königs der Juden‹ mit nackter, ungeschützter Brust, der sich ergeben in Gottes Willen zum Opfer darbietet, ist
in einen Mimen mit Papierkrone verwandelt, der die Züge des Künstlers trägt. Er
spielt seine Rolle auf der Bühne der Zeit, ein Narr in den Augen der Welt und doch
ein wirklicher König[19], der einsam, von wenigen beachtet und in seiner wahren
Gestalt erkannt, seine selbstauferlegte Erlösungstat vollbringt.[20]

Julius Held bezeichnet die Erkenntnis und Darlegung der existentiellen Einsamkeit des Menschen als eines der Grundthemen Rembrandtscher Kunst.[21] Dies gilt in
gleichem oder noch höherem Maße auch für Beckmann, dessen Gestalten, auch in
szenischen Zusammenhängen, isoliert, in tiefes Nachdenken versunken erscheinen.
Die sinnierende Frau im Mittelbild des Triptychons *Versuchung* (Kat. 73) – um ein
beliebiges Beispiel aus einer langen Reihe vergleichbarer Figuren zu nennen – ist
eine Schwester der ›Bathseba‹ Rembrandts im Louvre. Nicht zuletzt auch in den
Bildnissen, den eigenen wie denen anderer Personen, wird dieser Zug deutlich.

Rembrandt und Beckmann haben in ihren Bildern – jeder auf seine Weise und
doch einander so nah – das rätselvolle Dunkel, das alles menschliche Sein umgibt,
ein wenig gelichtet, einen Spalt nach draußen geöffnet. Der eine ging von den
biblischen Geschichten aus, die er transparent für die in ihnen zum Ausdruck
gebrachten menschlichen Grunderfahrungen machte, der andere stieg in die Tiefen
des Mythos hinab und verlieh den alten Weisheiten neue Gestalt.

Im letzten Lebensjahr der beiden Künstler entstanden noch einmal Selbstbildnisse. Der dreiundsechzigjährige Rembrandt (Abb. 9)[22] und der sechsundsechzig-
jährige Beckmann (Abb. 10, Kat. 126) treten uns in ihnen nicht als Sieger und
Überwinder, nicht als abgeklärte Persönlichkeiten entgegen, sondern als abge-
kämpfte, erschöpfte, skeptische Männer. Rembrandts pelzbesetzter Rock, seine
patriarchalische Kappe können nicht über den desolaten Zustand seiner Physis,
über das aufgedunsene Gesicht, die schlaffen Lippen, die matten, des Sehens müde
gewordenen, eher nach innen gerichteten Augen hinwegtäuschen, ebensowenig wie
Beckmanns forsche Pose und grellfarbene Kleidung die Verlorenheit des Blicks und

18 Er erscheint auch auf der späteren Fassung des
Ecce-Homo-Themas von 1655 (B. 76, 383 × 455 mm),
von der möglicherweise ebenfalls Anregungen
ausgingen: In den Zuständen B. 76/VII und B. 76/VIII
öffnen sich unter der Plattform kellerartige Räume;
die Szene ist triptychonartig gegliedert; auch eine
Frauengestalt mit verbundenen Augen findet sich
dort: die Skulptur der Justitia am Palast des Pilatus.

19 Auch Rembrandt hat sich wiederholt in Gewand
und Pose eines Herrschers dargestellt:
z. B. im Selbstbildnis von 1658 in der Frick
Collection, New York (Br. 50).

20 Die Beziehungen zu Rembrandt und zur
Christus-Thematik bieten indessen nur einen von
mehreren Aspekten zur Deutung dieses
vielschichtigen Werkes. Generell muß, im Sinne des
weiter oben Gesagten, vor voreiligen Schlüssen
gewarnt werden, wenn es in Teilbereichen gelang,
dem Künstler ›auf die Schliche‹ zu kommen. Damit
sind bestenfalls Partikel aus einem großen Mosaik
charakterisiert.

21 J. S. Held, ›Das gesprochene Wort bei
Rembrandt‹, in: *Neue Beiträge zur Rembrandt-
Forschung*, a. a. O., S. 122. Ders., *Rembrandt's
Aristotle and other Rembrandt Studies*, Princeton
1969, S. 30

22 Br. 55, 86 × 70,5 cm, dat. 1669, London, National
Gallery

23 Th. Mann – K. Kerenyi, *Gespräch in Briefen*,
Zürich 1960, S. 146 (Brief vom 1. 1. 1947)

die Ratlosigkeit, die sich im Verbergen des Mundes durch die zigarettehaltende Hand kundtut, zu verschleiern vermag. Und doch sind diese beiden Bildnisse alles andere als Zeugnisse des Verzichts und des Kleinbeigebens. Schon die Tatsache, daß sie überhaupt entstanden, setzt Willenskraft und Haltung voraus und ist ein Zeichen des Widerstandes gegen die Resignation: »Ein Werk, und sei es eines der Verzweiflung, kann immer nur den Optimismus, den Glauben ans Leben zur letzten Substanz haben« (Thomas Mann).[23] Beckmann steht vor einer aufgespannten Leinwand, Rembrandt hielt ursprünglich Malstock und Pinsel in der Hand. Der Trotz des Prometheus ist noch nicht erloschen.

Bruno Heimberg

Zur Maltechnik

Der vorliegende Versuch, die Maltechnik Max Beckmanns darzustellen, beruht auf Beobachtungen und Untersuchungen an einer begrenzten Anzahl von Gemälden. Obschon sich darunter Werke fast aller Schaffensperioden befinden, können und wollen die nachfolgenden Ausführungen deshalb keinen Anspruch auf Vollständigkeit erheben. Vielmehr soll versucht werden, mit der Beschreibung des Materials und maltechnischer Phänomene nur einen Einblick in den Entstehungsprozeß der Kunstwerke zu geben.

Soweit man überprüfen kann, entwickelt Beckmann seine typischen Arbeitsweisen und Techniken, ebenso wie seine Vorlieben für bestimmte Materialien und Werkzeuge, schon in relativ frühen Jahren und bleibt diesen im Prinzip bis zum Ende seines Lebens treu. Grundlegende Experimente oder gar revolutionäre Neuerungen in seiner Malweise finden sich nicht. Was sich dagegen verändert und weiterentwickelt, ist die Virtuosität und Sicherheit, mit der der Künstler die ihm zur Verfügung stehenden Mittel nutzt, um immer neue, noch subtilere Ausdrucksmöglichkeiten für seine bildnerischen Ideen zu finden.

Die Gewohnheit, an mehreren Objekten gleichzeitig nebeneinanderher zu arbeiten, stellt ein typisches Merkmal in der Arbeit Beckmanns dar. An einem Tag werden angefangene Bilder weitergemalt, Kompositionen abgeschlossen und neue entworfen. Auf kurze Pausen nach erschöpfender Arbeit folgen wahre Explosionen an Kreativität, die sich in einer Vielzahl von neuen Bildentwürfen niederschlagen. Einige Beispiele von vielen Tagebucheintragungen: »Do.25.Dez. 1940 Erster Feiertag: 6 Bilder entworfen, haha,–. Sa.12.Apr.1941 (...) Überintensiv an 5 Bildern gearbeitet (...). Sa.5.Sept. 1942 5 Entwürfe gemacht, zwei ›Abschied‹, ›gelbe Lilien‹, ›Negerbar‹ und ›zwei Frauen‹. ›Frankfurter Bahnhof‹ fertig. Mi.25.Okt. 1944 Heftig ›Rosa Frau mit spielender Katze‹ fertig gemacht. – Sechs bis sieben Caliente-Bilder entworfen (...). Mi.23.Nov.1949 Einen Tag ausgeruht und schon drängt sich wieder allerhand Unsinn in mir in die Höhe, der Form haben will – ›vielleicht‹ – ›die story von David‹ – oder so, mal sehen.«[1]

Welcher Materialien und Techniken sich Max Beckmann zur Realisierung seiner Bildvorstellungen bediente, soll nun so präzise wie möglich dargestellt werden.

Alle untersuchten Gemälde sind auf Leinwand gemalt, die mit Nägeln auf Keilrahmen aufgezogen sind. Die zum Teil ungewöhnlichen Bildformate lassen darauf schließen, daß viele der verwendeten Keilrahmen nach Maß angefertigt worden sind, und aus Tagebucheintragungen wissen wir, daß zumindest in einzelnen Fällen die Leinwand vom Künstler oder von Helfern selber auf die Keilrahmen aufgezogen wurde. »Fr.2.Nov. 1945 Neue Rahmen sind gespannt trotz Not und Teufel ... Mo. 5.Aug. 1946 ... Abends war Johannes da und spannte Leinwandrahmen für 2 neue Tryptic's. Ha Ho – Ha, Ha – na – ja–.«[2]

Mit Ausnahme weniger Bilder verwendete der Künstler ausschließlich ein feines bis mittelgrobes, fast noppenfreies, leinengebundenes Gewebe. Auffallend ist dabei, daß unabhängig von Entstehungszeit und Bildgröße die Stärke und Struktur der Leinwand immer gleich bleibt. Als optische Folge davon erscheinen kleine Bilder in ihrer Oberflächenerscheinung stärker durch die Leinwandstruktur geprägt als die großformatigen.

Die in sich strukturlose, maschinell aufgetragene Grundierung ist immer von weißer Farbe. Dadurch wirkt sie selbst da, wo sie durch eine lasierende farbige

1 Die angesprochenen Caliente-Bilder beziehen sich auf die Caliente-Bar in Amsterdam, die Beckmann als Gast frequentierte. M. Beckmann, *Tagebücher 1940-1950,* München 1979, S. 27,31,52, 102,362

2 Ebenda, S. 141, 173

Untermalung überlagert oder durch eine pastose Malschicht überdeckt wird, als eine Art von Reflektor, der entscheidend zu der Leuchtkraft der Farbe beiträgt.

Wenn wir den eigentlichen Entstehungsprozeß der Gemälde nachzuvollziehen versuchen, fällt als erstes die Tatsache auf, daß Beckmann nur in einem sehr begrenzten Rahmen Vorstudien in Form von Bleistift-, Kohle- oder Federzeichnungen oder gar Kompositionsstudien in Öl gefertigt hat. Meistens wurden die zur Verwirklichung anstehenden Bildideen direkt auf die Malleinwand entworfen (Abb. 1), um dann – zum Teil in einem langen, oft schmerzhaften Entwicklungsprozeß – zur endgültigen Gestalt ausgeformt zu werden. Ein Prozeß, der sich an den Bildern selber ablesen läßt, sich aber auch in zahlreichen Tagebucheintragungen Beckmanns niederschlägt.

Als ein Beispiel seien hier die Notizen zu der Entstehung des Gemäldes *Blumenkorso in Nizza* 1947 (Abb. 2) zitiert, die anschaulich machen, wie eine ursprüngliche Kompositionsvorstellung während des eigentlichen Malvorganges immer wieder verändert und umgestoßen wird, bevor sie ihre endgültige Gestalt annimmt.

»Sa. 26. April 1947. ›Blumen-Corso‹ auf altes Selbstportrait entworfen. Mi. 30. April 1947. Viel gearbeitet an ›Nice‹, fängt an mich zu interessieren. 30. Mai 1947. An ›Baccarat‹ und ›Blumencorso‹ intensivst 6 Stunden gearbeitet. So. 8. Juni 1947. Intensiv am ›Blumencorso‹ – vormittags und nachmittags gearbeitet. Fr. 20. Juni 1947. ›Blumencorso Nice‹ fertig. So. 22. Juni 1947. Leider doch noch mal ›Blumencorso‹. – Di. 1. Juli 1947 (...) noch einmal ›Blumencorso‹ übermalt, gut. Sa. 5. Juli 1947. Ganzen Tag mehr oder weniger erfolgreich am ›Blumencorso‹ gearbeitet. So. 6. Juli 1947. (...) ich habe wieder den ganzen Morgen am ›Corso‹ gemurkst. – Nun ist wieder eine grundlegende Veränderung eingetreten – na mal sehen. – So. 20. Juli 1947. ›Blumencorso‹. Fr. 25. Juli 1947. Sehr heiß – malte nachts bis 12 Uhr nochmal ›Blumencorso‹. Sa. 26. Juli 1947. Wieder ›Blumencorso‹ bis 7 Uhr. – Mi. 30. Juli 1947. Eigentlich den ganzen Tag vergeblich am ›Blumencorso‹ – 8 Stunden glaube ich –. Mi. 6. August 1947. Trotzdem – (ich schäme mich): ›Blumencorso‹ nochmal – glaube sehr gut. – Sa. 9. August 1947. Nochmal 4 Stunden am ›Blumencorso‹ – (eine Schande). – So. 10. August 1947. Puh – morgens um 6 Uhr zurück vom ›Blumencorso‹ – eine letzte Nacht. – Mo. 11. August 1947. Die rosa Blütenzweige im ›Corso‹. – Mi. 13. August 1947. Bis zum letzten Moment der Bildabholung noch am ›Blumencorso‹ – wirklich schon pathologisch langweilig. Noch naß abgeschickt – na ja – Hol ihn der Teufel. – So. 13. Februar 1949. Abends (im

Abb. 2 Max Beckmann: Blumenkorso in Nizza, 1947, Öl auf Leinwand, Fort Dodge, Ia., Blanden Art Gallery

toten kalten Sonntag Atelier) noch Zeichnungen von ›Blumencorso in Nizza‹ gemacht.«[3]

Es gibt eine Reihe von unvollendeten Gemälden, bei denen die Arbeitsweise Beckmanns in verschiedenen Entwicklungsstadien zu sehen ist. Als besonders instruktives Beispiel kann hier die unvollendete *Auferstehung* von 1916/18 gelten (Abb. 1). Darauf läßt sich ein sehr fein mit Bleistift aufgezeichnetes Koordinatennetz erkennen, mit dessen Hilfe vermutlich ein kleinformatiger Kompositionsentwurf ins Großformat übertragen wurde. Darüberliegend – ebenfalls mit Bleistift, zum Teil wohl auch mit Kohle – sehr frei und ohne Betonung von Details – umrißhaft die Figuren und Landschaftsfragmente. Man geht sicher nicht fehl, anzunehmen, daß es in diesem Stadium der Arbeit in erster Linie um kompositionelle Fragen geht und weniger um die detaillierte Ausarbeitung der einzelnen Formen. Sozusagen als erster Schritt der malerischen Verdichtung wird die Bleistift- oder Kohleunterzeichnung mit dem Pinsel in einer flüssigen, tuscheartigen von Grau bis Schwarz variierenden Farbe konturierend und lavierend übergangen.

Dieser Vorgang vollzieht sich nun nicht etwa gleichmäßig auf der gesamten Oberfläche, sondern beginnt und verdichtet sich an vielen den Künstler im Moment interessierenden Punkten, um sich dann in einer Art Kristallisierungprozeß über die gesamte Bildfläche auszubreiten. Mit welcher Vehemenz diese Arbeitsgänge vor sich gehen, läßt sich übrigens eindrucksvoll an Arbeitsspuren wie Farbspritzern und Kratzspuren ersehen (Abb. 3, 4).

Die Gewohnheit, erst mit Kohle oder Bleistift und darüberliegend mit dem Pinsel die Darstellung zu entwerfen, behält Beckmann sein ganzes Leben lang bei, unabhängig davon, ob es sich um große Triptychen, Bildnisse, Landschaften oder Stilleben handelt. In späteren Jahren, wo die Malerei großflächiger vorgetragen wird, erfolgt auch die Unterzeichnung in einer gleichmäßigeren, mehr flächendeckenden Weise, die einen an eine ausgeführte, überdimensionale Pinselzeichnung erinnert (Kat. 132).

Mit der Pinselunterzeichnung beginnt ein sich vielschichtig verzahnender und überlappender, ein sich ständig selbst korrigierender Malprozeß, in dessen Verlauf sozusagen von der Tiefe zur Oberfläche hin das fertige Bild entwickelt wird. Parallel zur Unterzeichnung oder unmittelbar danach erfolgt nämlich die farbige Untermalung, die in erster Linie zum Anlegen der plastischen Form und einer bestimmten Grundfarbigkeit dient (Abb. 3). Beide Anliegen gehen dabei völlig ineinander auf, da die angestrebte Plastizität und räumliche Tiefe nicht primär durch perspektivisch zeichnerische Mittel, sondern vielmehr von Anfang an durch Farb-, Oberflächenstruktur und Hell-Dunkel-Kontraste erreicht werden.

Im Verlauf des Malprozesses entstehen durch die Farbe neue Formen, die zum Teil die ursprünglichen überdecken und entsprechend verändern. Farbflächen begrenzen sich gegenseitig. Die schwarze Unterzeichnung oder die darunterliegende weiße Grundierung bilden Konturen und schaffen dadurch ebenfalls Form.

Indem Beckmann mit schwarzer Farbe vorhandene Formen nochmals umreißt, Binnenzeichnung, wo notwendig, verstärkt und pointiert oder durch die Überlagerung eines Systems von schwarzen Linien und Flächen eine zusätzliche Ebene in der Tiefenschichtung der Komposition erzeugt, verändert oder präzisiert er oft in einer endgültigen Schlußanstrengung nochmals das formale Konzept (Kat. 73). Speziell in den Bildnissen, aber auch in den Landschaften und Stilleben liebt es Beckmann z.B. mit dem zuletzt aufgemalten Hintergrund den Umriß einer Person, mit dem Himmel einen Horizont oder mit der bunten Tapete eines Raumes die Binnenform eines Einrichtungsgegenstandes korrigierend und straffend in die endgültige Form zu bringen (Abb. 5, Kat. 55). Um während der Arbeit bestimmte Vorstellungen sichtbar zu machen, ohne sich endgültig festlegen oder bereits Vorhandenes zerstören zu müssen, deckt er manchmal Teile der Komposition mit ausgeschnittenen Papierformen ab. »So. 15. Mai 1949. War nicht so arg zufrieden mit ›Beginning‹, too crowded – aber – na ja. Spät am Nachmittag noch mit Papierüberdeckung probiert (Versuch die Kinder am linken Flügel zu eliminieren) – vielleicht nur Übermüdung – morgen Entscheidung.«[4]

3 Siehe Anm. 1, S. 200, 204-208, 210-212, 315
4 Ebenda, S. 329. Hier wird auf das Triptychon ›The Beginning‹, 1946-1949, Bezug genommen.

3

Abb. 3   Max Beckmann: Auferstehung, 1916,
Öl auf Leinwand, Stuttgart, Staatsgalerie
(Detail)

Abb. 4   Max Beckmann: Auferstehung, 1916,
Öl auf Leinwand, Stuttgart, Staatsgalerie
(Detail)

Abb. 5   Max Beckmann: Bildnis
la Duchessa › di Malvedi‹ 1926,
Öl auf Leinwand, München,
Bayerische Staatsgemäldesammlungen,
Staatsgalerie moderner Kunst (Detail)

Abb. 6   Max Beckmann: Große Sterbeszene,
1906, Öl auf Leinwand, München,
Bayerische Staatsgemäldesammlungen,
Staatsgalerie moderner Kunst (Detail)

Abb. 7   Max Beckmann:
Vor dem Maskenball, 1922,
Öl auf Leinwand, München,
Bayerische Staatsgemäldesammlungen,
Staatsgalerie moderner Kunst (Detail)

Abb. 8   Max Beckmann: Bildnis Quappi in
Blau, 1926, Öl auf Leinwand, München,
Bayerische Staatsgemäldesammlungen,
Staatsgalerie moderner Kunst (Detail)

Zur Kontrolle seiner Bilder und zur Überprüfung der Ausgewogenheit einer Komposition soll Beckmann seine Bilder oft auf den Kopf gestellt haben.[5]

Um ungelöste Probleme der Farbkomposition abzuklären, verwendet Beckmann Pastellkreiden, mit denen die fraglichen Partien farbig angelegt werden, bevor er sie in Ölfarbe endgültig ausführt. Eines der wenigen Beispiele, wo man dieses Vorgehen noch sehen kann, ist die *Ballettprobe*, 1950 (Kat. 132). In derselben Weise korrigiert er offensichtlich auch bereits gemalte Bildpartien, um diese dann zu übermalen oder wegzukratzen und neu zu malen.[6]

Den Stellenwert der Farbe in seinem Schaffen formulierte Beckmann in seiner berühmten Londoner Rede von 1938 folgendermaßen: »Schön und wichtig ist mir, als Maler, natürlich die Farbe, als seltsamer und großartiger Ausdruck eines unbegreiflichen Spektrums des Ewigen. – Ich brauche sie auch zur Bereicherung der Bildfläche und tieferer Durchdringung des darzustellenden Objekts. Sie bestimmt bis zu einem gewissen Grade meine seelische Grundhaltung, ist aber der Licht- und vor allem der Formbehandlung nachgeordnet. Ein Überwiegen des farbigen Elements

4

5   »Oft stellte er das Gemälde, an dem er arbeitete,
auf den Kopf oder auf die linke oder rechte Seite.
Viele Male hörte ich ihn sagen: ›Ein Bild auf den
Kopf zu stellen ist ein Test für das Gleichgewicht der
Komposition. Wenn etwas nicht stimmt, zeigt es sich
sofort. Jedes große Bild der Vergangenheit hält
diesen Test aus.‹« In: Mathilde Q. Beckmann, *Mein
Leben mit Max Beckmann*, 1983, S. 147 f.

6   »Wann immer Beckmann mit Farbe an einem
noch unfertigen Gemälde experimentierte oder
Farben für eine neue Komposition ausprobierte,
benutzte er zuvor Pastellkreide, um zu sehen, wie das
Ergebnis in etwa sein würde. Dann wischte er die
Pastellfarbe vollständig ab, rieb erst mit einem
trockenen Tuch und dann mit einem in Terpentin
getränkten Lappen nach, ehe er diese Partie der
Leinwand zu Ende malte.« Ebenda, S. 146

5

6

7

8

auf Kosten der Form – und der Raumbehandlung wäre der Anfang zu einer zweifa-
chen Bearbeitung des Raumes in der Bildfläche und nähert sich daher dem Kunstgewerbe. – Reine Lokalfarbe und gebrochene Töne müssen gleichzeitig verwendet
werden, da eins das andere erst richtig zur Geltung bringt.«[7]

Um zuverlässige Angaben darüber zu erlangen, welche Farben im Laufe der
Jahre von Beckmann in seinen Bildern wie verarbeitet worden sind, wurden neben
intensiven Bildbeobachtungen naturwissenschaftliche Untersuchungen an etwa 360
Farbproben durchgeführt, die aus der Grundierung, aus weißen, schwarzen, hell-
und dunkelgelben, hell- und dunkelroten, braunen, hell- und dunkelblauen sowie
grünen Bildpartien entnommen wurden.[8] Dabei fanden sich in den unterschiedlichsten Ausmischungen: Bleiweiß, Kreide, Schwerspat, Titanweiß, Zinkweiß, Beinschwarz, Pflanzenschwarz, Cadmiumgelb, Chromgelb, Ocker gelb – rot – braun,
Strontiumchromat, Zinkchromat, Cadmiumrot, rot-violetter Farblack (Krapplack),
Zinnober, Kobaltviolett, Berlinerblau, Kobaltblau, Ultramarinblau synth., Chromoxydgrün, Schweinfurtergrün.

Die *weiße Grundierung* enthält meistens Bleiweiß, das häufig mit Zinkweiß oder
Schwerspat vermischt auftritt. In wenigen Fällen finden sich auch Kreide und Titanweiß als Beimengung. Dabei handelt es sich um handelsübliche Grundierungen, auf
deren Zusammensetzung Beckmann wohl keinen Einfluß nahm. In den *weißen
Farbproben* kommt Bleiweiß mit Abstand am häufigsten – oft auch unvermischt –
vor. In den späteren Jahren findet sich nicht selten Zinkweiß als Beimischung. Mit
diesen beiden Pigmenten, hauptsächlich aber mit Bleiweiß, mischt Beckmann fast
immer alle übrigen von ihm verwendeten Farben aus.

Als *Schwarzpigmente* erscheinen Beinschwarz und Pflanzenschwarz, wobei in
den Schwarzpartien meistens Beinschwarz, zur Ausmischung anderer Farben aber
fast ausschließlich Pflanzenschwarz verwendet wird. Die schwarzen Bildpartien enthalten in vielen Fällen neben Bleiweiß noch Ultramarin, Berlinerblau, braunen
Ocker oder einen roten Farblack. Sehr oft sind diese Pigmente nicht als Beimengung zum Schwarz anzutreffen, sondern liegen als dünne Lasur darüber. Dadurch
wird eine tiefe Farbigkeit erzeugt, die in ihrer Sattheit und Dunkelheit sonst nicht
zu erzielen wäre. Ohne auf die durch Ausmischung mit Weiß und Schwarz erreichte
Feinheit tonlicher Nuancierung verzichten zu müssen, läßt sich damit die Leuchtkraft der Farben bis zum Äußersten steigern.

In den *hellgelben Farbpartien* findet sich vorwiegend Cadmiumgelb, das in allen
Perioden vorkommt, das nächsthäufige Strontiumchromat ist auf wenige Jahre vor
1930 beschränkt und Zinkchromat ausschließlich auf die Jahre 1930/31. Gelber
Ocker und Chromgelb treten nur in sehr geringem Umfang als Mischpigmente auf.
Aufgehellt wird hauptsächlich mit Bleiweiß, später auch mit Zinkweiß und abgetönt
mit Ultramarinblau und Chromoxydgrün.

Im *dunklen Gelb* dominiert Cadmiumgelb, allerdings sehr häufig mit gelbem
Ocker vermischt. Wiederum am häufigsten erscheinen Bleiweiß, Zinkweiß und
Pflanzenschwarz als Mischpigmente, jedoch findet sich auch das ganze Spektrum
der von Beckmann benutzten Rotpigmente.

Als *helles Rot* bevorzugt Beckmann Zinnober und in geringerem Maße Cadmiumrot, die – wie immer – mit Bleiweiß und Pflanzenschwarz ausgemischt werden.

Das Standardpigment bei den *dunklen Rotpartien* ist ein rotvioletter Farblack
(Alizarin Krapplack), in vereinzelten Fällen erscheinen Cadmiumrot und roter
Ocker. Ausgemischt wird überwiegend mit Bleiweiß und Pflanzenschwarz, aber
auch mit Beinschwarz, Ultramarinblau synth., Chromoxydgrün und Berlinerblau.
Sowohl bei dem hellen wie bei dem dunklen Rot finden sich Zinnober, Bleiweiß und
Pflanzenschwarz ständig, während Cadmiumrot und Zinkweiß in späteren Jahren
stärker auftreten.

Als Braun benutzt Beckmann ausschließlich einen braunen Ocker, den er mit
Pflanzenschwarz und Bleiweiß und – in wesentlich geringerem Maß – mit Ultramarin synth., Chromoxydgrün und rotem Ocker ausmischt. Alle vorkommenden Pigmente finden sich mit sehr geringen zeitlichen Präferenzen ständig. Sowohl bei
Hellblau wie auch *Dunkelblau* dominiert Ultramarinblau synth. Ab Mitte der 30er

7　M. Beckmann, ›Über meine Malerei‹, zitiert
nach M. Q. Beckmann, a. a. O., S. 196

8　Für ihre naturwissenschaftlichen Beiträge
sei an dieser Stelle Frau Karin Junghans und Herrn
Dr. A. Burmester gedankt.

Jahre kommen in wesentlich geringerem Maße dann auch Berlinerblau und in den hellen Partien Kobaltblau vor. Ausgemischt wird vorwiegend mit Bleiweiß und Pflanzenschwarz, seltener mit Beinschwarz und später mit Zinkweiß. Als einziges buntes Pigment fand sich verschiedentlich ein rotvioletter Farblack.

Bei *Grün* herrscht Chromoxydgrün praktisch als alleiniges Pigment mit Ausnahme von zwei Fällen, wo Schweinfurtergrün in Gemälden von 1926 vorkommt. Als Mischpigmente werden wie immer hauptsächlich Bleiweiß und Pflanzenschwarz, in sehr geringem Maße Chromgelb, Ultramarinblau synth. und in späteren Jahren Zinkweiß und Beinschwarz eingesetzt. Auch wenn die relativ geringe Anzahl der untersuchten Bilder und die zahlenmäßige Unausgewogenheit des Untersuchungsmaterials in den einzelnen Schaffensperioden gewisse Ungenauigkeiten im Ergebnis zur Folge haben können, sind doch einige interessante Feststellungen bezüglich der verwendeten Farben und Farbmischungen möglich.

Es fällt auf, daß trotz der an sich recht umfangreichen Palette eine relativ geringe Anzahl von Pigmenten von Beckmann absolut bevorzugt verwendet wird. Diese Pigmente kommen mit den erwähnten Ausnahmen von Anfang bis Ende immer wieder vor und werden auch bevorzugt untereinander ausgemischt. Alle anderen Pigmente dienen ausschließlich als Mischfarben und haben nur in dieser begrenzten Funktion eine Bedeutung für die Farbigkeit der Bilder.

Interessant ist, daß selbst in den buntesten, strahlendsten Farben außer der farblichen Abtönung fast immer mit Weiß oder mit Schwarz oder mit beiden Farben gleichzeitig aufgehellt, abgedunkelt oder gebrochen wird.

Das Bindemittel der von Beckmann verwendeten Malfarben wurde nicht analysiert. Es dürfte sich aber um handelsübliche Öl- oder Harzölfarben handeln. Beckmann verarbeitete diese in den unterschiedlichsten Konsistenzgraden, von sehr pastos bis hin zu einer lasierenden, fast tuscheartigen Verdünnung[9] (Kat. 61, 91). Bis auf frühe Bilder, wo die pastose Ölfarbe teilweise mit dem Spachtel aufgetragen wird, wie etwa in der Bodenpartie der *Großen Sterbeszene* von 1906 (Kat. 5), verwendet Beckmann ausschließlich Pinsel verschiedenen Weichheitsgrades und unterschiedlicher Breite.[10] »Fr. 3. Juni 1949 Pinsel (Marder) gekauft für 40 Dollar (...)«[11]

In den meisten frühen Gemälden wird die auf der Palette ausgemischte Farbe mit kurzen heftigen Pinselhieben pastos, zum Teil fast reliefhaft, nebeneinander und übereinander geschichtet. Die dadurch entstehende Oberflächenstruktur gibt nicht nur die Heftigkeit des Malvorganges wieder, sie modelliert die dargestellten Formen und Details geradezu plastisch heraus (Abb. 6). Die farbige Modellierung der Körper und Gegenstände erfolgt in mehreren übereinanderliegenden Schichten, vom Dunklen zum Hellen hin. Trotz des dicken und deshalb deckenden Farbauftrags spielt der Untergrund eine wesentliche Rolle, da die tieferliegenden Schichten überall zwischen den Pinselstrichen aufscheinen und dabei eine Tiefenwirkung erzeugen, die, wie wir noch sehen werden, für den Künstler von besonderer Bedeutung ist.

Spätestens in den frühen zwanziger Jahren weicht die auffallend pastose Oberflächenstruktur einem zwar immer noch weitgehend deckenden, in seiner Oberfläche aber viel feiner strukturierten Farbauftrag. Die Bilder besitzen nach wie vor eine außerordentlich lebendige Oberfläche, die in ihrer strukturellen Vielfalt den vorhergehenden Bildern nicht nur in nichts nachsteht, sondern in vieler Hinsicht differenzierter auf die Stofflichkeit der dargestellten Materie eingeht, jedoch aus normaler Betrachtungsdistanz kaum mehr erkennbar ist. Die Modellierung und räumliche Tiefenwirkung wird ausschließlich aus den Hell-Dunkel-Wirkungen und den Farbkontrasten entwickelt. Um diesen Effekt zu erzielen, verwendet Beckmann offensichtlich relativ kleine, ziemlich weiche Pinsel, mit denen er die pastose Farbe strichelnd und – vor allem in den Lichtpartien – stupfend aufträgt (Abb. 7).

Daß die Feinheit des Farbauftrages nicht etwa mit der Kleinformatigkeit der dargestellten Figuren zusammenhängt, beweisen im übrigen auch die lebensgroßen Porträts, bei denen Beckmann großflächig genauso vorgeht (Kat. 73). Auch wenn dieser Malstil sehr bald wieder einer wesentlich freieren und spontaneren Pinselführung weicht, kehrt die extreme Pastosität früher Bilder nicht mehr zurück. Sie wird

9 »Max Beckmann benutzte – jedenfalls seit unserer Heirat 1925 – für seine auf Leinwand gemalten Bilder nur Pinsel und Palette, Ölfarbe und Terpentin, in früheren Jahren hatte er zuweilen auch Leinöl beigemischt.«
»Wenn man seine Gemälde aus der Nähe ansieht, wird man bemerken – und das trifft auf alle Ölgemälde Beckmanns zu –, daß an manchen Stellen die Farbe dünn aufgetragen ist und an anderen dick. Er verglich das mit dem Gebrauch des Pedals beim Klavierspielen. ›Es ist nicht gut, immer fortissimo zu spielen, es ist auch nicht gut, immer pianissimo zu spielen; ausgiebiger Gebrauch ein und desselben Stilmittels macht ein Stück monoton und langweilig.‹« M. Q. Beckmann, a. a. O., S. 145 f.

10 »Als Pinsel verwendete er Schweineborsten und Zobelhaar vom feinsten bis zu 8 cm Breite.« Max Doerner, *Malmaterial und seine Verwendung im Bilde*, Stuttgart 1954, S. 356

11 M. Beckmann, *Tagebücher 1940-1950*, a. a. O., S. 331

abgelöst durch ein immer raffinierteres und freieres Spiel mit Oberflächeneffekten, die sich aber nie dekorativ verselbständigen, sondern stets wichtige gestalterische Funktionen ausüben. In den Gemälden der frühen zwanziger Jahre deutet sich bereits eine Technik an, die Beckmann einige Jahre danach häufig anwendet und in vielfältigsten Variationen bis zu seinem Tode weiterentwickelt. Dabei überzieht er in vielen Fällen seine weiße Malfläche ganz oder partiell mit einer starkfarbigen Lasur, die so dünnflüssig und transparent ist, daß sich die weißgrundierte Leinwand rasterförmig hell abzeichnet und – von unten durchscheinend – als eine Art Lichtreflektor der darüberliegenden Farbe Leuchtkraft verleiht (Abb. 8, Kat. 50, 55, 61).

Beckmann programmiert dabei nicht nur eine unabänderliche farbige Grundstimmung vor, sondern man hat das Gefühl, daß er sich selber damit zu äußerster Konzentration zwingt, da er im Gegensatz zu den beschriebenen Umarbeitungsvorgängen in diesen Fällen keine Korrekturen anbringen kann, ohne den Schichtenaufbau und damit die gesamte Komposition zu zerstören.

Aufbauend auf dieser vorgegebenen Grundfarbigkeit, arbeitet Beckmann die Bildkomposition heraus, wobei die vielfältigsten Kontraste und Effekte entstehen. Es liegen etwa Farbe neben Farbe, Farbe über Farbe, Dunkel vor Hell, Deckend auf Transparent, Pastos auf Glatt, Matt auf Glänzend und umgekehrt. Farbe, früher als Mittel zur Modellierung von Formen auf der Palette oder direkt auf der Leinwand in vielfältigen Schattierungen und Farbnuancen – speziell in den frühen Bildern bis hin zum Grau – ausgemischt, wird immer flächiger und farbiger nebeneinander und übereinander gelegt (Kat. 61).

Bei den Bildern, die nur partiell oder überhaupt nicht farbig unterlegt sind, werden auch der weiße Grund und die schwarze, lavierende Unterzeichnung als weiße oder graue Fläche oder als schwarzer oder weißer Kontur in die Komposition miteinbezogen (Kat. 91, 90, 93). Die plastische Ausformung der dargestellten Gegenstände ebenso wie die räumliche Tiefe werden nicht mehr ausschließlich aus Licht/Schatten-Wirkungen oder perspektivischer Verkürzung konstruiert, sondern beziehen ihre Wirkung ganz stark aus dieser Schichtung, die einen sozusagen in das Innere oder auf den Grund der dargestellten Dinge blicken läßt.

Auch wenn es sicher zu weit gehen würde, Beckmanns Technik als altmeisterlich zu bezeichnen, nimmt er doch in modifizierter Form altmeisterliche Arbeitsweisen auf: etwa wenn er mehrere Schichten verschiedenfarbiger Lasuren übereinanderlegt, um eine bestimmte Farbwirkung zu erzielen und die Leuchtkraft seiner Farben zu steigern, oder wenn er ähnlich wie Rubens den weißen Grund mit in sein Farbkonzept einbezieht.

Die Subtilität der Farbe bei Beckmann resultiert nicht zuletzt aus den vielfältigen Abstufungen des Oberflächenglanzes, der sowohl innerhalb einer farbigen Fläche wie auch zwischen den verschiedenen Farben oder den einzelnen übereinanderliegenden Schichten stark variieren kann.[12] Während glänzende Stellen durch Tiefenlicht transparent und leuchtend wirken, besitzen matte Partien einen stumpfen, temperaartigen Charakter. Aus diesem Gegensatz entwickeln sich zusätzliche Oberflächeneffekte, die nicht nur die Farbigkeit, sondern, durch die optische Betonung der Vielschichtigkeit, auch die Tiefenwirkung nachhaltig beeinflussen. Wie sehr Beckmann diese Effekte gewollt und bewußt in seine künstlerischen Überlegungen miteinbezogen hat, erhellt aus der Tatsache, daß er es immer strikt abgelehnt hat, seine Bilder zu firnissen[13], eine Prozedur, die, falls aus Unverstand oder Unkenntnis durchgeführt, auch heute noch zu einer weitgehend irreparablen Beeinträchtigung und Schädigung der betroffenen Kunstwerke führt.

12 »Wenn er in der oberen Malschicht glänzende Farbpartien haben wollte, nahm er reine Farbe direkt aus der Tube mit fast keinem Terpentin; sollte die Farbe matt wirken, nahm er davon mehr.« M. Q. Beckmann, a.a.O., S. 145

13 Bericht von M. Q. Beckmann: »Er lehnte Firnis oder einen anderen Schlußlack ausdrücklich ab, auch jeden Glanz auf der Bildfläche.« Zit. nach: Max Doerner, a.a.O., S. 356

Cornelia Stabenow

Metaphern der Ohnmacht

Zu den Plastiken Max Beckmanns

Werk und Äußerungen belegen, daß sich Beckmann ausschließlich als Maler verstanden hat. So scheint die Folge der acht kleinen Bronzen, die Mitte der dreißiger Jahre und im Jahr 1950 entstanden sind, wie in der Arbeit vieler Maler dieses Jahrhunderts auch bei ihm nur eine Rolle am Rande gespielt zu haben, scheint nur ein Medium zu repräsentieren, mit dem er sich zusätzlich und kurzfristig auseinandergesetzt hat. Allerdings und dies ist das Besondere: Diese Plastiken stehen weniger für die Disziplin der Gattung ›Skulptur‹ als vielmehr für das mythologische Denken Beckmanns, und zwar nicht nur motivisch, sondern auch strukturell.

Deformation

Wie die ikonographischen Bilderfindungen und das strenge Formsystem fungiert bereits das Prinzip des plastischen Vorgangs selbst als Bedeutungsträger. Bezeichnend ist, daß, verbunden mit der Malerei, der Begriff ›Plastik‹ auf Grundsätzliches übertragen wird. In einem Brief vom 16. März 1915 schreibt Beckmann an seine Frau: »Ich hoffe, allmählich immer einfacher zu werden, immer konzentrierter im Ausdruck, aber niemals, das weiß ich, werde ich das Volle, das Runde, das lebendig Pulsierende aufgeben, im Gegenteil, ich möchte es immer mehr steigern – das weißt Du, was ich mit gesteigerter Rundheit meine: Keine Arabesken, keine Kalligraphie, sondern Fülle und Plastik.«[1] Plastik als Analogon zum Lebendigen – drückt der Maler Beckmann diese Intention mit dem fest umschriebenen Gegenstand und dem dichten Kompositionsgefüge als »Rundheit in der Fläche« auf seinen Bildern aus, so wählt er für seine Bronzen eine ihm fremde Anschaulichkeit. Die prozeßhaft modellierte Oberfläche, wie sie Rodin, Degas und Matisse formuliert haben, läßt die Skulpturen nicht zu klar geschlossenen Körpern, sondern zu Bewegungsabläufen werden, öffnet sie dem Raum und inszeniert eine Wechselwirkung von Licht und Schatten, die das »lebendig Pulsierende« weit eher zu fassen scheint als die dingliche Struktur der Malerei.

In Widerspruch zu dieser Modellierung tritt jedoch der Ausdruck des Zwanghaften. Die Arbeit des Künstlers, nämlich das Kneten der Tonerde für das Modell, ist vorrangig, wird nicht transformiert. Der Rhythmus der Figur entwickelt sich über additiv gesetzte Partien, bleibt zufällig und wie von Außen aufgelegt, da eine das Volumen aus dem Körperkern heraus organisierende Mitte nicht existiert. Gliedmaßen, Hände und Füße sind im Mißverhältnis zu Kopf und Körper ins Monumentale, Grobe überformt; zugleich ist die Figur zusammengedrängt und gestaucht. Ausdehnungen wachsen oder schrumpfen gegen jegliche Kontinuität. Anstelle eines raumhaltigen Körpers ereignet sich der rein stoffliche Vorgang, wie weiches Material unter Druck zusammenbäckt. Das Kraftvolle der einzelnen Form wird unterdrückt, verwandelt sich in der extremen Deformation zur lastenden Schwere, zur materiell gebundenen Körperlichkeit. Grotesk sind diese Ebenbilder des Menschen, die ihre Heroik als Form der Hilflosigkeit und Ohnmacht tragen. Der Körper als Kerker der Seele: Diese gnostische Vorstellung von der grundsätzlichen Unfreiheit des Menschen vergegenwärtigt Beckmann, der in seinen Bildern eine umfassende Ikonographie der Unfreiheit ausgebreitet hat, in den Skulpturen allein schon durch den plastik-immanenten Widerspruch von Oberflächenbewegung und Massengewicht. Ähnliche Funktion besitzt im Bereich seiner Malerei das

Skulpturen Max Beckmanns:
Neugüsse 1958/59 in New York hergestellt,
Auflage jeweils fünf Exemplare

1 Max Beckmann, *Briefe im Kriege,* Berlin 1916

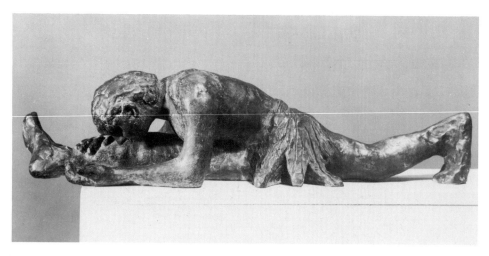

Abb. 1   Max Beckmann: Die Tänzerin, 1935, Bronze, München, Bayerische Staatsgemäldesammlungen, Staatsgalerie moderner Kunst

Abb. 2   Max Beckmann: Der Mann im Dunkeln, 1934, Bronze, München, Bayerische Staatsgemäldesammlungen, Staatsgalerie moderner Kunst

Mittel des prononcierten Verzeichnens, wobei jedoch erst seit Ende der zwanziger Jahre die kraftvolle, formal unterbundene Bewegung zum Ausdruck indirekter, substantieller Fesselung wird (Kat. 56, 57, 66).

Motive

Die Handlung ist gehemmt; die Gestik bleibt disparat und zusammenhanglos, kann als demonstrative Gestik bezeichnet werden. So vermittelt der *Mann im Dunkeln* von 1934 (Abb. 2), seitlich gestellt wie vor eine imaginäre Wand, die Hände schützend und abwehrend gehoben, den Kopf rückwärts gewandt, eindringlich seine Situation des Verharrens. Die ungezielte, dreifach gebrochene Bewegung, die Addition diskrepanter Richtungen von Gehen, Tasten und Sehen – die Augen sind zudem haptisch und blicklos herausgetrieben – hält ihn, verstärkt durch die einschließenden, tiefen Schattenzonen des Tuches, auf der Stelle fest. Blindheit wird anschaulich, das Motiv des Nicht-Sehens und Nicht-Wissens, das Beckmann seit dem *Traum* von 1920 in vielen Bildern als Zeichen für das vergebliche Tun, für die Marionettenexistenz des Menschen eingesetzt hat (Kat. 23, Abb. S. 39, 45). *Die Tänzerin* von 1935 (Abb. 1) zeigt sich in der artistischen Haltung des Spagat. Diese an sich elegante und erotische Position gerät jedoch zu einer schwerfälligen, aufgezwungenen Handlung. Tief gebeugt ist die Figur, deren spannungslos der Bodenfläche aufruhende Gliedmaßen kein lösendes Moment andeuten. Die nach oben geöffnete Handfläche akzentuiert den Ausdruck und kann wohl als Variation einer seit der *Kreuzabnahme,* 1917, auftretenden Leidensgeste gesehen werden (Kat. 17). In ähnlicher Weise wird *Der Akrobat* von 1950 (Abb. 5) in seinem anstrengenden Balanceakt festgehalten, schwer auf dem Boden haftend mit plumpen, massiven Füßen und Händen. Entsprechend treten im übrigen Werk die Menschen von Jahrmarkt, Zirkus und Varieté – Clowns, Tänzerinnen und Akrobaten – immer als Sinnbilder für die menschliche Existenz auf, die ihr ruhendes Gleichgewicht sucht und doch nur zum lächerlichen Spielball auferlegter sinnloser Motorik wird (Kat. 33, 66, 89).

Kann man auch für die dreißiger Jahre den biographischen Hintergrund Beckmanns, nämlich den Beginn der Verfemung unter den Nationalsozialisten, als Motivation der pessimistischen Haltung annehmen – das *Selbstbildnis in großem Spiegel mit Kerze* von 1933 hüllt wie die Skulptur des ›Blinden‹ das Individuum in Dunkelheit und Abwesenheit ein (Kat. 68) – so ist doch das prinzipiell pessimistisch ausgeformte Weltbild des Künstlers verantwortlich für eine solche Ikonographie des ausgelieferten und entmündigten Menschen. Deshalb nicht überraschend: Auch im plastischen Bereich gestaltet Beckmann das Schlüsselthema des Sündenfalls. Die Skulptur *Adam und Eva* von 1936 (Abb. 3) konzentriert sich auf den heroischen Mann, der von dem Schlangenkörper an seinen Sitz gefesselt wird. Der schmerzliche Gesichtsausdruck und der Kontrast einer Rodin sehr nahestehenden Monumentalität zu der gebundenen, blockhaften Struktur geben diesem ›Adam‹ das

Tragische, das der Mann in Beckmanns Bildern immer im Zusammenspiel mit dem Widerpart der gefährlichen Frau annimmt (Kat. 70). Eva ist im Zusammenhang dieser obsessiven Geschlechterproblematik hier allerdings nur attributiv beigegeben. Die Skulptur der *Schlangenbeschwörerin* von 1950 (Abb. 4) greift dieses Thema in eigener Weise auf.

Abb. 3 Max Beckmann: Adam und Eva, 1936, Bronze, Frankfurt a. M., Städtische Galerie im Städelschen Kunstinstitut

Abb. 4 Max Beckmann: Schlangenbeschwörerin, 1950, Bronze, New York, Catherine Viviano Gallery

Abb. 5 Max Beckmann: Der Akrobat, 1950, Bronze, New York, Catherine Viviano Gallery

Plastik als Bildmotiv

Daß der Gegenstand ›Plastik‹ eine wichtige Metapher in Beckmanns Denken bildete, wird gerade vor Bildern anschaulich. Die Szene *Atelier,* 1931 begonnen und 1938 weitergeführt (Kat. 85), zeigt im vollgedrängten Hochformat einen verriegelten und ausweglosen Innenraum, der mit Schlangendekor-Vase, Spiegel- oder Rahmenrund, mit dem Ausblick in die dunkle Nacht und der phosphoreszierenden Paradiesblume die auf dem Modellierbock aufgebaute Skulptur umstellt. Diese ist, wie bei Tonmodellen notwendig, in ein großes Tuch eingehüllt. Doch das Motiv

Abb. 6   Max Beckmann:
Selbstbildnis mit grauem Schlafrock, 1941,
Öl auf Leinwand, München,
Bayerische Staatsgemäldesammlungen,
Staatsgalerie moderner Kunst

Abb. 7   Max Beckmann: Selbstbildnis, 1936,
Bronze, Murnau, Privatbesitz

geht über die Atelierwirklichkeit hinaus, denn die dunkle Umhüllung und das mächtige hervortretende Bein deuten die Plastik als lebendiges, jedoch eingeschlossenes Wesen. Vergleichbar mit dem *Mann im Dunkeln* existiert die Figur in eigener Blindheit. Ein Umfeld der Bedrohung wartet, und selbst das Fernrohr, seit den zwanziger Jahren immer wiederkehrendes Instrument der Erkenntnis, bleibt funktionslos in diese Welt des Unheils eingebunden. Seltsam ist, daß die wie die konkreten Skulpturen geformte Figur den dämonischen Zug ihres Umfeldes annimmt (Kat. 28).

Der Mensch, eingespannt in ein Gefüge beängstigender Zeichen: Diese Situation variiert auch das *Große Stilleben mit schwarzer Plastik* von 1949 (Kat. 124). Das Schlangenmotiv des Sündenfalls fehlt, doch Vanitas-Symbole wie Blume, Früchte, Spiegel und brennende Kerzen sowie der Fisch, das gnostische Bild der gefangenen Seele, ordnen die dunkle Frauenbüste, wie sonst nur den Menschen, in einen Zusammenhang der Vergänglichkeit ein. Vor dem Fenster warten Nacht und Mondsichel als das Unbekannte, wie schon in der Greuelszene von 1918/19 (Kat. 19). Psychisch gekennzeichnet mit menschlichem Gesicht und geborgen in die vergängliche Kerzenflamme, existiert die Plastik, selbst verdüstert, in der Stimmung von Melancholie. Die Leiter, die später im *Argonauten-Triptychon* (Abb. S. 37) über die gebundene Welt hinausweisen will, vergittert mit ihren Sprossen zusätzlich die Situation.

Beckmann-Prometheus

Da die Plastik also als Sinnbild des Menschen fungiert, liegt es nahe, im größeren Kontext von Beckmanns Werk die seit der Frührenaissance gebräuchliche Analogie zwischen Schöpfungsgeschichte und Künstlermythos zu vermuten. Beckmann hat sich in einem einzigen Bild, im *Selbstbildnis mit grauem Schlafrock* von 1941, als Plastiker dargestellt (Abb. 6). Nicht die Tradition des Bildhauerporträts kommt hier zum Tragen, sondern das Selbstverständnis des Künstlers, der seine Schöpfung zärtlich und beschützend umfaßt. Nur beigeordnet ist das Tun, mit dem er letzte Hand an die braune Plastik auf dem Modellierbock zu legen scheint. Bereits 1958 hat Kesser geschrieben: »In einem Selbstporträt ... hat sich Beckmann-Prome-

Abb. 8 Max Beckmann: Labyrinth, 1944, Öl
auf Leinwand, New York, Privatbesitz

Abb. 9 Max Beckmann: Bildhaueratelier,
1946, Öl auf Leinwand, St. Louis, The Saint
Louis Art Museum

theus dargestellt, wie er den Menschen formt.«[2] Diese Assoziation ist überzeugend,
hat sich doch Beckmann wie ein Prometheus – der gegen den Willen der Götter dem
Menschen das Feuer brachte, ja diesen sogar erst aus Ton bildete – sein ganzes
Leben lang als Ideenträger verstanden und dargestellt. Auffallend ist jedoch im
Verhältnis zu vielen pathetischen Äußerungen und herrischen Selbstporträts, daß
er sich hier ohne das ›titanische‹, ›Sturm und Drang‹-geprägte Pathos zeigt, daß
er hier nicht der wissende und trotzige Künstlerpriester ist, der sich letzten Endes
noch mit dem Geniekult des 19. Jahrhunderts identifiziert. Nicht der gewaltsam
Formende ist er, als welcher er uns ja tatsächlich oft mit Protest und monumenta-
lem Stil entgegentritt, sondern der Zögernde, der wie im *Selbstbildnis mit Horn*
(Kat. 86) still der inspirativen Steuerung folgt. Der schöpferische Akt selbst ist das
Thema. Dennoch wählt das Selbstbildnis eine Rolle, nämlich die des düsteren
Genies. Nicht zu übersehen ist, wie prononciert Beckmann die Züge des Grübelns
und Schmerzes als Formen der Melancholie einsetzt. Hier bildet wohl die Vorstel-
lung vom leidenden Prometheus, theosophisch dargelegt in der ›Geheimlehre‹ der
Madame Blavatsky, den Hintergrund.[3] Prometheus, mit Bewußtsein ausgestattet,
der den Menschen vervollkommnen will und an dessen Triebhaftigkeit scheitert:
Die Skepsis des Selbstporträts, die sich auch in dem plastischen *Selbstbildnis* von
1936 (Abb. 7) spiegelt, entspricht der pessimistischen Äußerung Beckmanns in seinen Tagebüchern: »Die ohnmächtige Rolle Schöpfer zu spielen ist unser trauriger
Beruf.«[4] Dabei ist fast gleichgültig, ob es sich bei dieser Schöpfung um das »ihm
selbst dunkle, fremde, abgekehrte, verschlossene Ich« handelt oder um den utopischen Glauben, daß »Gestaltung ... Erlösung« sei.[5]

Der Traum des Bildhauers

Auch wenn dahingestellt sein möge, ob es sich bei der erwähnten Skulptur möglicherweise um die Rückenansicht des 1936 entstandenen ›Adam‹ handeln könne, ist
doch der motivische Zusammenhang denkbar.[6] Auf dem Bild *Labyrinth* von 1944
(Abb. 8) interpretiert das Schlangendekor des Fensterflügels die Skulpturbüsten
von Mann und Frau als Akteure des Sündenfalls. Das *Bildhaueratelier* von 1946
(Abb. 9) konfrontiert den im Spiegel eingefangenen, vom Rücken gesehenen weib-

2 Armin Kesser, ›Das mythologische Element im
Werk Max Beckmanns‹, in: *Blick auf Beckmann,*
München 1962, S. 31

3 Hierzu und zur gesamten Problematik des
Selbstbildnisses: vgl. Karl Arndt, ›Max Beckmann:
Selbstbildnis mit Plastik. Stichworte zur
Interpretation‹, in: *Ars Auro Prior, Studia Ioanni
Białostocki,* Warszawa 1981, S. 719 ff.

4 Max Beckmann, *Tagebücher 1940-1950,* München
1979, 28. Oktober 1944

5 Zfr. U. Weisner, Kat. Bielefeld 1976, S. 18;
Tagebücher 1940-1950, a.a.O., 2. Mai 1941

6 Nicht nachvollziehbar ist die Vermutung Arndts
(a.a.O., Anm. 55), daß es sich bei der Figur um eine
zweigeschlechtlich gekennzeichnete Plastik und
damit um ein gnostisches Erlösungssymbol handeln
könne.

lichen Akt mit der Präsenz einer düsteren, der gefesselten Frau auf dem linken Flügel des Triptychons *Versuchung* (Kat. 73) ähnelnden Gestalt. Eine Welt der Verführung, der Fesselung und des Kerkers unter der Vorherrschaft eines dämonischen Kopfes: Die gnostisch und theosophisch geprägte Weltsicht Beckmanns, mit der er das Schicksal mystifizierte, steigert sich während der vierziger Jahre nicht mehr nur in das Rätsel, sondern in eine Phantasie der Gewalttätigkeit. Daneben stehen verzweifelte Äußerungen wie: »Alle meine Bemühungen um eine allgemeine Menschheit sind verlorener denn je«, oder, er spüre »immer noch irgend eine Kraft, die Unendliches will aber von der Zwecklosigkeit doch tief überzeugt ist.«[7] Der *Traum des Bildhauers* von 1947 (Abb. 10) brutalisiert das Schöpfungsgleichnis auf zweierlei Weise. Zwei riesige Hände eines Wesens, das nur als Mantelstück und unkörperliches Dunkel ausschnittweise sichtbar ist, umgreifen hart den nackten Menschen, der, ähnlich wie die Skulpturen, deformiert und verplumpt, gegen jegliche Organik verkürzt und somit monströs entstellt ist. Der Schöpfer als zerstörerischer, unbekannter Demiurg, der den Menschen besitzt und in der Qual hält: Auch Beckmanns Plastiken stehen in diesem Vorstellungskontext. Andererseits hilft ein solches Bild natürlich auch die psychische Situation des Künstlers selbst zu entschlüsseln. Immer wieder, nicht zu den berühmtesten, jedoch zu den eigenwilligsten Werken zählend, sind aus der Hand Beckmanns grobe, mit trivialer Motivik gekoppelte Deformationen entstanden, die wohl am ehesten, da nicht an Bilderzählung interessiert, als obsessiv-zwanghaft bezeichnet werden können. Wie in vielen Bildern und Graphiken der vierziger Jahre, auch dem *Traum des Bildhauers*, setzt sich diese unmittelbar zupackende, die Dinge fast rituell vergewaltigende Phantasie immer freier. Und dies vor dem Hintergrund wachsender Depression (Kat. 108, 110, 180, 196).

Abb. 10   Max Beckmann: Traum des Bildhauers, 1947, Öl auf Leinwand, Frenchtown, N.Y., Stanley J. Seeger, Jr.

›Wilde‹ Skulptur: Baselitz – Lüpertz – Immendorff

Die jüngste, spätestens seit 1978 vertraute Hinwendung zum Expressiven und zu einer reichen gegenständlichen Bildikonographie hat notwendigerweise den Blick zurück auf den frühen Expressionismus gelenkt. Auch mythologische Motive und die hart definierte Formensprache, wie sie Beckmann geprägt hat, kehren in den Bildern Heutiger wieder. So liegt es nahe, ebenso im Bereich der Skulptur einen Vergleich zu suchen, zumal Maler wie Baselitz, Penck, Lüpertz und Immendorff, darin Beckmann vergleichbar, das plastische Prinzip als Begleitung ihrer Malerei hinzugenommen haben. Doch der Schein trügt hier. Die Neuen benützen ihr Material zumeist in primitivistischer Weise und fügen akzentuiert Farbe ein, die die Plastik in die Nähe der Malerei führt. Skulpturen von Ernst Ludwig Kirchner, der Art brut eines Jean Dubuffet, der COBRA-Mitglieder oder de Koonings können viel eher als ihre Vorläufer gelten. Vor allem das triviale, aus Volks- und Laienkunst entwickelte Moment in ihrer Skulptur begegnet uns bei Beckmann nicht, läßt also auf eine zeitgemäß andere Haltung schließen.

Das gezielt Primitive

Gemeinsam ist den ›Neo-Expressionisten‹ und Beckmann, daß sie ihre Skulpturen nicht mehr organisch aus einem Kern heraus aufbauen. Georg Baselitz, der, da schon seit den sechziger Jahren in einem expressiv-figurativen Stil arbeitend, als Protagonist der ›Jungen Welle‹ gesehen werden kann, schlägt seine Figuren mit der Axt grob aus dem Holz (Abb. 11). Bestimmend vermittelt sich der spontane, rigorose Werkprozeß, denn die Skulptur bleibt im Rohzustand belassen; der Hieb steht ebenso ungeglättet wie die gesplitterte Kante; nur äußerst einfach, kaum aus dem Material herausgeschält, zeichnet sich die motivische Position ab. Diese Form des Unfertigen und die Dimension – die für die documenta 7 konzipierte, nicht ausgestellte Skulptur war von fast doppelter Lebensgröße – erzeugen offensichtliche Monumentalität. Auch bei Beckmann finden sich der barbarische Zugriff und das Moment des Ungestalteten, denn seine Skulpturen bleiben im Zustand der Arbeits-

7   Max Beckmann, *Tagebücher 1940-1950*, a.a.O., 10. März 1946 und 5. Juli 1949

weise fixiert. Das Ausdrucksinteresse hat sich jedoch verschoben. Beckmann bearbeitet das Material differenziert und setzt die Deformationen wie auch die Stauchung als symbolische Werte ein. Dagegen dient die Deformation bei Baselitz nicht dem Thema; der aggressive Vorgang des Schlagens selbst hat Vorrang. Material wird nicht umgeformt, sondern gehackt. Verweigerung ist der Ausdruck – Verweigerung des tradierten Könnens, das Beckmann ja in der Oberflächenbehandlung aufgenommen hatte, Verweigerung auch der Rätselhaftigkeit. Die idolhaften Skulpturen präsentieren sich als gewollt dilettantische und barbarische Artefakte, wobei die Simplizität Rückschlüsse auf ein Weltbild verhindert. Zwar kann man die Erfindung von Baselitz, seit 1968/69 die Figur im Bild auf den Kopf zu stellen, auch als Metapher für ›Verkehrte Welt‹ deuten; doch auffällig bleibt, daß die unaufhörliche Variation dieses Einfalls, wie von Baselitz gewollt, die gegenständliche Aussage entwertet hat. Sowie die Bilder anstelle genauer Bezeichnung desorientierte und freie Malerei inszenieren, verkörpern die Skulpturen die Drastik eines primitiven, nicht-deskriptiven Sehens.

Das ironische Prinzip

Nicht der Mensch ist das Thema – auch bei Penck –, sondern das direkte Angehen des Materials, wobei die aggressive, unmittelbare Handlung Folgerungen über die zeitgenössische Situation einer desillusionierten Welt zuläßt. Der Schöpfermythos Beckmanns entfällt. Ironie tritt als provozierendes, ebenso befreiendes Mittel an dessen Stelle. So entwickeln die zumeist bemalten Bronzen von Markus Lüpertz ihre in hartkantige Flächen gebrochene Oberflächenstruktur aus einem ähnlichen Vorgang wie bei Baselitz. Lüpertz behandelt im Modell den Gips nicht als formbaren Stoff, sondern als Block, aus dem er die Formen gewaltsam herausschneidet. Dieser Prozeß gerät vor allem bei der in der Ausstellung ›Zeitgeist‹ gezeigten Skulptur ›Standbein-Spielbein‹ (Abb. 12) im Zusammenhang mit dem großen Maßstab und der aklassischen Torsoform zur Persiflage auf das Denkmal des heroischen

Abb. 11 Georg Baselitz: Ohne Titel, 1982, Holz bemalt, Hamburg, Galerie Neuendorf

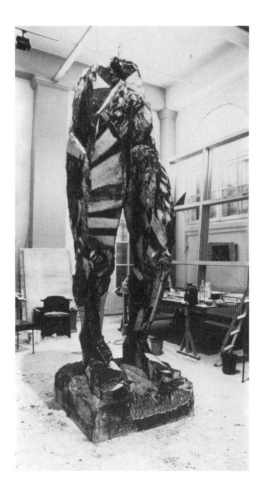

Abb. 12 Markus Lüpertz: Standbein – Spielbein, 1982, Gipsmodell

Abb. 13 Jörg Immendorff: Zeitschweiß, 1982, Lindenholz bemalt

Menschen – eine Vorstellung, die Beckmann ja grundsätzlich mit seinen Metaphern des Leidens und des Protestes noch vertreten hat.

Besonders interessant für diesen modernen Zynismus ist die Möglichkeit der Styropor-Skulptur. Die schwere, dichte Form wird durch die Leichtigkeit des Materials in Ironie aufgehoben, Mitteilung als Lüge entlarvt. So baut Antonius Höckelmann seine Skulpturen aus dichten Ballungen organischer und pflanzlicher Formen, deren nahezu obszöne Sinnlichkeit und massive Verdichtung sich in dem Augenblick auflösen, wo der Betrachter die porös-industrielle Oberfläche, den eingemischten Gips und das fehlende Gewicht wahrnimmt. Sinnlichkeit wird zur Attrappe, der Betrachter ist irregeführt, gerade jener Betrachter, für den Beckmann seine todernsten Sinnbilder aufgestellt hatte. Ein kurzer Blick, auch über den deutschen Bereich hinaus, zeigt die Verbindlichkeit dieser Haltung, kommentiert Pistoletto doch ironisch mit seinen mächtigen weißen Styroporblöcken, die auf der documenta 7 zu sehen waren, die Monumentalität eines michelangelesken Sklaven, und versetzen die Schweizer Peter Fischli und David Weiss alles mittels großer, unförmiger, assemblagehaft geschichteter und popfarbiger Poyuretan-Schaumstoff-Skulpturen ins Fröhlich-Belanglose: den zivilisatorischen Gegenstand ebenso wie sogenannte archetypische Phantasien.

Von der Ohnmacht zur Verweigerung: Schärfer könnte der Abstand zwischen dem idealistischen, mit Symbolik und Mythologie zum Wohle der Menschheit agierenden Beckmann und den Neuen Expressionisten nicht sein. Die Skulptur spiegelt weitgehend diese Differenz, wobei ein Vergleich der Malerei sicher noch aufschlußreicher wäre. Deutlich wird jedoch hier bereits, daß es den heutigen Expressiven, und darin sind sie vergleichbar mit einem Dubuffet, eher um die subversive Kraft ›antikultureller Standpunkte‹ geht, erweitert durch einen zeitgemäßen Zynismus, als um den Selbstausdruck des Individuums. Dies zeigt sich insbesondere vor plastischen Arbeiten Jörg Immendorffs, der die Deutschland-Problematik zum intellektuellen Thema macht und in bizarre, extrovertierte Symbolik überträgt (Abb. 13).

Stephan Lackner

Exil in Amsterdam und Paris

Ein bemerkenswertes Paradox: Max Beckmanns Amsterdamer Jahre, mit all ihren Entbehrungen, Bedrohungen und Einschränkungen, gehörten dennoch zu des Künstlers fruchtbarster Zeit. Je eingepferchter der Exilierte dort war, desto weiträumiger wurde die Thematik seiner Kunst. Und je mehr er gezwungen war, von Tag zu Tag ein ungesichertes Dasein zu führen, desto weiter schweifte sein Geist durch alle Zeiten hin. Überkompensation? »Eskapismus«? Oder einfach Lebensmut? Der Trotz gegen die finsteren Gewalten kommt nicht nur in seinem Tagebuch, sondern auch in vielen Bildern zum Ausdruck.

Wie produktiv sein mehr oder weniger erzwungener Aufenthalt in Amsterdam war, geht schon aus der Tatsache hervor, daß er dort fünf von seinen neun gewaltigen Triptychen schuf. Zwischen dem 19. Juli 1937 – der Ankunft in Amsterdam – und dem 29. August 1947 – der Abreise nach New York –, also in einem Jahrzehnt, malte Beckmann 280 Ölbilder, genau ein Drittel seines Gesamtœuvres.

»Was mich nicht umbringt, macht mich stärker«: Nietzsches Satz traf offenbar auf Beckmann zu.

Wie gesagt: der Aufenthalt in Holland war nicht freiwillig. Aus Deutschland reiste er mit seiner Frau Quappi einen Tag nach der programmatischen Hitlerrede ab, als der ›Führer‹ die ihm mißliebigen ›entarteten‹ Künstler mit Sterilisierung oder Strafverfolgung bedrohte. Quappis Schwester war in Holland verheiratet, und Herr und Frau Beckmann waren dankbar, in der behäbigen, friedlichen Handelsstadt Zuflucht zu finden. Schließlich war dies auch die Stadt Rembrandts und Spinozas. Zunächst wohnten Beckmanns in der Pension Bank, Beethovenstraat 89, und von dort schrieb mir der Meister am 4. August 1937 nach Paris: »Morgen kann ich endlich wieder in ein neues Atelier, wo es mir möglich sein wird die nötige Concentration für meine Arbeit zu finden. Die Tage die hinter mir liegen waren nichts weniger als erheiternd mit Wohnungs-, Ateliersuche, Anmeldungen, Abmeldungen, juristischen Dingen, alles Sachen die mir grauenhaft sind und doch notwendig. Aber wie gesagt die Situation fängt an sich zu klären, ich will vorläufig erst einmal hier bleiben, vielleicht dann später nach Paris. Aber als Uebergang ist Amsterdam nicht schlecht ...«

Paris, die »patentierte Kunstmetropole«, wie er es nannte, blieb längere Zeit sein mit halbem Herzen erstrebtes Ziel. Er hatte die Stadt schon als Jüngling kennengelernt und dort später mehrere Winter mit seiner zweiten Frau Quappi verbracht. Es schien ihm klar, daß ein Durchbruch zur Weltgeltung für einen modernen Künstler eigentlich nur von der Station Paris aus stattfinden konnte. Als er jetzt, im September 1937, wieder nach Paris kam, hatte sich die Lage für einen deutschen Maler wesentlich verschlechtert. Die Franzosen hatten vielen aus Deutschland kommenden Emigranten – unter anderen auch mir – Asyl gewährt, aber allmählich befürchteten sie, daß dies zu Überfremdung und allzu starkem Wettbewerb führen würde; Aufenthaltsgenehmigung und Arbeitserlaubnis waren immer schwieriger zu erlangen. Auch machten Gerüchte die Runde, unter den Emigranten hätten sich Nazispione nach Frankreich eingeschmuggelt. Jedenfalls wurde der große Maler nicht mit offenen Armen empfangen.

Im August 1937, in Amsterdam, hatte Beckmann sieben Lithographien für mein Drama ›Der Mensch ist kein Haustier‹ geschaffen, die er nun, im September, in Paris signierte (Abb. 1). Beckmann traf damals noch mit seinem treuen Sammler

Baron Simolin und anderen Bekannten und Freunden zusammen, doch zog es ihn bald wieder nach Amsterdam zurück, wo er inzwischen Wohnung und Atelier gefunden hatte.

Im Haus an der ›Stillen Kant‹

Seine Adresse blieb nun für zehn Jahre: Rokin 85. Das schmale, unauffällige, aber hübsche Giebelhaus stand an der ›Stillen Kant‹, die jedoch nicht gar so still war: Eine klingelnde Straßenbahn und viel städtischer Verkehr fuhren vorbei. Beckmanns hatten das erste und zweite Stockwerk gemietet. Im ersten Stock waren das Wohnzimmer, mit Fenstern auf die Straße, und ein sehr kleines Schlafzimmer mit Ausblick auf den Hof. Auf dem Treppenabsatz, durch einen Vorhang abgeschirmt, war eine winzige Küche eingerichtet. Die enge und steile Treppe führte ins Obergeschoß, und dort befand sich ein ehemaliger Tabaksspeicher, der groß genug war, Beckmanns enorme Leinwände und Phantasiegesichte zu beherbergen – der große Glücksfall jener im übrigen so eingeengten Jahre. Der Tabakshändler wohnte noch im Erdgeschoß, aber seine Ware hatte er anderweitig untergebracht. Beckmanns vertrugen sich mit ihren holländischen Mitbewohnern und Nachbarn stets ausgezeichnet. Stärkere Kontakte mit Holland wurden durch Quappis Schwester, Hedda Schoonderbeek, und ihren Mann vermittelt, der ein holländischer Organist war. Langsam bildete sich ein neuer Freundeskreis um das interessante Paar.

Inzwischen bemühte ich mich in Paris, die Sache Beckmann zu fördern. Ich lud Kunstkenner wie Wilhelm Uhde, Edmond Jaloux und verschiedene Maler in meine Wohnung ein, um einige mir gehörende Beckmannbilder zu besichtigen. Max Ernst sagte mir allerdings ab: »Die Kunst des Herrn Beckmann interessiert mich nur wenig.« Aber es gelang mir doch, einige neue Bewunderer zu gewinnen. Auch in der Schweiz organisierte ich Ausstellungen. Mit Kati von Porada, Irmgard Burchard und anderen plante ich eine große Ausstellung für London.

Ich hielt den Maler brieflich auf dem laufenden. Am 19. 1. 1938 schrieb er mir aus Rotterdam einen Brief, der als besonders typisch für seine distanziert-überlegene, aber trotzdem stets temperamentvoll-engagierte Geisteshaltung gelten kann:

> … Der Bericht über den Piscator-Abend hat mich amüsiert. Es war vorauszusehen. Echte Kunst kann nun einmal nicht durch Lärm und Agitation im journalistischen Sinne wirken. – Alles Wesentliche geschieht abseits von dem Tagesgeschrei, um trotzdem umso stärker zu wirken. Nur das Schwache und schon Dagewesene sucht unter Lärm und Pression zu einer kümmerlichen Eintagswirkung zu gelangen – soll es auch. Aber das ist nichts für uns. – Man muß die Dinge abwarten. Wenn Sie es sehr wünschen werde ich mich natürlich mit einer Visitenkarte beteiligen, in diesem Sinne hatte ich auch Westheim für London zugesagt. – Aber damit basta. – Das Wesentliche muß die stille Schau in Ihren Räumen sein, damit werden Sie mit der Zeit ein Kraftzentrum haben, mit dem sie alles lenken können, wenn Sie sich intensiv in die Sache versenken und das Spiel des Lebens als einen Kampf um geistige Machtströmungen erkennen – das einzige Spiel, was *wirklich* amüsant ist. – Aber es muß *fast* geheim sein. Alles zu öffentliche schwächt die Kraft – wenigstens während der Geburt des Willens und seiner Jugend.
>
> Politik ist eine subalterne Angelegenheit, deren Erscheinungsform je nach dem Bedürfnis der Massen dauernd wechselt, wie es auch die Cocotten fertigbringen, sich je nach dem Bedürfnis des Mannes einzustellen, sich zu verändern und zu maskieren. – Daher nicht Essentielles. – Worum es sich handelt ist das Bleibende, Einmalige, Seiende in der Flucht der Illusion. – Das Ausscheiden aus dem Getriebe der Schatten –. Vielleicht gelingt uns das.   *Herzlichst Ihr Beckmann*

Beckmanns Kunst war in Paris nicht unbekannt. 1931 hatte die Galerie de la Renaissance in der Rue Royale seine Bilder erfolgreich ausgestellt. Das Musée du Luxembourg kaufte damals die Waldlandschaft mit Holzfällern; Vollard und Picasso sahen sich die fremdartige Ausstellung an, und es wurde überhört, daß Picasso sagte: »Il est très fort.« 1933 erwarb das Musée du Jeu de Paume Beck-

Abb. 1   Max Beckmann: Blatt aus der Litho-Mappe ›Der Mensch ist kein Haustier‹, 1937, Bremen, Kunsthalle

Abb. 2 Max Beckmann: Bildnis Stephan Lackner, 1939, Öl auf Leinwand, Santa Barbara, Calif., Sammlung Stephan Lackner

manns *Kleinen Wels*, ein vergnügliches Strandbild, dem ein hochgehaltener Fisch eine phallisch-mythische Bedeutung verleiht. Im Jahre 1938 hingegen erwies es sich als unmöglich, für Beckmann dort Ausstellungen zu erreichen. Eine Freundin Beckmanns aus Frankfurter Tagen, Kati von Porada, war Ullstein-Korrespondentin in Frankreich und hatte ausgezeichnete Beziehungen zu Literaten, Künstlern und Kunstschriftstellern; sie stellte Beckmanns Bilder in ihrer geschmackvollen Wohnung aus und ließ einen Katalog vervielfältigen. Edmond Jaloux schrieb darin: »Diese Welt bleibt in Gefahr. Man sieht hier schöne Landschaften, weit und heiter, bisweilen sogar verträumt, die ihre Eigenheit dadurch erhalten, daß sie ihr Licht von einem anderen Planeten empfangen. Sie bilden ein riesiges Land, das nur ihnen gehört … Monsieur Max Beckmann malt mit nüchternen, frischen, harten Farben, die einander verletzen und packende Kontraste herstellen … Er wird eine der größten Gestalten in einer Bewegung bleiben, der die Zukunft Gerechtigkeit widerfahren lassen wird.«

Auch die Schweiz bewies einiges Interesse. Die Kunsthalle Bern zeigte im März 1938 neue Arbeiten Beckmanns, die auch in Winterthur vorgestellt wurden. Bei Kunsthändlern in Zürich und Basel veranlaßte ich Ausstellungen. Zur Züricher Schau kam Beckmann selbst, und dort erwarb Baron Simolin im Juni das *Selbstbildnis mit der Glaskugel*. Leider ergaben sich sonst sehr wenige Verkäufe. Aber ich selber erweiterte meine Sammlung mit einigen der bedeutsamsten Bilder des Meisters. Auch gab ich ihm mein Porträt in Auftrag (Abb. 2).

Protestausstellung in London

Mittlerweile nahmen die Vorbereitungen für die große Ausstellung in London ihren Gang. Sie war als Protest gegen die Diffamierung aller modernen Kunst in Nazi-Deutschland konzipiert worden und sollte expressionistische, abstrakte, surrealistische, kurz, als experimentell angesehene Kunstwerke dem britischen Publikum nahebringen.

In Deutschland hatte die Ausstellung ›Entartete Kunst‹ in München, Berlin, Wien und anderen Städten angeblich zwei Millionen Besucher angelockt. Die Bilder und Plastiken waren im Katalog und durch Spruchbänder an den Wänden verhöhnt und degradiert worden; auch acht oder neun Werke Beckmanns wurden der öffentlichen Entrüstung preisgegeben. Genau die Künstler der Zeit, die heute als die bedeutendsten gelten, waren dort an den Pranger gestellt: Klee, Kokoschka, Kirchner, Heckel, Nolde, Marc, Kandinsky und viele andere. Die Nazi-Ausstellungsleitung forderte: »Man sollte die Künstler neben ihren Bildern anbinden, damit ihnen jeder Deutsche ins Gesicht spucken kann.« Es wurde dringend notwendig, eine Ehrenrettung dieser Künstler wenigstens im Ausland anzustreben. Und die New Burlington Galleries in London (nicht die Tate Gallery, wie manchmal irrtümlich berichtet wird) hatten sich zu diesem schwierigen Experiment zur Verfügung gestellt. Beckmann schrieb mir diesbezüglich am 15. April 1938 aus Amsterdam:

> Mit dem Selbstporträt für London bin ich einverstanden … Kati hat viel erzählt über die Schweiz und England. Ich stellte sofort fest, daß es Unsinn wäre, daß Sie die Fracht der Schweizer-Bilder bezahlen sollten. Nein – das müssen die Leute selber machen. Ob viel daran ist an der Sache mit London kann ich noch nicht übersehen. Es ist aber möglich … Ich denke noch mit Vergnügen an die paar Tage zurück, die wir in Paris verbrachten. Es war immerhin manchmal eine Harmonie des Gefühls festzustellen, die sonst nicht häufig ist – das ist immerhin etwas. *Immer Ihr Beckmann*

Einige weitblickende, kosmopolitisch gesinnte englische Kunstkenner und Künstler wie Herbert Read, Augustus John und Kenneth Clark förderten die Ausstellung. Paul Westheim, der bedeutende Kunstkritiker, zunächst eine treibende Kraft, zerstritt sich mit dem Organisations-Komitee, weil es sich weigerte, eine von den Nazis zerschnittene Leinwand von Kokoschka auszustellen. Unter dem Decknamen Peter Thoene schrieb Oto Bihalji-Merin ein ›Penguin-Paperback‹-Buch mit Abbildungen der wichtigsten Exponate. Die Ausstellung wurde einfach ›Twentieth Century German Art‹ betitelt, was die Einbeziehung z.B. von Georg Kolbe bedingte und der Leitung den Vorwurf zuzog, Rücksicht auf Hitlers Empfindlichkeit zu nehmen; dies war natürlich Unsinn. Oft war es unmöglich, Kontakt mit den in alle Welt zerstreuten Künstlern aufzunehmen; manche ihrer verfügbaren Werke mußten ohne ihre Zustimmung hingeschickt werden. Erstaunlich bleibt, welch guten Griff die Aussteller bewiesen: Barlach, Baumeister, Beckmann, Campendonk, Corinth, Dix, Ernst, Feininger, Grosz, Hartung, Heckel, Hofer, Kandinsky, Kirchner, Klee, Kokoschka, Kollwitz, Lehmbruck, Liebermann, Macke, Marc, Meidner, Modersohn-Becker, Mueller, Nolde, Pechstein, Rohlfs, Schlemmer, Schmidt-Rottluff, Schwitters, Slevogt – der alphabetische Katalog von 269 Exponaten liest sich wie ein ›Who's Who‹ der Kunst, die überlebt hat. Auch in der Musik ist diese frappante Sicherheit des Urteils zu spüren: Am 20. Juli 1938 wurden erstmals in England Kammermusiken von Schönberg, Webern, Eisler, Hindemith, Křenek und Berg aufgeführt, am 28. Juli Songs von Wedekind, Kästner und Brecht-Eisler sowie die allererste englische Fassung der Dreigroschenoper.

Das Londoner Kunstpublikum war durch die ihm völlig ungewohnten Produktionen verwirrt, aber man war gegen Hitler und erteilte deshalb Vorschußlorbeeren. Die Presse war meistenteils verständnisvoll, wenn auch durch das, was man als teutonische Ungezähmtheit empfand, ein wenig verstört. Ein bleibender Eindruck ist jedoch auch heute noch festzustellen.

Max Beckmann erhielt die ehrenvolle Einladung, in den Burlington Galleries eine Rede über Kunst zu halten. Er verfaßte hierfür ›Meine Theorie der Malerei‹. Beckmann und ich fuhren am 20. Juli 1938 von Amsterdam nach London. Ich erinnere mich, daß er besonders auf dem Schiff in angeregter, ja vergnügter Stimmung war. London gefiel ihm sofort ausgezeichnet, und die verständnisvollen Begrüßungen und Interviews, bei denen ich dolmetschte, schmeichelten ihm. Am 21. Juli hielt er die erste Vorlesung seines Lebens. Allerlei leger-würdige Aristokraten, antifaschistische Literaten und kunstbegeisterte junge Leute hatten sich versammelt. Beckmann wirkte wie ein Bär, der sich aus seiner Wildnis aufs Podium verirrt hatte. Sogar sein deutscher Text erhielt warmen Beifall; nach der anschließend verlesenen englischen Übersetzung steigerte sich die Zustimmung.

Mein Essay ›Max Beckmann's Mystical Pageant of the World‹ war als hektographierte Erläuterung vor dem Triptychon *Versuchung* ausgelegt und wurde eifrig gelesen und mitgenommen. Außer dem Triptychon waren fünf Ölbilder von Beckmann ausgestellt: *Genua*, 1927, *Schlittschuhläufer*, 1932, *Holzfäller*, 1933, *Der König*, 1937, und *Quappi*, 1937.

Die Besucherzahlen der Ausstellung waren sehr hoch, die Verkäufe gering. Einige Kunsthändler äußerten Interesse für Beckmanns Kunst, was jedoch infolge der sich immer drohender zusammenziehenden politischen Wolken ohne Konsequenzen blieb. Dennoch empfand Beckmann, besonders wegen seiner Begegnung mit William Blakes Aquarellen in der Tate Gallery, seinen Londoner Besuch stets durchaus positiv.

Die Amsterdamer Bilder

Er kehrte nach Amsterdam zurück und malte weiter – mit womöglich noch gesteigertem Furioso. Die Isolierung seines alten Tabaksspeichers muß ihn tatsächlich zu einer »Fülle der Gesichte« inspiriert haben.

Wie unterscheiden sich die in Amsterdam entstandenen Werke von den Frankfurter und Berliner Bildern?

Die Reihe seiner Meeresstrandbilder (Abb. 3) setzte sich ohne merklichen Unterschied fort, ebenso die Blumenstilleben. Hingegen zeigen die Figurenbilder manche Spuren der Übersiedlung in einen politisch freieren, räumlich aber beschränkteren Kulturkreis. Das erste wichtige Bild nach der Auswanderung, *Der Befreite* (Kat. 80), präsentiert Beckmanns Gesicht, die Augen spähen ein wenig zusammengekniffen in eine unbekannte Ferne, die Hand hält soeben gesprengte

Abb. 3 Max Beckmann: Blaues Meer mit
Strandkörben, 1938, Öl auf Leinwand, Zürich,
Privatbesitz

Abb. 4 Max Beckmann: Kanal in Holland,
1938, Öl auf Leinwand, Santa Barbara, Calif.,
Sammlung Stephan Lackner

Abb. 5 Max Beckmann: Holländerin
mit weißer Mütze, 1937, Öl auf Leinwand,
Privatbesitz

Fesseln, das Fenstergitter bildet noch den Hintergrund. Ein optimistischer, blauer Freiheitsschein spielt über das trotzige Antlitz. Das 1938 folgende *Selbstbildnis mit Horn* (Kat. 86) hat den Optimismus eingebüßt. Der Mann hält ein romantisches Waldhorn vor seinen Mund. Er scheint einen Hornton ins Weite geschickt zu haben und harrt nun auf ein Echo. Er sieht sehr vereinsamt aus.

Einsamkeit ist ein häufiges Merkmal von Beckmanns Exilmalerei. Nicht einmal der Beschauer existiert mehr für diese Selbstdarstellungen; der Blick des Malers geht ein wenig an der Mittelachse vorbei, er forscht größeren Zusammenhängen nach als nur denen zwischen Künstler und Publikum. Denken wir etwa an das *Selbstbildnis im Smoking* (Kat. 53) von 1927 zurück: Wie selbstbewußt faßte der Maler damals sein genaues Gegenüber ins Auge! Jetzt herrscht eine geheimnisvollere, bisweilen verschwörerische Stimmung, eine Untergrundatmosphäre.

Anspielungen auf den Nazi-Terror lassen sich wohl in einigen Bildern erspüren; unverblümte Hinweise auf das schreckenerregende Zeitgeschehen finden sich hauptsächlich in dem großen Bild *Hölle der Vögel* (Kat. 84) von 1938. Da wird ein gefesselter, schmächtiger Intellektueller von seltsamen Goldfasanen mit einem Messer bearbeitet. ›Goldfasanen‹ nannte der deutsche Volksmund damals die herumstolzierenden SA-Offiziere in ihren prächtigen Uniformen. Das Muster, das dem Rücken des Opfers eingeritzt wird, ist vielleicht der blutigen Tätowierung in Kafkas ›Strafkolonie‹ vergleichbar. Auf dieser Leinwand erkennt man auch den preußischen Adler, der Goldmünzen hütet, eine schauerliche Blut- und Boden-Göttin, die den Arm zum Hitlergruß erhebt, und viele Lautsprecher; ein unmittelbar engagiertes Bild also.

Eine holländische Kanallandschaft (Abb. 4), ein holländisches ›Meisje‹ mit typischer weißer Kappe weisen gelegentlich auf den gewechselten Schauplatz hin (Abb. 5); doch wurde Beckmann selbstverständlich kein holländischer Maler. Die provisorische Wahlheimat zeigte auch wenig Interesse für seine Kunst. Der Kunstzaal van Lier stellte wohl in Amsterdam 1938 ein paar seiner Werke aus. Aber zum ersten Ankauf durch ein holländisches Museum kam es erst viel später, im April 1945, als das Stedelijk Museum in Amsterdam sein *Doppelbildnis* (Kat. 95) erwarb.

Pariser Intermezzo

Es ist verständlich, daß Beckmann die Idee nicht aufgab, sich in Paris durchzuset-
zen; er empfand dies als künstlerische und praktische Notwendigkeit. So mieteten
Herr und Frau Beckmann im Oktober 1938 eine kleine Wohnung im 16. Arrondisse-
ment. Die dünnbeinigen Möbelchen und Seidenvorhänge paßten gar nicht zu dem
wuchtigen Mann; auch mußte er in einem der möblierten Zimmer malen und dabei
so vorsichtig sein, keine Farbkleckse zu hinterlassen (Abb. 6). Die ehemalige Besit-
zerin der Galerie de la Renaissance, Madame Marie-Paule Pomaret, war ihm immer
noch gewogen, und da ihr Mann jetzt Arbeitsminister geworden war, versprach sich
Beckmann Förderung von ihr. Er porträtierte sie in ihrer Wohnung, indem er erst
sechs Crayonzeichnungen anfertigte. Ich hatte bei diesen Sitzungen die Aufgabe,
Madame Pomarets Bulldogge, die mit aufs Bild sollte, auf dem Sofa festzuhalten;
und beide französischen Wesen erscheinen sehr lebendig auf dem fertigen Ölbild
(Abb. 7).

Beckmann schaute sich gelegentlich die Galerien an, besonders jene an der Rive
Gauche. Von lebenden Malern beeindruckte ihn vor allem Georges Rouault. Zu
Picasso hatte er eine zwiespältige Einstellung: Des Spaniers Kompromißlosigkeit
imponierte ihm wohl, aber manches fand er zu verspielt experimentierend. Er
wünschte sich, daß seine Werke einmal in einem Ausstellungsraum mit denen Picassos konfrontiert würden: »Dann würden die Leute doch sehen können, was an wem
dran ist.« Viele Jahre später sollte sich dieser Wunsch erfüllen, als sein Triptychon
Departure im Museum of Modern Art in New York gegenüber von ›Guernica‹ hing.

Gern ging Beckmann in den Louvre und ins Luxembourg, wohin ich ihn ab und
zu begleitete. Im Musée de l'Homme war ich verblüfft, welche verborgenen Kennt-
nisse der Maler beim Ansehen der anthropologischen Sammlungen bewies. Einmal
standen wir vor einem steinernen Idol von der Osterinsel, und er warf so nebenbei
hin: »Das war auch ich mal.« Seine Lektüre von Schopenhauer und vedischen
Schriften trat häufig zutage. Übrigens zeigte sein Profil wirklich eine Verwandtschaft zu diesem steinernen Gast.

Im April 1939 fanden meine Familie und ich es an der Zeit, nach Amerika
auszuwandern. Wir sandten Gepäck und Kunstgegenstände voraus nach Le Havre.
Am Morgen, als wir den Zug von Paris zum Hafen nehmen wollten, hörten wir im
Radio, daß unser Schiff in Le Havre völlig ausgebrannt sei. Waren meine geliebten
Beckmann-Bilder verbrannt? Ich war verzweifelt. Bald aber erfuhren wir, daß die

Abb. 6   Max Beckmann: Sacré-Cœur im
Schnee, 1939, Öl auf Leinwand, Santa
Barbara, Calif., Sammlung Stephan Lackner

Abb. 7   Max Beckmann: Bildnis Madame
Pomaret, 1939, Öl auf Leinwand, Verbleib
unbekannt

Schlamperei der Schiffahrtsgesellschaft unsere Besitztümer gerettet hatte, die Kisten standen noch am Pier. Einige Tage später nahmen wir ein anderes Schiff nach New York.

Beckmann schrieb mir einige menschliche und biographisch bedeutende Briefe nach New York.

17 rue Massenet, Paris, 26.IV.39

M.l.Ernst, herzlichen Dank für Ihren lieben Brief. Auch mir hat es sehr leid getan Sie hier nicht mehr zu sehen und ich muß Ihnen gestehen, daß Sie mir entschieden etwas fehlen. Aber ein weiteres persönliches Zusammenarbeiten wird sicher wiederkommen und ich freue mich darauf. Sie müssen ja sehr scherzhafte Sensationen durch den Brand der ›Paris‹ erlebt haben. Sicher können Sie manches davon literarisch verwerten, wie ich überhaupt glaube, daß Ihnen die ›große Reise‹ manches Neue geben wird. – Jedenfalls bin ich gespannt auf die Ergebnisse. – Ihren Vorschlag wegen Ihres Porträts nehme ich gerne an. Es wird sicher eine gute Arbeit. – Ich schreibe heute an einem guten Tag an Sie, erstens die ›Conscription‹ in England und zweitens fast zur selben Stunde meine Carte d'Identité. Endlich. – Ich werde also sicher nach Paris gehen und eine neue und ganz intensive Kraft hier entwickeln können, nachdem mich also la France in ihre mütterlichen Arme genommen hat. – Cap Martin hat mir ganz großartig getan und alle meine Nerven und Ideen neu gefärbt. Ganz neue Sachen sind mir aufgegangen und ich werde zwanzig Jahre zu tun haben um das alles zu realisieren. – Wenn Sie unsere gemeinsamen Freunde sehen, grüßen Sie alle herzlich von mir und sagen Sie ihnen, daß wir nicht aufgegeben haben, daß das *geistige* Deutschland seinen berechtigten Platz unter den Völkern wieder einnehmen wird. Wir sind an der *Arbeit.*
    Immer Ihr Beckmann   Grüße an die Eltern und Brüder.

Amsterdam, Rokin 85   22. Mai 39

Lieber Ernst, besten Dank für Ihren Brief und Check, der mich noch gerade vor meiner Abreise in Paris erreichte. Nun bin ich erst noch zweieinhalb Monate hier in Amsterdam, dann soll der Umzug nach Paris vonstatten gehen – Vor meiner Abfahrt habe ich Ihr Porträt noch fertig gemacht. Ich glaube es ist sehr gut geworden. Ich möchte aber nicht, daß es schon verschickt oder fotografiert wird, da ich es erst noch einmal *endgültig* besehen und freigeben will. Es ist mir dann unangenehm, wenn es schon festgelegt ist. Wo mag Sie dieser Brief erreichen? Noch in New York oder schon in Detroit.

Bin hier intensiv an der Arbeit an dem letzten großen Triptychon III, das wird eine dolle Geschichte und gibt mir wieder weiter intensives Leben und Lebenssteigerung. – Amüsant daß Sie Simon sahen. Er ist doch ein famoser Kerl, wenn ers jetzt auch schwer hat. – Aber das wird sich sicher auch mal wieder ändern. Valentin werde ich noch hier sehen. Haben Sie noch die Barr-Ausstellung (Modern Art) gesehen, wo das erste Triptychon von mir ausgestellt ist? Es würde mich interessieren, wie es Ihnen gefallen hat, ebenso wie weiter Ihre Reiseeindrücke sind. Schreiben Sie bald mal darüber. – Bitte schicken Sie den nächsten Monatscheck hier nach dem Rokin 85, ich lasse ihn dann von der Amsterdamerbank einwechseln. Grüßen Sie die Detroiter sehr herzlich von mir und alle Bekannten.   *Immer Ihr Beckmann*

(Postkarte aus Amsterdam, Poststempel vom 3.VII.1939)

Lieber Ernst, Dank und Gruß für letzte Sendung. Bin in äußerster Arbeit. – Le nouveau Trois steigt aus dunklen Gewässern über Sekt, Cadaver und den kleinen Wahnsinn der Welt empor zu äußerster Klarheit. – O mon Dieu, es lohnt zu leben. B.

(»Le nouveau Trois«: Damit war das neue Triptychon *Akrobaten* gemeint. Sekt und Kadaver gehörten der Kunstsphäre an, der »kleine Wahnsinn der Welt« dagegen nicht.)

Amsterdam, Rokin 85   20. November 39

Lieber Ernst, besten Dank für Brief und Check. Es ist mir jedesmal eine Freude, von Ihnen zu hören, nicht wegen dem Geld, sondern weil es das Gefühl einer metaphysischen Zwangsläufigkeit, welches zwischen uns besteht, immer wieder verstärkt. –

Gerade diese Dinge, in denen ich ein irgendwie verstärktes Symbol für schicksalhafte Notwendigkeiten erblicke, sind es ja, denen ich mit einem gewissen sportiven Interesse nachjage, da sie außerordentlich selten sind, wie Goldadern oder Diamanten. Trotzdem – sie existieren und das Netz ungeheurer und unbekannter Berechnungen, in denen wir verflochten sind, wird manchmal, fast, sichtbar.

Durch den Krieg werden sie auch wieder in manch anderer Hinsicht deutlich – ich schreibe dieses gerade während einer Verdunkelung in Amsterdam beim harmonischen Konzert des Sirengeheuls. Man muß anerkennen, daß unbekannte Regisseure alles aufbieten, um die Situation in einem Carl Mayschen Sinne weiter interessant zu gestalten. Kritisch muß aber festgestellt werden, daß ihnen leider nicht mehr sehr viel Neues einfällt und daß wir das Recht haben – nun selber etwas Neues zu inszenieren. Und das wird ja auch wohl mal kommen. – Ich bin jedenfalls in intensiver Vorarbeit, um neue Kulissen zu produzieren, mit denen weiter agiert werden kann.

Sie schreiben leider nicht viel von sich und Ihrer Arbeit, doch wüßte ich gern manches davon. Ist New York auf die Dauer amüsant? Oder ließe sich denken, daß man doch in einem gereinigten Deutschland wesentlichere Dinge zustande bringen könnte? – Ich bin mit großem Vergnügen weiter an der Arbeit und zu meinem eigenen Erstaunen fällt mir nicht nur immer noch etwas ein, sondern das Gefühl recht eigentlich am Anfang zu stehen wird täglich stärker – Mag sein, daß das auch durch einen sehr verbesserten Gesundheitszustand kommt, es geht mir sehr viel besser wie damals in Paris – der Krieg scheint mir gut zu tun, denn ich sehe eine neue Welt entstehen ›eiskalt auf feurigen Fiebern‹. – Man muß in sehr großen Zeitkomplexen rechnen, die weit über unsere kurze Lebensetappe hinausgehen. Eine Kette von Etappen, die sich über viele Millionen Jahre erstreckt und in denen wir einen sicher sehr individualisierten, aber unendlich wandelbaren Schauspieler darstellen, der die jeweilige Lebensetappe schicksalhaft zu repräsentieren hat…

Da Frankreich seit dem September 1939 zu den kriegführenden Mächten gehörte, gab Beckmann seine Pläne auf, nach Paris zu übersiedeln. Hingegen dachte er intensiver an eine Auswanderung nach Amerika. Diesbezüglich schrieb er am 30. November 1939 an meinen Vater nach New York: »… Ja, es war sicher sehr gut, daß Sie rechtzeitig den energischen Schnitt zwischen der alten und neuen Welt gemacht haben. Wenn ich auch bestimmt an einen endgültigen Sieg der Demokratien glaube, so wird doch wohl sicherlich noch manche Zeit darüber vergehen und noch viel Unglück passieren. Es war sehr lieb von Ihnen, Ihrer lieben Frau und Ernst, über mein Schicksal nachzudenken und den Gedanken zu erwägen, mich noch einmal umzusiedeln…«

Er schrieb dann über die Schwierigkeiten, ein Visum zu erlangen, über die Gefahren einer Schiffsreise im Krieg und über die Unsicherheit, drüben seinen Lebensunterhalt verdienen zu können. Und weiter: »… Kurz wenn es das Schicksal will würde ich mich bereit finden alle Gefahren und Einschränkungen auf mich zu nehmen um meine Arbeit, die ich noch nicht als abgeschlossen betrachte, zu einem guten Ende zu führen. – Das würde ich für meine Pflicht halten der Mission gegenüber, zu der ich nun einmal bestimmt bin…«

In USA setzten sich bereits alte und neue Freunde für Beckmanns Kunst ein. Curt Valentin veranstaltete Ausstellungen in New York, Kansas City, San Francisco und anderwärts, Alfred H. Barr, der Direktor des Museum of Modern Art in New York, trat für ihn ein, das Triptychon *Versuchung* wurde auf der Golden Gate International Exposition in San Francisco preisgekrönt. Chicago lockte mit einem Lehrauftrag. Beckmann jedoch zauderte. Ein Lehrervisum wäre auf zwei Jahre befristet gewesen, und er fürchtete – überflüssigerweise –, nach Ablauf dieser Zeit ins Dritte Reich abgeschoben zu werden. Der amerikanische Konsul im Haag brauchte angeblich die Sicherheit, daß Beckmann nicht dem amerikanischen Steuerzahler zur Last fallen würde. Zeit und Gelegenheit vergingen. Am 10. Mai 1940 überfielen die Deutschen das neutrale Holland, und Beckmann war von der Außenwelt abgeschnitten. Fünf Jahre lang wußte ich nicht einmal, ob er noch lebte.

Deutsche Okkupation in Holland

Beim Einmarsch der Wehrmacht verbrannte Beckmann seine Tagebücher, die er von 1925 bis zum Mai 1940 geführt hatte. Vielleicht befürchtete er, sich allzu freisinnig über Hitler – den er »Tante Emma« nannte – geäußert zu haben; vielleicht wollte er frühere Freunde und Bekannte nicht in Gefahr bringen. Der Verlust dieser Dokumentation ist unersetzlich. Jedoch begann er im September 1940 neue Eintragungen, die er bis zu seinem Tod regelmäßig weiterführte.

Es scheint merkwürdig, daß Beckmann, der vorher von den Nationalsozialisten so erbittert angefochten worden war, im eroberten Amsterdam relativ unbehelligt blieb. Zwar waren Reisen ins Ausland, auch nach Deutschland, völlig ausgeschlossen, und die Beschränkungen besonders der letzten Kriegsjahre schädigten seine Gesundheit. Natürlich durfte er seine Werke nicht öffentlich ausstellen. Es war ein zwielichtiges Dasein, halb im Untergrund, halb im Einverständnis mit unwissenden deutschen Behörden. Handgreifliche Bedrohungen waren zwei Musterungen, am 15. Juni 1942 und noch am 31. Mai 1944; beide Male sahen die Prüfenden ein, daß der alte Mann nicht mehr zum Militärdienst taugte. Und im Februar 1943 wären seine Bilder vielleicht von den deutschen Behörden beschlagnahmt worden, wenn er sie nicht aus seiner Wohnung entfernt und bei dem Kunsthändler Helmuth Lütjens untergebracht hätte, der holländischer Staatsbürger war. Bomben, Hunger und Kälte boten Bedrohungen schlimmster Art. Verglichen mit der Deportation der Juden und der Verfolger holländischer Patrioten blieb Beckmanns Schicksal jedoch einigermaßen erträglich. Die liebende Fürsorge seiner Frau Quappi half die Schwierigkeiten zu überwinden.

Abb. 8 Max Beckmann: Bildnis Erhard Göpel, 1944, Öl auf Leinwand, Barbara Göpel, Dauerleihgabe Bremen, Kunsthalle

Es erging ihm ähnlich wie dem Tasso in Goethes Drama: »So klammert sich der Schiffer endlich noch am Felsen fest, an dem er scheitern sollte.« Hilfreiche Deutsche ermöglichten ihm in jenen Jahren, sein Leben und sein Schaffen fortzusetzen. Im April 1941 wurde ihm der Auftrag übermittelt, die ›Apokalypse‹ mit kolorierten Lithographien zu illustrieren. Die Bauersche Gießerei in Frankfurt a. M. druckte dieses Werk 1943, und zwar in einer Auflage von nur 24 Exemplaren, weil Neuerscheinungen von über 25 Stück der Zensur vorgelegt werden mußten. Der Kunsthändler Günther Franke kaufte im Amsterdamer Atelier Bilder, die er gerollt im Handgepäck zurück nach München brachte. Die treue Freundin Lilly von Schnitzler erweiterte ihre Beckmann-Sammlung bei Besuchen in Amsterdam. Erhard Göpel nutzte seine Beziehungen zu deutschen Behörden, um Beckmann bei den Militärmusterungen und anderen Schwierigkeiten zu helfen; außerdem ließ er sich porträtieren (Abb. 8). Beckmanns einziger Sohn Peter, der Stabsarzt bei der Luftwaffe war, besuchte seinen Vater mehrfach und transportierte dessen Bilder im Luftwaffen-Lastwagen nach Deutschland zurück. Als er mitsamt dem *Perseus*-Triptychon an der Grenze aufgehalten wurde, erklärte er den zweifelnden Soldaten, er habe diese Bilder als Jux selbst gemalt, dort stehe ja seine Unterschrift! So wurde, trotz größter Gefahren, die Verbindung zu deutschen Kunstfreunden aufrechterhalten.

Als vielleicht wichtigstes Ergebnis dieser fast unterirdischen Verbindung müssen die herrlichen *Federzeichnungen zu Goethes ›Faust II‹* gelten, die von Georg Hartmann in Auftrag gegeben wurden und die den Künstler vom 15. April 1943 bis zum 15. Februar 1944 beschäftigten. Diese visionären Ausdeutungen geben dem Begriff ›Illustration‹ eine ganz neue Tiefendimension (Abb. 9, 10, 11).

Auch mit in Amsterdam ansässigen, geistig interessierten Menschen kam Beckmann regelmäßig zusammen, vor allem mit dem Dichter Wolfgang Frommel und den Malern Friedrich Vordemberge-Gildewart und Otto Herbert Fiedler; er hat sie in mysteriöser Untergrundatmosphäre mit damals schwer erhältlichen Eßwaren dargestellt (*Les Artistes mit Gemüse*, Kat. 99). Dennoch litt er sehr unter Isolation, Verdunkelung und mangelhafter Ernährung. Sogar der Strand von Zandvoort, wohin er und Quappi sehr oft geradelt waren, war ab Juni 1942 mit Stacheldraht verrammelt. Es ist erstaunlich, wie der Maler in seiner Phantasie von intensiven Erinnerungen zehrte. Immer wieder erscheinen Landschaften aus Cap Martin,

 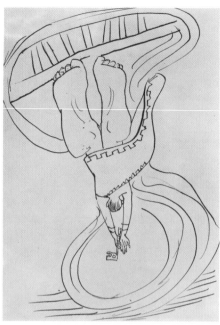 

Monte Carlo und Bandol im Œuvre von 1940 bis 1944. Auch der prosaische *Frank-furter Hauptbahnhof* erscheint 1942, in Türkisblau und Zitronengelb verklärt – ein seltsamer Anlaß für vielleicht doch vorhandene Heimwehgefühle (Abb. 12).

Die Befreiung Amsterdams Anfang Mai 1945 ließ den seelischen Druck wei-chen, aber die Lebensverhältnisse besserten sich nicht so bald. Lebensmittel und Kohlen blieben schwer erhältlich und rationiert, die letzten Bettücher wurden auf Keilrahmen gespannt und als Malleinwand verwendet. Aber Beckmanns Bilder wurden mit einem Schlag wieder verkäuflich, sogar in Holland. Im Herbst 1945 stellte das Stedelijk Museum in Amsterdam 14 ›Beckmanns‹ aus. Besonders vom September 1946 an tauchten alte Bekannte wie Curt Valentin und Hanns Swar-zenski auf, die inzwischen Amerikaner geworden waren. Zuerst Zeichnungen, dann auch Ölbilder wurden nach New York geschickt und dort eifrig verkauft.

Reisen und Auswanderung

Ich war 1944 und 1945 als amerikanischer Soldat in Frankreich und Deutschland, konnte den Maler aber nicht besuchen. Sobald Postverbindung wieder möglich war, schrieb ich Beckmann aus Santa Barbara. Sein Antwortbrief zeigt ein tiefes Erstau-nen, sich und andere noch in dieser Welt vorzufinden. Dichterisch und schnoddrig zugleich, beweist er Beckmanns Gabe, komplizierte Sachverhalte bildhaft zu kom-primieren.

Amsterdam, Rokin 85   27. August 45

Lieber Stephan Lackner (Quinientosstreet) – also *da* leben Sie, erstaunlich von Ihnen und Californien zu hören – Die Welt ist ziemlich kaputt aber die Gespenster klettern aus ihren Höhlen und geben vor, wieder normale und gewohnte Menschen zu werden, die sich gegenseitig um Entschuldigung bitten, anstatt sich aufzufressen oder das Blut auszusaugen – Der unterhaltende Wahnsinn des Krieges verfliegt und die soignierte Langeweile nimmt würdevoll auf alten Polsterstühlen wieder Platz. – Incipit ›novo Canto‹ No. 2 –

Also mein Lieber – Sie werden einiges erlebt haben und ich bin gespannt, wie Sie das alles verarbeiten werden. Bedauerlich, daß Sie nicht als amerikanischer Erzengel Gabriel hier am Rokin auftauchen konnten. Der Effekt wäre ganz prima gewesen und ich hatte eigentlich halb und halb damit gerechnet. Nun, jetzt hat er sich in einen Clipperbrief verwandelt – Auch nicht ohne und läßt der Fantasie weiten Spielraum. – Aus einigen Andeutungen Ihres Briefes entnehme ich, daß Sie verheiratet sind und daß es auch Ihren lieben Eltern gut geht. Erfreulich beides zu hören. Daß Sie eine Freundin als Großmutter und einige ältere Beckmannbilder in Paris wiedersahen,

Abb. 9   Max Beckmann: Illustration zu
J.W. v. Goethe, Faust II, 1943/44 – Knabe
Lenker (1. Akt)

Abb. 10   Max Beckmann: Illustration zu
J.W. v. Goethe, Faust II, 1943/44 –
Mephistopheles: »Versinke denn! ich
könnt' auch sagen: steige!« (1. Akt)

Abb. 11   Max Beckmann: Illustration zu
J.W. v. Goethe, Faust II, 1943/44 – Faust
schlafend: »Unselige Gespenster! So
behandelt ihr das menschliche Geschlecht«
(5. Akt)

Abb. 12   Max Beckmann: Frankfurter
Hauptbahnhof, 1942, Öl auf Leinwand,
Frankfurt, Stadtgeschichtliches Museum

finde ich amüsant. – Übrigens stehen hier auch noch drei oder vier Bilder, die Ihnen gehören, nach unseren alten Verabredungen aus der ersten Kriegszeit. – (Frau mit Muschel, Monte Carlo, Strand mit Zelten und Lesende Frau am Meer.) – Von mir ist zu berichten, daß ich eine wahrhaft groteske Zeit hinter mir habe, die angefüllt war mit Arbeit Naziverfolgungen Bomben Hunger und immer wieder Arbeit – trotz allem – Habe zirka achtzig Bilder gemalt, darunter 4 große Tryptik. Titel: Akrobaten No. I, No. II Schauspieler, No. III Carneval, No. IV (vor acht Tagen beendet) Blindekuh. – Ich glaube einiges davon würde Ihnen Spaß machen. Sie wissen ja viel von mir. Situation ist vorläufig diese: Durch das Eingreifen von Professor Ruell, Direktor des Rijksmuseum kann ich (als vorläufig noch Deutscher) jedenfalls bis November hier bleiben, wenn nicht eine sehr intensive Welle patriotisch holländischer Gefühle alle Deutschen ohne Ausnahme nach Germany zurück verfrachten will. Diese Möglichkeit besteht für mich aber höchstens für 10 Prozent. – Trotzdem wäre es sehr gut, wenn irgendetwas aus Amerika für mich geschehen könnte, durch irgendeine Anforderung – Lehrauftrag oder dergleichen. Es wäre bedauerlich, wenn ich jetzt nach Deutschland zurück müßte, da dann eine Verbindung mit dem Ausland sehr sehr schwer werden würde. – Vielleicht lassen Sie sich die Sache mal durch den Kopf gehen – eventuell auch mit Valentin oder Swarzenski, der glaube ich in London sitzt zur Zeit (Da hier Engländer sind auch nicht unwichtig.) – Ich bin gespannt wie alles werden wird und hoffe bald wieder von Ihnen zu hören. Meine Nerven und Arbeitskraft sind stärker denn je und ich hoffe noch weiter wesentliches auf die Beine zu stellen. Sehr herzlich auch von Quappi (der es gut geht)   *Ihr Beckmann*

Beckmann hatte noch immer seinen deutschen Paß, den er übrigens sein Leben lang behielt. Die sich hieran knüpfenden Schwierigkeiten wurden durch einen bemerkenswerten Glücksfall behoben. Gegen Ende der deutschen Besatzungszeit war ein holländischer Untergrundkämpfer in das Haus Rokin 85 eingedrungen, und Beckmanns hatten dem Flüchtenden geholfen, über ihr Dach zu entkommen. Diese Hilfeleistung wurde nun dadurch belohnt, daß dem Maler und seiner Frau die ›Non-enemy‹-Eigenschaft zugesprochen wurde.

Vom April bis Juni 1946 zeichnete Beckmann die 15 Lithographien für die Mappe *Day and Dream*, die Curt Valentin in New York verlegte. Auf einem dieser phantasievollen Blätter, *Zirkus*, radelt ein Clown mit einer Milchflasche vorüber, und auf der Flasche steht das wohl einzige holländische Wort in Beckmanns Œuvre: MELK.

Sonst läßt sich der Einfluß des holländischen Jahrzehnts am klarsten in den Landschaften erfühlen. Ganz herrliche, bewegte Ansichten von Schiphol, Laren und Noordwijk entstanden damals (Abb. 13). Beckmanns Landschaftsbilder mit ihrem überbordenden Lebensgefühl drücken seine Philosophie ebenso stark aus wie die verschlüsselteren Figurenbilder; die Kunstkritik hat sie bislang noch allzu stiefmütterlich behandelt. (Sogar in den zwei vorzüglichen Büchern von Friedhelm W. Fischer über Beckmann findet sich unter 92 Abbildungen nur eine einzige Landschaft.) Für Beckmanns innere und äußere Biographie sind seine Darstellungen von Berg und Meer, Flachland und Städten äußerst aufschlußreich.

Am 25. März 1947 konnten Herr und Frau Beckmann zum erstenmal wieder aus Holland ausreisen. »Acht Jahre, ohne dieses Plättbrett zu verlassen«, verzeichnet das Tagebuch. Nizza, Monte Carlo, Cap Martin waren plötzlich nicht nur durch die Kunst gefilterte Erinnerungen, sondern frisch anregende Eindrücke (Abb. 14).

Am 19. April trafen meine Frau und ich Beckmanns in Paris. Er war schmaler geworden; um seine Augen lagen tiefe Schatten – das Zurückweichen dessen, der in Abgründe geblickt hat. Sein breiter Mund drückte nicht mehr die harte Berliner Ironie aus, die ihn früher charakterisiert hatte, sondern zeigte ein merkwürdig wohlwollendes, fast zufriedenes Schmunzeln. Er war der Welt nicht böse geworden. Am Abend darauf besuchten wir den Bal Tabarin auf dem Montmartre und betrachteten durch Sektgläser die bunte Schau. Beckmann, der volle weibliche Formen auf seinen Gemälden bevorzugte, war ein bißchen enttäuscht von den abgemagerten Tänzerinnen. Nach dem Cancan meinte er: »Es dampft noch nicht richtig.« Zwischendurch aber strahlte ihm doch Lebens- und Freiheitsfreude aus den Augen. Am 21. April sahen wir nach den zahlreichen älteren Beckmannbildern, die meine französische Freundin im Obergeschoß eines Brauereigebäudes vor dem Zugriff der Besatzungsbehörden versteckt hatte.

Schon am 23. April vermeldet das Tagebuch: »Holland doch recht nett.« Und dort blieb er und malte im Tabaksspeicher, bis er sich am 29. August 1947 nach Amerika einschiffte.

Ist das Erlebnis des Auswanderns für Beckmanns Kunst alles in allem negativ zu werten? Ich glaube nicht. Er selber empfand das Exil nicht bloß als Unrecht, Bedrängnis und Gefahr, sondern als notwendigen Teil seines Karma. Am 17. September 1948, während der zweiten, endgültigen Überfahrt von Le Havre nach New York, notierte er in sein Tagebuch: »Lese eben in R. Wagner's Selbstbiographie und entdecke in seinem Schicksal viel von meinem eigenen. Wenn ich mich auch nicht gerade mit Barrikaden beschäftigt habe, so scheint doch eine Emigration von 10-15 Jahren einfach zum organischen Bestandteil jeder wesentlichen Persönlichkeit zu gehören – trotz Goethe und Jean Paul – und anderen, aber selbst mein alter Freund Goya mußte am späten Lebensabend noch raus – also trösten wir uns damit.«

Abb. 13   Max Beckmann: Große Landschaft aus Laren mit Windmühle, 1946, Öl auf Leinwand, St. Louis, Saint Louis Art Museum

Abb. 14   Max Beckmann: Riviera-Landschaft mit Felsen, 1942, Öl auf Leinwand, New York, Privatbesitz

Peter Selz

Die Jahre in Amerika

Abb. 1 Max Beckmann: Die Loge, 1928, Öl auf Leinwand, Stuttgart, Staatsgalerie

Dieser Essay ist dem Andenken von I. B. Neumann gewidmet, der Beckmanns Werk in USA bekanntgemacht hatte und der auch mir ein guter Freund und Ratgeber war.
Einem Teil der Untersuchungen für diesen Essay konnte ich in der umfangreichen Bibliothek für Wissenschaftliche Forschung der Robert Gore Rifkind Foundation in Los Angeles nachgehen. Ich möchte Robert Rifkind und seinen Mitarbeitern für ihre Bereitschaft danken, mir die Auswertung dieser wichtigen Quelle ermöglicht zu haben.

1 I. B. Neumann, › Sorrow and Champagne ‹, in: *Confessions of an Art Dealer*, S. 43 (Schreibmaschinenfassung eines unveröffentlichten Manuskripts im Besitz von Dr. Peter Neumann, Palo Alto, Kalifornien, der es mir freundlicherweise zur Verfügung stellte).

2 Henry McBride, in: *Creative Art, V*, (1929) S. 15

3 Zitiert in Alfred H. Barr, › Die Wirkung der deutschen Ausstellung in New York ‹, in: *Museum der Gegenwart*, II (1931-32) S. 58-75

4 Lloyd Goodrich, › Exhibitions: German Painting in the Museum of Modern Art in New York ‹, in: *The Arts* XVII (1931) April 1931, S. 504

5 James Johnson Sweeney, zitiert in Alfred H. Barr, a. a. O., S. 71

Als Israel Ber Neumann im Jahre 1923 zum ersten Mal nach New York kam, war es eines seiner Hauptziele, die Kunst Max Beckmanns zu fördern. Neumann, ein kenntnisreicher Liebhaber von Kunst höchster Qualität aus allen Epochen und Kulturen, ein kluger und liebenswerter Mann, ein Händler, der sich dem Werk seiner Künstler mit großem Engagement widmete, kannte Beckmann seit 1912. Er hatte einige seiner Graphiken veröffentlicht, war sein Kunsthändler gewesen, sein Verteidiger und Freund, und arrangierte nun im Jahre 1926 eine Beckmann-Ausstellung in seinem New Art Circle in New York. Aber die Resonanz war schwach. Weitere Ausstellungen, einige begleitet von Sondernummern des › Artlover ‹, die Beckmann gewidmet waren, sollten folgen.[1] Drei Jahre später erhielt Beckmann, der in Deutschland gerade eine zweite Periode nationaler Berühmtheit erreichte, seine erste Anerkennung in den Vereinigten Staaten, als *Die Loge* (Abb. 1) im Carnegie International in Pittsburgh ehrenvoll erwähnt wurde. Von Pittsburgh aus ging die Ausstellung nach Baltimore und nach St. Louis und veranlaßte Amerikas damals angesehensten Kunstkritiker, Henry McBride, von der »Dynamik seines Pinselstrichs, um die selbst Picasso ihn beneiden könnte ...«, und von »einer Persönlichkeit, mit der gerechnet werden muß«, zu sprechen.[2]

Im Jahre 1931 veranstaltete das erst kurz zuvor gegründete Museum of Modern Art die Ausstellung › German Painting and Sculpture ‹. Mit sechs Gemälden und zwei Gouachen hatte Beckmann die größte Einzelrepräsentation. Alfred H. Barr, der diese erste Ausstellung moderner deutscher Kunst in Amerika organisiert hatte, berichtete im › Museum der Gegenwart ‹ über ihre kunstverständige Aufnahme, wobei er viele der führenden Kritiker zitierte. Während ein konservativer Rezensent wie Royal Cortissoz – nicht unerwartet – das Werk »roh, grob und uninteressant«[3] fand, zeigten andere Kritiker eine positivere Einstellung. McBride war der Meinung, daß Beckmanns Bilder die Ausstellung beherrschten. In einem Artikel in › The Arts ‹ fand Lloyd Goodrich Beckmann »in seiner Vitalität ebenso brutal wie jeden beliebigen anderen Expressionisten, wenn nicht noch brutaler. Er hat eine Kraft, die ihnen fehlt.«[4] Der junge James Johnson Sweeney, der für die › Chicago Evening Post ‹ schrieb, verglich Beckmanns *Familienbild* (Kat. 25) mit Werken von Grünewald, Bosch und Breughel und sprach von seiner »Besessenheit für Linie, Kontur und Dichte«. Für ihn nahm Beckmann »ohne Frage den ersten Rang unter den zeitgenössischen Malern ein«.[5]

Im Jahre 1938 organisierte Curt Valentin, ehemaliger Assistent von Alfred Flechtheim in Berlin, die erste von zehn Beckmann-Ausstellungen in seiner New Yorker Galerie (die ursprünglich Buchholz-Galerie hieß). Diese Ausstellung, der eine bescheidene Broschüre mit Zitaten von Alfred Barr und Waldemar George beigegeben war, ging weiter nach Los Angeles, San Francisco, Portland und Seattle. Das Mittelstück des Triptychons *Abfahrt* (Abb. 2) wurde 1939 ebenso in der Jubiläumsausstellung › Art in our Time ‹ anläßlich des zehnjährigen Bestehens des Museum of Modern Art gezeigt. Drei Jahre später erwarb das Museum dieses Bild. 1939 erhielt Beckmann auf der › Golden Gate International Exposition ‹ in San Francisco auch eine Tausend-Dollar-Auszeichnung für sein zweites Triptychon, *Versuchung*. Obwohl seine Preise lange Zeit recht niedrig lagen, begann Beckmanns Werk in den Vereinigten Staaten sich gut zu verkaufen.

Alles dies veranlaßte den Künstler, der Deutschland im Sommer 1937 verlassen hatte, als viele seiner Werke von den Nazis in der Ausstellung ›Entartete Kunst‹ geächtet wurden, seine Übersiedlung nach Amerika in Erwägung zu ziehen. Mehrere Jahre lang, zwischen 1937 und 1940, schwankten Max und Quappi Beckmann unschlüssig zwischen einem Leben in Paris oder Amsterdam. Aber am 3. März 1939 schrieb Beckmann aus Paris an I. B. Neumann: »Ich möchte gerne Ihren Vorschlag prüfen, endgültig nach Amerika zu kommen, weil dieses Land mir immer als der geeignete Ort erschienen ist, an dem ich den letzten Teil meines Lebens verbringen könnte. Wenn Sie es einrichten könnten, mir irgendwo einen Ruf zu verschaffen, wenn es auch nur ein ganz bescheidener Posten wäre, würde ich sofort abreisen, obwohl es mir hier recht gut gefällt«.[6]

Und tatsächlich, der »Ruf« erfolgte, als Daniel Catton Rich den Künstler einlud, am Art Institute of Chicago zu lehren. Aber, wie seine Tagebuch-Eintragung vom 4. Mai 1940 lautet: »Amerika wartet auf mich mit einem Job in Chikago und das hiesige amerikanische Consulat gibt mir kein Visum.«[7] Dies stand auf einer der wenigen Seiten, die Beckmann übrigließ, als er während des Einmarsches der Deutschen Armee in Amsterdam am 10. Mai die meisten seiner Tagebücher zerstörte. Die Beckmanns mußten den Krieg und die Nachkriegsjahre in der besetzten holländischen Hauptstadt verbringen. In ihrer kleinen Wohnung auf dem Rokin im Zentrum der Stadt führten sie ein sehr eingeschränktes Leben. Während dreier Jahre wurde ihre Isolierung gemildert durch Besuche von Beckmanns Sohn Peter, der Arzt bei der deutschen Luftwaffe war. Der Verkehr mit einigen Freunden und Gönnern wurde aufrechterhalten, aber es gab nur noch wenige Verbindungen zur Welt der Kunst und kaum gesellschaftliche Kontakte, die immer einen großen Raum in Beckmanns Leben eingenommen hatten. Diese Periode des physischen und geistigen Exils war jedoch auch eine sehr produktive Zeit, in der Beckmann mehr als dreihundert Gemälde schuf sowie eine stattliche Anzahl von Drucken und Zeichnungen.

Im Frühjahr 1946 stellte Curt Valentin fünfzehn Gemälde aus und ebensoviele Zeichnungen, die Beckmann zwischen 1939 und 1945 in Amsterdam vollendet hatte. Es war ein bedeutendes Ereignis. Georg Swarzenski, früherer Direktor des Städelschen Kunstinstituts in Frankfurt und mit dem Werk des Meisters gründlich vertraut, schrieb von Boston aus eine kurze Einführung für den Katalog: »Niemals zuvor vielleicht haben seine Imagination und seine Gestaltungsweise eine solche Klarheit und fesselnde Überzeugungskraft erreicht.«[8]

Und Beckmanns Bewunderer, Freund und Sammler, Frederick A. Zimmermann, erinnerte sich später: »Hier ... sahen wir Max Beckmann auf der Höhe seiner Karriere, wir sahen ihn in voller Beherrschung der Techniken und Materialien, mit denen er die kostbaren Augenblicke seiner starken und durchdringenden Vision Realität werden ließ.«[9]

Das Magazin ›Time‹ schrieb, daß »seine glühenden Himmel, seine eisigen Höllen und bestialischen Menschen zeigen, warum er Deutschlands größter lebender Künstler genannt wird. Er hat Farben ausgegossen mit der verschwenderischen Hand eines Mannes, der aufwacht und einen Regenbogen in seiner Tasche findet.«[10]

Berufung nach St. Louis

In jener Zeit erhielt Beckmann erneut Einladungen aus Amerika. Henry Hope bot ihm ein Lehramt an der Indiana University an, und Perry Rathbone, damals Direktor des St. Louis City Art Museum, schlug ihm eine Anstellung an der Kunstakademie der Washington University vor, die er annahm. Wie viele Künstler dieses Jahrhunderts war Beckmann jedoch von schweren Ängsten erfüllt. Als die Angebote für Positionen in Amerika feste Gestalt annahmen, schrieb er besorgt in sein Tagebuch: »Alles in Allem ziemlich hoffnungslos – trotzdem wahrscheinlich alles werden wird. Noch immer kann ich mich nicht zurechtfinden in der Welt, die gleiche maßlose Unzufriedenheit wie vor 40 Jahren erfüllt noch mein Herz, nur daß durch das langsame Alter alle Sensationen zusammenschrumpfen und das triviale Ende – der Tod – langsam näher tritt. Ich wollte ich hätte mehr von der phantasielo-

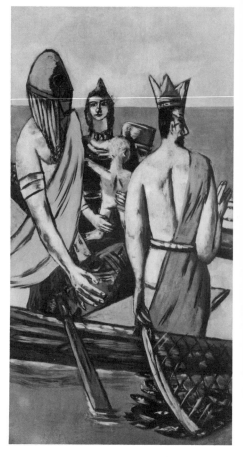

Abb. 2   Max Beckmann: Abfahrt. Triptychon, 1932/35, Öl auf Leinwand, New York, The Museum of Modern Art (Mittelbild)

6   Neumann, a. a. O., S. 43

7   Max Beckmann, Eintragung vom 4. Mai 1940, in: *Tagebücher 1940-1950*, München 1979, S. 21

8   Georg Swarzenski, Einführung *Katalog Beckmann*, Buchholz Gallery Curt Valentin, New York 1946

9   Frederick A. Zimmermann, *Max Beckmann in Amerika* (Ansprache vor der Max-Beckmann-Gesellschaft in Murnau am 15. Juli 1962), New York 1967, S. 6

10   ›German Seeker‹, in: *Time*, XLVII, 6. Mai 1946, S. 64

sen Unbekümmertheit der Spießer um mich herum ... O wie schön muß es sein, sich als Mittelpunkt der Welt zu empfinden. – Bei mir wird es immer weniger. Hopenlos – – – Oh no, schlecht ist das Leben – ist die Kunst. – Aber was ist besser? – das ferne Land – rette mich oh großer Unbekannter.«[11]

Der »große Unbekannte« war nicht das ferne Land, zu dem er gerade aufbrach. Es war der Tod selbst – ebenso gefürchtet wie ersehnt. In den letzten Jahren seines Lebens spricht er häufiger vom Tod und von schweren Depressionen, die er durchmacht. Oft erwähnt er sein Herzleiden, und das Wort »Weh« erscheint immer wieder in seinem Tagebuch.

Später, als er seine Ehrendoktorwürde in der Washington University St. Louis entgegennahm, sagte er in seiner Antrittsrede: »Feiert meinetwegen Räusche des Unterbewußtseins oder des Whisky's – liebt den Tanz, die Freude, die Melancholie und den Tod – ja auch den Tod, als letzten Übergang zu großartig Neuem ...«[12] Solche Worte erwartet man normalerweise kaum, wenn jemand beim Antritt eines offiziellen akademischen Amtes eine förmliche Ansprache hält. Aber wir haben es mit einer Persönlichkeit zu tun, die ein Leben lang gegen Konventionen gekämpft hat, mit einem Mann, dessen ganzes Denken nunmehr vom Tod erfüllt war. Doch all diese Angst war begleitet von einer großen Lebensbejahung. In dem unmittelbar folgenden Satz seiner Antrittsrede sagt er: »Vor allem aber liebt, – liebt, – liebt, – vergeßt nicht, daß jeder Mensch, jeder Baum, jede Blume ein Individuum ist, welches verdient, eingehend studiert und dargestellt zu werden.«[13]

Diese Aussagen machte Beckmann im Frühjahr 1950, als er tatsächlich auf der Höhe seines Ruhmes in Amerika stand. Drei Jahre früher, bevor er sich nach Amerika einschiffte, schrieb er über die bevorstehende Abreise aus Europa als der »außer dem Tode letzten großen Sensation, die mir das Leben bietet«.[14] Am 29. August 1947 reisten seine Frau und er auf der ›S.S. Westerdam‹ ab und stellten fest, daß Thomas Mann unter den Mitpassagieren war. Aber diese zufällige Begegnung zwischen Deutschlands bedeutendstem Maler und seinem führenden Schriftsteller scheint nur zu einem belanglosen Gedankenaustausch geführt zu haben.

Nach einem kurzen Aufenthalt in New York gingen die Beckmanns nach St. Louis, einer Stadt, in die ihm sein Ruf vorausgeeilt war.[15] Der Künstler genoß die liebenswürdige Atmosphäre der alten amerikanischen Stadt am Mississippi. Provinziell und dennoch kosmopolitisch, erinnerte sie ihn an seinen alten Wohnsitz Frankfurt. Als ein Mann, der den physischen Seiten des Lebens stark verhaftet war, schätzte Beckmann diese Atmosphäre, die so viel freier und luxuriöser war als die seines eingeschränkten Lebens in Amsterdam. Er liebte es, mit Menschen zusammenzukommen, auf Gesellschaften zu gehen, sich für Maskenbälle zu verkleiden, Cabarets zu besuchen und Champagner zu trinken. Er beschrieb die Speisen, die auf Dinnerpartys serviert wurden mit der gleichen Ausführlichkeit wie die dort anwesenden Leute. Vielleicht sah er in den physischen Aspekten des Lebens eine Vorstufe zu den metaphysischen, vielleicht genoß er sie aber auch um ihrer selbst willen. »Qualität, wie ich sie verstehe«, äußerte er zu Beginn seiner Karriere, ist »der Sinn ... für den pfirsichfarbenen Schimmer einer Haut, für den Glanz eines Nagels, für das künstlerisch Sinnliche, was in der Weichheit des Fleisches, in der Tiefe und Abstufung des Raumes ... liegt. Und dann vor allem in dem Reiz der Materie.«[16] Während Stil und Inhalt seiner Kunst seit seiner frühen Kontroverse mit Franz Marc sich beträchtlich geändert hatten, blieb der physische Aspekt des Werkes von größter Bedeutung. Dies ist sicherlich einer der Gründe, warum seine Gemälde mit ihrer Farbenpracht und der dichten Verflechtung von Längs- und Querstrichen einen unmittelbaren sinnlichen Reiz auf uns ausüben, schon ehe wir uns in die Ikonographie vertiefen.

11 M. Beckmann, Eintragung vom 17. September 1946, in: *Tagebücher 1940-1950*, a.a.O., S. 177
12 Max Beckmann, *Ansprache für die Freunde und die philosophische Fakultät der Washington University St. Louis,* 1950, Übersetzung Jane Sabersky, in: Max Beckmann, Curt Valentin Gallery, New York 1954
13 Ebenda
14 Max Beckmann, Eintragung vom 23. August 1947, in: *Tagebücher 1940-1950*, a.a.O., S. 214
15 Im Jahre 1946 hatte das St. Louis City Art Museum sein Bild ›Junge Männer am Meer‹ aus der Ausstellung Curt Valentins von 1946 gekauft. Die Washington University Gallery of Art erwarb ›Les Artistes mit Gemüse/Vier Männer um einen Tisch‹ aus derselben Ausstellung.
16 Max Beckmann, ›Gedanken über zeitgemäße und unzeitgemäße Kunst‹, in: *Pan* II (1911/12) Nr. 17, S. 501

Freunde und Schüler

In St. Louis schätzte er die Gesellschaft von Horst Waldemar Janson, der damals Kurator des Universitätsmuseums war. Vor allem wurde er ein enger Freund von Perry Rathbone, der eine größere Retrospektive organisierte und einen Katalog herausgab, für den er eine hervorragende Interpretation von Beckmanns Werk schrieb. Diese Ausstellung, die nach Los Angeles, Detroit, Baltimore und Minneapolis weiterging, trug dazu bei, den Ruf des Künstlers in Amerika zu festigen.

Unterstützt von seiner Frau Quappi, die sich als Dolmetscherin betätigte, begann er nach einer langen Unterbrechung – die Nazis hatten ihn 1933 aus seinem Lehramt in Frankfurt entlassen – wieder zu unterrichten. »Kunst kann man nicht lehren, aber die Art und Weise der Kunst kann man lehren«[17], versicherte er in einem Interview. Tatsächlich hatte er die Dozentenposition an der Washington University nur vorübergehend inne. Sie war von Philip Guston freigemacht worden, der ein Guggenheim-Stipendium und anschließend den Prix de Rome erhalten hatte.

Guston hatte Beckmanns Werk zum ersten Mal bei der Ausstellung Curt Valentins im Jahre 1938 gesehen und vom ersten Augenblick an bewundert. Damals hatte er eine Monographie über den älteren Künstler gekauft.[18] Er war stets fasziniert von dessen, wie er es ausdrückte, »dichten« und »beladenen« Bildern[19], und es besteht kein Zweifel, daß die Erfahrung des Beckmannschen Werkes – ich meine hier nicht nur seine umgekippten Figuren mit den in die Luft gestreckten Beinen oder die Leitern, die in die Unendlichkeit weisen – den amerikanischen Maler in entscheidender Weise beeinflußt hat. In Gustons spätem Werk, wie in dem Beckmanns, ist ein charakteristisches Moment, daß die Alltagsrealität in eine fühlbare Fremdheit und Phantastik umschlägt. Darüber hinaus spiegelt das Werk beider Künstler eine tiefe Empfindung für das Tragische und eine enge Verwandtschaft ihrer grundsätzlichen Einstellung zur Kunst und ihrer Bestimmung. Was Guston im Jahre 1965 erklärte, hätte auch Beckmann gesagt haben können: »Enttäuschung gehört zu den großen Dingen in der Kunst; Befriedigung ist nichts ... Wenn ich moderne Kunst sage, meine ich nicht Moderne Kunst. Das Problem entstand schon vor geraumer Zeit, und die Frage lautet: Ist Kunst überhaupt möglich? Vielleicht ist dies der Inhalt moderner Kunst.«[20]

In den Kreisen der Washington University bewunderte man Beckmann schon vor seiner Ankunft in St. Louis auch wegen seiner »dicht gedrängten, fest geformten Kompositionen«, wie H. W. Janson 1948 bemerkte.[21] Der Maler Stephen Greene bestätigt noch heute: »Ich bewundere den Mann immer noch zutiefst. Sein Werk hat psychologische Kraft. In seiner starken Formensprache steht es wie ein Wegweiser dessen, was mir an der Malerei des 20. Jahrhunderts am meisten imponiert.«[22]

Sowohl Guston als auch Greene hatten St. Louis schon verlassen, als Beckmann dort eintraf. Aber er übte Einfluß auf andere Künstler, die seine Schüler wurden. Nathan Olivera, der im Sommer 1950 bei ihm am Mills College in Oakland studierte, erinnert sich: »Am meisten war er mit seiner eigenen Vision und seinem eigenen Traum beschäftigt, und das war entscheidend für mich.«[23]

Beckmann hatte 1925 Mathilde von Kaulbach geheiratet, die Tochter des berühmten Münchner Malers Friedrich August von Kaulbach, und hatte seine Frau und vertraute Gefährtin immer wieder gemalt. *Bildnis Quappi in Grau* (Kat. 119) war eines der letzten dieser Bilder, die eine breite Skala von Stimmungen und Haltungen reflektieren. Auf diesem Porträt erscheint sie in gelassener Selbstsicherheit, sitzend, mit gekreuzten Armen sich schützend und die Welt auf Abstand haltend. Dieses Bildnis weicht sehr von den offeneren, geschmeidigeren und freieren Darstellungen Quappis auf früheren Bildern ab. Die Stimmung des Bildes entsteht vor allem aus den gedämpften Braun-, Grün- und Grautönen, durch das schmale Hochformat und durch den Kunstgriff, die Sitzende ganz eng durch einen Vorhang zur Rechten und eine Art Leiter zur Linken – ein häufig verwendetes Symbol seiner persönlichen Bildersprache – einzurahmen.

17 Dorothy Seckler, ›Can Painting be Taught?‹, in: *Art News*, L: 1 (1951), S. 30

18 Dore Ashton, *Yes, but,* New York 1976, S. 64

19 Ebenda, S. 73

20 Philip Guston, ›Faith, Hope and Impossibility‹, (Vorlesung an der New York Studio School, New York), in: *Art News Annual*, 1966, S. 101 ff., 152 f. Es ist interessant, daß es unter den führenden amerikanischen Malern allein Philip Guston war, der über die Abstraktion hinausging und – als er sich gegen Ende seines Lebens seinem eigenen inneren Selbst zuwandte – Gemälde schuf, die die große bildliche Allegorien der Ängste des modernen Lebens sind. Wie Beckmann vor ihm, sagte Guston im Jahre 1978: »Die sichtbare Welt ist, wie ich meine, abstrakt genug. Ich glaube nicht, daß man sich von ihr abwenden muß, um Kunst zu machen.« (Guston, Vorlesung an der Universität Minnesota im Jahre 1978, abgedruckt in *Philip Guston*, White Chapel Gallery, London 1982)

21 H. W. Janson, ›Stephen Greene‹, in: *Magazine of Art*, XLI (April 1948), S. 131

22 Stephen Greene, Brief an den Autor vom 14. November 1982

23 Nathan Olivera, Brief an den Autor vom 2. November 1982

Die Studenten der Washington University veranstalteten häufig Partys mit Maskeraden, die Beckmann sehr genoß. Die Maske, die Welt des Scheins, der Karneval hatten einen festen Platz in seinem Leben. Im Laufe der Jahre porträtierte er sich selbst in seinen Gemälden, Drucken und Zeichnungen als Clown, Seemann, Musiker, Bildhauer, Gefangener, Mann von Welt, Ringkämpfer und oft als Schauspieler. Aber er war auch der Beobachter, der Flaneur, der die Welt als Narrenschiff betrachtete. Die *Maskerade* von 1948 (Kat. 117) ist kein ausgelassener Scherz – ebensowenig wie einige der Szenen aus den zwanziger Jahren, die ähnliche Sujets behandeln –, sondern eine Vision des Todes. Der kräftige Mann mit der albernen Teufelsmaske, dem winzigen Zylinderhut und der großen Keule tritt der stämmigen Katzendame entgegen, die einen großen menschlichen Schädel in der rechten Hand hält.

Das Erlebnis des Meeres

Einladungen zu Vorlesungen in verschiedenen Städten nahm Beckmann im allgemeinen an. Im Februar 1948 hielt er eine Vorlesung am Stephens College in Columbia, Missouri. In die Form von ›Drei Briefe an eine Malerin‹ gekleidet, enthält sie viele seiner Gedanken über Kunst, Philosophie, Religion und das Leben. Was mögen wohl die jungen Damen des Colleges gedacht haben, als Quappi ihnen Passagen wie diese vortrug: »Warst Du nicht manchmal mit mir in der tiefen Höhle der Champagnergläser, wo die roten Lobster herumkriechen und schwarze Kellner die roten Rumbas servieren, die die Glut durch die Adern jagen zum wilden Tanz?«[24] Diese Äußerung vermittelt jedoch ein tiefes Verständnis für die visuelle Phantasie des Künstlers und Einsicht in die Bedeutung etwa eines Gemäldes wie *Cabins*, das im Sommer 1948 entstand (Abb. 3).

Das Ehepaar Beckmann kehrte im Sommer 1948 nach Holland zurück, weil es sich um seine amerikanischen Visa kümmern, auch Freunde treffen und die endgültige Übersiedlung von Europa nach Amerika vorbereiten wollte. Das Bild *Cabins*, das Beckmann unmittelbar nach seiner Ankunft malte, war seine direkte Reaktion auf die Transatlantik-Fahrt. Es ist ein schwieriges, unzugängliches Werk. Das Leben auf dem Schiff wird wie in einem Strudel gesehen. Die Erzählung folgt keiner linearen Raumanordnung oder einem zeitlichen Ablauf; die Raumelemente greifen nicht ineinander. Ein großer Fisch mit riesigem Auge im Mittelpunkt des Bildes wirft eine kraftvolle Diagonale über die dunkel gemalte Fläche. Aber der

Abb. 3 Max Beckmann: Cabins, 1948, Öl auf Leinwand, Düsseldorf, Kunstsammlung Nordrhein-Westfalen

24 Beckmann, *Drei Briefe an eine Malerin*, Vortrag, gehalten am 3. Februar 1948 im Stephens College, Columbia, Missouri, übersetzt von Mathilde Q. Beckmann und Perry T. Rathbone, zitiert in: Mathilde Q. Beckmann, *Mein Leben mit Max Beckmann*, München 1983, S. 203

Fisch ist weiß, wie Moby Dick. Ein Matrose, vermutlich ein Selbstporträt, versucht das Ungeheuer, das an ein Brett angebunden ist, festzuhalten. Dahinter, darunter, darüber und seitlich ziehen die Ereignisse des menschlichen Lebens in wechselnden Facetten vorüber. Unmittelbar über dem Matrosen wird eine gewaltige dramatische Szene dieses Mysterienspiels auf die Bühne gestellt, während wir hinter dem Fenster oben links eine Totenfeier beobachten können. Darunter liegt ein wollüstiges Mädchen verführerisch auf einer Couch. Oben rechts kämmt eine junge Blondine ihr langes Haar. Darunter sieht man eine junge Frau, die ein Schiff auf eine Leinwand malt, während hinter ihr große, weiße Blumen blühen. Am rechten Rand des Bildes ist ein Schiff zu sehen, das in einem auf der Seite liegenden Rettungsboot über das Meer fährt, und ganz links ragt ein blaues Haus auf. In der Ladeluke in der unteren Mitte scheint eine Party stattzufinden. Zwei Säulen, die eine blau und die andere orange, kreuzen das Bild diagonal, rechtwinklig zum Fisch: Es gibt keine Stabilität. Tatsächlich ist die Scheinwelt im Stadium des Zusammenbruchs, und der Matrose wird niemals in den Besitz des Fisches gelangen.

Noch während er in seinem alten Amsterdamer Studio an diesem Bild malte, begann der Künstler schon an dem Gemälde *Fischerinnen* (Kat. 121) zu arbeiten, das er nach seiner Rückkehr nach St. Louis vollendete. Der Fisch auf diesem Bild könnte als phallisches Symbol zu verstehen sein. Tatsächlich hat Beckmann seinem alten Freund, W. R. Valentiner, der ihn im Juli 1948 besuchte, während er an dem Gemälde arbeitete, die Bedeutung des Fisches in seinem Werk erklärt. Halb ernsthaft, halb spöttisch erzählte er Valentiner, daß der Mensch seinen Ursprung im Meer habe und daß wir alle von den Fischen abstammten, daß jeder Mann immer noch etwas von dem einen oder anderen Fisch an sich habe. Einige seien wie Karpfen, andere wie Haie, wieder andere wie Aale, die sich deutlich in ihrer Lebenslust verrieten.[25] Auf diesem Bild werden die phallisch aussehenden Fische von sinnlichen Frauen mit lasziven Gebärden gehalten. »Diese Frauen«, sagte Beckmann zu Quappi, »fischen Ehemänner, keine Liebhaber.«[26] Vermutlich meinte er mit dieser Feststellung, daß die Verfolgung des Mannes für sie eine todernste Sache sei. Die drei heiratsfähigen Mädchen locken mit all ihren weiblichen Ködern: den schwarzen und grünen Strümpfen und Strumpfbändern, Negligés und knappen Korsetts, unverhüllten Brüsten und Schenkeln. Das nackte Hinterteil eines dieser Geschöpfe ist durch den Hals einer suggestiv plazierten Vase hindurch zu sehen. Die aufreizende Sexualität der drei jungen Frauen kontrastiert zu dem verdorrten alten Weib, das im Hintergrund einen dünnen grünen Fisch hält, ein Nebeneinander, das der Künstler auch in dem etwas früheren Amsterdamer Bild *Mädchenzimmer* (Kat. 113) gemalt hatte. Hier werden die ineinander verschlungenen Körperformen junger Mädchen in verführerischen Posen in Kontrast gesetzt zu einer alten Frau, die den Mädchen vorzulesen scheint. Die Figuren und Gegenstände in *Fischerinnen* mit ihren kühnen, schweren, schwarzen Umrißlinien füllen nicht nur den verfügbaren Raum ganz aus, sie drängen sich darin in einer Dichte, die fast an Überladung grenzt. Letzten Endes »ist nicht der Gegenstand entscheidend – aber seine Übersetzung mit den Mitteln der Malerei in die Abstraktion der Fläche.«[27]

Beckmann arbeitete immer an mehreren Bildern gleichzeitig, und während all der Zeit in St. Louis war er mit der Fertigstellung seines Triptychons *The Beginning* (Kat. 122) beschäftigt, das er in Amsterdam im Jahre 1946 begonnen hatte. Es war das am stärksten autobiographisch geprägte seiner Triptychen und ließ viele frühen Erinnerungen anklingen. Nicht lange nach seiner Vollendung im Frühjahr 1949 brach er auf nach Colorado, wo er während des Sommers an der Universität lehrte. Die Rocky Mountains gefielen ihm, und er brachte es fertig, trotz der großen Höhe ziemlich viel zu klettern. Dort entstanden schöne Zeichnungen wie *Park in Boulder* (Kat. 202). Von da aus ging er nach New York, wo er einen ständigen Lehrauftrag an der Brooklyn Museum School angenommen hatte, eine Tätigkeit, die ihn sehr interessierte. Seine Ankunft in New York fiel zeitlich zusammen mit der Hochblüte des Abstrakten Expressionismus; aber Beckmann hielt sich abseits davon, so wie er sich immer von allen Kunstrichtungen seiner Zeit ferngehalten hatte.[28] Die rein

25 W. R. Valentiner, ›Max Beckmann‹, in: *Blick auf Beckmann: Dokumente und Vorträge*, herausgegeben von Hans Martin von Erffa und Erhard Göpel, München 1962, S. 85

26 Mrs. Mathilde Q. Beckmann in einem Interview mit dem Autor, New York, April 1964

27 Beckmann, *Über meine Malerei*, Rede, gehalten in der Ausstellung ›Twentieth Century German Art‹ in den New Burlington Galleries, London, 21. Juli 1938, zitiert in Mathilde Q. Beckmann, a.a. O., S. 190

28 Beckmann war immer ärgerlich, wenn er als Expressionist bezeichnet wurde. In seiner Vorlesung an der Washington University sagte er: » Ich finde es ist höchste Zeit, endlich einmal Schluß zu machen mit den Ismen.«

Abb.4 Max Beckmann: Abstürzender, 1950,
Öl auf Leinwand, New York, Privatbesitz

abstrakte Komposition war sicherlich von geringem Interesse für einen Künstler, der in seiner Londoner Vorlesung erklärt hatte: »Ich brauche … kaum ungegenständliche Dinge da mir der gegebene Gegenstand bereits unwirklich genug ist, und ich ihn nur durch die Mittel der Malerei gegenständlich machen kann.«[29]

Leben in New York

Wenn man absieht von seinem Kreis von Freunden, Sammlern, Bewunderern und Studenten, blieb Beckmann in New York verhältnismäßig isoliert, genoß es aber gewiß, ein gefeierter europäischer Künstler zu sein. Im Oktober erhielt er den Ersten Preis des Carnegie International für seine *Fischerinnen*. Göpel führt nicht weniger als 23 Ausstellungen im Jahre 1950 auf, von denen 15 in den Vereinigten Staaten stattfanden.[30] Während er in New York wohnte, zuerst in der Gegend des Gramercy Park und später an der Upper Westside, ging er mit größtem Vergnügen in die eleganten Bars des ›St. Regis‹ und des ›Plaza-Hotels‹, um das wechselnde Schauspiel dort zu betrachten, aber auch, um gesehen zu werden. Er erkundete Chinatown und die Bowery und die heruntergekommenen Tanzlokale am Times Square. Im Winter machte er häufig Spaziergänge und fütterte die Eichhörnchen im verschneiten Prospect Park.

Stilleben und Landschaften waren immer wichtige Themen in seinem Werk. Seine Liebe zur physischen Erscheinung der Welt fand ihren Ausdruck in Bildern, die wahre ›Augenweiden‹ sind. Oft erzeugen die Farben einen Gesamteindruck berstender Fülle, wie in seinem *Großen Stilleben mit schwarzer Plastik* (Kat.124). Wieder ist der Raum vollständig ausgefüllt, und das Werk scheint zu schreien vor Überhäufung und Bewegung. Ein Horror vacui ist in vielen Bildern Beckmanns deutlich zu erkennen. Oft sprach er von seiner Furcht, von den »dunklen Löchern des Raums« zermalmt zu werden; und er sagte, er male, »um sich vor der Unendlichkeit des Raumes zu schützen«.[31] Ein hartes Aufeinanderstoßen der Objekte läßt in den meisten von Beckmanns Stilleben keinen Eindruck von Stille aufkommen. In dem genannten Gemälde zeichnet die Flamme einer Kerze sanft die Umrisse der klassischen Skulptur. Ein gläsernes Gefäß mit Fischen, eine weitere Kerze, eine Seemuschel, einige Birnen sind zu sehen, und eine Epiphyllum-Pflanze beugt ihre Blüten gegen die Skulptur. Der untere Teil des reich verzierten Spiegels reflektiert Gegenstände, die nicht auf dem Tisch stehen. »Oh viele Spiegel sind notwendig, um hinter die Spiegel zu sehen …«[32] schrieb Beckmann, unmittelbar bevor er dieses Bild begann, in sein Tagebuch. Die Sichel des zunehmenden Mondes erscheint im Fenster, und auf der linken Seite taucht wieder das Gitter einer Leiter auf, die, diagonal verlaufend, eine vordere Ebene besetzt. In der Nähe der Pflanze ist ein Exemplar von TIME verstaut. Dieses Stück geläufiger Realität beugt der Illusion vor, der Stilleben-Charakter könne die Oberhand gewinnen und hat, wenn entdeckt, eine verfremdende Wirkung. Gewiß verdankt sich dieses Stilleben ähnlichen und früheren Kompositionen von Matisse und Picasso. Aber Beckmanns Gemälde hat eine größere Dichte; es ist angefüllt mit Doppelsinn und Rätseln. Auch hätten die Pariser Maler wohl kaum einen zunehmenden Mond mit all seinem romantischen Bedeutungsgehalt in ein Stilleben aufgenommen oder ihn mit dem Segment einer Leiter in seinen Grenzen gehalten.

Wenn Goethe sagte: »Alles ist Gleichnis«, meinte er damit, daß jedes Ding für ein anderes steht, über sich selbst hinausweist. Hier ist es die Leiter, im *Abstürzenden* (Abb. 4) die riesige Figur mit ausgestreckten Beinen. Beckmann sagte, daß sie den Menschen darstelle, der durch den Himmel zur Erde stürzt.[33] Zweifellos aber ist das Bild angefüllt mit Todesahnungen und versinnbildlicht den Tod und möglicherweise Beckmanns Glauben an eine Art Wiedergeburt in »einem anderen Dasein«.[34] Der Mann stürzt an den brennenden Wohnstätten der Menschen vorbei und auf die wundervoll knospenden Pflanzen zu, während übernatürliche Wesen – Wundervögel oder Engel – in Himmelsbooten umherschweben. Der halbkreisförmige Gegenstand auf der linken Seite ist als Geländer eines Balkons und als Rad der Zeit gedeutet worden. Ein großer Teil der Bildfläche wird von dem tief azurblauen

29 Max Beckmann, *Über meine Malerei*, a.a.O., S. 190

30 Erhard und Barbara Göpel, *Max Beckmann – Katalog der Gemälde*, Bern 1976, Bd.II, S. 107f.

31 Max Beckmann, *Über meine Malerei*, a.a.O., S. 190

32 Max Beckmann, Eintragung v. 7. Juli 1949, in: *Tagebücher 1940-1950*, a.a.O., S. 339

33 So Beckmanns eigene Interpretation, wie seine Frau sie dem Autor übermittelt hat.

34 Max Beckmann, Eintragung vom 28. Oktober 1945, in: *Tagebücher 1940-1950*, a.a.O., S. 140

Himmel ausgefüllt. Niemals zuvor hatte Beckmann in dieser Weise den Raum geöffnet, der zwar zwischen Gebäuden eingeschlossen, aber doch unendlich und ohne Horizont ist. Zehn Jahre nachdem er in seiner Londoner Vorlesung seine Furcht vor dem Raum zum Ausdruck gebracht hatte, erklärte er: »Denn im Anfang war der Raum, diese unheimliche und nicht auszudenkende Erfindung der Allgewalt. Zeit ist eine Erfindung der Menschen, Raum ist der Palast der Götter.«[35]

Abb. 5   Max Beckmann: Fastnacht-Maske
grün, violett und rosa, 1950, Öl auf Leinwand,
St. Louis, The Saint Louis Art Museum,
Bequest of Morton D. May

Bald nachdem er dieses transzendente Bild vollendet hatte, malte er das höllische Bild *The Town* (Kat. 131). Es ist eng verwandt mit seinem Meisterwerk *Die Nacht* (Kat. 19), das er dreißig Jahre früher geschaffen hatte. Der Betrachter wird wiederum Zeuge eines schrecklichen Foltergeschehens. Aber nun treten an die Stelle der Grautöne reiche, schwere Farben; der Pinselstrich ist lockerer, die Formen sind weniger eckig. Der optische Fluß ist glatter, aber wieder ist der Raum ein Zimmer, das Klaustrophobie erzeugt. Anstelle des ausgemergelten Mannes, der auf einem hölzernen Brett stranguliert wird, ist nun der üppige Körper einer Frau, deren Hände an eine Bahre mit phallischen Bettpfosten gefesselt sind, zur zentralen Figur geworden. Wieder ist diese beherrschende Figur von Peinigern umgeben, aber nun wirken diese eher symbolisch und zynisch im Gegensatz zu den handfesteren – aber ebenfalls unergründlichen – Folterknechten in dem früheren Bild. Tatsächlich findet in *The Town* kein verletzender Angriff statt. Die Figuren im Hintergrund, die in unterschiedlichem Maßstab alle in einer Reihe stehen, erwecken den Eindruck von räumlicher Zusammenhanglosigkeit und Dissonanz, »so daß einige der verwirrenden Eigenschaften einer riesigen Metropole hierdurch direkt übermittelt werden«.[36]

Nach Aussagen seiner Frau verkörpern die Figuren von links nach rechts eine Prostituierte, einen enttäuschten Mann, einen Gardeoffizier, einen Zyniker und einen Straßenmusikanten. Auf der rechten Seite ist eine Bar (oder ein Bordell). Unter der Bar liegt eine Flasche Champagner mit der Aufschrift REIMS.

Der Affe mit dem Spiegel könnte die Eitelkeit symbolisieren, und die nackte Figur, die im Mittelpunkt des Bildes Münzen aufliest, den Geiz verkörpern. Die Sphinx mit der Briefträgermütze hält einen Brief, der an MB adressiert ist, in der Hand. Ist sie etwa der Todesbote aus dem mittelalterlichen Symbolismus? Die Wolkenkratzer mit menschlichen Köpfen im Hintergrund »bedeuten nichts Bestimmtes«.[37] Links unten steht wiederum eine Leiter, die in halber Höhe endet.

Die zentrale Figur der Nackten in breit hingelagerter Pose, ganz direkt dem *Liegenden Akt* von 1929 (Kat. 59) nachgebildet, leitet sich letzten Endes von der klassischen Schlafenden Venus oder Odaliske her, aber sie ist nun nicht mehr eine idealisierte Nackte. Sie ist eine nackte Frau, die Lulu darstellt, den Erdgeist. Gleich wird sie in einer Art Schwarzer Messe von den dämonischen und desillusionierten Bewohnern einer infernalischen, nächtlichen Stadt geopfert werden. In diesem Bild, wie in anderen späten Werken, vermischen sich Ereignisse und Personen des täglichen Lebens mit Traum, Phantasie und Mythen zu einer Allegorie, die die Doppelbödigkeit menschlicher Existenz fühlbar werden läßt. Wie Kafka, der nur ein Jahr vor ihm geboren wurde, führt Beckmann durch die Verwendung greifbarer und doch rätselhafter Gegenstände und Personen die Absurdität der menschlichen Seinsbedingungen vor.

Während er an dem Bild *The Town* arbeitete, malte Beckmann ein wichtiges Werk, das er in seinem Tagebuch zunächst »Pierrette« nannte, dann »Gelbe Strümpfe« und auch »Fastnachts-Akt«. Curt Valentin nannte das Gemälde »Mlle. D.«, und heute kennt man es meistens unter der Bezeichnung *Columbine* oder *Fastnacht-Maske grün, violett und rosa* (Abb. 5). Wie Picasso malte Beckmann häufig Zirkuskünstler, Scharlatane, Clowns, Gaukler, Harlekins und Pierrots, Menschen, die ähnlich wie die Künstler am Rande der Gesellschaft leben. Columbine trägt eine schwarze Gesichtsmaske und hält den blaßrosa Hut eines Pierrot in der Hand. Ihre rechte Hand mit der Zigarette ist zu ihrem langen grau-blonden Haar erhoben. Ihre roten Lippen sind versiegelt. Die Frau ist vor eine purpurfarbene Wand plaziert, die ein grüner Vorhang unterbricht, und sitzt auf einem Stuhl mit runder Sitzfläche oder auf einer blauen Trommel mit Spielkarten, die – wie es

35 Max Beckmann, *Drei Briefe an eine Malerin*,
a.a.O., S. 202
36 Margot Ortwein Clark, *Max Beckmann: Sources
of Imagery in the Hermetic Tradition*,
unveröffentlichte Dissertation, Washington
University, St. Louis 1975, S. 333
37 Göpel, a.a.O., Band II, S. 497

scheint – achtlos vor ihren Schoß geworfen wurden, und auf denen roh gezeichnete Kreuze den Gedanken an den Tod nahelegen.[38]

Wie Friedhelm W. Fischer in seiner Analyse des Gemäldes dargelegt hat, wirken sowohl die disharmonischen Farben als auch der Körper der Frau wie ein böses Omen. Es ist ein sehr bedrohliches Gemälde; diese dunkle Columbine ist ein Monster, ein archetypisches Abbild der Frau, gleichzeitig verführerisch einladend und unheilvoll drohend. Beckmann interessierte sich sehr für Gnostizismus und Theosophie; er besaß ›Die Geheimlehre‹ von Helene Blavatsky. Er hatte Carl Gustav Jungs Essay ›Die Beziehungen zwischen dem Ich und dem Unbewußten‹[39] gelesen und wurde wahrscheinlich angeregt durch Jungs Theorie von der archetypischen Einheit des persönlichen und des kollektiven Unbewußten, das Tragische und das Zeitlose, wie es sich in diesem Bild, einem seiner stärksten und bemerkenswertesten, enthüllt.

Es sollte auch erwähnt werden, daß das Bild im Jahre 1950 gemalt wurde, dem Jahr, in dem zwei Maler der nächsten Generation, Jean Dubuffet und Willem de Kooning, ebenfalls damit beschäftigt waren, einen bildnerischen Ausdruck für die Idee des Weiblichen zu finden. Beckmanns Frau ist sehr flächig gemalt. Abgesehen von einer Tiefenandeutung um ihre Schultern ist sie fast zweidimensional gegeben, eine Eigenart, die in Dubuffets groteskem ›Corps de Dames‹ noch viel weiter getrieben wird. Hier ist der weibliche Körper völlig eins mit der Bildebene und wird tatsächlich zum malerischen Flachdruck. Beckmanns Columbine » sieht aus, als seien ihre Körperformen aus ihrem organischen Zusammenhang gelöst und zu einer bedrohlichen Hieroglyphe neu zusammengefügt worden «.[40] De Kooning (Abb. 6), der einen mehr »expressionistischen Pinselstrich« anwendet, geht noch einen Schritt weiter in seiner Serie ›Frauen‹, die man früher einmal ›Schwarze Göttinnen‹ nannte. Die einzelnen Körperteile – Arme, Beine, Gesäß und Brüste – sind in seinen wild verzerrten Gemälden fast austauschbar. Die Frauen der Maler Dubuffet und de Kooning sind jedoch mit einem grausamen Grinsen ausgestattet, während Beckmanns Frau uns mit einem entsetzlichen, kalten Starren entgegenblickt.

Immer wieder seit seiner frühen Jugend – er malte sein erstes Selbstporträt mit 15 Jahren, und ein Selbstporträt ist es auch, das er als sein frühestes Gemälde aufbewahrt hat – »hielt Beckmann den Spiegel vor sein Gesicht, studierte seine Persönlichkeit und seine Reaktion gegenüber der Welt wie auch die der Welt ihm gegenüber ... Niemand hat seit Rembrandt seine eigene Physiognomie mit solcher Eindringlichkeit untersucht wie Max Beckmann.«[41]

Er malte sein letztes *Selbstbildnis* (Kat. 126) zwischen Januar und Mai 1950 während einer Zeit außerordentlicher Aktivität, in der er einige der oben besprochenen Bilder vollendete, einer Zeit, die er lehrend, reisend und mit vielfachen Erkundungen verbrachte, in der er sogar in eine neue Wohnung in New York umzog. »In diesem letzten Selbstbildnis wirkt er angegriffen, müde, erschöpft – aber immer noch mutig herausfordernd; nur scheint er sich vielleicht mehr zu entziehen als früher. Er zieht an seiner Zigarette, als sei sie für ihn Nahrung, und lehnt sich gegen die Lehne eines Armsessels. Die großen, leuchtenden Augen Beckmanns, der immer Beobachter bleibt, schauen wachsam. Hinter ihm zeichnet sich undeutlich schon wieder eine neue Leinwand ab. Das vielleicht Aufsehenerregendste an diesem Bild ist jedoch der Glanz der Farbe: das ungemilderte Kobaltblau der Jacke, das leuchtende orangefarbene Hemd, der grüne Stuhl – all das vor der dunklen, kastanienfarbenen rückwärtigen Wand. Die intensive Helligkeit der Farben trägt bei zu der zweidimensionalen Wirkung des Bildes; ihre ganz unterschiedliche, fast grausame Qualität umgibt diese nachdenkliche Figur mit verletzender Unruhe.«[42]

Abb. 6 Willem de Kooning: Woman V, 1952/53, Öl auf Leinwand, Canberra, Australian National Gallery

38 Friedhelm W. Fischer, *Max Beckmann*, London 1972, S. 83, dt. München 1972

39 Max Beckmann, *Sichtbares und Unsichtbares*, hrsg. v. Peter Beckmann, Stuttgart 1965, S. 110

40 Friedhelm W. Fischer, a.a.O., S. 85

41 Peter Selz, ›Einführung‹, in: Max Beckmann, *Sichtbares und Unsichtbares*, a.a.O., S. 5

42 Peter Selz, *Max Beckmann*, New York 1964, S. 97

168

Kalifornische Reise

Bald nachdem das Selbstporträt vollendet war, verließ er New York, um wieder einen Lehrauftrag an einer Sommerakademie anzunehmen – diesmal am Mills College in Oakland, Kalifornien. Auf dem Weg dorthin machte er in St. Louis halt, um den Ehrendoktor der Washington University entgegenzunehmen. Er unterbrach seine Reise in Los Angeles, um seine alte Bekanntschaft mit W. R. Valentiner zu erneuern, und blieb dann in Carmel, wo er sogar einen Monat Ferien machte. Er war stark beeindruckt von der Pazifikküste. Die Seelöwen, die er an der Pebble Beach sah, malte er nach seiner Rückkehr nach New York, wie sie aufgetürmt auf einem Felsen liegen. Ebenso faszinierten ihn die großen Eukalyptusbäume und besonders die riesigen Vögel.[43] Doch immer wieder äußerte er auch seine große Beunruhigung über den Ausbruch eines neuen Krieges in Korea. Am Mills College wurde er von Alfred Neumeyer empfangen, der vor ihm schon Lyonel Feininger, László Moholy-Nagy und Fernand Léger aufgefordert hatte, während des Sommersemesters in Mills zu lehren. Neumeyer erinnerte sich, daß Beckmann wie eine Bulldogge aussah, die einen weißen Smoking trug; er berichtete über Diskussionen mit ihm, in denen von Hölderlin und Schopenhauer, griechischer und indischer Mythologie und der Kabbala die Rede gewesen sei.[44] Während seines Aufenthalts in Mills hatte Beckmann Gelegenheit, in einer Ausstellung von Bildern aus der Sammlung des großen Kunstförderers Stephan Lackner die ganze Reihe seiner in den späteren Jahren entstandenen Werke zu sehen.

West-Park (Abb. 7) und *Mühle im Eukalyptuswald* (Abb. 8) malte er gleich nach seiner Rückkehr nach New York. Beide Bilder geben seinen Eindruck vom College Campus in Mills wieder. *San Francisco* (Abb. 9), das er aus einer flüchtigen Zeichnung in seinem Tagebuch entwickelt hat, ist eines von Beckmanns seltenen Städtebildern. Wie Kokoschkas Porträts europäischer Städte ist es ein Panorama-Bild, von einem hochgelegenen Punkt aus gesehen. Es ist ein sehr dynamisches Gemälde in leuchtenden Farben, mit der gebogenen Pfeilspur des Doyle Drive, die am Palace of Fine Arts vorbei auf das Herz der Stadt zuschießt, das aussieht, als ob es bebe. Ein zunehmender Mond und ein Sonnenuntergang erscheinen im östlichen Himmel dieses Bildes, das mehrere Ansichten der Stadt, von unterschiedlichen Standpunkten betrachtet, in sich vereint. In den unmittelbaren Vordergrund hat Beckmann drei schwarze Kreuze gesetzt, die offenbar in die schwarze Erde des gekrümmten Bodens gebohrt sind. Auf der rechten Seite, über seinem Namenszug, erscheint das Fragment einer Leiter.

Religiöse Themen tauchen häufig in Beckmanns frühem Œuvre auf, sowohl in den eher traditionellen Gemälden wie *Die Sintflut* (Abb. S. 72), *Kreuzigung Christi* (Kat. 9) oder in der riesigen, an Rubens erinnernden *Auferstehung* aus seiner frühen romantischen Periode als auch in den eher gotischen und expressiven Szenen wie *Die Kreuzabnahme* von 1917 (Kat. 17). In seinem späten Werk verbarg er seine Botschaft in einer vielfach verrätselten Bildersprache und übernahm nun die sakrale Form deutscher spätmittelalterlicher Altargemälde. 1932, im Alter von 48 Jahren, begann er eine Serie von Triptychen, von denen er neun vollendete und eines bei seinem Tode unfertig hinterließ. Diese Bilder waren es zweifellos, denen er seine stärkste Konzentration und seine größte Gedankentiefe widmete und in denen er Realität und Phantasie, Bewußtes und Unbewußtes zur vollendeten Synthese brachte. In seinen Tagebüchern spricht er von ihnen gern als »Tryptics«; das ist das Wort für die Ausweispapiere, die Autofahrer beim Überschreiten der Grenze benötigen. Und tatsächlich dienten sie ihm wie Freibriefe für die Grenzüberschreitungen seiner Lebensreise.

Diese Gemälde sind vielfach unzugänglich und esoterisch. In seinem Londoner Vortrag sagt er, mit Hinweis auf die Kabbala: »Worauf es mir in meiner Arbeit vor allem ankommt, ist die Idealität, die sich hinter der scheinbaren Realität befindet. Ich suche aus der gegebenen Gegenwart die Brücke zum Unsichtbaren – ähnlich wie ein berühmter Kabbalist es einmal gesagt hat: ›Willst Du das Unsichtbare fassen, dringe so tief Du kannst ein – in das Sichtbare.‹«[45]

Abb. 7 Max Beckmann: West-Park, 1950, Öl auf Leinwand, New York, Privatbesitz

43 Am 19. Juni 1950 schreibt er in Carmel in sein Tagebuch, er kenne nun endlich den Namen dieser exotischen Vögel, der »Corcorane«. Er meinte wahrscheinlich den Kormoran, einen großen, schwarzen Seevogel, den man an der Pazifikküste findet.

44 Alfred Neumeyer, ›Erinnerungen an Max Beckmann‹, in: *Der Monat* IV (1952), S. 70 f., und ›Prometheus im weißen Smoking‹, in: *Der Monat* VII (1955), S. 71 ff.

45 Max Beckmann, *Über meine Malerei*, a.a.O., S. 189

Abb. 8 Max Beckmann: Mühle im
Eukalyptuswald, 1950, Öl auf Leinwand,
New York, Privatbesitz

Abb. 9 Max Beckmann: San Francisco, 1950,
Öl auf Leinwand, Darmstadt, Hessisches
Landesmuseum

Die vieldeutige und oft verborgene Botschaft dieser Bilder wird am besten von eingeweihten Menschen verstanden, die über die entsprechende geistig-seelische Sensibilität verfügen. In einem Brief von 1938, der sich auf das Triptychon *Abfahrt* (Abb. S. 40) bezieht, äußerte er zu Curt Valentin, wenn die Leute es nicht aus eigenem Antrieb verstehen könnten, aus ihrem eigenen inneren kreativen Einfühlungsvermögen, habe es keinen Sinn, es zu erklären. Er könne nur zu Menschen sprechen, die bewußt oder unbewußt ungefähr den gleichen metaphysischen Code in sich trügen.[46]

Wir wissen, daß Beckmann immer an mehreren Bildern gleichzeitig arbeitete. Bevor er *Die Argonauten* vollendete, hatte er *Die Ballettprobe* (Kat. 132) begonnen, wobei er seiner Frau erzählte, daß ihm dieses Triptychon keine große Mühe machen und in viel kürzerer Zeit als die anderen fertig sein würde. Diesmal solle es ein humorvolles und fröhliches Triptychon werden.[47]

Da es unvollendet blieb, erlaubt uns dieses Werk einen Einblick, wie Beckmann seine ersten Ideen auf die Leinwand übertrug, deren endgültige Ausformung dann wohl sehr lange Zeit beansprucht haben dürfte. Es enthüllt seine Malweise, da es sämtliche Schritte von den ursprünglichen schwarzen Kohle-Umrißlinien bis zur Einführung von Ölfarbe in den Malprozeß zeigt. In der ersten Tagebuch-Eintragung vom 3. Dezember 1950, die sich auf dieses Triptychon bezieht, nennt er es »Artistinnen«, und tatsächlich sind die Frauen auf dem linken Flügel Ballett-Tänzerinnen, die dem Triptychon seinen späteren Namen gaben. Aber am 5. Dezember, als er vermutlich am Mittelstück arbeitete, heißt es in seinem Tagebuch »Amazonen«, was an seine frühe *Amazonenschlacht* (Kat. 11) erinnert, in der das Leben mit einem an Nietzsche orientierten Vitalismus und »Willen zur Macht« triumphiert, und in der die Frauen in ungestümem Kampf mit Männern hingemordet werden. In diesem letzten Gemälde nun ist der einzige Hinweis auf einen Mann jenes Gesicht (Beckmanns eigenes?), das durch die Luke im rechten Flügel zu spähen scheint. Von diesem Voyeur abgesehen, ist es eine Welt, in der nur Frauen anwesend sind.[48]

46 Max Beckmann in einem unveröffentlichten Brief an Curt Valentin, 11. Februar 1958, zitiert in: Peter Selz, *Max Beckmann*, a.a.O., S. 61

47 Mathilde Q. Beckmann, in: *Beckmann*, Ausstellungskatalog Catherine Viviano Gallery, New York 1964

48 Darauf wurde ich hingewiesen von Mr. Robert Rifkind, zu dessen Sammlung sowohl die ›Amazonenschlacht‹ wie auch die ›Ballettprobe‹ gehören.

Das letzte Triptychon

Beckmanns letztes vollendetes Triptychon, *Die Argonauten* (Abb. S. 37), kann als
sein Testament gelten. Der linke Flügel, der ursprünglich ›Der Maler und sein
Modell‹ hieß, zeigt einen Maler, der durch seine Tätigkeit praktisch die Leinwand
›attackiert‹. Dieser Mann ähnelt dem van Gogh jenes Porträts von Gauguin, das
van Gogh bei der Arbeit zeigt (Abb. 10). Während der Zeit, in der Beckmann
dieses Triptychon schuf, von März 1949 bis Dezember 1950, enthalten seine Tagebücher tatsächlich eine Anzahl sehr mitfühlender Hinweise auf »Vincent«. Im April
1949 etwa notiert er, daß er van Goghs Briefe wieder gelesen habe, und im November sah er sich im Metropolitan Museum die Van Gogh-Ausstellung an. Aber
Beckmann muß sich auch selbst mit dem energiegeladenen Maler identifiziert
haben – und doch ist es die Maske, auf der die Frau sitzt, die Ähnlichkeit mit
Beckmanns eigenen Zügen aufweist. Diese Frau, die die Medea aus der Argonau-
ten-Sage darstellt[49], hält ein Schwert erhoben, das wie ein Männlichkeitssymbol
aussieht. Sie mag als bedrohlich empfunden werden, aber sie ist wahrscheinlich als
eine Beschützerin oder eine inspirierende Muse gedacht.

Auf dem rechten Flügel ist der Chor aus der griechischen Tragödie dargestellt –
der Vermittler zwischen der Handlung auf der Bühne und dem Publikum. Er hat die
Aufgabe, durch wohlabgewogene Kommentare psychische Distanz zu schaffen und
den dramatischen Aufbau zu stützen. Beckmanns Chor ist ein Kammerkonzert
spielender und singender Frauen, Frauen, die schön und gelassen sind. Während
der Mann schöpferisch sein muß, während er sich dem Leben zu stellen hat, ist es
die Frau, die das Schwert hält, die seinen Genius beschützt oder inspiriert, oder die
zur Gitarre seine Heldentaten besingt. Dieser rechte Flügel mit den in mehreren
Rängen übereinander angeordneten Frauenfiguren, mit den Saiteninstrumenten,
deren Hälse gebogen sind, um sich in die hochgestreckte Komposition hineinzu-
schmiegen, und mit dem tiefen Widerschein der an Glasmalerei erinnernden Farben ist eines seiner schönsten, ist ein vollendetes Werk Beckmanns.

Die Leinwand des Malers auf dem rechten Flügel bildet einen spitzen Winkel
mit der Leiter im Mittelbild. Die beiden Motive sind miteinander verwandt. Tat-
sächlich bedeutet das Wort ›Staffelei‹ in süddeutschen Dialekten sowohl eine
Maler-Staffelei wie eine Leiter. Die Leiter hatte Beckmann häufig als Symbol von
Angst, Sehnsucht und Erfüllung gedient, wie die Leinwand in derselben Weise das
Versuchsfeld des Künstlers ist. Hier steht die Leiter nicht leer. Der weise alte
Mann, der aus dem Meer auftaucht, hat alle Prüfungen bestanden und die lange
Reise vollendet. Nun wendet er sich den jungen Männern zu mit einer propheti-

Abb. 10 Paul Gauguin: Bildnis Vincent
van Gogh, 1888, Öl auf Leinwand, Laren,
Sammlung V. W. van Gogh

Abb. 11 Max Beckmann: Junge Männer am
Meer, 1905, Öl auf Leinwand, Weimar,
Kunstsammlungen, Schloßmuseum

schen Geste. Diese beiden Männer sind die Argonauten, die zu ihrem heroischen
Abenteuer aufbrechen. Rechts steht Jason, ein schöner Jüngling – der Endzustand
einer Idealfigur, die Beckmann lebenslang beschäftigte, und die zum erstenmal in
Junge Männer am Meer von 1905 (Abb. 11) erschien; wir sehen die gleiche Grund-
komposition in *Junge Männer am Meer* (Kat. 100) von 1943 wieder. Diese beiden
Bilder waren wichtige Meilensteine in seiner Laufbahn. Die Komposition hat auch
Ähnlichkeiten mit Gemälden von Hans von Marées, den Beckmann hoch schätzte.
Jasons Ellbogen ruht auf roten Felsen. Beckmann war zu dieser Farbe inspiriert
worden, als er den ›Garden of the Gods‹ in den Rocky Mountains, in der Nähe von
Boulder, gesehen hatte. Auf Jasons Handgelenk sitzt ein Fabeltier, ein Vogel mit
blauem Kopf und braunen und grünen Federn, der vielleicht auf den zauberischen
Wendehalsvogel zurückverweist, den Aphrodite Jason gab, damit er den Argonauten helfen solle, ihren Weg durch die zusammenprallenden Felsen der Symplegaden
zu finden. Der edle Jüngling im Mittelpunkt, der mit einem Blumengewinde im
Haar und goldenen Armbändern geschmückt ist, muß Orpheus sein, dessen orangefarbene Lyra daneben auf dem gelben Strand liegt. Nach dem Bericht des Apollo-
nius von Rhodos war Orpheus der erste in einer langen Reihe griechischer Helden,
die von Jason dafür gewonnen wurden, mit dem Schiff Argo zu segeln. Mit dem
alten Mann könnte Phineus gemeint sein, der König, der den Argonauten geraten
hatte, eine Taube von ihrem Schiff auszusenden, die den Weg erkunden sollte,
Phineus, der von den Göttern geblendet worden war, weil er die Zukunft prophe-
zeit hatte. Aber es könnte auch Glaukus sein, der Erbauer der Argo, der später ein
Meeresgott wurde und ebenfalls die Gabe der Prophetie besaß.

    Das Gemälde mag sich zumindest teilweise auf die Wiedergabe der Argonauten-
sage durch den Schweizer Kulturhistoriker Johann Jakob Bachofen stützen, die
Beckmann bekannt war.[50] Bachofen deutete den Mythos, der die erste Begegnung
der Griechen mit den Barbaren beschreibt, als Hinweis auf den revolutionären
Wandel einer älteren Kultur, in der das Matriarchat und eine größere Harmonie mit
der Natur vorherrschten, zu einer Kultur männlicher Dominanz und promethei-
schen Ringens.[51]

    In den rosafarbenen Morgen- oder Abendhimmel über den Helden malte Beck-
mann eine purpurne Sonnenfinsternis; den Sonnenumriß zeichnet ein feurig oran-
geroter Ring. Am 4. September 1949 notierte er sein Erstaunen über das, was er bei
Humboldt über die Sonnenflecken gelesen hatte, ins Tagebuch: »Nie gewußt, daß
die Sonne dunkel ist – Sehr erschüttert.«[52] Zwei orangefarbene neue Planeten sind
in diesem historischen Moment entstanden; sie kreisen zwischen der Sonne und der
Sichel des zunehmenden Mondes.

49 Göpel, a.a.O., Bd. 1, S. 508

50 Ebenda

51 Charles S. Kessler, *Max Beckmanns Triptychs*,
Cambridge, Mass. 1970, S. 94 f.

52 Max Beckmann, Eintragung vom 4. September
1949, in: *Tagebücher 1940-1950,* a.a.O., S. 348

Der Raum ist in den *Argonauten* weniger dicht ausgefüllt als in den früheren Triptychen. Das Gemälde wirkt nicht mehr wie von heftigen Gegensätzen bewegt, sondern durchdrungen von ruhiger Heiterkeit und maßvoller Ausgewogenheit. Der Kampf zwischen Gut und Böse, die alte Dichotomie von Schwarz und Weiß, beschäftigen den reifen Maler nun nicht mehr in so hohem Maße. Am Ende ist es ihm um jenen zündenden Funken menschlichen Handelns zu tun, der zum großen Abenteuer lockt, zur Suche nach dem Goldenen Vlies, und darüber hinaus zur Erlangung von Frieden und Verklärung. Der alte Mann-Gott deutet – wie Beckmann es ausgedrückt hätte – auf eine Ebene anderen Bewußtseins.

Am 17. Dezember 1950 sandte Beckmann seinen letzten Brief an seinen Sohn. Er schrieb: »Ich male eben Triptyc ›Die Argonauten‹, und in Dodona sehen wir uns wieder.«[53] Dodona war das Heiligtum des Zeus, wo eine uralte heilige Eiche durch das Rascheln ihrer Blätter den Willen des Gottes jenen Sterblichen verkündete, die diese Laute verstehen konnten.

Aus dem Englischen von Doris und Helga Contzen

53 Max Beckmann, Brief an Peter Beckmann, 17. Dezember 1950, veröffentlicht in: *In Memoriam Max Beckmann*, Frankfurt am Main 1953

Walter Barker

Lehren als Erweiterung der Kunst

Max Beckmanns pädagogische Tätigkeit

Im Alter von 63 Jahren und nahe dem Ende seines Lebens wurde Max Beckmann einer der begehrtesten Lehrmeister für Malerei im Amerika der ersten Nachkriegsjahre. Vom 23. September 1947 bis zu seinem Tode Ende Dezember 1950 unterrichtete er an fünf Kunstschulen in Malklassen für Fortgeschrittene. Während dieser Zeit besuchte er eine Reihe von Museen und Schulen und hielt dort Vorlesungen. Bei sehr vorsichtiger Schätzung kann man annehmen, daß er über 150 Studenten unterrichtete. Wenn man die Jahre seiner Lehrtätigkeit in Deutschland hinzurechnet, unterrichtete er insgesamt elf Jahre lang an sechs Kunstschulen.[1] Vor dem Hintergrund von Max Beckmanns unstreitigem und hervorragendem Rang in der Kunstgeschichte muß diese ansehnliche Unterrichtstätigkeit die Aufmerksamkeit nachdrücklich auf den Lehrer Beckmann lenken.

Wie alle Künstler, die ein Lehramt ausüben, übernahm Beckmann mit dieser Tätigkeit sowohl eine noble als auch manchmal undankbare Aufgabe, war er doch Beeinträchtigungen und Enttäuschungen ausgesetzt, die in dieser Form nur der Künstler kennt. In vielen Fällen wird die glanzlose Arbeit des Unterrichtens kaum registriert und geht der Überlieferung verloren; damit wird ein wesentlicher Teil im Leben eines Künstlers entweder nicht beachtet oder der Vergessenheit überantwortet. Im Falle Max Beckmann jedoch besitzen wir glücklicherweise äußerst verläßliche Darstellungen von seiner Frau, engen Freunden, Museumsdirektoren, Kollegen und Studenten. Außerdem liefern uns Beckmanns Essays zum Thema Kunst konkrete Beispiele seines Unterrichts, und die Eintragungen in seinen Tagebüchern von 1940-1950 belegen Orte und Situationen dieser seiner Tätigkeit. Das alles vermittelt uns das Bild eines lebhaften, dynamischen Lehrers, der junge und hoffnungsvolle Begabungen zu inspirieren und zu leiten vermochte.

Max Beckmanns Laufbahn als Lehrer begann im Jahre 1925 mit seiner Berufung als Professor einer Meisterklasse an das Städelsche Kunstinstitut in Frankfurt. Zu diesem Zeitpunkt war er 41 Jahre alt und anerkannt als einer der führenden deutschen Künstler. Nach Aussagen seiner Frau Mathilde waren seine Klassen klein; sie umfaßten gewöhnlich fünf bis acht Studenten – eine ideale Zahl für eine Meisterklasse. Auch habe es ihm, berichtete sie, großen Spaß gemacht, mit seinen Studenten zu arbeiten. Nachdem die Nazis Beckmann 1933 als ›entarteten Künstler‹ abgestempelt und seine Entlassung aus dem Lehramt angeordnet hatten, äußerte er sich jedoch – wie man weiß – nur noch sehr selten über seine Lehrtätigkeit an der Frankfurter Akademie. Das für die Nazis so typische rohe und barbarische Vorgehen traf ihn tief, seine Reserviertheit resultierte aus den Verletzungen und Enttäuschungen, die er davongetragen hatte. Wie Mathilde Beckmann berichtet, hatte er schon mit seiner Entlassung gerechnet. Gerade deshalb muß die Arbeit in der Klasse für alle Beteiligten eine quälende Erfahrung gewesen sein: Für die Schüler bedeutete es, in einem beunruhigenden Milieu zu lernen, und für den Lehrer, Angst um sein Leben zu haben, gemischt mit Schrecken und Abscheu vor dem, was er in seinem Lande geschehen sah.

Da Max Beckmanns Kunst damals bereits einen hohen Grad persönlicher Prägung erreicht hatte und seine Überzeugungen und Anschauungen schon voll ausgeformt waren, liegt die Vermutung nahe, daß sich seine Lehrtätigkeit in Frankfurt nach Inhalt und Form nicht wesentlich von seinem Unterricht in den Vereinigten Staaten, Jahre später, unterschied. Es ist sehr wahrscheinlich, daß er in Frankfurt

Die in den Anmerkungen 2, 5, 6, 8, 9, 11 und 12 erwähnten Gespräche oder Briefe sind dargelegt in dem in Vorbereitung befindlichen Buch von Walter Barker: *Max Beckmann in Amerika*.

1 Beckmann lehrte am Städelschen Kunstinstitut in Frankfurt, an der Washington University in St. Louis, an der University of Colorado in Boulder, an der Brooklyn Museum School in New York, am Mills College in Oakland und an der American Art School in New York.

die Unterrichtserfahrung gewann und die Lehrmethode entwickelte, die ihm in den künftigen Jahren so nützlich werden sollte.

Die Frankfurter Ereignisse mögen ihm deutlich vor Augen gestanden haben, als er vierzehn Jahre nach seiner Amtsenthebung durch die Nazis einen Lehrauftrag der Washington University in St. Louis annahm. »Walte ›Gott‹, was daraus wird«, schrieb er am 31. Mai 1947 in Amsterdam in sein Tagebuch. Es ist begreiflich, daß seine Frankfurter Erfahrungen, sein langes Aussetzen in der Lehrtätigkeit, die Schwierigkeiten beim Erlernen einer neuen Sprache sowie beim Eingewöhnen in ein neues Land und die Auswirkungen des Krieges sein Vertrauen nicht gerade stärkten. Auf der ›Westerdam‹, die im September 1947 von Amsterdam nach New York fuhr, vertraute er seiner Frau seine Befürchtungen an: »Also ich weiß nicht, ob ich es schaffen werde. Die Sprache – – – und ich habe so lange nicht mehr unterrichtet. Nun – es ist ein Versuch – – – aber – ich weiß nicht. Nun, dann werden wir eben zurückgehen müssen.«[2]

Keine kleinen Beckmanns heranziehen

Aber er gab nicht auf, wie es seine Art war, und in sehr kurzer Zeit schon schwanden seine Befürchtungen. Nachdem er seine erste Klasse an der Washington University kennengelernt hatte, notierte er in sein Tagebuch: »Recht angenehme Enttäuschung – – Ein wirklich hübsches Bild.« In einem Interview mit ›St. Louis Post Dispatch‹ am selben Tage, dem 23. September 1947, wird er wie folgt zitiert: »Es ist aufregend, wieder junge Menschen unterrichten zu dürfen. Ich werde es mir zur Aufgabe machen, ihre individuellen Persönlichkeiten zu entwickeln. Ich verspreche, daß ich nicht eine Herde kleiner Beckmanns heranziehen werde.« Das Foto, das dem Artikel beigefügt ist, zeigt ihn entspannt und lächelnd, offenbar in guter Stimmung. »Ich möchte junge Menschen finden, die malen wollen, weil es ihrer Natur entspricht, zu malen. Als meine Eltern mich als achtjähriges Kind veranlaßten, einen Farbkasten, den ich im Austausch für meine Zinnsoldaten gewonnen hatte, zurückzugeben, habe ich erfahren, was es heißt, der künstlerischen Ausdrucksmöglichkeit beraubt zu sein. Ich werde hier hart arbeiten.«[3]

An diesem Vormittag hatte er seiner ersten Klasse in einer kurzen, von seiner Frau verlesenen Rede einige Auffassungen, die ihm wichtig waren, und einige Maximen, die er von seinen Schülern beachtet wissen wollte, mitgeteilt. Die Botschaft war einfach formuliert, aber bei genauerer Prüfung offenbarte sie eine komplexe Bedeutung, die seine besten Schüler erst nach Monaten erfassen und in ihre Arbeit umsetzen sollten. Zum Beispiel: »Wenn Sie einen Gegenstand darstellen wollen, bedarf es zweier Elemente: Erstens muß die Identifikation mit dem Gegenstand perfekt sein, zweitens aber müßte noch etwas völlig anderes im Spiel sein ... Tatsächlich ist es eben dieses Element unseres eigenen Selbst, das wir alle suchen.«[4]

Der Maler Fred Conway, ein Freund und Kollege Beckmanns und selbst als hervorragender Lehrer an der Washington University angesehen, verstand als einer der ersten die Bedeutung und den Ernst von Beckmanns Lehren: »Max sprach über Malerei in einem umfassenden Verständnis, nicht über die Kunst von heute, von gestern, sondern über jene Wahrheiten, die sich aus den Anstrengungen zahlloser Männer seit fünfhundert Jahren herauskristallisiert haben, jene großen Wahrheiten, wissen Sie, und ich glaube, das ist eines der wunderbaren Dinge, die er irgendwie fertigbrachte – all diese abstrakten Sachen, die uns überliefert sind, aufzugreifen und sie in seiner eigenen Weise auf dem Schauplatz der Gegenwart in Erscheinung treten zu lassen. Immer ging es um das Wesentliche, Fundamentale; jede nervöse Hast war ausgeschaltet.«[5]

Und Muriel Wolle, Direktorin der Sommersemester an der University of Colorado während der Zeit seiner Zugehörigkeit zum Lehrkörper, apostrophierte dieselbe Eigenschaft: »Ich kann mich an keinen Sommer erinnern, in dem mehr Einmütigkeit in der Fakultät geherrscht hätte, was die Bedeutung des Gastprofessors anging. Wir hatten Künstler, die Gastlehrgänge abhielten ... jeden Sommer ..., aber es gab oft sehr unterschiedliche Urteile über das, was sie machten ..., einige

2 Mathilde Q. Beckmann, Gespräch mit dem Autor am 2. Februar 1972

3 St. Louis Post Dispatch, Interview am 23. September 1947

4 Ansprache an die Erste Klasse der Washington University in St. Louis, 23. September 1947

5 Fred Conway, Gespräch mit dem Autor am 2. Juli 1970

Abb. 1 Max Beckmann: Studenten, 1947,
Federzeichnung, Privatbesitz

von ihnen hielten sich für bedeutender als die anderen … Ich glaube, manche aus unserem Kreis empfanden es etwa so: Ob man malen wollte wie Beckmann oder sich dafür interessierte, was er machte, es kam immer etwas Wesentliches dabei heraus, und das war eine große Kraft, und man konnte einige der Dinge für sich nutzen, so wie man sie sah. Auch in späteren Jahren wurde von Beckmann immer als von einem der Höhepunkte im Rahmen der Sommerkurse gesprochen.«[6]

Wir sehen daraus, daß Beckmann von Anfang an als Ausnahme unter den Gastprofessoren empfunden wurde, daß man in ihm einen hervorragenden Lehrer sah. Das änderte nichts daran, daß die Unterrichtsbedingungen zeitweise schwierig waren und der Künstler große Anstrengungen machen mußte, um seine Integrität zu wahren und gleichzeitig seine Botschaft erfolgreich zu übermitteln.

Anders als in Deutschland, hatten die Klassen in den Vereinigten Staaten eine Durchschnittszahl von zwanzig Studenten, waren also recht umfangreich. An jeder neuen Schule und zu Beginn jedes akademischen Jahres sah sich Beckmann einer völlig neuen Gruppe von Studenten gegenüber. Obwohl immer nur eine Handvoll ernsthafter Begabungen darunter war, behandelte er jeden Kursteilnehmer individuell und brachte seine Sympathie für jeden auf andere Weise zum Ausdruck. Trotzdem gab es Zeiten, in denen die Lehrtätigkeit ganz besonders beschwerlich für ihn war. Die Sommersemester und die frühen Herbstsemester waren unerträglich heiß, und man hatte damals noch keine Klima-Anlagen. In Boulder/Colorado lag das Studio, in dem Beckmann unterrichtete, im obersten Stockwerk des Theatergebäudes der Universität. In diesem provisorisch hergerichteten und nur schwach durchlüfteten Raum warteten vierzig schwitzende Studenten brav und gefaßt auf das Urteil des Meisters. Wenn man sich die Hitze, den Sauerstoffmangel und die belastende Höhe – der Ort liegt 1500 Meter hoch – vergegenwärtigt und an die Herzkrankheit und das Alter des Künstlers denkt, kann es nicht überraschen, daß er bei einer Gelegenheit in seinem Tagebuch vermerkte, daß die »Korrekturen sehr ermüdend« gewesen seien.[7]

Die kritische Besprechung der Arbeiten fand gewöhnlich zweimal wöchentlich vormittags statt, nicht dreimal oder noch öfter, wie es sonst üblich war. Beckmann wollte es so haben, um, wie er sich ausdrückte, »die Studenten nicht ihrer Verantwortlichkeit zu berauben«.[8] Gewöhnlich begleitete ihn seine Frau auf seinem Rundgang, um zu übersetzen. Bei einer Gelegenheit – so erinnert sie sich – bat er sie

6 Muriel Wolle, Gespräch mit dem Autor am 12. Juli 1970

7 Max Beckmann, *Tagebücher 1940-1950*, München 1979, 27. Juni 1949

8 Max Beckmann, Brief an Cola Heiden, 29. April 1947

allerdings, sich entfernt zu halten, wahrscheinlich wollte er sein Englisch ausprobieren. An der Washington University lag sein Studio in nächster Nähe der Arbeitsplätze seiner Studenten. So pflegte er von Zeit zu Zeit ohne Ankündigung bei ihnen zu erscheinen, um zwanglos Korrekturen zu besprechen. Bei diesen Gelegenheiten zeigte sich besonders deutlich, wie sehr ihm ihre Fortschritte am Herzen lagen. Da ich während des akademischen Jahres 1947-1948 an der Washington University Max Beckmanns Klassensprecher war, habe ich ihn aus nächster Nähe erlebt. Was ich sah, wurde von vielen anderen seiner Schüler sowohl am Mills College als auch an der University of Colorado bestätigt. Da er Sorge hatte, die Lehrtätigkeit könne in Routine erstarren und langweilig werden, fand er Wege und Methoden, dies zu umgehen.

Meistens machte Beckmann bei seiner Runde durch die Klassen keine Pause; nur gelegentlich unterbrach er den Unterricht, um eine Zigarette zu rauchen. Da er niemals ein Freund oberflächlicher Konversation war und seine Werkkritik außerordentlich ernst nahm, vergeudete er keine Zeit, sondern begann gleich nach seinem Eintreffen mit der Prüfung und kritischen Beurteilung der Schülerarbeiten. Er war freundlich und schien durch Haltung und Benehmen auszudrücken: »Ich bin glücklich, hier bei Ihnen zu sein. Lassen Sie uns sehen, was für gute Bilder wir hier machen werden.« Im Mills College pflegte er, vor der Sommerhitze kapitulierend, seinen Hut beim Betreten des Studios an der nächsten Staffelei aufzuhängen, als ob er sagen wollte: »O.K., ich bin jetzt da, fangen wir an zu arbeiten.« In der Brooklyn Museum School ließ er gelegentlich seinen Hut während des Unterrichts auf, ein eindrucksvoller Anblick; denn der Hut mit der vorn leicht aufgeschlagenen Krempe verkörperte in der Vorstellung seiner Studenten eine Art Symbol für bestimmte Wesenszüge des Künstlers. Mit der Zeit wurde dieser Hut zum Ausdruck seiner Haltung gegenüber der Welt: einer spöttischen Ablehnung des Trivialen und einer energischen Behauptung seiner Persönlichkeit. Jeder Lehrer muß eine Art Schauspieler sein und die Fähigkeit haben, den Augenblick zu dramatisieren, und Max Beckmann mit seinem stark entwickelten Sinn für Dramatik unterschätzte diesen Faktor erfolgreicher Kommunikation keineswegs. Er hatte eine so große Ausstrahlungskraft, daß es unmöglich war zu arbeiten, wenn er sich im Klassenraum befand.

Überwältigende Wirkung der Persönlichkeit

Kenneth E. Hudson, damals Dekan der Washington University School of Fine Arts, beschreibt, welche Gefühle ihn bewegten, als er Max Beckmann an der Union Station in St. Louis abholte und ihn bei dieser Gelegenheit zum ersten Mal sah. »Woran ich mich erinnere, ist die überwältigende Wirkung der Persönlichkeit und der Erscheinung dieses Mannes, die natürlich, da bin ich ganz sicher ... alle Studenten empfanden. In dem Augenblick, in dem er zur Tür hereinkam, wurde man seiner Ausstrahlung gewahr, so wie es einem ergeht, wenn Menschen dieses Formats auf der Bühne erscheinen – man weiß sofort, wer der Star ist, daß er ein bedeutender Mensch ist, ein VIP.«[9]

Die Auftritte Beckmanns in den Klassen fanden in einem Klima hochdramatischer Spannung statt. Die Atmosphäre war derart elektrisch aufgeladen, die Studenten waren so aufnahmebereit und ihr Verhältnis zu ihrem Lehrer war so eng, daß gewöhnlich schon ein Wort oder eine Geste zur Verständigung zwischen Meister und Schüler ausreichte. Max Beckmanns bemerkenswerte Fähigkeit, sich in ungewöhnlich hohem Grade mit anderen zu identifizieren, kam ihm als Lehrer sehr zugute, und durch die weitgehende Verwendung nichtverbaler, visueller und auf Intuition beruhender Kommunikationsmittel überwand er schnell Sprachbarrieren. Frau Beckmanns sachverständige Übersetzungen komplizierterer Ausführungen ihres Mannes trugen sehr zum Erfolg seines Unterrichts bei. Ihrem schnellen Erfassen der Situation und ihrem einfühlsamen Eingehen auf Stimmung und Absicht war es vor allem zuzuschreiben, daß die Studenten ihren Lehrer verstanden. Sie war sehr beliebt bei ihnen, sie galt ihnen als Fürsprecherin und Vertraute, und sie sahen in ihrer schlanken, zierlichen Gestalt eine liebenswerte Ergänzung der monumenta-

9　Kenneth Hudson, Gespräch mit dem Autor am 22. November 1969

Abb. 2 Stephens College, Columbia, Mo.,
links: Max Beckmann,
Mitte: Mathilde (Quappi) Beckmann

len Erscheinung ihres Mannes. Keine Darstellung Max Beckmanns als Lehrer wäre vollständig ohne die Erwähnung ihrer Mitwirkung.

In den ersten Monaten seiner Lehrtätigkeit an der Washington University beschränkte sich Beckmanns englisches Sprachrepertoire hauptsächlich auf Ausrufe wie z. B. sein explosives »Ho!« und »Ah!« (freudige Überraschung und mit Anerkennung gepaarte Belustigung), »Formidable!« (französisch ausgesprochen; es bedeutete hohes Lob) und »Good, good!« (wirklich sehr große Anerkennung). Im Laufe des Winters verbesserte sich sein Englisch, und durch Englisch-Stunden, die er im darauffolgenden Sommer in Holland nahm, erweiterte er seinen Wortschatz beträchtlich. Er behielt jedoch die wohlbekannte Gewohnheit, sich geheimnisvoll und einsilbig zu äußern, bei; die geschickte Verwendung von Ausrufen stand wohl in einem gewissen Zusammenhang mit seinem begrenzten Wortschatz. Sehr wirkungsvoll bediente er sich auch der Körpersprache und der Mimik, um seine Reaktion zum Ausdruck zu bringen. Die Studenten beobachteten ihn immer genau. Folglich bestand selten Unklarheit über das, was er dachte oder wünschte.

Mit nur sechs Pinselstrichen konnte er die schwache Komposition eines Schülers in ein klares und sinnvolles Ganzes und eine zaudernd und unentschieden bearbeitete Leinwand in ein Gemälde mit starker Bildarchitektur verwandeln. Ein Beckmann-Kursus war kein Ort für Zaghafte. Wenn er die Klasse verlassen hatte, fand man nicht selten abgebrochene Stücke von Zeichenkohle auf dem Fußboden, Ergebnis seiner temperamentvoll ausgeführten Korrekturen. Seine Gewohnheit, mit einem breiten, in reichliche Mengen Schwarz getauchten Pinsel seine Korrekturen in das Werk eines Schülers hineinzumalen, ließ die Ängstlichen nach Luft ringen, aber die weitsichtigeren Studenten erkannten, daß es ihm darum ging, seine Absichten am Beispiel zu erklären, und prägten sich seine Technik und seine Lösungen aufmerksam ein. Nach solchen Demonstrationen konnte es vorkommen, daß er sich dem neben ihm stehenden Studenten zuwandte und sagte: »Ausdruck! Mehr Ausdruck!« oder »Mehr Farbe! Mehr Farbe!«, was als Anregung aufzufassen war, nicht als Forderung. Diese Art der Anregung war typisch für seine Lehrmethode, soweit sie sich auf das Wort stützte; es war die klassische Werkkritik des ausübenden Künstlers, nicht die eines Akademieprofessors.

Eine der Erkenntnisse, die er mir vermittelte, war, daß der Akt des Malens oder Zeichnens eine im hohen Grade physische Tätigkeit ist, die Geist und Körper zu *einem* Ausdruck verbindet, wie das Spiel auf einem Musikinstrument oder Bewe-

Abb. 3   Studie zum Bildnis Walter Barker,
1948, Bleistift, Privatbesitz

gungen bei einem Tanz. Zu Beginn der Aktion sollte sich der Körper im Gleichgewicht befinden, um ausbalancierte Bewegungen in Richtung auf die Leinwand aus-
führen zu können. Bei entspanntem Oberkörper fließt die Bewegung durch die
Schulter und das Kugel- und Pfannengelenk des Oberarms. Bei eingeschränkter,
aber entspannter Bewegung von Ellbogen, Handgelenk und Fingern wird die Führung des Pinsels oder der Zeichenkohle eher durch die Tätigkeit des Kugel- und
Pfannengelenks kontrolliert als durch die Bewegung der Finger oder des Handge-
lenks. Dies begünstigt die Entstehung kontinuierlicher, fließender Linien und kühner Bewegungen. Darüber hinaus ermutigte Max Beckmann seine Schüler, ihre
Arbeit unentwegt zu überprüfen, ohne Zögern Farbe wegzukratzen und auszuwi-
schen. Mallappen und Terpentin waren ebenso wichtig wie der Malpinsel. Diese
ständige Selbstüberprüfung förderte die Selbstkritik der Studenten und ihr Verant-
wortungsgefühl für die eigene Arbeit und bewahrte sie zugleich vor übermäßiger
Abhängigkeit von ihrem Lehrer.

Das Gesetz der Fläche als oberste Maxime

Max Beckmann vermittelte sehr grundlegende, ja sogar klassische Auffassungen
von der Malerei, z.B. die Bedeutung großer Bewegungen in der Komposition. Im
Mittelpunkt seines Begriffs von der Malerei stand das Bild einmal als architektoni-
sches Objekt, zum andern als Vehikel komplexer, durch Bildsprache, Symbole und
visuelle Metaphern ausgedrückter Ideen. Er bestand auf dem, was er »das Gesetz
der Fläche«[10] nannte, das sich auf die zweidimensionale Realität der Leinwand
bezog. Fred Conway beschreibt dieses Gesetz in seiner Analyse von Beckmanns
Werk als Anpassung der Formen der Natur an die Fläche, aber nicht notwendigerweise als eine Reduktion der Formen mit dem Ziel, sie der Fläche anzupassen.[11]
Auf diese Weise schafft die Gleichzeitigkeit zwei- und dreidimensionaler Formen
ein Kraftfeld, in dem Energien rhythmisch alle Teile des Gemäldes durchfließen.
    Der Zusammenhang zwischen der Gleichzeitigkeit zwei- und dreidimensionaler
Formen und der Gleichzeitigkeit von Ereignissen im Leben selbst entging dem
Künstler nicht, der in seinem »Gesetz der Fläche« eine über dessen Existenz als
herkömmliche formalistische Regel weit hinausgehende Bedeutung sah. Was Max
Beckmann lehrte, war in der Tat eine der wichtigsten Maximen seiner Arbeit; sie

10   Max Beckmann, ›Drei Briefe an eine Malerin‹,
1948, in: M. Q. Beckmann, *Mein Leben mit Max
Beckmann*, 1983, S. 202

11   Fred Conway, Gespräch mit dem Autor am
2. Juli 1970

12   Nathan Olivera, Gespräch mit dem Autor am
24. Juli 1971

besagt, daß die Beachtung dieses Gesetzes eine unerläßliche Voraussetzung oder Haltung ist, die den Künstler davor bewahrt, den Weg zur Kunst zu verlassen. »Kunst«, sagte er, »hebt durch Form die vielen Widersprüche des Lebens auf.« Wenn er begabten Studenten Lektüre empfahl, handelte es sich immer um Werke von Schriftstellern, die sehen, wie die Absurditäten des Lebens dicht an dicht neben dem Sinnvollen stehen. Seine Liste enthielt stets Werke von Stendhal, Flaubert, Dos Passos, Steinbeck und anderen Dichtern, die das Dualitätsprinzip im Leben aller Menschen erkannt haben.

Auf viele mögliche Arten hielt er seine Studenten dazu an, die sichtbare Welt als Anker im Treibsand der Realität zu respektieren. Die Modelle in seinen Klassen wurden immer weniger um Posen gebeten, die Erinnerungen an den Beaux-Arts-Klassizismus weckten. Mehr und mehr ergab sich, daß sie dem realen Leben entnommenen Duplikaten eines Beckmann-Gemäldes glichen. Der Maler und Lehrer Nathan Olivera, ein Beckmann-Schüler am Mills College, erinnert sich an ein Akt-Modell in einer Beckmann-Klasse, das mit purpurfarbenen, hochhackigen Schuhen auf einem roten Samtsofa auf dem Rücken lag, die Beine gegen die Rückenlehne stemmte und eine Zigarette rauchte.[12]

Wir sehen, daß Beckmann als Lehrer wie als Maler von denselben philosophischen und ästhetischen Voraussetzungen ausging. Seine solide traditionelle Auffassung von der Malerei verband sich mit einer lebhaften und bewundernden Liebe für das Leben. Beidem verlieh er Ausdruck in den Formen seiner Zeit. Nichts von dem, was er schrieb oder malte, stand im Widerspruch zu dem, was er lehrte. Manche Studenten weinten, wenn seine Kurse beendet waren. Sie hatten begriffen, daß ihr Leben von einem bemerkenswerten Mann berührt worden war. Als Lehrer war Max Beckmann derselbe überaus pflichtbewußte, inspirierte Mann wie als Künstler. Lehren konnte für ihn nur eine Erweiterung seiner Kunst sein.

Aus dem Englischen von Doris und Helga Contzen

Katalog

Gemälde

Die Autoren der Bildkommentare

     M.B. = Martina Bochow
     L.E. = Lucy Embick
     C.L. = Christian Lenz
    A.Sch. = Angela Schneider
C.Sch.-H. = Carla Schulz-Hoffmann
    C.St. = Cornelia Stabenow

Verweis

   Göpel = Erhard und Barbara Göpel:
          Max Beckmann. Katalog der Gemälde,
          2 Bände, Bern 1976

1 Strandlandschaft 1904

Öl auf Holz; 50 x 69,5 cm
Bez. u. r.: MB 1904
Privatbesitz
Göpel 16

Die Sommer der Jahre 1904 bis 1910 verbrachte Beckmann meist am Meer, überwiegend an der Nordsee. In dieser Zeit entstanden – im allgemeinen vor dem Motiv – circa 28 Meerbilder, die anfangs nahezu die Hälfte seiner Produktion ausmachten. Die 1904 datierte Strandlandschaft zählt, abgesehen von einigen Ölskizzen aus dem Jahr 1902, zu den ersten größeren Bildern dieses Themas. Von einem erhöhten Standpunkt in den Dünen geht der Blick auf das weite Meer, dessen schwache Dünung sich vor dem Land bricht und den Verlauf der Küste in vereinfachter Form nachzeichnet. Durch den diagonal von links unten nach rechts oben sich ausdehnenden Strand erhält die sonst ruhige Komposition Bewegung und Tiefenraum. Beckmann arbeitet hier deskriptiv, das Meer wird mit Pinsel und Stift beschrieben. Wie bei fast allen Meerbildern Beckmanns spielt der Mensch keine oder nur eine sehr untergeordnete Rolle. Es geht ihm von Anfang an um die Weite, die Größe und, wie er in einer sehr viel späteren Tagebuchnotiz vermerkt (Tagebücher, 27.9.1945), um die Freiheit und Unendlichkeit des Meeres. Und darin unterscheidet er sich grundsätzlich von den französischen Impressionisten, aber auch von den Bildern Liebermanns zu diesem Thema, auf denen muntere Sommergäste den Strand bevölkern. A. Sch.

2 Selbstbildnis mit Seifenblasen
um 1900

Mischtechnik auf Malpappe; 32 x 25,5 cm
Nicht bezeichnet
Privatbesitz
Göpel 3

Bei diesem Bild handelt es sich um das zweite bekannte und erhaltene Selbstporträt in einer langen Reihe von Selbstbildnissen, in denen Beckmann Auskunft über seine Person und seinen jeweiligen künstlerischen Standort geben wird. Undatiert, dürfte es zwischen 1898 und 1900 entstanden sein. Beckmann war damals 14 bis 16 Jahre alt und noch Schüler in Braunschweig, ehe er im Oktober 1900 in die Antikenklasse der Kunsthochschule Weimar aufgenommen wurde. Er sitzt im Halbprofil vor einer hügeligen, teilweise bewaldeten Landschaft und schaut den in den Himmel aufsteigenden Seifenblasen nach. Das Motiv des seifenblasenden Kindes oder Jünglings – Sinnbild für die Vergänglichkeit des Lebens – hat eine lange Tradition und reicht von den Hol-

ländern und Murillo über Chardin bis ins 19. Jahrhundert zu Couture und Manet. Ob der junge Beckmann den allegorischen Bildinhalt auf seine Person bezogen hat, läßt sich nicht nachweisen.   A. Sch.

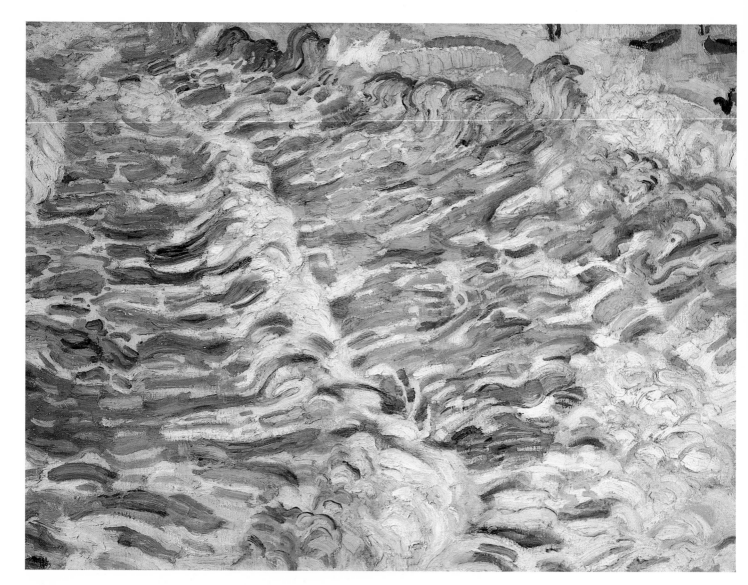

3 Sonniges grünes Meer 1905

Öl auf Leinwand; 81 x 110 cm
Bez.u.l.: HBSL 1905
Privatbesitz
Göpel 28

Literatur: Selz 1964, S. 11. – Schulz-Mons,
in: Kat. Bielefeld/Frankfurt 1982, S. 140

Von der nur ein Jahr früher entstandenen
Strandlandschaft (Kat. 1) unterscheiden sich
die im Sommer 1905 in Jütland gemalten Bilder *Große graue Wellen* und *Sonniges grünes
Meer* in der Technik, in der Wahl des Motivs
und im Stil. Beide Bilder sind ungefähr von
gleicher Größe und mit Öl auf Leinwand gemalt. Die Lasurtechnik ist zugunsten einer
stakkatoartigen Pinselführung aufgegeben, mit
der die Bewegung der einzelnen Wellen, der
Sog des Wassers und die Strudel wiedergegeben werden. Dieser Pinselduktus, der für das
Jahr 1905 charakteristisch ist, scheint insbesondere zur Definition des Themas Meer geeignet,
das nicht als homogene Fläche dargestellt wird,
sondern als ein gleichsam atmendes, bewegli-
ches, veränderliches Ganzes – ein Eindruck,
der zudem durch den sehr hohen Horizont und
den niederen Augenpunkt, der den Betrachter
sozusagen ins Wasser stellt, verstärkt wird.
Selz sieht in der Pinselführung eine Auseinandersetzung mit van Gogh, während er in der

ausgesprochen dekorativen, flächenfüllenden
Komposition der Wellen Elemente des Ju-
gendstils erkennt. Ähnlich äußert sich Schulz-
Mons, der auf das Problem der Modernität eingeht und hier auf Beckmanns Nähe zu den
Fauves hinweist, von denen der Künstler sich
jedoch durch die mit Valeurs arbeitende Ton-
malerei unterscheidet.   A. Sch.

4 Große graue Wellen 1905
Öl auf Leinwand; 96 x 110 cm
Bez. o. r.: HBSL 05
Privatbesitz
Göpel 31

5 Große Sterbeszene 1906

Öl auf Leinwand; 131 x 141 cm
Bez. u. r.: HBSL August 06
München, Bayerische Staatsgemäldesammlungen,
Staatsgalerie moderner Kunst
Göpel 61

6 Kleine Sterbeszene 1906

Öl auf Leinwand; 100 x 70 cm
Bez. o. r.: HBSL 06
Berlin, Staatliche Museen Preußischer Kulturbesitz,
Nationalgalerie
Göpel 62

Literatur: Gäßler, 1974, S. 45 ff.

Kleine Sterbeszene und *Große Sterbeszene* datieren aus dem Jahr 1906. Sie entstanden wohl als Reaktion auf den Tod der Mutter, die in jenem Sommer an Krebs verstarb und der Beckmann sehr nahe stand. Gäßler sieht die beiden Bilder, unabhängig von dem aktuellen Anlaß ihrer Entstehung, als konsequente Weiterentwicklung des Beckmannschen Œuvres von der impressionistischen, idealistischen Landschaftsdarstellung in Richtung symbolistischer, dramatischer Themata, die um Ausnahmesituationen des menschlichen Lebens kreisen. Die *Große Sterbeszene* und die *Kleine Sterbeszene* unterscheiden sich im Format, im Stil und in der Bildaussage voneinander. Geht es dort um die letzten Augenblicke eines Sterbenden, so hier um die Trauer der Zurückgebliebenen. Das Sterbebett ist in den äußersten Hintergrund eines tieferen Raumes verlegt und nur durch die um das Bett versammelten, zum größeren Teil schwarz gekleideten Menschen identifizierbar. Diese an Klagefrauen erinnernden Gestalten knien am Boden wie Betende. Eine hat die Arme hoch erhoben, ein Gestus, der als Ausdruck des Schmerzes und der Verzweiflung zu deuten ist. In einem vorderen Raum, der durch eine geöffnete Türe mit dem hinteren verbunden ist, sind, entschieden größer, fünf Personen versammelt, auch sie mit Ausnahme des Kindes dunkel gekleidet, also in Kenntnis des Todes. Ihre Beziehung zu der verstorbenen Person und untereinander ist nicht genauer definiert. Mit Ausnahme der sitzenden Frau, deren Gebärde Verzweiflung ausdrückt, wirken die anderen vor allen Dingen ratlos. Der Blick des Mannes ist leer. Die Vereinzelung dieser Menschen ist ein Motiv, das in dem Bild *Unterhaltung* (Kat. 7) in anderer Form Gestalt findet.

Die *Kleine Sterbeszene* nimmt innerhalb des Frühwerkes stilistisch eine Sonderstellung ein, und zwar sowohl im Hinblick auf die intensive Farbigkeit – rote und gelbe Tapeten, schwarze und weiße Kleider, weißes Bettzeug – als auch hinsichtlich der Malweise – der sich in einzelne Pinselstriche auflösenden Flächen, der ausfransenden Konturen. Der Vergleich mit Bonnard und Vuillard liegt nahe. Aber anders als dort intensiviert Beckmann den Tiefenraum, um dem Geschehen mehr Distanz und zugleich mehr Konzentration zu geben. Die *Große Sterbeszene* steht in ihrer monumentalen, das Drastische der Einzelfigur betonenden Komposition den mythologischen frühen Bildern Beckmanns nahe.   A. Sch.

7 Unterhaltung 1908

Öl auf Leinwand; 179 x 169 cm
Bez. o. r.: HBSL 08
Berlin, Staatliche Museen Preußischer Kulturbesitz,
Nationalgalerie
Göpel 88

Literatur: Reifenberg 1921 in: Blick auf Beckmann

Dem Gemälde *Unterhaltung*, auch ›Gesellschaft I‹ genannt, folgen 1911 und 1914 zwei
weitere großformatige Bilder *Gesellschaft II*
und *Gesellschaft III*. Es handelt sich jeweils um
Gruppenbildnisse der Familie und des Freun-
deskreises. Im Vordergrund sehen wir links in
einem Stuhl sitzend Minna Tube, die verwitwe-
te Schwiegermutter Beckmanns, rechts hinter
ihr stehend Minna Beckmann-Tube, die Frau

des Künstlers, und rechts Annemarie Tube, die
Schwägerin. Max Beckmann selbst sitzt auf
einem Sofa im Hintergrund. Das Bild an der
Wand erinnert an den 1907 entstandenen *Som-
mertag am Meer*. Der Diener im Mittelgrund
des Bildes ist ganz an den rechten Bildrand
gerückt. Obwohl der Raum nicht genau bezeichnet ist, lassen die Bilder an der Wand, das
Sofa und der Teppich auf ein Wohnzimmer
schließen. Das Besondere der Szene, die Isolation der Dargestellten, ist oft betont worden.

Die drei Frauen wenden sich in verschiedene
Richtungen und haben keinen Blickkontakt.
Jede scheint mit sich und ihrer ›Darstellung‹
beschäftigt, als ginge es um die Einstudierung
eines Theaterstückes. Bemerkenswert ist zu-

dem, daß die Bildmitte im Vordergrund leer
bleibt und den Blick auf den Maler auf dem
Sofa freigibt. Er scheint die Frauen wie Paris
die Göttinnen zu betrachten. Ob Beckmann
beim Malen solche Gedanken hatte, kann natürlich nicht bewiesen werden. Aber die Beschränkung auf die drei Frauen – die Familie
Tube bestand damals aus mehreren Personen,
darunter auch männlichen – und die Gestalt
des Dieners mit den ›goldenen‹ Äpfeln – von
dessen Existenz in der Familie zumindest nirgendwo die Rede ist – lassen eine solche Deutung immerhin zu. Damit hätte Beckmann eine
besondere Huldigung an die Familie seiner Frau
ausgesprochen, zu einer Zeit, als Minna die
Geburt des ersten Kindes erwartete.   A. Sch.

8   Selbstbildnis Florenz 1907
Öl auf Leinwand; 98 x 90 cm
Bez. o. l.: Florenz HBSL 07
Privatbesitz
Göpel 66
Literatur: Lenz 1976

Das Selbstbildnis entstand während des halb-
jährigen Aufenthaltes in der Villa Romana,
der Erinnerung von Minna Beckmann-Tube
zufolge schon im Winter 1906. Beckmann hatte
mit seinem 1905 entstandenen Gemälde *Junge
Männer am Meer* den Ehrenpreis des Künstlerbundes und das damit verbundene Florenz-
stipendium erhalten. Das Gemälde präsentiert
den Künstler als Halbfigur in Vorderansicht

vor dem Atelierfenster, das den Blick auf einen Teil von Florenz und Fiesole freigibt. Im
schwarzen Anzug mit hohem Kragen steht er
selbstbewußt, in der angewinkelten Rechten
eine Zigarette haltend. Daß es sich hier um
einen jungen Maler – Beckmann ist 23 Jahre alt
– handelt, in dessen Hintergrund eine der
historisch bedeutendsten Kunstmetropolen erscheint, ergibt sich aus dem Bild nicht unmittelbar. Die weltmännische, gesellschaftliche
Pose wird durch den diffusen Blick, der das
Gegenüber ausschließt, relativiert. Hier stellt
der Künstler Fragen an sich, distanziert sich
vom Betrachter. Das Porträt erhält seine Spannung durch den Gegensatz zwischen dem
Schwarz des Anzugs einerseits – einer ge-

schlossenen Form – und der Helligkeit der
Landschaft und der Wand andererseits – einer
offenen, durchbrochenen Form. Dieser Kontrast, der in den späteren Selbstbildnissen (vgl.
Kat. 53) weitaus entschiedener Gestalt findet,
zeigt, daß Beckmann sich während seines Aufenthaltes in Paris, 1906, mit der Malerei
Manets auseinandergesetzt hat. Gerade in der
dominierenden und zentrierenden Rolle, die
dem Schwarz – das ja potentiell alle Farben in
sich vereinigt – zufällt, und in dem Motiv des
Fenstergitters scheinen Stilelemente Manets
verarbeitet, obwohl das Fenster auch an Corinths › Selbstbildnis mit Skelett‹ aus dem Jahr
1896 denken läßt.   A. Sch.

9 Kreuzigung Christi 1909

Öl auf Leinwand; 150 x 150 cm
Bez. u. l.: HBSL 09
Schweinfurt, Sammlung Georg Schäfer
Göpel 119
Literatur: Gäßler, Göttingen 1974. – Güse, Frankfurt
a. Main 1977. – Kaiser, Berlin 1913

Mit der *Kreuzigung Christi* hat Beckmann 1909
erneut das Thema ›Sterben‹ aufgegriffen, mit
dem er sich in anderer Form auch 1906 beschäftigte (Kat. 5, 6). Auf dem quadratischen
Bild sind beinahe lebensgroß in Dreiviertelansicht die drei Gekreuzigten dargestellt. Die
Anordnung Christi auf der rechten Seite
weicht von der Tradition ab, die ihn stets in der

Mitte zeigt. Sie isoliert ihn von den Schächern
und betont seine Sonderstellung, die auch
durch die beiden Knienden hervorgehoben
wird, vermutlich Johannes und Maria oder Maria Magdalena. Eine eindeutige Identifikation
ist nach dem Text der Evangelien nicht möglich. Beide scheinen das Antlitz des Sterbenden nicht ertragen zu können. Johannes schaut
mit entsetztem Blick zaghaft hinter dem Kreuz
hervor, die Frau verhüllt ihr Gesicht in den
Händen. Die drei Gekreuzigten sind an niedrige, nur mannshohe Kreuze genagelt. Diese
Form der Kreuzdarstellung war seit Klingers
Kreuzigungs-Bild 1890 üblich und galt als historisch getreu. Die Kreuze befinden sich hier
auf gleicher Höhe mit der Menschenmenge.

Jesus, der Gottessohn, ist zu den Menschen
herabgestiegen und stirbt mit ihnen.

Auf die Vermenschlichung der Gestalt Christi wies die Kritik mit ganz unterschiedlichen
Folgerungen wiederholt hin. Ein zeitgenössischer Rezensent kritisierte das Animalische
der Kreuzigung und vermißte die geistige
Würde. 1913 sah Kaiser zu Recht in der Ver-
sinnlichung des Geistigen die Größe der Beckmannschen Gestaltung. Das Leiden und der
Schmerz würden für den Betrachter nachvollziehbar. Durch die am Boden liegenden Mar-
terwerkzeuge wie die langen Nägel werde die
Szene aktualisiert. Gäßler war der Meinung,
daß Beckmann Christus als Sinnbild des Menschen verstehe. In seiner Person ließen sich die

extremsten Möglichkeiten menschlicher Existenz, Leiden, Transzendierung und Erlösung darstellen. Diese Interpretation zielt letztlich auf eine Gleichsetzung von Christus, Übermensch, Künstler. Güses Interpretation macht auf die zentrale Stellung der weiblichen Figur aufmerksam. In ihr habe Beckmann, den Vorstellungen Nietzsches folgend, das zu verachtende und kritisierende christliche Mitleid veranschaulicht. Danach handelt es sich hier nicht um ein Bild des Todes Christi, sondern um die Darstellung des Christentums als Religion des Mitleids.   A. Sch.

10 Szene aus dem Untergang von Messina 1909

Öl auf Leinwand; 253,5 x 262 cm
Bez. u. r.: HBSL 09
St. Louis, The Saint Louis Art Museum,
Bequest of Morton D. May
Göpel 106
Literatur: Gäßler 1974, S. 139ff. – Lenz 1976,
S. 12ff. – Güse 1977, S. 33ff.

Mit dem Entwurf zur *Szene aus dem Untergang von Messina* begann Beckmann am Abend des 31. Dezember 1908, nachdem er in den Tages-

zeitungen, vornehmlich im Berliner Lokal-Anzeiger und der Berliner Illustrirten Zeitung, über die Erdbebenkatastrophe in Süditalien gelesen hatte, bei der die Stadt Messina zu neunzig Prozent zerstört wurde. Von 120000 Einwohnern kamen rund 80000 um. Unter dem obengenannten Datum notierte er in seinem Tagebuch: »Ich las dann noch in den Zeitungen weiteres über das schreckliche Unglück in Messina, wobei mir bei der Beschreibung eines Arztes, und zwar bei der Stelle wo halbnackte losgelassene Sträflinge in dem furchtbaren Getümmel über andere Menschen und ihr

Eigentum herfallen die Idee zu einem neuen Bilde« kam. Weiter schrieb er am 28.I.1909: »Es ist merkwürdig ich würde gern für mich einiges was mich so an der Arbeit interessiert aufschreiben aber ich kann gar nicht darüber reden. Ja doch. Raum Raum möchte ich. Tiefe, Natürlichkeit. Möglichst keine Gewaltsamkeiten. Und herbe Farben. Möglichste Lebendigkeit und doch nicht überlebendig. Das Fahle einer Gewitterstimmung und doch das ganze pulsierende fleischliche Leben. Eine neue noch reichere Variierung von violett rot und fahlem gelben gold. Etwas Rauschendes Üppiges wie viele Seide die man auseinanderblättert und wildes grausames prachtvolles Leben.«

Das Gemälde wurde vermutlich im April 1909 beendet, da es in der Frühjahrsausstellung der Berliner Sezession ausgestellt war. Die zeitgenössische Kritik hat vor allem Häßlichkeit des Sujets, Übertreibungen in Richtung Karikatur, Sensationslust und Abgleiten ins Illustrative bemängelt. Die erste ernstzunehmende, im wesentlichen auch heute noch gültige Interpretation lieferte Hans Kaiser 1913. Er sah in dem Untergang von Messina – dessen Pathos er mit Delacroix' ›Massaker von Chios‹ in Verbindung setzte – ein »realistisches Symbol Berlins«, eine Darstellung der Gefahren, die das Leben in der Stadt bedrohen. Zugleich erkannte er in den unter äußerster Anspannung stehenden Figuren eine Kraft, diesen Gefahren zu begegnen. Die individuelle, jeweils unterschiedliche Gestaltung der zu kleineren Gruppen zuammengefaßten Menschen ist in diesem Gemälde besonders ausgeprägt. Vorne rechts der halbentkleidete, am Boden hockende Mann, der an der Stirne schwer verletzt ist und der mit letzter Kraft versucht, diesen Schmerz zu ertragen. Auch die neben ihm sitzende, nackte Frau bäumt sich auf, nicht willens, sich zu ergeben. Dahinter ein kniender Mann, auch er bemüht, sich aufrecht zu halten. Parallel dazu, in der aufsteigenden Bilddiagonale sind jeweils Zweiergruppen angeordnet, die sich in kämpferischer Auseinandersetzung befinden. In der vorderen linken Ecke ist eine dunkle Rückenfigur zu sehen, die auf eine andere, kaum erkennbare Gestalt zutaumelt oder einschlägt, daneben die von Beckmann so benannte ›Vergewaltigungsgruppe‹ und dahinter die Gruppe des Sträflings, der mit einer Axt zuschlägt, und des Uniformierten mit gezogener Pistole. Beide Gruppen wurden auch durch Szenen, die Beckmann im nächtlichen Berlin erlebte, inspiriert.

Seit einigen Jahren ist das Frühwerk Beckmanns und damit auch das in diesem Bereich zentrale Messina-Bild zunehmend Gegenstand kunsthistorischer Interpretation geworden. Während E. Gäßler hier insbesondere die Bedrohung, Angst und Gewalt des Großstadtlebens dargestellt sieht, versucht Güse hier, wie auch in anderen Bildern des Frühwerks, Beeinflussungen durch Nietzsches Philosophie, insbesondere des Vitalismus, aufzuzeigen. Daß Beckmann Nietzsche gelesen hat, weiß man. Güse beruft sich in erster Linie auf die Tatsache, daß er nicht die Nöte und Leiden der vom Erdbeben betroffenen Menschen zum Hauptthema mache, sondern von den Verbrechen,

Plünderungen und Zerstörungen in der Stadt fasziniert sei. Er sähe die Katastrophe wohl nicht als Zerstörung einer bestimmten Stadt, sondern für ihn bedeute die Stadt allgemein einen dem ›Leben‹ entgegengerichteten Bereich, dessen Vernichtung einer vitalen Erneuerung vorauszugehen hat.

Daß aus der hier dargestellten Stadt die vitale Erneuerung hervorgehen wird, läßt sich an dem Gemälde meines Erachtens nicht ablesen. Vielmehr scheint mir dieses Messina ein abgeschlossener Ort, aus dem es keinen Ausweg gibt. Die vergleichsweise intakt scheinenden Gebäude (gemessen an der Tatsache, daß Messina damals zu neunzig Prozent zerstört wurde) wirken wie eine undurchdringliche Barrikade, die den Raum begrenzt, in dem der Überlebenskampf stattfindet. Ähnliches gilt auch für Güses Ausführungen über die Gestalt des Verbrechers, der bei Nietzsche als Zerstörer – nämlich der dekadenten Gesellschaft –, gleichzeitig jedoch auch als ihr Überwinder begriffen wird. Wohl geht es in dem Bild um die Darstellung entfesselter Triebe, wohl um Sträflinge oder Verbrecher, wohl um äußerste Lebensintensität. Aber ob dieser Kampf der morbiden Gesellschaft vor dem Ersten Weltkrieg gilt, muß meines Erachtens offen bleiben. Beckmann unterscheidet in der Beschreibung der Dargestellten – mit Ausnahme des einen Uniformierten – nicht wesentlich. Alle sind gleichsam rohe, ursprüngliche Naturen, halb oder auch gar nicht bekleidet, sozial nicht zuzuordnen.
                                                    A. Sch.

11 Amazonenschlacht 1911

Öl auf Leinwand; 250 x 220cm
Bez.r. (auf dem Köcher der Amazone): HBSL 1911
Beverly Hills, The Robert Gore Rifkind Collection
Göpel 146
Literatur: Lenz 1971, S.232. – Güse 1977, S.43. –
v.Wiese 1978, S.37ff.

Im Jahr der ersten Entwurfsskizze (s. Abb. unten) zu dieser Komposition, im Herbst 1909, schreibt Beckmann einen Brief aus Wangerooge an seine Frau: »Heiße helle Luft. Der unendlich weite blendende Strand ... Haufen von Menschen, Nackte, Bekleidete. Wüste Schlachten. Groteske Gelage von fantastisch gekleideten Geschöpfen. Liebesszenen, Vergewaltigungen. Ströme purpurnen Bluts verschwinden mit weißen sich windenden Leibern in den herüberziehenden Schatten...« Diese exotische und dramatische, aus dem Symbolismus her vertraute Vorstellungswelt des jungen Beckmann bildet die Grundlage für die seit 1907 einsetzende Reihe vielfiguriger Monumentalgemälde, die das Thema von Kampf und Unheil inszenieren (Kat.10, 12). Hier sind es die Amazonen, Figuren der griechischen Mythologie, die das Geschehen bestimmen. Als kriegerische Frauen, lasziv hingebreitete Opfer und widerspenstige Beute konzentrieren sie den voyeuristischen Blick des Betrachters auf sich wie die späteren Akte, Dirnen und Columbinen. Der Kampf ist Auseinandersetzung zwischen Mann und Frau, nicht nur dem damals zeitgenössischen Klischee des ›Ge-

Max Beckmann:
Erste Entwurfsskizze zur
›Amazonenschlacht‹, 1909

schlechterkampfes‹, sondern auch Beckmanns ureigener Emotion entsprechend, der bis zum Ende seines Lebens Erotik immer wieder in Beziehung setzen wird zu Bedrohung und Katastrophe. Wesentlich ist allerdings, daß hier seine pessimistische Weltsicht noch nicht ausgeprägt ist. Beckmann feiert den Kampf als exzessive Möglichkeit der Existenz, denn drastisch und differenziert vermittelt er anhand einer freien, fast barocken Malerei, Bewegung und Vitalität, Leidenschaft wie Aggression und Hingabe. Die *Amazonenschlacht* spiegelt Beckmanns Philosophie der Berliner Jahre, die dem Vitalismus Nietzsches nahestand.

Im kühlen Farbklang von Grün und Blau ist diese Malerei jener von *Untergang der Titanic* (Kat. 12) verwandt. Ekstatisches im Sinne van Goghs klingt an. Drei Entwurfsskizzen und sechs Modellstudien (Abb.) dokumentieren den langwierigen Werkprozeß des Bildes, das noch 1918 viel zum Ruhm Beckmanns beitrug, weil es die akademische Tradition fortsetzte.

C. St.

12 Untergang der Titanic 1912

Öl auf Leinwand; 265 x 330 cm
Bez. u. r.: Beckmann
St. Louis, The Saint Louis Art Museum, Bequest of Morton D. May
Göpel 159
Literatur: Gäßler, Göttingen 1974. – Güse, Frankfurt a. Main 1977

Das zweite große Gemälde im Frühwerk Beckmanns, das eine aktuelle Katastrophe zum Thema hat, ist der *Untergang der Titanic,* 1912/13 gemalt und 1913 in der Sezession ausgestellt. Es wurde von der zeitgenössischen Kritik ebenso abgelehnt wie das Messina-Bild. Man warf dem Maler Effekthascherei und Sensationssucht vor; das Ereignis sei ganz unzulänglich behandelt, da ihm das Pathos fehle und damit das Wesentliche nicht erfaßt sei, das einem vergleichbaren Gemälde, wie dem ›Floß der Medusa‹ von Géricault (s. Abb. unten), seine Bedeutung über die Stunde hinaus gebe. Auch die spätere Kritik sah Beckmanns Bemühungen auf dem Gebiet der gegenwartsbezogenen Historiendarstellung als problematische, eher mißglückte Versuche an, indem sie davon ausging, daß es Ziel des Malers gewesen sei, gleichsam einen Augenzeugenbericht zu liefern. Diese Wertung ist erst in der jüngsten Forschung revidiert worden.

Die Titanic, das größte und repräsentativste Schiff der White Star Line sank auf seiner Jungfernfahrt von Southampton nach New York in der Nacht vom 14. zum 15. April 1912 im Nordatlantik innerhalb von Stunden nach der Kollision mit einem Eisberg. Von 2200 Passagieren fanden 1507 den Tod. Das Unglück ereignete sich bei ruhiger See unter klarem Sternenhimmel. Beckmann wurde zu dem Gemälde vermutlich durch die ausführlichen Berichte über das Unglück in den Berliner Tageszeitungen angeregt. Um eine Illustration des Unglücks nach den Erzählungen Überlebender handelt es sich jedoch nicht. Sieben überfüllte Rettungsboote treiben auf bewegter See in verschiedene Richtungen. Die Titanic – nach einem Foto des Berliner Lokalanzeigers eindeutig identifizierbar – schwimmt hell erleuchtet im Hintergrund. Das Heck wird von dem Eisberg verdeckt; eine leichte Neigung deutet auf den drohenden Untergang. Thema ist hier, ähnlich wie bei dem Messina-Bild, der reine Überlebenskampf. An die Rettungsboote, die teilweise schon vom Wasser überspült sind, klammern sich Schiffbrüchige, deren Rettungsversuche teilnahmslos geduldet oder aggressiv abgewehrt werden; nur einer der Ertrinkenden findet Hilfe. Die Dramatik des Geschehens wird vollends erst bei genauem Studium der einzelnen Szenen sichtbar. Sie wird durch die ausgesprochen giftigen, unheilvollen Grüntöne des Meeres und der Menschen unterstützt. Gallwitz hat zurecht betont, daß es sich hier um die Darstellung einer kollektiven Katastrophe handelt, die von den Zeitgenossen als Kapitulation der Technik vor den Naturgewalten gedeutet wurde. Beckmann wählte für diese Form des Massenereignisses eine dezentralisierte Komposition, die keinen zusammenfassenden Überblick erlaubt. Vielmehr schweift das Auge von einem Boot zum anderen und verliert sich in dem Chaos, das auch auf uns, die wir als Betrachter fast im Wasser stehen, einzustürzen droht.

A. Sch.

Jean Louis Théodore Géricault: Das Floß der Medusa, Öl auf Leinwand, 1818/19, Paris, Louvre

13 Straße bei Nacht 1913

Öl auf Leinwand; 90 x 70 cm
Bez. o. r.: Beckmann 13
Privatbesitz
Göpel 179
Literatur: Gäßler, Göttingen 1974

Seit 1911 tritt das Thema ›Stadt‹ im Werk
Beckmanns sowohl in der Grafik als auch in
der Malerei häufiger auf. Während in der Grafik vor allem Szenen wie *Kneipe, Admiralscafé,
Bordell in Hamburg*, also typisch expressionistische Sujets, behandelt werden, geht es in
den Gemälden meist um die Darstellung alltäglicher Straßenszenen. *Straße bei Nacht* ist das
einzige Nachtbild. Wir sehen in eine schmale,
mit gründerzeitlichen Häusern bebaute Stra-
ßenflucht, in der eine elektrische Straßenbahn,
ein Auto, mehrere Motorradfahrer sowie klei-
nere Menschenansammlungen zu erkennen
sind. Hervorgehoben ist allein eine Rückenfigur vorne rechts, die vor der Straßenbahn steht
und offensichtlich mit einer Lampe auf die
Schienen leuchtet. Durch die diffuse, in dunklen Tönen gehaltene Malerei entsteht der Eindruck einer unübersichtlichen, chaotischen
Verkehrssituation. Auf die thematische Nähe
zu den gleichzeitigen Straßenbildern Meidners
und Kirchners ist ebenso hingewiesen worden
wie auf den stilistischen Unterschied. Während
dort eine klare, harte, mit aggressiven Raum-
verschränkungen arbeitende Formsprache verwandt wird, bleibt Beckmann bei einer weichen, teilweise unbestimmten Formgebung.
Die auf Hell-Dunkelkontraste aufgebaute, an
Valeurs reiche Malerei erzeugt eine Stimmung,
die im Vergleich zu Meidner und Kirchner
friedlich wirkt.   A. Sch.

14   Die Straße 1914

Öl auf Leinwand; 171 x 72 cm
Bez. u. r.: Beckmann B.H. 1913 für Quappi
New York, Privatbesitz
Göpel 180

Das Gemälde entstand wohl Anfang 1914, da
es im Katalog der ersten Ausstellung der
Freien Secession, die am 12. April eröffnet
wurde, in seiner ursprünglichen Form repro-
duziert ist. Das heutige schmale Hochformat
erhielt es 1928; Beckmann beschnitt das Gemälde damals rechts um fast zwei Drittel und
datierte es fälschlicherweise in das Jahr 1913.
Max Beckmann hielt das Gemälde später für
eines seiner gelungensten Frühwerke, eine
Einschätzung, die verständlich wird, wenn man
die dichtgedrängte, gestaffelte Figurenanord-
nung mit späteren Arbeiten wie den Seitenteilen der Triptychen *Abfahrt* und *Versuchung*
(Abb. S. 40; Kat. 73) oder dem *Familienbild
Heinrich George* (Kat. 74) vergleicht.

   Vor einer schmalen Straße, die durch drei
hohe Gebäudekomplexe begrenzt ist, sehen
wir in der Mitte des Bildes Beckmann selbst,
links neben ihm, aus dem Bild laufend, seine
Frau Minna, davor den Sohn mit einem Boller-
wagen, eine schwarz-weiß-rote Fahne schwin-
gend. Der Maler wird teilweise durch eine alte
Frau, die ein Kind auf dem Arm hält, verdeckt. Sie gehört nicht zur Familie, sondern ist
eine der ehemals mehreren zufälligen Passanten. Später glaubte Beckmann, er habe dieses
Gemälde im Sommer 1914 unter dem Eindruck
der Kriegserklärung gemalt und die Stimmung
auf den Straßen wiedergegeben. Das würde die
unfrohen Gesichter der Erwachsenen erklären.
Nun wissen wir aber aus den Tagebüchern, daß
Beckmann 1914 durchaus kein Kriegsgegner
war, sondern seine Haltung zum Kampf erst
nach den mörderischen Erfahrungen an der
Westfront änderte. Diese Wandlung scheint seine Täuschung über das Entstehungsdatum des
Bildes mitbewirkt zu haben. In Wirklichkeit
noch vor der Kriegserklärung gemalt, ist das Bild
vermutlich als Metapher menschlicher Verhaltensweisen, wie sie sich für Beckmann besonders
deutlich in den dichtgedrängten Großstadtstraßen artikulierten, zu verstehen.   A. Sch.

15 Selbstbildnis als Krankenpfleger 1915

Öl auf Leinwand; 55,5 x 38,5 cm
Bez. o. r.: Beckmann Straßburg 1915
Wuppertal, Von der Heydt-Museum
Göpel 187

Literatur: Wichmann 1961, S. 10. – Jedlicka 1959 in: Blick auf Beckmann, S. 116. – Evans 1974, S. 14. – Güse 1977, S. 557. – Wachtmann 1979, S. 10 ff. – Zenser 1981, S. 14 f.

Dieses Selbstporträt – das erste Bild auf Leinwand seit dem Spätherbst 1914 – hat Beckmann wohl erst in Frankfurt gemalt, aber wahrscheinlich schon in Straßburg konzipiert, dem letzten Stationierungsort nach seinem Nervenzusammenbruch im Sommer 1915. Ein

reichliches Jahr Kriegsdienst lag hinter dem Einunddreißigjährigen, der zunächst als ziviler, freiwilliger Krankenpfleger nach Ostpreußen ging und seit Anfang des Jahres 1915 Sanitätssoldat in Belgien war. Beckmann erlebte die Kriegssituation mit widersprüchlichen Gefühlen. Im Sinne Nietzsches fasziniert von der dramatischen Erscheinungsform des Lebens, vom »wilden Wahnsinn dieses Riesenmordens«, fühlte er sich zugleich zutiefst betroffen vom »unsagbaren Widersinn des Lebens«, wie er schrieb. Zeichnungen und Radierungen vom Kampfschauplatz, aus Lazaretten, Operationssälen und Leichenhäusern spiegeln den Konflikt, der schließlich zum Zusammenbruch des Künstlers führte.

Um so aufschlußreicher ist die Art, wie er nun nach dieser existentiellen Anspannung sich selbst gegenübertritt. Die Schulter seltsam zögernd ins Blickfeld geschoben, der malenden Hand nur den kleinsten Spielraum zugestanden, richtet er aus mühsam gehaltenen Gesichtszügen den Blick forschend, fragend und beharrlich auf sich. Verletzlich und schwankend ist dieser Mann. Flüchtig bewegt, ohne Gleichgewicht – das Gesicht steht übermächtig im Zentrum, die Brust ist extrem verkürzt –, beschränkt und zugleich gestützt von den engen Bildgrenzen, mit flackernd aufgehelltem Gesicht, gewinnt Beckmann nur in den wachen Augen, dem festen Mund, der versetzten Nase und der Stirnwölbung entschlossene Festigkeit. Am 3.10.1914 hat Beckmann geschrieben: »Ich habe gezeichnet, das sichert einen gegen Tod und Gefahr.«

Diese Auffassung zeigt sich auch hier, wo der Künstler alles daransetzt, wieder im kleinsten zu beginnen. Malerei wird, entsprechend der vergangenen Rolle als Sanitäter, zur notwendigen Aufgabe und Zeugenschaft, bestimmt von dem wachen Auge und unsicher niedergeschrieben von der Hand. Die impressionistisch skizzierende Malweise, das Grau-Grün des entleerten Umfeldes und die Spontaneität der Bewegung erzeugen eine Art Spiegelerscheinung. Einmalig im Werk, befragt sich Beckmann hier nicht als Rollenträger, sondern als psychisch offengelegtes Individuum. Er selbst beurteilt das Selbstbildnis später: »Das ist noch recht trüb in der Farbe. Ich habe mich sehr damit gequält. Da kommt zum erstenmal heraus, was ich inzwischen im Krieg erlebt hatte. An dem Zug um Stirn und Nase sieht man, glaube ich, gut, wie sich die spätere strenge, feste Form herausarbeitet.« (R. Piper, Besuch bei Max Beckmann, Manuskript, S. 3). G. Jedlickas Deutung, daß es sich um ein »gefälliges Bildnis« handle, da sich der Künstler »viel mehr als ein Mensch vor dem Kriege, denn als ein solcher mitten im Kriege« darstelle, geht an der Ehrlichkeit dieser Selbstbegegnung vorbei, denn eindringlich dokumentiert sich der Vorgang mühsam errungener Festigkeit. Bezeichnend für die Wende Beckmanns, der 1915 nicht mehr Nietzsches Vitalismus teilt und in den folgenden Jahren Schopenhauers pessimistische Lebenseinstellung annehmen wird, ist, daß der vordem impressionistische Pinselduktus jetzt auch die psychisch-expressive Qualität früher Bilder van Goghs erhält. Das Bildnis steht den Arbeiten aus dem Umkreis der ›Kartoffelesser‹, 1885, nahe. Im Vergleich zu den aufgelösten, ›entsetzten‹ Selbstbildnissen dieser Jahre markiert die Konfrontation den Anfang einer Selbstfindung, die um 1920 eine trotzig-selbstbewußte Persönlichkeit zur Folge haben wird.   C. St.

16 Adam und Eva 1917

Öl auf Leinwand; 80 x 56,5 cm
Bez. o. r.: Beckmann 17
USA, Privatbesitz
Göpel 196

Literatur: Meier-Graefe 1919 in: Blick auf
Beckmann, S. 55. – Lackner 1968, S. 4, 8. – Lenz
1971, S. 216. – Fischer, München 1972, S. 24

Wie bei den anderen Bildern religiöser Thematik, die zu Beginn der Frankfurter Zeit entstehen (Kat. 17, 18), ist auch hier ein an gotischer Malerei orientierter, eckig verzeichnender expressiver Stil bestimmend. Das Gestreckte und Verkantete der Figuren, die Härte der Umrißlinien, der extreme Aufblick von unten nach oben und der Grisaille-Ton des Ganzen erzeugen eine unruhige, ekstatische Bildform, die Beckmanns erschütterte Psyche der frühen Nachkriegszeit widerspiegelt (Kat. 15, und *Selbstbildnis mit rotem Schal*, 1917, Abb. S. 54). Die Darstellung faßt einen Stoff aus der Bibel: Genesis 3, 1-7. Doch nicht der paradiesische Urzustand vor dem Sündenfall – so Göpel – oder die ambivalent offene Situation der Fassung von 1932 (Kat. 64) ist hier veranschaulicht, sondern der Augenblick des Sündenfalls

selbst. Nach überliefertem ikonographischem Muster den Baum der Erkenntnis flankierend, handeln Adam und Eva bereits im Zustand verlorener Unschuld. »Da gingen beiden die Augen auf, und sie erkannten, daß sie nackt waren.« Beckmann verzichtet auf das überkommene Motiv, das Paar mit den verbotenen Früchten des Baumes zu zeigen. Eva weist statt der Frucht, die sie Adam zu essen gibt, ihre Brust vor. In dieser »nahezu brutalen« Direktheit (Fischer) kann Beckmann das Anekdotische der Geschichte umgehen und ein Geschehen inszenieren, das entsprechend der zentralen Thematik ›Mann und Frau‹ den archetypischen Zusammenhang von Verführung, Begierde und Angst dramatisiert. Eva ist, gleichgerichtet mit der krokodilköpfigen Schlange, die Handlangerin des Bösen, der Mann das

Opfer, das in purem Entsetzen die »Liebe in animalischem Sinne« wahrnimmt. Bezeichnend ist die Gestik des Mannes – Adam weist seine Handflächen wie der Schmerzensmann vor (Kat. 17, 18) –, eine Gestik, mit der Beckmann bis 1921 Leiden und Vergänglichkeit des Menschen ausdrücken wird (vgl. Kat. 19, 21, 25, 31).

Die dem symbolistischen Denken entstammende Vorliebe für den Bereich von Schuld und Sünde – man vergleiche dazu das Werk Munchs – koppelt sich hier mit der Weltsicht eines Künstlers, der zunehmend pessimistisches Denken in der Folge Schopenhauers und religionsphilosophischer Ideen verarbeiten wird. Die seitenverkehrte Radierung *Adam und Eva*, 1917 (Kat. 236) nimmt die Darstellung zwanghafter auf. C. St.

17 Kreuzabnahme 1917

Öl auf Leinwand; 151 x 129 cm
Bez. o. r.: Beckmann 17
New York, The Museum of Modern Art,
Curt Valentin Bequest, 1955
Göpel 192

Literatur: Hartlaub 1919, S. 84. – Meier-Graefe 1919
in: Blick auf Beckmann, S. 54f. – Selz 1964, S. 26ff. –
Göpel 1976, I, S. 134. – Lackner 1967, S. 121

Bereits 1919 schrieb Julius Meier-Graefe, engagierter Vertreter moderner, insbesondere französischer Kunst und gefürchteter Kritiker, ungewöhnlich emphatische Sätze über die ersten Nachkriegsbilder Max Beckmanns, die jedoch gleichzeitig auch deren Problematik deutlich bezeichnen: »Die Bilder sind alles andere als dekorativ. Die Einstellung ist viel gewaltsamer. Eine nahezu mystische Verbitterung treibt zu solchen Formen: Wollust des Schmer-

zes... Ein entfleischter Grünewald, entfleischt, nicht entseelt. Die Not der Inbrunst unseres Maschinen-Zeitalters, die jeden Rest von Barock ausbrennen möchte, schreibt die Details ... Die Farbe, die das sachliche Detail mildern könnte, ist verpönt... Unerbittlich klar steht die Erscheinung. Aber noch bewegt sie sich. Diese schreckensvollen Gestalten bilden noch immer ein Ornament, möchten es bilden, wie zerhackte Glieder zusammenwachsen möchten... Ein gewaltiger Eigendünkel hat den rauhen Emporkömmling von je her getrieben... Zu dem Eigendünkel bekennt sich ein ganzes Volk, das maßlos sündigte, maßlos sühnt, dem mit ungeheuerlichen Marterinstrumenten das faule Fleisch weggebrannt wird, damit der Geist sich besinne.«

In seiner drastischen Sprache trifft Meier-Graefe sowohl die formale als auch die inhaltli-

che Seite der *Kreuzabnahme*, in der der Tod Christi als eine alle Figuren betreffende Entkörperlichung und Erstarrung gekennzeichnet ist und damit gleichzeitig ein in seiner Unnachgiebigkeit fast selbstherrlicher kollektiver Vorwurf zum Ausdruck gebracht wird. Auch die lebenden Personen wirken blutleer und ebenso mager und in den Gliedmaßen überdreht wie der die gesamte Bildfläche in den Diagonalen beherrschende, »übermenschlich« große, erschreckende Christus. Darin unterscheidet sich das Bild unmittelbar von *Christus und die Sünderin* (Kat. 18), das im Format identisch ist und vielleicht als Gegenstück gemeint war. Im Vergleich zur *Kreuzabnahme* artikuliert sich dort eine totale Aggressivität, eine in ihrer Widerlichkeit letztlich auch positive, weil lebendige Kraft menschlichen Hasses. Und Christus wird ja zudem als Verzeihender, Barmherziger gese-

hen, eine Interpretation, die weit von der *Kreuzabnahme* entfernt ist. Hier ereignet sich eine Apokalypse des Todes als allgemeine Auszehrung, als absolutes Ende jeglicher Vitalität. Und nicht der im Tod triumphierende oder die Welt durch sein Leid erlösende Christus ist hier gemeint, sondern mitleidslose Anklage, die alles mit sich reißt. Das stille Leiden der Assistenzfiguren, ihre gestelzten Bewegungen und überdünnen, expressionistisch-maneriert überdehnten Gliedmaßen wie auch ihre unglaubwürdige, erstarrte Verzweiflung geben dem Ganzen darüber hinaus den Charakter eines Passionsspiels. Dem Betrachter wird in der überpointierten Dreieckskomposition und den unnatürlichen perspektivischen Verzerrungen, durch die Christus z.B. die Stigmata gleichzeitig aufweisen kann, die Szene zu einem bewußt >gestellten< Bild mit betont emblematischem Verweischarakter. Die immer wieder festgestellte Nähe zu mittelalterlicher Kunst, die von Beckmann selbst stets betont wurde, endet ohne Zweifel bei dieser ganz dem 20. Jahrhundert zugehörigen Interpretation der Christusfigur, die nicht einmal der geringsten Hoffnung Raum läßt. In einer 1946 entstandenen Zeichnung setzte sich Beckmann nochmals mit der *Kreuzabnahme* von 1917 auseinander. Wenngleich die Begleitfiguren und die Komposition insgesamt neu gefaßt sind und dem Ganzen eher ein karikaturistischer Zug eignet, bleibt doch der Ausdruck der Vergeblichkeit und Hoffnungslosigkeit bestimmend.　　　C. Sch.-H.

18　Christus und die Sünderin 1917

Öl auf Leinwand; 150 x 128 cm
Bez. o.l.: Beckmann 17
St. Louis, The Saint Louis Art Museum,
Bequest of Curt Valentin
Göpel 197
Literatur: Lackner 1978, S. 62

Bei der dargestellten Szene handelt es sich vermutlich um eine freie bildnerische Umsetzung einer Begebenheit, die im Johannesevangelium (Kap. 8, 3-11) geschildert wird: Die Pharisäer und Schriftgelehrten führen im Tempel Christus eine Ehebrecherin vor, die, wie von Moses vorgeschrieben, gesteinigt werden soll. Christus lehnt das ab (»Wer unter Euch ohne Sünde ist, der werfe den ersten Stein auf sie«) und verzeiht der Frau. Beckmann verlagert die Begebenheit ins Freie und kombiniert sie mit Figuren, die im Johannesevangelium nur indirekt eine Rolle spielen, den Anklägern, Spöttern und Wachleuten; die biblische Vorlage ist ihm damit lediglich Anlaß einer allgemeinen Beschreibung menschlicher Verhaltensweisen. Als Bildanregung mag darüber hinaus auch die Bekehrung Maria Magdalenas gedient haben, wie sie im Lukasevangelium (Kap. 7-10) und besonders in den apokryphen Schriften der Legenda Aurea ihren Niederschlag findet. Die Liebe der Magdalena zu Christus wird hier als ein Zustand mystischer Entrückung geschildert, wie er auch in diesem Bild zum Ausdruck kommt.

Formal und im Gestus eng aufeinander bezogen bzw. miteinander verzahnt ist die Vierer-Gruppe: Christus, Ehebrecherin sowie die beiden Männer hinter ihnen. Sie stehen so eng in der Bildfläche zusammengedrängt, daß sie einzeln keinen Platz hätten. Während Christus mit der rechten Hand die Sünderin aufnimmt, ihr Schutz gewährt, wehrt seine linke den Pöbel ab. Die Ehebrecherin fühlt sich in dieser bergenden Geste so aufgehoben und sicher, daß sie ihre Umwelt nicht mehr wahrnimmt (ihre Augen sind geschlossen); wie in mystischer Versenkung befangen, die Hände betend Jesus zugekehrt, hat sie sich ganz vertrauend in seinen Schutz gestellt. In diesem entrückten Zustand werden Äußerlichkeiten so unbedeutend, daß sie nicht einmal die nackte Brust zu bedecken versucht. Das leuchtend orangerote Tuch auf ihrem Kopf und der gelbe Widerschein am Hals verbinden sich zu einer Art säkularisiertem Heiligenschein, in dem das ganze Gesicht widerstrahlt und ihm eine Aura der Unberührbarkeit verleiht. Dem Mann hinter ihr – bekleidet wie ein Schlachter mit Kapuzenüberwurf und Schürze – kommt die Rolle des spöttischen Vorweisens zu: »Seht her, die Hure!« Sein zur grotesken Maske verzerrtes Gesicht, von der Szene abgewandtes Gesicht, die blutbefleckte Schürze, der gebogene kurze rote Säbel an der Seite, die schwarze, an traditionelle Teufelsdarstellungen erinnernde Strumpfhose diskreditieren ihn als Ankläger, machen ihn zur Inkarnation des Gemeinen. Er kann jedoch weder die Ehebrecherin, noch Christus – den er mit seiner Geste gleichfalls meint – lächerlich machen; sie werden von seinem Spott nicht getroffen, ihre Reinheit – die sich auch in der helleren Farbigkeit ausdrückt – macht ihn vielmehr umgekehrt zur eigentlich lächerlichen Figur. Die vierte Figur hat den Kopf zur Gruppe links gewandt, dabei mahnend den Zeigefinger erhebend. Dahinter drei weitere, nur fragmentarisch erkennbare Gestalten: ein drohend erhobener Arm mit geballter Faust, eine Figur mit merkwürdig verdreht eingehängten Beinen sowie ein fratzenhaft grinsender Kopf. Die linke Rückenfigur wehrt den anstürmenden Pöbel ab – für den der Mann mit drohend zur Faust geballter Hand, bereit, den ersten Stein zu werfen, stellvertretend steht –, den Speer mit beiden Armen gegen ihn wendend. Sein Standmotiv, die angespannten Beine mit den hervortretenden Sehnen und Adern und der Schwung, mit dem er sein ganzes Gewicht auf das rechte Bein verlagert, zeugen von der damit verbundenen Anstrengung.

Die Bildsprache beschränkt sich zur Verdeutlichung des Geschehens auf allgemein- verständliche Zeichen, auf eine in fast allen Kulturkreisen gebräuchliche Körpersprache. Ohne den biblischen Hintergrund zu kennen, werden die meisten Betrachter das Bild aufgrund dieser Gebärdensprache in seinen Grundzügen begreifen und sehen, daß sich hier jemand in die Obhut eines Menschen begibt, der ihn vor Feinden zu bewahren versucht, die ihm spöttisch und drohend gegenüberstehen. Diese auf den diesseitig-menschlichen Aspekt konzentrierte Interpretation ist kennzeichnend für die letzten Bilder Beckmanns zu unmittelbar biblischen Themen; geprägt von den erschütternden Erfahrungen des Ersten Weltkrieges werden sie zu Metaphern allgemeiner menschlicher Unzulänglichkeiten und Gemeinheiten. Daß dabei die einzige positiv handelnde und sich ihrer selbst bewußte Figur, Christus, entfernt die Gesichtszüge Beckmanns angenommen hat, unterstreicht den diesseitigen Charakter der Szene und wirft zugleich ein bezeichnendes Licht auf die Selbsteinschätzung des Künstlers.　　　　　C. Sch.-H.

19　Die Nacht　1918-19

Öl auf Leinwand; 133 x 154 cm
Bez. u. l. v. d. M.: August 18-März 19 Beckmann
Düsseldorf, Kunstsammlung Nordrhein-Westfalen
Göpel 200

Literatur: Linfert 1935 in: Blick auf Beckmann, S. 62. – Busch 1960, S. 53 f. – Selz 1964, S. 32, 35, 39. – Fischer, München 1972, S. 15 ff. – Fischer, Köln 1972, S. 14 ff. – Lenz 1974, S. 185 ff. – Lenz 1976, S. 18 f. – v. Wiese 1978, S. 152 ff. – Erpel 1981, Nr. 5.

Das Hauptwerk der frühen Frankfurter Zeit ist eines der ersten untraditionell verschlüsselten Bilder Beckmanns. Seine bereits 1912 geäußerte Absicht, »aus unserer Zeit heraus mit all ihren Unklarheiten und Zerrissenheiten Typen zu bilden«, realisiert sich in einer drastischen Ereignisszenerie. Drei Mordgesellen sind in die Dachkammer eingedrungen, in der, wie Tisch und Teller zeigen, eine Familie zum Abendessen versammelt war. Jetzt gerät die Welt förmlich aus den Fugen. Der Raum schwankt, die Fensterflügel brechen auf, die Körper der Überfallenen strecken sich in sperrigen Verrenkungen unter dem harten Zugriff der Täter. Zwei der Eindringlinge foltern den Mann; während der eine ihm den Arm bricht, erdrosselt ihn der andere mit einer um den Dachbalken gezogenen Schlinge. Halb entblößt, im aufgeplatzten Mieder und mit breit auseinandergespreizten Beinen ist die Frau Objekt für Vergewaltigung. Beschwörend reckt sie die gefesselten Hände dem Nachthimmel und der Mondsichel entgegen. Der Mann mit Schirmmütze klemmt das Mädchen unter den Arm, um dieses menschliche Paket wohl, wie Schritt, Drehung und Griff andeuten, aus dem Fenster zu werfen. Nur die Frau im Hintergrund bleibt Beobachterin und läßt uns über ihren gespannt entsetzten Blick unmittelbar an dem schrecklichen, sinnlosen Geschehen teilnehmen. Seltsam lautlos, aber deshalb um so unerbittlicher ereignet sich dies alles, denn »glasklare scharfe Linien und Flächen« (Beckmann, 1918, S. 3) schließen mehr noch als der Raum jedes Ding fest in sich selbst ein. Die gegrätschten Beine und ausfahrenden Gesten der Opfer erstarren ebenso wie die gewalttätigen Handlungen der Mörder, bilden doch beide Äußerungsformen ein dicht verzahntes Gefüge. In dieser buchstäblich gedrosselten Bildstruktur aus Schrägen und Verknotungen – die

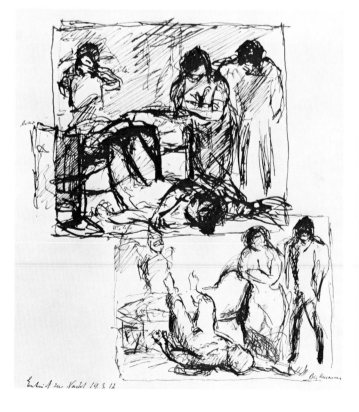

Max Beckmann:
Die Nacht, Radierung
1914

Halsschlinge, die Hände des Pfeifenrauchers und die nur scheinbar an den Fensterrahmen gebundenen Hände der Frau steigern das Würgemoment des Ganzen – bleiben selbst der klagende Hund, der Grammophontrichter und die brennende Kerze tonlos. Die Kerze ist umgefallen und erloschen, verweist auf den Tod. Lebensfeindliches könnte nicht konkreter stattfinden als in diesem kubisch aufgebrochenen Bildfeld, in der an gotischer Kunst orientierten Figurenverformung sowie in der giftig-kalten, grünstichigen Farbigkeit.

Die Bedeutung des Bildes ist vielschichtig und bleibt letztendlich unentschlüsselbar. Sicher spiegelt *Die Nacht* die beunruhigende Situation der Nachkriegszeit. Die Novemberrevolution 1918, der Zusammenbruch des Wilhelminischen Reichs, der kommunistische Januaraufstand 1919, ein Alltag gefüllt von den Erinnerungen an den Krieg, von Armut, Luxus und Gewalt – all dies bildet auch die Gefühlslage für Beckmanns veristisch-aggressive, neu-

sachliche Auffassung dieser Jahre. So steht die Greuelszene dem Themenkreis der Litho-Mappe *Die Hölle* von 1919 nahe (Kat. 247 bis 257) und hier besonders dem Blatt *Martyrium* (Kat. 250), das sich wohl auf die Ermordung Rosa Luxemburgs bezieht. Wie auf dem Titelblatt der Folge *Stadtnacht* von 1920 bricht das Grauen nun in den privaten Raum ein, das vorher den Kriegsschauplatz bestimmt hatte. Der Gehenkte besitzt seine Vorläufer in Beckmanns Zeichnungen und Grafiken, die unter dem Eindruck von Operationssälen und Leichenhäusern 1914/15 entstanden sind. Trotz dieser Momente und der Tatsache, daß die Mörder parteilich als dumpfer Handlanger, kleinbürgerlicher Mitläufer und blindwütiger Proletarier charakterisiert sind, handelt es sich nicht nur um eine politische Allegorie. Wie schon in den frühen Kampf- und Katastrophenbildern (Kat. 10, 11, 12), geht es Beckmann um das › Metaphysische ‹, um die Deutung von Leben generell. »Wir müssen teilnehmen an

dem ganzen Elend, das kommen wird. Unser Herz und unsere Nerven müssen wir preisgeben dem schaurigen Schmerzensgeschrei der armen getäuschten Menschen... Daß wir den Menschen ein Bild ihres Schicksals geben...« (Beckmann, 1918, S. 4.)

Eben diesen Forderungen, die ihren Ursprung im Kriegserlebnis von 1915 haben, bestimmen den Sinngehalt des Bildes. Leben ist Leiden: Beckmann gibt dem männlichen Opfer den gebrochenen Körper und die vorgewiesenen Gliedmaßen des Schmerzensmannes (vgl. Kat. 17). Die Armgeste als Zeichen der Not und Hinweis auf Überwindung wird bis 1921 zum Attribut des Künstlers und seiner Freunde werden (Kat. 21, 31 sowie *Fastnacht*, 1920). Leben ist irdische Hölle: unbegreiflich ist die Rollenaufteilung in Täter und Opfer, wobei, wie im späteren Denken des Künstlers, auch hier der unheilvolle Zusammenhang von Sexualität und Tod angedeutet scheint. Werkgemäß und tiefenpsychologisch verkörpern der

Folterknecht wohl die vernichtend ausgelebte menschliche Begierde und das Opfer den Menschen in den Fesseln der Leiblichkeit. Die beobachtende Frau könnte als Anstifterin und damit als weiterer negativer Aspekt des Trieblebens gesehen werden (vgl. die Entwürfe zur *Nacht* und Radierung *Die Nacht*, Kat. 225). Diese irdische Hölle ist zugleich ein närrisches Lebensspektakel, das wohl noch nicht gnostischen Göttern, wie später, sondern dem christlichen Gott anzulasten ist. Die nun nicht mehr an Nietzsche, sondern an Schopenhauer orientierte Auffassung Beckmanns von 1919 drückt sich hier in der sezierenden Darstellung und in der Leidensdemonstration ebenso aus wie in der Anspielung auf das Thema Fastnacht, das die frühen zwanziger Jahre bestimmen wird. Die Zeugin ist gekleidet als Pierrette; die Schlinge des Gehängten ist das gepunktete Tuch eines Clowns. Nach Göpel handelt es sich bei dem Pfeifenraucher und der Voyeurin um Beckmanns Frankfurter Freunde Ugi und Fridel Battenberg. Die Komposition des Bildes wird wiederholt in dem 6. Blatt der Mappe *Die Hölle* von 1919 (Kat. 253).

Überzeugend hat Lenz (1976) an diesem Bild Beckmanns Rezeption italienischer Kunst nachweisen können: Der Täter mit der Schirmmütze variiert einen Bettler aus dem Fresko ›Triumph des Todes‹ im Campo Santo zu Pisa aus der 1. Hälfte des 14. Jahrhunderts. Nach Mitteilung Günther Frankes befand sich noch um 1923 als einziger Wandschmuck ein Foto dieses Freskos in Beckmanns Frankfurter Atelier. C. St.

20 Das Frauenbad 1919

Öl auf Leinwand; 97,5 x 66 cm
Bez. o. r.: Beckmann F. 19
Berlin, Staatliche Museen Preußischer Kulturbesitz, Nationalgalerie
Göpel 202

Die räumlich dicht zusammengedrängte Figurenkomposition hat kaum Ähnlichkeit mit dem, was der Betrachter mit dem Titel assoziiert. Nichts erinnert an die entspannende und entspannte Atmosphäre eines Familienbades: Die Figuren sind in ein enges Gehäuse gepfercht, das eher an einen Luftschutzbunker oder ein Verlies erinnert und dem einzelnen keinen Bewegungsspielraum läßt. Frauen und Kinder erscheinen in ihrem hektisch-sinnlosen Spiel und ihrer kränklichen Farbe wie Kretins, die in einer auch ihnen selbst unverständlichen Rolle wie irrsinnig verharren. Ihre Haut wirkt ungesund grünlich-grau oder zu rosa und damit wie verbrüht. Das Wasser sieht unappetitlich, blutig und schmutzig aus – alles in allem ein Ort, der nicht zum Verweilen einlädt, aber dennoch die dargestellten Personen wie in einem Gefängnis umschließt.

Die Komposition unterstreicht besonders prägnant die Abgeschlossenheit von außen einerseits und die Isolation der einzelnen andererseits. Das Hermetische des bunkerähnlichen Baderaumes wird deshalb so besonders offensichtlich, weil zu viele Personen auf engem Raum zusammengedrängt sind und weil diese zudem durch die formale Anordnung wie in einem Reigen aufeinander bezogen und deutlich vom Betrachter abgeschlossen sind (Kinder im Vordergrund und Rückenfigur). In den Blickrichtungen wird diese formale Bindung untereinander jedoch nicht aufgenommen; bis auf das mit dem Kind spielende Mädchen vorne gibt es keine Blickkontakte. Damit

ist die Gruppe einerseits nach außen isoliert und gibt andererseits jedoch auch dem Individuum keinen Halt. Diese Vereinzelung in der Gruppe wird in dem überfüllten Raum besonders offenkundig.

Thematische Vorbilder für die Darstellung wird man wohl am ehesten in der Grafik des späten Mittelalters bzw. der Dürerzeit zu suchen haben. Man fühlt sich z. B. an Dürers 1496 datierte Federzeichnung ›Frauenbad‹ (s. Abb. unten) erinnert, die in der Anordnung gewisse Parallelen aufweist und zudem einen karikaturistischen Zug enthält. Jedoch nicht daran, sondern an den extremen Unterschieden zwischen beiden Arbeiten wird Beckmanns eigenartige Interpretation des Themas verständlicher. Dürers Figuren sind ganz vitale Körperlichkeit; in der feisten Alten rechts und der jungen Schönen im Zentrum sind die zwei Seiten einer Medaille, Jugend und Alter, ironisch verknüpft. Die Natürlichkeit wie auch die Komik der Szenerie ergeben sich aus einer unverstellten, offenen Schilderung alltäglicher kleiner Freuden, wie sie die zwanglose Atmosphäre des Badehauses bietet.

Wie anders ist Beckmanns beklemmende Szenerie geraten! Seine Figuren sind ganz unpassend *be*kleidet und die, die nackt sind, würde man angezogen noch eher ertragen: Die Kleinkinder mit ihrer grünlichen Hautfarbe wirken wie kleine, kränkliche Ungetüme, unangenehm quengelig der Junge rechts. Die alte ausgemergelte Frau in der Mitte, negative Entsprechung zur jungen Schönen bei Dürer, bestimmt mit ihrem eingefallen Rücken, in dem die Schulterblätter eckig markiert sind, deutlich die Komposition. Der Blick wird immer wieder über diese Figur in die Bildtiefe gezogen, die ebenso leer und unbestimmt bleibt wie das Ziel, das die Frau auf der Schaukel in der gegenläufigen Richtung anblickt.

Man wird das Bild wohl in enger Beziehung zu Beckmanns psychischer Situation nach dem Ersten Weltkrieg sehen und von daher die Interpretation ansetzen müssen. Wie bei der *Nacht* (Kat. 19) kann es sich auch hier m. E. nur um eine Metapher handeln, denn die Darstellung entspricht nicht einem realen Bild, sondern ist inszeniert. Beckmann wird schwerlich in einem Frauenbad gewesen sein und hätte er wirklich ein Bad darstellen wollen, wären vermutlich die Figuren nicht mehr oder weniger bekleidet.

Das Gefängnis der Welt ist hier noch als ein räumlich geschlossenes aufgefaßt; Unfreiheit ist deutlich noch auf Beschränkung der Bewegungsfreiheit bezogen, auf die Unmöglichkeit, sich im Spiel, in der ›Freizeit‹ frei entfalten zu können. Gleichwohl fällt es schwer, für diese Menschen Mitleid zu entwickeln. Mit ihrer griesgrämigen, nörgeligen Ausstrahlung erzeugen sie eher Abneigung. Von daher erscheint mir dieses Bild – darin typisch für die ersten Nachkriegsjahre – bestimmt durch Doppelpoligkeit: Das Eingesperrtsein des Individuums ist nicht nur ein von außen Gesetztes, sondern auch ein dem Einzelnen Zugehöriges. Dieser selbst ist verstümmelt, unfähig, sich aus seinem Kretindasein zu befreien, dumpf darin verharrend. Dabei macht Beckmann nicht einmal vor sich selbst Halt (vgl. Kat. 22). C. Sch.-H.

Albrecht Dürer: Frauenbad, Federzeichnung 1496

21 Bildnis Fridel Battenberg 1920

Öl auf Leinwand; 97 x 48,5 cm
Bez. o. l.: Beckmann F. 20
Hannover, Kunstmuseum Hannover mit Sammlung
Sprengel
Göpel 205
Literatur: Reifenberg 1921 in: Blick auf Beckmann,
S. 107. – Weisner in: Kat. Bielefeld II, 1976, S. 16

Aufgrund seines Nervenzusammenbruchs wird
Max Beckmann im Herbst 1915, mit dreiwö-
chiger Zwischenstationierung in Straßburg,
nach Frankfurt am Main beurlaubt. Vier Jahre
lang findet er herzliche Aufnahme bei dem
Maler und Weimarer Studienfreund Ugi Battenberg und dessen Frau Fridel in der Schweizer Straße 3. Von 1919 bis 1933 übernimmt er
unter dieser Adresse das Atelier des Freundes.
Die enge Beziehung zu den beiden wichtigsten
Menschen seiner Frankfurter Zeit wird bis zum
Lebensende des Künstlers fortbestehen. Fridel
Battenberg, geb. Carl (1880-1965), war, wie
Zeugnissen aus dem nächsten Freundeskreis zu
entnehmen ist, ein Mensch, der mit Musikali-
tät, Heiterkeit, entschiedener Urteilskraft und
Selbstlosigkeit die geheime Mitte bildete, war
»eine Frau, die immer wieder spenden konnte« (Lili von Braunbehrens, 1969, S. 13). Die
gegenseitige Wertschätzung von Fridel Battenberg und Max Beckmann dokumentiert sich
sowohl in ihren späteren schriftlichen Äußerungen als auch in seinen zahlreichen Radierungen, Zeichnungen und Bildern, in denen er
ihr immer eine exponierte Stellung einräumt.

Eingespannt in das schmale Bildformat und
dicht umgeben von Vorhang, Spiegel und Topf-
pflanze, ist die Frau Bewohnerin einer gebor-
genen, kleinen und abgeschirmten Welt. Selbst
das im Spiegel sichtbare Fenster (Kat. 24) gibt
keinen Blick nach draußen frei. So steht der
Betrachter einer Frau gegenüber, die in ihrer
ganzen Erscheinung Vertrauen sowie Wärme
und Nähe ausdrückt. Mit Neigung, geöffneter
Hand, lächelndem Mund und nachdenklichem
Blick öffnet sie sich gütig einem Eintretenden,
verbleibt aber dennoch in Melancholie und
knapper Gebärde für sich. Die Katze, stetiges
Haustier der Fridel Battenberg – Max Beckmann nannte die Freundin deshalb häufig mit
dem Kosenamen der Katze – mag das Wesen
der Frau wohl zusätzlich symbolisieren, nämlich deren Liebesbereitschaft, Eigenwilligkeit
und Klugheit.

Beckmann faßt die Freundin als geheimnisvolles Wesen und zugleich als die, die nicht nur
ihn willkommen geheißen hat. Der Blick am
Betrachter vorbei auf einen fiktiv Eintretenden, der Spiegel, der die zuneigende Haltung
verstärkt, das gespiegelte Fenster, das diese
Haltung jedoch wieder zurückordnet und die
eigenartige Ambivalenz der Hand stellen die
überindividuelle Situation zwischen Nähe und
Distanz, zwischen dem Für-andere-da-Sein und
doch dem Ganz-für-sich-Sein her. Das Bild enthält jedoch noch eine weitere Bedeutungsebene. Weisner hat den Vergleich zum *Selbstbildnis als Clown* von 1921 (Kat. 31) gezogen. Die
gleichen Attribute einschließlich des stabilisie-
renden Spiegels begegnen uns in dem Frauenporträt. Die vorgewiesene Hand mit dem extrem abgebogenen Finger als Gestik der
Schmerzensmann- und Pietà-Darstellungen,

von Beckmann schon 1917 bei der *Kreuzabnahme* traditionell (Kat. 17), 1918/19 eigenwil-
lig beim Gehenkten in *Die Nacht* eingebracht
(Kat. 19), tritt um 1920 immer wieder als Zeichen für Verletzlichkeit und Leiden auf
(Kat. 25, 23). Diese Pathosgeste, die schmerz-
volle Verkrampfung der anderen Hand (vgl.
die gefesselte Frau der *Nacht*), die die Figur
zur Puppe verändernde Aufsicht und die nur in
den Ärmeln angedeutete Fastnachtskleidung
einer Pierrette ordnen auch hier das menschliche Leben auf der Bühne des vergänglichen,
eitlen und blinden Rollenspiels ein. Spiegel
und Vorhang sind Vanitas-Symbole. Die Würde der Dargestellten kommt ähnlich wie beim
Familienbild (Kat. 25) aus dem unverstellten,
wissenden Blick. Schopenhauers seit 1918 von
Beckmann aufgenommene Vorstellung, daß
das Leben als schreckliches Leiden, aber auch
als bedeutsames Schauspiel, als »Lebensspektakel« zu betrachten sei, spiegelt sich somit
auch in diesem Porträt.

Der beunruhigende Ausdruck der kristallinen Bildstruktur ist der einsamen Stimmung
des Bildes *Die Synagoge* von 1919 (Kat. 24)
verwandt.   C. St.

22 Selbstbildnis mit Sektglas 1919
Öl auf Leinwand; 95 x 55,5 cm
Bez. o. l.: Beckmann Frankfurt a/M Sept. 19.
Privatbesitz
Göpel 203
Literatur: Zenser 1981, S. 26ff.

Der Künstler, der »den Menschen ein Bild ihres Schicksals geben« will, wie Beckmann 1918
schrieb, präsentiert sich hier selbst als gezeich-
netes Opfer. Ein Jahr nach Kriegsende sucht er
die Situation auf, in der das Leben wieder öffentlich aus vollen Zügen genossen werden
kann. Doch der intime Raum mit der Bar-The-
ke umschließt den Gast wie eine Zelle. Der
Champagner im Eiskübel bleibt an den Rand
gerückt, eher den Spielraum des Sitzenden be-
schränkend als auflockernd. Zigarre und Sektglas spiegeln einen Augenblick von Frohsinn,
Souveränität und Überfluß vor, dem der Mann
selbst in allem widerspricht. Beckmann ist fehl
an dem Platz, an dem es sich der satte, infam
grinsende Neureiche im Smoking gut gehen
läßt (vgl. Druckgraphik von George Grosz,
Abb. S. 60). Während das erhobene Sektglas,
projiziert auf den schmalen Ausblick, jenen
treffend ergänzt, steigert es bei diesem die gro-

teske Erscheinung. Eingehüllt in eine schlecht
sitzende Jacke, die mühsam in Pose gerückten
Hände verkrampft und haltsuchend dicht an
die Tischkante geschoben, ist Beckmann der
Entsetzte, der Bewegung und Gesichtszüge
nicht unter Kontrolle hat. In dem eingefalle-
nen Gesicht, das er einem fiktiv Eintretenden
zuwendet, erstarrt das Lächeln zu einem
schmerzvollen Ausdruck.

Das noch gegenwärtige Erlebnis des Krieges, die von Schopenhauer beeinflußte pessimistische Weltsicht, die Notwendigkeit eines
eigenen Neubeginns und die beunruhigende
Gegenwart des Jahres 1919: All dies bringt der
Maler der *Nacht* (Kat. 19) demonstrativ mit
seiner Leidensposition in das Treiben irdischer
Eitelkeit ein. Die im Spiegel sichtbar werdende
Fratze verkörpert wohl gemäß der gnostischen
Lehre, mit der sich Beckmann seit 1918 beschäftigte, die hämischen Schicksalsmächte,
denen der Mensch ausgeliefert ist. Als Zeuge
einer absurden, von Schrecken und Selbstbetäubung erfüllten Wirklichkeit (vgl. die Litho-
Folge *Die Hölle* von 1919, Kat. 247 bis 257) hat
sich Beckmann in den ersten Nachkriegsjahren
mehrfach dargestellt (Radierung *Königinbar*
1920, Kat. 269). Interessant ist der Farbklang,

denn Beckmann gibt sich in dem von *Die Nacht*
her vertrauten kalten Grau-Grün, während er
den umgebenden Raum in Gelb-Rot, Hölle
assoziierend, flackern läßt (vgl. *Der Befreite*,
1937, Kat. 80).   C. St.

23 Der Traum 1921

Öl auf Leinwand; 184 x 87,5 cm
Bez. r. v. d. M.: Beckmann F. 21
St. Louis, The Saint Louis Art Museum,
Bequest of Morton D. May
Göpel 208

Das Bedrängende dieses hier dargestellten Alptraumes liegt in der Unmöglichkeit allen Beginnens, der Sinnlosigkeit allen Bemühens, grotesk übersteigert, weil offensichtlich die einfachsten Grundvoraussetzungen fehlen, das gesetzte Ziel zu erreichen. Die tumben Toren mühen sich ab, wo doch jeder sieht, daß sie nicht die geringste Chance haben. Zentrum der in einem engen Kastenraum eingezwängten Menschengruppe bildet das auf einem Koffer sitzende blondhaarige Mädchen, das offenbar nicht in das aberwitzige Treiben der anderen einbezogen ist. In blauäugiger Naivität sitzt es staunend und ohne Angst, unverstellt und offen, den linken Arm mit der Handfläche nach außen drehend, im rechten eine Beifall klatschende Kasperlpuppe. Nach der Reisekiste zu schließen, scheint sie von außerhalb in dieses Tollhaus Berlin gekommen zu sein, in dem sich Kretins in sinnlosem Treiben abmühen.

Kalkuliert man die Unwägbarkeiten und die eigene Logik des Traumes mit ein (und Beckmann gab dem Bild nicht von ungefähr diesen Titel; damit hatte er die Möglichkeit, den irrwitzigsten Kombinationen die Berechtigung und Wahrscheinlichkeit des Traumes zu geben), so bleiben dennoch ganz deutliche Interpretationsansätze, deren Schlüssel wohl in dem Mädchen, dem Kasper und dem Hinweis Berlin liegt: Berlin als Sammelbecken durch den Krieg entwurzelter, verzweifelter Existenzen, die sich um dieses in seiner Offenheit unberührbare Mädchen versammeln. Krüppel sind sie alle, ob physisch oder psychisch, und der Kasper gratuliert ihnen hämisch zu ihrem verzweifelt närrischen Tun, das seine eigenen Narreteien durch ihre Sinnlosigkeit bei weitem übertrifft. Denn wofür sich diese Krüppel verbissen abmühen, scheint ihnen selbst am allerwenigsten bewußt zu sein. Sie haben alle die Augen wie im Schlaf geschlossen (insofern handelt es sich um einen Traum im Traum), sie mühen sich ab, ohne zu erkennen, wofür, und auch, ohne zu erkennen, womit. Der Mann im Matrosenanzug versucht vergeblich, mit seinen Armstümpfen eine Leiter zu erklimmen, die zu keinem erkennbaren Ziel führt, außer zur Decke, an der er sich gleich den Kopf stoßen wird. Oder will er die dort befestigte Leiter holen, um aus diesem Kastenraum entfliehen zu können, der aber ganz offensichtlich keine Öffnung nach oben hat? Der Blinde tutet besessen und dreht die Orgel, obwohl niemand zugegen ist, der ihn für seine Mühen belohnen könnte oder hat er gar nicht bemerkt, daß er in einem Zimmer ist? Der Krüppel mit Harlekingewand und Stahlhelm rutscht auf seinem Brett, auf Krücken gestützt, sinnlos auf dem Boden voran. Die Frau singt selbstvergessentäppisch und spielt auf einem Cello, das offensichtlich unbespielbar ist. Und die Petroleumlampe im Vordergrund steht bezeichnenderweise so, daß wir ihr Licht nicht sehen können: Sie steht von uns abgewandt und erhellt – wenn überhaupt irgendetwas – so unnützerweise den

Rock der Frau, sie erleuchtet uns jedoch keinesfalls die Szenerie.

Wird das Bild damit nicht zu einer Metapher für das Beckmann immer wieder beschäftigende Thema der Großstadt, als dessen Sinnbild Berlin figuriert? Für das sinnlose, angstvollverzweifelte Treiben einer verlorenen Generation, der durch den Krieg alle Lebensgrundlagen geraubt wurden, die sich aber weiter abstrampelt, ohne zu begreifen, wie sinnlos ihr Tun ist? Beginnt da nicht bereits die durch Schopenhauer inspirierte Vorstellung des Welttheaters Gestalt anzunehmen, in dem die Menschen jene fremden Mächte soviel besser zu unterhalten vermögen, als dies der viel klügere Kasper jemals könnte, der sich seines Handelns, relativ gesehen, stärker bewußt scheint? Damit erhält das Bild einen so grauenvollen Sinn, daß die Verkleidung in einen Traum nötig war, um diese schreckliche Erkenntnis zu relativieren.

Um so trauriger erscheint in diesem Zusammenhang auch das Sichzuerkennengeben des Mädchens, das Öffnen der Hand – denn wer kann die Geste unter diesen Kretins erkennen, wer annehmen? Ihre naive Offenheit, ihr unverstelltes Staunen haben in diesem ›verrückten‹ Ambiente keine erkennbare Überlebenschance.　　　　　　　　　C. Sch.- H.

24 Die Synagoge 1919

Öl auf Leinwand; 89 x 140 cm
Bez. o. l.: Beckmann 19
Frankfurt a. M., Städtische Galerie im Städelschen Kunstinstitut
Göpel 204

Literatur: Reifenberg 1921 in: Blick auf Beckmann, S. 106. – Selz 1964, S. 35, 39. – Lenz 1973, S. 299 ff. – Erpel 1981, Nr. 7

Der ehemalige Börneplatz in Frankfurt am Main mit der Synagoge der Israelitischen Gemeinde: Diese Teilansicht des alten jüdischen Viertels – am linken Bildrand ist auch entsprechend der Topographie der Judenfriedhof angedeutet – verwandelt sich im Bild zu einer rätselhaften und beunruhigenden Stadtlandschaft. Weit in die Tiefe flüchtende enge Straßen, aggressiv vorstoßende Häuserecken, Zäune und Bürgersteige, starr verschlossene, aber unheimlich in sich bewegte Fassaden und ein fahles Morgenlicht erzeugen die abweisende Szenerie, in der sich die drei kleinen Passanten seltsam verloren und nichtswürdig ausnehmen. Unbelebt und hermetisch verriegelt ist die Stadt, in der die Dinge physiognomisches Aussehen gewinnen, in der stabil Gefügtes wie unter äußerem Zwang aus dem Gleichgewicht gerät, der Synagogenbau nach rückwärts kippt, die Häuser sich schwankend ineinanderschieben, die Laternenpfähle taumeln und die Kugellampen schwebend in der Luft stehen. Und dies alles in einer kristallinen Starre, in die auch der bleiche Himmel mit dem künstlichen Morgenrot, der blassen Mondsichel und dem schwerfälligen Fesselballon eingespannt ist.

Trotz der Anhäufung von Gegenständen sind Leere und Drosselung bestimmend, Momente, die Beckmann wie in *Die Nacht* (Kat. 19) durch harte Linearität, kalte Farbigkeit, sperriges Winkelgefüge und perspektivische Verzerrung hervorruft. Vielschichtig sind die Bedeutungsebenen und Realitätsbezüge dieses Bildes, das Christian Lenz ausgiebig untersucht hat.

Quälende Enge und menschenfeindliche Verschlossenheit sind hier weniger Charakteristika einer deutschen Großstadt jener Zeit, als vielmehr Spiegelungen bedrohlicher Gegenwart der frühen Nachkriegsjahre. Das Wort NOT und das überschnittene Gesicht auf dem Anschlag der Litfaßsäule thematisieren profanes Geschehen, denn diese Motive stehen als Kürzel für einen Alltag von Terror und Not. In dem Mappenwerk *Die Hölle* (Kat. 247 bis 257) und dem Bild *Die Nacht* (Kat. 19) hat Beckmann die politische und individuelle Grundstimmung der Jahre 1918/19 zum Gegenstand gemacht. Verborgene, nur zu erahnende Gewalt ist Stimulanz auch der *Synagoge*. Die schwankenden, teils dunklen, teils giftig erleuchteten Fenster ähneln dem Fensterkreuz auf dem Titelblatt zur Illustrationsfolge *Stadtnacht* (1920), hinter dem in »lautlosem Lärm« eine Mordszene geschieht. Die Mondsichel, die auf der Plakatsäule wiederkehrt, mag nach expressionistischem Denken auf Unheil hinweisen (vgl. die Bilder *Auferstehung*, 1916, Abb. S. 85, *Die Nacht*). Der Fesselballon, assoziierbar mit Freiheit, bleibt in den Leitungsdrähten verfangen. Die Übermacht der Gebäude im Verhältnis zur Winzigkeit der Figu-

ren läßt menschliche Existenz nichtig erscheinen – eine Erfahrung, die Beckmann zudem
mit dem Motiv der Fastnachtsgesellschaft ausdrückt. Nach traditioneller sowie Beckmanns
spezifischer Ikonographie ist Fastnacht oder
Maskenball eine Metapher für das Leben, das
der Mensch närrisch, d. h. unfrei und vergäng-
lich führen muß (Kat. 25, 31, 26). Zum ersten
Mal nach dem Krieg verwendet Beckmann hier
diese Verschlüsselung, in die er sich und seine
Frankfurter Freunde Ugi wie Fridel Battenberg einkleidet. Seltsam bleibt in dem Bildzu-
sammenhang, dessen Rätselcharakter die idol-
hafte Katze zusätzlich markiert, die Motivwahl
der Synagoge. Wie bei der direkten Anspielung auf die Ermordung der Rosa Luxemburg
in *Martyrium* von 1919 (Kat. 250) mag hierin
ein Hinweis auf den seit 1916 auflebenden
Antisemitismus, von dem sich der Künstler kritisch distanzierte, gegeben sein. Auffallend ist
jedoch die formale Korrespondenz zwischen
Synagoge und Platz der ›NOT‹. Das Kultgebäude, dessen Kuppel wie ein Gestirn aufgefaßt
ist, wird wohl demnach die Gegenwelt repräsentieren, Zeichen für Hoffnung und Glauben.
Zwischen 1916 und 1919 hat Beckmann mehrmals religiöse, allerdings christliche Thematik
genützt, um das zeitgenössische Bedürfnis
nach Erlösung zum Audruck zu bringen (vgl.
Kat. 17).
  In ›Schöpferische Konfession‹ von 1918, die
wohl noch vor Kriegsende formuliert wurde,
schreibt er von einem neuen Kultgebäude als
einem Zentrum gegenwärtiger Gemeinschaft:

»Das ist ja meine verrückte Hoffnung, die ich
nicht aufgeben kann und die trotz allem stärker
ist in mir als je. Einmal Gebäude zu machen
zusammen mit meinen Bildern. Einen Turm zu
bauen, in dem die Menschen all ihre Wut und
Verzweiflung, all ihre arme Hoffnung, Freude
und wilde Sehnsucht ausschreien können. Eine
neue Kirche.« Interessant ist, daß dieses Bedürfnis nach Religiosität sich auch im Denken
zeitgenössischer Architekten z. B. der ›Gläser-
nen Kette‹ und des ›Bauhaus‹ äußert. Dennoch, der pessimistischen Grundhaltung Beckmanns entspricht es, daß selbst der monumentale Bau der Synagoge im Bildzusammen-
hang keine Geborgenheit vermittelt.
  Die Synagoge ist ebenso wie *Die Nacht* exemplarisch für Beckmanns eigenwilligen Beitrag zur Tendenz der Neuen Sachlichkeit oder
des Magischen Realismus. Eine Kreidezeichnung mit der Architekturstudie der Synago-
genkuppel existiert in Münchner Privatbesitz.

C. St.

25 Familienbild 1920

Öl auf Leinwand; 65 x 100 cm
Bez. u. r.: Beckmann F. 20
New York, The Museum of Modern Art,
Gift of Abby Aldrich Rockefeller, 1935
Göpel 207

Literatur: Haftmann, Tafelband, 1955, S. 285 f. –
Schmidt 1960, S. 3. – Selz 1964, S. 35. – Fischer,
München 1972, S. 36 ff.

Das Bild zeigt bereits die beruhigt-distanzierte-
re Auffassung, die die Leidens-Thematik der
im Umkreis der *Nacht* entstandenen Arbeiten
ablöst (Kat. 19, 20, 23) und die zunehmend
Beckmanns Denken während der zwanziger
Jahre bestimmen wird. Der niedrige, enge Kastenraum ist dicht gefüllt mit Figuren: Max
Beckmann auf der Bank vor dem Klavier, vom
Rücken gesehen Minna Beckmann-Tube, um
den Tisch versammelt Beckmanns Schwiegermutter, Anni Tube, die Schwester der Frau,
der Sohn Peter und, mit dem Lokalanzeiger,
eine entfernte Verwandte, die im Haushalt
half. Zu diesem Zeitpunkt, genauer seit 1915,
hielt sich Beckmann schon vorwiegend in
Frankfurt auf und befand sich Minna häufig
auf Tournee als Opernsängerin, während die
Familie in Berlin lebte. Peter Beckmann ist
zeitweise bei seiner Großmutter aufgewach-
sen. Mag das Gegenüber von häuslicher Gemeinschaft und abgesondertem Paar auch auf
diese autobiographische Situation hinweisen,
so deuten szenische Gliederung und Motivik
das Dargestellte vor allem als »bedeutsames
Schauspiel« im »Welttheater«. Nicht nur die

beiden Maskierten, auch die Lesenden und Sinnenden agieren, wenn auch versunken in ihr Tun, auf der Bühne der »Fastnacht«. Denn die Tute unter der rechten Figur setzt die Tischrunde in Beziehung zum verkleideten Paar. Das Thema Fastnacht, Maskenball oder Karneval steht zentral im Werk Beckmanns und ist Gleichnis für eine zu Widersinn, Rollenspiel und Vergänglichkeit verurteilte Welt, die von negativen Kräften beherrscht wird, wie es etwa das Drama ›Das Hotel‹ zeigt, das Beckmann um 1920 schrieb. Während Beckmann allerdings in der ersten Fassung des Themas (*Fastnacht*, 1920) gegen dieses »Sklavenleben« und Eingeschlossensein noch verzweifelt protestierte, richtet er jetzt den angespannten Blick durch die geöffnete Tür nach draußen in die »schaurige Tiefe« des »unendlichen Raums«, in das »finstre schwarze Loch ... der Ewigkeit«, wie er in einem Brief vom 24.5.1915 schreibt. Er ist der Seher, der das Leiden nur noch attributiv mit der Geste der Hand und dem Kopfverband vorträgt. Nicht mehr die Fastnachtstute des Clowns ist sein Instrument, sondern die Trompete, die wohl auf den Anspruch des Malers, Verkünder zu sein, hinweist (vgl. Kat. 86). Wesentlichste Begleitung des Künstlers ist hier zum ersten Mal die seltsame Figur des Königs, mit der sich Beckmann zunehmend identifizieren wird (Kat. 78, Abb. S. 40). Sie vertritt als Hoheitszeichen dessen Führungsanspruch. Nach gnostischer Lehre symbolisiert der König die geistige und freie Existenz des Menschen und ist dem Narrentum entgegengesetzt. Beckmann hat sich wohl schon seit 1906, auf jeden Fall seit 1918 über

Schopenhauer mit Esoterik auseinandergesetzt. Das Ohr hinter der Tür könnte Anspielung sein auf einen bösen Gott oder Demiurgen, wie er in der gnostischen Auffassung geglaubt wird (Kat. 22, Radierung *Hinter den Kulissen*, 1921).

Das neue Selbstverständnis, das immerhin noch einmal im *Traum* von 1921 (Kat. 23) zurückgenommen wird, drückt sich in mehreren Momenten aus. Der Raum weitet und öffnet sich, die Figuren gewinnen Festigkeit; traditionell geprägte Motive sammeln sich auffällig. Als Vanitas-Symbole verweisen brennende Lichter, Bücher und die erlöschende, rauchende Kerze mahnend auf den Tod (Kat. 19, 23, 26, 81, 82, 84). Die Frau mit Spiegel und Maskengesicht ist Personifikation irdischer Eitelkeit und Täuschung (Kat. 54) und vergegenwärtigt zudem die unheilvolle Rolle, die das »geile Lockmittel« Frau im »Kreislauf des Werdens« immer wieder spielen wird. Die alte Frau Tube, die der Künstler hochschätzte, repräsentiert wohl in Gestik und nachbarlicher Position den kontemplativen Weg der Welterkenntnis (Kat. 113). C. St.

26 Vor dem Maskenball 1922

Öl auf Leinwand; 80 x 130,5 cm
Bez. u. r.: Beckmann/F 22
München, Bayerische Staatsgemäldesammlungen, Staatsgalerie moderner Kunst
Göpel 216

Literatur: Hausenstein in: Kat. München 1928 Günther Franke S. (5). – Linfert 1935 in: Blick auf Beckmann, S. 60 f. – Jedlicka 1959 in: Blick auf Beckmann, S. 122 f. – Martin in: Kunstwerke der Welt Bd. 5 (1965), Nr. 171

Das im Auftrag des Verlegers Reinhard Piper entstandene Bild radikalisiert die Fassung von *Familienbild* (Kat. 25), denn jetzt ist jede Figur einschließlich des Betrachters in das erschreckende Narrentreiben zwangshaft einbezogen. Zweitrangig ist die äußere Situation, die nach Mitteilung Peter Beckmanns in Graz lokalisiert ist, wo seine Mutter als Sängerin seit 1918 an der Oper engagiert war. Versammelt sind: hinter der geöffneten Tür Beckmanns Sohn Peter, lesend; neben diesem Minna Beckmann-Tube, verkleidet als Pierrette mit Tamburin; in der Mitte der Künstler selbst mit Zigarette und schwarzer Halbmaske; zwei Grazer Freunde Frau Beckmanns, der Arzt Dr. Erich Stichel als Pierrot und Grete Skalla sowie Beckmanns Schwiegermutter, die mit brennender Kerze in das Zimmer tritt. Makaber ist die eigentliche Situation, denn der Maskenball wird freudlos, in beklemmender Stille erwartet. Mit starren, maskenhaften Gesichtern verharren die Anwesenden beziehungslos in einem »schwankenden« Raum, hinter dessen Fenstern bedrohlich die schwarze Nacht »der Ewigkeit« (Beckmann, 24.5.1915) steht. Vorweggenommen ist

27 Stilleben mit brennender Kerze 1921
Öl auf Leinwand; 50 x 35cm
Bez. o. r.: Beckmann F. 21
Privatbesitz
Göpel 209
Literatur: Schmied 1969, S. 34. – Fischer, München
1972, S. 73

Das Bild ist das erste einer Reihe von Still-
leben, in denen das Motiv der Kerze eine wesentliche Rolle spielt. In dem Geschehen der
Nacht von 1918/19 (Kat. 19) als brennendes
und umgestürztes, erloschenes Lebenslicht den
gemarterten Figuren zugeordnet, im *Familienbild* von 1920 (Kat. 25) mit rauchendem Docht
die eitle Selbstbespiegelung der maskierten
Frau begleitend, fungiert die Kerze als traditionelles Symbol für Vergänglichkeit. Auch im
Stilleben ist sie mahnender Hinweis auf das
Ende irdischer Dinge, denn sie ist weit nieder-
gebrannt. Kreisförmig umzogen von den Tisch-
tuchfalten, bildet der Leuchter mit der Flamme
das verschobene Zentrum für ein Arrangement, zu dem sich Blumen, Lauchstangen,
Nüsse, Blasinstrument, Zigarrenkiste, Spiegel
und Petroleumlampe fest zusammenschließen.
Die Linie der Raumecke, die Winkelneigung
von Lampe, Spiegel, Maiglöckchen und Hya-
zinthe, die aperspektivische Aufsicht und die
gedrängte, kreisende Anordnung der Gegenstände steigern die strenge Gruppierung. Trotz
der Häufung von Vanitas-Symbolen – Blumen,
Instrument und Spiegel sind wie die Kerze seit
dem 17. Jahrhundert Motive des Memento-
Mori-Bildes – scheint dieses Stilleben jedoch
eher das Leben zu feiern als das Vergängliche
zu repräsentieren (Fischer). Denn gegen das
kleine Licht tritt dominierend das üppige
Wachstum der Pflanzen an. Lauchstangen und
Instrument bringen phallische Formen ein. Die
Zigarrenkiste betont das Diesseitige und vertritt in Verbindung mit dem Blasinstrument die
Anwesenheit des Künstlers. Beckmann hat
sich häufig mit Instrument und als Raucher
dargestellt (vgl. Kat. 25, 31). Beunruhigende
Momente, die um 1919/20 mit Kerze und
dunkler Instrumentenöffnung verbunden waren, treten hier zurück. Der im Verhältnis zu
Früherem gefestigte Bildaufbau und die gewonnene Kompaktheit der Dinge zeigen das
Maß von Ruhe, Gleichgewicht und Distanz,
das auch Beckmanns *Selbstbildnis als Clown*
desselben Jahres kennzeichnet (Kat. 31). In
den folgenden Jahren werden Stilleben allerdings zunehmend zu magischen Anordnungen
werden. Das Motiv der Zigarrenkiste wird variierend aufgenommen vom *Stilleben mit Zigarrenkiste*, 1926 (Kat. 47). C. St.

das später artikulierte Lebensgefühl: »Eingesperrt wie Kinder in einem dunklen Zimmer,
sitzen wir gottergeben da und warten darauf,
daß man uns die Tür aufmacht und uns zur
Hinrichtung, zum Tode führt.« (Beckmann,
1927). Wie schon in Bildern aus dem Umkreis
der *Nacht* (Kat. 19, 20, 23) wird Leben als ein-
geschlossene und negativen Kräften ausgelie-
ferte Marionettenexistenz gedeutet. Nur zwei
Figuren übernehmen im Kreis der Rollenträger distanzierte Positionen. Analog der früheren Aufgabe verweist die alte Frau mit der
Kerze auf Vergänglichkeit und Erkenntnis. Jäh
herumfahrend, demonstrativ maskiert und ste-
chenden Blicks verkörpert Beckmann hier bereits »Stolz und Trotz den unsichtbaren Gewalten gegenüber«, den er bis zum Lebensende
behaupten wird (Tagebücher, 4. Mai 1940).

Frei von Verzweiflung und Anstrengung, ist
der Künstler der aufsässige Zeuge, der wie ein
»Ausrufer« oder »Zirkusdirektor« das »Lebensspektakel« auf der Bühne vorstellt
(Kat. 271). Hauptakteur des »Circus Beckmann« ist der als Pierrot und Akrobat Verkleidete, der das melancholisch-grübelnde
zweite Ich des Max Beckmann zu spiegeln
scheint. Der Blick durch die geöffnete Tür, bekannt vom *Familienbild*, und die angegossene
Maskerade legen diese Vermutung nahe.
Beckmann hat sich Anfang der zwanziger Jahre in diesen Rollen dargestellt. Offen bleibt die
Bedeutung der Katze mit dem Buch oder dem
Kalender. Die Komposition wird seitenverkehrt aufgenommen von der gleichnamigen
Radierung von 1923. C. St.

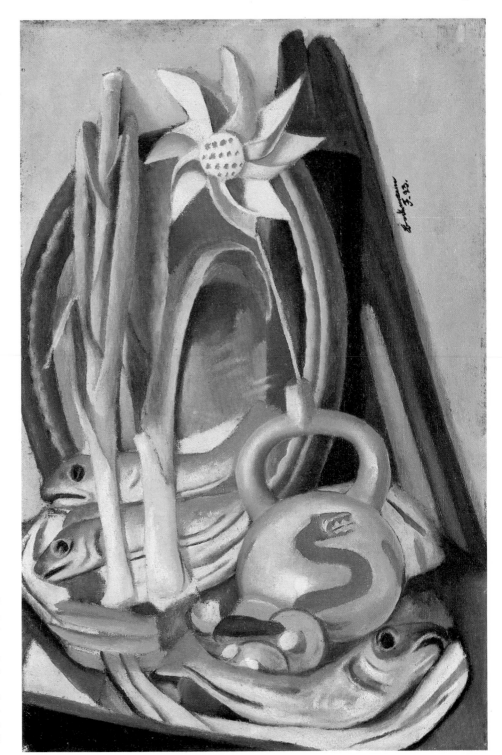

28 Stilleben mit Fischen und Papierblume 1923

Öl auf Leinwand; 60,5 x 40 cm
Bez. o. r., senkrecht von unten nach oben
geschrieben: Beckmann F. 23
Minneapolis, University of Minnesota Art Museum,
Gift of Ione and Hudson Walker
Göpel 220

Literatur: Reifenberg, S. 7

Dichter und konzentrierter als in *Stilleben mit brennender Kerze* von 1921 (Kat. 27) sind die leblosen Dinge zueinander geordnet. Ein kreisender Zug bestimmt jetzt das ganze Bildfeld, denn dem Oval des Spiegels antworten das Rund der Vase, die gefächerte Papierblume und die rhythmische Schichtung der Fische. Die nun aufrecht stehenden Lauchstangen stabilisieren mit dem Widerlager der rechten Seite die Gegenstandsgruppe. Eindeutig geprägte Vanitas-Symbole sind, abgesehen von dem des Spiegels, nicht aufgenommen.

Dennoch handelt es sich auch bei diesem Bild um eine Metapher für Leben, wie sie Beckmann aus pessimistischem Denken heraus immer wieder aufs neue formuliert hat. Motive und Kompositionsprinzip geben den Hinweis auf die Bedeutung. Als Teil einer negativen Symbolik verkörpert in Beckmanns Werk der phallisch geformte Fisch nicht nur Fruchtbarkeit, sondern vor allem die Seele, die durch Triebbedürfnisse verführt, in den ausweglosen, materiellen Ablauf von Leben und Tod gezwungen wird (Kat. 70, 121 sowie *Kinder des Zwielichts*, 1939, Kat. 87).

Als Ursache dieses Prozesses und als dämonische Kraft fungiert die Schlange, die – von der Geschichte des Sündenfalls her vertraut – hier auch eine wichtige Rolle spielt. Akzentu-

iert als Dekor auf die Vase gesetzt, bestimmt sie den Bewegungszug der Fische, der spiegelbildlich ihre Kurvenlinie wiederholt. In späteren Stilleben, für die Beckmann die Vase – ein mexikanisches Trinkgefäß, das sich heute im Besitz von Mathilde Beckmann befindet –, wieder zeichenhaft nützen wird, wird das Dämonische an unheimlicher Ausstrahlung gewinnen, so in *Stilleben mit mexikanischer Figur*, 1931.

Über diesen Zusammenhang hinaus, der sich häufig variiert in den großen mythologischen Bildern findet, scheint hier sogar schon der gnostische Gedanke von »ewigem Kreislauf« und Wiedergeburt anzuklingen. Denn

eingeleitet und zentriert vom Drehmechanismus der Papierblume, die wohl eher ein Windrad ist (Reifenberg führt Vase und Windrad als Dinge der Beckmannschen Wohnung an), entwickelt sich eine Bewegung über Spiegelrahmen, phallische Lauchstangen und Fische abwärts, um festgeschlossen über Schlangenmotiv, Vase und Spiegelbogen wieder in das Windrad zurückzukehren (vgl. das späte Symbol der Windmühle, Kat. 114). Der Spiegel, der so eng mit dem gebundenen System verknüpft ist, nimmt bereits die Außenform des kabbalistischen ›En-Soph‹ vorweg, von dem in den Bildkommentaren von 1924 an häufiger die Rede sein wird.   C. St.

und »Homer in der Portiersloge« nannte. Es entsteht der Eindruck, »als habe der Maler eine geradezu kindliche Freude daran, saftiges Blattwerk, üppige Blüten und feste Stämme darzustellen.« (Fischer, S. 73). Dem Betrachter wird eine unreale schwebende Position zugedacht. Die Schranke, die eine Schräge von links unten nach rechts oben andeutet, wird begrenzt durch zwei Parallelen, Eisengitter und Bahngeleise. Der Blick wird über eine tiefer gelegene Ebene auf eine Art ›Bühne‹ gelenkt. Die kulissenhaft zusammengesetzte Häuserfront ist so dem Betrachter gegenübergestellt, wenn auch der Blick förmlich in die Tiefe gesogen wird. Eine übergeordnete Perspektive, der die dargestellten Dinge folgen, gibt es nicht. Die Mehrschichtigkeit der Oberflächenfassade wird freigelegt, jeder Gegenstand ist für sich gesehen, erlebt und wiedergegeben. Aus den einzelnen Körpern baut sich der Bildraum auf.   M. B.

29   Das Nizza in Frankfurt am Main 1921

Öl auf Leinwand; 100,5 x 65,5 cm
Bez. o. r.: Beckmann F 21
Basel, Kunstmuseum
Göpel 210

Literatur: Einstein 1926, S. 567. – Rave 1949, S. 79. – Reifenberg in: Was da ist, Kunst und Literatur in Frankfurt, Frankfurt/M. o. J. (1963). – Reifenberg, FAZ, 10. 2. 1970. – Fischer, München 1972, S. 27 ff., S. 73

Das ›Nizza‹ in Frankfurt, dessen Namensgebung auf der Tatsache beruht, daß Frankfurter Gartenarchitekten im 19. Jahrhundert Parkanlagen an der Riviera schufen, ist eine Anlage am rechten Mainufer zwischen dem Geleise der Hafenbahn und dem höher gelegenen Untermainkai. »Immer im südlichen Schutz unter der Sandsteinmauer, ... dem Wasser nah, wuchs da ein außerordentlich gepflegter Ziergarten empor, mit seltenen Gewächsen, beinahe exotisch.« (Reifenberg)

Obgleich hier eine reale Stadtansicht abgebildet ist, die sich einwandfrei identifizieren läßt, wirkt sie doch eher wie eine unbelebte Traumlandschaft mit Spielzeugcharakter. Besonders die satten, grünen Pflanzen erinnern an die naiven Urwaldbilder Henri Rousseaus, den Beckmann seinen »großen alten Freund«

30   Der Eiserne Steg 1922

Öl auf Leinwand; 120,5 x 84,5 cm
Bez. u. r. v. d. M.: Beckmann F 22
Düsseldorf, Kunstsammlung Nordrhein-Westfalen
Göpel 215

Literatur: Einstein 1926, S. 567. – Busch 1962 S. 47. – Selz 1964, S. 39. – Schmied 1969, S. 34

Der ›Eiserne Steg‹ in Frankfurt, die Fußgängerbrücke, die im neugotischen Stil 1868/69 errichtet wurde und damals großes Aufsehen erregte, verbindet die Altstadt mit dem auf dem Bild sichtbaren Stadtteil Sachsenhausen. Brücke und damalige Umgebung sind topographisch genau wiedergegeben: der Landeplatz mit Kran und Bagger, der Main mit dem Schiffsverkehr und der umzäunten Badeanstalt und die neugotische Dreikönigskirche am jenseitigen Ufer des Flusses. Ebenso wie in dem Bild *Nizza* (Kat. 29) ist hier die tatsächlich bestehende Ansicht einer Stadt zu erkennen. Und auch hier wird sie als Zitat der Wirklichkeit umgesetzt in eine andere Realität, in eine neue Dinglichkeit mit neuartiger Definition der Gegenstände und ihrer Volumen.

Die in die Tiefe fliehende Brücke wird begrenzt durch den Dachfirst im Vordergrund und das gegenüberliegende Mainufer. Diese Z-förmige, klar angelegte Bildkomposition erscheint kühl durchdacht, beinahe so wie der ›Eiserne Steg‹ architektonisch entworfen.

Abstrus, sich vorzustellen, daß die Stadt mit ihren mächtigen Gebäuden, der eindrucksvollen Brücke, ihrem Dreck und Lärm, den Kabeln, die den Himmel durchziehen, von den hier so winzigen Menschen erdacht und erbaut wurde. Diese nehmen eher die Stellung von Komparsen ein, und es scheint, als seien sie den erst hochgelobten technischen Neuerungen jetzt untergeordnet, Gefangene ihres Fortschrittglaubens.   M. B.

schlossen von einer Gestik, die an den Typus des verspotteten, leidenden und auferstandenen Christus erinnert. Die Narrenpritsche ähnelt dem Spottzepter; die Verschattung der vorgewiesenen Handfläche dem Wundmal des Gekreuzigten. Sessel und Vorhang variieren Motive des traditionellen Herrscherbildnisses, rahmen also die Figur im Sinne würdiger Repräsentation. Für Fischer, der diese ikonographischen Bezüge hergestellt hat, verkörpert das Bildnis die »melancholische Meditation« über die Dialektik zwischen königlichem Führungsanspruch und ohnmächtiger Clownerie.

Würde ist jedoch das primäre Merkmal des Bildes, denn alle Schrägen und Verzeichnungen, die bisher die Szenerien schwanken ließen, festigen den Aufbau, und Attribute wie Gesten erzeugen ein angespanntes Gleichgewicht. Der Spiegel, das Vanitas-Symbol, stützt die Figur. Das merkwürdige Mißverhältnis von heller Wand, Vorhang, Bretterverschalung und Bodenlosigkeit suggeriert schließlich den Eindruck, als treibe der Künstler mit dem Sessel aufwärts. Distanz zur Rolle erzeugt die Strenge, aus der heraus Beckmann nun das Leben distanziert beobachten und verbildlichen kann (Kat. 271 bis 274 und 26). Die Wende kündigt sich schon im *Familienbild*, 1920 (Kat. 25), an. Man vergleiche dagegen die verletzlichen Selbstbildnisse aus der Zeit von 1915-1919 (Kat. 15, 22).   C.St.

32 Varieté 1921

Öl auf Leinwand; 100,5 x 75,5 cm
Bez. o. l.: Beckmann F. 21
Mr. and Mrs. Jerome L. Stern
Göpel 213

Auffallend an dieser frühen Variante des von Beckmann so bevorzugten Themas Bühne, Zirkus, Varieté ist die Beziehungslosigkeit der Artisten untereinander; obwohl sie vor Publikum agieren, entsteht der Eindruck einer Probe, bei der jeder sein Kunststück ohne Rücksicht auf den anderen und ohne Koordination trainiert. Allerdings gibt es eine Zusammengehörigkeit im formalen Bereich: die Komposition, ihr Halt zu den Bildrändern hin, entsteht ausschließlich aus den Figuren und den Requisiten; aus ihnen, nicht jedoch tatsächlichen räumlichen Gegebenheiten, entsteht der Bildinnenraum, er ist mit ihnen selbst identisch. Der Hintergrund bleibt demgegenüber eine eher neblige, undifferenzierte Folie für ihr Tun. Darin unterscheidet sich diese Komposition deutlich von den vollgestopften Kastenräumen in den wenig vorher entstandenen Bildern (vgl. u. a. Kat. 20, 23). Dies hat zur Konsequenz, daß die Figuren auf der Bühne als geschlossene Form erscheinen, zu der das Publikum keinen Zugang hat, verstärkt durch den knappen Ausschnitt des Zuschauerraumes, der so tief liegt, daß die dort Sitzenden das Geschehen in extremer Untersicht und mit verrenktem Hals betrachten müssen. Allein aus dieser Kompositionsform entsteht eine unüberwindliche Barriere zwischen Künstler und Publikum, die sich doch im Hinblick auf die tatsächliche Entfernung eigentlich leicht berühren könnten.

31 Selbstbildnis als Clown 1921

Öl auf Leinwand; 100 x 59 cm
Bez. o. r.: Beckmann F. 21
Wuppertal, Von der Heydt-Museum
Göpel 211

Literatur: Jedlicka 1959 in: Blick auf Beckmann, S. 119f. – Fischer, München 1972, S. 38ff. – Evans 1974, S. 15. – Weisner in: Kat. Bielefeld II, 1976, S. 16. – Wachtmann S. 16ff. – Zenser 1981, S. 37ff.

Das demonstrativ verschlüsselte Selbstbildnis markiert eine Wende im Leben Beckmanns, denn um Distanz bemühte Selbstbefragung löst die exzessiv gelebte Verzweiflung der Nachkriegsjahre ab. Der Künstler präsentiert sich als Narr, Leidender und Würdenträger. Die Requisiten der Fastnacht – Trompete, Maske, Pritsche und Harlekinkragen – werden um-

Die Varietékünstler vertreten unterschiedliche Sparten ihres Metiers. Da gibt es einerseits die klassischen Akrobaten und den Jongleur, aber zudem auch zwei Figuren, die eher mit Zauberkunst in Verbindung zu bringen sind: ein mit Eselsmaske und Sternenmantel Bekleideter sowie eine Frau mit verloschener, achtlos umgekippter Kerze, Sternenhaarband und schwarzer Katze – traditionelle Zeichen, die eine magische Komponente einfügen und gleichzeitig in versteckter Form auf Vergänglichkeit, ein dunkles Schicksal und die Rätselhaftigkeit dieses Lebens anspielen.

C. Sch.-H.

33 Das Trapez 1923

Öl auf Leinwand; 196,5 x 84,5 cm
Bez. u. r. v. d. M.: Beckmann F 23
Toledo/Ohio, The Toledo Museum of Art, Gift of
Edward Drummond Libbey
Göpel 219

Literatur: Reifenberg 1949, S. 20, 30, 69. – Busch
1960, S. 59 f., 64. – Fischer, München 1972, S. 46 f.

Wie schon bei *Varieté* von 1921 (Kat. 32) nimmt Beckmann hier sein Motiv aus der Welt von Zirkus und Jahrmarkt, die ihm, wie der Fastnachts-Bereich, Metapher für menschliches Handeln war. Eng zusammengedrängt und ohne Bewegungsfreiheit turnen die Akrobaten an Trapezstangen und in einem vieleckigen Gehäuse, das, obwohl räumlich hinter den Trapezleinen zu denken, die Trapeze fest umschließt. Das Agieren der Figuren wird sinnlos, denn der Kasten läßt das Schwingen nicht zu, das sich in dem kopfüber hängenden Mann und der indianisch kostümierten Frau andeutet. Der im Verhältnis zur Größe der Menschen zu knappe Abstand zwischen Bodenzone und Turngerät erzeugt eine Art Kistenraum, der noch zusätzlich beschränkt wird durch das schmale Hochformat. Zwangshaft ineinander verzahnt, behindern Männer und Frauen einander in ihrem Tun, das Schwerfälligkeit und Anstrengung ausdrückt. Akrobatisches kommt zum Stillstand, ja, scheint hier nur dazu zu dienen, das Schwankende des Gehäuses und der Trapeze mühsam im Gleichgewicht zu halten. Grotesk ist auch die Erscheinung der Menschen, die, puppenhaft mechanisiert, trotz dichtester Verstrickung isoliert voneinander handeln.

Das Bild veranschaulicht Vergeblichkeit und Unfreiheit menschlicher Existenz, die Beckmann seit dem Ersten Weltkrieg bis zum Lebensende immer wieder zum Thema seiner Arbeiten gemacht hat. Die späteren Akrobaten- und Sportlerbilder, deren turmähnliche Komposition *Das Trapez* vorwegnimmt, formulieren das Moment gehemmter Bewegung und gefährdeter Balance in neuer dinglicher Weise (Abb. S. 41). Die kleinteilige, sperrige Bildstruktur, der Guckkastenraum und der Marionettencharakter der Figuren sind Merkmale der demonstrativ-emblematischen Werke zu Anfang der zwanziger Jahre. Vertraut aus diesem Zusammenhang sind die entleerten oder angsterfüllten Physiognomien und die Anspielungen auf das närrische Treiben der Fast-

nacht. Auffällig ist die Position des am Boden
niedergedrückten Mannes, der seine Hand im
Leidensgestus vorzuweisen scheint (Kat.31).
Vielleicht handelt es sich bei dieser Figur um
ein verschlüsseltes Selbstporträt, zumal das
Beieinander dieser Figur und des Negers am
rechten Bildrand wohl das sechste Blatt der
Mappe *Jahrmarkt* variiert. Der Gehenkte in
Galleria Umberto, 1925, wäre mit dem Motiv des
Mannes am linken Bildrand, der sich kopfüber
krampfhaft am Gestänge festhält, zu verglei-
chen.

   Ausstellungskataloge und Kritiken vor 1930
kennzeichneten das Werk als ›Großes Trapez‹
im Unterschied zum ›Kleinen Trapez‹, auch
Varieté (Kat.32) genannt. Das Motiv des Tra-
pezes tritt in zwei späteren Bildern noch einmal auf, in *Artistin*, 1936, und *Akrobat auf der
Schaukel*, 1940.   C.St.

34 Tanz in Baden-Baden 1923
Öl auf Leinwand; 100,5 x 65,5 cm
Bez. u. r.: Beckmann Baden Baden 23
München, Bayerische Staatsgemäldesammlungen,
Staatsgalerie moderner Kunst
Göpel 223

Literatur: Busch 1960, S. 56, 58. – v. Wilckens in:
Das Kunstwerk 13 (1959/60), Nr. 1, S. 15. –
Schmeisser in: Neue Deutsche Hefte Nr. 84 (1961),
S. 60 f. – Lackner 1978, S. 70

Eindrücke von einem Aufenthalt in dem mondänen Kurort verdichtet Beckmann zur Situation eines unverkleideten Maskenballs. Tanz
als Gesellschaftsspiel, als Spiegel grotesker
Gegenwart und als Lebenstanz schlechthin:
auf engstem Raum zusammengedrängt, be-
wegen sich die modischen Paare im mecha-
nisch-abrupten Rhythmus eines Tangos. Ohne
eigentlichen Stand, extrem in die Höhe wach-
send und kühl gespreizt über Schultern, Arme
und Schritt, formieren sich die Figuren zu einem marionettenhaften Reigen, in dem jeder
Blick dumpf oder berechnend, jede Berührung
kühl und fremd ist. Der kraftvolle Takt, der
über die im Gleichklang gestreckten Arme und
Hände das Gedränge hart organisiert, ist zugleich Ausdruck gesellschaftlicher Innenwelt.
Unaufhaltsam und rücksichtslos schreiten die
Figuren vorwärts. Aus dem Blickwinkel von
unten gesehen, strecken sie sich kokett und
hochmütig bis zur Decke.
   Nicht Sinnlichkeit schließt diese Paare zusammen, sondern das äußerliche Spiel mit
Würde, Erotik und Luxus. Verdinglicht und
damit käuflich stehen fahles Fleisch, glänzende
Stoffe, glitzernde Pailletten und das Schwarz-
Weiß der Smokings gegeneinander. Sarka-
stisch und zugleich fasziniert faßt Beckmann
das Treiben dieser morbiden Neureichen, dieser Inflationsgewinnler, die sich ohne Blickkontakt ineinander verklammern. Nicht nur
der Tanz, ursprünglicher Ausdruck für Da-
seinslust, pervertiert zum System raffinierter
Ausbeutung. Rollenspiel, Maskengesicht und
schillernde Oberfläche bestimmen auch das
Paar im Vordergrund, das sich bei eitler Konversation nur materiell in der Berührung von
Hand und Fächer trifft. Kühle Eisfarben, die

strenge Ordnung eines Spielkartenmusters und
die extreme Blickführung nach unten und oben
sind die anschaulichen Mittel, mit denen Beckmann – konzentrierter als George Grosz oder
Otto Dix (Abb.S.60, 106) – die Neureichen
der Nachkriegszeit porträtiert.
   Gesellschaftsszenen dieser Art nehmen zu
Anfang der zwanziger Jahre vor allem im
graphischen Werk Beckmanns breiten Raum
ein. Vergleichbar dem zweiten großen Thema
dieser Jahre, der Fastnacht, kommentiert die
Darstellung von Tanz allerdings nicht nur die
infame Gegenwart, die Schrecken und Verelendung vieler mit Rausch und Luxus weniger

zu verdecken sucht. Man vergleiche hierzu das
siebte Blatt *Malepartus* aus der Litho-Mappe
Die Hölle von 1919 im Kontext der Folge und
die Radierung *Königinbar* von 1920 (Kat. 254,
269). Der *Tanz in Baden-Baden* ist auch Metapher für ein Leben, in dem Rollenzwang und
Beziehungslosigkeit bestimmen und die triebhafte Begierde Mann und Frau ausweglos zusammenbindet. Die zentrale Frau im Hintergrund variiert mit Profil, entsetztem Blick
und Pierrettekragen die Zeugin der *Nacht*
(Kat. 19) und bringt somit in das eitle, vergängliche Treiben die Dimension direkter Deutung
– Maskenball und Schrecken – ein.   C. St.

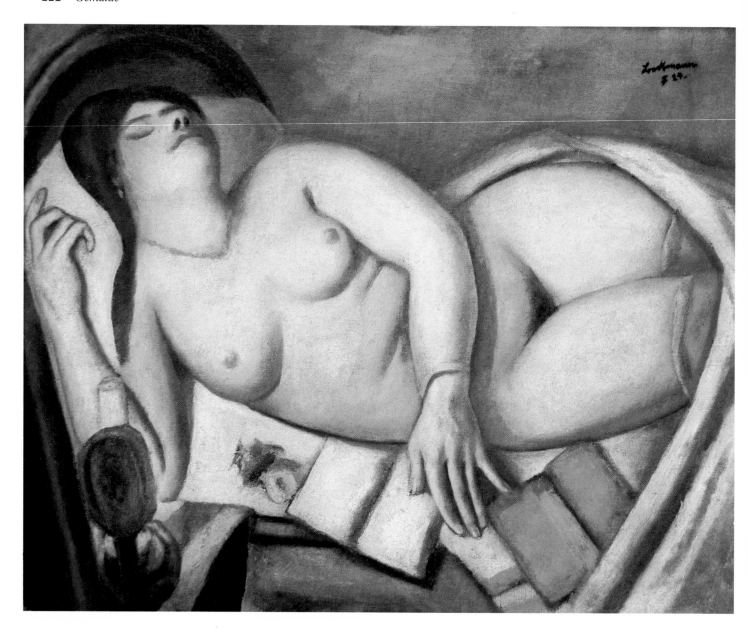

35 Schlafende 1924

Öl auf Leinwand; 48 x 61 cm
Bez. o. r.: Beckmann F 24.
Privatbesitz
Göpel 227

Literatur: Kat. London/New York 1974/1975, Nr. 10

Der Maler hat die Schlafende als Akt dargestellt, die Beine von einem Laken, den Kopf
vom Oberteil des Bettes umfangen. Der Leib
ist durchgebogen und nach vorne gewendet,
wobei die plastischen Energien von den schär-
feren Formen in den Schenkeln über die Falten
in der Leibesmitte und die ausgestreckte Hand
bis zum Kopf und zur lockeren anderen Hand
daneben immer entspannter werden. In der
Wendung nach vorn fängt der Leib, nicht das
Gesicht, voll das Licht der Lampe auf und gibt
es strahlend wieder. Das Zusammenwirken der
doppelten Einfassung, die zugleich Enthüllung
ist, mit der Wendung zum Betrachter und der
Beleuchtung führt zu einer ›Darbietung‹ dieser Frau und das umsomehr, als der Lampen-
schirm und die Stuhllehne vorne Distanz in die
Dunkelheit schaffen. So erfährt der Betrachter
den Anblick der Frau als Ereignis.   C. L.

36 Selbstbildnis auf gelbem Grund mit Zigarette 1923

Öl auf Leinwand; 60 x 40cm
Bez. o. l.: Beckmann F. 23
New York, The Museum of Modern Art,
Gift of Dr. and Mrs. F. H. Hirschland, 1956
Göpel 221

Literatur: Myers, dt. Ausg., 1957, S. 247f. – Selz
1964, S. 39. – Evans 1974, S. 15. – Zenser 1981,
S. 74f.

Strenger und unerbittlicher als in dem anderen
Selbstporträt dieses Jahres konfrontiert sich
Beckmann hier mit der eigenen Person. Ohne
ablenkende Umgebung, vor einer gelben
Wand sitzend und gerichtet auf Gesicht, Brust
und Hände, fixiert er sich in herrischer Pose.
Alles an dieser Figur ist gewaltsam und hart:
der kompakte, breite Aufbau, die jähe, an die
Charakterköpfe des Bildhauers F. X. Messer-
schmidt (1736-83) erinnernde Grimasse, der
durchdringende Blick, der festgeschnürte Kragen und die mächtigen, demonstrativ präsen-
tierten Hände. Der aus der linken Schulter
über die Falten der Jacke in die ruhende Hand
mündende Zug vermittelt in Verbindung mit
dem extremen Kontrast von Licht und Schatten den Eindruck, als ob Beckmann unbe-
herrscht die Jacke zusammenraffte. Das um-
drapierte, rotgepunktete Tuch, Relikt einer
Fastnachtsmaskerade (Kat. 19, 31), unterstreicht diesen Rhythmus, der gegen den dunklen Binnenrahmen zu prallen scheint. Der drohend sich abschließende Beckmann verkörpert
im Unterschied zu seiner melancholischen
Seite hier die seit 1920 vertraute Trotzhaltung
gegenüber Welt und Schicksal (Kat. 26). Das
Bild faßt trotz Harlekintuch nicht den Clown,
sondern den Widerspenstigen, der manchem
wie ein Herrscher mit Zepter erscheinen mag.
Seit 1918 verbindet Beckmann seine Protest-
haltung gegen das Leiden mit der Vorstellung,
daß Existenz von negativen Mächten vorherbe-
stimmt sei. Der neusachliche Verismus des
Porträts steht der Auffassung eines Otto Dix
sehr nahe (Abb. S. 106).   C. St.

37 Bildnis Minna Beckmann-Tube 1924
Öl auf Leinwand; 92,5 x 73 cm
Bez. o. l.: Beckmann F 24
München, Bayerische Staatsgemäldesammlungen,
Staatsgalerie moderner Kunst
Göpel 233
Literatur: Vogt, Köln 1965, S. 152, 198. – Fischer,
München 1972, S. 38

Das Porträt Minnas, das zu den schönsten und
monumentalsten Bildnissen im Werk Beckmanns zählt, ist wenige Monate vor der endgültigen Trennung des Ehepaars entstanden.
Gelassen und ruhig sitzend, leicht nach vorne
geneigt und sinnlich gerundet, verbleibt die
Porträtierte dennoch in kühler Distanz. Sou-
veräne Entschlossenheit ist der Ausdruck: Die
verriegelnde Position quer zur Blickrichtung
des Betrachters, die geschlossenen Arme, der
gegen die laszive Körperneigung entschieden
aufgerichtete Kopf, das herbe, unbewegte Gesicht und die straffe Haltung des Fächers geben
der Figur eine Bestimmtheit, die von der Form
des Stuhles noch gesteigert wird. Der im Spiegel erscheinende Vorhang nimmt die Eigenart
des Bildnisses auf, denn er korrespondiert in
seinem Rosa und den Faltenwülsten mit den
sinnlichen Armen der Frau, bildet mit Stuhl,
Tuch und Fächer eine stabile Rahmung und
wiederholt in seiner Raffung die Art, wie die
Figur sich in den Händen schließt. Sicher fungiert er als Hoheitszeichen (Kat. 31, Abb.
S. 62). Er verweist wohl auf den Bereich Theater, mag also einerseits das Bühnenleben von
Minna Beckmann-Tube andeuten, andererseits
jedoch auch die Metapher Bühne einbringen,
die das menschliche Leben als Rollenspiel
deutet.

Entsprechend den Bildern um 1920 steht
hinter dem Vorhang das dunkle Unbekannte
(Kat. 25, 26). Das gepunktete Tuch, bekannt
als Fastnachtsrequisit, bindet in diesem Sinne
die Frau zurück an die seltsame Wirklichkeit
des Spiegels.   C. St.

**38 Stilleben mit Grammophon und
Schwertlilien 1924**
Öl auf Leinwand; 114,5 x 55 cm
Bez. u. l.: Beckmann F 24
Privatbesitz
Göpel 231
Literatur: Fischer, München 1972, S. 66, 85. –
Kat. Bielefeld 1976, S. 19

Eher als Interieur zu bezeichnen, zieht das
Stilleben ein Resümee zu Beckmanns früher
Frankfurter Zeit. Die Vase mit den Blumen
und der auf ›(An)DENK(en) (Frankf)URT‹ zu
ergänzenden Schrift gibt formal wie inhaltlich
dem Arrangement das Motto. Denn das Rund
des Vasenfußes wiederholt sich, aperspekti-
visch gesehen, im Rund von Tischplatte, Mandoline, Trichteröffnung sowie kleinerem Spiegel und zentriert die kreisende Struktur der
gesamten Anordnung. Zugleich schlagen Blumen, Instrument und gehörnter Tierschädel als
traditionell überkommene Motive das Thema
der Vergänglichkeit an, das von den anderen
Dingen erweiternd aufgenommen wird. Ein

Zug des Dämonischen setzt mit dem Seelentier Katze ein, führt weiter mit dem verschlingenden Grammophontrichter und dem seltsam lebendigen, animalischen Schemel, auf dem eine düstere Maske abgelegt ist, und verdichtet sich schließlich in dem Geschiebe der beiden Spiegel und dem Dunkel, das beunruhigend in die Zimmerecke einbricht. Anstelle von Körpern sammeln sich hier Erscheinungen. Der rechteckige Spiegel fängt das Profil einer maskierten Frau ein. Der Rundspiegel faßt das in diesem Zusammenhang Unwirkliche von Meer, Horizont, Himmel und Lichtereignis. Gerade dieses gespiegelte Bild scheint bestimmbar zu sein, denn es handelt sich wohl um das höchste Symbol der kabbalistischen Geheimlehre, um das ›En-Soph‹, das den »Horizont der Ewigkeit« und die absolute Gottheit sichtbar werden läßt. Das En-Soph als Emblem wird in der kabbalistischen Literatur dargestellt als Kreisring, dessen Inneres durch eine Horizontlinie in eine dunkle untere und eine helle obere Hälfte geteilt wird. Seit 1918 hat sich Beckmann ja schon mit der gnostischen und kabbalistischen Auffassung auseinandergesetzt, daß die Welt von negativen Mächten regiert und in Unfreiheit gehalten werde (vgl. die Bilder um 1919/20 und sein Drama ›Das Hotel‹). Auch dieses Stilleben bezeugt die genannte Auffassung: Der Mensch, gezwungen in das Rollenspiel der Maske und gefangen im Spiegelgeviert, bleibt dem Kreislauf von Leben und Tod ausgeliefert (Kat. 25, 26, 31). Zugleich verweisen Frau und Trichterschlund wohl auf die un-

heilvolle Bedeutung, die die Libido in diesem Kreislauf einnimmt. Das Grammophon ist phallisch-vaginales Vitalitätssymbol, der Schemel mit der Maske deutet auf die Gegenwart unheimlicher Kräfte hin.

Das Bild steht am Anfang einer ganzen Reihe von Stilleben, die als magische Beschwörungsformeln des Geheimnisses aufzufassen sind (*Großes Stilleben mit Fernrohr*, 1927, *Sonnenaufgang*, 1929, *Stilleben mit Helm und rotem Pferdeschwanz*, 1943). Bei dem Spiegelbild der Frau könnte es sich um ein verkleidetes Porträt der Naila handeln (Frau Dr. rer. pol. H. M.), mit der Beckmann wohl schon seit 1923 und für lange Zeit befreundet war (*Bildnis Naila*, 1934). C. St.

39 Seelandschaft mit Pappeln 1924
Landschaft mit Anglern

Öl auf Leinwand; 60 x 60,5 cm
Bez. u. r.: Beckmann F. 24
Bielefeld, Kunsthalle
Göpel 232

Literatur: Lackner 1978, S. 72. – Weisner, Max Beckmann. Seelandschaft mit Pappeln, 1924, in: Erläuterungen zu Gemälden und Plastiken, Kunsthalle Bielefeld. Bielefeld 1978. – Weisner, Konstanten im Werk Max Beckmanns, in: Kat. Bielefeld/Frankfurt 1982/1983, S. 161

Ruhe und Stille liegen über der ganzen Landschaft, dieser gepflegten Natur, in der Bäume und Schilf gereiht sind, in der überhaupt alles

sorgsam geordnet erscheint. Ruhig ist die Oberfläche des Sees, ruhig der zartblaue Himmel. Selbst zwei Männer als die einzigen Menschen sind in der ruhigen, müßiggängerischen Beschäftigung des Angelns dargestellt. Während der eine gerade seine Angel richtet, hält der andere sie, geschützt vom Schilf, über das Wasser. Ein Karren mit Gerätschaften und drei Heuhaufen(?) deuten darauf hin, daß ansonsten hier auch gearbeitet wird. Jetzt aber nicht. So hat die Landschaft mit den beiden Anglern in dem hellen Licht, der Ruhe und Stille und der säuberlichen Ordnung einen sonntäglichen Charakter. Dementsprechend kann das Gemälde keine »sinnbildliche Darstellung der Vergeblichkeit der Existenz des Menschen in einem geschlossenen System« sein, »das einen Ausblick auf einen transzendenten Horizont nicht gestattet« (Weisner 1982/1983). Es zeigt vielmehr friedliches Dasein in einer friedlichen, von Menschen gestalteten Natur.

Man hat bemerkt, daß die *Seelandschaft mit Pappeln* Beziehungen zu Gemälden Henri Rousseaus aufweist (Göpel). Solche Beziehungen sind aber eher »eine Art Ehrung seines Vorgängers« (Lackner 1978) und letztlich unwesentlich, da sich das Gemälde Beckmanns von den Werken Rousseaus in seiner kunstvollen Komposition wie in der treffenden Charakterisierung der einzelnen Naturbereiche und auch in der sinnvollen Einfügung der Menschen in die Natur stark unterscheidet. Das gilt bereits für die *Landschaft mit Luftballon* von 1917, mit der im Schaffen Beckmanns die Reihe dieser Art von Gemälden beginnt. Das Bild von 1917 mit seiner tristen, regnerischen Stimmung und dem unheimlichen Ballon kann zugleich darüber belehren, welche Entwicklung der Künstler bis zu dem Gemälde von 1924 genommen hat. Lackner sieht richtig: »In der ›Seelandschaft mit Pappeln‹ kann man wieder frei atmen.« C. L.

40 Lido 1924

Öl auf Leinwand; 72,5 x 90,5 cm
Bez. u. l.: Beckmann 24 »Lido«
St. Louis, The Saint Louis Art Museum, Bequest of Morton D. May
Göpel 234

Literatur: Fischer, München 1972, S. 50 f. – Brief v. 9. 8. 1924 an I. B. Neumann, in: Auktionskatalog Klipstein und Kornfeld, Bern 1962. – Lenz 1976, S. 21

Nachdem Beckmann im Juli 1924 mit seiner ersten Frau Minna und dem Sohn Peter in Pirano, südlich von Triest, einen Badeurlaub verbracht hatte, äußerte er in einem Brief, daß er nun »einfach daseiendes Leben« malen wolle. »Ohne Gedanken oder Ideen. Erfüllt von Farben und Formen aus der Natur und aus mir selber. – So schön wie möglich.« Hier wird man diese Absicht kaum realisiert finden; sicher, es handelt sich um eine vordergründig recht ausgelassen wirkende Strandszene und die differenzierte, Körperlichkeit plastisch umsetzende Malweise unterscheidet sich deutlich von dem harten, zu Flächigkeit neigenden Stil vorhergehender Figurenkompositionen (Kat. 34). Aber dennoch entsteht nicht der

Eindruck ungetrübter sommerlicher Heiter-keit. Etwas Unergründliches, Geheimnisvolles entzieht die Szene leichter Verständlichkeit und verschließt sie damit auf eigenartige Weise dem Betrachter.

Da sind zunächst die beiden am Strand ge-henden Figuren, die sich durch ihre merkwür-dige Verkleidung ebenso exponieren wie auch gleichzeitig entziehen: Durch ihre Absonder-lichkeit fallen sie einerseits als Fremdkörper am Strand unmittelbar auf, versperren sich jedoch andererseits jedem direkten Blickkon-takt, die an Beckmanns ›Pierretten‹ erinnernde Figur durch einen zeltähnlichen Überwurf und eine tief ins Gesicht gezogene Badehaube und die nach rechts aus dem Bild schreitende durch ein großes Umschlagtuch, das nur die Augen-partie freiläßt. Und auch die sich im Wasser vergnügenden Figuren lassen keine entspannte Atmosphäre aufkommen: Links ein auf dem Rücken liegender Mann mit hochgestreckten Beinen und hinter den Kopf geworfenen Ar-men, der von einer Welle auf den Strand ge-spült wird – ein eigentlich vergnügliches Spiel, das hier jedoch durch die in der Quere liegende kantige Holzplanke, das überschwappende

Wasser und besonders die ungeschmeidige Be-wegung des Schwimmers beinahe halsbreche-risch anmutet. Daneben eine wohl etwas was-serscheue, ängstlich wirkende Frau und rechts ein Mann, der sich recht mühsam mit den schäumenden Wellen plagt : nur noch ein Stück des Kopfes und die hochgeworfenen Arme mit den auffallend klobigen Händen reichen aus dem Wasser. Dazwischen treiben zwei sperrige Holzgestelle, eigentlich wohl als schwimmende Ruheplätze gedacht, die hier jedoch wie Hin-dernisse wirken, an denen man sich verletzen kann. Eigenartig ist auch die kompositionelle Anordnung: das Meer türmt sich zwischen Sandstrand und palastartigen Häusern in ei-nem breiten, das Bild bestimmenden Mittel-streifen auf, und dennoch entsteht nicht der Eindruck, die Figuren könnten darin ausrei-chend Platz finden. Ein Schlüssel zur Interpre-tation dieses merkwürdig doppelbödigen Bil-des ist in dem Gegensatz von verhüllten Figu-ren einerseits und sich offen dem Wasser aus-setzenden andererseits zu vermuten. Beide, die sich der Natur Entziehenden wie auch die sich ihr Ausliefernden, wirken dabei allerdings gleichermaßen unfrei: Die einen sind einge-

schlossen in ihre übergestülpte Rolle, die sie hier ebenso lächerlich und unpassend erschei-nen läßt, wie sie sie umgekehrt auch dem ›na-türlichen‹ Leben entfremdet, die anderen wir-ken hölzern und unbeholfen in ihrem bemüh-ten Spiel; sie sind weit entfernt von der ausge-lassenen, selbstsicheren Heiterkeit und Le-bensfreude, wie sie in Arnold Böcklins ›Spiel der Wellen‹ (1883, Neue Pinakothek, Mün-chen), an das man sich hier unwillkürlich erin-nert fühlt, zum Ausdruck kommt.

C. Sch.-H.

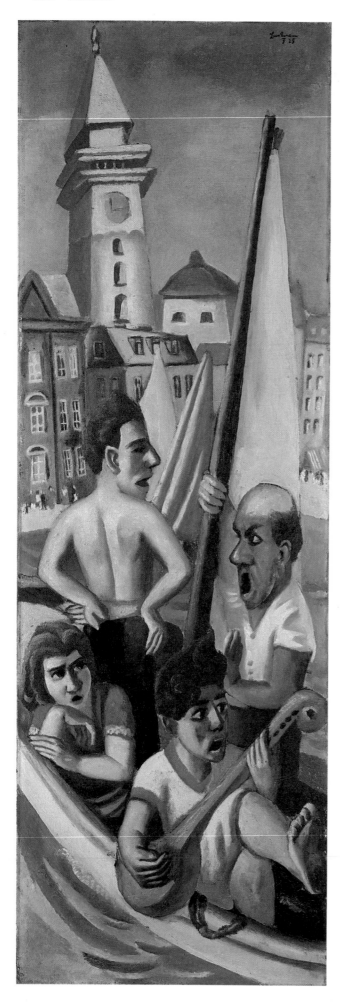

41   Italienische Fantasie 1925
Öl auf Leinwand; 127 x 43 cm
Bez. o. r.: Beckmann F 25
Bielefeld, Kunsthalle
Göpel 238
Literatur: Lenz 1976, S. 22 f.

Das Bild *Italienische Fantasie* geht auf die Reise zurück, die Max Beckmann im Juli 1924 mit seiner ersten Frau Minna Beckmann-Tube und dem Sohn Peter nach Pirano, einem Ort südlich von Triest, unternahm (vgl. Kat. 40). Doch bei der Frau im Boot handelt es sich – laut mündlicher Mitteilung von ihr – um die zweite Frau des Künstlers, Quappi. (Man vergleiche die Physiognomie mit den Quappi-Porträts: Kat. 43, 45). Da das Bild im August 1924 begonnen und im Juni 1925 beendet wurde, dokumentiert es somit eine wesentliche biographische Veränderung. Anfang 1925 ließ sich Beckmann scheiden, am 1. September heiratete er Mathilde von Kaulbach. Der früheren Phase entstammt noch die Rückenfigur, in der ein Grazer Freund Minnas, der Arzt Dr. Erich Stichel, zu sehen ist (Kat. 26).

Beckmann wählt zwar das Motiv einer fröhlichen, südländischen Bootsfahrt mit Mandolinenmusik und pathetischem Gesang. Doch die Figuren agieren ohne Beziehung zueinander, in sich verfangen bei sentimentalem und dröhnendem Singen, bei melancholischem Ausschau-Halten und Grübeln. Gedankenschwer ist der Ausdruck der beiden Reisenden. Der Blick des Mannes im Bug geht nach rückwärts, der Blick der Frau bleibt im Ziellosen. Gerade in dem Kontrast zwischen der italienischen Begleitung und den Fremden wird eine Reise spürbar, die überschattet ist von Zurückliegendem. Die Stadt wird nicht wahrgenommen. Zum Motiv des Bootes: Freie Fahrt findet nicht statt. Das Segel hängt schwer. Das Boot wird überschnitten und festgehalten von den Bildrändern. Die hohe und schmale, dicht gefüllte Bildfläche suggeriert in Verbindung mit dem verriegelnden Horizont und den blockierenden, mächtigen Segelformen eine gehemmte Bewegung, ja sogar eine Art Stillstand, noch verstärkt durch den Mandolinenspieler, der sich mit dem Fuß vom Bildrand abzustemmen scheint und zugleich fixiert bleibt. Die *Italienische Fantasie* öffnet keinen Ausweg in ein »einfach daseiendes Leben«, sondern vergegenwärtigt eine Situation der Unfreiheit, einen ungewissen Zustand zwischen Aufbruch und Ankunft, die beide nicht stattfinden.

Das Erlebnis hilflos ausgelieferter närrischer Existenz, das Beckmann u. a. bereits in den Bildern *Fastnacht* und *Der Traum* um 1920/21 (Kat. 23) gestaltete, klingt somit, wohl auch im Rückgriff auf das traditionelle Motiv des Narrenschiffs, neuerdings an. Das Bild bringt gedämpft die Beunruhigung zum Ausdruck, die sich in der Komposition *Lido* (Kat. 40) mit den verkappten Figuren und dem halsbrecherischen Wellenspiel vermittelt und die sich in der Arbeit *Galleria Umberto* 1925 zur Vision des Unheils steigert. Zwei undatierte Bleistiftzeichnungen, die mit dem Gemälde in Zusammenhang stehen, befinden sich im Besitz von Wolfgang Swarzenski in Winterthur: Hafen mit Häusern und dem dargestellten Turm; Segelboote im Hafen.   C. St.

42 Die Barke 1926
(Spiel der Wellen)

Öl auf Leinwand; 180,5 x 90cm
Bez. o.l.: Beckmann F 26
New York, Richard L. Feigen
Göpel 253
Literatur: Fischer, München 1972, S. 46ff.

Im Verzeichnis des Künstlers erscheint dieses Bild mit dem Titel ›Spiel der Wellen‹, einer Anspielung auf Arnold Böcklins gleichnamiges Gemälde von 1893 in der Neuen Pinakothek in München.

Ein behäbiges, zweikieliges Ruderboot und eine winzige Jolle mit einem Segel sind im sommerlich-fröhlichen Treiben auf dem Wasser aneinandergeraten. Auf dem Segelboot sitzt nur eine halbverdeckte männliche Figur mit dunkler Bademütze (Beckmann stellte sich so oft mit schwarzer Kappe dar, daß es sich dabei um ein Indiz für ihn handelt), dagegen ist das Ruderboot von sieben Personen bevölkert. Während sich das vordere Paar in einem unkomplizierten Spiel vergnügt, das am ehesten mit dem erwähnten Böcklin-Gemälde in Verbindung zu bringen wäre, wirkt die Rückenfigur des Ruderers mit italienischer Flagge und Kind eher ernst und konzentriert. Er bildet eine Barriere zu den ikonenhaft starren, wie bei einer Fotografie in einer eher zufälligen Bewegung unmotiviert festgehaltenen Frauen. Die rechte, eventuell ein verstecktes Porträt von Beckmanns zweiter Frau Quappi, scheint sich gerade abtrocknen zu wollen, ihr Badeanzug ist unter die Brust gerutscht. In diesem Moment angehalten, bekommen ihre durch die Diagonale von weißem Tuch und blauem Badeanzug gerahmten Brüste einen beinahe rituellen Verweischarakter, unterstützt durch die wie zur Begleitmusik klatschend erhobenen Hände der linken Frau.

Der Eindruck eines nur harmlosen, wohligen Sommervergnügens wird allerdings auch durch die Farbigkeit verhindert. Boot und Wasser sind in ähnlich kühlem Grün gehalten, und auffallend ist das zweimalige Auftreten von gleichen Farbakkorden: Weiß/Grün/Rot in den Fahnen, Gelb/Rot gestreift in dem Badeanzug und dem Umhang. In der fast emblematischen strengen Aufteilung der Farben dominiert zurückhaltende Kühle: Das Grün wirkt kristallfarben, Rot und Gelb sind zu leuchtend, um noch angenehme Wärme ausstrahlen zu können. Diese Merkmale in der Anordnung der Figuren und der Farbigkeit bringen zusammen mit der für Beckmann neuartigen Weite und Offenheit des Raumes, der Unbegrenztheit zu den Bildrändern hin, etwas Rätselhaftes in die an sich harmlose Situation. Der Eindruck einer profanisierten rituellen Darbietung, ikonenhaft starr oder auch einem Wandteppich vergleichbar, stellt sich ein. Die Banalität alltäglicher Bewegungen verwandelt sich allein dadurch, daß sie an einem Punkt abrupt gestoppt wird, unversehens in bedeutsame Zeichen. Das Bild ist Beleg für eine stabile Phase im Werk des Künstlers, die – zwar nach wie vor auf Skepsis und Rätsel gegründet – für eine Zeit der unmittelbaren Bedrohung Herr wird und sich verstärkt rein malerischen Problemen zuzuwenden vermag.

C. Sch.-H.

43 Doppelbildnis Karneval 1925

Öl auf Leinwand; 160 x 105,5 cm
Bez. u. r.: Beckmann F. Sommer 25
Düsseldorf, Kunstmuseum
Göpel 240

Literatur: Jedlicka 1959 in: Blick auf Beckmann,
S. 126. – Anderson 1963, S. 76 f., 83 f., 89. – Fischer,
München 1972, S. 40 ff. – Evans 1974, S. 15 f. –
Lackner 1978, S. 74. – Zenser 1981, S. 78

Das Jahr 1925 bringt Beckmann entscheidende Geschehnisse, nämlich im September die
Heirat mit Mathilde von Kaulbach und im
Oktober die Berufung an das Städelsche
Kunstinstitut in Frankfurt/Main. Beckmann ist
nun arriviert und hat in seiner zweiten Frau die
Lebenspartnerin gefunden (Kat. 45, 95, 119,
129). Um so befremdlicher scheint, daß dieses
Mitte August beendete Bild die neue Situation
so ohne Fröhlichkeit erfaßt. Beide Figuren stehen als Träger verordneter Lebensrollen auf
der Bühne des Karnevals, in der Arena eines
Zirkuszelts. Er ist der weißgesichtige Clown,
der sich puppenhaft, passiv und melancholisch
ungeschützt dem Vorne zu öffnet. Sie ist ein
Fabelwesen aus Frau, Pferd und Reiter, das
aktiv in den Raum ausschreitet. Der Farbklang
– Lilastufungen für den Entrückten, wärmere
Grade für die Frau – unterlegt die Rollenverteilung. Bereits Reifenberg hat die schwermü-
tig-hilflose Haltung des Pierrots im Zusammenhang mit dem Gemälde ›Gilles‹, 1717/19,
von Antoine Watteau gesehen (Abb. S. 36).
Mathilde spielt dagegen die führende Rolle.
Sie führt nicht nur das ›Pferd‹, Sinnbild für
Erdkräfte, Instinkt, Tod und Leben; sie
schützt den Pierrot mit Schritt und Pferdemaske vor dem dunklen Spalt zwischen den Zelt-
bahnen und leitet ihn. Denn unter ihrem Blick
scheint er zögernd die Hand mit der Zigarette
zu heben und die Augen zielend auszurichten.

   In diesem Doppelbildnis spiegelt sich zweierlei. Zum einen ist es das grundsätzliche Verhältnis des Künstlers zu seiner Frau: »Es ist
ein Engel, den man mir geschenkt hat, ...«
Das unverkleidete Doppelbildnis von 1941
(Kat. 95) variiert dieses Verhältnis in neuer Situation. Zum anderen ist es die wichtige Phase
der Selbstfindung, die bereits 1920 einsetzt
(Kat. 25, 31, 26) und hier ein Resümee findet.

C. St.

44 Bildnis einer alten Schauspielerin 1926

Öl auf Leinwand; 100,5 x 70,5 cm
Bez. o. l.: Beckmann F. 26
New York, William Kelly Simpson
Göpel 255

Literatur: Erpel 1981, Nr. 10

Max Beckmann hat die Schauspielerin zwar im
ruhigen Sitzen, aber doch auch mit der Anspannung dargestellt, deren es zur aufrechten
Haltung bei dieser alten Dame bedarf. Die
›Haltung‹ der Person zeigt sich schon in der
Kleidung, in der blauschwarzen Verdichtung
und harten Abgrenzung des Kostüms gegenüber dem hellen Hintergrund. Aus der ruhigen
Verbreitung unten, wo die große dunkle Oval-
form, die Katze und die übereinandergelegten
Hände konzentrierende Ruhe schaffen, steigt
es nach oben straff auf, schließt den Hals hoch
ab und faßt die Schultern eckig ein. Auch die
strenge Form des großen hellen Brusteinsatzes
bringt die Haltung der Figur mittelbar zur Anschauung. Zugleich ›trägt‹ dieser Brusteinsatz
den Kopf, bereitet in der Entwicklung der Figur auf ihn vor und steigert dessen Bedeutung.
Der Kopf wirkt bei aller Großzügigkeit der
Malerei auch in diesem Gemälde weit differenzierter als alles übrige und vermag deshalb
nuanciertesten Ausdruck zu vermitteln. Durch
Alter und Zartheit der Person neigt der Kopf
dazu, herabzusinken, doch wird er, wie der
Oberkörper, unter Anspannung gehalten. Das
ist auch in den gesenkten Augen und den hoch-
gezogenen Brauen zu sehen. Das natürliche
Bedürfnis nach Entspannung bei all dieser Anspannung zeigt sich in den übereinandergelegten Händen; so lenken die gesenkten Augen
zurück zur Zone des Schoßes, auch wenn der
Blick nicht gerichtet, sondern nach innen gekehrt ist.

   Beckmann hat in diesem Bildnis den Wider-
streit zwischen Schwäche des Alters und Anspannung des Willens als vornehme, gesammelte Haltung dargestellt, die den Betrachter
mit Ehrfurcht erfüllt. Wer die Dargestellte ist,
weiß man nicht. Im Typus erinnert sie an Frau
Tube, vor allem an das Bildnis, das der Künstler 1919 von der Schwiegermutter gemalt hat.
Frau Tube und ähnliche Frauen, zu denen die
alte Schauspielerin gehört, erscheinen häufig
auch in vielfigurigen Bildern Beckmanns, nicht
selten gerade mit jungen, erotischen Frauen
zusammen; sie vertreten dort den Typus einer
Sibylle, an deren körperlicher Erscheinung die
Vergänglichkeit sichtbar wird, während ihr
Geist in tiefem Wissen über das Vergängliche
hinaus ist.

C. L.

45 Bildnis Quappi in Blau 1926

Öl auf Leinwand ; 60,5 x 35,5 cm
Bez. o. l. : Beckmann F 26
München, Bayerische Staatsgemäldesammlungen,
Staatsgalerie moderner Kunst
Göpel 256

Literatur: Göpel 1956 in : Blick auf Beckmann,
S. 133. – Selz 1964, S. 41. – Göpel in : Universitas,
1965, S. 611

In einem glücklichen Wurf, nämlich in nur drei
Tagen, ist das Bildnis entstanden, das nicht nur
in seiner leuchtenden Farbigkeit eine neue
Entwicklungsphase Beckmanns signalisiert.
Radikal ist die Setzung: Im nahesten Vordergrund angeordnet, hart überschnitten von den
Bildrändern und knapp in die Fläche eingespannt durch den hinterlegten, schwarz-blauen
Rahmen, baut sich die Figur in äußerster Dinglichkeit auf. Strenge Kontur, kubische Ausformung und die in spitzwinklige Facetten auf-
gebrochene Fläche verbinden sich mit einem
Hell-Dunkel-Kontrast, der im extremsten Sinn
Weiß gegen Schwarz setzt. So splittert das Blau
des Kleides in den Schattenstellen auf; so heben sich Partien in Hals und Gesicht gekantet
von den Schattenzonen ab. Besonders abrupt
ist der Widerspruch zwischen der blendend
aufgehellten Wange und dem eingeschnittenen
Schwarz der Augen. Über ihre gewaltsame
Konstruktion gewinnt die Figur den Charakter
des Eckig-Widerspenstigen – einen Charakter,
der durch den abfallenden Winkel des Binnen-
rahmens und durch die offene Spitze des angewinkelten Armes nur noch betont wird. Diese
gewaltsame Struktur wird jedoch ausgeglichen
durch das Blau, das die kompakten Volumen
zurücknimmt, das Bild öffnet und die Figur
trotz Nähe in die Ferne rückt. Der Dreiklang
aus dem leuchtenden, kalt gebrochenen Blau
des Kleides, dem grauen Blau des hinterlegten Farbfeldes und dem lichten Himmels-
grund mystifiziert die Figur bereits im Sinne
der kommenden mythologischen Auffassung
Beckmanns. Untermalung in Blau.   C. St.

46 Bildnis la Duchessa
›di Malvedi‹ 1926

Öl auf Leinwand ; 66,5 x 27 cm
Bez. o. r. : Beckmann Spotorno 26
La Duccessa di Malvedi
München, Bayerische Staatsgemäldesammlungen,
Staatsgalerie moderner Kunst
Göpel 259

Literatur: Reifenberg, S. 23. – Göpel 1956
in : Blick auf Beckmann, S. 133. – Selz 1964, S. 41

Laut Mitteilung von Mathilde Beckmann handelt es sich bei der Dargestellten um eine Dame aus hohem italienischem Adel, die die
Beckmanns während ihres Aufenthalts in Spotorno an der Riviera kennenlernten. Wie Frau
Beckmann berichtet, wurde der Name der
Frau in der Signatur geändert, da über die Fe-
rienbekanntschaft hinaus kein weiterer Kontakt bestand. Höchstwahrscheinlich handelt es
sich um ein Mitglied der Familie der Grafen
Malvinni-Malvezzi, die bis heute den Titel Du-

ca di Santa Candida führen. Die Bildauffassung steht dem des Bildnisses *Quappi in Blau* desselben Jahres nahe (Kat. 45). Verkantet und spitzwinklig in das schmale Hochformat gepreßt, entwickelt sich die Halbfigur kraftvoll über ihre kompakten Volumen und das straffe Verhältnis von Armen und Schulterlinie. Die extreme Weißhöhung, neues bildnerisches Mittel seit 1925, erzeugt in Verbindung mit den Schattenzonen des Inkarnats eine Plastizität, die sich gegen die engen, überschneidenden Bildgrenzen zu stemmen scheint. Der Mensch ist nicht mehr passiv eingeschränkt, sondern kompakte, widersprechende Existenz. Dieses gefestigte Moment ist charakteristisch für Beckmann selbst (Abb. S. 66). Die laszive Haltung der Minna von 1924 – man vergleiche das Motiv von Armen und Fächer – hat sich in Dynamik verwandelt (Kat. 37). Eigenartig, jedoch vertraut aus dem übrigen Werk, ist die

Dämonisierung der Frau, die in dem maskenhaft exotischen Typus, der akzentuierten Lichtführung und dem strengen Farbklang von Grau-Schwarz und Grün-Ocker zur düsteren Sphinxgestalt wird.

Außerordentlich ist die Qualität der Malerei, die wie beim *Bildnis eines Argentiniers*, 1929 (Kat. 55), zur freien Äußerung in Gesicht und Haarpartie führt. Beckmann setzt in das grünliche Inkarnat die Augenfalten mit Braun und den Mund mit einem diffusen Rot. Das Haar steht mit Rot-Violett fremdartig im grauen Umfeld. Möglicherweise hat sich Beckmann bei diesem Bildnis mit dem von ihm wenig geschätzten Gauguin kritisch auseinandergesetzt. Das harte Detail der V-Formen unter den Augen geht wohl auf Erfindungen Picassos während dessen sogenannter Negerperiode zurück. Die Dargestellte findet sich noch einmal in dem Bild *Der Strand*, 1927.   C. St.

47   Stilleben mit Zigarrenkiste   1926
Öl auf Leinwand; 60,5 x 35,5 cm
Bez. u. r.: Beckmann F 26
München, Bayerische Staatsgemäldesammlungen,
Staatsgalerie moderner Kunst
Göpel 264
Literatur: Fischer, München 1972, S. 74

Das Bild greift das Motiv der Zigarrenkiste noch einmal auf, das uns im *Stilleben mit brennender Kerze* von 1921 (Kat. 27) zuerst begegnete. Gerade aus dem Vergleich der beiden Arbeiten wird deutlich, wie viel malerische Freiheit Beckmann in diesen wenigen Jahren seit 1921 gewonnen hat, wie sehr seine Fähigkeit gewachsen ist, tradierte Ikonographie durch gegenständliche Dichte zu ersetzen. Addiert das frühere Stilleben die Dinge zu einem kühlen, emblematisch-demonstrativen Sinnzusammenhang, so entwickelt das Stilleben von 1926 Bedeutung allein aus der Kompaktheit der dargestellten Objekte und aus der vereinheitlichten Komposition. In enger Abfolge staffeln sich Fächer, Schale, Zigarrenkiste und Krug hintereinander, begleitet von der Blumenvase, aus der sich die beiden roten Tulpen auf die dunkle Gefäßöffnung zu schieben. Während die Blumenvase mit dem in naiver Weise hinterlegten Vorhang an Stilleben des ›Zöllners‹ Henri Rousseau erinnert, nimmt die Gruppierung das Prinzip vorweg, das auch noch in den späten Stilleben Beckmanns bestimmend sein wird (vgl. u. a. Kat. 83). Der aperspektivische Aufblick auf den Tisch erzeugt eine steil ansteigende Ordnung, die dem Betrachter den Raum verschließt. Unzugänglich wird die Welt der Dinge, die mit ihrer Position das Bildgeviert verriegeln. Tritt der Fächer als Zeichen des Rätselhaften und Versteckten auch in den großen, Magie beschwörenden Stilleben auf (Kat. 38, Abb. S. 29), so stellt der dunkle, violettfarbene Ausblick, wie schon in Bildern der frühen zwanziger Jahre, die Gegenwelt des geheimnisvoll Unbekannten dar (Kat. 25, 26). Vergänglichkeit klingt an, auch veranschaulicht durch die Blumen. Der differenzierte Klang von Gelb-Grau- und Weißtönen entspricht der seit Mitte der zwanziger Jahre aufgehellten Farbgebung.   C. St.

48 Großes Fischstilleben 1927
Öl auf Leinwand; 96 x 140,5 cm
Bez. u. r.: Beckmann F. 27
Hamburg, Hamburger Kunsthalle
Göpel 276
Literatur: Thwaites in: The Art Quarterly 14 (1951),
S. 277. – Hentzen in: Jahrbuch der Hamburger
Kunstsammlungen Band 3 (1958) Nr. 46 und S. 15. –
Hamburger Kunsthalle Katalog der Meister des
20. Jahrhunderts, 1969, S. 12. – Fischer, München
1972, S. 76

Der äußere Anlaß für das Entstehen dieses
Stillebens ist vermutlich auf Eindrücke zurück-
zuführen, die Beckmann auf seinen Reisen in
italienischen Häfen sammelte. Göpel bemerkt
zu dem Bild, daß die Buchstaben wohl zu dem
Namen der italienischen Zeitung CORRIERE DEL-
LA SERA zu ergänzen seien und SI unten links
eventuell zu SIMOLIN.
   Drei Fische liegen auf einem teilweise mit
Tuch und Zeitung ausgelegten Tisch. In der
Mitte oberhalb der Fische öffnet sich der
Schalltrichter eines Blasinstrumentes. Hinterfangen wird das farbige Stilleben von tiefdunk-
lem Hintergrund. Die Komposition ist flächig
gehalten. Eine waagerecht verlaufende Linie
teilt den Hintergrund in zwei Farbzonen,
braun und schwarz. Im Vordergrund sind die
dargestellten Gegenstände eingespannt in ein
Rechteck, vorgegeben durch den Tisch, und
weiter in ein Dreieck, dessen obere Ecke den
Schalltrichter mit einschließt. Über diesen

streng geometrischen Formen baut sich die
Komposition in rhythmischen Schwingungen,
die sich im Tuch und den Fischleibern manifestieren, bis zu der blauen Öffnung des Saxophons auf. Der Tisch scheint hochgeklappt in
der vorderen Bildebene zu stehen. Er bildet
den Blickfang und ein kompaktes Hindernis
auf dem Weg in die Bildtiefe.
   Das Saxophon mit seiner Trichteröffnung
symbolisiert bei Beckmann – nach Fischer –
die Macht im Sinne von Beherrschung der Lebenskraft, die Vitalität. Busch vergleicht das
Instrument mit einer sich windenden Schlange
und bringt somit das weibliche Element in die
Deutung mit ein, während der Fisch für die
phallische Kraft, die Fruchtbarkeit und das Leben steht. Zusammen mit der Zeitung, dem
Symbol der verrinnenden Zeit, wird hier das
Vanitas-Motiv niederländischer Stilleben des
17. Jahrhunderts zitiert. Allerdings erfährt die
Darstellung eine Aktualisierung durch die aggressive Farbigkeit der toten Fischleiber und
ihre aufgerissenen Mäuler in Verbindung mit
der Öffnung des Schalltrichters zu einem Sog
in die Tiefe. Bezieht man jedoch Beckmanns
Äußerungen über sein Verhältnis zum Raum
mit ein, ist eine weitergehende Deutung möglich. Dieses Bild ist eines der ersten, in denen
Beckmann Schwarz einsetzt, um den Raum
endlos zu öffnen; hinter den Dingen und um
die Dinge herum, die mit ihren Farbstreifen
von Braun, Blau, Rot und hartem, gebroche-

nem Weiß den greifbaren Vordergrund bilden.
Raum ist für Beckmann »Palast der Götter«
und »unendliche Gottheit«. Vor diesem unfaßbaren Raum hat er Angst, vor ihm muß er sich
– nach eigener Aussage – schützen. Die Gegenstände, die in ihrer Symbolik und Anordnung das Leben versinnbildlichen, sind eingefangen in einer künstlichen Konstruktion, den
geometrischen Formen der Komposition, damit sie sich nicht verlieren in der Unendlichkeit
des Raumes, die sich durch das Dunkel öffnet.
M.B.

49 Der Hafen von Genua 1927

Öl auf Leinwand; 90,5 x 169,5 cm
Bez. u. r.: Beckmann Genua 27
St. Louis, The Saint Louis Art Museum,
Bequest of Morton D. May
Göpel 269
Literatur: Selz 1964, S. 43. – Lenz 1976, S. 29 f.

Von einem hochgelegenen Balkon aus geht der
Blick auf den nächtlichen, vom Mond in kaltes
Licht getauchten Hafen von Genua. Der me-
tallische Farbklang von dunklem Blau-Grün,
Schwarz, Weiß und einem fahlen Gelb im Vor-
dergrund verbreitet eine irreale, magische
Stimmung, die an Bilder des phantastischen
Realismus (z. B. von Franz Radziwill) erinnert.
Die formale Organisation der Bildfläche aller-
dings, in der sich Beckmanns eigenwillige Art
der Abstraktion im gegenständlichen Bereich
deutlich zeigt, geht weit über die genannten
Beispiele in der neusachlichen Malerei hinaus.

Die Abstraktion betrifft zum einen die Architektur im Detail. Nur die Gesamtansicht
vermittelt den Eindruck des Genueser Hafens,
für sich genommen sind die einzelnen Bauten –
bis auf wenige Orientierungshilfen wie Kirche,
Tunnel etc. – flache, körper- und gesichtslose
Formen, die lediglich den anonymen Begriff
einer beliebigen Stadt andeuten. Die Abstraktion betrifft zweitens die Diskontinuität der
Perspektive mit ihren unterschiedlichen Blick-
punkten. Die Dinge werden je nach Bedarf
mal in extremer Aufsicht, mal schräg von unten, mal in die Fläche geklappt gesehen. Der
Blick geht zwar von einem objektiv höher gelegenen Balkon aus, dies hat jedoch nicht zur
Folge, daß die Stadt tatsächlich als insgesamt
unterhalb des Betrachters liegend zur Anschauung kommt. Sie wirkt vielmehr wie ein
aus verschiedenen Ansichten zusammengesetz-
tes, friesartiges Ensemble. Durch das Überein-
andertürmen der einzelnen Gegenstandsgrup-
pen (Schiffe, Bahnhof, Meer, Häuser, Himmel) erhalten alle Teile gleiche Wichtigkeit.
Und der Blick geht zwar einerseits von oben in
den Hafen, er führt jedoch andererseits nicht
wirklich in die Tiefe des Raumes: Davor stehen
die grüne Barriere des Meeres und die Schwärze des Nachthimmels, die beide nicht so sehr
eine unendliche Weite, als vielmehr eine undurchdringliche Wand suggerieren. Zudem
betrifft die Abstraktion die Farbigkeit, d. h.
deren extreme Begrenzung auf wenige starke
Kontrastwerte. In der Verbindung mit betont
irrealen, rätselhaften Gegenstandsansichten
(wozu gehört z. B. der freischwingende Fensterflügel links mit wehendem grünem Vorhang?) konstituiert sich sichtbare Wirklichkeit
vollkommen neu als eine Balance zwischen
»Abstraktion und Realistik«, in der Beckmann
nur Picasso vergleichbar ist.   C. Sch.-H.

50 Scheveningen, fünf Uhr früh 1928

Öl auf Leinwand; 56,5 x 63 cm
Bez. r.: Beckmann F. 28
München, Bayerische Staatsgemäldesammlungen,
Staatsgalerie moderner Kunst
Göpel 293
Literatur: Reifenberg 1949, S. 23 f.

Das Bild steht in engem Zusammenhang mit
einer Zeichnung, die im Frühsommer 1928
in Scheveningen entstanden sein dürfte. Das
Blatt zeigt allerdings Strand und Uferprome-
nade später am Tage, also belebt, wogegen die
Wirkung des Gemäldes nicht zuletzt in der
Leere am frühen Morgen beruht. Zeichnung
und Gemälde unterscheiden sich auch darin,
daß auf dem Gemälde alles im Blick durch ein
Fenster dargestellt ist, während in der Zeichnung solche Vergegenwärtigung eines Betrachters fehlt. Der Blick durch das Fenster, den der
beiseite geschobene Vorhang freigibt, nimmt
das glühend rote Sonnenlicht als *Ereignis* des
Tagesanbruchs wahr. Max Beckmann läßt dieses Ereignis aber nicht in reiner Natur stattfinden, sondern bringt in hohem Maße Alltags-
dinge ins Bild. Das Hotelfenster mit dem
Weinglas auf der Fensterbank, der Pavillon mit
der Zigarettenreklame ROCHT MIS BLAN (richtig
und vollständig: ROOKT MIS BLANCHE), die Uferstraße mit den Lampen und den herangezoge-
nen Badehütten – all das gehört dazu. Auch
Meer und Himmel werden vom Sonnenlicht
überflutet, ins Licht gebunden, gehoben, und
verlieren dadurch ihren gewohnten Charakter.

Die Sonne selbst ist nicht zu sehen, sondern
nur ihr Schein. Der aber ist so außerordentlich,
daß auf einen überwältigenden Anblick des
aufgehenden Gestirns zu schließen ist. Indem
Beckmann sich und den Betrachter gleichsam
davon abgewandt hat, hat er den Sonnenaufgang zu einem unfaßbaren kosmischen Ereig-

nis gemacht, das nicht unmittelbar, sondern nur mittelbar wahrzunehmen und zu ertragen ist. Erst fünfzehn Jahre später wird er jenen Vers aus Faust II illustrieren, für den er bereits mit diesem Gemälde ein Sinn-Bild geschaffen hat: » Im farbigen Abglanz haben wir das Leben «. C.L.

51   Abend auf der Terrasse 1928
Scheveningen mit untergehender Sonne
Öl auf Leinwand; 95,5 x 35,5 cm
Bez. u. r.: Beckmann F 28
New York, Richard L. Feigen
Göpel 296
Literatur: Lackner 1978, Nr. 17

Diesen Blick aufs Meer hat Beckmann in sehr schmalem Hochformat gehalten, durch einen Vorhang noch mehr begrenzt. Man schaut hoch oben von einer Terrasse über die Strand-promenade mit ihren Bogenlampen, die Reihe der Badehütten, über den Strand, der teilweise von Wasser überspült ist und den Himmel wi-derspiegelt, schließlich über das Ufer mit den Brandungswellen und das tiefblaue Meer bis hin zum Horizont, wo die Abendsonne durch Nachtwolken bricht, die hoch vor dem lichten Himmel aufsteigen. Nicht in die Weite, son-dern in die Ferne geht der Blick, geht in aus-drücklicher Richtung auf das letzte Ereignis des Tages: das rosafarbene Abendlicht, das noch einmal aufscheint, um dann von der her-aufziehenden Nacht überwältigt zu werden. Es ist das Erlebnis dessen, der auf der Terrasse steht. Wie der Maler, so erwartet der Betrach-ter mit den aufziehenden, herankommenden Wolken die gänzliche Dunkelheit, die ihn auf sich selbst zurückweist. In diesem Sinne haben die Terrasse und der Vorhang einen verhalte-nen symbolhaften Charakter. C.L.

51

50

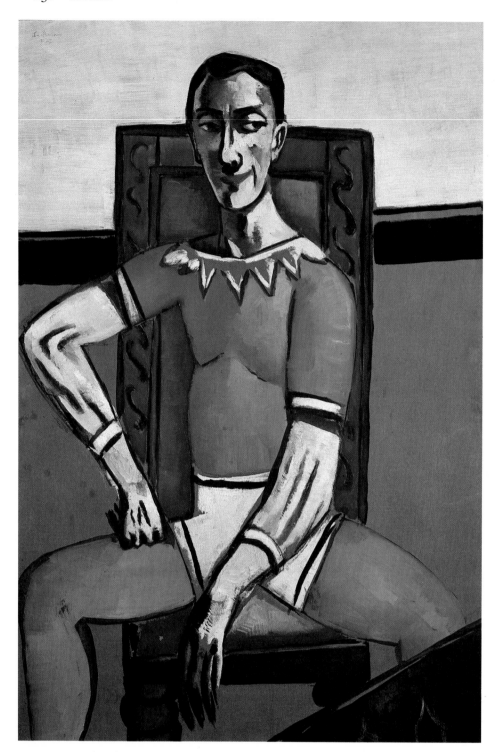

len Ausharrens artikuliert. In Plastizität und Körperlichkeit der Malerei, des Farbauftrages, unterscheidet sich das Gemälde allerdings deutlich von den genannten Vergleichsbeispielen: Farbe ist als dichte, plastische Materie aufgefaßt, durch die sich Volumen bildet.

Bei dem Dargestellten handelt es sich um den russischen Schauspieler Nikolai Michailowitsch Zeretelli, der dem avantgardistischen Moskauer Kammertheater angehörte, das in den zwanziger Jahren mit sensationellem Erfolg Gastspiele in Europa gab. Der Aufbau könnte durch choreographische und bühnenbildnerische Vorstellungen, wie sie von Zeretelli auch schriftlich formuliert wurden, geprägt sein: nach Göpel insbesondere der Verzicht auf illusionistisches Bühnenbild, das durch geometrische Konstruktionen ersetzt wird, die Bedeutung von Senkrechten und Waagerechten sowie die Strenge des Harlekinkostüms. Zeretelli erscheint noch in verschiedenen anderen Arbeiten Beckmanns.

C. Sch.-H.

52 Bildnis N. M. Zeretelli 1927

Öl auf Leinwand; 140 x 96 cm
Bez. o. l.: Beckmann F 27
Cambridge/MA, Fogg Art Museum, Harvard University, Gift of Mr. and Mrs. Joseph Pulitzer, Jr.
Göpel 277
Literatur: Göpel I, S. 202

Trotz einer im einzelnen unterschiedlichen Körper- und Raumauffassung sowie einer anderen farblichen Behandlung nähert sich Beckmann in diesem Gemälde auf frappierende Weise der Bildsprache Pablo Picassos in den frühen zwanziger Jahren. Die bestechend sensible, kostbare Wirkung einer insgesamt auf zurückhaltende Blau-Grau-, Grau-Beige- und Rot-Violett-Töne gestimmten Farbskala, die wie grau überpudert wirkende Bildoberfläche sowie die Beschränkung auf strenge, die Ergebnisse des Kubismus voraussetzende Grundformen zeigen in besonders reiner Form eine kultivierte, den klassizistischen Tendenzen der zwanziger Jahre entsprechende Auffassung, die auch Picasso zeitweilig vertrat, eine Auffassung, die ohne Zweifel eine in sich gefestigte, erfolgreiche Künstlerpersönlichkeit voraussetzt, wie sie sich in dem gleichfalls 1927 entstandenen Selbstbildnis präsentiert (Kat. 53). Über die Verbindung zum Picasso der zwanziger Jahre läßt sich eine weitere Parallele zu dessen Blauer Periode herstellen, in der sich eine ähnliche Verlorenheit des Blicks, des stil-

53 Selbstbildnis im Smoking 1927

Öl auf Leinwand; 141 x 96 cm
Bez. u. r.: Beckmann F. 27
Cambridge/MA, Busch-Reisinger Museum, Harvard University, Museum Purchase
Göpel 274

Literatur: Lackner 1967, S. 62 (urspr. 1938). – Reifenberg, S. 22, 71. – Göpel 1957, S. 11, 58f. – Schmidt 1960, S. 14. – Busch 1969, S. 28, 30, 32. – Jedlicka 1959 in: Blick auf Beckmann, S. 123f. – Selz 1964, S. 42f., 53. – Fischer, München 1972, S. 65ff. – Evans 1974, S. 16. – Lackner 1978, S. 82. – Erpel 1981, Nr. 12. – Zenser 1981, S. 79ff.

Einmalig im Werk, präsentiert das Selbstbildnis einen Beckmann, der selbstbewußt, mächtig und öffentlich der Wirklichkeit gegenübertritt. Streng und frontal baut sich die Figur an der Mittelachse des Bildfeldes auf. Nicht nur die Pose: der federnde Stand, die souverän in die Hüfte eingestützte Hand (Motiv seit 1926, Kat. 45) und das lässige Spiel mit der Zigarette geben der Person diesen klaren, selbstsicheren Ort. Raumgreifend und konzentriert tritt das blockhafte Schwarz des Smokings vor den offenen Grund. Ein umfassendes Gleichgewicht bestimmt die Komposition: Horizontale wie vertikale Züge korrespondieren in Figur, Vorhang und Paneel und erzeugen eine Ruhe, die durch den großen Farbklang von Schwarz, Weiß, Goldbraun und Grau noch wesentlich bestätigt wird. Der weiche Kontur der Silhouette schließt besänftigend die Abfolge von V-Formen ein, die über Nasenwurzel, Mundwinkel, Kragen, Hemdbrust, über die abgespreizten Daumen und den knappen Schritt der Figur verläuft. Der Kontrast von Schwarz und Weiß, von Schatten und Licht ist so inszeniert, daß Dinge ein überraschendes Eigenleben gewinnen und doch zugleich in der Stille aufgehoben bleiben können. So setzt das Weiß scharfe, begrenzte Einschnitte; so schweben die Hände leuchtend und bewegt vor dem Schwarz; so flackert das Gesicht, auf dem sich wie bei einer Wasserspiegelung ein kühler Schatten ausbreitet. An die Stelle des leidenden, aufbegehrenden und provozierenden Beckmann (Kat. 26, 36) ist das Individuum getreten, das sich auf der Höhe seiner Kräfte und in der Mitte der Welt weiß. Beckmann nimmt sich gelassen den Raum, der ihn, auch noch 1926 (Abb. S. 66), einschränkte. Beidem ist er nun selbstverständlich zugeordnet: dem drohenden Dunkel, das in der Vorhangfalte beginnt und die linke Randzone einnimmt, und dem lichten Feld, das, unklar ob Wand oder Ausblick, sich unbegrenzt nach oben und rechts öffnet. In diesem Hell und Dunkel sind, entsprechend früheren Arbeiten, Metaphern für das Unbekannte, Unendliche zu sehen, das jetzt nicht mehr dämonisiert scheint.

»Alles ist im Lot«, der auf diese Weise Präsentierte sei »ein Mensch, der in der Welt zuhause ist« – diese Deutung des gesellschaftlich Erfolgreichen durch Lackner muß allerdings noch um eine wesentliche Dimension erweitert werden. Der unbestimmbare Ort, die monumentale Größe, die Distanz, die gewalttätige Kontrastsprache, das mächtige Schwarz und das geheimnisvolle Eigenlicht – alle diese Züge drücken zusammen mit der Rolle des eleganten Großbürgers einen selbstherrlichen Führungsanspruch aus. Fischer sieht in diesem Beckmann den Magier und Machtmenschen, Jedlicka eine »Selbstbehauptung« verkörpert, die »bis an die Grenze getrieben« sei, »wo sie in Selbstverhöhnung umschlägt, der Maler als Weltmann sich in den Conférencier seiner selbst verwandelt«. Die nur wenige Monate vor Entstehen des Bildes publizierte Schrift Beckmanns ›Der Künstler im Staat‹ deckt sich mit dieser Sicht. Beckmann spricht hier gegen die metaphysische Abhängigkeit des Menschen, Thema der früheren Jahre, und benennt als Ziel einer freien Menschheit das Individuum, das reine Selbstverantwortung übernehmen und selbst zu Gott werden müsse. Kultur- und Glaubenszentrum dieser staatsbildenden Selbstvergottung sei die Kunst. Vollkommenes

Gleichgewicht im Kunstwerk spiegele die »Autonomie im Verhältnis zur Unendlichkeit«, die Idee von »Macht und Einfluß auf der Basis der Selbstverantwortung«. »Es sind nötig neue Gebäude, in denen dieser neue Glaube und der neue Kultus des erreichten Gleichgewichts getrieben wird ... Es handelt sich darum, eine elegante Beherrschung des Metaphysischen zu erreichen. Straffe, klare, disziplinierte Romantik unserer eigenen, im äußersten Maße unwirklichen Existenz zu leben. Die neuen Priester dieses neuen Kulturzentrums haben im schwarzen Anzug oder bei festlichen Zeremonien im Frack zu erscheinen ... Und zwar, was wesentlich ist, soll auch der Arbeiter im Smoking oder im Frack erscheinen. Das soll heißen: wir wünschen eine Art aristokratischen Bolschewismus.« Beckmann als aristokratischer Arbeiter und moderner Priester: Dieser im Vergleich zur frühen Frankfurter Zeit extreme Überschlag bestimmt auch das Bild und charakterisiert einen Menschen, der im Eigentlichen bedroht bleibt (vgl. dagegen das harmonische Selbstbildnis von 1907, Kat. 8). Bezeichnend ist die unterschiedliche Wertung des Selbstbildnisses. 1928 von der Nationalgalerie Berlin angekauft und mit der Carnegie-Ausstellung für ein Jahr durch die USA geschickt, wurde es überwiegend als Beckmanns größtes Meisterwerk seit der *Nacht* (Kat. 19) beurteilt, aber andererseits auch als Ausdruck der Ideologie des Übermenschen kritisiert.　　C. St.

54 Zigeunerin 1928

Öl auf Leinwand; 136 x 58 cm
Nicht bezeichnet
Hamburg, Hamburger Kunsthalle
Göpel 289

Literatur: F. Roh 1946, S. 3. – Platte, Die Kunst des
20. Jahrhunderts, München 1957, S. 228, 230. –
Hentzen in: Jahrbuch der Hamburger
Kunstsammlungen, Bd. 3 (1958), S. 178. – Fischer,
München 1972, S. 76

Die Zigeunerin, die der Betrachter in intimer
Atmosphäre bei ihrer Toilette unbemerkt beobachten kann, strahlt – trotz der Ruhe des
Bildes – starke Vitalität und Sinnlichkeit aus.
In der Komposition wird dies ausgedrückt
durch die dominante Vertikale, zu deren Betonung die Wahl des schmalen Hochformates
beiträgt. Belebt wird die starre Mittelsenkrech-
te durch die Schrägen, deren Richtungen der
erhobene Arm vorgibt und die sich an der Vertikalen abwärts wiegen.

Die Figur wird durch den harten Lichteinfall
von rechts oben in wuchtiger Plastizität gezeigt. Schlaglichter von kalkigem Weiß und das
Lila der Schatten heben die Rundungen des
Körpers und den Faltenwurf der Stoffe spürbar
hervor. Der Körper in seiner Massigkeit –
wenn auch Gesicht und Hände feingliedrig ausgeführt sind – und seiner kalten Farbigkeit
wird in der Wirkung noch unterstrichen, einmal durch die ockerfarbene Fläche mit Blu-
menmuster im Hintergrund, zum anderen
durch das Schwarz auf der rechten Seite, wodurch der Umriß der linken Körperhälfte besonders stark auffällt. Der Gegensatz von
scheinbar greifbarer Nähe und schwarzer Leere greift Beckmanns Hauptthema, die Beschäftigung mit dem Körper-Raum-Verhältnis, auf.

Die Frau ist spärlich bekleidet mit einem
hochgeschobenen, lichtgrünen Unterkleid und
blauen Strümpfen, deren rote Zierbänder mit
dem des Unterkleides korrespondieren und
feine Farbakzente setzen. Zwischen Kleid und
Strümpfen sind die nackten, eng nebenein-
andergestellten Oberschenkel zu sehen. Die
Zigeunerin sitzt auf einer Bank, wobei das
›Sitzen‹ nur durch die sich verjüngenden
Oberschenkel angedeutet wird. Sie ist dem Betrachter direkt gegenübergestellt, so als würde
sie ihm präsentiert, angeboten. Sie selbst bietet
sich nicht an, denn der Blickkontakt zum Betrachter fehlt; der durch die Frontalpräsenta-
tion erweckte Eindruck wird zurückgenommen.
Die Zigeunerin ist mit sich beschäftigt, in
sich versunken, ihrem Spiegelbild zugewandt.
Sie steht in keinem Kontakt zu ihrer Umgebung oder dem Bildbetrachter. Fast scheint es,
als wolle sie sich durch die (überzeichnete)
Haltung der Arme vor etwas schützen, wobei
dieses ›Etwas‹ in ihrer Umgebung oder beim
Betrachter zu suchen ist. Eine weitere Schutzfunktion übernimmt das Tuch zu Füßen der Zigeunerin, das sich in die vordere Bildebene
schiebt und somit eine Barriere bildet, die den
Betrachter auf Distanz hält.

Die geheimnisvolle Spannung dieses Bildes
beruht wohl auf den Gegensätzen, die im Bild
vereint sind: Ruhe – Vitalität, greifbare Nähe
– unwägbarer Raum und sexuelle Aufforderung – kühle Distanziertheit.   M. B.

55 Bildnis eines Argentiniers 1929
Öl auf Leinwand; 125 x 83,5 cm
Bez. u. r.: Beckmann P. 29
München, Bayerische Staatsgemäldesammlungen,
Staatsgalerie moderner Kunst
Göpel 305

Berichten seiner Frau zufolge hat Max Beckmann den dargestellten jungen Argentinier im
Grandhotel in St. Moritz kennengelernt, wo
sich das Ehepaar Beckmann über Weihnachten
zum Wintersport aufhielt. Der junge Mann zog
Beckmanns Interesse auf sich, da er, anders als
seine lebhafte und temperamentvolle Familie,
in sich gekehrt und rätselhaft wirkte. Beckmann begann das Bildnis gleich nach der
Heimkehr in Frankfurt zu malen.

Der Argentinier wendet sich dem Betrachter
im Halbprofil zu. Mit übereinandergeschlagenen Beinen, einer Hand in der Hosentasche
und eine Zigarette in der anderen haltend, sitzt
er auf einem Stuhl, dessen Lehne und Beine
vom Bildrand beschnitten sind. Die Komposition ist im Aufbau streng gehalten. Von der
Mittelachse aus nach rechts verschoben sind
Kopf und Oberkörper des Mannes. Zu bemerken ist, daß beinahe ausschließlich eckige,
kantige Formen verwendet wurden. Die unregelmäßige Raute, die umrissen wird von dem
abgewinkelten linken Arm und der linken Körperhälfte, bildet die Leitform der Komposi

tion. Der gesamte Oberkörper ist eingespannt
in diesen Rhombus und dessen Variationen in
verschiedener Größe.

Den Blickfang des Bildes formt das Gesicht
mit seinen eigentümlichen Farbschattierungen
von Weiß, Gelb und Rot. Der Mensch hinter
diesem maskenhaften Gesicht steht in keinerlei
Beziehung zu seiner äußeren Erscheinung und
dem ihn umgebenden Raum. In dem festlichen
schwarzen Smoking steckt ein Mensch, dessen
starrer Blick – vorbei am Betrachter – verrät,
daß er mit seinen Gedanken weit ab ist von
dem Geschehen um ihn. Hervorgerufen durch
das wie geschminkt wirkende Gesicht, drängt
sich die Metapher vom Welttheater auf, vom
Schauspieler, vom Clown nach seinem Auf

tritt. Der Raum, im Hintergrund angedeutet
durch die schmucklose Wand, vermittelt beklemmende Leere. Anders als bei den meisten
Porträts Beckmanns, beinhaltet er nicht ein einziges persönliches Attribut oder einen Gegenstand mit Verweischarakter. Durch das leuchtende Schwarz öffnet sich Raum vieldeutig in
ungreifbare Tiefe. Der Argentinier sitzt eigentlich nicht auf dem Stuhl, er scheint eher zu
schweben, denn nirgendwo berührt er den Boden. Seine Beine wie die des Stuhls sind vom
Bildrand abgeschnitten, so, als stünde er nicht
(mehr) ›mit beiden Beinen auf der Erde‹. Wie
Günther Franke erfuhr, nahm sich der junge
Mann kurze Zeit nach dem Aufenthalt in der
Schweiz das Leben.   M. B.

56 Fußballspieler 1929
Öl auf Leinwand; 213 x 100 cm
Bez. o. l.: Beckmann F. 29
Duisburg, Wilhelm-Lehmbruck-Museum
Göpel 307
Literatur: Linfert 1935 in: Blick auf Beckmann,
S. 66, 76. – Buchheim 1959, S. 72. – Schmidt 1960,
S. 14. – Lackner 1978, S. 90

Das Thema Sport bietet sich besonders einem
Gegenwartsbewußtsein an, das in Bewegung,
Mechanik und Vitalität die moderne Zeit eu-
phorisch erlebt. So wird Fußball oder Rugby in
der zweiten Hälfte des 19. Jahrhunderts populär und kann, gerade auch in der bildlichen
Darstellung bis heute, als Symbol für Massenkultur, funktionalisiertes Gruppenverhalten,
technisiertes Denken, aber auch als Sinnbild
für menschliche Existenz eingesetzt werden.
Beckmanns Bildfassung steht in der Folge der
dynamischen Kompositionsreihen von Robert
Delaunay (wie ›L'Equipe de Cardiff‹, seit
1912/13) und Fernand Léger (u. a. ›La noce‹,
1910/11; ›Les acrobates‹, 1918 und später).
Kubistische Verschachtelung und die im Sinne
des Futurismus rhythmisch gestufte Abfolge
von Gesten werden in einen ›sachlichen Expressionismus‹ umgesetzt.

Auf engem Raum zusammengedrängt und
dicht miteinander verzahnt, türmen sich fünf
Spieler entlang einer Meßlatte in die Höhe.
Muskulöse, untersetzte Körper, angewinkelte
und ausfahrende Gliedmaßen und der schach-
brettartige Wechsel von Weiß, Grau, Schwarz
und Violett erzeugen einen Rhythmus, der beschleunigt und mechanisch die Gruppe bis in
die Spitze durchläuft. Das Ringen am Boden
und der freie Ballwurf des Siegers bilden, vermittelt über schräge Lagen und Winkelformen,
einen Zusammenhang, in dem die Gewalt und
die Kraft des Stärkeren, der Kampf und der
Sieg heroisiert erscheinen. Aufgrund seiner gewalttätigen und drastischen Struktur ist das
Bild als »einziger Hymnus auf den hirnlosen
Einsatz der Muskelkraft« und als Ausdruck
gesellschaftlichen Kraftdenkens beurteilt worden. Sicher ist die monumentale Inszenierung
des Themas auch auf den übersteigerten Standpunkt zurückzuführen, den Beckmann 1927
gewonnen hat. Aber ebenso wie beim *Selbstbildnis im Smoking* (Kat. 53) wird die reine
Selbstverantwortung des Menschen auch hier
mit düsterem Blick gedeutet. Fixiert durch
schwarze Umrisse und tektonisch strengen
Aufbau, sind die Spieler in ihren Phasen festgehalten, gefriert die Bewegungsfolge zu einem statischen Monument. Sichtbar wird ein
automatisiertes Handeln, in dem der Einzelne
Teil eines Räderwerks ist. ›Mensch – Maschi-
ne‹ – dieser zeitkritische Begriff der expressionistischen Literatur (Wolfgang Rothe, Tänzer
und Täter, Frankfurt/Main, 1979, S. 112f.) ist
wohl die verschlüsselte, pessimistische Aussage des Bildes. Drastische Übertreibung, laby-
rinthische Verschlingung, ein Springen, das
eher ein Sieg auf den Schultern der anderen ist,
und die groteske Einführung der Meßlatte
legen diese Interpretation nahe. Beckmann demonstriert, in Verbindung mit den technischen
Konstruktionen im Hintergrund, menschliches
Leben als Situation des Kampfes und des Him-
melstürmens. Mit dem Spieler, welcher den

menschlichen Maßstab hält und auf das Mega-
phon und den Programmzettel verweist, ist somit das Ballspiel wie die Darstellungen von
Jahrmarkt und Zirkus als Metapher zu verstehen.

Der Vergleich des Bildes mit der sechs Jahre
früher entstandenen Komposition *Das Trapez*
(Kat. 33) macht die Wandlung Beckmanns besonders deutlich. An die Stelle der ineinander
verknäuelten, labil sich ausbalancierenden und
hilflos ausgesetzten Menschengruppe ist der eigenständige, allerdings ebenso beziehungslose
und in sich selbst gefangene Mensch getreten.
Das Gleichgewicht fungiert als Täuschung,
denn »das Labyrinth wird enger – selbst im
Freien.« (Linfert).   C. St.

57 Künstler am Meer 1930
Öl auf Leinwand; 36,5 x 24 cm
Bez. o. l.: Beckmann F. 30
New York, Richard L. Feigen
Göpel 332

Die auf ein winziges Format zusammengepreß-
ten klobigen Figuren haben eine fast brutale,
gewalttätige Monumentalität, die der tatsächlichen Bildgröße widerspricht und sie gleichzeitig überdeutlich werden läßt. Die jungen Männer sind in die Dimensionen des Rahmens mit
ihren massigen Körpern so eingepfercht, daß
sie überall zu kurz wirken, beinahe so, als wären sie verwachsen. Dies läuft der dargestellten
Situation selbst, der Weite und Lockerheit von

Strand, Meer und damit freier Natur, unmittelbar zuwider. Während die Enge des Raumes,
das »Gefängnis der Welt«, in den zwanziger
Jahren von Beckmann durch Überfülle, durch
eine Anhäufung von Gegenständen ausgedrückt wurde, werden jetzt die Personen selbst
zu Riesen, die in dem ihnen zur Verfügung
stehenden Raum keinen Platz finden. Diese
Umkehrung geht wohl auch mit einem Bedeu-
tungswandel Hand in Hand. Die jungen Männer wirken nicht in der Welt, sondern in ihren
klobigen Körpern eingeschlossen – ganz auf
eine bodenständige Existenz verpflichtet, die
ihre künstlerischen Höhenflüge unpassend und
beinahe lächerlich erscheinen läßt.

Die Nähe zu Picassos Figurenauffassung in
den frühen zwanziger Jahren ist hier offensichtlich; man erinnere sich z. B. an die ›Pan-
flöte‹ von 1923 oder die ›Sitzende‹ von 1920.
Während jedoch bei Picasso der Akzent in der
Gestaltung auf dem Archaisch-Urtümlichen
liegt, betont Beckmann eine klobige Unbehol-
fenheit, eine Erdenschwere, die die Künstler
unmißverständlich an die Materie bindet.
                                    C. Sch.-H.

58 Großes Stilleben mit Kerzen und Spiegel 1930

Öl auf Leinwand; 72,5 x 140,5 cm
Nicht bezeichnet
Karlsruhe, Staatliche Kunsthalle
Göpel 315

Literatur: Reifenberg, S. 9, 24f. – Busch 1960, S. 50. Göpel 1962 in: Blick auf Beckmann, S. 91. – Kaiser 1962, S. 45ff., 56. – Fischer, München 1972, S. 69ff. – Fischer, Köln 1972, S. 23. – Lackner 1978, S. 92. – Allg. zu Kerzenstilleben: Kat. Bielefeld II, 1976, S. 19f.

In der langen Reihe der Stilleben nimmt diese Fassung eine besondere Rolle ein, ist das Arrangement doch, verstärkt durch das Motiv des Spiegels, ins extreme Querformat genommen, sozusagen zum Bild im Bild gemacht. Zwei brennende Kerzen, eine umgefallene erloschene Kerze – das sind Motive, die nicht nur in den Stilleben des Barock an die Vergänglichkeit des Lebens mahnen. Beckmann hat die Symbolik des Lebenslichts seit dem Bild *Die Nacht* von 1917/18 (Kat. 19) immer wieder eingesetzt. Auch der Spiegel, der die Realität in die flüchtige Erscheinung auflöst, das Buch als Instrument geistiger Erkenntnis und der schwere Vorhang sind Vanitas-Symbole der früheren traditionellen Malerei. Einen eindeutigen Hinweis auf die Eitelkeit irdischen Treibens gibt das auf den Kopf gestellte Buch mit den Sternzeichen und der Aufschrift EWIG-KEI(t). Doch über diese traditionell allegorische Lesbarkeit hinaus wird das ganze Stilleben zu einem Gleichnis unverwechselbar Beckmannscher Prägung. Raum und Dinge sind nicht so wie sie sich zunächst zeigen. Der Spiegelrahmen ruht mit der linken Ecke auf dem schwarzen Podest auf, während er rechts, überdeckt von den Wülsten des Tuchs, in der Schwebe steht. Das Tuch bewegt sich mit dem gekanteten Buch in die Spiegelfläche hinein.

Die Vase zeigt mit Bauchung, Wasserstand und Öffnung zwei unvereinbare Ansichten, nämlich Flächiges und Perspektivisches. Gänzlich seltsam ist die Art der Spiegelung. Während an Stelle der gespiegelten Vase sich ein schwarzes Viereck massiv ins Blickfeld schiebt, wiederholt sich zwar das Kerzenpaar, doch nicht als Spiegelbild, sondern als eigene Realität. Die hinteren Kerzen tropfen nicht; die räumliche Aufsicht auf die Kerzenleuchter setzt sich ungebrochen fort; die Entfernungen zur Spiegelfläche divergieren, denn die weiter vorn angeordnete linke Kerze wiederholt sich genähert, die an den Rahmen geschobene entfernter. Diese Kerzen im Spiegel existieren in einem eigenen Raum, in dem schwarze Ballungen von unten her aufsteigen, in dem das grüne Farbfeld wie im Blau des Quappi-Bildnisses von 1926 (Kat. 45) einen unfaßbaren Abschluß oder Ausblick gibt. Beckmann wird in seinem Tagebuch am 31.12.1940, also viel später, schreiben: »Die Metaphysik des Stofflichen. Das eigentümliche Gefühl, was uns suggeriert wird, wenn wir fühlen – das ist Haut – ... – das ist Knochen – innerhalb einer Vision, die völlig unirdisch ist. Das Traumhafte unserer Existenz gleichzeitig mit dem unsagbar süßen Schein der Wirklichkeit.« Diese »Metaphysik des Stofflichen« ereignet sich hier bereits, denn die Realität der »Welt hinter den Spiegeln« greift auf das Vordergründige über. Das Schwarz, das »finstre schwarze Loch« eines unendlichen Raums schluckt bereits einen Teil des linken Leuchters und dringt in das Gefäß ein.

Mit dem Faltenzug des Tuches, dem geballten Schwarz-Weiß und der hellgrünen Rückenwand scheinen die Kerzen in den Spiegelraum zu wandern, der sich mit dem Vorhang wie eine Theaterbühne öffnet. Eingeschlossen in das grüne Geviert und in das Rotbraun wie auch die Schattenlinien der gerafften Stoffe findet

der Kreislauf des Lebens statt, der mit dem Wort »Ewigkeit« benannt ist. Man vergleiche die Stilleben ähnlicher Aussage (Kat. 38) und das Selbstbildnis von 1933 (Kat. 68).

Über dieses Thema der Vergänglichkeit hinaus ist das Bild jedoch noch mehr: eine Metapher zum Tun des Künstlers, der die Welt der Erscheinungen abbildet und dabei dem Geheimnis begegnet (vgl. Kreidezeichnung *Spiegel auf einer Staffelei, Interieur mit Spiegel*, 1926, New York, Galerie Catherine Viviano; der gleiche ornamentierte Spiegel fungiert hier auch als Bild im Bild, begleitet von den Malutensilien und einer tragischen Maske, Kat. 164). C.St.

59 Liegender Akt 1929
Öl auf Leinwand; 83,5 x 119 cm
Nicht bezeichnet
The Regis Collection
Göpel 308
Literatur: Kat. London/New York 1974/1975, Nr. 13

Der Körper der Schlafenden setzt sich aus mächtigen Teilen zusammen, wobei die winkeligen Formen von Armen und Beinen den verkürzten Rumpf einfassen, auf dem die beiden großen Brüste liegen. Das aktive Moment der Figur, das vor allem in der Haltung des angezogenen Beines zum Ausdruck kommt, wirkt auch in dem weißen Tuch, das in mehreren Brechungen den Körper umhüllt und ihn an anderen Stellen ebenso bedeckt wie beschneidet. Ähnlich hart wirken die Liege mit ihren Kanten und deren Gittermuster sowie der Tisch mit den eckigen Formen eines Tuches, auf dem Früchte liegen. Der Hintergrund hat seine eigene Härte in der scharfen Teilung, in dem abrupten Wechsel von Schwarz zu Hellgrau. Der weiße Frauenleib mit seinen runden plastischen Formen ist also nicht nur selbst zu einer großen winkeligen Figuration gebracht, sondern darüber hinaus auch noch in ein verhältnismäßig hartes Gefüge eingebettet. In solcher Auseinandersetzung des Weichen mit dem Harten erweist sich dieser sinnlich strot-

zende Körper als übermächtig. Der Künstler hat hier eine Frau von gigantischer Erotik dargestellt, die selbst noch im Schlaf für den Betrachter beunruhigend ist.

Der Akt steht in engem Zusammenhang mit einer Zeichnung und einer Radierung. Die Radierung *Schlafende Frau* von 1929 gibt das Gemälde mit geringen Veränderungen seitenverkehrt wieder. Demgegenüber weist die Zeichnung merkliche Abweichungen im Format der Darstellung, in den Proportionen des Körpers und in den dargestellten Dingen auf. Die Haltung der Figur stimmt allerdings mit der des Gemäldes weitestgehend überein.

Von Göpel ist vorgeschlagen worden, die Datierung »1929« auf der Zeichnung im Zusammenhang mit der Widmung (an Quappi) und nicht als Angabe für die Entstehungszeit anzusehen. Die Zeichnung könne 1927, als das Gemälde begonnen wurde, entstanden sein und so diesem zugrundeliegen, auch wenn es sich bei ihr nicht um eine Vorzeichnung, sondern um ein selbständiges Werk handle. Aus den Jahren 1927 und 1929 gibt es zwar keine Zeichnungen, die besonders gut für eine genauere Datierung des Blattes zu vergleichen wären, doch lassen die verhältnismäßig weichen Formen der Darstellung vermuten, daß eher das Jahr 1929 für die Entstehung in Frage käme. Dementsprechend würde das Gemälde

dieser Zeichnung vorausgehen. Dessen Figur findet sich bereits in einer Radierung 1922, *Liegende*, angelegt.   C. L.

60 Gesellschaft Paris 1925/1931/1947

Öl auf Leinwand; 110 x 176 cm
Bez. o. l.: Gesellschaft Paris 31 Beckmann
New York, The Solomon R. Guggenheim Museum
Göpel 346
Literatur: Fischer, München 1972, S. 90 ff. – Göpel
1976, I., S. 244. – Lackner 1978, S. 94

Mit dieser Szene variiert Beckmann das Thema, das er bereits 1923 in dem Bild *Tanz in Baden-Baden* (Kat. 34) aufgenommen hat. Allerdings geht es nun weniger um eine Gesellschaftsallegorie oder die Metapher Jahrmarkt der Eitelkeit als vielmehr um das Motiv, daß das Individuum auch in der Gemeinschaft der Gleichen isoliert bleibt. In der Art eines Frieses gebreitet, reihen sich die Figuren nebeneinander, durch unterschiedliche Größen, auffällige Disproportionen, stereotype Kopfwendungen, Kleidung und Farbigkeit so streng voneinander geschieden, daß keine Figur, wenn auch benachbart, die Sphäre der anderen teilen kann. So schrumpfen die vorgesetzten Paare in den beiden unteren Bildecken vor den aufragenden, großköpfigen Personen dahinter; so stehen Profile verschlossen gegeneinander, bleiben alle Blicke ungezielt im Leeren, sind die Figuren auf Büste reduziert und verkantet gegeneinander gerückt.

Unvereinbares drückt sich überdies im Kontrast von kalten und warmen Tönen aus, wobei mit dem hart eingeschnittenen Schwarz-Weiß der Fräcke und den Einsprenkelungen düste-

ren Blaus eine Grundstimmung kühler Fremdheit dominierend wird. Die bis ins Groteske gehende Individualisierung der Personen verschärft das Moment des Unzusammengehörigen. Der Raum mit Sänger und Pianistin bildet nur die Folie für den einzelnen, der narzißtische Selbstdarstellung betreibt.

Beckmann hat das Bild 1931 nach einer Einladung in der deutschen Botschaft Paris gemalt und es 1947, wenige Tage vor der Abreise von Amsterdam, überarbeitet. Die Signatur hat er stehen lassen. Eine frühe Fassung des Themas von 1925 ist von Beckmann nur schriftlich überliefert. Die Spuren der späteren Überarbeitung lassen sich auffinden in der spröden Zeichnung der Linien, dem angewachsenen Schwarz und den darin morbide veränderten Fleischfarben. Das geballte Schwarz-Weiß läßt an die unheimliche Verwandlung denken, die der Gesellschaftsanzug in Bildern wie *Tod*, 1938 (Kat. 82), oder dem Triptychon *Blindekuh*, 1945, annimmt.

Die Figuren sind zwar nicht als Porträt gemeint, aber laut Mathilde Beckmann doch als Personen wiedererkennbar: in der Mitte Karl Anton Prinz Rohan, vorn rechts, den Kopf in die Hand gelegt, der deutsche Botschafter in Paris, Leopold von Hoesch, am rechten Bildrand der Frankfurter Bankier Albert Hahn, links stehend vielleicht der Pariser Modeschöpfer Paul Poiret, links sitzend der Frankfurter Musikhistoriker Paul Hirsch.   C. St.

61 Fastnacht Paris 1930

Öl auf Leinwand; 214,5 x 100,5 cm
Nicht bezeichnet
München, Bayerische Staatsgemäldesammlungen,
Staatsgalerie moderner Kunst
Göpel 322
Literatur: Göpel 1956 in: Blick auf Beckmann,
S. 135. – Anderson 1963, S. 72. – Selz 1964, S. 52. –
J. Roh in: Westermanns Monatshefte 107 (1966),
H. 2, S. 6. – Fischer, München 1972, S. 89 ff.

Das Bild, 1932 von der Nationalgalerie Berlin im Zusammenhang mit der Einrichtung eines Beckmann-Raumes im ehemaligen Kronprinzenpalais angekauft, nimmt in neuer Weise die seit 1920 häufig behandelte Thematik Fastnacht auf. Auf engstem, übereck geschnittenem Ort drängen sich maskiertes Paar, Musikant, Stuhl, blühende Zimmerpflanze und gestreifte Sessellehne zu einer dicht verzahnten Gruppe zusammen. Zum Auftakt des Bläsers setzt ein seltsamer Tanz ein, der nicht Tanz ist, sondern Ineinander von Verführung, Bedrohung und Gewalt. Die Rollen sind vertauscht. Fordernd und kriegerisch tritt die amazonenhaft Vermummte auf, die herrisch Raum greift in ihrem mächtigen Volumen, der gewaltsamen Drehung und dem breiten Schritt. Diese erotische Figur bindet das Geschehen, denn hier verdinglicht sich der Körper in scharfen Schlaglichtern und Schatten, sammelt sich Kälte in dem Klang von Giftgrün, Leuchtblau und hellem Inkarnat. Über den monumentalen Mantelschwung, die Arme und den strengen Kopfputz beginnt eine Bewegung, die gegen die lächerliche Figur des Husaren andrängt. Der Mann existiert ohne Eigenraum. Eingeschoben in die Ecke und blockiert von Rückwand, Fenstergitter und dem Schwarz des Ausblicks, reduziert sich der Soldat auf die sperrige, hölzern gegrätschte Gestalt eines Hampelmanns, ohne Stand, extrem in die Höhe gestreckt und fragmentiert, denn die grau-grüne Hintergrundfläche schneidet den rechten Arm weg. Aus seiner schwachen Position führt er hinterrücks einen Dolch oder das Mundstück einer Tute in das grüne Trikot, Sexualsymbol wie die Laute und Aggressionsinstrument zugleich. Auftakt, Herausforderung, Begierde und Abwehr schalten sich simultan auf einer Linie zusammen.

Fastnacht steht hier nicht wie 1920 oder 1922 für die passive, in Blindheit und Narrentum belassene Existenz des Menschen, sondern kennzeichnet das Leben als triebhafte Verstrickung und Schuld, als den ausweglosen Zustand einer »ewigen scheußlichen vegetativen Körperlichkeit« (Tagebücher, 4. Juli 1946). Thema ist die Versuchung, ein Thema, das Beckmann schon um 1920 in dem Drama › Das Hotel‹ gestaltet hat und das Schlüsselfunktion im Werk und Weltverständnis des Künstlers besitzt. Nicht Jahrmarkt der Eitelkeit wie bei dem *Tanz in Baden-Baden*, 1923 (Kat. 34), spielt diese Szene auf der mythologischen Bühne der GRAN(d) BA(r) oder des GRAN(d) BA(l), auf der der Mensch unabdingbar schuldig wird.

Eigenartigerweise scheinen sich die negativen Schicksalsmächte, die »unbekannten Regisseure«, wie sie Beckmann nennt, direkt an dem Geschehen zu beteiligen. Denn die Columbine, Archetyp der Femme fatale (Kat. 130), agiert mit Maske und Helmbekrönung heroisiert und unverwundbar wie ein Held der Antike oder der Kriegsgott Mars. Sie wird begleitet von dem Bläser, der ohne eigenen Standort über sein rotbraunes Faltengewand aus ihrer Hüfte wächst und der den Demiurgen späterer Bilder ähnelt (Kat. 73, vgl. auch die lavierte Kreidezeichnung v. W. 562). Die satte, kräftige Farbigkeit, skizzenhafte und plastische Akzentuierung sowie die Intensität von Schwarz präsentieren die malerische Freiheit, die Beckmann seit 1926 während seiner alljährlichen Aufenthalte im Kunstzentrum Paris gewonnen hat.   C. St.

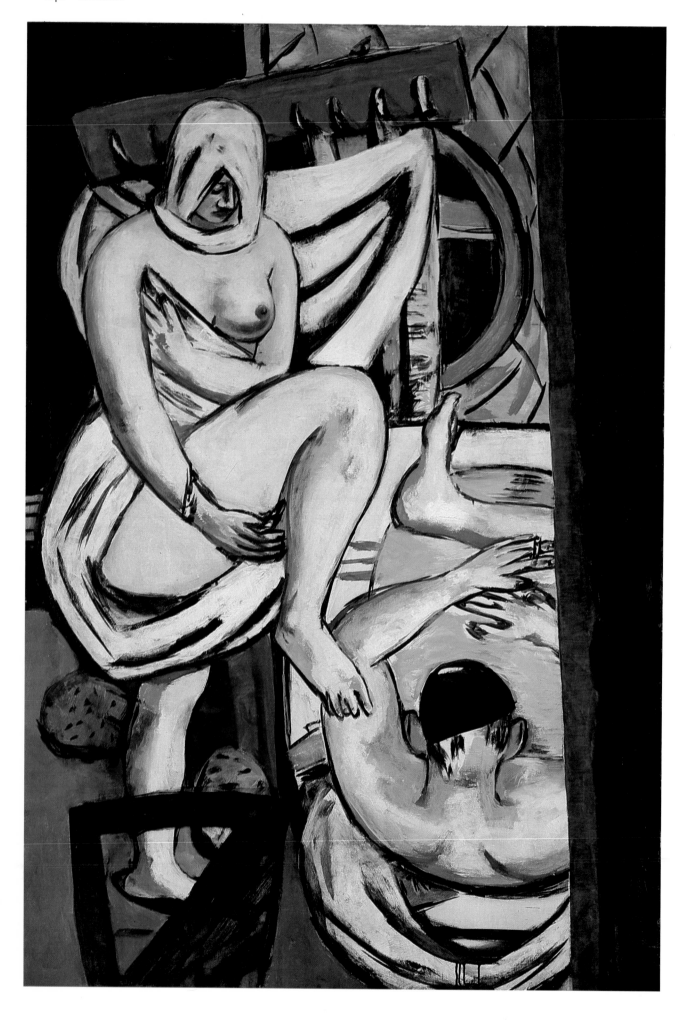

62 Das Bad 1930

Öl auf Leinwand; 174 x 120cm
Nicht bezeichnet
St.Louis, The Saint Louis Art Museum,
Bequest of Morton D.May
Göpel 334

Das nach Angabe Beckmanns 1930 in Paris
entstandene Gemälde zeigt zwei Figuren in
einem Badezimmer: rechts, entspannt in der
Badewanne liegend, den massigen, muskulö-
sen Rücken dem Betrachter zugewandt, ein
Zigarette rauchender Mann mit schwarzer,
schrägsitzender Badekappe, links eine unbe-
kleidete, sich in ein weißes Badetuch hüllende
Frau, das rechte Bein angewinkelt vor den
Körper gezogen (vermutlich Minna Beckmann-Tube, die erste Frau des Künstlers). Die
auf den ersten Blick alltägliche häusliche Szene
erhält durch die zentrale Funktion, die der
›Nichtfarbe‹ Schwarz beigemessen wird, und
bestimmte kompositionelle Elemente etwas
Geheimnisvolles, sich dem Betrachter Ver-
schließendes. Die unmittelbare sinnliche Präsenz des männlichen, insbesondere jedoch des
weiblichen Körpers entzieht sich jedem Gegenüber: offensichtlich bei dem Mann, der ganz
in dem Oval der Badewanne beschlossen
erscheint, komplizierter bei der Frau, die sich
enthüllt und gleichzeitig verbirgt. Das um den
Kopf geschlungene Badetuch, die Blickrichtung, insbesondere jedoch Arm- und Beinhaltung entziehen sie jedem Zugriff von außen.
Verstärkt wird dieser Eindruck durch die
Schwarzwerte, die das Bild mehr als alle Farben bestimmen. Auf einer formalen Ebene haben sie strukturierende, die Komposition festi-
gende Funktionen. Auf einer inhaltlichen Ebene geben sie der unspektakulären Familienszene eine Doppelbödigkeit, deren Sinn sich nur
vermuten, nicht eindeutig festlegen läßt. Berücksichtigt man die biographischen Fakten, so
könnte das Nebeneinander von sinnlicher Präsenz und Distanz in dem Verhältnis des Künstlers, der vermutlich in der männlichen Figur
gemeint ist, zu seiner geschiedenen Frau begründet sein, ja, es könnte sich sogar um eine
späte bildnerische Auseinandersetzung mit
Problemen dieser ersten Ehe handeln.

C. Sch.-H.

63 Bildnis Minna Beckmann-
Tube 1930

Öl auf Leinwand; 160,5 x 83,5cm
Bez.u.l.: Beckmann für Minna Tube P.30 (schwer
lesbar, da übermalt)
Kaiserslautern, Pfalzgalerie
Göpel 337
Literatur: Göpel 1957, S.60. – Kaiserslautern
Pfalzgalerie, Neuerwerbungen ab 1965, o.J. (1967),
Nr.7

Fünf Jahre nach der Scheidung malt Beckmann
nochmals seine erste Frau, mit der er bis zum
Lebensende in Verbindung bleiben wird.
    Entschlossenheit und kühle Distanz, als
Charakteristika vertraut aus dem Porträt von
1924, treten hier hinter der Intimität der Situation zurück. Minna als Nachsinnende: Diese
stillebenhafte Sicht der Frau, in vielen weibli-

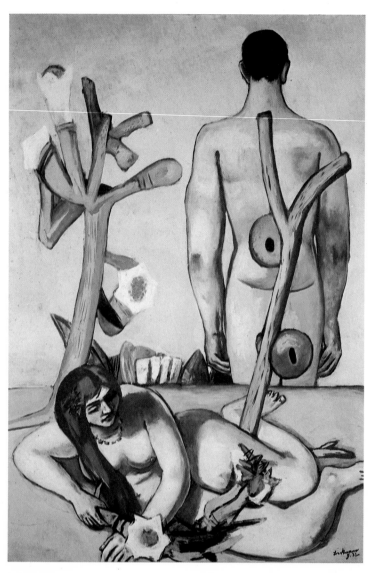

64

des Mannes von der Sinnlichkeit ausdrücken, jene »Verachtung«, in der Beckmann die Erlösung aus dem unheilvollen »Kreislauf des Werdens« sah (Tagebücher, 3.7.1946). Die Thematik Adam und Eva veranschaulicht bei Beckmann allerdings immer das Prinzip des ausweglosen Sündenfalls.   C. St.

65 Der kleine Fisch 1933

Öl auf Leinwand; 135 x 115,5 cm
Bez. u. r.: Beckmann B. 33 für Quappi
Paris, Musée National d'Art Moderne –
Centre Georges Pompidou
Göpel 373
Literatur: Lackner 1967, S.63. – Platte in:
Westermanns Monatshefte 105 (1964), Heft 6, S. 64. –
Fischer, München 1972, S. 83 ff.

Verführung ist das eindeutige Motiv. Werbend und lockend präsentiert der Mann der modisch gekleideten Frau im gelben Strandkleid einen kräftigen, mit dem Schwanz schlagenden Fisch. Sie antwortet in höchster Spannung zwischen Zurückschrecken und Annäherung, einem Zustand, der von der gleitenden Stoffbahn verstärkt wird. Beide Figuren dieser erotischen Situation korrespondieren zudem in den Gelb-Akzenten. Wie in der ersten Fassung des Themas, nur nicht mehr in der idolhaften Form, ist der Fisch als phallisches Wesen eingesetzt, das Mann und Frau zum Paar zusammenschließt. Im Unterschied zur *Reise auf dem Fisch* (Kat.70) ist die unheilvolle Rolle allerdings nur angedeutet, die die Libido in Beckmanns theosophischem Modell einer zur Wiedergeburt verdammten Welt spielt (vgl. dazu Kat. 23, 70, 82 sowie die Stilleben mit Fischen). Denn einzig die mahnende, wie eine Pierrette gekleidete Frau ordnet mit ihrem Fingerzeig die Szene in den größeren Zusammenhang eines ›Welttheaters‹ ein, das von widrigen Schicksalsmächten regiert wird. Der ›böse Demiurg‹ tritt im Unterschied zum früheren Bild *Der Wels* 1929 hier nicht in Erscheinung. Der mit Kappe und Kragen an einen Clown erinnernde Mann würde demnach die Rolle des gefangenen Narren spielen (vgl. die Thematik Fastnacht und Karneval in Kat. 26, 61). Diesem Treiben der »elenden Sklaven« – wie Beckmann sie nennt – stehen Meer und Horizont als »Arena der Unendlichkeit« gegenüber. Naheliegend ist es, wie schon in dem Bild *Die Barke* (Kat. 42), hier außerdem Autobiographisches, nämlich die Begegnung Max Beckmanns mit seiner zweiten Frau verschlüsselt zu finden (vgl. zur Physiognomie Mathildes Kat. 45; der Künstler hat sich häufig mit schwarzer Kappe dargestellt: Kat. 62). C. St.

chen Bildnissen Beckmanns anzutreffen, markiert die Gegenposition zur Dämonisierung der Frau in den mythologischen Bildern. Eindeutig sind Mittel der französischen modernen Malerei bestimmend, mit der sich Beckmann während seiner alljährlichen Paris-Aufenthalte seit 1926 auseinandersetzen konnte. Die aperspektivische Verzeichnung des Sessels und der flächenhafte Aufbau, in den auch die Figur konsequent integriert ist, erzeugen eine Struktur, die den Synthetischen Kubismus voraussetzt. Das Ornamentieren des Hintergrunds und die Linienführung in der Figur lassen entfernt an Matisse denken.   C. St.

64 Mann und Frau 1932

Öl auf Leinwand; 175 x 120 cm
Bez. u. r.: Beckmann F. 32
USA, Privatbesitz
Göpel 363
Literatur: Lackner 1938 – zuletzt abgedruckt 1967,
S.67. – Selz 1964, S. 51, 53. – Kessler 1970, S. 95. –
Fischer, München 1972, S. 91 ff. – Lackner 1978, S. 98

Das Bild steht in der großen Reihe der mythologischen, im Sinne Beckmanns vieldeutigen Darstellungen, die Mitte der zwanziger Jahre einsetzen. Es wird häufig auch ›Adam und Eva‹ genannt. 1917 hat Beckmann das Thema Sündenfall noch traditionell ikonographisch gefaßt (Kat. 16). Jetzt allerdings überträgt er die archetypische Situation auf das Rollenverhältnis zwischen Mann und Frau, wie er es variierend immer wieder zum Gegenstand seiner Bilder machen wird. Straff und monumental in der Abfolge von waagerechten und senkrechten Zügen gefügt, versammelt der Bildaufbau kontrapostisch die beiden Figuren, die hart voneinander geschieden und doch zugleich dicht aufeinander bezogen sind. Während die Rückenfigur des Mannes streng und unbewegt hinter der Vordergrundbühne in die blaue, weite Fläche aufwächst, breitet sich die Frau weich, füllig, bewegt, um das Fruchtbarkeitssymbol des Füllhorns kreisend, in ihrem Herrschaftsbereich aus. Sie ist die Bewohnerin der Erde und der Nähe, er ist der Wanderer, der uneingeschränkt vom Horizont ins Unbegrenzte gerichtet ist. Offen bleibt in diesem Kontrast, ob es sich um die Situation vor (so Göpel) oder nach dem Sündenfall (so Fischer, Lackner) handelt. Denn die lockend ausgefahrenen phallisch-vaginalen Bäume halten den Mann auf der Linie zwischen Versuchung und fernem, verheißungsvollem Land fest. Andererseits mag die harte Rückenansicht der großen Figur bereits jene entschiedene Abkehr

66 Die Schlittschuhläufer 1932

Öl auf Leinwand; 128 x 98cm
Bez. u. l.: Beckmann F 32
Minneapolis, The Minneapolis Institute of Arts,
Bequest of Putnam Dana McMillan
Göpel 358
Literatur: Scheffler in: Kunst und Künstler 31
(1932), S.146

Eingeschlossen von zwei seitlich eingeschobe-
nen Stellagen, jeweils einem Rahmen- und
Türgeviert, verzahnen sich vier Figuren zu
einem dichten, völlig absurden Gefüge. Zwei
Männer im Harlekinskostüm tragen auf ihren
Schultern eine winterlich eingemummte, toll-
kühn balancierende Frau. In Widerspruch zum
räumlichen Sehen schiebt sich ein befrackter
Kellner mit einem Tablett voller Sektgläser
zwischen die Figuren. Dahinter ein weiter
Himmel, niedrige Schneeberge und zwei Figuren unter einer Pferdemaske. Fastnacht,
Winter und Schlittschuhlauf: In manchen Ge-
genden wird Karneval auf dem Eis und auf
Skipisten gefeiert; Beckmann verbrachte zum
Jahreswechsel 1931/32 die Ferien in Garmisch.
Abgesehen von diesem möglichen äußeren
Eindruck ist das Geschehen jedoch in einer
symbolischen Wirklichkeit angesiedelt. Die
funktionslos ins Bildfeld gehängte Tür dient
wie in Kompositionen Ende der zwanziger Jahre als Verweis auf Bedeutsames. Das Schlitt-
schuhlaufen ist nicht als elegant schwingende

66

65

Bewegung, sondern als schweres Verharren
und hilfloser Balanceakt aufgefaßt. Die Gruppe taumelt vornüber nach links, nur mühsam
fixiert in dem Beinpaar der beiden Läufer. Das
wiederholt Einbeinige, die extreme Schrägla-
ge, betont von Pritsche und Streifenjacke, das
Schrumpfen der Körper nach oben zu und der
labile Stand auf den Schlittschuh-Schrägen
bringen, begleitet von der schrägen Tür, den
ganzen Aufbau ins Wanken. Die Frau gefährdet zusätzlich ganz wesentlich das Gleichgewicht mit ihren schweren Formen, der frei ausfahrenden Beinbewegung und den kraftvoll auf
die Schultern des Trägers gestützten Armen.
Nur die flache, marionettenhaft eingeschobene
Figur des Kellners und die beiden Tabletts geben den optisch Fallenden das stützende Widerlager. – Die Schlittschuhläufer verkörpern
demnach hier ebenso wie die zahlreichen Seiltänzer und Akrobaten im Werk Beckmanns
die ungesicherte Existenz des Menschen
(Kat. 33). Gegenüber Kompositionen wie *Luftakrobaten* durchdringt die Labilität jetzt stärker die erzwungene Ordnung. Die Fastnachts-
thematik ist als Beckmanns Form der Lebens-
deutung seit 1920 bekannt (Kat. 25, 26). Auf
der Glatteis-Bühne spielt der Mann die Rolle
des starken Trägers und lächerlichen Clowns,
während die Frau rätselhaft und beherrschend
wie eine Hexe die Szenerie bestimmt. (Vgl. die
Zeichnung *Eisläufer in Davos*, 1928, und das
Pastell *Eiskunstlauf*, 1928).

Die kompositionelle Verbindung von Fast-
nachtspritsche und Pferdemaske im Hintergrund unterstreicht das Moment des Chtho-
nisch-Lustgebundenen (Kat. 43).   C. St.

67 Mädchen mit Hunden spielend 1933

Öl auf Leinwand; 65 x 95,5 cm
Bez. u. r.: Beckmann B. 33
London, Marlborough Fine Art Ltd.
Göpel 382
Literatur: Göpel 1976, I, S. 261

Beckmann wurde zu dem Bild im Bois de Bou-
logne in Paris angeregt, wo er eine ähnliche
Szene beobachtete und auf eine Postkarte skizzierte. Die dünne, zum Teil fast aquarellieren-
de Malweise gibt dem Gemälde eine Leichtigkeit, die zwar dem Spielerischen des Themas
an sich, nicht jedoch dessen Interpretation
durch den Künstler entspricht. Die überpro-
portional großen, wie ungekonnt hinskizzier-
ten Hunde mit ihren kantigen, unelegantlen
Umrissen wirken überdreht, ihr Spiel bewegt
sich nahe an der Grenze zu unkontrollierter
Aggressivität. Die Situation ähnelt dadurch
einem kindlichen Traumbild, in dem unterschiedliche Entwicklungen möglich sind und
das übermütige Treiben eines ausgelassenen
Spiels sich unversehens in sein Gegenteil ver-
kehren kann.

Die im einzelnen unausgefeilte, nahezu
kindlich grobe, zupackende formale Gestaltung, der unbekümmert spontane Gestus entsprechen einer für Beckmann ungewöhnlichen
malerischen Unmittelbarkeit, einer Direktheit,
die seine Gemälde zwar optisch oft suggerieren, die sie aber von der Malerei her letztlich
nicht haben. C. Sch.-H.

**68 Selbstbildnis im großen Spiegel mit
Kerze 1934**

Öl auf Leinwand; 100 x 65 cm
Bez. o. l.: Beckmann B. 34
London, Marlborough Fine Art Ltd.
Göpel 380

Literatur: Fischer, München 1972, S. 117ff. – Zenser
1981, S. 126ff.

Beckmann versteckt sich, macht sich zum
Schatten zwischen den Dingen. Wein- und
Wasserflasche, brennende Kerze und Agave
sind anwesend, werden jedoch nicht im Spiegel
sichtbar. Nur Brille und seltsam chiffriertes
Buch verweisen auf die Gegenwart des Künstlers, der unfaßbar bleibt. Das Beunruhigende
dieses Vorgangs wird auch keineswegs gemildert, wenn man den Spiegel nicht als Spiegel,
sondern als Ausblick in eine andere Wirklichkeit nimmt. Wie eine Ahnenfigur thront die
Büste streng in der Rahmenecke, von düsterem Rot und skizziertem Vorhang umfangen.
Häufig in seinem Werk hat Beckmann bereits
den Spiegel zum Ausblick in verborgene Realität gemacht, sei es, daß er hier die Fratze eines
Gnoms erscheinen ließ (Kat. 22), dort seiner
ersten Frau Minna Vorhang und ungewisses
Dunkel beigab (Kat. 37). Ob als blinde oder
erzählende Fläche, immer setzt der Spiegel
ebenso wie die Kerze, schon traditionell verstanden, die Dinge in Bezug zur Vergänglichkeit (Kat. 25, 31).

Die Bedeutung dieses Selbstbildnisses läßt
sich mit Hilfe ähnlicher Anordnungen entschlüsseln. Direkte Voraussetzung bildet das
Stilleben mit Grammophon und Schwertlilien
von 1924 (Kat. 38), wo der ebenso in das Spiegelgeviert eingefangene Mensch als Masken-
träger mit dem großen Zusammenhang von
Leben und Tod, Dämonie und Unendlichkeit
konfrontiert wird. In seinem Schwarz und mit
seinem skulpturalen Profil ist Beckmann jedoch nicht eine flüchtige Erscheinung, sondern
eine Existenz, die, wie das bedrohlich schwarze Viereck im *Großen Stilleben mit Kerzen und
Spiegel* von 1930 (Kat. 58), unmittelbar in dieser Gegenwelt geheimnisvoller Zusammenhän-
ge angesiedelt ist. Das Lebenssymbol Kerze,
das Erkenntnisinstrument Brille und das Weis-
heitsbuch umstellen den Schatten, der, von
dem Agavenblatt wie ein Cäsar gekrönt, den
Führungsanspruch in diesem nächtlichen Still-
leben erhebt. Das Buch mit den Chiffren und
dem Himmelskörper im Trabantenring verweist insbesondere auf die Ebene des Magischen und der ewigen Gesetze. Die düstere
Sicht dieses Selbstbildnisses vergegenwärtigt
eindringlich den Anfangspunkt der inneren
Emigration bei Beckmann. C. St.

69 Geschwister 1933

Öl auf Leinwand; 135 x 100,5 cm
Bez. o. l.: Beckmann B. 33
USA, Privatbesitz
Göpel 381

Literatur: Selz 1964, S. 55. – Lackner 1967,
S. 10, 14, 16. – Lackner 1968, S. (4, 8). – Fischer,
München 1972, S. 93. – Lackner 1978, S. 104

Der Rückgriff auf ein Motiv der von Richard
Wagner im ›Ring des Nibelungen‹ (Walküre)
abgewandelten altnordischen Wälsungensaga,
der Rückgriff nämlich auf die Geschichte des
Inzests unter den Zwillingen Siegmund und

Sieglinde, den Eltern Siegfrieds, liefert hier
den Stoff für Beckmanns Schlüsselthema der
Versuchung (vgl. u. a. Kat. 73). Den ursprünglichen germanischen Titel ›Siegmund und Sieglinde‹ übertrug er noch 1933 aufgrund der politischen Verhältnisse ins Allgemeine. Das Bild
handelt dramatisch von dem Konflikt zwischen
Libido und moralischem Gesetz, von jener
»ganzen unsinnigen Gier und Tragik«, die das
von negativen Schicksalsmächten gelenkte
»Welttheater« prägt.

Momente der Annäherung und des Zögerns
bestimmen die Figuren, die sich um das tren-

nende und zugleich als Phallus-Symbol fungierende Schwert zum Paar zusammenschließen.
Bei Wagner ist das Schwert Erkennungszei-
chen, Brautgabe und Liebespfand. In der Art
einer Spielkarte durch die roten Flächen des
Lagers, den Blick von oben und die Drehbewe-
gung der Körper verbunden, ist das Paar zugleich in Profilen, Händen und kreisenden Beinen geschieden. Heftige Zuneigung des Mannes, kühles Abweisen und zugleich verführeri-
sches Handeln bei der Frau sind thematisiert.
Hauptfigur ist die Frau in der gefährlichen Position der Femme fatale, denn mit einer experi-

mentellen Bilddrehung in die Horizontale bedrängt die sich Verweigernde plötzlich den Mann, der seltsam deformiert und abhängig dem Spiel unterworfen ist. Das Ausweglose der Situation vermittelt sich über den festen Bildaufbau und die Fesselungsstruktur, die im Schwert und den Tuchwülsten zutage tritt. Radikal sind die Bildmittel der Verkürzung, der flächenhaften Projektion und der Verzeichnung, Mittel, die Beckmann in Arbeiten Pablo Picassos vorfinden konnte. Zum Nibelungen-Stoff schuf er im August 1949 die Zeichnung *Kampf der Königinnen* (Kat. 203).   C. St.

70   Reise auf dem Fisch   1934

Öl auf Leinwand; 134,5 x 115,5 cm
Bez. o. r.: Beckmann Berlin Aug. 34
USA, Privatbesitz
Göpel 403

Literatur: Lackner 1967, S. 63. – Myers, dt. Ausg., 1957, S. 250. – Busch 1960, S. 64. – Lackner 1962, S. 8, 20. – Lenz 1971, S. 217 ff. – Fischer, München 1972, S. 121 ff. – Lackner 1978, S. 106

Häufig in der Literatur als ›Mann und Frau‹ betitelt, handelt die *Reise auf dem Fisch* (so von Beckmann selbst bezeichnet im Tagebuch, 1. und 7. Januar 1948) im Unterschied zu positiveren Visionen (Kat. 64) von dem ausweglos mechanischen Zusammenhang zwischen sexueller Lust, Unfreiheit und Verderben. Denn die Situation erotischer Vereinigung, verbildlicht durch die Fische und das Moment der Fesselung, wird vor einer bleiern beklemmenden Meeresfläche zum Sturz in eine schwarze, bodenlose Zone. Der Mann erlebt mit Schrecken (vgl. Ikarus, Max Beckmanns Illustrationen zu Goethes Faust II, 3. Akt) die Erkenntnis von Selbsttäuschung und Rollenspiel – die Masken sind abgenommen –, während die sphinxhafte Frau, ungebundener und obenauf sitzend, den

Absturz zu steuern scheint. Da der Fisch neben seiner phallischen Bedeutung (Kat. 65, 82, 121) die Seele verkörpern kann (Kat. 132), steht diese Reise wohl auch für den Zwang zur Wiedergeburt, dem die Femme fatale als Werkzeug und »Lockmittel« – nach Beckmanns eigenen Worten – dient. Mehrdeutig bleibt die Meeresszenerie mit dem Segelboot, die einerseits als Bereich der hoffnungsvollen Weiterreise, des »gelassenen Daseins«, andererseits als Todeslandschaft mit dem Boot des Charon interpretiert worden ist. Der bedrängende Horizont, das bleierne Licht, das spukhaft rauschende Segel, das anwachsende Schwarz – die Fläche ist zudem durchgehend schwarz untermalt – sowie die analog dem Fesselungs-Motiv hermetisch geschlossene Bildstruktur legen wohl die letztgenannte Vermutung nahe.

Das figurale Motiv steht in der Tradition der Weltgerichtsbilder. Nach Lackner besaß Max Beckmann eine Reproduktion von ›Triumph des Todes‹ im Camposanto von Pisa, um 1350 entstanden; Lenz verweist auf Michelangelos ›Jüngstes Gericht‹. Was den erotischen Ritt auf den Fischen angeht, sei zum Vergleich auf Max Klingers ›Verführung‹ aus der Folge ›Ein Leben‹, 1880/84, hingewiesen.　　　　C. St.

71　Blick auf den Chiemsee 1934

Öl auf Leinwand; 65 x 95,5 cm
Bez. u. r. eigenhändig 1950: Beckmann B 32
Ursprünglich richtig bez. u. r.: Beckmann 34
USA, Privatbesitz
Göpel 398
Literatur: B. Reifenberg, Die Piper-Drucke, München 1956, S. 128

Das Bild zeigt den Blick aus dem Hause von Schnitzler auf der Aischinger Höhe bei Gstadt, wo sich Beckmann zwei Wochen im Sommer 1934 aufgehalten hat. Aus dem Schatten der Terrasse mit Liegestühlen und Sonnenschirm blickt man auf die Heuernte und weiter durch die Bäume hindurch auf den See bis hin zum jenseitigen Ufer. In dem Maße, in dem der Blick von den kräftigen dunklen Formen vorn über die Gruppe der Bäume zum flachen See und dem zartblauen Himmel geht, entspannt sich der Sinn des Betrachters und wird immer mehr umfangen von der lichten Atmosphäre eines heißen Sommertages, an dem der Geruch des Heus von der Wiese herüberzuströmen scheint.　　　　C. L.

72 Bergsee mit Schwänen 1936
Öl auf Leinwand; 65 x 75,5 cm
Bez. u. l.: Beckmann B 36
USA, Privatbesitz
Göpel 444

1935 und 1936 war Beckmann in Baden-Baden und hat einige Bilder nach Motiven dieser Stadt, aber auch nach solchen des nahegelegenen Schwarzwaldes gemalt. Höchstwahrscheinlich gehört der *Bergsee mit Schwänen*, der topographisch noch nicht identifiziert worden ist, zu diesen Werken.

Beckmann hat sich, wie in anderen Landschaften der dreißiger Jahre, auf wenige Formen beschränkt, die den Blick, also den Sinn des Betrachters leiten und die Landschaft als eine sich vollziehende erfahren lassen. In gestalthaft geprägter Form stehen die beiden Fichten wie Türwächter und Tor zugleich vor dem See, den sie flächig verklammern. Hat sie der vordringende Sinn ›überwunden‹, so wird

er dann merklich im gespannten Oval des Sees mit seinem smaragdgrünen, unergründlichen Wasser gehalten, bis er schließlich über das ansteigende Ufer zum Himmel hin wieder Freiheit erlangt.

Die wilden, zerzausten Kronen der Bäume, die das jenseitige Ufer verdecken, mit den Spitzen jedoch über die Uferränder hinaus zum Himmel vorstoßen, zeigen ihrerseits, in wie hohem Maße Beckmann Kontraste spannungsvoll verbunden hat, so daß schließlich alle Bereiche, auch farbig, in der vollen Eigentümlichkeit ihrer Natur kräftig gegeneinander, miteinander wirken. Der See in seinem kalten Grün mit dem umgebenden Ufer in warmen, ockerfarbenen Tönen, darüber der zarte, lichtblaue Himmel und schließlich die gewaltigen schwarzgrünen Fichten – alles vereint sich zu einer herbstlichen Landschaft, die von leichter Melancholie erfüllt ist, einer Stimmung, die noch durch die beiden Schwäne verstärkt wird, die ihre Hütte aufsuchen. C. L.

**73 Versuchung 1936-1937
(Versuchung des heiligen Antonius)**

Öl auf Leinwand; Mittelbild 200 x 170 cm
Bez. u. r.: Beckmann/B 37
Linkes Seitenbild 215 x 100 cm
Bez. u. r.: Beckmann/B 36
Rechtes Seitenbild 215 x 100 cm
Bez. u. r.: Beckmann/B 36
München, Bayerische Staatsgemäldesammlungen,
Staatsgalerie moderner Kunst
Göpel 439
Literatur: Lackner 1965, S. 9. – Schiff 1968, S. 269 ff.
Schade 1969, S. 237 ff. – Kessler 1970, S. 25 ff. – Lenz
1971, S. 219 ff. – Fischer, München 1972, S. 136 ff. –
Kat. London/New York 1974/1975, Nr. 21. –
P. Beckmann 1977. – Clark 1978. – Lackner 1978,
Nr. 28. – Dube 1980. – Schiff 1980/1981, S. 14 ff. –
Dube 1981

Beckmann nannte dieses Werk im Gespräch
nicht nur »Versuchung«, sondern auch »Versuchung des heiligen Antonius«. Der eine wie
der andere Titel haben also ihre Berechtigung,
wobei es falsch wäre, den längeren Titel für
den genaueren zu halten. ›Versuchung‹ ist
auch ›Versuchung des heiligen Antonius‹,
aber nicht ausschließlich. Beckmann wollte seine Darstellung offenbar nicht so eng verstanden wissen.

Das Triptychon steht in Beziehung zu dem
Buch gleichen Titels von Gustave Flaubert, das
Beckmann spätestens seit 1923 kannte und in
den folgenden Jahrzehnten immer wieder las.
1935, also kurz vor der Entstehung des Triptychons, hatte er so starkes Interesse daran, daß
er es sich schenken ließ. 1946 hätte er es gern
illustriert – nach *Apokalypse* (Kat. 294) und
Faust. Dennoch war er mit Flauberts Buch
nicht einverstanden. Neben etliche kritische
Anmerkungen in den Text schrieb er, wohl
1935, aufs Vorsatzblatt seines Exemplars »Von
Simolin im Juni 1935, Beckmann – bestellt auf
meinen Wunsch. Fehler des Buches: Geringe
Gestaltung des Antonius, viel Wisserei und
doch nicht genug. – Keine Stellungnahme,
daher nur ein unvollkommenes Nachschlage-
buch.«

Links hat Beckmann eine junge Frau, die
offenbar dem Matrosen ausgeliefert ist, auf
einem Floß und an eine Lanze gefesselt dargestellt. Mit seinem schwarzen, riesigen Kopf
macht der Matrose einen unheimlichen, über-
menschlichen, dämonischen Eindruck. In der
Frau kann man Helena sehen, eine der großen
Verführerinnen, bei Flaubert »Lucretia, die
Patrizierin, die von den Königen vergewaltigt
wurde. Sie war Delila [...] Sie war die Tochter
Israels, die sich den Böcken hingab [...] Sie
hat sich allen Völkern feilgeboten.« Helena ist
außerdem Sigeh, Ennoia, Barbelo und Pruni-
kos. Darunter ist vor allem Ennoia wichtig. Als
Helena lebt sie in einem Bordell in Tyrus, bis
der Urvater als Simon Magus auf die Erde her-
absteigt und sie befreit. In Beckmanns Darstellung der Frau links stimmen also die starke
Erotik und das mitleidheischende Gefangen-
sein mit der gnostischen Vorstellung von Helena = Ennoia überein.

Der dämonische Matrose auf dem linken
Bild, Beherrscher der gefesselten Frau, dürfte
auf Flauberts Hilarion zurückgehen. Dieser
hat ein düsteres Gesicht und weiße Haare,
wird immer größer und stellt sich schließlich als

der Teufel und das Wissen zugleich heraus.
Damit entspricht er den Engeln des Demiurgen in der Gnosis (Fischer), die Ennoia gefan-
genhalten.

Eine weit niederere Stufe der Lust als die
Gefesselte stellt das fleischige Monstrum dar,
Verkörperung der übelsten Laster, das von der
Gepanzerten erlegt wird. Diese Gepanzerte ist
– deutlich unterschieden von Nacktheit und
Entblößung – in Bekleidung, Haltung und
Tun, überhaupt in ihrer ganzen Erscheinung
weder als männlich, noch als weiblich zu bestimmen. So ungeschlechtlich, ist sie eine Personifikation wehrhafter, strafender Keuschheit
(Schiff). Die antikische Kleidung deutet auf
Athena hin, mit der diese Vorstellungen über-
einstimmen (Schade). Die Lanze der Athena
ist es denn auch, an die die Frau auf dem Floß
gefesselt ist – Symbol der Strafe, über den
phallischen Charakter dieser Waffe hinaus. Als
Streiterin gegen das Laster kannte Beckmann
die Göttin nicht nur aus der schriftlichen Überlieferung, sondern auch von einem Gemälde
Andrea Mantegnas.

Die Frau auf dem rechten Bild ist keine geringere Verführerin als die links. Der große
Vogel bei ihr läßt vermuten, daß Beckmann
hier an die Königin von Saba dachte (Schiff).
Ihr gehört der große Zaubervogel Simorg-
anka, der in einem Tage um die Welt fliegt und
der dann erzählt, was er alles gesehen hat.
Beckmann hat diesen Diener und Kundschaf-
ter zu einem riesigen dämonischen Wesen gemacht, der die Frau im Käfig gefangenhält.

Auch auf diesem Bild hat Beckmann eine
niedere Stufe der Begierde veranschaulicht, indem er das Tierhafte durch eine Frau darstellt,
die unten am Boden kriecht. Das entspricht bei
Flaubert die Göttin von Ariccia, »auf allen vie-
ren wie ein Tier«. Die Kriechende wird von
einem Boy des Hotels Kempinski in Berlin an
der Leine geführt, der mit seiner anderen
Hand ein Tablett mit einer Krone trägt. Auch
dieser Junge ist, wie die Athena-Figur links,
von weitgehend ungeschlechtlicher Erscheinung; im Unterschied zu ihr hat er aber keinen
streitbaren, kämpferischen Charakter, sondern
ist nur Bote.

Den Bereich von Meer und Himmel auf den
Seitenflügeln hat Lackner richtig als ›Welt‹ bezeichnet. Dieser Bereich kommt jedoch nicht
als Weite, mithin als Freiheit, wie bei *Abfahrt,*
zur Wirkung, sondern im Gegenteil: Er stellt
die verspannte, ungenutzte Freiheit dar. Das
ist im einzelnen auch an den Hauptfiguren zu
sehen. Floß und Boot können von den beiden
Frauen nicht zu guter Fahrt genutzt werden,
sondern die Gefangenen ›treiben‹ nur auf dem
Wasser.

Die Seitenbilder sind in vielfältiger Weise
auf das Mittelbild bezogen. Zur Mitte führt der
Hotelboy die Kriechende; dorthin trägt er die
Krone. Zur Mitte hin ist auch die Gerüstete
links ausgerichtet. Das Mittelfeld zeigt im
Unterschied zu den Seitenbildern einen Innenraum. Die Figur einer dunklen vielbrüstigen
Göttin, Diana von Ephesus wie bei Flaubert,
und prächtige Säulen zeichnen den Ort als den
der Gottheit aus – ein Heiligtum. Der Besonderheit des Ortes entspricht die Frau neben
dem Götterbild. Es gibt sie nicht gleichsam
doppelt wie die Frauen der Seitenbilder, son-

dern sie ist einzigartig in ihrer Schönheit, nicht
weniger erotisch als die anderen, ist diese doch
zugleich frei. In solcher Vollkommenheit muß
sie als göttlich bezeichnet werden. Dementsprechend stellt sich unversehens die Vorstellung von Venus ein, auch ohne daß Flauberts
Text herangezogen wird.

Der junge Maler im Vordergrund ist durch
seine Lage vor der Göttin am Boden und durch
doppelte Fesselung gegenüber dem Rang der
Göttlichen abgesetzt. Mühselig hält er sich an
seiner Staffelei aufrecht und blickt unverwandt
zur göttlichen Frau hoch, die ihn aber nicht
beachtet. Der junge Maler ist der Held des
ganzen Triptychons; um ihn dreht sich alles.
Kann er auch mit Antonius nicht einfach
gleichgesetzt werden, so ist er doch eine An-
tonius-Figur, ausgesetzt den vielfältigsten Versuchungen. Auf den Seitenbildern sind es Versuchungen gewöhnlicher Art, verschiedene
Stufen sexueller Begierden, außerdem Macht
(die Krone), von denen bei Flaubert drei Stimmen verführerisch flüstern: »Willst Du Frau-
en? Lieber einen großen Haufen Geld? Ein
blitzendes Schwert?« Auf dem Mittelbild dagegen dürfte es sich um eine Versuchung viel

höherer Art handeln. Die Schriften am Boden deuten den Sinn genauer an. Dort ist einerseits zu lesen SATURN und andererseits IM ANFANG WAR DAS WORT. Der Name des Planeten ist der traditionelle Hinweis auf den Künstler, indem Saturn die Gottheit der Melancholie als schöpferische Versenkung ist. Der Tradition nach wird aber nicht nur der Künstler vom Saturn beherrscht, sondern im Christentum vertritt auch Antonius, der Eremit, den Typus des saturnischen Temperaments (Kessler). Auch aus dieser Überlieferung kann der junge Mann hier als Antonius und Künstler in einem verstanden werden. Die andere Schrift im Bilde, der Anfang des Johannes-Evangeliums, deutet auf das Andere, das, was dem Künstler gegenüber ist. Wenn es heißt »Im Anfang war das Wort« und weiter »und das Wort war bei Gott, und Gott war das Wort«, so ist in Beckmanns Gemälde durch das Schriftstück ganz mittelbar der Hinweis auf das Göttliche gegeben, das der Künstler vor sich und über sich hat.

Der Künstler ist also Versuchungen unterschiedlicher Grade ausgesetzt, die ihn von seinem Künstlertum abziehen wollen. Die größte Versuchung besteht für ihn jedoch offenbar darin, sich dem Göttlichen *unmittelbar* zu nähern. Seine Bestimmung ist hingegen eine andere. Er hat zu realisieren, daß er gefesselt ist, daß ihm der unmittelbare Zugang zum Bereich des Göttlichen versagt bleibt. Er kann das Göttliche nur erschauen und es in eigenem schöpferischen Tun bezeugen. Seine Werke sind Bilder dessen, was er gesehen hat, deshalb der Spiegel auf der Staffelei. Durch Sehen und Bezeugen wird der Künstler zu einer Figur wie Johannes, von dem es nach den zitierten Worten im Evangelium heißt, er habe das Licht, das heißt Gott, in der Finsternis zu bezeugen. Johannes, der auch innerhalb der Gnosis größte Bedeutung hatte, war aber nicht nur der Verfasser des Evangeliums, sondern hat auch die Apokalypse geschrieben. Als derjenige, dem besondere Gesichte durch Gott vom Ende der Welt zuteil wurden, mußte Johannes für Beckmann von Interesse sein. Der Künstler hat sich in diesem Sinne selbst als sein Verwandter erfahren, hat sich selbst auch immer wieder als Sehender und Bezeugender dargestellt. 1941/1942 illustrierte er schließlich die ›Apokalypse‹ und bezog sich dort wiederum auf den Beginn des Johannes-Evangeliums mit dem Satz »Im Anfang war das Wort« (Kat. 294, Titelblatt).

Das Schauen und Bezeugen, wie auch die Versuchungen, finden in einer Endzeit statt, denn in dem Heiligtum auf dem Mittelbild ist eine Säule bereits umgestürzt und Feuer breitet sich aus. Möglicherweise erklärt sich das Wasser auf den Seitenbildern als Sintflut, wodurch diese Darstellungen ebenfalls endzeitlichen Charakter hätten. Beckmann hat jedoch nicht gemeint, daß ein solcher Untergang das absolute Ende bedeute, sondern für ihn war das Ende irdischen Daseins zugleich der Beginn einer Verwandlung, Durchgangsstadium zu neuem, höherem Sein. Dieses Sein wird vor allem durch Freiheit bestimmt. Weder Fesselung noch irgendeine Art von Unterdrückung durch dämonische Mächte wird es dann geben. Insofern ist der Blick des gefesselten jungen Künstlers voller Sehnsucht und die göttliche Frau eine Verheißung der Freiheit. In der Freiheit eines über-irdischen Daseins wird schließlich auch die Vereinigung von Mann und Frau möglich sein.   C. L.

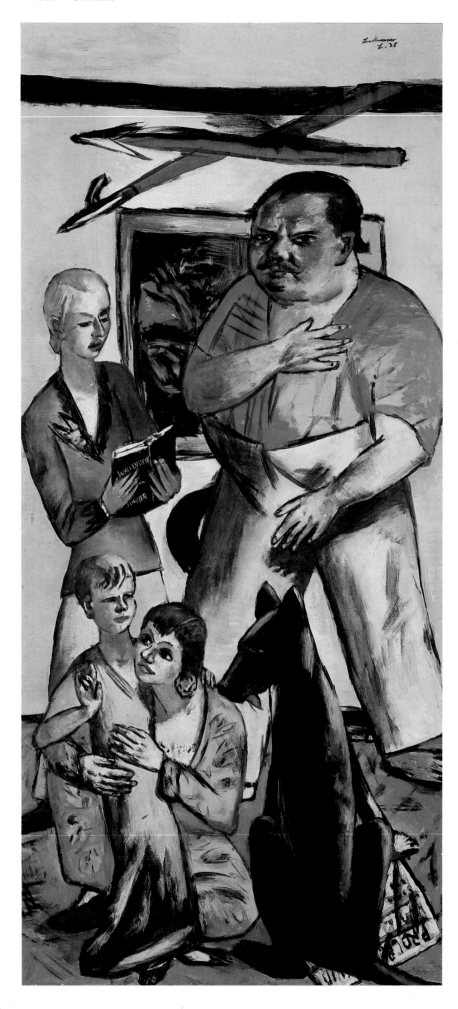

74   Familienbild Heinrich George 1935
Öl auf Leinwand; 215 x 100 cm
Bez. o. r.: Beckmann B. 35
Berlin, Staatliche Museen Preußischer Kulturbesitz,
Nationalgalerie
Göpel 416
Literatur: Göpel 1976, I., S. 279

Der Schauspieler Heinrich George (1893-1946)
trug in den zwanziger und dreißiger Jahren entscheidend zum internationalen Renommee des
Berliner Theaters bei. Der engagierte Inter-
pret expressionistischer wie auch klassischer
Rollen war auch Regisseur und ab 1936 Inten-
dant des Schillertheaters. Beckmann und George lernten sich bereits in den ersten Nachkriegsjahren in Frankfurt bei einem Atelierbe-
such in der Schweizerstraße kennen und begeg-
neten einander dann in den dreißiger Jahren in
Berlin wieder. Die Anregung zu dem Bild erhielt Beckmann – nach den Angaben von Frau
Berta Drews-George – durch Georges Interpretation des Wallenstein, wo er im ersten
Auftritt schnell und erregt aus der Tiefe der
Bühne an die Rampe gekommen sei, bekleidet
mit einer blendend zinnoberroten Uniform.
Ein Reflex dieser Szene sei bei dem im Atelier
entstandenen Gemälde in der dynamischen
Bewegung Georges nach vorne sowie dem
leuchtend roten Hemd zu sehen. Auf dem
Buch in der Hand der stehenden Frau steht:
»WALLENSTEIN (V)ON SCHILLER«. Das Motiv der
überkreuzten Speere übernahm Beckmann aus
der Wohnung der Familie, die eine größere
Waffensammlung besaß. Die Frau neben George ist die Schauspielerin Lolle Habecker, die
mit George oft dessen Rollen einübte und ihn
auch als Souffleuse bei Gastspielreisen begleitete. Im Vordergrund Frau Berta Drews-George mit dem Sohn Jan und der Dogge Fellow II.
  George ist in einer fast brutalen Weise als
dominante, seine Umwelt beherrschende Figur
charakterisiert. In seiner Ausstrahlung eher
einem derben Schlachter als einem Schauspieler ähnlich, bestimmt er durch seine Größe, die
heftige Bewegung nach vorne, die Kleidung
und den bulligen Kopf die gesamte Komposition. Hinzu kommt, daß die aggressiv von der
Decke weisenden Speere und der gefährlich
aussehende schwarze Hund deutlich ihm zugeordnet wirken. Die Frauen und der Junge weichen mehr oder weniger bewußt vor dieser
raumgreifenden, beherrschenden Figur zurück. Beide Frauen, obwohl selbst Schauspielerinnen, scheinen sich ganz auf die eher dienende Rolle zurückzuziehen: die der Mutter
und der Souffleuse.   C. Sch.-H.

75 Selbstbildnis im Frack 1937

Öl auf Leinwand; 192,5 x 89 cm
Bez. u. r.: Beckmann B. 37
Chicago, The Art Institute of Chicago, Gift of
Mrs. Sheldon Ackerman and
Mr. Philip Ringer
Göpel 459
Literatur: Zenser 1981, S. 152 ff.

Der Vergleich der biographischen und künstlerischen Situation könnte nicht krasser ausfallen
als zwischen diesem und dem zehn Jahre vorher entstandenen Selbstbildnis (Kat. 53). Beide
Male eingekleidet in die gesellschaftliche,
strenge Würdeform des schwarz-weißen Smokings oder Fracks, beide Male groß und hart
umrissen ins Bildfeld gerückt, unausweichlich
sich selbst gegenübergestellt, hat der gegenwärtige Beckmann mit dem früheren doch
kaum mehr etwas zu tun. Kompaktheit, siche-
rer Stand, Gleichgewicht, Fassade und Selbst-
stilisierung sind verloren. Die Figur nimmt
keinen Raum ein. Kopf und vor allem Hände integrieren sich schemenhaft ausgebreitet
in den Flächenzusammenhang des Schwarz-
Weiß. Der Körper ist auf eine eckig-sperrige
Silhouette geschrumpft. Vom skizzenhaft offen
markierten Kopf über die wie Blätter oder Pa-
piere hängenden Hände bis in den Schattenriß
der Füße dünnt sich die Gestalt zunehmend
aus. Viele Momente wirken zusätzlich schwä-
chend: die dunkel eingetieften Partien von Augen, Nase und Mund, das nur undeutlich markierte Umfeld, die Vorherrschaft der Schrägen, das einengende Hochformat und die eigenartige Position der Figur selbst. Vorhang,
Blumen, Treppenlauf und Geländer sind ins
Flüchtige aufgelöst. Der gesamte Bereich
rutscht, verstärkt durch die lasziv fallende Abfolge der Hände und Beine, ins rechte untere
Bildeck. Das Balustradenstück ist keine Stütze
für den aufgelegten Arm; die Geländer umfangen nicht den Mann sondern bleiben gedrückt
in seltsamer Bodennähe. Und das Eigentliche:
Obwohl schon mit geringster Örtlichkeit im
Bild ausgestattet, tritt Beckmann nach links,
überschneidet sich mit dem Bildrand und suggeriert mit diesem seit dem Impressionismus
vertrauten Mittel das Relative eines Augen-
blicks. Gefährdete Existenz, Melancholie und
Willenlosigkeit kann man aus diesem Porträt
des Künstlers lesen, der bereits seit 1932 von
Kampagnen des Nationalsozialismus betroffen
ist, in diesem Jahr, 1937, zu den offiziell be-
nannten ›entarteten Künstlern‹ zählen und am
19. Juli nach Amsterdam emigrieren wird.

C. St.

76 Nordseelandschaft I (Gewitter) 1937
Öl auf Leinwand; 56,5 x 71,5 cm
Bez. u. r.: Beckmann B. 37
USA, Privatbesitz
Göpel 464
Literatur: Lackner 1978, Nr. 29

Beckmann ist im Frühsommer 1937 auf der
Nordseeinsel Wangerooge gewesen und hat im
Anschluß an seinen Aufenthalt dieses Bild zusammen mit *Nordseelandschaft II (abziehende
Wolken)* und *Stürmische Nordsee (Wangerooge)* gemalt. Dazwischen lag seine Emigration
nach Amsterdam. Alle drei haben fast dasselbe
Format. Indem die Bilder darüber hinaus drei
Phasen des besonderen Naturereignisses –
Aufziehen des Gewitters, Höhepunkt und Abziehen der Wolken – anschaulich machen,
schließen sie sich beinahe wie ein Triptychon
zu sinnvoller Dreiheit zusammen. Das erweist
sich nicht zuletzt im Vergleich mit drei weiteren Meereslandschaften, die alle kurz darauf
entstanden sind, aber weder einen derartigen
Zusammenhang erwägen lassen, noch von ähnlicher Größe der Auffassung sind.

Auf dem hier abgebildeten Gemälde hat
Beckmann ein schwarzgrünes Meer mit heftiger Brandung dargestellt, in die eine Buhne
zerteilend und hemmend hineinragt. In Gegenrichtung zieht hinten eine große Wolkenwand
auf, die das Meer verdunkelt und sich in
Schauern entlädt. Ihr leuchtendes Blau, der
schräge Zug in die Höhe mit den vordringen-
den Spitzen und das goldene, durchbrechende
Sonnenlicht geben dieser Wolke einen trium-
phalen, fanalartigen Charakter. Kontrapunk-

tierend dazu wirken die Türme der weißen
Quellwolken, da an ihnen gemäßigte Ruhe gegenüber energischer Bewegung, runde gegenüber scharfer Form und eine ›neutrale‹ Farbigkeit gegenüber dem ausdrücklichen Leuchten
der blauen Wolke sichtbar sind. So hat der
Künstler hier mit wenigen Formen lapidar ein
großes Naturgeschehen dargestellt.   C. L.

77 Blick auf Vorstädte am Meer bei Marseille 1937

Öl auf Leinwand; 65 x 110,5 cm
Bez. o. l.: Beckmann A 37
USA, Privatbesitz
Göpel 477
Literatur: Lackner 1978, Nr. 32

Da ein Jahr vor diesem Gemälde, 1936, ebenfalls zwei südfranzösische Landschaften entstanden sind, *Monte Carlo* und *Château d'If*, muß angenommen werden, daß Beckmann seinen Paris-Aufenthalt im Jahre 1936 um eine Reise ans Mittelmeer erweitert hat. Dort werden vielleicht Zeichnungen entstanden sein, die den Gemälden von 1936 und 1937 zugrundeliegen, denn 1937 ist er nicht in Frankreich gewesen.

Urtümlich und mächtig stößt von unten ein Felsen gegen die Landzunge vor, die sich von rechts mit zwei Zacken ins Meer schiebt. Die Geschlossenheit der dunklen Pinien oben und das gespannte Rund des festen Ufersockels samt der energischen Gürtung durch die Uferstraße bewirken die plastische Kraft auch dieser Landzunge, die durch die Häuser nur wenig aufgelockert wird. In entschiedenem Bogen ist rechts eine zweite Straße über die Brücke hochgeführt und schneidet zwischen die Pinien ein, wobei andere Häuser den Punkt markieren, an dem sie die Höhe erreicht.

Den Blick in die Bucht zwischen den Felsen vorn, den Rand der Landzunge und der Brücke, hat Beckmann in der rechten unteren Ecke durch eine Nahform, vielleicht die Brüstung eines Balkons, gerade und abrupt beschnitten.

So sind es vor allem Kräfte und Energien, die in der geomorphen Struktur zur Anschauung kommen. Aber der grünsilberne verwischte Schimmer auf den Pinien, die Kleinteiligkeit und verhaltene Buntheit der Häuser, das Rauhe des grauvioletten Felsens vorn und nicht zuletzt das lichte blaue Meer mit der Brandung sowie der helle smaragdene Himmel erweisen, wie sehr Beckmann hier alles auch zu sinnlichem Reichtum und Schönheit gebracht hat. Es ist das Bild einer mediterranen Landschaft, in der sich Ernst und Heiterkeit, Dunkelheit und Lichtheit, Schwere und Leichtigkeit zu einer groß gesehenen Natur vereinen. C. L.

78 Der König 1937

Öl auf Leinwand; 135,5 x 100,5cm
Bez. o. l.: Beckmann A 37
St. Louis, The Saint Louis Art Museum,
Bequest of Morton D. May
Göpel 470
Literatur: Fischer, München 1972, S. 132 ff.

Der Vergleich des Bildes mit der ersten Fassung von 1933 (s. Abb. unten) macht deutlich, daß Beckmann die Komposition völlig uminterpretierte. In der ersten, im Aufbau einfachen, zum Teil unausgewogenen Version wird die Dreiergruppe zum Betrachter hin durch die Säule am rechten Bildrand und die sitzende junge Frau, die über die Schulter aus dem Bild blickt, abgeschlossen. Der König im Harlekinstrikot, breitbeinig sitzend und wie selbstverständlich auf das Schwert als Symbol seiner Stärke gestützt, blickt gerade, allerdings leicht verdrießlich und starr nach vorne. Die dunkle Frau mit lang herunterfallendem Kopftuch hinter ihm, mit mißtrauisch ihm zugewandten Augen, scheint ihn mit ihrer linken, abgeknickten Hand zur Seite schieben zu wollen.

Demgegenüber wirkt die Komposition von 1937 verschlüsselter. Die Begrenzung des vorderen Bildraumes ist entfallen, die Figurengruppe nicht mehr im Mittelgrund geschützt, sondern ganz auf die vordere Bildebene bezogen. Beckmann erreichte dies durch weitgehende Übermalung der Säule – die jetzt nur noch als Schatten im Hintergrund zu vermuten ist – und des Körpers der jungen Frau, die nun hinter dem rechten Oberschenkel des Königs sitzt. Dadurch sind seine Beine schutzlos nach außen geöffnet; mit der Überschneidung der Waden an der unteren Bildkante wird der Eindruck verstärkt, daß er nicht mehr in der Sicherheit der Bildkomposition Schutz findet, sondern dem Außen ausgeliefert ist. Eine Absicherung wird durch ein fragiles System nur noch angedeutet und wäre leicht zu durchbrechen: durch den jetzt vor der Säule liegenden Arm der rechten Frau, deren Handhaltung nun deutlich als Abwehrgestus zum Außen hin charakterisiert ist und durch den Arm der jungen Frau, der eine engere Verbindung zwischen ihr und dem Mann entstehen läßt, eine Vertrautheit, von der das Gegenüber abgesondert ist.

Eine sehr viel gravierendere Ausdrucksänderung erreichte Beckmann allerdings mit Hilfe der Farbe, bzw. der ›Nichtfarbe‹ Schwarz: Er verstärkte nachträglich die Schwarzkonturierungen aller Figuren, übermalte und akzentuierte sie mit nervös und spontan anmutenden schwarzen Pinselstrichen, setzte im Hintergrund gegenständlich nicht eindeutig erkennbare Formen ein und verschattete die Gesichter. Bei dem König geht dies soweit, daß die Augen nur noch als schwarze Farbhöhlen wirken und eine Blickrichtung damit nicht mehr eindeutig auszumachen ist; der Kopf der rechten Frau, jetzt ins Profil gewendet, erscheint nur noch als geheimnisvoll dunkle Form, einem Idol oder einer Maske ähnlicher als einem Lebewesen.

Nimmt man die größere Angreifbarkeit, Schutzlosigkeit der Figuren gegenüber der Außenwelt einerseits und die durch die Schwarzübermalungen erreichte Verschattung, das Sich dem Außen psychisch Verschließen andererseits, so ergibt sich eine deutliche Inhaltsverschiebung im Vergleich zur ersten Fassung, die indirekt durch die verschärfte politische Situation in Deutschland – Beckmann war am 19. Juli 1937 nach Amsterdam emigriert und hatte das Bild dort überarbeitet – motiviert sein könnte (vgl. hierzu auch Kat. 73, *Versuchung*, und 84, *Hölle der Vögel*). Diese Vermutung wird gestützt durch die immer wieder festgestellten selbstbildnishaften Züge des Königs, die Ähnlichkeit der linken Frau mit Mathilde Beckmann und – allerdings weniger eindeutig – die der rechten mit Minna.

Die Gefährdungen des Künstlers, des Königs im Narrengewand, sind durch den Nationalsozialismus in einer seine Existenz im Innersten bedrohenden Weise gestiegen. Er muß sich in sich zurückziehen, ›Schwarz‹ über sich und seine Umwelt legen, um zumindest nicht so leicht erkannt werden zu können, um sich in eine Schutzhülle entziehen und damit die extreme Verwundbarkeit durch ein feindliches Außen teilweise auffangen zu können. Melancholie und Trauer, die jetzt über dem Ganzen liegen, werden ergänzt durch die nervöse Oberflächenstruktur der gesamten Bildfläche, in der sich Sensibilität und nervliche Anspannung unmittelbar niederzuschlagen scheinen. Gleichzeitig legt die dunkle, ›blinde‹ Augenpartie des Königs eine gedankliche Verbindung zum blinden Seher der griechischen Antike nahe, dem allein die Geheimnisse der Zukunft offenbart wurden. Aber auch die Deutung des Mannes als ›Cakravatin‹, als guter Weltenkönig der indischen Mythologie, könnte hier mit anklingen, man denke an das merkwürdige Sitzmotiv des Königs, das uns von Abbildungen indischer Gottheiten geläufig ist, die dunkle Hautfarbe, die Ohrringe u. a. Damit wird das Bild zur Metapher für den existentiell bedrohten Künstler, der Schutz nur in der Abkehr von Außen finden kann, der jedoch gleichzeitig der wahre Sehende ist.

C. Sch.-H.

Max Beckmann: Der König, 1933, erste Fassung

79 Mädchen mit gelber Katze
(auf Grau) 1937
Öl auf Leinwand ; 76 x 58 cm
Nicht bezeichnet
Privatbesitz
Göpel 472

In seiner Mischung aus Zurückhaltung, Skepsis
und Ängstlichkeit, die gleichzeitig auch etwas
Verschlagenes hat, gehört dieses Bildnis zu den
sprödesten Frauenporträts des Künstlers. Das
in Dreiviertelansicht den Betrachter anblicken-
de Mädchen ist weder sonderlich schön noch
strahlt es auffallende Intelligenz aus und vermag trotzdem zu faszinieren. Dies scheint mit

ihrem eigenartig sphinxähnlichen Blick zu tun
zu haben : Es handelt sich um eines der seltenen Porträts des Künstlers, in denen der Dargestellte den Betrachter ansieht, ja, ihn sogar
fixiert ; allerdings so aus den Augenwinkeln,
daß man sich in diesem Blick nicht wohlfühlt.

Unterstrichen wird die Eigenart des Bildes
durch das fast aggressive Gelb von Haaren und
Kleidbesatz sowie das Orange-Gelb des von
dem Mädchen gehaltenen, sich an sie schmie-
genden Tieres. Eine vergleichbare Farbigkeit
hat unter den Porträts meines Wissens nur das
wesentlich früher entstandene *Bildnis einer alten Schauspielerin*, 1926 (Kat. 44), in dem auch
ein ähnliches Schoßtier auftaucht. In der Bild-

liste des Künstlers als › Katze ‹ bezeichnet, hat
es doch eher den Charakter eines Misch-
wesens. Es könnte sich ebenso um einen kleinen Fuchs handeln, ähnlich wie im Triptychon
Versuchung (Kat. 73). Während der Fuchs innerhalb der Ikonographie als Zeichen für List
und Verschlagenheit steht, wird der Katze im
Volksglauben eine magische wie auch erotische
Rolle beigemessen. Ob alle diese Aspekte von
Beckmann mitgemeint waren, läßt sich nicht
entscheiden ; der Gesichtsausdruck des Mädchens sowie die Farbigkeit lassen diese Deutung jedoch als zumindest nicht unwahrscheinlich erscheinen.   C. Sch.-H.

80 Der Befreite 1937
Öl auf Leinwand; 60 x 40 cm
Bez. o. r.: Beckmann A. 37
Privatsammlung
Göpel 476

Literatur: Jedlicka 1959 in: Blick auf Beckmann,
S. 124f. – Lackner 1967, S. 39. – Evans 1974, S. 17f. –
Zenser 1981, S. 155 ff.

Nur kurze Zeit nach seiner Emigration hat Beckmann dieses Selbstbildnis in Amsterdam gemalt. Der Gefangene, der seine Fesseln gesprengt hat, aber dennoch eingeschlossen, verzweifelt und blicklos bleibt: Dieses Motiv dokumentiert mehr als die historisch faßbare Situation den Mann, der nie mehr nach Deutschland zurückkommen und bis zum Lebensende das Schicksal des Auswanderers leidend erleben sollte. Sichtbar wird hier der Beckmann, der seine bisher dramatisch zugespitzte oder theatralisch verdeckte, pessimistische Welthaltung nun unverstellt zutage treten läßt. Gefangen in der eigenen Existenz, knapp umschnitten von den Bildrändern und hinterfangen vom Gitterfenster, bleibt die Figur mit Kopf und Händen in sich gebunden. Kein ein-

ziges Moment von Freiheit ist in der Komposition zu finden. Die stahlblaue Kette schließt Mann und Gitter zusammen und obwohl sie von der Metallmanschette der Hand gelöst ist, funktioniert sie doch immer noch als Fessel. Kettenglieder und Finger rasten, konzentriert durch das Bildeck und das dichte Schwarz, unlösbar ineinander ein. Der Ausdruck des Händeringens entspricht den schmerzlichen Gesichtszügen, die aus breiten Schwarzzonen entstehen. Die Farbigkeit gibt den depressiven Grundklang, denn das metallene Blau-Grün des Gesichts läßt die Kälte der Fesseln anschaulich werden, während das flackernde Rotbraun des Hintergrunds und das warme

Gelb und Grün von Hemd und Handrücken Hitze suggerieren. Diesen beunruhigenden Wärme-Kälte-Kontrast hat Beckmann noch gesteigert in seinen großen Kompositionen von 1937/38 eingesetzt (Kat. 78, 84). Das Schwarz hinter den Gitterstäben variiert in später Weise das Dunkel, das in früheren Bildern immer wieder die schicksalhaft unbekannte Wirklichkeit menschlicher Existenz symbolisierte (Kat. 26, 37). Das Selbstbildnis ist überzeugend als modernes ›Ecce homo‹-Bild gedeutet worden. Der Vergleich mit den Clown-Bildern Rouaults liegt nahe, da das spröde gebrochene und die Form aufzehrende Schwarz auch hier die dominierende Rolle spielt.   C. St.

81 Geburt 1937

Öl auf Leinwand; 121 x 176,5 cm
Bez. u. l.: Beckmann A 37
Berlin, Staatliche Museen Preußischer Kulturbesitz,
Nationalgalerie
Göpel 478

Bezeichnenderweise findet die Geburt bei
Beckmann in einem Zirkuswagen statt, darauf
weisen das Ambiente, das Plakat zwischen
liegender Wöchnerin und Hebamme mit Kind
(CIRCUS ROMANY) sowie ein Schild mit spiegel-
verkehrter Aufschrift CIRCUS hin. Der Bühnen-
charakter der Szene wird durch einen gelben,
nach links über der Frau schwebenden Vorhang sowie den von außen beobachtenden
Kasperl unterstrichen. In selbstvergessen aufreizender Haltung liegt die Frau, halbbedeckt
von einer gelben Decke, in dem viel zu kleinen Bett. Beckmann bediente sich hier offensichtlich eines schon im Mittelalter gängigen
Bedeutungsmaßstabes, der die Personen in
Relation zu ihrer Wichtigkeit innerhalb des
Bildgeschehens proportioniert, in diesem Fall
also besonders die Frau und an zweiter Stelle
die Hebamme übergroß erscheinen läßt. Die
um das Bett gruppierten blühenden Blumen
und die brennende Kerze scheinen auf den
ewigen Kreislauf des Lebens hinzudeuten und
verbinden das Bild unmittelbar mit dem 1938
entstandenen Gegenstück *Tod* (Kat. 82), in
dem die Blumen zu einem Kranz gebunden

sind und sich den brennenden eine verloschene
Kerze beigesellt hat. Eine weitere Parallele
zwischen beiden Gemälden ist darüber hinaus
in der Figur des Pflegers mit weißer Schürze
und weißer Haube zu sehen, der in beiden Bildern vom Geschehen abgewandt ist und zudem
gewisse Ähnlichkeiten mit dem Künstler selbst
aufweist. Die ihm in der *Geburt* beigegebene
dunkle Figur im Hintergrund könnte als Hinweis auf eine unbekannte, verschlossene Zukunft gemeint sein. Hinterfangen werden beide durch einen schräg in Rot und Schwarz
geteilten Spiegel, der nichts im Zimmer Erkennbares wiedergibt. Die gegensätzlichen
Farbflächen scheinen hier jedoch ein Nebeneinander von Lebendigem und Unlebendigem
anzudeuten, das spiegelverkehrt auch in dunkler Gestalt und Arzt anklingen mag. Eigenartig
wirkt in diesem Zusammenhang das Neugeborene im Arm der Hebamme, das als einzige
Figur im Bild frontal dem Betrachter zugewandt ist und das trotz der Blutspuren am Arm
merkwürdig alt aussieht. Zu diesem Kind gibt
es im Werk des Künstlers eine recht offensichtliche Parallele: Der 1940 entstandene *Zirkuswagen* (vgl. Kat. 94) zeigt den zeitunglesenden
Zirkusdirektor in vergleichbarer Frontalansicht und Physiognomie und in beiden Fällen
bestehen unzweideutige Ähnlichkeiten mit
Beckmann. Das Neugeborene ist ebenso wie
der Erwachsene als außerhalb seiner Umwelt
stehend charakterisiert, als aufmerksamer,

gleichzeitig jedoch auch kalt sezierender Beobachter eines jenseits des Alltäglichen liegenden
Geschehens (das Kind blickt aus dem Bild, der
Erwachsene liest Zeitung). Von daher könnte
in beiden Gemälden auf ein Selbstverständnis
des Künstlers als eines die Realität unbeteiligt
beobachtenden Außenseiters angespielt sein.
Ohne Zweifel ist dies jedoch nur eine unter
vielen Möglichkeiten, sich ihnen zu nähern; in
der *Geburt* könnte mit der Figur des Pflegers
oder Arztes, wie sie ähnlich im *Tod* erscheint,
eine ergänzende Interpretation künstlerischer
Arbeit angesprochen sein: die des zwar nicht
die Krankheit (des Lebens) an sich, so doch
deren Symptome behandelnden Arztes.

Daß all dies in einem Zirkuswagen geschieht, entspricht Beckmanns bekannter Begeisterung für Zirkus und Varieté, die ihm
gleichzeitig zu Metaphern menschlicher Seins-
weisen wurden. Das Kind wird in eine Welt
geboren, in der es eine ihm zugeteilte Bühnen-
rolle spielt, seine Kunststücke je nach Begabung besser oder schlechter vorführt. Der blau
kostümierte Hanswurst beobachtet – wie schon
im *Traum* von 1921 (Kat. 23) – unbeteiligt und
als der eigentlich Wissende das Geschehen.

C. Sch.-H.

82 Tod 1938

Öl auf Leinwand; 121 x 176,5 cm
Bez. u. r.: Beckmann A 38
Berlin, Staatliche Museen Preußischer Kulturbesitz,
Nationalgalerie
Göpel 497
Literatur: Fischer, München 1972, S. 130ff.

Das Bild gilt als Gegenstück der im vorhergehenden Jahr entstandenen *Geburt* (Kat. 81), mit der es auch in den Maßen übereinstimmt. Die Szenerie ist jedoch ungleich komplizierter und vielschichtiger. In der Mitte liegt im offenen Sarg die Tote, umgeben ebenso von verständlichen wie geheimnisvollen Figuren, in denen unterschiedliche zeitliche Phasen und existentielle Zustände angesprochen zu sein scheinen. Fieberkurve und der von der Toten abgewandte Krankenpfleger erinnern noch an die Krankenhaussituation, während die Totenkerzen und der Kranz bereits der Toten gewidmet sind. Eine Art Totenwächter, eine dunkelhäutige Figur mit sechs Füßen und verloschener Kerze, steht aufrecht vor dem Sarg, links sitzt, mit ihren Schuhen beschäftigt, eine Frau (eine Krankenschwester?), rechts fliegt eine Frau eng umschlungen mit einem riesigen Fisch. Die Figuren der oberen Bildhälfte stehen auf dem Kopf und sind durch Abnormitäten gekennzeichnet: ein widerwärtiger Männerchor, dessen Mitglieder verdreifachte Köpfe haben, ein unangenehm verwachsener

Engel mit großer Posaune und obszönem Penis, monströse Mischwesen, weder Mensch noch Tier und eigenartige Kopffüßler (wie sie wesentlich später durch Horst Antes populär wurden), bevölkern eine Art Bretterboden, eine Bühne, die nach hinten wegzurutschen scheint. Diese Anordnung deutet darauf hin, daß hier ein erstes Stadium nach dem Tod gemeint ist, jener Übertritt von einer diesseitigen in eine jenseitige Welt, in der die Gesetze der Schwerkraft und die uns bekannten Formen aufgehoben werden. Der hinter dem Bretterboden auftauchende schwarze Streifen könnte dann ein Stück jener unendlichen Schwärze des »Nichts«, des »Raumes« sein, in das der Tote übergeht.

F. W. Fischer vermutet hier wohl mit Recht eine unmittelbare Anleihe Beckmanns an ihm bekannte Quellen der anglo-indischen Theosophie. Seine daraus abgeleitete Interpretation des Bildes erscheint so überzeugend, daß sie in ihren wichtigsten Aspekten wiedergegeben werden kann. Das Sterben ist danach ein langwieriger Prozeß, in dem sich verschiedene Stadien abwechseln. Das Kama-Loka, die erste Phase, die hier dargestellt wäre, ist sowohl durch Erinnerungen an das vergangene Leben wie auch die Verselbständigung ungeordneter und unsauberer Seelenteile gekennzeichnet, die sich von der menschlichen Existenz trennen und die in diesem Stadium ein Eigenleben führen. Verborgene Begierden und Leidenschaf

ten, wie sie sich z. B. in Frau und Fisch artikulieren, werden durch den Zerfall des Körpers freigesetzt und bewirken letztlich die Wiederverkörperung: Sie bilden gewissermaßen einen »lebensgierigen Rest«, der sich in einem ewigen Kreislauf an die Materie hängt, und sind Ursache für die Kontinuität des Lebens. Inwieweit sich Beckmann dabei bewußt und im einzelnen auf diese Gedankengänge stützte, sei dahingestellt. Daß eine Interpretation jedoch in diese Richtung gehen muß, scheint sich auch darin zu bestätigen, daß er als Hauptperson in seinem Todesdrama eine Frau wählt, die traditionell nicht nur als lebensspendend, sondern gleichzeitig auch als Objekt der Begierde gilt.

C. Sch.-H.

83

84 Hölle der Vögel 1938

Öl auf Leinwand; 120 x 160,5 cm
Bez. wohl o. r. (übermalt)
New York, Richard L. Feigen
Göpel 506
Literatur: Lackner 1978, S. 114

Die alptraumhafte Szenerie, in der die Brutalität und Grausamkeit der Darstellung von einer
ungewöhnlich aggressiven Farbigkeit und un-
gestümen, oft nahezu gestisch wirkenden Malweise getragen wird, ist, wie so oft bei Beckmann, unterschiedlich interpretierbar. Mit
ebenso großer Wahrscheinlichkeit kann ihr ein
konkret politischer, ein religiöser oder ein philosophischer Gedankengang zugrundeliegen
oder auch eine Kombination aus allen dreien.

Riesenhafte, leuchtendbunte Vögel, die zu
Ungeheuern verwandelten und geheimnisvollen Beckmannschen Paradiesvögel (vgl. u. a.
Kat. 73), sind zu einer lautstarken Folterung in
einem Kellergewölbe angetreten: Einem nackten, gefesselten jungen Mann wird mit einem
Messer der Rücken aufgeschnitten, weitere
nackte Menschen stehen mit erhobenem rechten Arm, einen Kommandospruch schreiend,
in der linken, rot leuchtenden Toröffnung,
erwartet von einem mit Messer bewaffneten
Vogelungeheuer. Daneben ein schwarzgelber
Adler, der Goldstücke bewacht und eine fu-
rienähnliche Fruchtbarkeitsgöttin, die einem
Ei entsteigt. Hinter ihr weiße, nackte weibliche
Figuren, die sich verschreckt aneinanderdrän-
gen. Die kreisrunden, schwarzgelben Formen
finden sich bei Beckmann häufiger und können
sowohl frontal gesehene Grammophontrichter
als auch Blasinstrumente bedeuten. Durch den
feuerroten Hintergrund legen sie darüber hinaus die Assoziation von Ofenöffnungen nahe.
Das Stillebenarrangement vorne enthält neben
brennender Kerze und Weintrauben ein kleines Meerbild mit untergehender Sonne.

Der politische Bezug auf den Nationalsozialismus scheint offensichtlich zu sein; es gibt
kein anderes Gemälde des Künstlers, das so
unverhüllt und unmittelbar Stellung bezieht.
Stephan Lackner, der das Bild in dieser Richtung deutet, verweist u. a. auf den Hitlergruß,
die brüllende Masse, den preußischen Adler,
der von den Nazis als Wappentier adaptiert
wurde, die »Muttererde mit vielen Brüsten
und Hitlergruß«, in der sich die ›Blut- und Boden‹-Ideologie personifiziert hat. Daß allerdings die weißen Frauen »arische Maiden«
sein sollen, die die »Heerscharen erwarten, die
links triumphierend Einzug halten«, sehe ich
für unwahrscheinlich an. Denn wirken beide
nicht gleichermaßen verängstigt, sichtlich gezwungen, den ›deutschen Gruß‹ zu brüllen,
bevor auch sie ein entsetzliches Ende finden?

Die nicht in Sprache faßbaren Grausamkei-
ten des Regimes werden in der sowohl formal
als auch farblich nahezu orgiastischen Malerei
bedrückender Alptraum, real und irreal zugleich. In einem weniger konkreten, übergrei-
fenderen Verständnis könnte in dem Bild eine
Metapher für Terrorismus, entfesselte ›unmenschliche‹ Gewalt gesehen werden, auch
eine Allegorie der Hölle, wobei allerdings zu
fragen bleibt, welcher Art diese bei Beckmann
sein kann. Sicher ist dabei nicht an eine christ-
lich intendierte Hölle als Gegensatz zum Him-

---

83 Stilleben mit gelben Rosen 1937

Öl auf Leinwand; 110 x 66cm
Bez. o. l.: Beckmann A 37
Lugano/Schweiz, Sammlung Thyssen-Bornemisza
Göpel 483
Literatur: R. N. Ketterer, Campione,
Lagerkatalog III, Nr. 21

Das Bild zählt zu der Reihe von Blumenstill-
leben, die die Ikonographie des Rätselhaften
weitgehend zurückzudrängen scheinen zugunsten freier Malerei. Eindeutige Hinweise auf
Vergänglichkeit und Unendliches fehlen, die
anderswo häufig mit Kerzen, Büchern, Instrumenten, Sternzeichen, Spiegeln und offenen
Ausblicken gegeben sind (Kat. 27, 68, 115).

Auf beschreibende Details ist verzichtet.
Die Formen sind in der Führung des Pinselstrichs so generalisiert, daß z. B. unklar bleibt,

ob es sich bei den Dingen auf dem Tisch um
eine Doppelflöte und um Notenblätter handelt. Ausgewogen baut sich die Komposition
über den zentrierenden Farbzusammenhang
von Gelb in Rosen und Maiskolben auf, dem
Grün, Rotbraun und Grau des Umfeldes entsprechen. Leuchtende Akzente sind mit Blau
eingesprengt. Auffällig sind allerdings der düstere Klang, der, wie beim Bild *Der König* desselben Jahres (Kat. 78), durch das unmotiviert
anwachsende Schwarz erzeugt wird, sowie die
hermetisch geschlossene, mit dem Tischrund
kreisende Anordnung. Das *Stilleben mit Grammophon und Schwertlilien* von 1924 (Kat. 38)
bildet hierfür wohl die Voraussetzung. Das
Schwarz fungiert demnach wohl wie in anderen
Stilleben als das drohend Unbekannte, vor
dem sich irdische Existenz abspielt (Kat. 47).

C. St.

mel gedacht. Eher könnte bei Beckmann eine im einzelnen Individuum begründete Hölle gemeint sein, die sich ihm dann auftut, wenn er sich ganz menschlichen Begierden hingibt. Dieser Interpretationsansatz gewinnt an Wahrscheinlichkeit, wenn man das Triptychon *Versuchung* (Kat. 73) hinzuzieht. Der junge Mann, der hier gefoltert wird, weist Ähnlichkeiten mit dem Jüngling dort auf, die orange-blauen Vögel sind zu Ungeheuern verwandte Gegenbilder des Paradiesvogels im rechten Flügel, und die Diana von Ephesus im Mittelbild ist hier die zur Furie gewordene Fruchtbarkeitsgöttin.

Diese Deutung läßt sich allerdings in einem zweiten Schritt wieder mit dem Nationalsozialismus zusammenbinden, dessen Grundlage die Perversion menschlicher Begierden war und der für Beckmann, unabhängig vom tagespolitischen Aspekt, zur Metapher einer allgegenwärtigen Hölle werden konnte, einer Welt, die von keinem Tageslicht erhellt wird und in der auch die gemalte Sonne auf dem Bild im Bild über dem Meer untergeht. C. Sch.-H.

85 Atelier (Nacht). Stilleben mit Fernrohr und verhüllter Figur 1938

Öl auf Leinwand; 110 x 70 cm
Bez. u. l.: Beckmann A 38
London, Marlborough Fine Art Ltd.
Göpel 510
Literatur: Fischer, München 1972, S. 62 ff.

Das 1931 in einer ersten Fassung entstandene und 1938 überarbeitete Nachtstilleben vereinigt sowohl im dinglichen als auch im formalen Bereich verschiedene typische Bildzeichen des Künstlers zu einem dichtgedrängten, düsteren Kaleidoskop, das sich – wie so oft – in keiner eindeutigen Interpretation zusammenbinden läßt. Durch die dichte Verzahnung von Innen- und Außenraum wird schon eine präzise gegenständliche Beschreibung zweifelhaft. Offensichtlich ist, daß es sich zum einen um einen Innenraum handelt, vermutlich eines jener großen Ateliers der Jahrhundertwende mit einem vom Boden bis fast zur Decke reichenden Rundbogenfenster. Hierdurch blickt man auf das dunkle Fenster eines nah gegenüberliegenden Hauses (daran erkennbar, daß der Schlagladen links vor dem Fensterrahmen, die Vorhänge hinter ihm sitzen). Diese Bereiche sind jedoch nicht eindeutig voneinander geschieden, die nächtliche Dunkelheit verwan-

delt die bei Tag selbstverständlich getrennten Ebenen zu einem Miteinander von Innen- und Außenraum, so, wie sich im Traum Reales und Irreales verbinden. Zu geheimnisvoll unwirklichen Requisiten werden auch die an sich verständlichen Gegenstände im Atelier. So ist die dunkel verhüllte Figur, deren Schatten im Atelierfenster aufscheint, einerseits als Tonmodell einer Plastik zu identifizieren, die, um ein Austrocknen zu verhindern, nachts mit einem Tuch bedeckt wird. Sie steht auf einem wahrscheinlich in verschiedene Höhen verstellbaren Arbeitssockel. Andererseits regt die Figur im Dunkel des verhüllenden Tuches, das nur ein klobiges Bein sichtbar werden läßt, zu unterschiedlichen Assoziationen an, die über den beschreibenden Gehalt hinausgehen. Das Motiv, das im Werk des Künstlers in zahlreichen Variationen auftaucht (vgl. Kat. 103), kann ebenso eine psychische Befindlichkeit (Trauer und Schmerz) meinen wie auch die Personifikation eines dunklen, dem Betrachter verschlossenen Schicksals, oder Bewahrer eines Geheimnisses sein. Ähnliches gilt für die Schlangenblumenvase mit prachtvoll blühenden Orchideen, deren berauschend süßen, betäubenden Duft man zu riechen glaubt. Die sinnliche Wirkung dieser Blumen, unterstützt durch das Schlangenmotiv und die runden,

weichfließenden Formen, hat etwas Morbides, und man fühlt sich gleichzeitig an eine fleischfressende Pflanze erinnert. Das Himmelsfernrohr ist in das Zimmerinnere gewandt und wird damit zum unbenutzten Attribut.

Nimmt man die Konzentration dieser eigenartigen Dingsymbole auf engem Raum, den beherrschenden Farbkontrast Gelb-Schwarz sowie die Verquickung verschiedener Raumschichten hinzu, so scheint es Beckmann hier in besonderem Maße um eine Verrätselung ›an sich‹ gegangen zu sein. Zum Thema des Bildes wird das Geheimnisvolle selbst, das der Künst-

ler zu kennen scheint (denn von ihm sind die Dinge bewußt verhüllt). Ihm kommt dabei die Rolle des Magiers zu, der die ihm wichtigen Requisiten nach Gutdünken kombiniert und uns in einem unentwirrbaren Rätsel als Faktum vorführt. Und es läßt sich nur vermuten, daß dieses Geheimnis verlockend schön und furcht erregend in einem ist, so wie es die Orchidee symbolisiert, der im gegenüberliegenden Fenster eine gespenstische dunkle Form, einem Totenkopf ähnlich, zugeordnet ist.

C. Sch.-H.

86 Selbstbildnis mit Horn 1938

Öl auf Leinwand; 110 x 101 cm
Bez. u. M.: Beckmann A.38
USA, Privatbesitz
Göpel 489

Literatur: Göpel in: Die Weltkunst 33 (1963), Nr. 21, S. 14. – Selz 1964, S. 72. – Lackner 1967, S. 31, 34f., 122. – Fischer, München 1972, S. 119ff. – Evans 1974, S. 18. – Göpel 1976, Bd. 1. – Lackner 1978, S. 122. – Zenser 1981, S. 162ff.

Im Amsterdamer Exil, ein Jahr ungefähr nach Beckmanns Ächtung durch die Nationalsozialisten, entsteht diese Selbstdarstellung, die wohl die melancholischste, aber auch die mystifizierteste in der Reihe der Selbstbildnisse ist. Das Dunkel, das 1927 in das Bildfeld einzudringen beginnt (Kat. 53), durchzieht nun mit Schatten und schwarzen Streifen die Person und schluckt den engen Umraum. Obwohl knapp eingespannt in das Geviert und zwischen Vorhangstreifen und goldenen Rahmen geschoben, scheint die mächtige Gestalt im Grenzenlosen zu stehen. Beckmann existiert jetzt im Bereich des Unbekannten und Geheimnisses selbst. Seltsam die rotglühende, gestreifte Kleidung, der leere Bilderrahmen im Hintergrund und das Instrument, ein Horn, das in Bezug zu Mund, Auge und Ohr hochgenommen ist. Blasinstrumente fungieren häufig im Werk als Attribute des Künstlers. Doch hier scheint der Maler nicht ein Signal nach außen gesetzt zu haben, sondern vielmehr mittels des Horns das Dunkel durchdringen und ausloten zu wollen. Eher wie ein Fern- oder Hörrohr hält er das kurzgekrümmte Instrument in der Schwebe, das mit seinem dunklen Trichterschlund, hart überschnitten von der Vorhangbahn, die nächste Umgebung körperlich abzutasten scheint. Reines Insichgekehrtsein und konzentriertes Warten auf einen Ton in der Stille – das ist die Stimmung dieser Situation, die das Individuum Beckmann mit keinem Betrachter, nicht einmal mit seinem zweiten, sich sonst selbst beobachtenden Ich, teilen will. Der Mensch bleibt für sich, ohne Blick nach draußen oder auf sein Gegenüber, seismographisch reagierend in der rechten schwebenden Hand, schwer, düster und gespannt mit verschattetem Gesicht.

Dreischichtig kann das Selbstbildnis gedeutet werden: als Sicht des blind in persönlicher Lebenssituation Gefangenen, als Bild für unbekanntes Schicksal des Menschen schlechthin und schließlich als Darstellung des Künstlers, der existentiell auf Geheimnis und Inspiration angewiesen bleibt. Eindringlich schließen sich die drei kreisenden Formen von Trichterschlund, greifender Hand und mächtigem Gesicht zu dichter Folge zusammen, wobei der goldglühende Rahmen das Gesicht überhöhend umgrenzt. Frei vom extrovertierten Rollenspiel früherer Selbstbespiegelungen, wird Beckmann analog dem leeren Bildgeviert im Bild sich selbst zum Fremden und Medium. Die Konzentration auf das Abgründig-Geheimnisvolle ist besonders deutlich im Vergleich mit der früheren Fassung des Selbstbildnisses. Dort erscheint der Künstler, an das Selbstbildnis von 1930 erinnernd (Abb. S. 67), wie ein Clown oder Artist, eingebunden in eine erkennbare, harmonisierte Umgebung und während seines noch zerstreuten Lau-

schens lächelnd positiv reagierend. In der Übermalung gewinnt das Bild nicht nur visionären Ausdruck und große malerische Freiheit – man betrachte die reine Malerei des gestreiften Mantels –, sondern überhaupt auch erst die Dimension ›innerer Emigration‹, die seit 1932 die großen mythologischen Erfindungen Beckmanns möglich machte (vgl. Kat. 68). Spürbar werden hier Anschauungen,

die Beckmann in dem Londoner Vortrag 1938 formuliert hat, nämlich der Mythos des Raums als der Mythos der unendlichen Gottheit, das Schwarz als Teilaspekt eines umfassenden Gottes und die Sehnsucht, ein »Selbst«, ein »Ich in ewiger, unvergänglicher Form« zu werden. Vorstufen zu dieser Sicht sind die beiden Selbstbildnisse *Der Befreite* (Kat. 80) und *Selbstbildnis mit Glaskugel* (Abb. S. 69), wobei

bezeichnend ist, daß an die Stelle der jeweils eindeutigen Pose des Verzweifelten und Sehers nun die Rolle der konzentrierten Person getreten ist. Der Wärme-Kälte-Kontrast des *Befreiten* ist gemildert, damit ist mystischer Charakter gewonnen.
C. St.

1949, gibt den anbeißenden Fischen Menschenköpfe und zeigt die angelnden Frauen als erotisch lockende Wesen, während die Federzeichnung *Die Angler,* 1940-45 (Kat. 188), die Angelnden als König, nackte Frauen und Totengerippe charakterisiert. Die Seele wählt sich die irdische Macht, die erotische Lust und damit den Tod: Diese Wahl der Lebenslose, in Platos ›Politeia‹ thematisiert, die Beckmann kannte, verbindet sich hier mit der Fischsymbolik und der gnostischen Anschauung des Demiurgen als des negativen Planetengottes. Die ›Kinder des Zwielichts‹ sind die Wesen, die mit Weiblichkeit und Attributen der Macht und des Reichtums die Seele in die Falle lokken. Der auch von Beckmann auf die Metro bezogene Hinweis SORTIE steht demnach für den Ausgang in eine Oberwelt oder irdische Welt.   C. St.

88   Krieger und Vogelfrau 1939

Öl auf Leinwand; 81 x 61 cm
Bez. u. r.: Beckmann P. 37
Privatbesitz
Göpel 522
Literatur: Göpel 1976, I, S. 328

Das im malerischen Duktus ungewöhnlich expressive, spontane Gemälde sprengt nahezu das relativ kleine Bildformat. Dieser Eindruck entsteht nicht nur durch die kraftvolle, z. T. fast gestische Pinselführung, sondern auch durch die kompositionelle Anordnung. Der schwer bewaffnete, geharnischte und gepanzerte Krieger beherrscht die gesamte Bildfläche: Füße, Kopf und Speer reichen jeweils bis zu den äußeren Bildkanten. Größer als seine Umgebung und dadurch über sie hinwegblikkend, schreitet er aufrecht nach rechts, weder die eigenartige Vogelfrau noch die dunklen Gestalten im Hintergrund beachtend.
    Anregungen zu diesem Bild wird Beckmann der griechischen Mythologie entnommen haben, die seit den frühen dreißiger Jahren für ihn an Bedeutung gewann (vgl. hierzu Kat. 73, 92). Es könnte sich dabei um eine Kombination unterschiedlicher Quellen handeln, die Beckmann seinem eigenen Bedeutungskontext unterordnete. Die Vogelfrau erinnert an die Gestalt der Sirenen, allerdings nicht an jene aus der Odyssee, die durch ihren Gesang betören, sondern an die seit archaischen Zeiten verbreitete Auffassung, die Sirene sei ein Unterwelt-Geschöpf, das dem Toten zur tröstenden Begleiterin beigegeben ist. Dies würde in etwa die dunkle Gestalt mit Federputz erklären, die Charon, dem Fährmann des Hades ähnelt (vgl. hierzu auch den linken Flügel des Triptychons *Versuchung,* Kat. 73). Der Krieger hat darüber hinaus selbstbildnishafte Züge; von daher würde sich dann doch wieder die Figur des Odysseus anbieten, mit der sich Beckmann im Tagebuch häufig identifizierte. Dies kann jedoch, wie stets bei Beckmann, nur als Interpretationshinweis, nicht als eindeutige Erklärung dienen. In Zusammenhang mit der

87   Kinder des Zwielichts – Orkus 1939

Öl auf Leinwand; 81 x 60 cm
Bez. u. r.: Beckmann P. 39
USA, Privatbesitz
Göpel 526
Literatur: Lackner 1967, S. 79, 89, 108 (Briefe von MB). – Fischer, München 1972, S. 127 ff.

Ein Jahr nach den großen Kompositionen *Tod* und *Hölle der Vögel* (Kat. 82, 84) entstanden, setzt dieses Bild den Bereich einer schrecklichen jenseitigen Welt in Szene. Der Mensch tritt nicht auf; nur blauhäutige, grotesk geformte Ungeheuer und eine Gruppe weißer Figuren bewohnen den Bereich, der sich ohne Ausblick, mit dunklem Wasser und dem an Metrostationen erinnernden Wegweiser SORTIE (Ausgang) als Unterwelt zu erkennen gibt.
    Das Unheimliche des Ortes entsteht hier nicht wie bei der *Hölle der Vögel* durch die brodelnde Handlung, sondern durch die Ruhe,

die in den immateriellen Farben Blau und Violett, der Nichtfarbe Weiß, dem fest schließenden Ocker und den streng gesetzten Gestalten zum Ausdruck kommt. Die skizzierten Schemen im Hintergrund, die das Bild als unvollendete Arbeit kennzeichnen, verkörpern, wie die maskenhaft Verpuppten des Bootes in ihrer Statik, Instanzen unerbittlichen Wartens. Zentrales Motiv ist das Angeln, denn die beiden kugelförmig zusammengezogenen Monster holen an langen Angelschnüren kleine Fische aus dem Wasser, während die Frau einen großen Fisch im Netz gefangen hat.
    Die Symbolik des Fisches als des Seelentiers, das in den Kreislauf von Leben, Begierde und Tod gelockt wird, begegnet uns bei Beckmann häufig (Kat. 65, 70, 121). Zwei späte Variationen der vorliegenden Komposition entschlüsseln, wie Fischer aufgezeigt hat, die Bedeutung. Die Kohlezeichnung *Women fishing,*

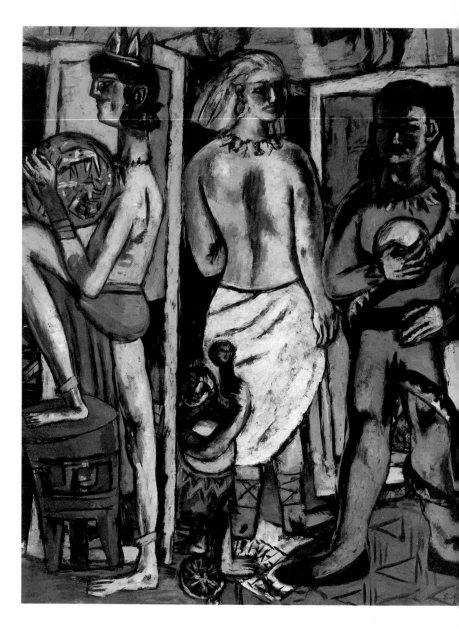

Komposition sowie der kraftvollen Malweise wird man als eine Möglichkeit annehmen können, daß es Beckmann in diesem Bild um die Darstellung ungebrochener männlicher Kraft, um Selbstbehauptung gegenüber dunklen, geheimnisvollen Mächten ging. Ohne Zweifel drückt sich hier – und dies gerade auch in der martialischen Attitüde des Kriegers – eine positive Grundhaltung aus, die sich trotzig und siegesgewiß in einem gibt.

Das Gemälde wurde vom Künstler nachträglich versehentlich auf 1937 datiert; da er in diesem Jahr jedoch kein Atelier in Paris besaß, entstand es wohl erst 1939, als er sich längere Zeit dort aufhielt. C. Sch.-H.

89 Akrobaten 1939

Öl auf Leinwand; Mittelbild 200,5 x 170,5 cm,
Flügel 200,5 x 90,5 cm
Bez. Mittelbild u.r.: Beckmann A 39
l. Flügel u. Mitte: Beckmann A 39
r. Flügel u. Mitte: Beckmann A 39
St. Louis, The Saint Louis Art Museum,
Bequest of Morton D. May
Göpel 536
Literatur: Lackner 1965, S. 10. – Lackner 1967, S. 86.
Fischer, München 1972, S. 159 ff. – Schiff in:
Kat. Städel 1981, S. 67 ff.

Im Gegensatz zu den beiden vorhergegangenen Triptychen (Abb. S. 40 und Kat. 73) verlegt Beckmann die Handlung hier wieder ausschließlich in Innenräume und widmet sich zudem einem geschlossenen, relativ leicht überschaubaren und identifizierbaren Thema: Alle drei Teile beziehen sich auf die Welt der Akrobaten. Während die Szenen auf den beiden Flügeln im ›öffentlichen‹, Zuschauern zugänglichen Bereich angesiedelt sind, zeigt der Mittelteil einen den Artisten vorbehaltenen Raum, eine Garderobe oder auch einen Abschnitt hinter der Bühne. Der blau gekleidete Schlangenbändiger und die blonde, halbnackte

Frau sind in einer offenen erotischen Spannung aufeinander bezogen, sich gegenseitig taxierend, berechnend in ihrer Verbindung von Verweigerung und Zielstrebigkeit. Es bleibt unklar, ob der Mann eine Hellseherkugel oder einen Apfel in Händen hält, ob er von der Schlange gefesselt ist oder sie beherrscht und wie die Frau, mit dem Körper provozierend von ihm abgewandt, das Spiel weitertreiben wird. Ironisch scheint damit auf die biblische Genesis angespielt zu werden: Ob Eva Adam verführt oder umgekehrt, erweist sich als unerheblich; verstrickt sind beide – unentrinnbar und weltvergessen – in eine kalt berechnende Leidenschaft, und ein kleiner Junge, einem afrikanischen Götzen gleich, ist bereit, die Trommel zu einem alten Ritus zu schlagen, der sich unabhängig von Zeit und Raum unendlich wiederholt (die Uhr mit blutroten Ziffern und eine Pariser Tageszeitung PET⟨it⟩ PARI⟨sien⟩ werden achtlos auf dem Boden zertreten). Eine Figur mit Krone und großer Kugel im Arm, weder Mann noch Frau, blickt mit unangenehmem Sphinxlächeln von der Szene weg. Gebühren diesem Zwitterwesen Krone und Weltkugel als traditionelle Herrschaftsinsig-

Während hier die Akteure ihre Rolle alle unverkleidet spielen, stellen sie sich im rechten Flügel auf einer gewissermaßen offiziellen beruflichen Ebene mit der entsprechenden Verkleidung dar: tutende kleine Clowns mit Sektflasche und eine blonde Programm- und Süßigkeitenverkäuferin, die unsicher abwartend einem als Kriegsgott Mars kostümierten grimmigen Artisten entgegenblickt. Ist damit das Martialische auch im harmlosesten (Zirkus-) Treiben nur spielerisch angedeutet, oder ist es hier bereits die Barbarei des Zweiten Weltkrieges, der unbemerkt von den meisten in jene kleine Zirkuswelt eindringt, die Beckmann zum Sinnbild für die Wirrnisse menschlichen Lebens wurde? »Le nouveau Trois steigt aus dunklen Gewässern über Sekt, Cadaver und den kleinen Wahnsinn der Welt empor zu äußerster Klarheit. O mon Dieu, es lohnt zu leben« schrieb er während der Arbeit an dem Triptychon an Stephan Lackner, und auf dem linken Flügel plazierte er – sicher nicht unbewußt auf einen blauen und einen roten Zettel verteilt – die Worte CIRKUS und ME. Zwar ist letzteres sicher zu MEDRANO zu ergänzen, einem bis zum Zweiten Weltkrieg berühmten Zirkus in Paris, andererseits ist die Abkürzung jedoch auch so bewußt gesetzt, daß damit ebenso auf eine dem Künstler immanente Situation und sein Weltverständnis angespielt werden soll (vgl. hierzu auch Kat. 33).

Ergänzend sei noch auf Beckmanns Fähigkeit hingewiesen, eine formal scheinbar chaotische Komposition durch Farbgewichte zu akzentuieren und auszugleichen. Die im Mittelfeld großflächig auftretenden Farben wiederholen und verschränken sich in kleineren Partien in den Seitenteilen, eine Methode, die einen inneren Bildrhythmus entstehen läßt: Das Gelb/Ocker hinterfängt im Mittelteil U-förmig die Figuren, während es in den Seitenteilen lediglich in kleinen Flächen vorkommt (links Trikot und Tablett, rechts Haare, Kostümverzierungen und Rock der Frau). Das Blaugrün des Schlangenbändigers wiederholt sich in dem Trapezkünstler und dem Harnisch und Helm des Kriegsgottes, dessen rote Kostümteile wiederum eine Entsprechung im Spiegel des Mittelteiles und dem großen Fisch finden. Die willkürlich erscheinende Aufteilung wird damit strukturiert, das Auge vollzieht unweigerlich den Farbrhythmus in seinen Wellenlinien mit und erfährt die Komposition so als in sich geschlossen und notwendig. Jener »kleine Wahnsinn der Welt«, der »Zirkus Beckmann«, präsentiert sich als geordnetes Chaos.

C. Sch.-H.

nien? Die wie ungebrauchte Kulissenversatzstücke chaotisch in den Raum gestellten Wände oder Spiegel verdecken nur ungenügend das undurchdringliche Schwarz einer unbekannten Außenwelt.

Über und auf dem Auffangnetz des Zirkus im linken Flügel widmen sich die Darsteller selbstvergessen, aufmerksam oder übereifrig ihrem jeweiligen Part. Da ist zunächst ein eng umschlungenes, ganz ineinander versunkenes Paar, das sich eigenartigerweise auf einem Hochseil balancierend liebt und vermutlich über kurz oder lang abstürzen und sich im Auffangnetz lächerlich überkugeln wird. Unbeachtet steht neben ihnen der Ober im Smoking mit den bestellten Getränken, und eine Frau mit großem Fisch im Arm und kleinem in einem Netz kauert – blicklos ins Nirgendwo grimassierend – auf dem Auffangnetz. Ist damit die sich einen Mann angelnde Frau gemeint und so zumindest die weibliche Figur in dem scheinbar selbstvergessenen Liebesspiel entlarvt? Ein übereifriger Trapezkünstler turnt in halsbrecherischer Übung dicht unter der Holzdecke, auch er ausschließlich auf seine Rolle konzentriert.

90 Junges Mädchen 1940

Öl auf Leinwand; 81 × 50,5 cm
Bez. o. r.: Beckmann 40
München, Bayerische Staatsgemäldesammlungen,
Staatsgalerie moderner Kunst
Göpel 548

Nachdenklich stützt das Mädchen seinen Kopf
auf den Arm. Sein verträumter Blick nimmt
den Kontakt zum Betrachter nicht auf. Der
Oberkörper ist frontal zu sehen, wobei die weißen Rüschen am Kragen des schwarzen Kleides den Ausschnitt betonen und zusammen mit
der weißen Spitze des Unterrockes, die unterhalb des Kleidersaumes sichtbar wird, die Andeutung einer sexuellen Aufforderung vermuten lassen. Dieser Eindruck wird verstärkt
durch die offensichtlich wartende Haltung, in
der sich die junge Frau befindet, so als träfe ein
bestimmtes Ereignis oder eine gewisse Person

in absehbarer Zeit ein. Die einerseits latent
vorhandene sexuelle Anspielung wird andererseits sofort wieder zurückgenommen durch die
geschlossene – beinahe ›verschlossene‹ Darstellung des Mädchens. Auf den rechten, durch
das Knie gestützten Arm lehnt es den Kopf,
während der linke auf dem Oberschenkel liegt.
Als Kompositionselement ist hier ein Trapez
eingesetzt. Die übereinandergeschlagenen Beine sind ab der Taille stark zum linken Bildrand
hin verdreht, von ihm werden sie überschnitten. Es entsteht der Eindruck, bedingt durch
die sehr flächige Darstellungsweise vor dem
grau-grünen Hintergrund, als bilde das Mädchen eine in den Bildvordergrund geklappte
Barriere, die den Zugang zu sich verstellt.

M. B.

91 Damenkapelle 1940

Öl auf Leinwand; 151,5 × 110,5 cm
Bez. u. l.: Beckmann Januar 1940 A.
München, Bayerische Staatsgemäldesammlungen,
Staatsgalerie moderner Kunst
Göpel 541

Literatur: Göpel 1957, S. 5, 23. – Wichmann 1961,
S. 18. – Netzer in: Kunstwerke der Welt, Bd. 4, 1964,
Nr. 157

Szenen aus dem großstädtischen Vergnügungs-
leben, dem Café, der Tanzbar und dem Salon
der feinen Gesellschaft hat Beckmann seit den
zwanziger Jahren immer wieder zum Motiv genommen. Bringen frühe Arbeiten wie das vierte Blatt der Litho-Mappe *Berliner Reise* von
1922 (Kat. 276) oder das Bild *Tanz in Baden-
Baden* von 1923 (Kat. 34) allerdings noch einen
sozialkritischen Blick mit ein, so gewinnt die
Thematik seit 1930 zunehmend verschlüsselt-
mythische Bedeutung. Vieles ist eigenartig an
diesem Bild, das kurze Zeit vor der deutschen
Besetzung Amsterdams entstanden ist: der
Anschein gedrängter Menschenfülle, obwohl
nur sechs Figuren den Raum bestücken; die
Dominanz der drei mächtigen Frauen, die zudem seltsamerweise die Musikanten sind; der
schemenhafte Ausdruck der schwarz-weiß verpuppten Männer; das isolierte Nebeneinander
der Figuren trotz irritierender Verzahnung, das
eng Geschlossene des Raumausschnitts und die
hitzige Atmosphäre, die sich visuell über die
Rot- und Gelbtöne vermittelt.

Man hat vor diesem Bild von »chthonischer
Unterwelt« (Frommel zu Beckmann) von
»verkappter Vanitasdarstellung« und dem
»Rausch einer Walpurgisnacht« gesprochen
(Wichmann). Jahrmarkt, Zirkus, Varieté und
Theater – alle diese Bereiche, die Beckmann
seit 1921 immer wieder als Metapher für das
Leben des närrischen und blinden Rollen-
zwangs eingesetzt hat, verbinden sich auch
hier. Das Tingeltangel des Nachtlebens ist ein
Ort der Betäubung und Verführung. Die drei
den Dirnen im Bild *Der verlorene Sohn* von
1949 (Kat. 120) ähnelnden Frauen beherrschen, weißgekleidet und aggressiv rotgestie-
felt, die schwüle Szenerie, in die der Mann als
Schatten, als Fremder oder als Zwerg eingeschlossen ist. Während der Gast, der schwarze
Kellner und der kleine Mann nur untergeordnet beigesellt sind, betätigen sich die Frauen
mit den Instrumenten als erotisch betörende
Zauberinnen. So verkörpert die Zigeunerin die
Femme fatale, während die Gekrönte mit
ihrem Paukenschlag demonstrativ den Auftakt
zu diesem Spiel zu geben scheint (vgl. den Ausrufer, der das Leben als Auftritt auf der Bühne
ankündigt, im rechten Flügel des Triptychons
Abfahrt, Abb. S. 40). Das Machtverhältnis von
bedrohlicher Frau und lächerlich-abhängigem
Mann hat Beckmann ja immer wieder dargestellt. So läßt die Szenerie u. a. an das *Große
Frauenbild. Fischerinnen* von 1948 (Kat. 121)
denken, das die Frauen als Seelenfängerinnen
zeigt. Das zentrale Frauenmotiv kehrt abgewandelt wieder auf dem rechten Flügel des Ar-
gonauten-Triptychons (Abb. S. 37).   C. St.

92   Prometheus 1942
Der Hängengebliebene
Öl auf Leinwand; 95 x 55,5 cm
Bez. u. r.: für Peter Beckmann aus [?] Rußland A. 42
Privatbesitz
Göpel 596
Literatur: Göpel 1957, S. 6ff. – Schiff 1981, in:
Kat. Städel, S. 69f. – Lackner 1983, S. 77

Peter Beckmann, der während des Zweiten Weltkrieges als Militärarzt zeitweilig in Rußland stationiert war, bat seinen Vater bei einem Besuch in Amsterdam, ihm ein kleines Bild in der Art des gerade vollendeten Perseus-Triptychons (Abb. S. 42) zu malen, das er leichter in seinem Gepäck transportieren könne. Daraufhin entstand einige Monate später, im März 1942, *Prometheus*, ein Bild, in dem sich der mythologische Gehalt der Sage unzweideutig mit der konkreten historischen Situation verbindet. Die Idee, auf die Figur des Prometheus zurückzugreifen, um ein aktuelles wie auch zeitloses Thema zu veranschaulichen, bot sich bei diesem sehr persönlichen Bild direkt an: Der Göttervater Zeus entzog den Menschen das lebensnotwendige Feuer, nachdem der Titan Prometheus ihn bei einem Stieropfer getäuscht hatte. Daraufhin stahl Prometheus das Feuer im Olymp und brachte es den Menschen zurück. Nach Aischylos wurde er zur Strafe für sein Vergehen an einen Felsen im Kaukasus geschmiedet, wo ein Adler ihm täglich neu die Leber aus dem Leib hackte, die nachts immer wieder nachwuchs.

Der im Schmerz schreiende Prometheus, der in Beckmanns Version von zwei Vögeln grausam mißhandelt wird, erinnert durch die Armhaltung sowie die rosafarbene, ihn umgebende Mandorla, die ihm gleichzeitig als Standfläche dient, an den gekreuzigten Christus. Dieser Szene unendlichen Schmerzes steht in der unteren Bildhälfte sinnliche Ausschweifung gegenüber, dargestellt durch ein merkwürdiges Schlemmermahl, das im Wasser stattfindet; eine nackte, wollüstig sich räkelnde Frau und eine bekleidete, die Prometheus ungerührt eine Fußsohle zu verbrennen scheint, werden von einem Koch mit einem ausartenden Mahl bedient. Die Speiseplatten – die eine mit einem lebendig wirkenden Eberkopf – schwimmen auf dem sich leicht kräuselnden Wasser, das unmerklich an den Figuren hochzusteigen scheint. Das Perverse der unteren Darstellung, die laszive Sinnlichkeit der nackten Frau, steigert durch den Kontrast die Grausamkeit und wilde Verzweiflung der Folterszene oben. Dieses kaum erträgliche Nebeneinander von Gewalt und Opfer einerseits und einer dieses Opfer nicht achtenden, in Ausschweifung verfallenen Gesellschaft andererseits, legt die Frage nahe, ob Beckmann damit eine moralisierende Tendenz verfolgte. Gert Schiff verneint dies wohl mit Recht, stehen doch beide Hälften einander gleichwertig gegenüber. Es scheint Beckmann vielmehr – wie so oft – darauf angekommen zu sein, das Nebeneinander beider Bereiche aufzuzeigen, eine Erfahrung, die sich ihm tagtäglich neu zeigte und die es zu konstatieren, nicht jedoch zu verurteilen galt. Daß über diese allgemeine Deutung hinaus die Darstellung auch auf die konkrete historische Situation anspielt, liegt nahe; der Gedanke an

die Gleichzeitigkeit menschlicher Opfer – ob
als Verfolgte des Nationalsozialismus oder als
Kriegsteilnehmer – und der Ausschweifungen
einer Gesellschaft, der ›das Wasser bis zum
Halse steht‹, wird das mythologische Thema
hier mitbestimmt haben.   C. Sch.-H.

93 Selbstbildnis mit grauem Schlafrock 1941

Öl auf Leinwand; 95,5 x 55,5 cm
Bez. o. r.: Beckmann A. 41
München, Bayerische Staatsgemäldesammlungen,
Staatsgalerie moderner Kunst
Göpel 578

Literatur: Kesser 1958 in: Blick auf Beckmann, S. 31.
Weisner in: Kat. Bielefeld II, 1976, S. 18. – Arndt
1981, S. 719 ff.

In ähnlicher Weise wie im *Selbstbildnis mit
Horn* von 1938 (Kat. 86) stellt sich Beckmann
hier dar: zwar nicht in Dunkel gehüllt, sondern
im vertrauten Schutz des Zuhause angesiedelt,
jedoch abgeschlossen von der Außenwelt
durch Rolladen und Vorhang, in die Intimität
des Schlafrocks gekleidet und sinnend auf
Nicht-Sichtbares ausgerichtet. Denn, obwohl
er als Bildhauer letzte Hand an die braune Plastik auf dem Modellierbock zu legen scheint,
geht der Blick an der kleinen Rückenfigur
vorbei. Max Beckmann hat zwischen 1934
und 1950 acht Bronzeplastiken geschaffen
(Abb. S. 140 ff.). Das Bild spielt auf diese Seite
der künstlerischen Produktion an, überträgt
den Vorgang jedoch ins Symbolische. Auffällig
sind der schmerzliche Gesichtsausdruck des
Künstlers, die äußerste Nähe und Zärtlichkeit
zur Plastik sowie die Ansammlung der lebens-
vollen Farben Braun, Ocker und Grün auf der
rechten Seite. Beckmann selbst existiert wie
sein Hintergrund in der Nichtfarbe Grau, nur
das Gesicht von einem Abglanz Gelb besetzt.

So handelt es sich wohl hier, der Tradition
entsprechend, zunächst um das Schöpfungsgleichnis allgemein, für das die Tätigkeit des
plastischen Gestaltens immer wieder benützt
worden ist. Wie Gott den Menschen, so erschafft der Künstler seine Welt. Im engeren
Sinne handelt es sich jedoch wohl um das spezifische Problem der Selbsterkenntnis bei Beckmann. Weisner hat die Interpretation gegeben:
»Der Künstler muß ständig eine äußerste Anstrengung unternehmen, um ein Selbst zu werden. Um dies zu erreichen, bringt er seine
Werke hervor. Durch diese Werke und in
diesen Werken bildet er sich selbst, sein Ich.
Dieses Ich manifestiert sich in seinen Werken.
Also wäre auf dem *Selbstbildnis mit Plastik* der
Künstler nicht damit beschäftigt, irgendeine
Plastik zu schaffen, sondern mit schmerzlicher
Anstrengung sein eigenes, ihm selbst dunkles, fremdes, abgekehrtes, verschlossenes Ich.«
Das schattenhafte Braun der Figur als Ausdruck des Unbekannten ist mit Kat. 68 und die
Symbolik der Plastik mit *Mann im Dunkeln*,
1934, zu vergleichen. Zur volumenhaften Bil-
dung von Beckmanns Gesicht siehe das *Selbst-
bildnis* in Bronze von 1936.   C. St.

94 Im Artistenwagen 1940
(Zirkuswagen)

Öl auf Leinwand; 86,5 x 118,5 cm
Bez. u. r.: Beckmann A 40
Frankfurt a. M., Städtische Galerie im Städelschen
Kunstinstitut
Göpel 552

Literatur: Haftmann 1965, S. 273. – Lenz 1971,
S. 225 f. – Fischer, München 1972, S. 42 ff. – Gallwitz
1981, in: Kat. Städel, S. xviif.

Wie schon die *Geburt* (Kat. 81) ist auch diese
Darstellung in einem Zirkuswagen angesiedelt,
und auch hier ist nur der Kopf einer Figur
deutlich frontal gesehen: Der als Zirkusdirektor zu interpretierende, mit finsterer Miene
zeitunglesende Mann weist deutliche Parallelen zu dem Neugeborenen im Arm der Hebamme auf, beide sind das inhaltliche Zentrum,
von beiden ist der Kopf in vergleichbarer Isolation hervorgehoben und beide haben selbstbildnishafte Züge. Allerdings geht die Konzentration auf diese eine Figur im *Artistenwagen*
ohne Zweifel weiter als in der *Geburt*; auch die
Nebenfiguren sind bis auf den eine Leiter er-
steigenden Jungen kompositionell ganz auf den
Direktor konzentriert. Ohne aufzublicken, hat
er alles unter Kontrolle: die Raubtiere im Käfig, der Dompteur und der Zwerg blicken zu
ihm, und die lässig auf einer Liege vor ihm
ausgebreitete junge Schöne (Beckmanns Frau

Mathilde nicht unähnlich) ist ihm selbstverständlich als Barriere vor der Alltäglichkeit zugeordnet; sie schließt ihn zwanglos vom Außen
ab, sichert ihm den durch eine Petroleumlampe deutlich erhellten und damit auch privile-
gierten Hintergrund.

Zirkus und Bühne dienten Beckmann, wie
schon erwähnt, als Metaphern für die menschliche Existenz. Das Leben wird zum Zirkus,
mit dem er sich selbst identifiziert, und schon
1921, nämlich im Titelblatt der Jahrmarktserie
(Kat. 271) ist die Aufschrift Circus Beckmann
zu lesen und einem Ausrufer zugeordnet, der
ihn selbst darstellt. Allerdings hat sich sein
Selbstverständnis in den dazwischenliegenden
Jahren in einem entscheidenden Punkt gewandelt: Er ist zur Personifikation von Verachtung
und Zynismus geworden, unbeteiligt gegenüber seiner Umwelt, nur auf sich und die Zeitung konzentriert. Er hat seine Artisten so gut
im Griff, daß er glaubt, sie nicht mehr beachten zu müssen. Einer versucht, in das Dunkel
der Nacht zu entkommen; im Gegensatz zu der
vergleichbaren Figur im *Traum* (Kat. 23) ist
dieser Versuch zwar nicht zum Mißerfolg bestimmt, da er sich nicht gegen eine massive
Decke, sondern eine Dachluke stemmt, aber
das, was ihn draußen erwartet, scheint auch
nur die Dunkelheit einer undurchdringlichen
Nacht zu sein. Der Künstler weiß von der Ver-

geblichkeit dieses Bemühens, er allein sitzt
wörtlich im Licht, wird von diesem hinterfangen; aber nicht Mitleid, sondern Bitterkeit und
Verachtung sind seine Reaktion: »Das Eine ist
sicher, Stolz und Trotz den unsichtbaren Gewalten gegenüber soll nicht aufhören, möge
das Allerschlimmste kommen.« (Tagebücher,
4. Mai 1940.) Er hat sich aus dem Alltäglichen
ausgekoppelt, seine Umwelt so ›dressiert‹, daß
er sich ungestört sich selbst und den unpersön-
lichen (weil schon vergangenen) Fakten, wie
sie u. a. eine Zeitung enthält, widmen kann –
eine bittere Erkenntnis, die auch ihn selbst
nicht ungeschoren läßt, sind doch ohne Zweifel
die Sympathien des Betrachters nicht spontan
auf seiner Seite.   C. Sch.-H.

95 Doppelbildnis, Max Beckmann und Quappi 1941

Öl auf Leinwand; 194 x 89 cm
Bez. o. r.: Beckmann Amsterdam 1941
Amsterdam, Stedelijk Museum
Göpel 564

Literatur: Busch 1960, S. 32. – Jedlicka 1959 in: Blick auf Beckmann, S. 127 f. – Selz 1964, S. 75. – Anderson in: Art Journal 24 (1965), S. 223. – Lackner 1967, S. 113. – Evans 1974, S. 18. – Zenser 1981, S. 171 ff.

Diese Fassung variiert das frühe Doppelbildnis von 1925 (Kat. 43). Jetzt nicht mehr in der vieldeutigen Verkleidung von Fastnachtskostüm und Zirkusambiente, sondern in der unauffälligen Rolle des eleganten Großbürgers treten der Künstler und seine Frau neben- und miteinander auf. Aufgegeben sind affektiertes Rollenspiel und demonstrative Gestik. Geblieben, doch im Menschlichen vertieft, ist die Beziehung des Paares.

Dem Vorne zu geschützt von der körperlichen Stärke, der Schulter und dem Arm ihres Mannes, bleibt die zierliche Quappi im Hintergrund. Und doch ist wiederum sie es, die den Mann an ihrer Seite leitet. Anmutig mit blauem Hut und kleinem Blumenstrauß, raumgreifend im Schritt und zugeneigt mit Blick und Hand, bestimmt und besänftigt sie Beckmann, der trotz seines Volumens, seines massiven Schädels und herrischen Gesichtsausdrucks, auch trotz seiner widerspenstigen Haltung, ungelenk und hilflos im Blickfeld steht. Ohne festen Stand auf dem roten, wirr gemusterten Boden, mit krampfhaft in die Hüfte gestütztem Arm und dem introvertierten Blick des *Selbstporträts mit Horn* (Kat. 86), verharrt er mißtrauisch und einsam für sich. Ähnlich passiv wie sein früheres Pierrot-Spiegelbild, hält er nun die Attribute des Weltmannes, den Spazierstock und den mit dem Etikett LONDON versehenen Klappzylinder in den Händen. Beckmann als Weltbürger ohne den Glanz der Situation von 1927 (Kat. 53): Die Existenz des Emigranten wird spürbar in der Art, wie die beiden im Weiten zu wandern scheinen und zugleich in einer anonymen Zimmerecke gefangen sind. Um so betroffener macht dieses Doppelbildnis, als die zur ureigenen Einsamkeit des Künstlers hinzukommende erzwungene Isolation die stille Gemeinschaft der beiden Menschen verstärkt. Neben seinem »Engel«, seiner Frau Quappi, die gestärkt ist durch die hinterfangende Tür, zeigt sich Beckmann als Ungeschützt-Gefährdeter vor offenem Gelb und beschnitten vom Bildrand. Trotz abgegrenzter Individualität sind die beiden aufs innigste verbunden durch das Kreisrund des Hutes und die wie in einem Rhombus einander zugeordneten Hände. C. St.

Doch der Bereich der Bildnisse ist, wie Busch zu Recht bemerkt, hier weit verlassen. Die exotisch typisierte Frau steht den mythologischen Figuren der Triptychen nahe, ist Personifizierung des Rätsels. Das Motiv der Sphinx, von Beckmann, dem späten Symbolisten, häufig identifiziert mit dem Motiv der Femme fatale, ist wohl das Thema.

Die Beleuchtung von unten her, die eigentlich eher ein Eigenlicht der Gestalt selbst ist sowie der düstere Farbklang von Blau, Schwarz, Grau, Weiß und brauner Untermalung erzeugen bannende Wirkung. Besonders anschaulich werden mit diesem Bild Beckmanns grundsätzliche Fremdheit vor der Frau und sein literarisch geprägter Mystifizierungsdrang. Die magische Lichtinszenierung findet sich noch in zwei anderen Arbeiten, in dem Pastell *Quappi mit Kerze*, 1928 (Kat. 168), und dem Ölgemälde *Quappi und Inder*, 1941.

C. St.

97 Ruhende Frau mit Nelken 1940/42

Öl auf Leinwand; 90 x 70,5 cm
Bez. u. r. v. d. M.: Beckmann A 42
Hannover, Kunstmuseum Hannover mit
Sammlung Sprengel
Göpel 611

Literatur: Seiler, Köln 1969, S. 253. – Kat. Bielefeld II 1976, S. 32

Seit der Ausstellung in Philadelphia von 1947 wird das Bild überwiegend als *Bildnis Quappi* in der Literatur bezeichnet. Die physiognomische Ähnlichkeit ist zwar festzustellen, u. a. zur Quappi des *Doppelbildnisses* von 1941 (Kat. 95), doch der verjüngte Ausdruck der Frau und der allgemein gehaltene Bildtitel zeigen, daß hier weniger ein Porträt als die Darstellung einer Situation angestrebt ist. Der Maler sieht die Frau als Stilleben. Sinnlich-Laszives und Verführerisch-Distanziertes verbinden sich in dieser Darstellung des Weiblichen. Aufgebaut über die streng verschränkten Beine, die Kurvenformen des Körpers und die spitz angewinkelten Arme, verspannt die Figur das Bildgeviert. Obwohl von oben auf einer Liegestatt ruhend gesehen, wird die Frau zu einer Flächenform in der Art von Spielkarten. Beckmann verzeichnet bewußt Hüfte und Beine und bindet die Gestalt in die unräumlichen Farbfelder der Umgebung – Decke, Kissen, Wand usw. – ein. Erotisches Objekt und sphinxhafte Eigenexistenz: diese Spannung hat Beckmann zumeist zum Typus der gefährlichen Femme fatale verdichtet. Hier allerdings sieht er die Frau zwar als fremdes, aber in Wärme eingehülltes Wesen. Die Angst vor dem Weiblichen, das von Beckmann weitergeführte zentrale Thema symbolistischer Kunst, fehlt. In der spröden, skizzenhaften Strichführung, den Farben und der einfachen, undrastischen Komposition ist die Arbeit exemplarisch für Beckmanns Bildtechnik der letzten zehn Schaffensjahre. Das Bild wurde 1940 abgeschlossen, 1942 überarbeitet und signiert.

C. St.

96 Weiblicher Kopf in Blau und Grau 1942

Öl auf Leinwand; 60 x 30 cm
Bez. o. r.: Beckmann A 42
Privatbesitz
Göpel 606

Literatur: Busch 1960, S. 40, 43, 62. – Göpel 1962 in: Blick auf Beckmann, S. 256f.

In Max Beckmanns Listen als ›Weiblicher Kopf auf Grau‹ geführt, war das Bild dem Amsterdamer Freundeskreis unter der Bezeichnung ›Die Ägypterin‹ vertraut. Nicht Porträthaftigkeit, sondern geheimnisvolles Erscheinen ist der Ausdruck des Bildes. Streng axial über Nasenrücken und Hals in der Senkrechten, über Haarband, Augen und Schultern in der Waagrechten aufgebaut, ist die Figur seitwärts so aus der Bildmitte gerückt, daß der linke Bildrand Haarpartie und Schulter beschneidet. Das Motiv des Ausschnitts, von den Impressionisten als Mittel erfunden, eine zufällige Situation zu inszenieren, suggeriert auch hier Momentanes, dem allerdings die hieratische Form widerspricht. Die Frau schiebt sich in die Nähe und verbleibt doch in Distanz. Frontalität und einfache Komposition verstärken dieses Prinzip, das häufiges Merkmal der Selbstbildnisse und Porträts ist.

98 Traum des Soldaten 1942

Öl auf Leinwand; 90 x 145 cm
Bez. u. r. v. d. M.: Beckmann A 43
Elise V. H. Ferber
Göpel 616
Literatur: Swarzenski in Kat. St. Louis 1948, S. 8

Selten im Werk, zeichnet sich das Bild durch
die Eindeutigkeit des Motivs aus. Der Traum
des Soldaten ist ein Traum von der Versuchung, der Vergänglichkeit und der endzeitlichen Katastrophe. Umschlossen von den
Gitterstäben des Käfigs und den paradiesisch-
dämonischen Blumen, liegt der Soldat gebannt
unter dem Blick der Sphinx. Der Kreislauf des
Verderbens, zentrales Thema im Werk Beckmanns, beginnt wie in dem Bild *Fastnacht Paris*
von 1930 (Kat. 61) mit dem Signal der grotesken Gestalt am linken Bildrand. Die negativen
Schicksalsmächte, die Demiurgen der gnostischen Auffassung, zu denen hier auch das
›Lockmittel Weib‹ zählt, steuern den Vorgang,
der bereits mitten im Weltuntergang stattfindet. Das großäugige, apokalyptische Wesen,
das am Meereshorizont auftaucht, ist vergleichbar mit dem Lamm des Siebenten Siegels
in Beckmanns Illustration zur ›Apokalypse‹.
Die Mahnung an die verrinnende Zeit und an
das Ende des Lebens verkörpert die groß im
Vordergrund sitzende Odaliske, die das Ziffer-
blatt der Uhr vorweist. Der Uhrzeiger steht
kurz vor 12 Uhr (vgl. Triptychon *Blindekuh*,
1944/45, Abb. S. 38 f.). Das Interieur, das die
Frau umgibt und vom Geschehen als höhere
Instanz absondert, enthält mit dem zweigeteil-
ten Rund das kabbalistische Symbol ›En-

Soph‹, das Beckmann schon während der
zwanziger Jahre in seine magischen Stilleben
eingefügt hat (Kat. 38). Die Unendlichkeit einer ›höheren Gottheit‹ steht dem Gefängnis
irdischen Treibens und dem zerstörenden Tun
der Schicksalskräfte gegenüber. Als Vergleich
bietet sich inhaltlich das Bild *Luftballon mit
Windmühle* von 1947 (Kat. 114) an, das ja auch
die Motive des Käfigs (vgl. Kat. 73), des Demiurgen und der Katastrophe miteinander verbindet.

Ein weiteres Bild, das Beckmann in seinem
Tagebuch am 22. Juli 1947 ›Traum des Soldaten
No. 2‹ benannt hat, reduziert allerdings die
vorliegende Allegorik auf den zwischen Katze
und Frau eingeschlossenen Soldaten. – Dieses
Bild wurde vermutlich nachträglich signiert
und auf (19)43 datiert. Für den Wandel der
Thematik Traum – das späte Bild ist erzählend
– ist das Kerker-Bild *Der Traum* von 1921
(Kat. 23) bezeichnend.   C. St.

99 Les Artistes mit Gemüse 1943

Öl auf Leinwand; 150 x 115,5 cm
Bez. u. l. v. d. M.: Beckmann A. 43
St. Louis, Washington University Gallery of Art
Göpel 626

Die um einen Tisch mit Max Beckmann vorne
rechts gruppierten Männer waren Vertraute
und Freunde, die insbesondere in den Amsterdamer Kriegsjahren eine wichtige Rolle für
den Künstler spielten. Nach den Angaben von
Frau Mathilde Beckmann sind vorne links der

konstruktivistisch-abstrakte Maler Friedrich
Vordemberge-Gildewart (1899-1962) sowie
hinten mit Mütze der Maler Otto Herbert
Fiedler (1891-1962) und daneben der Dichter
Wolfgang Frommel dargestellt.

Die formal und in Details der Ausführung
nicht ganz überzeugende Komposition ist im
Hinblick auf die zugrundeliegende biographische Situation wie auch die Attribute interessant und aufschlußreich. Bezieht man Beckmanns Arbeitsweise sowie die Tatsache ein,
daß er mit seinen Freunden lieber einzeln als
gemeinsam sprach, wird man annehmen können, daß Beckmann die Szene gedanklich so
konzipierte, sie jedoch nicht tatsächlich so vor
sich hatte. In diese Richtung weist auch das
mehr oder weniger beziehungslose Beieinander der vier, das gewollt und gestellt wirkt und
keine Unterhaltung im Freundeskreis festhält.
Darin liegt allerdings wohl auch ein inhaltliches Moment: Obwohl miteinander vertraut,
kommt keine wirkliche Vertrautheit auf; die
existentiell für jeden einzelnen bedrohliche politische Situation bindet nicht zusammen, sondern isoliert vielmehr. Jeder erscheint mehr
denn je auf sich selbst zurückgeworfen. Die
einzige Verbindung liegt in der kriegsbedingten Magerkeit, die nicht nur die Figuren, sondern auch den Farbauftrag selbst kennzeichnet. Die alltäglichen Heiz- und Lichtprobleme
deuten sich in dem mit Mütze, Schal und Mantel bekleideten Fiedler und der brennenden
Kerze an. Ein weiterer Bezugspunkt ist in der
Tatsache zu sehen, daß allen vier Dargestellten
Attribute beigegeben sind: ein Spiegel, in dem
ein Gesicht aufscheint, ein Brot, ein Fisch,

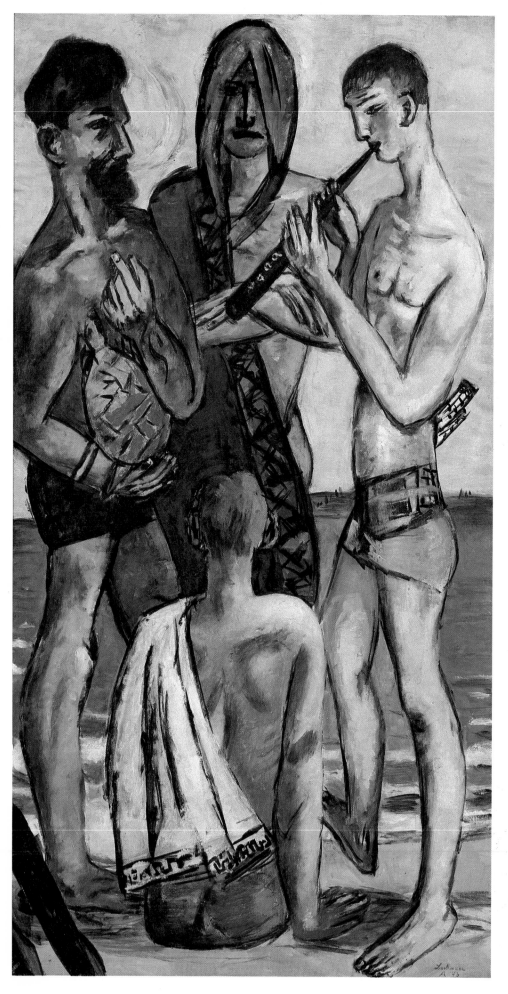

eine herzförmige rote Rübe. Es wird kaum befriedigen, die eßbaren Gegenstände allein mit
dem Hunger jener Jahre in Verbindung zu
bringen, wenngleich dies oberflächlich sogar
mitgemeint sein mag. Ernsthaftigkeit und Fei-
erlichkeit des Beisammenseins der Freunde,
sowie das ostentative Vorweisen dieser Attribute deuten eher auf eine Art geistiges oder
rituelles Mahl, während der Spiegel in Beckmanns Hand, in dem ein undefinierbares Gesicht auftaucht, in diesem Zusammenhang auf
die Rolle des Künstlers hinweisen könnte, die
Welt wie in einem Spiegel zu sehen und gleichzeitig in stetiger Selbstreflexion sich selbst zum
Zentrum dieses Bemühens zu machen.

C. Sch.-H.

100   Junge Männer am Meer 1943

Öl auf Leinwand; 189,5 x 100,5 cm
Bez. u. r.: Beckmann A 43
St. Louis, The Saint Louis Art Museum
Göpel 629
Literatur: Kessler 1970, S. 65, 89ff.

Der extrem schmale Vordergrundstreifen des
Bildes wird einem tiefen Horizont, der die
Flächen von Meer und Himmel unterteilt, konfrontiert. Die vier Männer haben auf dem Ufer
kaum Platz; in überdeutlicher Nahsicht konzipiert, füllen sie die Bildfläche bis zu den Rändern hin aus, ohne daß ihnen gleichzeitig eine
entsprechende Ausdehnungsmöglichkeit in die
Raumtiefe zugebilligt würde.

Die statuarische, symmetrische Komposition, einer Drachen- oder auch Kreuzform
angeglichen, plaziert in der Bildachse die Rük-
kenfigur des sitzenden blonden Jungen und
den düster-verhüllten jungen Mann, flankiert
von dem Bärtigen links und dem Flötenspieler
rechts. Die Ornamente der Tücher, aber auch
die klassische Geschlossenheit der Komposition und Haltung der Figuren spiegeln Beckmanns Auseinandersetzung mit der Antike
wider (Kat. 73, 88). Innerhalb seines Œuvres
bezieht sich die Darstellung auf jene *Jungen
Männer am Meer* von 1905 (Abb. S. 115), die
den Künstler früh berühmt machten; die innere Verbindung zum Werk der bewunderten
Vorbilder Luca Signorelli und Hans von Marées, die dort ihren Niederschlag fand, hat sich
in der Version des Themas von 1943 in eine nur
ihm gemäße Form gewandelt, die freilich das
klassische und klassizistische Vorbild in einer
eigenständigen Variante mitverarbeitet.

Im Hinblick auf eine Interpretation ist Beckmanns Tagebucheintragung vom 18. Dezember
1942 aufschlußreich: »Junge Männer am Meer
angefangen zu malen. Unbändiger Lebenswille
gemischt mit Zorn und Resignation toben
durcheinander.« Bei aller gebotenen Skepsis
gegenüber einer zu engen Verbindung von Tagebuch und Werk wird man diese Bemerkung
wohl doch unmittelbar auf das Bild beziehen
können, das diese Ambivalenz von trotziger
Selbstbehauptung und einem Gefühl der Vergeblichkeit zum eigentlichen Thema erhebt.
Die Figuren sind ja einerseits vollkommen un-

gebeugt und bestimmen die Bildfläche als eine blockhafte, jeden Eindringling von außen abweisende Gruppe. Insbesondere die beiden Figuren im Zentrum, die dunkel verhüllte und die uns den Rücken zuwendende, scheinen ein nur ihnen bekanntes Geheimnis zu wahren; durch ihre Haltung hermetisch abgeriegelt, obwohl doch eigentlich schutzlos, eignet ihnen andererseits Melancholie und eine gewisse Trauer. In ihrer klassisch schönen Anordnung und formalen Bindung in der symmetrischen Komposition sind sie auch dem Alltäglichen enthoben, ihr Lebensraum scheint in mythologischen Bereichen, nicht jedoch einer tatsächlichen Wirklichkeit angesiedelt zu sein; sie sind trotzige Utopie in einer zutiefst anders gearteten historischen Realität.   C. Sch.-H.

101   Selbstbildnis in Schwarz 1944

Öl auf Leinwand; 95 x 60 cm
Bez. u. r.: Beckmann A 44
München, Bayerische Staatsgemäldesammlungen,
Staatsgalerie moderner Kunst
Göpel 655

Literatur: Busch 1960, S. 34. – Göpel in: Kunstwerke der Welt, Bd. I (1961), Bl. 21. – H. Wichmann 1961, S. 28. – Göpel 1956 in: Blick auf Beckmann, S. 136. – Kaiser 1962, S. 126. – Evans 1974, S. 19. – Zenser 1981, S. 177 f.

Der kompromißlose Beckmann, der der Welt hart die Stirn bietet und hinter dem maskenhaften Gesicht unerbittlich verborgen bleibt: Herrisches, Unberechenbares und ein ›Auf-dem-Sprung-Sein‹ sind der Ausdruck dieses späten Selbstbildnisses. Der schwarze Gesellschaftsanzug markiert weder das Hochgefühl des öffentlichen Auftritts wie im *Selbstbildnis im Smoking* von 1927 (Kat. 53), noch verpuppt er den Mann zur traurigen Gestalt wie im *Selbstbildnis im Frack* von 1937 (Kat. 75). Die Schwärze des Anzugs, gebunden in die strenge Form der Schultern und des angewinkelten Armes, setzt die Person aggressiv und fest nach vorne, bindet sie jedoch auch gleichzeitig wieder zurück: Eine Spannung, die die gesamte Inszenierung bestimmt, denn Beckmann stemmt sich mit Gesicht, Körperwendung und vorgelegtem Arm seinem Spiegelbild entgegen, verriegelt sich aber ebenso mit der monumentalen Dreiecksform des Armes und dem abschirmenden Rund der Sessellehne. Das Unberührbare dieses Individuums öffnet sich nur in den Händen, die allerdings in ihrer milden Gestik und dem rosa Ton introvertiert zurückgenommen bleiben. Man vergleiche den weich schließenden Bogen der entspannten Hand mit dem Griff des Horns im intimsten Selbstbildnis des Werkes (Kat. 86). Beckmann bleibt für sich, wie 1927, dem Unbegrenzten der Hintergrundfläche verbunden, eingehüllt nun in ein kaltes, rosafarbenes Licht – ein Sachwalter des Rätselhaften, das 1938 das reine Dunkel sein konnte, jetzt die frostige Helligkeit ist. Während er 1923 und 1926 noch die Schutzmechanismen von Trotz und Drohung durchspielen

mußte (Kat. 36), ist er jetzt zum wehrhaften Fremden geworden. Der Grünstich des Inkarnats löst ihn aus jeder Verbindlichkeit und steigert den früheren Führungsanspruch ins Zynisch-Rücksichtslose. Vieles drückt sich in diesem rigoros auf Hell-Dunkel-Kontrast gesetzten und trotz der labilen Winkelform gefestigten Selbstbildnis aus: Anonymität, Verweigerung, die Mystifikation zum unduldsamen Menschen und die unteilbare Härtung der Persönlichkeit. Nicht nur die Situation des Emigranten und der Anspruch auf einen neuen Auftritt, so Göpel, erklären diese Sicht. Der

Mythenmaler Beckmann ist sich selbst zur düsteren Figur, zum schrecklichen Unbekannten geworden mit einem hochfahrenden Ton, wie er sich in der späten Tagebuchaufzeichnung findet: »Sollten wirklich einmalige Persönlichkeiten und deren sind sehr wenige – vielleicht doch die verkappten Erzengel sein, die herunter gestiegen – etc. – Wir wollen es hoffen an dem Tag, der heute und immer ist.«

Auffallend sind die differenziert farbige Untermalung, die Beckmann zuerst in den zwanziger Jahren anwandte, und die Monumentalisierung der Form.   C. St.

102 Messingstadt 1944

Öl auf Leinwand; 115 x 150 cm
Bez. u. M.: Beckmann A 44
Saarbrücken, Moderne Galerie des Saarland-
Museums in der Stiftung Saarländischer Kulturbesitz
Göpel 668
Literatur: Busch 1960, S. 69 f. – Selz 1964, S. 77 f.

Buchstäblich von der Außenwelt abgeriegelt
durch die spitz aufragenden, bedrohlichen
Waffen des Schwertes und Lanzenpaares, sind
Mann und Frau unlösbar auf dem Bett miteinander verbunden. Der gedrängte Bildraum,
die Korrespondenz der Gliedmaßen, vor allem
der Hände, die einkreisenden Stoffbahnen und
die engmaschige Linienschrift der schweren
Konturen erzeugen eine Situation der Gefan-
genschaft, die vom Mann in Schrecken, von
der Frau in schmerzlicher Laszivität erlebt
wird. Die Position des Mannes, der sein Gesicht verbirgt, ist zu vergleichen mit der des
Stürzenden im Bild *Reise auf dem Fisch*, 1934
(Kat. 70). Der Sündenfall, eindeutig im Unterschied zur Ambivalenz des Bildes *Mann und
Frau*, 1932 (Kat. 64), ist hier geschehen, das
ausweglose Verstrickt-Sein in Schuld wird erkannt. Falls Beckmann das Märchen ›Messingstadt‹ aus Tausendundeine Nacht gekannt

haben sollte (laut Göpel 572. bis 578. Nacht),
hat er die Geschichte ins Mehrdeutige verändert. Bewahren dort Jungfrauen die Stadt der
verborgenen Schätze vor Eroberung, indem sie
die eindringenden Männer in den Tod locken,
so kann die Stadt in diesem Bild ebenso ein
versperrtes Paradies wie der Schauplatz der
Begierde und Verlockung selbst sein. Für jenes
sprechen die Anordnung des Paares vor der
Stadt und das eingeschobene Gitter, für dieses
die einheitliche Sexualsymbolik der Türme,
Kuppeln, Sicheln, Spitzen und Schwertformen
sowie der durchgängige gelbmessingne Farbton. Dieser läßt auf Gold als eines jener negativen ›Lockmittel‹ assoziieren, »mit denen wir
immer wieder an die Kandare des Lebens zurückgelockt werden«, wie es im Tagebuch am
4. Juli 1946 heißt. Zum Motiv der Krone siehe
Kat. 73.

Beckmann nennt das Bild auch ›Goldenes
Bergwerk‹, ›Goldenes Horn‹, ›Goldenes Tor‹,
›Traum‹, benützt also Worte, die Erotisches
verschlüsseln oder, mit dem Begriff »Berg-
werk«, Eingeschlossensein und Tod andeuten.
Bezeichnenderweise veranschaulicht das Bild
Formen der Fesselung (Kat. 69, 70) und der
Einkerkerung, Formen, die in Beckmanns reli-

gionsphilosophisch geprägtem Werk häufig
Symbole sind für die Blindheit, die Vergänglichkeit und die materiell-ungeistige Gebun-
denheit des Menschen (vgl. das Käfig-Motiv,
Kat. 73, 114).

Die Frau ist, selten in seinem Werk, nicht
die verderbliche Femme fatale, sondern wie
der Mann Opfer eines als Verhängnis gedeute-
ten Geschehens. Erklärend mag der so überraschend aus dem Bett entwickelte Torbogen im
linken unteren Bildeck sein, der bei dem Bild
Kinder des Zwielichts, 1939 (Kat. 87), den Bereich der Unterwelt markiert, in dem die negativen Götter die Seelen mit Eros und Reichtum
in eine sinnlose Wiedergeburt locken. Das
Schlüsselloch im Torbogen mag zusätzlich die
Szene als Rätsel ausweisen, aber auch zur Suche nach der Lösung des Problems auffordern.
Zum Motiv des Schlüssellochs und des Schlüs-
sels siehe Abb. S. 29, Kat. 111. Nach Mitteilung
von Mathilde Beckmann stehe *Messingstadt* für
die Situation von Liebe und Abschied, das
Schwert kennzeichne den Mann als Krieger,
die Stadt sei eine freie Phantasie über Istanbul,
das ganze Bild eine variierte Form des Themas
Mann und Frau.   C. St.

103 Die Reise 1944

Öl auf Leinwand; 90 x 145 cm
Bez. u. r. v. d. M.: Beckmann A. 44
Privatbesitz
Göpel 659

Das wohl unter dem Eindruck schwerer Luft-
gefechte über Amsterdam entstandene Gemälde stellt eine eigenartige Abschiedsszene dar:
Eine Spielzeugeisenbahn fährt nach rechts aus
dem Bild; das Zugpersonal mit blau-roter
Uniform und ein Passagier winken, im letzten
Fenster ist ein dunkler Kopf erkennbar. Auf
dem Bahnsteig die Zurückgebliebenen: zwei
kaum bekleidete Frauen, die rechte breitbeinig
auf einem Reisekoffer mit der Aufschrift PARIS
sitzend, winkt mit einem Taschentuch, neben
ihr eine Krankenschwester mit wehender Haube und einem Tablett; auf einem zweiten Reisekoffer mit der Aufschrift BER(LIN) sitzt, die
Hände vor das Gesicht geschlagen, eine in einen grünen Kapuzenmantel gehüllte Frau, ein
Motiv, das Beckmann seit der *Auferstehung*
von 1916 immer wieder aufnahm und variierte
(Abb. S. 47). Ein kleiner Hotelboy, auf der
Mütze die Bezeichnung (E)DEN, blickt sie miß-
billigend an; offensichtlich fühlt er sich der
linken Frau zugeordnet (Hand- und Körperhaltung), die, von der Szene abgewandt, so
entschlossen nach vorne schreitet, daß Haar
und offener Umhang, der ihren nackten Körper kaum bedeckt, in die dem Fahrtwind des
Zuges entgegengesetzte Richtung wehen. Ihre
hier unmotivierte Nacktheit gibt ihr zusammen
mit den halb heruntergerutschten Strümpfen,

den schwarzen Handschuhen, dem Blumenstrauß und dem schwarzen Halbschleier ein
merkwürdig frivoles Aussehen, das mit ihrer
stolzen, aufrechten Erscheinung kontrastiert.
Ein achtlos gegen den schon anfahrenden Zug
gelehnter Baß vervollständigt diese eigenartige
Szene, die durch die Anordnung der Figuren
und Richtungskräfte in verschiedene Bereiche
unterteilt wird: Da ist einerseits der nur mit
Männern besetzte Zug auf einer hinteren Ebene, dem auf dem Bahnsteig davor nur Frauen –
sieht man von dem Hoteljungen ab – konfrontiert sind. Andererseits gibt es eine senkrechte
Unterteilung der Komposition zwischen Loko-
motive und Waggon; die beiden daraus entste-
henden Bildzonen sind durch Diagonalen bestimmt, die in entgegengesetzter Richtung ver-
laufen: im rechten Teil nach rechts oben, im
linken nach links oben. Daraus ergibt sich
zwangsläufig kein harmonischer Bewegungsab-
lauf, wie er dem anfahrenden Zug entsprechen
würde, sondern es entstehen auseinander- und
gegeneinanderstrebende Bewegungsimpulse.
Ein Auseinanderbrechen der Komposition in
zwei unverbundene Teile wird durch die bereits erwähnten Waagrechten in Zug und
Bahnsteig vermieden. So wird beinahe der
Eindruck eines Diptychons hervorgerufen, also eines zweiteiligen Tafelbildes mit aufeinander bezogenem Inhalt.

Auch für die Interpretation bieten sich An-
sätze auf verschiedenen Ebenen an. Vordergründig wird man zunächst von einer Abreise
als faktischer Gegebenheit ausgehen. Aber
diese lediglich beschreibende Deutung wird

vermutlich niemanden befriedigen, läßt sie
doch so viele, diese Alltäglichkeit störende Details aus. Nimmt man den Begriff Reise im
übertragenen Sinn und erinnert sich zudem der
existentiellen Situation des Künstlers in jener
Zeit, so erscheinen einige Absonderlichkeiten
fast selbstverständlich. Reise als ein Aufbruch
oder auch Abschied verstanden, als das Ende
eines alten und der Beginn eines neuen Le-
bensabschnitts mit all seinen Unwägbarkeiten,
würde das Auseinanderstreben der Komposition erklären. Beckmann war im Amsterdamer
Exil; ihm wichtige Städte, Berlin und Paris,
lagen in weiter Ferne, Nationalsozialismus und
Zweiter Weltkrieg hatten ihn seiner Existenz-
grundlage beraubt, er war gerade sechzig Jahre
alt geworden – all diese Faktoren sprechen dafür, daß hier die Reise in eine andere, noch
unbestimmte Lebensform gemeint ist, daß sich
Beckmann selbst als der Abreisende versteht,
der Bekanntes und Vertrautes hinter sich läßt.
Die Frauen, die ebenso auf dem Bahnsteig ›zu-
rückbleiben‹ wie die Städte, der Baß – in der
Beckmann-Ikonographie stets als vitales Element verständlich – und auch die ›Medizin‹,
die Alkoholflasche auf dem Tablett der Krankenschwester, dies alles sind Teile des bisherigen Lebens. Was die Männer im Zug, im Vergleich zu den Figuren im Vordergrund auffallend flach und körperlos, davon in das weitere
Leben hinüberretten können, bleibt ungewiß.
Damit wird dieses Bild trotz seiner leuchtenden Farbigkeit letztlich zur eher resignativen
Metapher einer Abreise in einen ungewissen
neuen Lebensabschnitt. C. Sch.-H.

104 Schwimmbad Cap Martin 1944
Öl auf Leinwand; 60 x 95 cm
Bez. u. r.: Beckmann A.44
Privatsammlung
Göpel 671
Literatur: Lackner 1967, S. 85

Beckmann hielt sich im Frühjahr 1939 in Cap
Martin auf, einem zwischen Monte Carlo und
Menton gelegenen Badeort an der französischen Riviera. Dazu schrieb er an Stephan
Lackner: »Cap Martin hat mir ganz großartig
getan und alle meine Nerven und Ideen neu
gefärbt. Ganz neue Sachen sind mir aufgegangen und ich werde zwanzig Jahre zu tun haben,
um das alles zu realisieren.« So bezieht sich
auch dieses Bild auf Eindrücke der fünf Jahre
zurückliegenden Reise, wobei das an sich banale Sujet zur Metapher eines zentralen Gedankens im Werk des Künstlers wird: In dem
Gegenüber der Weite des offenen Meeres und
dem beengten Viereck des Bades findet der
Gegensatz von Freiheit und Unfreiheit eine
sinnfällige Umschreibung. Eine gleichmäßige
farbige Struktur überspannt die gesamte Bildfläche, gibt ihr ein einheitliches Gepräge, das
dann allerdings in der formalen Gestaltung keine Entsprechung findet. Da sind einerseits die
großen Flächen von Himmel und Meer mit
einer Gruppe von Segelbooten und andererseits der durch die übergroßen, hölzernen Wellenbrecher fast brutal abgeschirmte Bereich
des künstlich angelegten Schwimmbades mit
der zugehörigen Architektur. Die aggressiven
Formen der Holzbohlen, der spitzigen Blumen

im Vordergrund und Türme im Hintergrund
sowie die kantige Geometrie von Bad und
Häusern machen diesen eingeschlossenen,
doppelt abgeschirmten Bezirk zu einem wenig
einladenden Ambiente. Und bezeichnenderweise ist dieses Bad menschenleer, unnützerweise nur von Bojen ›belebt‹, die man eher
dem Meer zuordnen würde. Eine vitale Auseinandersetzung mit dem Element Wasser findet demgegenüber auf dem offenen Meer statt,
hier spiegelt sich ein Abglanz jener Weite des
unendlichen Raumes, die Beckmann stets Herausforderung war. C. Sch.-H.

105 Quappi in Blau und Grau 1944
Öl auf Leinwand; 98,5 x 76,5 cm
Bez. u. r.: Beckmann A 44
Düsseldorf, Kunstmuseum
Göpel 673
Literatur: v. Kalnein in: Düsseldorfer Museen
Bulletin 1 (1969), S. 28. – Jappe in: Weltkunst 40
(1970), Nr. 1, S. 13. – hjm (Mitschke) in: Pantheon 28
(1970), S. 60

Beckmann hat seine zweite Frau allein sech-
zehnmal porträtiert, häufig als Anregung für
Frauendarstellungen genommen und unzählige
Male in Bildsituationen und mythologischen
Szenen versteckt. Schon an den fünf in dieser
Retrospektive gezeigten Quappi-Bildnissen
wird das besondere Verhältnis des Künstlers zu
seiner um zwanzig Jahre jüngeren Frau deutlich. Ob sanft gehalten in Gelb, Blau (Kat. 45),
Grün (*Quappi mit Papagei*, 1936, G431) oder
Grau (Kat. 119), ob einfach oder modisch präsentiert, immer ist sie das Wesen, auf das der
Künstler seine Vorstellungen von geheimnisvoller Weiblichkeit idealisiert übertragen konnte. Die Dämonisierung der Frau als allgegen-
wärtige Sünde, wohlvertraut aus dem übrigen
Werk, begegnet uns hier nicht. Blumenhaft in
sich geschlossen, Verkörperung von Schönheit
und Jugend, unberührt von äußerer Lebenssituation, ist Quappi auch in diesem Bildnis, das
die Wandlung verneint, die Beckmann 1944 an
der eigenen Person (Kat. 101) und, wenn auch
gemildert, sogar an der Quappi des Doppelbildnisses von 1941 (Kat. 95) aufzeigte. Dem
Betrachter unmittelbar gegenübergestellt, genähert im unteren, überschneidenden Bildrand

106 Bildnis eines Teppichhändlers 1946
Öl auf Leinwand; 194,5 x 94,5 cm
Bez. u. M.: Beckmann A 46
New York, Privatbesitz
Göpel 714

Vor zwei weißen Säulen, die von einer dunkelbraunen Wand hinterfangen sind, steht der Teppichhändler. Auffällig an diesem Bild sind die übergroßen Hände des Mannes und der zwischen den beiden Säulen in großzügigem Bogen drapierte Teppich. Dieser maisgelbe Teppich scheint den Händler in den Bildvordergrund zu drängen; gleichzeitig wird durch das Braun von Wand und Hose eine enge Verbindung zwischen Vorder- und Hintergrund hergestellt. Die durch das Ganzfigur-Bildnis notwendigerweise entstehende Distanz zum Betrachter wird zusätzlich verstärkt durch die abwehrende Gestik des Dargestellten.
　Auf den ersten Blick erscheint das Bild wie ein Spiel Beckmanns mit der Berufsbezeichnung ›Teppichhändler‹, ähnlich dem *Bildnis Herbert Tannenbaum* aus dem Jahre 1947. Aber diesem gutgekleideten Mann mit dem feingeschnittenen, schmalen Gesicht und den Händen, die trotz ihrer Größe nicht klobig wirken, scheinen die Teppiche mehr als nur Gelderwerb zu sein: Ihnen gehört seine Zuneigung, und sie sind ihm ein Bindeglied zur Vergangenheit. Sorgfältig, beinahe behutsam ist der blaue Teppich über seinen rechten Arm gelegt, und kaum zufällig stehen die antiken Säulen im Hintergrund. Dieser abweisende Mann wirkt wie ein Fremder, der in einer Welt lebt, die er sich auf Distanz halten will. Vielleicht drückt dieses Bildnis eines Teppichhändlers auch Beckmanns Gefühl des Fremdseins nach der Flucht aus Deutschland im Amsterdamer Exil aus.　　　　　　　　M. B.

107 Tänzerin mit Tamburin 1946
Öl auf Leinwand; 146 x 89 cm
Bez. u. l.: Beckmann A 46
Dr. and Mrs. Henry R. Hope
Göpel 717

Die groß und ihrem Beruf entsprechend muskulös wirkende Frau präsentiert sich dem Betrachter selbstsicher und ohne jede Koketterie. Sie ist sich ihres Körpers ganz selbstverständlich bewußt – dies wird besonders in ihrer Stellung deutlich, die bei einem anderen Frauentyp vermutlich ordinär und aufreizend wirken würde. Bei ihr erscheint diese Haltung – das linke Bein burschikos auf einen Tisch gestellt, die Arme lässig auf Oberschenkel bzw. Tamburin gestützt – nicht weniger natürlich als man sie bei einem Mann empfinden würde. Wenngleich den Frauenbildnissen im Werk des Künstlers oft eine ungewöhnliche physische und psychische Präsenz und Stärke eignet, so wird diese doch zumeist – bald mehr, bald weniger deutlich – als direkte oder indirekte Bedrohung empfunden. Hier handelt es sich demgegenüber um eines der wenigen Beispiele, wo diese Spannung nicht auftritt, wo Maler

und weich geöffnet mit Armen, Händen und Brief, bleibt sie dennoch unantastbar für sich. Das leuchtende Blau des Gewandes, eine Farbe, in die Beckmann seine Frau häufig eingekleidet hat, rückt sie in Distanz und verstärkt die gelassene Ruhe der Figur, die sich im Oval der Arme konzentriert. Der kühle Farbklang aus dem Blau des Kleides und dem Violett der Schwertlilien erzeugt im Zusammenhang mit dem Grün der Blätter und dem Grau des Hintergrundes einen Bereich der Intimität, der

trotz der warmen Braunakzente bewahrt bleibt. Diese harmonische Sicht der Frau hat Beckmann bereits in den Bildnissen um 1936 entwickelt. Hier verwächst die Frau mit dem Blumenstrauß. Die Qualität freier Malerei wird besonders darin spürbar, wie Beckmann ein lebhaftes Weiß mit den Lichtern auf Kopftuch, Brief und Ärmeln in die Komposition einsprengen kann und wie er selbst das Schwarz noch als Farbwert hält.　　　　C. St.

und Modell in einem offensichtlich ausgeglichenen, den anderen in seiner Andersartigkeit problemlos akzeptierenden und gewährenlassenden Weise zueinander stehen – ein Eindruck, der auch durch die zurückhaltende, betont unaggressive Farbigkeit bestätigt wird. Dies wird um so deutlicher, wenn man die Tänzerin mit der in Physiognomie, Körperbau und Kleidung sehr ähnlichen Columbine von 1950 vergleicht (Kat. 130), in der sich die selbstverständliche Körperlichkeit in eine eher bedrohliche Sexualität verwandelt hat.

Die Verteilung der Farbwerte folgt einem für Beckmann bezeichnenden Prinzip, mit dessen Hilfe die Gegenstände stärker in der Bildfläche verspannt werden. Das Blau-Grau des Vorhangs führt über die Kleidung der Frau – in der Schwarz-Grau über Blau dominiert – von links hinten nach rechts vorne. Dem steht ausgleichend – und die Komposition nach hinten und vorne begrenzend – das helle Gelb der rechts zu erkennenden Bildrückseite, des Tamburins und der Stuhllehne gegenüber.

C. Sch.-H.

108 Afternoon 1946

Öl auf Leinwand; 89,5 x 133,5 cm
Bez. u. l. v. d. M.: Beckmann A. 46
Dortmund, Museum am Ostwall
Göpel 724

Fünfzehn Tagebuchnotizen lassen die Mühe spürbar werden, die Beckmann bei der Verwirklichung dieser Bildkonzeption, dieses »verfluchten Dings«, hatte. Er begann das Bild am 26. Dezember 1945; erst am 22. August des folgenden Jahres konnte das fertige Werk im Amsterdamer Atelier besichtigt werden. Einen entscheidenden Schritt im Werkprozeß bildete, wie aus Beckmanns Äußerungen zu ersehen, der »Einfall mit dem Blattgewächs« (13. April), wohl der großen Pflanze am rechten Bildrand, die die extrem komponierte Szenerie streng abschließt. Eigenartig ist nicht nur das Thema des Bildes, sondern auch die drastische Form der Figuren. Ein menschlich-tierisches Mischwesen bedrängt die mächtig lagernde, aufreizend entblößte Frau. Schwüle und Triebhaftigkeit bestimmen die erotische Situation, die zwischen Verführung und Vergewaltigung angesiedelt ist. Gewalttätigkeit ist das Grundmoment, denn dem direkten Zugriff des dämonischen Mannes entspricht die herausfordernde, breitbeinige Position der Frau, deren Schreckens- und Abwehrgeste seltsam klein und gespielt erscheint. Bezeichnenderweise hat Beckmann in seinen Tagebuchnotizen das Bild nicht nur ›Afternoon‹ und ›Besuch‹, son-

dern auch ›Traum des Mädchens‹ genannt, also einen Titel gewählt, der der psychischen Lage des Themas entspricht. Denn die Frau ist die das Geschehen bestimmende Hauptfigur, die sich wie eine Dirne dem voyeuristischen Betrachter groß und lockend, zugleich aber auch beängstigend anbietet. Das Mischwesen ähnelt den grotesken Gestalten, die in den mythologischen Kompositionen Möglichkeiten der Begierde verkörpern (Kat. 82).

Gewalt an und Furcht vor der Frau – extreme Empfindungen verdrängter Sexualität kommen in diesem Bild, dieser ›Männerphantasie‹, zum Ausdruck, für die Beckmann das Motiv der Femme fatale und des animalischen Mannes gewählt hat. Diese das ganze Werk Beckmanns durchziehende Projektion formuliert sich besonders ausgeprägt in einigen späten Arbeiten. Auffällig, jedoch symptomatisch für die letzten Schaffensjahre des Künstlers ist die radikale, ins Grobe gehende Verzeichnung der Proportionen, vor allem der der Hände, ein Stilmittel, das die obsessive Beteiligung Beckmanns unmittelbar deutlich werden läßt.

C. St.

109 Atelier 1946

Öl auf Leinwand; 90 × 135 cm
Bez. u. r. v. d. M.: Beckmann A 46
St. Louis, The Saint Louis Art Museum,
Bequest of Morton D. May
Göpel 719

Literatur: Göpel 1976, I, S. 431

Das Gemälde wird in der Literatur auch mit
dem Titel ›Olympia‹ geführt, der auf Morton
D. May zurückgeht und von Beckmann angeblich akzeptiert wurde. Damit ist eine Beziehung zu Manets gleichnamigem Bild hergestellt (Abb. S. 51), das Beckmann ohne Zweifel
kannte und hier bewußt oder unbewußt zitierte. Denn es kann kaum ein Zufall sein, daß in
beiden Bildern dem weiblichen Akt eine dunkle Figur zugeordnet ist, die deren Helligkeit
durch den Kontrast steigert. Während bei Manet die farbige Dienerin im Hintergrund der
Kurtisane als Folie dient, die ihre Schönheit
unterstreicht, ist es bei Beckmann eine dunkle
halbfigurige männliche Skulptur, die mit der
Frau in einem fast lebendig wirkenden Blickkontakt steht. Ist es bei Manet ein primär formal-farblicher Kontrast, so scheint es bei
Beckmann weit stärker ein inhaltlicher zu sein,
der sich allerdings bis zu einem gewissen Grad
ausgleicht.
    Eine weitere Interpretationshilfe bietet zu-
dem der ursprüngliche Titel ›Atelier‹, mit dem
etwas Materielles wie auch Geistiges angesprochen sein kann: einerseits die gewohnte, alltägliche Ateliersituation, andererseits das, was
sich in Beckmanns Vorstellung, seinem ›geistigen Atelier‹ gewissermaßen, als wesentlich
darstellte. Daß hier eher das Letztgenannte gemeint sein wird, scheint sich aus der de facto
eben doch nicht ganz selbstverständlichen Ateliersituation zu ergeben, denn der weibliche
Akt ist ja nicht zufälliges und beliebiges Requisit, sondern in eine durchdachte Verbindung
mit der Skulptur gebracht. Der Gegensatz von
Weiblich und Männlich, Schwarz und Weiß,
wie er von Beckmann immer wieder thematisiert wurde, liegt auch dieser Komposition zugrunde; allerdings wird hier ein Ausgleich, wie
er in dem chinesischen Zeichenpaar Yin und
Yang exemplarisch erfaßt ist, als Möglichkeit
angedeutet: Hell und Dunkel stehen einander
nicht unverbunden gegenüber, die Frau ist
schwarz konturiert, die Skulptur weist helle
Partien auf. Unter welchen Voraussetzungen
jedoch ein harmonisches Miteinander von
Mann und Frau nur denkbar ist, macht das Gegenüber von lebendigem, vitalem Akt einerseits und versteinerter Männlichkeit andererseits unmißverständlich deutlich. C. Sch.-H.

Die Verzeichnung der Figur bewirkt zweierlei: einmal die abstrahierende Übertragung ins Flächenmuster, zum anderen die Verriegelung der Figur, die mit den Gewandfalten und den drei groß vorgelegten Gliedmaßen wie eine Gefesselte erscheint. Diese gebundene Struktur in Verbindung mit dem Motiv des Erschrecktseins deutet wohl den Zusammenhang von Libido, Unfreiheit und Bestrafung an, der etwa in den Triptychen *Abfahrt* und *Versuchung* gezeigt wird (Abb. S. 40, Kat. 73).

C. St.

111   Begin the Beguine   1946
Öl auf Leinwand; 178 x 121 cm
Bez. u. r.: Beckmann A 46
Ann Arbor, The University of Michigan Museum of Art
Göpel 727
Literatur: Fischer, München 1972, S. 172 ff. – Fischer, Köln 1972, S. 75 ff.

Wie so oft im Werk von Max Beckmann bereitet schon der Versuch, die Darstellung zu beschreiben, erhebliche Schwierigkeiten: Keine der Figuren zeigt sich in einer der sichtbaren Wirklichkeit entsprechenden Form; das vordergründig unkomplizierte Thema – der modische Gesellschaftstanz zu dem international populären Schlager aus den ersten Nachkriegsjahren von Cole Porter – entzieht sich letztlich jedem eindeutigen Interpretationsversuch. Der sich aufdrängende Eindruck eines Schwebezustandes zwischen Bestimmtem und Unbestimmten wird durch die formale Bindung des Bildgeschehens in der Fläche unterstützt. Wenngleich es sich offensichtlich um einen konventionellen bürgerlichen Innenraum zum Teil mit gemusterter Tapete, zum Teil mit Holzverkleidung handelt, in seinen räumlichen Proportionen ist er nicht einmal ansatzweise klassifiziert; die einzelnen Wandteile sind vielmehr als gegeneinander gestellte Bildflächen charakterisiert, in die die Figuren wie in einen Teppich verwoben erscheinen.

Da ist in der Mitte zunächst ein Paar in Gesellschaftskleidung, das den Beguine nur zu tanzen scheint, dies jedoch schlechterdings gar nicht kann, da der Mann statt des linken Beines einen groben Holzstumpf hat und zudem den Boden nicht berührt. Die Frau in seinem Arm scheint nach oben zu schweben, ihr linkes Bein verschwindet abgewinkelt unter dem Kleid und anstelle des rechten ist ein lang herunterhängendes, flügelähnliches Stoffteil erkennbar. Ihre Bewegung nach oben wird durch den rechten hochgestreckten Arm unterstrichen. Träumerisch-gebannt ist ihr Blick auf einen jungen, mit enger blauer Hose, ärmellosem kurzen grünen Kittel, über die Schulter geworfenem Netz und Federhut merkwürdig kostümierten Mann gerichtet, der diesen Blick ebenso entrückt erwidert und ihr einen riesengroßen Schlüssel entgegenhält. Den rechten Fuß angewinkelt auf ein Schild mit dem Schlagertitel gestellt, stützt er sich auf eine Holz-

110   Die Erschrockene   1947
Öl auf Leinwand; 135 x 75 cm
Bez. u. r.: Beckmann A 47
Privatbesitz
Göpel 736
Literatur: Busch 1960, S. 65

Eigentümlich ist das Motiv, seltsam die harte Verformung der Figur. Die Situation des Erschrecktseins vermittelt sich nur als drastische Mimik des Gesichts und bleibt rein punktueller Vorwand, denn die entsprechende Emotion setzt sich im Körper nicht fort. Das Entblößte der Frau, ihre übertriebenen Gliedmaßen, die Disproportion des Körpers und das gewaltsame Sitzen mit dem verdrehten Bein wollen das erotisch-bedrohliche Moment vermitteln, das

Beckmann nahezu manisch immer wieder an der Frau empfunden hat. So zählt die Darstellung zu der Reihe der potenzgeprägten Akte (vgl. Kat. 35, 59, war auch bezeichnenderweise zunächst als Akt konzipiert) und zu der Abfolge der gefährlichen Tänzerinnen, Schauspielerinnen und späten Columbinen (Kat. 107, 130). Wollte man tiefenpsychologisch argumentieren, so müßte man gerade die mächtige, einem männlichen Arm ähnelnde Zangenform des Beines als Symptom nehmen für die Angst des Mannes vor der Großen Kastrierenden Mutter und Femme fatale – ein Thema, das der Symbolist Beckmann ganz zentral gestaltet hat. Auffällig ist in den Bildern der letzten drei Lebensjahre die Brutalisierung des Körperlichen.

krücke, die er allerdings nicht wirklich zu benötigen scheint. Hinter der Frau – und ihr zugeordnet – sind mehrere große, pelikanähnliche Vögel zu sehen und vorne links eine zweite, halbnackte hockende Frau mit hochgereckten, verbundenen Armstümpfen, auch sie den Blick sehnsuchtsvoll auf die nach oben schwebende Frau gerichtet. Spätestens hier fällt die Parallele zu dem 25 Jahre früher entstandenen Gemälde *Der Traum* (Kat. 23) auf, jener Allegorie vergeblichen menschlichen Bemühens, in dem u. a. ein Mann mit Armstümpfen in einem sinnlosen Kraftakt zur verschlossenen Decke steigt. Hier wie dort gibt es Verletzungen und ein merkwürdig bewußtloses, träumerisches Handeln, das den einzelnen bestimmt. In *Begin the Beguine* allerdings hat dies zumindest in den beiden Hauptfiguren, die durch intensiven Blickkontakt und Übergröße aufeinander bezogen sind, einen entschieden positiven Zug.

Man wird in der Annahme nicht fehlgehen, daß in diesem Zusammenhang der deutlich ins Bild gesetzte Schlagertitel in seiner Doppeldeutung wörtlich genommen ist und nicht nur den Tanz, sondern ganz allgemein einen Neubeginn meint, wie er sich in der Nachkriegssituation als Hoffnung andeutete, und wie er im Bild in den beiden jugendlichen Hauptfiguren anklingt. Der Schlüssel könnte dabei den Zugang zu einem Geheimnis meinen, das der junge Mann kennt und in das er die Frau einbezieht. Darüber hinausgehende Interpretationen bleiben allerdings im Bereich des Spekulativen, vermitteln sich zumindest nicht allein im optischen Bildbestand. Daß z. B. mit dem jungen Mann eine Verbindung des Götterboten Merkur (Federhut) und des Saturns (Krücke,

Netz) zum Hermes Trismegistes der Gnosis gemeint sein könnte, jenes Magiers also, der des Weltgeheimnisses inne ist, läßt sich zwar begründen, nicht aber mit Sicherheit als richtig behaupten.   C. Sch.-H.

112 Promenade des Anglais in Nizza 1947

Öl auf Leinwand; 80,5 x 90,5 cm
Bez. u. M.: Beckmann N 47
Essen, Museum Folkwang
Göpel 741
Literatur: Göpel 1955, S. 40. – Busch 1962, S. 49. – Kaiser 1962, S. 78. – Schmoll 1970, S. 60

Das Bild, das Beckmann erst in Amsterdam, zwei Tage nach der Rückkehr von seiner Nizza-Reise konzipierte, zeigt den Blick aus dem Hotel Westminster auf die Meeresbucht, die mit Palmen bestandene Promenadenstraße, die dichte Häuserreihe der Stadt und die ferne Hügelkette. Seltsam ist, daß trotz des hohen Betrachterstandpunkts – wir blicken mit der Frau aus dem Hotelfenster – und trotz der weitgedehnten Perspektive der Eindruck von fast beklemmender Enge spürbar wird. Bestimmend sind Momente des Abschließens: die dunkle Hügelzone verriegelt den Himmel; der schwere, skulpturhaft geformte Vorhang zieht die weite Schwingung der Bucht optisch heran; die Perspektive ist so verzeichnet, daß die Straße mit den Palmengruppen und Kugellampen in die Fläche hochgeklappt erscheint; Vorder-

grund und Straßenaufsicht durchdringen einander, denn zwischen Balkongitter und Vorhang schieben sich unvermutet nah Lampen und Baumkronen. Der Farbklang – Violett-Töne, fahles Gelb und konzentriertes Schwarz – verstärkt die Situation der Enge, in die mit der vom Rücken gesehenen Frau auch der Betrachter eingeschlossen ist. Nizza ist nicht nur die nächtliche, südlich schwüle Stadt, sie wird auch zum Ort des Rätselhaften, zur Metapher für Eingeschlossensein. Diese fremdartige Stadtansicht ist wohl in die Reihe ›Traum‹-Darstellungen einzuordnen.   C. St.

113 Mädchenzimmer (Siesta) 1947

Öl auf Leinwand; 140,5 x 130,5 cm
Bez. u. r.: Beckmann A 47; u. M.: Beckmann A 47
Berlin, Staatliche Museen Preußischer Kulturbesitz, Nationalgalerie
Göpel 739

Bei der Darstellung handelt es sich vermutlich um eine Bordellszene: Die drei halbbekleideten, in lasziver Sinnlichkeit träge ruhenden Frauen und die lesende Alte deuten ebenso in diese Richtung wie der über dem gesamten Bild liegende schwüle rötliche Farbschleier.

Dies verbindet sich mit einer von Beckmann immer wieder zitierten Vanitas-Symbolik: Der weiblichen Schönheit in voller Blüte (nicht von ungefähr durch die vollerblühten Tulpen begrenzt) wird die verdorrte, dunkel verschleierte Alte konfrontiert, ergänzt durch die altbekannten Zeichen der Vergänglichkeit und Eitelkeit, Uhr und Spiegel.

Es wäre jedoch verfehlt, von daher auf eine versteckte moralisierende Tendenz zu schlie-

ßen. Die drei Frauen sind in ihrer sinnlichen Schönheit frei und ganz bei sich, sie sind ohne Wertung in ihrer Zuständlichkeit festgehalten; allerdings verbindet sich damit auch Dumpfheit, eine Atmosphäre, die, der Schwüle eines Treibhauses ähnlich, ungehindertes Atmen einengt, aus der Natur als ein freies Außen ausgesperrt ist (das Fenster ist dicht verschlossen, Licht kommt nicht von der Sonne, sondern einer Petroleumlampe).

Der dargestellte Frauentypus begegnet uns im Werk von Beckmann häufig; besonders auffallend erscheint jedoch die Ähnlichkeit der oberen rechten Frau mit der im Mittelteil des Triptychons *Versuchung* (Kat. 73), der gleichfalls eine tulpenähnliche Blume sowie ein Spiegel zugeordnet sind. Während sie dort jedoch verschiedene Bedeutungsmöglichkeiten hat, wird sie hier – zehn Jahre später – ganz auf ihre sinnliche Existenz reduziert.　　　C. Sch.-H.

114 Luftballon mit Windmühle 1947

Öl auf Leinwand; 138 x 128 cm
Bez. u. r.: Beckmann A. 47
Portland/Oreg., Portland Art Museum, Helen
Thurston Ayer Fund
Göpel 749
Literatur: Göpel 1955, S. 34. – Myers, dt. Ausg.,
1957, S. 251. – Fischer, München 1972, S. 180 ff. –
Lackner 1978, S. 136

Männer und Frauen, die in einem Käfig eingeschlossen oder an Windmühlenflügel gefesselt
sind, ein grün aufwallendes Meer, eine brennende Plattform, zwei schwerfällig aufsteigen-
de Fesselballons: Das Bild sammelt Situationen körperlicher Qual und menschlicher
Unfreiheit. Alles ist in fremdgesteuerter Bewegung, es gibt keinen Ort, der Festigkeit verspricht; der Mensch ist machtlos, weil ausgeliefert dem Schwanken und Kreisen sowie den

Naturgewalten Feuer und Wasser. Das wie in
Glasfenstern sich mit phosphoreszierender
Farbe verbindende Schwarz bewirkt eine düstere, hermetisch gebundene Flächenstruktur,
die den gehäuften Fesselungsmotiven entspricht. Die apokalyptischen Momente kennzeichnen die Sicht zunächst als Darstellung des
Weltuntergangs. Sintflut, Weltenbrand und
Jüngstes Gericht treten zusammen. Die de-
pressive Stimmungslage ist wohl weniger, wie
Lackner meint, auf die Biographie als auf die
psychische Situation Beckmanns zurückzuführen, wie sie sich in einer späten Tagebuchaufzeichnung findet: »Noch immer kann ich mich
nicht zurechtfinden in der Welt, die gleiche
maßlose Unzufriedenheit wie vor 40 Jahren erfüllt noch mein Herz... Oh no, schlecht ist das
Leben – ist die Kunst. – Aber was ist besser? –
das ferne Land – rette mich oh großer Unbe-

kannter –.« (Tagebücher 1940–1950, München
1979, 17.9.1946.)

Diese Stimmungslage ist kennzeichnend für
das gesamte Werk und Ausgangspunkt für
Beckmanns frühzeitige Auseinandersetzung
mit pessimistischer Weltanschauung im Sinne
Schopenhauers, gnostischer, theosophischer
und indischer Tradition. Das Bild ist dementsprechend, noch bevor es Darstellung für
Weltuntergang ist, Metapher für ein von Beckmann geglaubtes Lebensprinzip. Der im Käfig
gefangene Mensch als Sinnbild der im Körper
eingekerkerten Seele (Kat. 73), die Fesselung
von Mann und Frau als Zeichen physischer
Zwänge und Begierden (Kat. 70,73, Abb.
S. 40), die Windmühle als Symbol sinnloser
Wiedergeburt – alle diese Gleichnisse sind in
den religionsphilosophischen Quellen zu finden, die Beckmann studiert und Friedhelm

W. Fischer nachträglich aufgeschlüsselt hat. Auffällig sind die Schriften unterhalb des Käfigs. Fischer führt die lateinisch geschriebene BRASITH ELOHIM auf die kabbalistische Geheimlehre der Helene Blavatsky zurück und deutet den Text in Verbindung mit der kleinen Faust als Protest gegen den Gott einer negativen Schöpfung. Die Mühlenphysiognomie interpretiert er als Gesicht des Demiurgen selbst. Das dämonische Violett der Mühle hat seinen Vorläufer in den unheimlichen Figuren der *Kinder des Zwielichts* (Kat. 87). Eigenartig und bisher noch nicht bemerkt ist, daß die violette, nur mit Ohr und Arm hinter dem Käfig sichtbare Gestalt wohl auch einen agierenden Dämon verkörpern muß (Kat. 87). Weltkatastrophe und Protest gegen die negative Schöpfung – auf dieser in Beckmanns Bildern vertrauten Bedeutungsebene scheint die weitere Interpretation Fischers sehr spekulativ: Sintflut und Feuer bedeuteten nach der indischen Mythologie die Auflösung der Schöpfung, die Befreiung der Existenz vom Kreislauf des Werdens und der Materie und damit die Rückkehr des Geistes zu sich selbst. Die düstere, schwere Struktur des Bildes vermittelt jedoch kein erlösendes Moment, sondern verstärkt die qualvolle Inszenierung, den »scheinbaren Wahnsinn des Cosmos«. Selbst die Fesselballons sind wohl keine Hoffnungszeichen, denn sie stehen schwerfällig und eingeschränkt zwischen den Dingen (Abb. S. 41).

Beckmann hat das Bild im August 1946, nur wenige Tage nach Abschluß der Arbeit *Große Landschaft mit Windmühle* begonnen, einer Arbeit, die Motive, Komposition und Vergitterung trotz reiner Landschaftsdarstellung sehr nahe vorwegnimmt.   C. St.

115 Stilleben mit zwei großen Kerzen 1947

Öl auf Leinwand; 108,5 x 78 cm
Bez. o. l.: Beckmann St. L. 47
St. Louis, The Saint Louis Art Museum,
Bequest of Morton D. May
Göpel 755

Literatur: Reifenberg und Hausenstein, Max Beckmann, München 1949, Abb. 80 (irrtümlich betitelt ›Frau vor dem Spiegel, R 619‹, Verwechslung mit Gem. Nr. 746). – Fischer, München 1972, S. 118. – Fischer, Köln 1972, S. 78 mit farb. Abb. – Göpel 1976, I, S. 453

Eines der ersten Gemälde, das Beckmann nach seiner Ankunft in St. Louis im Herbst 1947 fertigstellte, war das *Stilleben mit zwei großen Kerzen*. Es zeichnet sich durch ungewöhnliche Farbigkeit und eine strenge Komposition aus; gleichzeitig dokumentiert es, wie wenig Beckmanns Grundeinstellung durch die Einwanderung nach Amerika beeinflußt wurde. Die geheimnisvollen, dunkelleuchtenden Farben, der dichtgedrängte Raum, der in Verbindung mit Beckmanns ›Raum-Angst‹ zu sehen ist, der streng geometrische Bildaufbau und die ungewöhnliche Ansammlung von Gegenständen unterscheiden sich nicht wesentlich von vorhergehenden Interpretationen des Themas.

Das Bild ist auf das Zentrum der brennenden Kerze hin angelegt. Die Flamme wirft ein eigentümlich unwirkliches Licht auf das klassische Profil der weiblichen Holzbüste und auf die ovale azurblaue Vase, die die Skulptur verdeckt, sich gewissermaßen mit ihr verbindet. Das gleiche Licht wird wiedergegeben in der Reihe runder und rechteckiger gerahmter Spiegel, und es beleuchtet die drei unterschiedlich geformten Farbpaletten im Hintergrund sowie die sinnlich wirkenden, exotischen Orchideen, deren Blütenblätter in spannungsvollem Gegensatz zu den kühlen, statischen Linien der Büste und der Vase auf der anderen Seite der Komposition stehen. Eine zweite, soeben erloschene Kerze liegt rechtwinklig zu der brennenden und bildet eine Parallele zu Tisch- und Bildkante. So ist ein starres Mittelgerüst geschaffen, das zusätzlich betont wird durch ein Stück blaßgrünes Papier, dessen aufgedruckte Buchstaben sich zu PARIS ergänzen ließen.

Die Kerzen beherrschen durch ihre auffällige T-Stellung nicht nur die Komposition des Bildes, sie kennzeichnen es auch thematisch als Vanitas-Stilleben. Diese der klassischen Stillebenmalerei entstammende Deutung wurde von Beckmann in abgeänderter Form immer wieder übernommen. Die beiden Kerzen in diesem Bild – eine stehend und brennend, die andere umgestürzt und erloschen – könnten demnach Leben, Ewigkeit und Kreativität einerseits, Tod, Zerstörung und Impotenz andererseits meinen. Sie sind aber nicht nur Symbole, sondern auch reine malerische Form.   L. E.

116 Zwei Frauen an der Treppe
(Hotelhalle) 1942, 1945, 1947, 1948
Öl auf Leinwand; 96 x 56cm
Bez. u. r.: Beckmann A 47
London, Marlborough Fine Art Ltd.
Göpel 771

Phosphoreszierende Farben, ein Russisch-
Grün, ein Violett, irritierend aufwachsendes
Schwarz, ein Ineinander von Düsternis und
Transparenz, wie bei farbigen Glasfenstern,
das ist das eigentliche Ereignis dieses späten
Bildes, das in seiner dunklen Strenge und seinem Glühen der Malerei Rouaults nahesteht.
Thema ist, zentral im Werk Beckmanns, wieder einmal die Frau als exotisch lockendes,
geheimnisvoll verkapptes und gefährliches Wesen. Paradiesvögeln ähnlich, bieten sich die
beiden Frauen dar, unnahbar in der Fernwir-
kung der Blauklänge und an unwirklichem Ort
angesiedelt zwischen tiefblauem Grund und
schwarzem Gitter des Treppengeländers. Wie
bei dem Bild *Damenkapelle* (Kat. 91) spielt
der Mann, reduziert auf ein Stück Gesicht, die
untergeordnete Rolle. Die Frau ist die große
Verführerin, die Dirne und die Eva, ausgestattet mit dem Schleier der Kokotten, dem eigenartig gehörnten Kopfputz und sogar mit dem
Symbol der Sünde, nämlich der gelbgrünen
Schlange, die sich um den Arm der violetten
Frau ringelt. (Vgl. *Großes Frauenbild*, 1935).

In der Arbeit *Großes Frauenbild. Fischerinnen*, 1948, (Kat. 121), trägt die Fisch- und See-
lenfängerin im unteren rechten Bildeck eine
dem schwarzen Hut ähnelnde, gehörnte Frisur.
Das Motiv der modernen großstädtischen
Amazone, ein Motiv des frühen Expressionismus (Kirchner, Rouault usw.), wird entsprechend dieser Ausprägung von mehreren Bildern Beckmanns variiert. Bezeichnend für die
mystifizierende Auffassung lautet der Untertí-
tel des Bildes, denn ›Hotel‹ ist in Beckmanns
Denken ungefähr schon seit 1919/20 (*Martyrium*, Kat. 250, Drama ›Das Hotel‹) eine Metapher für abgründige Welt. Das Bild ist viele
Jahre lang immer wieder überarbeitet worden,
die Erstfassung entstand 1942, vollendet wurde
es 1948. Der Vergleich der Erstfassung, die
noch als Photo existiert (Museum of Modern
Art, New York) mit dem endgültigen Werk
zeigt den Prozeß der Vereinfachung und Verdichtung, der auch für andere Werkabläufe
verbindlich ist (Kat. 78, 86). Blumenbeiwerk,
genaue Ortsbeschreibung und psychologische
Beziehung zwischen den Figuren sind hier eliminiert: Dafür wachsen die Gestalten ins Monumentale und Stille, Flächenhaft-Gebunde-
ne. Konzentrierend bindet der hängende Arm
die Figuren zum geschlossenen Paar (vgl.
Kat. 95). Die jetzige Signatur wurde 1949, wohl
erst bei Verkauf des Bildes, beigefügt. C. St.

117 Maskerade 1948

Öl auf Leinwand; 164,5 x 88 cm
Bez. u. r.: Beckmann StL 48
St. Louis, The Saint Louis Art Museum,
Gift of Mr. and Mrs. Joseph Pulitzer Jr.
Göpel 765

Die Themen Karneval, Maskerade und – auf
einer vergleichbaren Ebene – Artisten, Clowns
und Varieté nehmen im Werk Beckmanns bekanntermaßen eine Schlüsselstellung ein. Das
hier zentrale Motiv der Verkleidung, das Rollenspiel, wurde ihm zum Gleichnis menschlicher Bedingtheit und der Unfähigkeit, sich frei
und unverstellt zu zeigen. Die Maskierung
kann dabei Schutz vor einem feindlichen Außen oder Gefängnis, aber auch Ausdruck trotziger Selbstbehauptung sein, indem man sich
nicht zu erkennen gibt; manchmal scheint sie
auch ein furchterregendes Inneres zu verbergen, etwas Abstoßendes, dessen Anblick man
einem Gegenüber nicht zumuten will. Verkleidung ist bei Beckmann – und hierfür gibt es
zahlreiche Parallelen innerhalb der klassischen
Moderne – nie nur harmlose Spielerei, wie
man dies bei seiner Begeisterung für Masken-
feste, Varieté und Zirkus zunächst annehmen
könnte. Sie wird vielmehr stets zum Sinnbild
menschlicher Verhaltenszwänge.

Die Reihe dieser Bilder schließt mit *Maskerade* von 1948 und, zwei Jahre später, kurz vor
seinem Tod, mit *Fastnacht-Maske grün, violett
und rosa* (Kat. 130) ab, in der ein vergleichbares Frauenbild zum Ausdruck kommt. In der
Maskerade scheint eine Tanzpause festgehalten zu sein; ein Paar lehnt sich mehr oder
weniger zufällig und ohne sich anzublicken an
ein Geländer. Die Frau wird von dem Flügel
einer Glastür mit Richtungspfeil und den für
Beckmann typischen Holzsprossen (vgl. u. a.
Kat. 122, 125) überschnitten, bei denen man
stets auch eine Leiter assoziiert. Die Situation
wirkt im Gegensatz zu ihrer objektiven Harm-
losigkeit bedrohlich, weit entfernt von der
fröhlichen Abendunterhaltung, die man vom
Thema her erwarten könnte.

Während der muskulöse Mann fest mit beiden Füßen auf dem Boden steht, stützt sich die
Frau mit dem Ellenbogen soweit rechts hinter
dem Mann ab, daß ihre Füße den Boden kaum
noch berühren. Dennoch geht der Eindruck
des Bedrohlichen stärker von der Frau als von
dem Mann aus, die trotz ihres unstabilen Stan-
des nicht verkrampft, sondern lässig wirkt und
wie selbstverständlich einen Totenkopf in der
Rechten hält. Ihr Gesicht wird durch eine Kat-
zenmaske vollständig verdeckt, sie wird zu ihrem eigentlichen Gesicht, geht mit den Haaren
eine farbliche Einheit ein. Ein blaues Tuch in
ihrem Ausschnitt verhüllt diesen nicht in einem
aufreizenden Sinn, sondern ›stopft‹ ihn grob
zu. Der blau maskierte (oder auch angemalte)
Mann mit unangenehm kantigen Zügen, zu
dem das lächerlich kleine Hütchen merkwürdig
kontrastiert, scheint zögernd oder auch skep-
tisch zu blicken; sein rechter Arm liegt wie
schützend und sich von seinem Gegenüber ab-
sperrend vor dem Körper. Beide Figuren sind
als Individuen unkenntlich, und beide wirken
trotz ihrer starken Körperlichkeit, die eigentlich Vitalität suggerieren müßte, unlebendig.
Schon in ihrer Farbigkeit sind sie nicht lebens-

voller als der Hintergrund, der vergleichbare Fleischfarben (Kamin und Mauerstreifen) und Grüntöne aufweist. Aggressiv sinnliches Rot erscheint lediglich am Rand: im mühsam glimmenden Feuer, in der Litze am Ärmel, dem Hut des Mannes und einem Zettel am Boden.

Verkleidung und Maske sind hier nicht einmal mehr geeignet, eine wenn auch nur oberflächliche und temporäre Annäherung zwischen Mann und Frau zu ermöglichen; fremd und auf sich zurückgeworfen stehen sie nebeneinander, ganz in ihre Rolle eingeschlossen, reglos in ihr verharrend. Der symbolische Gehalt ist – auch dies bezeichnend für Beckmann – ebenso vieldeutig wie unbestimmt. Einige Anregungen mögen genügen: Die Katze, in Buddhismus und Kabbala Symbol der Sünde, im Volksglauben mit magischen Kräften versehen, unergründlich oder auch Vorbote negativer Ereignisse, könnte im Zusammenhang mit dem Totenkopf, dem traditionellen Vanitas-Symbol, die Furcht vor einem nahen Tod bildnerisch fassen und damit gleichzeitig, wie in einem Fetisch, zu bannen versuchen. Nimmt man die merkwürdig mit einer Schlangenlinie verzierte Strumpfhose des Mannes hinzu, die an indianische rituelle Bemalungen erinnert, so wird man als weiteren Interpretationshinweis die Beckmann vermutlich bekannte Verehrung der nordamerikanischen Indianer für Katze und Schlange, die dort stets zusammengesehen werden und die in rituellen Beschwörungen eine wichtige Rolle spielen, ansehen können. Denn ohne Zweifel eignet beiden Figuren in ihrer Maskierung auch die angsterregende, starre Würde heidnischer Priester.

C. Sch.-H.

118 Bildnis Perry T. Rathbone 1948

Öl auf Leinwand; 165 x 90 cm
Bez. u. r. v. d. M.: Beckmann St. L. 48
Perry T. Rathbone
Göpel 773
Literatur: Göpel 1976, I, S. 465 f.

Der Kunsthistoriker Perry T. Rathbone, geb. 1911, und seine Frau Euretta waren während der amerikanischen Jahre gute Freunde der Beckmanns. Rathbone war während der Entstehungszeit dieses Bildes Direktor des City Art Museums in St. Louis und trug entscheidend zur Berufung Beckmanns an die dortige Universität bei; 1946 erwarb er für das Museum *Junge Männer am Meer* (1943, Kat. 100). Rathbone organisierte auch Ausstellung und Katalog der Retrospektive, die ab 1948 in St. Louis und anderen amerikanischen Städten gezeigt wurde und die wesentlich zum Verständnis des Künstlers in den USA beitrug. Am 29. Dezember 1950 hielt Rathbone in New York die Trauerrede für Beckmann. Er lebt heute in Boston, Mass., wo er von 1955 an Direktor des Museum of Fine Arts war, sowie in New York.

Der fast ganzfigurig Porträtierte ist in betont unkonventioneller, ungezwungener Haltung dargestellt: Das rechte Bein auf einen Stuhl gestellt, sich mit dem rechten Ellenbogen lokker auf den Oberschenkel stützend, eine Zigarette nachlässig in der rechten Hand haltend, die linke leger in die Hosentasche gesteckt, vermittelt er den Eindruck einer selbstsicheren Persönlichkeit, die keine äußerliche Pose nötig hat. Durch die unruhige Oberflächenstruktur der Kleidung, insbesondere jedoch des Hintergrundes, die für diese Bildgattung im Werk des Künstlers ungewöhnlich ist (vgl. Kat. 113), kommt ein nervöses, unruhiges Element hinzu; zusammen mit dem wachen, deutlich sein Gegenüber fixierenden Blick – auch dies bei Porträts des Künstlers selten – verdichtet sich die Darstellung zum Bild einer sensibel *und* spontan auf ihre Umwelt reagierenden, reizbaren und allem Neuen aufgeschlossenen Persönlichkeit. Der weitgehende Verzicht auf die bei Beckmanns Porträts oft zu beobachtende Distanz zwischen Künstler und Modell hat konsequenterweise eine größere Nähe und Deutlichkeit des Dargestellten zur Folge; er scheint sich uns in besonderer Weise in seiner Individualität zu zeigen und uns damit faßbar zu sein. Es mag sein, daß Beckmann damit auch eine ihm vielleicht typisch amerikanisch erscheinende Offenheit mit auszudrücken versuchte.   C. Sch.-H.

119   Quappi in Grau 1948
Öl auf Leinwand; 108,5 x 79 cm
Bez. u. r.: Beckmann St. Louis 48
Privatbesitz
Göpel 761

Durch den repräsentativen, strengen Aufbau, die blockhafte, fast geometrische Gliederung und die zurückhaltend-elegante Farbigkeit erhält dieses Bildnis der Frau des Künstlers eine unnahbare Würde. In der langen Reihe ihrer gemalten Porträts bildet es den Abschluß, klammert man das 1950 wesentlich überarbeitete von 1926 aus (Kat. 129). Die Eintragungen im Tagebuch, die sich auf die Arbeit daran beziehen, reichen über vier Monate, ein für das thematisch vergleichsweise unkomplizierte und relativ kleine Gemälde recht langer Zeitraum.

Bezeichnend für die Porträts von Max Beckmann ist fast durchgängig der bewußte Verzicht auf ablenkende Details und Attribute, schmückendes Beiwerk, Mobiliar und dergleichen. Der Blick konzentriert sich ganz auf den Dargestellten, ihn dabei jedoch bewußt in seiner Individualität achtend und gleichzeitig distanzierend. Bei aller Schärfe der Beobachtung bleibt dem einzelnen eine Aura erhalten, eine Art Schutzring, der ihn jeder Zudringlichkeit entzieht. Diese Grundhaltung, die bereits in den zwanziger Jahren bestimmend ist, unterscheidet deutlich zwischen Bildnis und Selbstbildnis, in dem eine ganz andere Schärfe und Unnachsichtigkeit gegenüber der eigenen Person zum Tragen kommt.

Das Bildnis seiner Frau zeigt noch einmal besonders deutlich, fast überpointiert diese

Prinzipien: die Stellung der Figur vor weitgehend flächigem Hintergrund – hier durch die Holzrahmen einer Glastür oder einer Leinwandrückseite, die das Bild in bildparallele Felder unterteilen, verstärkt –, der weitgehende Verzicht auf raumhaltige oder vordergründig beschreibende, anekdotische Elemente, die leichte Blickwendung der in Dreiviertel-Ansicht gegebenen Figur vom oder über den Betrachter weg, die nichts Konkretes anblickt, sondern über etwas nur ihr selbst Sichtbares nachsinnt. Die Distanz zum Gegenüber wird noch durch die Armhaltung, die die Figur nach vorne abschließt, verstärkt – eine Distanz allerdings, die ein hohes Maß an Vertrautheit voraussetzt, eine selbstverständliche Achtung der Eigenart des anderen.   C. Sch.-H.

120   Der verlorene Sohn 1949

Öl auf Leinwand; 100 x 120 cm
Bez. u. r.: Beckmann St. L. 49
Hannover, Kunstmuseum Hannover mit
Sammlung Sprengel
Göpel 780

Literatur: Göpel 1955, S. 30. – Seiler 1969, S. 148,
253. – Lackner 1978, S. 140

In Entsprechung zu seinem pessimistischen
Weltbild wählt Beckmann aus dem biblischen
Gleichnis (Lukas 15, 11-32) nicht die Rückkehr
des Verlorenen Sohnes, sondern den Augenblick verzweifelten Erkennens, der zugleich
ein Zustand ohne Ausweg ist. Eng umringt von
den exotisch leuchtenden Dirnen, mit denen
er sein Vermögen und seine Jugend verpraßt
hat, gefangen in den Armen der blonden Frau
und eingebunden in eine Realität gefährlich-
phosphoreszierender Farbigkeit (Kat. 84, 116),
schließt sich der Verführte mit hoffnungsloser
Gebärde (Kat. 70, 102) grübelnd zusammen.
Die flammenden Tulpen steigern in ihrer Vitalität seine Verlorenheit, die demonstrativ vor-
gezeigt wird. Die idolhaften Frauen spielen die

Rolle der Seelenfängerinnen (Kat. 121, 132).
Mehrdeutig bleibt am rechten Bildrand der
hart geschnittene Kopf mit dämonischem
Schattenwurf. Interpretiert als Bordellmutter
(Lackner), als Hinweis auf den wartenden Vater und den mißgünstigen Bruder (Seiler), wird
dieses Profilpaar wohl eher das Wissen um die
schicksalhafte Vorbestimmung meinen, man
vergleiche dazu das Motiv der alten Frau
(Kat. 25, 113) oder die Schattenerscheinungen
der negativen Götter (Kat. 73). Als autobiographisches Zeugnis steht der Rückgriff auf
das bereits früh gestaltete Thema (6 Gouachen
zum *Verlorenen Sohn*, 1918 – Beckmann faßt
hier die Hauptfigur als Selbstporträt) im aktuellen Zusammenhang mit dem nun schon
längst beschlossenen Emigranten-Schicksal
Beckmanns. »Beckmann zog dann zuletzt in
ein fernes, großes Land – und langsam sahen
wir seine Gestalt undeutlicher werden.
Schließlich verschwand sie ganz in unbestimm-
baren Weiten.« (Tagebücher, 9. 2. 1949)

C. St.

**121   Großes Frauenbild.
Fischerinnen 1948**

Öl auf Leinwand; 191 x 140 cm
Nicht bezeichnet
St. Louis, The Saint Louis Art Museum,
Bequest of Morton D. May
Göpel 777

Literatur: Valentiner 1955 in: Blick auf Beckmann,
S. 85. – Selz 1964, S. 92. – Fischer, München 1972,
S. 189 ff.

Diese Darstellung ist innerhalb der vielfach
verschlüsselten Beckmann-Ikonographie vergleichsweise anschaulich und verständlich und
erschließt sich zum großen Teil aus dem optisch sichtbaren Bildbestand. Drei aufreizend
kostümierte junge Frauen, jede den für sich
gefangenen Fisch im Arm, bestimmen die
Komposition nicht so sehr als Gesamterschei-
nung, sondern durch das ostentative Vorweisen einzelner nackter Körperteile: Die linke –
bis auf eine Corsage unbekleidet – sitzt vom
Betrachter abgewandt soweit nach hinten auf
einem Stuhl, daß ihr Gesäß, von der Stuhllehne eingerahmt, aufreizend isoliert erscheint.

Der Hals einer durchsichtigen bauchigen Vase, in der ein exotisches Gewächs die erotische Wirkung der Gesäßform paraphrasiert, überschneidet diese Partie und hebt sie damit nochmals hervor. Das weiße, kurzärmlige Kleid der mittleren Frau läßt den Oberkörper bis zur Taille frei und ist vorne absichtlich so hochgezogen, daß der Blick sich zwangsläufig auf ein Stück des Oberschenkels konzentriert, der von dem schwarzen Strumpf und Strumpfband in provozierende Fleischsegmente unterteilt wird. Die üppige Brust der rechten Frau wird vom Ausschnitt eines gelben Kleides eingerahmt, das auch Oberschenkel und Gesäß freiläßt. Die Kleidung ist in ihrer Stofflichkeit betont unsinnlich, sie wirkt als körperlose Farbfläche und unterstreicht damit die erotische Wirkung der nackten Körperpartien, sie wie Fetische umrahmend und vorweisend. Dazu stehen die zurückhaltend ernsten oder geheimnisvoll lächelnden (links) Gesichter der Frauen in auffallendem Kontrast. Da ist nichts Frivoles oder gar Obszönes, ihr Tun scheint für sie weit eher den Ernst einer rituellen Handlung zu besitzen, in der die gefangenen Fische – überdeutliche männliche Sexualsymbole – Trophäe und Opfertier in einem sind. Diese Fische stehen in ihrer lasierenden Malweise weit hinter der sinnlichen Präsenz der Frauenkörper zurück; es sind fast durchsichtige, körperlose Wesen, die damit auch die Erinnerung an die verbreitete Verbindung von Fisch und Seele wachrufen.

Daß dieser Gedanke innerhalb der Beckmann-Ikonographie nicht abgelegen ist, zeigt der Vergleich mit der 1949 entstandenen Zeichnung *Women Fishing*, in der die Frauen Fische mit Menschenköpfen angeln, und der im selben Jahr entstandenen Zeichnung *Die Angler* (Kat. 188), die auf das Gemälde *Kinder des Zwielichts* von 1939 (Kat. 87) zurückgeht. »Sie angeln Ehemänner, nicht Liebhaber…« soll Beckmann seiner Frau gegenüber zu dem Bild geäußert haben. Der abwartend im Hintergrund verharrenden Alten, die einen Aal oder einen grünen Spargel im Arm hält, scheint dabei die Rolle der Mitwisserin und Aufpasserin zuzukommen, die beobachtend über der Situation wacht und im übertragenen Sinne durch ihr Alter das Moment der Vergänglichkeit mit ins Bild bringt, wie ähnlich im *Mädchenzimmer* von 1947 (Kat. 113).

Eine maßgebliche Rolle im gesamten Bildgefüge kommt dabei der Nichtfarbe Schwarz zu, durch die die Plastizität oder auch Flächigkeit einzelner Bildsegmente hervorgehoben wird. Die Komposition erhält dadurch einen eigentümlichen Reliefcharakter, so, als seien bei einem bunten Fenster die farbigen, von der schwarzen Bleiverglasung eingefaßten Teile zum Teil plastisch vorgewölbt und zum Teil flach. Es entsteht weder der Eindruck eines Raumkontinuums noch der in sich geschlossener Rundkörper, sondern vielmehr einzelner halbplastischer Bildteile, die zwischen vollkommen flachen Partien stehen. Daß die Plastizität auf die unbekleideten Körperteile beschränkt bleibt, verstärkt deren Verweis- und Fetischcharakter. Gleichzeitig entsteht ein Nebeneinander von materiell Sinnlichem und unmateriell Geistigem, wobei sich Letzteres im Schwarz absolut zeigt.   C. Sch.-H.

122   The Beginning 1946-1949

Öl auf Leinwand; Mittelbild 175 x 150 cm
linkes Seitenbild 165 x 85 cm
rechtes Seitenbild 165 x 85 cm
Bez. u. r.: Beckmann StL. 49
New York, The Metropolitan Museum of Art,
Bequest of Miss Adelaide Milton de Groot
(1876-1967), 1967
Göpel 789
Literatur: Lackner 1965, S. 26. – Schiff 1968, S. 281 f.
Kessler 1970, S. 77 ff. – Fischer, München 1972,
S. 202 ff.

Das Bild ist das achte der neun vollendeten Triptychen Max Beckmanns. Nachdem *Blindekuh* als siebtes bereits im September 1945 fertig war, findet sich unter dem 5. August 1946 im Tagebuch die Notiz: »Abends war Johannes da und spannte Leinwandrahmen für 2 neue Triptic's.« Am 3. Oktober heißt es dann: »Heute schon Entwurf zum ›gestiefelten Kater‹, wird ganz interessant.« Beckmann bezieht sich damit auf den Kater, der im Mittelbild kopfüber an der Decke hängt. Diese Figur war ihm so wichtig, daß sie dem ganzen Triptychon seinen vorläufigen Titel gegeben hat. Die Idee für das Bild mit dem Kater geht möglicherweise auf einen Traum am 13. April 1946 zurück, denn im Tagebuch ist darüber zu lesen: »Gerade hatte ich einen lächerlichen und unangenehmen Traum, in dem irgendwie ein gestiefelter Kater eine Rolle spielte, die mich heftig lächerlich machte …« Beckmann hat sicherlich das Märchen vom gestiefelten Kater gekannt, in dem sogar davon die Rede ist, daß der Kater kopfüber hängend Mäuse und Ratten fängt. Am Boden sind solche Tiere dargestellt. Noch im Oktober 1946 beginnt Beckmann, das Mittelbild zu malen, und im Januar 1947 die Seitenbilder. Jetzt und in der Folgezeit nennt er das Triptychon auch ›L'Enfant‹ bzw. ›L'Enfance‹ und bald ›Jeunesse‹. Dann muß er die Arbeit aufgegeben haben, denn im Dezember 1948, jetzt in Amerika, schreibt er: »Interessant das alte neue kleine Triptyc ›l'Enfance‹«. Erst am 5. April 1949 scheint das Triptychon fertig: »!!Schön geworden!!« Trotzdem nimmt Beckmann sich das Bild neuerdings vor. Am 16. Mai ist die Arbeit endlich abgeschlossen.

Das Triptychon besteht aus einem großen, leicht in die Höhe gestreckten rechteckigen Mittelbild und schmalen, etwas niedrigeren Seitenbildern, die das Mittelbild weniger einfassen, als daß sie ihm angefügt sind. Auch in diesem Falle wird sich Beckmann die Anordnung der drei Bilder nicht auf Unterkante, sondern auf der mittleren Horizontalen des Hauptbildes gewünscht haben (vgl. Brief an Valentin vom 25. 2. 1947 über *Blindekuh*.)

Hauptfigur des Triptychons ist ein Junge, der auf den drei Bildern in je unterschiedlichen Verhältnissen gezeigt wird. Rechts findet er sich in einem Klassenzimmer, links erlebt er eine himmlische Vision, und auf dem Mittelbild sprengt er erobernd ›in die Welt‹.

Auf dem rechten Bild ist der Junge eingereiht in die Ordnung der Klasse, deren engen Geist die kümmerliche Figur des Lehrers verkörpert und deren Strenge einer der Jungen zur Anschauung bringt, der zur Strafe vorn mit erhobenen Armen stehen muß. An diesem bedrückenden Ort herrscht jedoch Hoffnung auf

Befreiung. Es ist nicht nur die Gittertür bereits aufgegangen, sondern ein lichtes Bild mit Bergen und blauem Himmel sowie ein Globus mit der Andeutung Amerikas weisen auf freie Natur und weite Welt hin, wie die Harfe vorn auf freie künstlerische Entfaltung. Der Jünglingskopf einer antiken Statue, der in Größe, Haltung und edler Bildung die Figur des Lehrers davor beziehungsreich kontrastiert, verkörpert idolhaft die Welt außerhalb des Klassenzimmers, auf die sich die Hoffnung richtet. Der Bogen der Harfe umfängt Kopf und Arm des Jungen, der auf seine Weise dabei ist, sich aus der Enge zu befreien, indem er sich musischer Tätigkeit und erotischen Vorstellungen hingibt: Weggewandt von der Klasse und dem Lehrer, hält er dem Betrachter die Zeichnung einer nackten Frau entgegen.

Mit dieser Darstellung erinnert sich Beckmann an eigene Kindheitserlebnisse: »In Braunschweig zeichnete ich mich auf der Schule dadurch besonders aus, daß ich in den Stunden eine kleine Bilderfabrik errichtete, deren Erzeugnisse von Hand zu Hand gingen und manchen armen Mitsklaven auf einige Minuten über sein trübes Schicksal hinwegtäuschten.« (Almanach des Verlags R. Piper & Co. 1904-1924, München 1923, S. 82.)

Auf dem linken Flügel hat der Junge bereits eine kleine Gefährtin. Aber nicht dieser Blütenbekränzten ist er zugewandt, sondern er schaut zum Fenster hinaus und erblickt eine himmlische Vision. Größer als das Mädchen, noch dazu bekrönt und mit Speeren zur Hand, hat Beckmann ihn zusätzlich als kleinen Herrscher ausgezeichnet, der zu solcher Vision, solchem Blick auf Überirdisches fähig ist, während sich der Sinn des Mädchens auf Diesseitiges beschränkt und in Bespiegelung der eigenen Schönheit erfüllt. Zwar ist dem Jungen auch hier das Zimmer vergittert, aber durch das Fenster sieht er vor lichtblauem Himmel eine Schar von Engeln herabkommen, die einen alten Leiermann begleiten und sich vor ihm verneigen. Der Junge scheint insbesondere den Engel vorn links anzublicken, wie dessen große Augen seinerseits auf ihn gerichtet sind. Im Wahrnehmen der überirdischen Schönheit dieses Engels mit dem Gesicht eines Mädchens findet der Junge seine Erfüllung.

Der Leiermann steht als Gebrechlicher, Blinder und Alter und nicht zuletzt als Mann in auffallendem Gegensatz zu den Engeln. Lackner hat auf eine entsprechende Figur im *Traum* von 1921 hingewiesen; auch der Leiermann in den *Bettlern* in der *Berliner Reise* von 1922

ist vergleichbar. In den älteren Werken sind es Figuren des Schicksals, die das ›alte Lied‹ des Lebens sinnbildlich zur Anschauung bringen. So muß auch mit Lackner der Leiermann auf dem Triptychon verstanden werden. Fischer hat Recht, wenn er in dem düsteren Alten zugleich den bösen Demiurgen sieht, der die Welt geschaffen hat und die Menschen unterdrückt. In der Darstellung hier verdrängt er dem Jungen zwar die Aussicht auf den freien Himmelsraum und wirkt durchaus bedrohlich, doch ist er für Beckmann blind, alt und gebrechlich, letztlich ohn-mächtig. Im überirdischen Bereich entspricht er dem Lehrer, der in ähnlicher Weise mächtig/ohnmächtig ist.

Auf dem Mittelbild hat Beckmann die eigentliche Welt des Jungen dargestellt, eine Bodenkammer, in der die Eltern, die über eine Leiter heraufgestiegen sind, wie eingedrungene Zuschauer wirken. Das Schaukelpferd, die Märchenfigur des gestiefelten Katers und die Figur eines Clowns sind ›Spielsachen‹ des Kindes. Freilich geht es nicht um Spiel im üblichen Sinne. Das läßt bereits die vorn liegende Frau erkennen.

Angekündigt in der Zeichnung des rechten Bildes, verkörpert sie nun lebendige, voll entfaltete Erotik, also wiederum eine andere Art

von Weiblichkeit, als sie in dem bekränzten Mädchen und den Engeln des linken Bildes zur Erscheinung kommt. Die Seifenblasen, die aus der Pfeife aufsteigen, veranschaulichen sowohl die mit dieser Frau verbundenen bunten Träume wie auch das Vergängliche ihrer Art. Darauf deutet zusätzlich die lesende Alte unmittelbar dahinter hin, die zugleich Verkörperung sibyllinischen weiblichen Daseins ist. Beckmann hat in etlichen Werken zwei solcher Arten von Frauen prototypisch zusammen dargestellt. Am nahesten verwandt ist die entsprechende Gruppe auf dem Gemälde *Traum von Monte Carlo*, 1939 begonnen und 1943 vollendet, wo das Herz-As in der Hand der Jüngeren auf wechselvolles Glück in der Liebe hindeutet, während die Ältere einer Kartenleserin, einer Seherin gleicht. Der Clown mit Spiegel im Schrank – halb Puppe, halb Mensch – erinnert an die vielen kostümierten Figuren Beckmanns aus Zirkus, Kabarett und Theater, die in der Entlarvung des Lebens als Masken- und Theaterspiel die Wahrheit vorweisen. Der Junge selbst ist mit der Zirkusuniform eines Dompteurs kostümiert. Mit erhobenem Säbel und im hohen Schwunge des mächtigen weißen Pferdes sprengt er als Eroberer ›in die Welt‹, so daß die Eltern (sie entsprechen dem Lehrer

und dem Leiermann) seinem wilden Ritt nur ängstlich zuschauen können und um Mäßigung besorgt sind. Den gefährlichen Kater hat der Junge offenbar bereits bezwungen und wie eine Trophäe an den Beinen aufgehängt.

Der Junge ist also auf den drei Bildern des Triptychons je verschieden gezeigt. Auf den Seitenbildern lebt er in engen Verhältnissen: rechts ist er eingereiht in die »Mitsklaven« und unterdrückt vom Lehrer, links ist ihm die Aussicht auf den Himmel vergittert und versperrt durch den unheilvollen Leiermann. Bei dem allen zeigt sich jedoch Hoffnung, regen sich auch eigene Fähigkeiten. Im Mittelbild können sich diese voll entwickeln. Hier herrscht er souverän im eigenen Reich und entfaltet sich in ›heroischem Tun‹ zwischen Erotik und Narrenweisheit. Sein ›Spiel‹, wie überhaupt das bunte Treiben des Lebens, reflektiert die alte Frau, die nicht nur Antipode der jüngeren ist, sondern als Verkörperung des Bewußtseins ein eigenes Zentrum des Mittelbildes wie des ganzen Triptychons bildet.

The Beginning als Bild der Jugend, Rückerinnerung und Lehre in einem, steht im Werk

Beckmanns nicht allein. Mit einem weiteren Triptychon, das er der Jugend im doppelten Sinne gewidmet hat, beschloß Beckmann sogar sein gesamtes Schaffen und sein Leben. Das linke Bild der *Argonauten*, auf dessen Mittelbild ein Meergreis in ähnlicher Haltung wie die Eltern dargestellt ist, aber den Jünglingen den Weg zur heroischen Tat weist, begann der Maler, noch ehe *The Beginning* fertig war. Andererseits ergeben sich aber auch Beziehungen zu der Radierung *Spielende Kinder* (1918), indem in beiden Werken kindliches Sein und Treiben in Entsprechung zu dem der Erwachsenen stehen, also das Leben so zeigen, wie es Beckmann erfahren hat.   C.L.

123   Bildnis Fred Conway 1949

Öl auf Leinwand; 64 x 51 cm
Bez. o. r.: Beckmann St L 49
St. Louis, The Saint Louis Art Museum,
Bequest of Morton D. May
Göpel 792

Der Maler Fred Conway (geb. 1900 in St. Louis) war von 1929 bis 1970 Lehrer an der Washington University Art School in St. Louis. Eine Kohlezeichnung (Kat. 200) bereitet das Gemälde des Kollegen und Freundes, das, wie oft bei Beckmann, ohne Auftrag entstand, unmittelbar vor. Vollständig rötlich-braun untermalt – wobei die Untermalung als Grund wie auch als gegenständliche Form erscheint – ist Conway als Schulterporträt mit kräftig blauem Jackett und maisgelbem Hemd dargestellt. Das Bild läßt sich nur zum Teil in die lange Reihe der Porträts des Künstlers integrieren. Zwar ist auch hier der ›verlorene Blick‹ kennzeichnend, der die Beckmann-Bildnisse trotz großer gegenständlicher Nähe stets in einem psychischen Sinne entfernt wirken läßt und unserem Zugriff entzieht. Während jedoch sonst die Oberflächenstruktur der Gesichter meist auffällig dicht, undurchsichtig und glatt erscheint und sich die Individualität des Dargestellten überwiegend auf die Kennzeichnung allgemeiner Charakteristika (Augen, Nase, Mund etc.) beschränkt, ist hier der Kopf bis hin zu den Schatten unter den Augen, den Falten und einer fast durchsichtigen Hagerkeit differenziert. Man gewinnt den Eindruck, als habe sich Beckmann mit diesem Porträt besonders schwer getan und sich deshalb weitaus intensiver als sonst an den Kleinigkeiten festgehalten (die Arbeit an dem Porträt dauerte, wie man den Tagebuchaufzeichnungen entnehmen kann, mindestens von Februar bis September 1949). Im Bildnis Fred Conway tritt uns zwar eine individuelle Persönlichkeit in all ihrer Unverwechselbarkeit entgegen, es hat jedoch nicht den darüber hinausreichenden, zeitlosen Aspekt, der die Beispiele dieser Bildgattung im Werk des Künstlers sonst so ungewöhnlich und faszinierend macht.   C. Sch.-H.

124 Großes Stilleben mit schwarzer Plastik 1949

Öl auf Leinwand; 89 x 142 cm
Bez. u. r.: Beckmann/NY. 49
Berlin, Privatbesitz
Göpel 797

Literatur: Tagebücher 1940-1950. – Katalog Sotheby London 28. Juni 1978, Nr. 47

Das große Bild zeigt den Blick in einen Raum, der üppig ausgestattet ist. Hinter einer halbgeöffneten Glastür erblickt man einen ovalen Tisch, auf dem ein Glas mit Goldfischen, eine Muschel und Birnen zwischen zwei großen Kerzen festlich arrangiert sind. Blumen steigern den festlichen Charakter. Alles wirkt wie die Zurichtung einer Gabe für die dunkle Skulptur hinten. Indem Beckmann hier eine Frau als Skulptur gemalt hat, hat er sie aus dem Leben entrückt, hat ihre Distanz zu den Dingen eines sinnlich-reichen Lebens dargestellt. Sehr ähnlich findet sich diese Beziehung schon im Gemälde *Atelier*, 1946. Hinsichtlich der Unmittelbarkeit des Lebens ist mit der Büste ein negativer Aspekt verbunden, aber die Entrückung führt die Frau auch auf einen höheren Rang – wie die Bilder der Götter seit altersher, denen Früchte, Blumen und Kerzen als Opfer dargebracht werden. Wir wissen nicht, ob Beckmann in der Skulptur eine ihm nahestehende Frau verwandelt wiedergegeben und auf diese Art seine Beziehung zu ihr verschleiert hat, was aber möglich ist.

Die Art solcher großen, den ganzen Raum erfüllenden Stilleben hat er bereits in den zwanziger Jahren entwickelt. Hier ist insbesondere an das *Große Stilleben mit Fernrohr*, 1927, zu denken (Abb. S. 29), wo sich ebenfalls festliches Arrangement, Frau, nächtliche Stunde und die offenstehende Türe finden. Das *Große Stilleben mit Kerzen und Spiegel*, 1930, ist darin dem späten Bild von 1949 verwandt, daß es auch eine feierliche Anordnung von Kerzen zeigt, deren symbolischer Sinn zusammen mit dem Spiegel durch die Schrift EWIG-KEI(t) als Übergang, Schwelle, Fenster vom Diesseits zum Jenseits deutlich gemacht wird. Der Schrift hier entspricht auf dem späteren Gemälde das Wort TIME(s) rechts auf einer Zeitung. Wie dem Leben, so ist die Frau als Skulptur auch der Zeit entrückt, in ein Dasein jenseits der Zeit, um das Beckmanns Vorstellungen immer wieder kreisen. Auch das *Stilleben mit Plastik*, 1936, wo die Plastik den Kopf des Künstlers selbst darstellt und mit einer ausgeführten Skulptur Beckmanns in Verbindung zu bringen ist, muß in diesem Sinne verstanden werden.

Die Arbeit an dem Gemälde wird im Tagebuch zwischen dem 6. September und 11. Oktober 1949 verzeichnet. Unter dem 17. November 1949 ist zu lesen, daß Beckmann an diesem Tage ein Telegramm erhielt: »Sah Ihr Kerzenstilleben soeben, marvellous, congratulation, Alfred Barr.« Barr war Direktor des Museums of Modern Art in New York und erwarb das bedeutende Gemälde im Januar 1950 für das Museum. Am 26. August sah es Beckmann dort »in einsamer Pracht«. C.L.

**125 Großes Stilleben/Interieur
(blau) 1949**
Öl auf Leinwand; 142,5 x 89cm
Bez. u. M.: Beckmann NY49
St. Louis, The Saint Louis Art Museum,
Bequest of Morton D. May
Göpel 801
Literatur: Lackner 1962, S. 22

Beckmann beendete dieses Stilleben im Oktober 1949 in New York, nachdem er den Sommer in Boulder, Colorado, verbracht hatte.

Formen und Farben des amerikanischen Alltagslebens beginnen, seine Bilder mitzuprä-
gen. Die Farbpalette ist ungewöhnlich lebhaft,
nahezu grell. Das Blau der Türen und des
Stuhls wirkt kalt, hart, fast beißend. Eine zitro-
nengelbe Sonne scheint grell und eisig durch
die Fenster im Hintergrund.

Das aggressive Hellrot des in die Bildfläche
hochgeklappten Tisches beherrscht die Komposition und wirkt als dynamische Farbfläche.
Die Vase in der Mitte und die Früchte auf dem

Tisch sind dagegen in kaltem Grün, der Kom-
plementärfarbe, gehalten. Im Gegensatz zu
dem flirrenden roten Tisch erscheinen die
Früchte, die zusammengestellten Blumen und
Pflanzen eher statisch, beinahe leblos. Dem
Tisch eignet durch das Bein in Form einer Lö-
wentatze etwas Animalisch-Lebendiges.

Während die Farbpalette ungewöhnlich für
Beckmann ist, erweist sich die Komposition als
charakteristisch für sein Spätwerk: Der ›luft-
leere‹, flache Raum wirkt wie auf die Vorder-
grundebene zusammengepreßt. Die Bildfläche
erscheint wie ein geometrisches Muster, das
durch Wände, Fenster und Möbel entworfen
wird. Beckmanns Beziehung zur abstrakten
Kunst wird sichtbar in der Überlappung der
verschiedenen Raumschichten und in dem
komplizierten Verhältnis zwischen den Zim-
mern. Beispiele dafür sind das lichte Hellgelb,
eingesetzt in der Fläche, die am weitesten im
›Hintergrund‹ liegt, das Fehlen von Schatten
und die abgeflachten, ungenau dargestellten
Formen. Im Vergleich zu den Interieurszenen
von Matisse, Beckmanns Zeitgenossen, bleibt
die Bildwirkung deutlich dreidimensional
(Abb. S. 30). Die harmonische Zusammenstellung sanfter Farben und Farbflächen und der
offene fließende Raum sind in Beckmanns
Werk nicht zu finden. Beckmann sah in der
mächtigen, konstruierten Form und nicht in
der dekorativen das eigentliche, wesentliche
Element seiner Malerei. L.E.

126 Selbstbildnis 1950

Öl auf Leinwand; 139,5 x 91,5 cm
Bez. u. r.: Beckmann NY 50
St. Louis, The Saint Louis Art Museum,
Bequest of Morton D. May
Göpel 816
Literatur: Göpel 1956 in: Blick auf Beckmann,
S. 137 f. – Selz 1964, S. 97. – Lackner 1978, S. 148

Dieses Selbstbildnis ist das letzte, das Beckmann gemalt hat. Pathos, Dramatik und Rollenspiel der früheren Selbstbegegnungen fehlen. Auffällig ist jedoch, daß gerade der Verzicht auf Verkleidung und Pose Gegenteiliges
zur Folge hat. Das Individuum und der Künstler werden nicht spürbar. Die lässige, ruhig
aufgerichtete Haltung, das vertraute, aber un-
betont gesetzte Attribut der Zigarette und vor
allem die Normalität von Sakko, Hemd und
Krawatte geben dem Mann eine anonyme Erscheinung. Selbst der nachdenkliche Blick, der
uns vom *Selbstbildnis mit Horn* her bekannt ist
(Kat. 86), vermag diese Anonymität nicht auf-
zubrechen. Beigesellt sind die von der Rückseite gesehene, aufgespannte Bildleinwand
und die angrenzende Dunkelzone. Zwar bekannt als Hinweise auf Künstlerexistenz und
das geheimnisvolle Unbekannte, das zentrales
Thema des Werkes von Beckmann ist, bilden
beide Motive doch nur einen ruhigen, ja neu-
tralen Fond (vgl. Kat. 53, 86). Einzig das fluo-
reszierende Blau der Jacke gibt der Person einen Akzent des Bedeutungsvollen.

Lackner hat das Selbstbildnis des sechsund-
sechzigjährigen Beckmann als »nachdenkliche
Bestandsaufnahme des Ichs« und als Ausdruck
des alternden Erfolgsmenschen gedeutet, der
nach langen Jahren der Emigration erst in den
USA, befreit von politischen Vorahnungen
und kosmischer Furcht, seine Selbstsicherheit
zurückgewonnen habe. Tatsächlich häufen sich
in den drei letzten Lebensjahren Ehre und Er-

folg in einer nur mit der Situation der zwanziger Jahre vergleichbaren Weise.

Gemessen an dem Erfindungsreichtum, der
malerischen Qualität und der emotionalen Eindringlichkeit früherer Werke, scheint die Ge-
staltungskraft jedoch gerade in dieser letzten
Zeitspanne nachzulassen. Stabilisierende Härten und ausgewogene Komposition sind zumeist für die späten Bilder bestimmend. Beun-
ruhigendes wird, wenn auch nicht in der Farbe,
so in der Form beschwichtigt. Für diese Entwicklung, die sich auch im letzten Selbstbildnis
spiegelt, mag vieles verantwortlich sein: Alter,
die von Beckmann genossene gesellschaftliche
Rolle und der Grad an Fremdheit, der sich

1937 mit dem Anfang der Emigration zum ersten Mal andeutet. Bezeichnenderweise nimmt
Beckmann mit dem Doppelbildnis von 1941
(Kat. 95) die ins Unscheinbare gedrängte Erscheinung vorweg, die Wanderschaft und Un-
behaustsein meint (vgl. zum Thema der Fremde, Kat. 120).

Nach dem Vermerk Mathilde Beckmanns
hat Beckmann hier einen Hut übermalt, den er
– wie 1941 – als Attribut in der Hand hielt. Die
für die letzten drei Lebensjahre charakteristische Leuchtfarbigkeit der Bilder ist laut Göpel
darauf zurückzuführen, daß Beckmann damals
hauptsächlich abends und nachts bei Neonlicht
arbeitete. C. St.

127 Boulder – Felslandschaft 1949
Öl auf Leinwand; 139,5 x 91,5 cm
Bez. u. r.: Beckmann 49 B
St. Louis, The Saint Louis Art Museum,
Bequest of Morton D. May
Göpel 802

Literatur: John Anthony Thwaites 1951, S. 281

Ob es sich um einen realen oder künstlich komponierten Landschaftsausschnitt handelt, läßt sich nicht mehr mit Sicherheit ermitteln – eine Tatsache allerdings, die für die Beurteilung des Bildes letztlich irrelevant bleibt. Denn auch wenn Beckmann hier keinen topographisch bestimmbaren Ort meinte, so fängt die Komposition formal, farblich und in der Gesamtstimmung verblüffend deutlich ein landschaftliches Ensemble ein, wie es nur im amerikanischen Westen zu finden ist. Dies gelingt ihm trotz oder gerade wegen der relativ starken Abstraktion vom Naturvorbild: Indem er bestimmte Eigenarten ungegenständlich überzeichnet – die Felsen steigen durch den schwarzen Kontur überdeutlich hart und unvermittelt aus dem Boden –, entsteht eine Landschaft, deren Faszination in ihrer Unwirklichkeit und abweisenden Grandiosität liegt. Nicht eine idyllische, begehbare Landschaft ist gemeint, die dem einzelnen Schutz und Aufenthalt gewährt, sondern jene fremde Natur, die den Menschen – in der Rolle des bewundernden Betrachters – in unüberwindlicher Distanz hält. Beckmann verstärkt diesen Eindruck durch die Komposition, die die Landschaft als übereinandergetürmte, relativ flache Kulisse, nicht als begehbaren Tiefenraum präsentiert.

C. Sch.-H.

128 Frau mit Mandoline in Gelb
und Rot 1950

Öl auf Leinwand; 92 x 140 cm
Bez. u. r.: Beckmann NY50
München, Otto Stangl
Göpel 818

Literatur: Stephan Lackner, Max Beckmann,
Köln 1978, S. 144

Der Maler führt dem Betrachter die Privat-
sphäre der dargestellten Frau vor Augen: Mü-
ßig streckt sie sich auf einem roten Sofa mit
gelber Decke, in ihrem Schoß liegt eine Mandoline. Im Gegensatz zu den aufreizend wie-
dergegebenen Oberschenkeln und Brüsten stehen der abweisende Gesichtsausdruck und die
geschlossenen Augen. Die Frau wendet den
Kopf von der Mandoline ab, als würde sie von
ihr bedrängt. Die überzeichnete Form des Instruments läßt eine sexuelle Anspielung vermuten; vielleicht stammt die an einen Vogel-
körper erinnernde Gestalt noch von der ursprünglichen Idee Beckmanns, die Thematik
der ›Leda mit dem Schwan‹ darzustellen.
Mehrere Tagebucheintragungen lassen eine
dahingehende Folgerung zu.

Ein Motiv, das im Werk Beckmanns immer
wiederkehrt, ist die sexuelle Verlockung durch
eine Frau, die sich ihrem Gegenüber jedoch
gleichzeitig verschließt. Diese gegensätzlichen
Haltungen finden hier in den verwandten
Komplementärfarben Rot und Grün eine Wiederholung; dem geometrischen Muster der
Decke und der eckigen Form des Instrumen-

tenhalses werden die weichen Rundungen des
Körpers entgegengestellt. Das Spiel mit Kontrasten wird fortgeführt in dem Rock der Frau.
Das zu einem früheren Zeitpunkt rote Kleid
wurde ab der Taille mit grüner Farbe nicht
deckend übermalt. Dieses kompakt wirkende
Kleidungsstück hebt sich von der durchsichtigen Bluse ab wie die Körpersprache von der
Mimik. M. B.

vergleichen mit der erschreckten Frau im Badekostüm des erwähnten Bildes *Der Wels*. Die späte Sicht des Jahres 1950 drückt sich in der Monumentalisierung der Gestalt aus, die mit ihren mächtigen Gliedmaßen und dem breit vorgelegten Schenkel zu einer beängstigenden Heroine wird, wie sie uns in anderen Bildern dieser Phase immer wieder begegnet (Kat. 110, 130). Der weibliche Körper zeigt sich in männlichen Formen. Insgesamt ein charakteristisches Beispiel dafür, wie ein Porträt zum mythologischen Typus verwandelt werden kann. Wie Mitte der zwanziger Jahre, öffnet die Bahn auf der linken Bildseite die Szenerie theatralisch und läßt die Thronende als unnahbare Akteurin auftreten (vgl. zum Motiv der Türe Abb. S. 29). C. St.

130 Fastnacht-Maske grün, violett und rosa 1950 (Columbine)

Öl auf Leinwand; 135,5 x 100,5 cm
Bez. o. l.: Beckmann NY 50
St. Louis, The Saint Louis Art Museum,
Bequest of Morton D. May
Göpel 821

Beckmann greift in diesem Spätwerk noch einmal eines seiner zentralen Themen, das Verhältnis von Mann und Frau auf. Sinnlichkeit als Verlockung und Bedrohung, das Nebeneinander einer sich selbstsicher präsentierenden Sexualität einerseits sowie einer kalten, unüberwindbaren Distanz andererseits werden in der Columbine unmittelbar deutlich. Frontal dem Betrachter zugewandt, mit breitgespreizten Beinen auf einem Tisch sitzend, scheint sie sich jedem Gegenüber direkt anzubieten, verstärkt noch durch die Signalwirkung der blonden Haarmähne, der leuchtendroten Lippen, der voluminösen nackten Arme und der Oberschenkel, die durch die schwarzen, über den Knien endenden Strümpfen betont werden. Dieser Eindruck wird jedoch gleichzeitig wieder zurückgenommen durch die schwarze Maske, die Armhaltung und insbesondere das blau-schwarze Kostüm, das eher einem undurchdringlichen Panzer ähnlich sieht. Die Bedrohung, die von dieser Frau auszugehen scheint, liegt in einer vitalen Weiblichkeit, die jeden Mann benützt und ihn dann achtlos wegwirft (wie es die ›Bube‹-Spielkarte auf dem Tisch wohl nicht von ungefähr verdeutlicht).

Zu erwähnen ist bei diesem Bild auch eine für Beckmann typische Verschränkung der Farben, durch die er die Komposition strukturiert. Den pyramidenförmig aufgebauten Schwarz- (Strümpfe, Kostüm, Maske) und Rosawerten (Oberschenkel, Arme, Schultern, Kopf) stehen korrespondierende Pink- und Grünpartien gegenüber (Hut und Tuch sowie das Grün vorne links, die Schleife und der Vorhang), die durch das Blau des Tisches und das Violett der Wand gleichmäßig hinterfangen werden. C. Sch.-H.

129 Quappi in Blau im Boot 1926/1950

Gouache und Öl auf Papier, auf Karton aufgezogen;
89,5 x 59 cm
Bez. u. r.: Beckmann
New York, Privatbesitz
Göpel 819

Im Jahre 1950 mit Ölfarbe überarbeitet und entscheidend verändert, ist das frühe Porträt Quappis ein repräsentatives Beispiel für einen Werkprozeß, der die unterschiedlichen Entwicklungsphasen erkennen läßt. 1926 hat Beckmann seine zweite Frau in der Farbe Blau gefaßt, Kleid und Ausblick graduell variierend (Kat. 45). Jene aber war nicht die tatkräfti-

ge, dominierende Frau des *Doppelbildnisses* von 1925 (Kat. 43), sondern das verschlossene, der Ferne, dem Wasser und dem Himmel zugeordnete ätherische Wesen. Das klare Blau diente aber nicht nur der Charakterisierung eines Menschen, sondern spielte in mythologischen Szenen, wie in den Bildern *Die Barke* von 1926 (Kat. 42) und *Der Wels* von 1929 die dominierende Rolle, die Weite als Form der Unendlichkeit mit dem menschlichen Geschehen zu konfrontieren. Die frühere Motivik hat Beckmann also trotz der 24 Jahre Zwischenzeit in diesem Porträt beibehalten, auch die klare Helligkeit, die die Figur mit dem Meer zusammenbindet. Die Frau selbst ist sehr nahe zu

131 The Town (City Night) 1950

Öl auf Leinwand; 165 x 191 cm
Bez. anstelle einer Signatur, u.l.v.d.M.:
Mr. M. Beckmann New York USA
St. Louis, The Saint Louis Art Museum,
Bequest of Morton D. May
Göpel 817

Literatur: H. W. Janson in: Magazine of Art 44
(1951), S. 92. – Göpel 1955, S. 51, 55. – Jules
Langsner in: Art International 5 (1961), No. 2, S. 29.
Fischer, Köln 1972, S. 21. – Göpel 1976, 1, S. 497. –
Gert Schiff, Images of Horror and Fantasy,
New York, 1978, S. 85, 87. – M. Q. Beckmann 1983,
S. 163 ff., 227

The Town zeigt die anhaltende Faszination, die
das Thema der modernen Großstadt auf Beckmann ausübte. Das Gemälde wurde im März
1950 fertiggestellt, als er an der Brooklyn Art
School unterrichtete. Obwohl er einige Motive
der neuen Umgebung wie die Wolkenkratzer,
die in dem runden Fenster zu erkennen sind, in
seine Bildwelt aufnahm, bleibt das Thema
selbst die europäische Großstadt.

Die Komposition wird von einer voluminösen, sinnlichen nackten Frau beherrscht, deren
Hände hinter ihrem Rücken gefesselt sind; mit
geschlossenen Augen liegt sie in selbstvergesse-
sen offener, aufreizender Pose auf einem Bett
mit überdeutlichen phallusförmigen Bettpfosten. Laut Mathilde Beckmann ist diese Liegende ein Symbol der Schönheit, die barbusige
Blondine hinter ihr, die eines ihrer geschlossenen Augen in einer Geste der Scham oder Distanz mit der Hand bedeckt, eine Dirne. Der
angeekelt wirkende Mann neben ihr zieht sich
gleichfalls durch zugekniffene Augen und
Mund von der Szene zurück. Der Polizist oder
Wachsoldat im Zentrum hält das erhobene
Schwert – traditionelles Männlichkeitssymbol –
drohend über den Körper der nackten Frau.
Ein dunkelhäutiger, schwarzbekleideter Mann
streckt angewidert seine rote Zunge heraus
und verweist bedeutungsvoll mit der Hand
nach oben. Versunken singend und mit melan-
cholischer Miene spielt ein auffallend bunt ge-
kleideter Straßenmusikant seine Gitarre, ein
Musikinstrument, das Beckmann oft in seiner
ikonographischen Bedeutung als weibliches
Sexualsymbol benutzte.

Auf einer Ebene spielen die Figuren auf die
menschlichen Sinne (Fühlen, Sehen, Schmek-
ken, Hören) an. Auf einer zweiten stehen sie
in der langen Tradition von Vanitas-Allegorien
und zeigen Beckmanns nie abgebrochene Auseinandersetzung mit diesem Themenbereich.
Dabei steht die nackte Frau für die kurzlebigen
Vergnügungen der diesseitigen Welt und die
Vergänglichkeit der Schönheit. Die leere, umgefallene Champagnerflasche, die Äpfel, Trau-
ben und der Spiegel in der Hand des hockenden Affen weisen in dieselbe Richtung. Der
froschähnliche nackte Mann mit Krone, der
gierig Geldstücke zusammenrafft, erinnert
an das Märchen ›Des Kaisers neue Kleider‹.
Ein grünes Zwitterwesen mit Postbotenmütze
hält eine brennende Kerze, Symbol des Lebens, und einen mysteriösen Brief, der ironi-
scherweise an MR. M. BECKMANN, NEW YORK,
USA adressiert ist. Die Leiter, häufiges Beck-
mann-Motiv, verweist auf eine zu erreichende
höhere Sphäre.

Trotz der Schönheit der Frau und der zahlreichen Hinweise auf sinnliche Vergnügen wirken die Figuren des Bildes gelangweilt und
freudlos, übellaunig und zynisch. Die Stadt
wird zum Ort schaler Gefühle und grenzenlo-
ser Langeweile.   L. E.

Arnold Böcklin:
Triton und Nereide, 1873,
Öl auf Leinwand, München,
Bayerische Staatsgemäldesammlungen,
Schack-Galerie

132 Ballettprobe 1950
Amazonen
Ölfarbe, Kohle, Tusche und farbige Kreide auf
Leinwand; jedes Bild 208,5 x 124,5 cm, unvollendet.
Nicht bezeichnet
Beverly Hills, The Robert Gore Rifkind Collection
Göpel 834

Literatur: M. Q. Beckmann 1964/65. – Lackner,
›Ballettprobe‹: Max Beckmanns unvollendetes
Triptychon, in: Kat. Frankfurt 1981, S. 82 ff.

In seinem unvollendeten Zustand läßt das Bild
die Arbeitsweise des Malers von der Grundierung über die Vorzeichnung in Kohle, Nachzeichnung und Korrektur in verdünnter
schwarzer Farbe bis zur probeweisen Anlage
der farbigen Partien in Pastellkreide und dünner Ölfarbe (grüngelbe Hintergrundpartien
des Mittelbildes) erkennen. Entsprechend diesem Zustand hat das Triptychon einen lichten,
transparenten Charakter und wirkt in der
Zeichnung skizzenhaft, auch wenn Figuren
und Dinge verhältnismäßig klar zur Erscheinung kommen.

Es ist – Lackner hat darauf aufmerksam
gemacht – das einzige Triptychon Beckmanns,
bei dem alle drei Bilder dasselbe Format haben und nur Frauen dargestellt sind. Halb
entblößt, in engen Trikots oder durchsichtigen
Gewändern, sind diese Frauen von ausgeprägt
erotischer Erscheinung und nicht etwa so zurückhaltend wie die Gruppe auf dem rechten
Bild der *Argonauten* (Abb. S. 37). Beckmann
hat auf ihre Geschlechtlichkeit aber auch in anderer Weise hingewiesen.

Auf dem linken Bild ist eine Frau dargestellt, deren erotische Erregung bereits im Rot
des Trikots angedeutet ist, die aber darüber
hinaus noch eine dicke Schlange zärtlich eindeutig liebkost, durch die sie teilweise gefesselt
ist. Beckmann bezieht sich in dieser Frau auf
eigene verwandte Darstellungen (*Der Wels*,
1929; *Perseus*, 1940/41; *Großes Frauenbild. Fischerinnen*, 1948, Kat. 121), zugleich wird der
Betrachter aber auch an Bilder Böcklins erinnert (u. a. ›Triton und Nereide‹, Abb. S. 321).
Die Frau ist in ihrem Liebesspiel ganz für sich
dargestellt, abgewandt von den beiden anderen. Sie ist die besondere Figur dieses Bildes
und so auch mit einer Krone ausgezeichnet.
Die beiden anderen Frauen müssen sich in
zwanghaft-leeren, sinnlosen Verrenkungen
selbst genügen.

Die Figuren des rechten Bildes entsprechen
denen des linken. Die an die Lanze gefesselte
Frau erinnert in ihrer geraden Haltung und gebundenen Gestik an die Bekrönte, der sie auch
in der Fesselung verwandt ist. Daraus entwik-
kelt sich aber kein ähnliches Liebesspiel wie
drüben, vielmehr kennzeichnet die Lanze eine
radikale Beschränkung der Frau auf ihre erotische Natur, vergleichbar der jungen Frau in
Versuchung (Kat. 73), auf die sie zurückgeht.
Die zweite Frau des rechten Bildes (ein skiz-
zenhafter Entwurf dieses Gemäldes zeigt die
Figur seitenverkehrt und allein) ist frei und
bringt ihre Freiheit auch in der ausgreifenden
Haltung des hochgesetzten Beines kräftig zur
Anschauung. Ein roter, herrscherlicher Mantel
zeichnet sie nicht weniger aus als die Krone die
Frau links. Trotz der prallen körperlichen Er-
scheinung hat Beckmann sie aber nicht rein

animalisch wie die anderen charakterisiert,
sondern ihre Besonderheit in ihrem Blick, das
heißt in Sinnen und Trachten, ins Bewußtsein
gelegt. Sie schaut in einen Spiegel und erblickt
zugleich in einem weiteren Spiegel an der
Wand groß den Kopf eines Mannes, der seinerseits in doppeltem Blick – direkt/unsichtbar
wie der Betrachter und indirekt/sichtbar – auf
sie gerichtet ist. In solcher einerseits deutlichen, andererseits verhaltenen Beziehung zum
Mann unterscheidet sich diese Frau von der je
unterschiedlichen Beschränktheit der anderen
auf den Seitenbildern.

Bereits in früheren Werken (u. a. *Großes
Frauenbild*, 1935, *Schauspieler*, 1941/1942,
Abb. S. 43) hat Beckmann solche hin und
her gehenden Blicke zwischen Mann und Frau dargestellt, in denen Anziehung und unüber-
brückbarer Abstand zugleich deutlich werden.
In diesem Falle ist aber auch an die Radierung
Frau in der Nacht von 1920 zu erinnern, weil
schon dort das Ausgesperrtsein des Mannes

aus dem Raum der in hohem Maße selbstge-
nügsamen Frau Thema der Darstellung ist.

Hat Beckmann auf den Seitenbildern die Beziehungslosigkeit der Frauen untereinander
betont und unterschiedliche Grade, auch unterschiedliche Arten erotischer Erfüllung dargestellt, so hat er demgegenüber auf dem Mittelbild drei Frauen vereint und läßt diese im
Feiern, beim Mahle, Genüge finden. Ihrem
heiter-festlichen Beisammensein entspricht die
Helligkeit des Bildes. Links sitzt im durchsichtigen Kleid eine Frau mit untergeschlagenem
Bein, vor sich einen Teller mit Fischen. Die
mittlere, durch ein orangefarbenes Kleid zusätzlich hervorgehoben, mit einem Helm im
Nacken, hält in der Hand ein Glas und ißt gerade einen der Fische. Die dritte schließlich,
trinkend, ist straff eingefaßt in ein schwarzes
Mieder wie in einen Panzer, unter dem ein ge-
flecktes Schoßteil und ein rotvioletter Rock
hervorkommen; sie hat einen Helm aufgesetzt
und hinter sich Lanzen, ist also als kriegeri-

sche, stolze Figur besonders hervorgehoben und veranschaulicht den ehemaligen Titel › Amazonen ‹ am deutlichsten.

Daß bei der Mahlzeit gerade Fische verzehrt werden, läßt an zahlreiche andere Werke Beckmanns denken, in denen der Fisch bedeutsam ist. Genannt sei nur *Großes Frauenbild. Fischerinnen*, zwei Jahre vor der *Ballettprobe* entstanden, das drei ausgeprägt erotische Frauen mit teilweise großen Fischen zeigt, eine davon als Anglerin, eine andere beim Verspeisen eines Fisches, oder die Zeichnung *Anglerinnen*, 1949, in der Frauen Fische mit Männerköpfen, letzthin also Männer › angeln ‹.

Stellt *Ballettprobe* Frauen in je unterschiedlichen Verhältnissen von freier oder erzwungener Selbstgenügsamkeit bzw. in mehr oder minder ausgeprägter Beziehung zum anderen Geschlecht dar, wobei es sich bei der Gruppe des Mittelbildes im Unterschied zu den unfreien einzelnen Frauen um eine Gemeinschaft freier, souveräner Frauen handelt, so ist das

Verspeisen der Fische ein verhüllter Hinweis darauf, wie das Verhältnis dieser Frauen zu den Männern zu denken ist.

Max Beckmann hatte bereits 1911 eine *Amazonenschlacht* (Kat. 11) gemalt. In diesem Bilde ist die kämpferisch-erotische Auseinandersetzung zwischen Mann und Frau dargestellt, die im Tod endet. Die Auseinandersetzung zwischen Mann und Frau durchzieht in vielfältigen Variationen das ganze Werk Beckmanns. Im Zusammenhang mit *Ballettprobe* sind die Bilder besonders interessant, die den Frauen fast ganz allein gewidmet sind. Die Reihe beginnt mit einem Familienporträt von 1908, in dem das besondere Thema noch nicht so offenkundig ist, und wird von *Frauenbad*, 1919 (Kat. 20), fortgesetzt. Ihm schließt sich das *Große Frauenbild*, 1935, an, ein Gruppenporträt fünf Frauen, die dem Künstler besonders nahestanden. Beckmann selbst erscheint hier im Spiegel, den seine erste Frau hält. Mit den Bildern *Damenkapelle*, 1940 (Kat. 91), *Mäd-*

chenzimmer, 1947 (Kat. 113), und *Großes Frauenbild. Fischerinnen*, 1948, um nur die wichtigsten Beispiele zu nennen, setzt sich die Reihe fort, die in der *Ballettprobe* endet, nachdem kurz vorher auch der rechte Flügel von *Argonauten* ausschließlich Frauen gewidmet worden ist. Auffallend ist die Häufung der Beispiele im letzten Jahrzehnt, ja sogar in den letzten drei Lebensjahren des Künstlers. Das Triptychon *Argonauten* zeigt außer der festlichen Gemeinschaft der musizierenden Frauen rechts noch den einzelnen, um sein Werk ringenden Künstler, links und im Mittelbild die Gemeinschaft der zur großen Tat aufbrechenden Jünglinge. An diesen Bildern und dem Triptychon *Ballettprobe*, eine Art Pendant zu den *Argonauten,* ist zu sehen, wie Beckmann gegen Ende seines Lebens und Schaffens, die als Einsamkeit und Fesselung erfahren wurden, das hoffnungsvolle Bild einer Gemeinschaft freier Menschen gestaltet. C.L.

Zeichnungen und Aquarelle

Da es kein vollständiges Œuvreverzeichnis von Max Beckmanns Aquarellen und Zeichnungen gibt, wird auf folgende Publikationen verwiesen:

von Wiese = Stephan von Wiese: Max Beckmanns zeichnerisches Werk 1903-1925, Düsseldorf 1978. Einige Werke der Schaffens-periode 1903-1925, die in dieser Ausstellung gezeigt werden, sind in Stephan von Wieses Verzeichnis nicht enthalten.

Bielefeld = Max Beckmann – Aquarelle und Zeichnungen 1903-1950. Ausstellungskatalog Kunsthalle Bielefeld 1977

133   Selbstporträt mit Strohhut 1903
Bleistift; 17,4 x 11,1 cm
Bez. o. r.: 15. Mai 03;
auf der Rückseite: 5. Selbstporträt
Privatbesitz
von Wiese 5; Bielefeld 3

Bei diesem Bild des jungen Beckmann im Profil mit Strohhut und gestärktem weißen Kragen
handelt es sich um eines der frühesten gezeichneten Selbstbildnisse, das stilistisch noch deutlich der impressionistischen Sehweise im Stile
Liebermanns verpflichtet ist.

134 Porträt des Onkels Friedrich
Beckmann, Halbprofil nach links 1903
Schwarze Kreide; 38 x 33 cm
Bez. o. r.: MB 1903
Dr. Lore Leuschner-Beckmann
von Wiese 5a

135 Mink in Rokoko 1905
Bleistift; 16 x 15 cm
Bez. u. l.: Mink in Rokoko;
u. r.: Beckmann/20. 11. 05
Privatbesitz
von Wiese 12; Bielefeld 9

Der sehr präzise geführte, jedoch weiche Strich
sowie die Schattengebung und die porträtisti-
sche Genauigkeit sind typisch für Beckmanns
frühen ›impressionistischen‹ Stil.

136   Bildnis der nähenden Minna 1908
Bleistift; 21,5 x 14 cm
Bez. u. r.: 20 Juni; rückseitig u. l.: 20. Juni 1908/MB
St. Louis, The Saint Louis Art Museum,
Gift of Morton D. May
Nicht bei von Wiese

Die zärtliche Charakterisierung der tief in Gedanken versunkenen, nähenden Minna entstand zwei Monate vor der Geburt des Sohnes
Peter.

137   Gehender Junge, ca. 1910
Bleistift; 30,7 x 22 cm
Nicht bezeichnet
Kassel, Staatliche Kunstsammlungen,
Graphische Sammlung
Nicht bei von Wiese

Beckmanns zeichnerisches Temperament dokumentiert sich in dieser reizvollen Skizze, in
der er mit einem flüchtigen, spontanen Strich
das Motiv des Gehens anschaulich macht.

138   Caféhausszene, ca. 1905

Bleistift; 29,5 x 29,8 cm
Nicht bezeichnet
Privatbesitz
von Wiese 11; Bielefeld 8

Aufgrund der stilistischen Nähe zu Toulouse-Lautrec und der an den Jugendstil erinnernden Konturen datiert von Wiese die Zeichnung auf ca. 1905. Allerdings räumt er auch eine spätere Entstehungszeit ein, da das Blatt im Duktus der 1912 datierten Lithographie *Lesender Mann (Selbstbildnis)* gleicht. Dafür würden auch Drucke wie *Die Kneipe* von 1911 (VG 31), *Admiralscafé*, 1911 (Kat. 217) und *Tauentzienstraße*, 1912 (VG 49) sprechen, die in Stimmung und Ausführung ähnlich sind.

140   Weibliche Aktstudien zum Gemälde ›Amazonenschlacht‹ 1911

Bleistift; 32,7 x 26,5 cm
Bez. u. r.: Beckmann 11/Studie zur Amazonenschlacht
Privatbesitz
von Wiese 80; Bielefeld 25

Insgesamt gibt es neun Vorstudien zu dem Gemälde *Amazonenschlacht* von 1911 (Kat. 11), von denen diese das Bewegungsmotiv der kämpfenden Frau in der unteren rechten Bildecke variierend erprobt.

139   Kompositionsskizze zum Gemälde ›Sintflut‹ 1908

Kohle; 20 x 23 cm (im Rahmen)
Nicht bezeichnet
Privatbesitz
von Wiese 26; Bielefeld 13

In dieser Vorstudie für das Gemälde *Sintflut* von 1908 (Abb. S. 72) bilden sechs Figuren eine geschlossene Kompositionsform und ein differenziertes Beziehungsgefüge. Obwohl es zwischen Studie und Bild deutliche Abweichungen gibt, gelang es Beckmann doch bereits hier, mit wenigen, kräftig gesetzten Strichen den Eindruck von Chaos und drohendem Untergang anzudeuten.

141   Sitzende Frau,
ein Kind vor sich haltend   1912

Bleistift; 32 x 23 cm
Bez. u. l.: Beckmann 12 ... [unleserlich] liebe Ugi
Klaus Hegewisch
von Wiese 108; Bielefeld 31

Die Identität der dargestellten Personen ist
nicht bekannt. Die Zeichnung scheint eine
Vorstudie für die Figuren Mutter und Kind zu
sein, die in dem Gemälde *Untergang der Titanic* von 1912 (Kat. 12) in der Mitte des Ret-
tungsbootes unten rechts erkennbar sind.

142   Am Tisch sitzende junge Frau mit
Kaffeetasse, ca. 1912
Schwarze Kreide; 19,5 x 24,5 cm
Bez. u. r.: Beckmann
Frankfurt a. M., Karin und Rüdiger Volhard
von Wiese 136; Bielefeld 35

Die reizvolle Zeichnung zeigt vermutlich Minna und erinnert in der sensiblen Erfassung des
Gegenübers an ein früher entstandenes Blatt
der Frau des Künstlers (Kat. 136).

143   Landsturmmann Ernst Pflanz 1915

Bleistift; 36,1 x 25,5 cm
Bez. o. r.: Beckmann/Verwik 16.4.15; rückseitig:
Landsturmmann Ernst Pflanz, Berlin N.
Feldstraße 12
Frankfurt a. M., Städtische Galerie im Städelschen
Kunstinstitut
von Wiese 261; Bielefeld 49

Die Zeichnung könnte eventuell als Detailstu-
die für das zerstörte Fresko gedacht gewesen
sein, das Beckmann im Feldlazarett Wervik
ausführte. Beckmann widmete der Ausführung
des Kopfes besondere Aufmerksamkeit; die
Schatten im Gesicht kommen durch eine Reihe
kurzer, paralleler Linien zustande, die z. T.
schräg aufeinanderstoßen. Durch den unterschiedlich starken Druck, mit dem er den Stift
führt, entstehen reichhaltige Tonwerte, die zur
Lebendigkeit der Zeichnung beitragen. Eine
zweite Zeichnung des Soldaten (von Wiese
262) zeigt nur den Kopf und ist im Detail weniger sorgfältig ausgeführt.

144 Kopfoperation eines Verwundeten,
ca. 1915

Bleistift; 14,9 x 12 cm
Bez. u. r.: B. 25. 2.
Hamburger Kunsthalle
von Wiese 227

Beckmann konzentriert sich auf das Gesicht
eines verwundeten Soldaten während der Ope-
ration. Weniger präzise charakterisiert er Chir-
urg und Helfer, die nur mit wenigen Strichen
angedeutet sind. Durch die unnatürliche Kopf-
drehung und die geschlossenen Augen werden
Angst, Schmerz und Hilflosigkeit unmittelbar
nachvollziehbar.

146 Großer Operationssaal 1914

Tusche mit Feder, laviert, über Bleistift;
30,3 x 46,8 cm
Bez. o. r.: Beckmann
Privatsammlung
von Wiese 186; Bielefeld 38

Während des Krieges war begreiflicherweise
die malerische und druckgraphische Arbeit
des Künstlers eingeschränkt; statt dessen ist
jedoch ein bemerkenswerter Zuwachs im
zeichnerischen Œuvre feststellbar. In über
100 Zeichnungen hielt Beckmann spontan die
menschlichen Tragödien und Zerstörungen
fest, deren Zeuge er wurde. Das Thema der
vorliegenden Zeichnung findet auch in verschiedenen druckgraphischen Blättern seinen
Niederschlag (vgl. u. a. Kat. 227).

147 Häuserruinen in Lille mit
Straßenpassanten: Soldaten, Zivilisten,
ein Krüppel, ca. 1915

Bleistift; 25,3 x 35 cm
Bez. o. r.: B 15; u. r.: Lille (Schrift von R. Piper)
Hamburg, Hauswedell & Nolte
von Wiese 259; Bielefeld 48

Während eines zweitägigen Besuches in Lille
entstand eine Gruppe von Zeichnungen, in denen Beckmanns Erlebnis einer vom Krieg gezeichneten Stadt mit »wie am Jüngsten Tage
auseinanderklaffenden Straßenreihen« und
einem »unerträglichen Pestgeruch« sichtbar
wird (Briefe im Kriege, 3. 4. 1915). Jegliche ro-
mantisierende und verherrlichende Sicht des
Krieges schloß Beckmann von da an nach seiner Erfahrung der Realität aus.

145 Mann mit Krücke im Rollstuhl 1914

Schwarze Tusche mit Feder; 15,7 x 12,8 cm
Bez. o.: Theatre Du Monde – Grand Spectakel de la
Vie; u. l.: 21. 12. 14/B
Stuttgart, Staatsgalerie, Graphische Sammlung
von Wiese 211

Diese Zeichnung, die in Beckmanns damali-
gem Stationierungsort Courtrai in Belgien entstanden ist, legt keinen Wert auf anatomische
Detailschilderung, wie man insbesondere an
der freien Skizzierung der Füße und Hände
feststellen kann. Statt dessen wird Leiden als
das Individuum in seinem Innersten zerstörend
sichtbar.

148 Stehender männlicher Akt,
Vorder- und Rückenansicht, ca. 1915
Bleistift; 31,4 x 18,9 cm
Bez. u. r.: B.
Basel, Kunstmuseum, Kupferstichkabinett
von Wiese 294

Die Zeichnung zählt zu einer Gruppe von acht
Aktstudien vom Juni 1915 (von Wiese 293 bis
300), die möglicherweise Skizzen für ein
Wandbild oder für das Gemälde *Auferstehung*
von 1916 waren. Von den akademischen Aktstudien der Vorkriegszeit unterscheiden sich
diese durch den gebrochenen und überzeichne-
ten Kontur sowie die verformten Proportionen.

149 Bildnis Fridel Battenberg 1916

Bleistift; 30,8 x 23,5 cm
Bez. o. r.: Meiner lieben Titti/Beckmann/19.8.16
Frankfurt a. M., Städtische Galerie im Städelschen
Kunstinstitut
von Wiese 339; Bielefeld 62

Von den Frankfurter Freunden Fridel und Ugi
Battenberg existieren zahlreiche Porträts, und
zwar sowohl direkte als auch verschlüsselte
innerhalb großer Figurenkompositionen (vgl.
u. a. Kat. 19). Das vorliegende Blatt zeichnet
sich durch ungewöhnliche Sensibilität aus.
Beckmann vergegenwärtigt die vielschichtige
Persönlichkeit der Freundin in ihrem grüblerischen, gedankenverlorenen Blick.

150 Weibliches Porträt, ca. 1915

Bleistift; 32,2 x 23,8 cm
Bez. o. r.: B.
Chicago, The Art Institute of Chicago
von Wiese 327

Das noch während des Militärdienstes ausgeführte Porträt charakterisiert mit reduzierten
Mitteln eine alte Dame: Ihre fast durchsichtige
Erscheinung, der wie erloschen wirkende Blick
und die duldende Neigung des Kopfes lassen
eine von Passivität und Resignation geprägte
Lebensgeschichte erahnen.

Die Zeichnung steht mit einer anderen desselben Modells in Verbindung (von Wiese
328), die auf Straßburg 1915 datiert ist.

151 Selbstbildnis 1917

Feder und schwarze Tinte ; 38,7 x 31,6cm
Bez. o. r. : Beckmann / Mitte März des glorreichen [?] /
Jahres 1917 / In der Nacht um 4 Uhr früh
Chicago, The Art Institute of Chicago, Gift of Mr.
and Mrs. Allan Frumkin
von Wiese 368 ; Bielefeld 71

Beeindruckend ist die Unmittelbarkeit, mit der
Beckmann nach durchwachter Nacht sein
überanstrengtes, mißgelauntes Gesicht erfaßt.

Der zeichnerische Duktus, der an seine Kaltnadeltechnik erinnert, verstärkt diesen Eindruck. Kompositionell steht die Zeichnung mit
dem *Selbstporträt beim Zeichnen* von 1915 (von
Wiese 280) in enger Verbindung. In beiden
Blättern bedient sich Beckmann kurzer, in sich
gebrochener Linien, wie sie ähnlich in verschiedenen druckgraphischen Arbeiten zu diesem Thema feststellbar sind.

152   Selbstporträt beim Zeichnen 1917
Feder und schwarze Tusche; 51,0 x 33,0 cm
Bez. o. l.: Beckmann/17
Privatsammlung
von Wiese 369; Bielefeld 72

Im Vergleich mit dem vorangehenden Selbstporträt (Kat. 151) ist das Blatt sparsamer und klarer in der Linienführung organisiert und steht somit dem radierten Selbstbildnis desselben Jahres sehr nahe (VG 118). Während in der anderen Zeichnung der nervöse, schnelle Strich den eindringlichen, jedoch seltsam abwesenden Blick des Künstlers und die Geste der rechten Hand expressiv steigert, versetzt die knapp markierte Linie hier die Person in einen Zustand der Ruhe und des Abwartens.

153   Mainlandschaft I   1918
Bleistift; 24,3 x 31,4 cm
Bez. u. l.: Beckmann/18
St. Louis, Fielding Lewis Holmes
von Wiese 408; Bielefeld 80

Dieses Blatt wie auch die *Mainlandschaft II*
(von Wiese 409) sind vorbereitende Studien für
die gleichnamige Radierung (Kat. 242).

154   Sitzender Junge, ca. 1918
Bleistift; 50,1 x 32,2 cm
Bez. u. r.: Beckmann
Chicago, The Art Institute of Chicago
von Wiese 403

Bedingt durch den hohen Blickpunkt wirkt die
Figur des Jungen verzerrt, die Proportionen
scheinen unnatürlich verschoben. Vermutlich
wählte Beckmann diese extreme Aufsicht, um
so die in Gesicht und Händen angedeutete psychische Disposition zu verstärken: Der Junge
hat nichts Kindliches, sondern wirkt eher greisenhaft und wie die Narren in Beckmanns
Traumbildern (vgl. Kat. 23). Es gibt vier weitere Zeichnungen dieses Jungen (von Wiese
399-402).

155   Blick aus dem Fenster auf einen
Garten 1916
Bleistift; 24 x 31,8 cm
Bez. u. r.: dem armen Kranken / Wäulemätzchen /
von / Beckmann / 5. 3. 16
Frankfurt a. M., Städtische Galerie im
Städelschen Kunstinstitut
von Wiese 363; Bielefeld 65

Aus den frühen Frankfurter Jahren, d. h. bis
1920, gibt es nach von Wiese nur vier Land-
schafts- bzw. Parkzeichnungen. Hier geht der
Blick aus dem Fenster in einen Garten mit gewundenen Wegen und unbelaubten Bäumen,
die die triste Stimmung eines regnerischen Tages vermitteln.

156   Das Café (Tanzlokal), ca. 1920
Bleistift; 26 x 21 cm
Bez. u. r.: Beckmann
New York, Catherine Viviano Gallery
Bielefeld 93

Beckmanns Vorliebe für Caféhaus-Atmosphä-
re wird auch mit dieser Zeichnung deutlich.
Obwohl es sich hier um eine schnelle, vor Ort
entstandene Skizze handelt, akzentuiert der
spontane Strich präzise die lebendige Szenerie.
In diese Werkphase datieren mehrere Zeichnungen mit Tanzpaaren, ebenso wie drei Druk-
ke und das Gemälde *Tanz in Baden-Baden*,
1923 (Kat. 34).

158 Martyrium 1919

Schwarze Kreide auf Umdruckpapier; 61,5 x 85 cm
Bez. u. M.: Originalzeichnung zum Martyrium; u. r.:
Beckmann 19
Boston, Museum of Fine Arts, Sophie M. Friedman
Fund
von Wiese 412

Diese Zeichnung zählt zu einer Gruppe von
acht Blättern, die für die Lithographie-Mappe
Die Hölle benutzt wurde. Umdruckzeichnun-
gen sind selten, weil sie üblicherweise beim
Übertragen auf den Stein oder die Platte weitgehend zerstört werden. In diesem Beispiel
fügte Beckmann nachträglich Korrekturen ein,
indem er bestimmte Partien der Zeichnungen,
die er ändern wollte, mit Papier überklebte. So
sind der Mann unten links sowie die überschnittene Figur rechts abgewandelt.

◁ 157 Entwurfszeichnung zum
Familienbild 1920

Tintenstift; 14,4 x 21,6 cm
Nicht bezeichnet; oben Bemerkungen von anderer
Hand
Stuttgart, Staatsgalerie, Graphische Sammlung
von Wiese 441

Für diese Skizze zum *Familienbild* von 1920
(Kat. 25) benutzte Beckmann die Rückseite eines an ihn gerichteten Briefes der Commerz-
und Privatbank Berlin. Mit spontanem Strich
legt er die Anordnung der Figuren und den
engen Raum fest. Erstaunlich ist die Nähe dieser so wenig durchgeführten Zeichnung zur
endgültigen Fassung im Bild. Zwar fehlen hier
noch einige Details, die Gesamtstimmung ist
jedoch schon deutlich vorgeprägt.

159   Porträt Quappi in Halbfigur   1925
Bleistift; 48,5 x 32,5 cm
Bez. u. r.: Beckmann/Wien 25
Privatbesitz
von Wiese 561

Diese Zeichnung, eines der frühesten Bildnisse
von Beckmanns zweiter Frau, unterscheidet
sich von vorhergehenden durch einen konti-
nuierlicheren, den Gegenstand eindeutig um-
schreibenden Zeichenstrich. Modellierende
Schatten steigern diese neue, fast skulpturhafte
Festigkeit.

161   Karneval in Neapel   1925/1944   ▷
Tusche mit Pinsel, Bleistift und weißer Kreide;
110 x 69,5 cm
Bez. u. r.: Beckmann/A 44
Chicago, The Art Institute of Chicago,
The Margaret Day Blake Collection 1948.5
von Wiese 562; Bielefeld 113

In dieser monumentalen Zeichnung steht
Quappi in einem vom vorderen Bildrand über-
schnittenen Boot, umgeben von vier Flöten-
und einem Mandolinenspieler. Die aggressiv
hochgerichteten, waffenähnlichen Flöten wirken bedrohlich und haben vermutlich eine
sexuelle Bedeutung, vor der sich die Frau
zu schützen sucht, indem sie sich mit einer
ostentativen Geste die Ohren zuhält. Verstärkt wird der Eindruck der Abwehr durch
den Augenschleier und geöffneten Mund. Die
ungewöhnlich weit und malerisch ausgeführte
Zeichnung erinnert in Format, Raum und Motiv an das Gemälde *Italienische Fantasie* von
1925 (Kat. 41). Die Änderungen, die Beckmann 1944 vornahm, sind anhand einer Photo-
graphie des früheren Zustandes festzustellen.
Besonders eigenartig ist die Hinzufügung des
Augenschleiers.

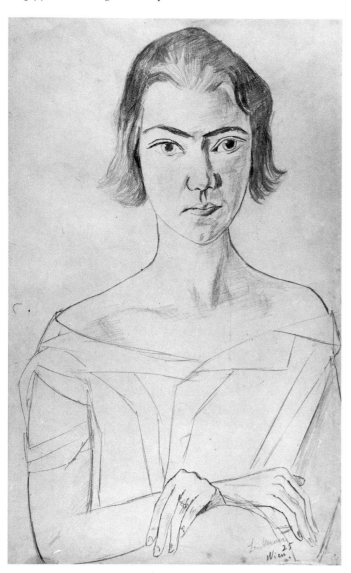

160   Liegender weiblicher Akt   1924
Bleistift; 25 x 35,7 cm
Bez. u. r.: Beckmann
Frankfurt a. M., Karin und Rüdiger Volhard
von Wiese 542; Bielefeld 108

Diese Zeichnung diente als direkte Vorstudie
des Gemäldes *Schlafende* von 1924 (Kat. 35),
in dem allerdings einige Details wie Lampe
und Bücher hinzugefügt wurden und die Frau
als Schlafende dargestellt ist. Diese Veränderung ist wesentlich, da sich die mit offenen Augen nachsinnende Frau dem Voyeur nicht anbietet. Sowohl in der Komposition als auch der
Verwendung der Linie sind der Zeichnung die
Radierungen *Liegende* und *Siesta* vergleichbar
(VG 231 und 279).

162 Junge mit Hummer 1926
Kohle, weiß gehöht; 60,5 x 45 cm
Bez. u. r.: Beckmann/26
Frankfurt a. M., Karin und Rüdiger Volhard
von Wiese 568

Ab Mitte der zwanziger Jahre ließ Beckmanns Interesse an der Druckgraphik nach, und er konzentrierte sich auf Zeichnungen und Malerei. Oft sind die Zeichnungen aus dieser Periode eigenständige Kompositionen mit bildmäßigem Anspruch.

Die Figur des Jungen grenzt sich klar gegen den weißen Grund ab und gewinnt dadurch Monumentalität, noch unterstützt durch die Verspannung der Figur in der gesamten Bildfläche. Die Binnengliederung verdichtet sich im oberen Bereich, insbesondere in Arm und Hummer, die eine Einheit eingehen. In dieser Gestik steht der Junge mythologischen Bildmotiven dieser Zeit nahe (Kat. 65) und greift vermutlich auch deren phallische Bedeutung auf.

163 Doppelporträt Wolfgang und Wilfried Swarzenski 1925
Schwarze Kreide; 43 x 30,5 cm
Bez. u. r.: Beckmann/F. 23. 12. 25
Dr. and Mrs. W. V. Swarzenski
von Wiese 563; Bielefeld 114

Die beiden Kinder, Söhne des mit Beckmann gut befreundeten Ehepaares Georg und Maria Swarzenski (Kat. 170, 208), sind kompositionell eng aufeinander bezogen. Beckmann läßt beide wie in einem Repräsentationsbildnis den Betrachter anblicken. Das sensible und eindringliche Porträt dokumentiert auch die persönliche Nähe des Künstlers zu den beiden Dargestellten.

164 Spiegel auf einer Staffelei 1926
Kohle und schwarze Kreide; 50,2 x 64,1 cm
Bez. u. r.: Beckmann /26
New York, The Museum of Modern Art, Gift of
Sanford Schwartz in memory of Irving Drutman

Das Stilleben versammelt Gegenstände aus
Beckmanns Frankfurter Atelier. Das Zentrum
nimmt der auf der Staffelei stehende Spiegel
ein, der den Blick aus dem Fenster wiedergibt.
Seltsam ist, daß der wie ein Gemälde gerahmte
Spiegel als Bild im Bild existiert, der Ausblick
vergittert ist und die Außenwelt durch eine
dunkle Fläche, vielleicht einen Dachvor-
sprung, ausgeschlossen wird. Eine an der Staffelei hängende Maske, wohl Hinweis auf Vergänglichkeit, möglicherweise auch auf die Person Beckmanns, verstärkt das Rätselhafte der
Situation, die Wirklichkeit und Schein auf engstem Raum versammelt. Die Raumverhältnis-
se bleiben indessen unklar, da eine perspektivische Sicht kaum angewendet und der Gegenstand auf der rechten Seite nur aufgrund einer
anderen, motivverwandten, früheren Zeichnung als Möbelstück, als Sofa, zu identifizieren
ist (s. Abb. rechts).

Spiegel auf einer Staffelei 1926
Schwarze Kreide; 50,4 x 64,8 cm
Bez. u. r.: Beckmann /26
München, Staatliche Graphische Sammlung
Bielefeld 116

165 Weiblicher Halbakt am
Fenster 1926

Schwarze Tusche, Feder; 51 x 22,5 cm
Bez. u. r.: Beckmann/26
Berkeley, University Art Museum, University of
California, Gift of Mathilde Q. Beckmann,
New York
von Wiese 569

Die scherenschnitthafte Darstellung sowie die
Flächengliederungen erinnern formal an den
dekorativen Flächenstil von Matisse (Abb.
S. 30) und inhaltlich an Bildmotive neusachli-
cher Maler wie zum Beispiel Schrimpf. Die
Tuschfederzeichnung wurde für Beckmann von
der Mitte der zwanziger Jahre an zunehmend
von Bedeutung.

166 Quappi, Patience legend 1926

Schwarze Kreide; 63,5 x 48 cm
Bez. u. r.: Beckmann/F. 26
Frankfurt a. M., Karin und Rüdiger Volhard

In der eleganten, überfeinerten Darstellung
seiner Patience legenden Frau kombiniert
Beckmann zwei Blickpunkte. Während Quappi frontal dem Betrachter gegenübersitzt, ist
der Tisch nach oben in die Fläche geklappt.
Diese an kubistische Bildstrukturen erinnernde Raumdefinition steigert die Gestik der
Frau: Von den überlängten Armen wird der
Blick auf Tisch, Karten und die großen Hände
geführt, ein Ensemble, das damit fast emblematischen Charakter erhält.

167 Quappi mit Kopfputz 1927
Feder, Pinsel, Aquarell, Tempera; 62 x 48 cm
Bez. u. r.: Beckmann
Privatbesitz
Bielefeld 119

Dieses Blatt nimmt vieles von dem voraus, was
Beckmann in seinem malerischen Werk sowohl
in bezug auf die Bildmittel als auch die Thematik erst Jahre später formulieren wird: Die breiten, spontan geführten Pinselstriche, der strenge Aufbau und die monumentale Form, auch
die Intensität der dunklen Farbtöne prägen die
Malerei der dreißiger Jahre ebenso wie die my-
thologisierende Sinngebung. Hinterfangen und
konzentriert durch das große Geviert, vielleicht einen Spiegel, präsentiert sich Quappi
mit Feder und Kopfputz wie eine Priesterin.
Die Beleuchtung von unten her und die Verschattung der Augen (*Der König,* Kat. 78) verstärken den sphinxhaften Charakter der Erscheinung.

Außergewöhnlich ist die malerische Qualität
des Blattes, das skizzierende Zeichnung spannungsvoll verbindet mit verdichteten Farbpartien wie den Weißhöhungen in Arm und Gesicht. Laut Weisner befindet sich auf der Rückseite des Blattes die Skizze derselben Figur,
auch mit den Initialen M. B. und dem Datum
(Weisner, Bielefeld 1977, S. 51, Nr. 119).

168 Quappi mit Kerze 1928
Schwarze Kreide, weiß gehöht; 61,5 x 48 cm
Bez. u. r.: Beckmann/F. 28
Basel, Kunstmuseum, Kupferstichkabinett
Bielefeld 120

Wie bei *Quappi mit Kopfputz* (Kat. 167) setzt sich Beckmann auch hier mit dem extremen Spiel von Licht und Schatten auseinander. Zwar wird hier das Phänomen anschaulich erklärt, da die Frau einen Leuchter mit groß flammender Kerze in der Hand trägt. Doch die strahlende Helligkeit auf Brust, Hals, Wangen und Augenlidern scheint weniger von der konkreten Lichtquelle herzurühren als vielmehr ein Eigenlicht der Frau selbst zu sein. Quappi wird zum rätselhaft auftretenden Wesen, wobei der Ort im Unbestimmten bleibt. Der nicht modellierte, nur durch strenge Linien fest umrissene Körper zeigt die flächenhafte Statuarik, die auch charakteristisch ist für Beckmanns Gemälde seit Mitte der zwanziger Jahre.

169 Rimini 1927
Pastell; 48,5 x 64 cm
Bez. u. r.: Beckmann/Rimini/27
Privatbesitz
Bielefeld 117

Die fast beiläufig wirkende Skizze versucht die Flüchtigkeit des Natureindrucks durch eine feste Flächenverspannung auszugleichen. Die schrägen und geschwungenen Linien von Ufer, Brücke und Horizont ordnen die weite Landschaft und binden sie in der Fläche.

170 Porträt Frau Marie Swarzenski,
ca. 1927

Pastell; 33 x 50 cm
Nicht bezeichnet
Dr. and Mrs. W. V. Swarzenski

Marie (auch Maria), die Frau Georg Swarzenskis, des Direktors des Städelschen Kunstinstituts, wird von Beckmann hier nicht als einer
der ihm nah befreundeten Menschen der
Frankfurter Zeit dargestellt. Intimität und
Augenblicklichkeit fehlen. Die Frau wird zum
geheimnisvollen Gegenüber, denn Beckmann
ordnet sie vor einen strengen Hintergrund mit
unbestimmtem Ausblick und rückt sie mittels
extremer Licht- und Schattenwirkungen in Distanz. Wie *Bildnis Quappi in Blau* von 1926
(Kat. 45) gewinnt die Dargestellte somit eindringliche, fast mythische Präsenz. Auffällig ist
in diesem sehr malerisch ausgeführten Pastell
die nur skizzierte Andeutung von Schultern
und Gewand. Beckmann hat Marie Swarzenski
häufig porträtiert, so in dem Gemälde *Doppelbildnis Frau Swarzenski und Carola Netter* sowie in zwei Druckgraphiken (VG 280, 309).

171 Ruderer 1928

Schwarze Kreide; 54 x 72 cm
Bez. u. r.: Beckmann/28
Privatbesitz
Bielefeld 122

Das Blatt ist, ebenso wie etliche Gemälde und
eine Kaltnadelradierung (Kat. 50), bei oder
nach einer Ferienreise entstanden, die Beckmann 1928 nach Scheveningen an der holländischen Küste unternahm. Die Leere des Blattes, der Kontrast von fernem Horizont und
großen Vordergrundsfiguren, die streng umrissene Form der Ruderer und die Helligkeit der
Szenerie, akzentuiert durch die geringe Schattengebung, lassen die Menschen zu einer rätselhaften Gruppe im Sinne mythologischer Bilder wie *Die Barke,* 1926, oder *Der kleine Fisch,*
1933 (Kat. 42, 65), werden. Der rechte, im Profil gesehene Mann weist physiognomische
Ähnlichkeit mit Max Beckmann auf.

172 Zeitungsverkäuferin 1928

Schwarze Kreide; 63,5 x 48,5 cm
Bez. o. r.: Beckmann / F. 28
Privatbesitz
Bielefeld 121

Wie in vielen Porträts legt Beckmann hier besondere Aufmerksamkeit auf die Bedeutung
der Hände und die Individualisierung des
Gesichtes. Eindringlich blickt die Frau den
Betrachter an, die Zeitung knapp und abschir-
mend an sich herangenommen. Die langfingri-
gen Hände gewinnen nervöses Eigenleben.

Während die überlängten Maße der Figur,
auch das Motiv der mandelförmigen Augen, an
Werke Modiglianis erinnern, setzen die gemusterten Flächen von Schal, Bluse und Hintergrund Bildstrukturen des Synthetischen Kubismus voraus.

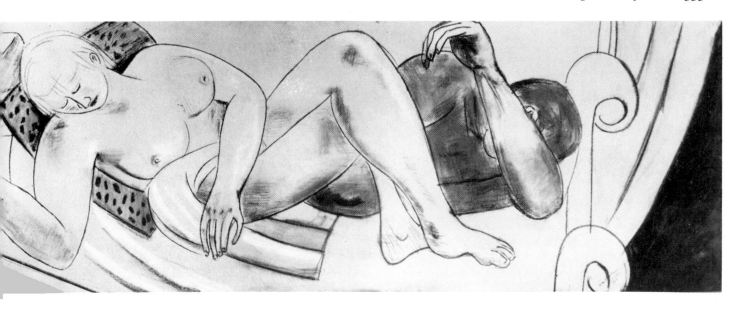

173 Badende 1928

Schwarze und weiße Kreide auf blauem Papier;
87 x 58 cm
Bez. u. r.: Beckmann / Scheveningen / 28
Chicago, The Art Institute of Chicago,
Gift of Mr. and Mrs. Stanley M. Freehling

Das in Hochformat ausgeführte Blatt steht aufgrund seiner malerischen Qualität und streng gesetzten Komposition den Bildintentionen nahe, wie sie Beckmann in Gemälden verwirklichte. Die Badenden – ein Motiv aus dem Ferienaufenthalt in Scheveningen – sind auf engem Raum dicht übereinandergestaffelt. Perspektive ist nicht angestrebt (Kat. 42). Gerade die flächenhafte Verdichtung gibt der Figurengruppe eine Monumentalität, in der jede Geste und jede Bewegung eindringliche Präsenz gewinnt. Der Rhythmus der Arme, das Zusammenspiel von Badenden und Meereswellen und die unterschiedlichen Muster der Badekostüme geben der Szene Lebendigkeit.

Eine vorbereitende, kleinformatigere und vielfigurigere Zeichnung (Bielefeld 127) ist aufgrund der flüchtigeren, weniger kompositionellen Struktur vermutlich an Ort und Stelle entstanden. Das vorliegende Blatt übernimmt zwar Motive (z. B. die beiden Frauen im Vordergrund und den Mann mit den hochgeworfenen Armen auf der linken Seite), ist jedoch überlegter und klarer konzipiert.

174 Die Nacht 1928

Schwarze Kreide; 65,5 x 187 cm
Bez. u. r.: Beckmann / 28
Privatsammlung
Bielefeld 123

Gegeneinandergelegt, fast wie auf einer Spielkarte getrennt, schläft das Paar, das jedoch in den Körpern miteinander verschlungen bleibt. Während die Gestalt des Mannes fast vollständig überschnitten wird – sogar das Gesicht ist hinter dem aufgestützten Arm verborgen –, ruht die Frau gelöst hingebreitet in tiefem Schlaf wie eine Odaliske. Die Position des Mannes ist angestrengt und drückt Belastung und Grübeln aus.

Weisner interpretiert die Gestik der männlichen Figur als schmerzliche Entsagung angesichts der sinnlichen Faszination des Weiblichen, ähnlich dem späteren Aquarell *Odysseus und Sirene* (Kat. 178). Die Empfindung von Sündenfall und Schuld ist hier angedeutet wie häufig in den Gemälden Beckmanns.

175   Bildnis Lilly von Schnitzler-Mallinckrodt 1931

Bleistift; 40 x 31 cm
Bez. u. r.: Beckmann/F. 31
Frankfurt a.M., Karin und Rüdiger Volhard

Lilly von Schnitzler-Mallinckrodt, die im Frankfurter Kulturleben eine wichtige Rolle spielte – ihr Haus war Treffpunkt für Künstler, Schriftsteller und Politiker –, wurde in den zwanziger Jahren auch zur Freundin und Förderin Beckmanns. In spontanen, jedoch präzisen Strichen erfaßt die Zeichnung den gesellschaftlichen Rang und den ernsten Charakter der Dame.

Das Blatt scheint eine autonome Zeichnung zu sein, da es sorgfältiger ausgeführt ist als zwei Studien für ein frühes Porträt der Dargestellten (1929). Beckmann hat bis ins Spätwerk hinein Lilly von Schnitzler-Mallinckrodt mehrmals porträtiert.

176   Peter, liegend 1931
Aquarell; 41 x 65 cm
Bez. u. l.: Beckmann/31
Privatbesitz
Bielefeld 136

Beckmann faßt seinen dreiundzwanzigjährigen
Sohn Peter in den breiten Zügen und dem ornamentalisierenden Aufbau seiner Bilder der
dreißiger Jahre. Die extreme Verkürzung der
Figur, die im Verhältnis zum Kopf ausgeprägte
Disproportion der Füße und Arme und das
Motiv der überkreuzenden Decke bewirken
nicht nur, daß Peter als Junge erscheint, sondern vergegenwärtigen vor allem das eigentliche Thema, die Situation des Schlafens und
Für-sich-Seins. Die Mittel der Verformung
werden im Spätwerk Beckmanns eine entscheidende Rolle einnehmen.

177   Zwei Damen im Café 1933
Aquarell; 71 x 62 cm
Bez. u. r.: Beckmann/33
USA, Privatbesitz
Bielefeld 143

Beckmannns Interesse an Caféhaus-Situatio-
nen prägt auch diese Darstellung zweier eleganter, im Restaurant sitzender Damen. Im
Vergleich mit der früheren Zeichnung *Café-
hausszene,* 1905 (Kat. 138), ist dieses Aquarell
differenzierter ausgeführt, besonders im kräftigen Handhaben der Lavierung und in der kom-
plexeren Art der Komposition.

178 Odysseus und Sirene 1933

◁ Aquarell; 101 x 68 cm
Bez. u. r.: Beckmann / B. 33
New York, Privatsammlung
Bielefeld 141

Während der Rückfahrt zu seinem Inselreich
Ithaka begegnet Odysseus den Sirenen, vogel-
ähnlichen, auf der Insel Scylla lebenden Frau-
en, die mit verhexenden Gesängen die Schiffe
in die gefährlichen Klippen locken. Um dieser
Gefahr zu widerstehen, befiehlt Odysseus der
Schiffsmannschaft, sich die Ohren zu verstop-
fen, während er, der hören will, sich an den
Mast binden läßt.

In allen Zeiten sind Sirene und Stier, wie im
Bild *Der Raub der Europa* (Kat. 179) zu sehen
ist, als universale Bilder für die Verführung
von Mann und Frau eingesetzt worden. Hier
weist der verschleierte und von rückwärts gesehene Held physiognomische Ähnlichkeit mit
Beckmann auf. Dies ist nicht überraschend, da
Beckmann sich selbst in seinen Tagebüchern
häufig als Odysseus bezeichnet hat (27. 9. 48).
Die Entlassung des Künstlers 1933 aus seinem
Frankfurter Lehramt und die spätere Emigration machen den Vergleich mit dem klassischen
Irrfahrer verständlich.

179 Der Raub der Europa 1933

Aquarell über Bleistift; 51,1 x 69,9 cm
Bez. u. r.: Beckmann/33
Privatbesitz
Bielefeld 140

Die Darstellung greift wiederum ein Motiv aus
der griechischen Mythologie auf, nämlich die
Geschichte des Zeus, der in Gestalt eines Stieres die Prinzessin Europa vom Meeresstrand
entführte und nach Kreta brachte. Dort zeugte
er mit ihr drei Söhne.

Die kraftvolle Komposition illustriert allerdings nicht nur den literarischen Stoff, sondern
spiegelt auch Beckmanns Einstellung zur Erotik. Während seines gesamten Schaffens hat
Beckmann immer wieder mythologische Themen gewählt, die das problematische Verhältnis des Mannes zur Frau behandeln. Wie in
den zwei frühen Gemälden *Die Schlacht*, 1907,
und *Amazonenschlacht*, 1911 (Kat. 11) – letzteres zeigt auch Szenen des Frauenraubes –,
kommt in dem Aquarell Gewalttätigkeit zum
Ausdruck. Der Zugriff des Männlichen ist beherrschend; die Frau ist das leidende, wenn
auch lockend sich anbietende Opfer.

Die Komposition ist monumental gesetzt,
denn der sanfte und mächtige Bogen des Frau-
enrückens korrespondiert mit dem wild empor-
gereckten Kopf des Stieres; beide Figuren nehmen die ganze Bildfläche ein.

180 Schlangenkönig und Hirschkäferbraut 1933
Aquarell; 61,5 x 48,2 cm
Bez. u. r.: Beckmann/33
Bernhard and Cola Heiden
Bielefeld 142

Irritierend und extrem, sogar im Rahmen von Beckmanns individueller Mythologie, ist das Motiv der Darstellung. Der Schlangenkönig greift mit riesigen Armen und Händen nach der Hirschkäferbraut. Die erotische Problematik, die das ganze Werk Beckmanns durchzieht, drückt sich tiefenpsychologisch hier wohl am eindringlichsten aus. Potenzzwang des Mannes und Angst vor der verschlingenden Frau: In dieser Sexualphantasie agiert der Mann als kleinköpfiges, durch Schlange, Arme, Finger und starre Position phallisch gekennzeichnetes Wesen, während die gepanzerte, mit Scheren und Zangen bewaffnete Frau zum unfaßbaren, bedrohlichen Insekt wird. Das dichte graue Meer und der weite Horizont verstärken wie schon in Gemälden der zwanziger und dreißiger Jahre den archetypischen Charakter des Geschehens.

181 Dünen in Zandvoort 1934
Aquarell; 48 x 62 cm
Bez. u. r.: Beckmann/Zandvorde/Juli 34
USA, Privatbesitz
Bielefeld 149

Beckmann ist häufig in die holländische Küstenstadt Zandvoort gereist, vor allem, um dort Eduard von der Heydt, den Kunstsammler, zu besuchen, der auch Förderer seiner Arbeit war. Der weite Blick geht durch das Fenster auf ein ›Meer‹ von Dünen, in dem unvermittelt Dächer sichtbar werden. Zwei Gemälde sind ebenfalls aus Eindrücken dieser Reise entstanden, und zwar *Badende mit grüner Kabine und Schiffer mit roten Hosen* sowie *Blick auf Zandvoort bei Abend*.

gSg

182 Atelier 1934

Aquarell; 58,4 x 46,4 cm
Bez. o.l.: Beckmann/B. 34
USA, Privatsammlung
Bielefeld 146

Der Blick zeigt eine Ecke im späteren Berliner Atelier des Künstlers: einen Stuhl mit aufgelegtem Brett, Pinseln, Farben, Papier und anderen Malutensilien. Über der Rücklehne hängt ein Tuch, im Hintergrund werden einige gerahmte Leinwände sichtbar, rechts öffnet sich die Tür in einen anschließenden dunklen Raum. Beckmann hat oft Atelieransichten gemalt, etwa *Spiegel auf einer Staffelei* (Kat. 164). In diesem Fall jedoch hat er nirgends einen Hinweis auf eine rätselhafte Bedeutung des Bildes gegeben.

184 Landschaft in Oberbayern 1936
Aquarell; 46 x 59 cm
Bez. u. r.: Beckmann/36
Bernhard and Cola Heiden
Bielefeld 154

Das Blatt zeigt die Umgebung von Ohlstadt,
wo die Familie von Kaulbach ein Haus besaß
(Kat. 183). Wahrscheinlich war das Jahr 1935
das letzte, in dem die Beckmanns diese ihnen
vertraute Landschaft aufsuchen konnten.

◁ **183 Bavaria, ca. 1934**
Aquarell und Pastell; 64,5 x 49,8 cm
Nicht bezeichnet
Minneapolis, The Minneapolis Institute of Arts,
The Katherine Kittredge McMillan Memorial Fund

Die Familie von Kaulbach, aus der Beckmanns
zweite Frau stammte, besaß im oberbayeri-
schen Ohlstadt ein Landhaus, in dem sich die
Beckmanns zwischen 1930 und 1935 häufig auf-
hielten. Das sehr spontan ausgeführte Blatt
zeigt wie einige Gemälde dieser Zeit den Blick
in die Umgebung, hier denjenigen auf den
Garten des Hauses.

185   Bildnis Quappi im Strandcafé 1935
Aquarell; 65 x 50 cm
Bez. u. r.: Quappi/für Herr Gast/Berlin 1.4.35/
Max Beckmann
USA, Privatbesitz
Bielefeld 150

Das Aquarell steht dem Bild *Zwei Damen im
Café,* 1933 (Kat. 177), auch darin nahe, daß beide Arbeiten stilistische Nähe zu Matisse aufweisen. Während das Motiv im spezifischen
nicht französischer Herkunft ist, läßt die Szene
doch an Interieurs von Matisse denken, die in
ähnlicher Weise Flächendekoration und archi-
tektonisches Element einsetzen. Beckmann
waren sicher Werke zeitgenössischer französischer Maler vertraut, da er seit Mitte der zwanziger Jahre häufig Reisen nach Frankreich unternahm und seit 1929 in Paris ein Atelier gemietet hatte, in dem er von September bis Mai
arbeitete.

**186   Strandszene
mit Sonnenschirmen 1936**
Aquarell; 65 x 50 cm
Bez. u. l.: Beckmann/36
USA, Privatbesitz
Bielefeld 153

Lebendige und doch präzise Lavierungen fassen die drei Frauen, den Strand und die großen
Sonnenschirme. Mit der Leichtigkeit verbindet
sich allerdings auch strenge Ordnung, denn ein
Geländer verspannt die Bildfläche in der Senk-
und Waagrechten, zusammen mit dem Schirm
den Mittelpunkt markierend. Die Ansicht beschreibt höchstwahrscheinlich die Umgebung
von Zandvoort (Kat. 181).

187   Bildnis Madame Pomaret 1 1937 ▷
Bleistift; 30,6 x 22,9 cm
Bez. u. r.: Beckmann/Paris 37
New York, Catherine Viviano Gallery
Bielefeld 158

Die Zeichnung porträtiert Marie Paule Pomaret, Kunsthändlerin und Galeristin der Pariser
›Galerie de la Renaissance‹, wo Beckmann
1931 zum ersten Mal eine Ausstellung seiner
Werke in Paris zeigen konnte. Die Zeichnung
zählt zu einer Gruppe von sechs Blättern, die
als Studien für ein nun verschollenes Porträt
von 1939 (Göpel 515) die Dargestellte in den
verschiedensten Sichten und Posen zeigen.
Vier dieser Studien, eingeschlossen die vorliegende, unterscheiden sich wesentlich von dem
Gemälde; sie dienten Beckmann wohl als
Erinnerungshilfen. Obwohl zwei Zeichnungen
verschiedene Datierungen, nämlich 1937 und
1938 aufweisen, sind die Studien vermutlich
doch während einer einzigen Sitzung entstanden und von Beckmann später bei der Signie-
rung irrtümlich datiert worden.

188 Die Angler 1940-1945

Feder und schwarze Tinte; 31,5 x 24 cm
Bez. u. r.: Beckmann
St. Louis, The Saint Louis Art Museum, Purchase,
Funds given by S. Arlent Edwards, by exchange

Themen mit dem Motiv des Fischers und des
Fischfängers begegnen wir häufig in Beckmanns Werk. Diese Zeichnung steht dem Gemälde *Kinder des Zwielichts* (Kat. 87) nahe,
das Beckmann 1939 begann und noch bis zu
seinem Tod im Jahr 1950 nicht vollendet hatte.
Nach seinen eigenen Worten wurde er zu dieser Bildidee auch durch die Außenwelt inspiriert. Er erlebte wie in einer Vision die Pariser
Metro als Unterwelt.

   Die Zeichnung ist unterschiedlich datiert
worden: Von Clark auf ca. 1939, von Göpel in
den Zeitraum von 1940/45, von Fischer auf
1948 oder 1949 (Fischer, München 1972,
S. 128, Abb. 40). Da die Zeichnung bereits
1946 in das Saint Louis Art Museum kam, ist
Fischers Datierung zu spät angesetzt. Stilistisch
steht das Blatt in Beziehung zu Zeichnungen
der frühen vierziger Jahre.

189 Der Eismann, ca. 1944

Feder und schwarze Tinte; 36,1 x 13,6 cm
Bez. u. r.: Beckmann
New York, The Museum of Modern Art, Gift of
John S. Newberry
Bielefeld 167

Die Darstellung, die den Gegensatz von Eis
und Sonne, Kälte und Hitze demonstrativ vereint und den Eisverkäufer nahezu als mythologische, einem Zauberer ähnelnde Figur präsentiert, steht wohl in Zusammenhang mit
Gedanken Beckmanns. In den ›Drei Briefen
an eine Malerin‹ assoziiert er zu den Elementen Eis und Feuer: »Unter dem kalten Eis nagt
noch immer die Leidenschaft, die Sehnsucht
geliebt zu werden von dem Anderen, wenn
auch auf einer anderen Ebene wie in der Hölle
der tierischen Sinne. Das kalte Eis brennt
ebenso wie das heiße Feuer – und unruhig
gehst Du alleine durch Deine Paläste von
Eis...«

   Der mediterrane Charakter der Zeichnung
mag sich erklären aus den Eindrücken einer
Reise, die Beckmann 1944 nach Paris und Nizza unternommen hat.

190 Der Gefesselte 1944

Feder und schwarze Tinte; 40,6 x 25,1 cm
Bez. u. r.: Beckmann
New York, The Museum of Modern Art,
Gift of Curt Valentin
Bielefeld 166

Es ist nicht eindeutig zu sagen, ob diese Bild-
vorstellung im Zusammenhang mit einem bestimmten Thema steht oder eine vollkommen
vereinzelte Erfindung Beckmanns ist. Im Tagebuch ist nur vermerkt: »Den Gefesselten gezeichnet« (Tagebücher, 17.5.1944, S.77). Göpel setzt Fesselung und Schrei der Figur in Beziehung zu Beckmanns leidvoll und ohnmäch-
tig ertragenem Exil in Amsterdam. Vielleicht
verkörpert die klassisch gekleidete ruhende
Frau im Hintergrund eine schlafende Muse;
das schwache Inspiriert-Sein des Künstlers in
einer solchen Situation der Unfreiheit könnte
mit dieser Figur ausgedrückt sein. Das Motiv
des gefesselten Menschen tritt häufig in Beckmanns Werk auf, u.a. im Triptychon *Versuchung,* 1936/37, oder dem Selbstporträt *Der
Befreite,* 1937 (Kat.73, 80).
    Stilistisch steht die Federzeichnung Beck-
manns letzter Lithofolge *Day and Dream* von
1946 nahe (Kat.296, 297).

191 Lesende Frau 1945

Feder und schwarze Tinte; 22,9 x 33,1 cm
Bez. u. r.: 13. Okt. 45/A. Beckmann
New York, The Museum of Modern Art,
The Joan and Lester Avnet Collection
Bielefeld 173

Das Motiv der ruhenden Frau ist häufig in
Beckmanns Werk. Wie in einer anderen, nur
14 Monate später entstandenen Zeichnung
(Bielefeld 196), ist auch hier die Frau als Le-
sende, mit dem halben Gesicht hinter dem
Bogen Papier Verborgene aufgefaßt.
    Die spätere Zeichnung ist zwar in bezug auf
Umriß und Räumlichkeit komplexer, beide
Blätter dokumentieren jedoch den charakteri-
stischen Spätstil, der sich durch den nervös
kritzelnden Federstrich auszeichnet.

192   Haltestelle 1945
Feder über Bleistift; 32,5 x 35,5 cm
Bez. rückseitig: Haltestelle/31. Dez. 1945
Privatbesitz
Bielefeld 181

Beckmann drückt wohl ganz persönliche, durch die Kriegszeit bedingte Empfindungen von Ungeduld und Hoffnungslosigkeit mit diesen Figuren aus, die hager, unbeweglich und vermummt an einem kalten Wintertag an der Haltestelle warten. Göpel vermutet, daß das symbolische Motiv der Leiter, wie es im *Argonauten-Triptychon,* 1949/50, erscheint, hier von der Figur auf der rechten Seite vorweggenommen ist. Auf dem Triptychon weist der alte Mann die Argonauten in andere Sphären.

Beckmann kommt in seinen Tagebüchern auf die Zeichnung zu sprechen: »Morgens fietste ich bei Null Grad und zeichnete die ›Haltestelle‹...« (31. 12. 1945).

**193   Doppelbildnis Max
und Quappi Beckmann, ca. 1945**   ▷
Feder; 20 x 12,5 cm
Bez. u. r.: Beckmann
Perry T. Rathbone
Bielefeld 182

Die Jahre des Exils in Amsterdam waren nicht leicht. Beckmanns Möglichkeiten, zu reisen und Freunde zu besuchen, waren sehr eingeschränkt. Dieses Doppelbildnis des Künstlers und seiner Frau spiegelt anschaulich Empfindungen der Isolation. Er steht für sich, frontal dem Betrachter zugewandt, während Quappi, vom Profil gesehen, rechts im Hintergrund auftritt, den Hund Butchy im Arm haltend. Obwohl beide nahe beieinander sind, bleibt doch jeder in stillen Gedanken für sich allein. Die schwarze Verdichtung der Gesichter und der kastenförmig beengte Raum betonen die Situation der Gemeinschaft und der Fremdheit.

194 Father Christmas, ca. 1944

Feder; 26,7 x 36,8 cm
Bez. u. r.: Beckmann
St. Louis, The Saint Louis Art Museum, Purchase,
Funds given by J. T. Milliken, by exchange

Göpel vermutet, daß es sich bei dieser Darstel-
lung zweier am Strand kämpfender nackter
Männer um eine visionäre Assoziation auf die
Invasion der Alliierten handele (Göpel 1958,
S. 14, Nr. 34). Seltsam sind die Motive der links
sitzenden Kerzenträgerin und des bärtigen
Weihnachtsmannes, der mit einer weisenden
Geste über der Szene schwebt.

195   Spaziergang (Der Traum) 1946

Feder und Pinsel; 32 x 26,5 cm
Bez. u. r.: Beckmann/A. 46; Verso:
Spaziergang 7. Februar 46
Privatbesitz
Bielefeld 186

Verrätselt und bildhaft wie ein Traum ist diese
Darstellung. Der einem Schatten ähnelnde
Mann geht über eine Brücke, die plötzlich unterbrochen ist, so daß er beim nächsten Schritt
in die Tiefen stürzen wird. Dort unten wartet
eine riesige, wollüstig gelagerte nackte Frau
auf ihn. Beckmanns Verwendung des Pinsels
erzeugt den Ausdruck des Unheimlichen und
Erregten, eine Stimmung, die die Angst des
Mannes widerspiegelt.

196   Die Hunde werden größer 1947

Feder und Aquarell; 33,7 x 25 cm
Bez. u. r.: 25. 11. 47/B
Privatbesitz
Bielefeld 204

Das alptraumhafte Werk zeigt eine schreiende
Frau, die von einem riesigen Hund angefallen
wird. Ein weiterer Hund mit hochgestrecktem
Kopf und geschlossenen Augen verstärkt das
Aggressive des Geschehens, denn er entblößt
die scharfen Zähne. Zwei Frauen und ein bär-
tiger alter Mann sind Beobachter des Ganzen,
das eindeutig als männliche Sexualphantasie zu

entschlüsseln ist (Kat. 180). Die Aquarellfarben sind phosphoreszierend und erregt eingesetzt und steigern wesentlich das Dämonische
des Blattes. Auffallend ist der strenge Aufbau
der Komposition.

Aus der Datierung der Zeichnung und einer Tagebuchaufzeichnung geht hervor, daß
Beckmann länger als einen Monat mit diesem Aquarell beschäftigt war: »...ich end-
lose neue und alte Aquarelle korrigiert.
Zum Schluß ›die Hunde werden größer‹ gemacht.« (Tagebücher 1940-1950, München
1979, 27. 12. 1947)

197   Nachtclub in New York   1947
Feder und Aquarell; 25,4 x 35,6cm
Bez. u. r.: For Wally/from Beckmann/
4. Nov. 47/St. Louis
Sammlung Fred Ebb
Bielefeld 206

Kabaretts und Nachtclubs waren für Beckmann auch in Amerika faszinierend. Vor ge-
drängtem Publikum und begleitet von einer
Musikkapelle, führt die Artistin hier mit Hilfe
zweier Männer in Clownskostümen einen Spagat in der Luft vor. Die lebendige, vitale Szene
enthält sexuelle Anspielungen, vor allem darin, daß die Männer als überlebensgroße, rätselhafte Figuren die Frau in dieser erotischen Position gewaltsam halten.

198   Bildnis Louise V. Pulitzer, ca. 1949   ▷
Bleistift; 21,6 x 14cm
Nicht bezeichnet
Privatbesitz

Louise Vauclain Pulitzer und ihr Mann, Joseph
Pulitzer jr., zählten zu dem engen Kreis von
Freunden, Bewunderern und Förderern, der
sich in St. Louis um Beckmann bildete. Laut
Walter Barker hatte Louise Pulitzer dem Ehe-
paar Beckmann im Kampf um die Einwande-
rerpapiere mit Rat und Tat zur Seite gestanden
(Modern Painting, Drawing and Sculpture
Collected by Louise and Joseph Pulitzer, Jr.,
Vol. III, Cambridge 1971, S. 352).

Beckmanns gemaltes, nicht im Auftrag entstandenes Bildnis der Louise Pulitzer (Göpel
781) bezeugt die große Zuneigung des Künstlers und die Bewunderung für die Frau, die er
›Die ägyptische Prinzessin‹ nannte. Aus den
zahlreichen Tagebuchaufzeichnungen wird ersichtlich, daß er mit dem Gemälde noch vor
den drei Zeichnungen begann, die begleitende
Studien waren (2./3. 2. 1949).

Das ausgestellte Blatt ist das detailreichste,
allerdings gibt das Gemälde dem Gesicht eine
entgegengesetzte Blickrichtung. Beckmann hat
die verhältnismäßig kleine Zeichnung mit einer
Aura von Würde und Anmut ausgestattet, indem er die vornehmen Gesichtszüge und die
elegante Nackenlinie betonte.

199 Gelbe Lilien und grünes Meer 1949

Aquarell; 50,1 x 31,1 cm
Bez. u. r.: Beckmann/St. L. 49
Mrs. William J. Green

Obwohl in St. Louis entstanden, weist das Aquarell motivische Ähnlichkeiten mit zahlreichen Riviera-Ansichten und holländischen Strandszenen auf (Kat. 181, 186). Mit großem Hut und neben sich eine Vase mit gelben Lilien, sitzt die vom Rücken her gesehene Frau auf einer Veranda oder einem Balkon, von dem der Blick weit über das Meer und in den Himmel geht. Beckmann notiert zu diesem Blatt in seine Tagebücher: »...Nachmittag machte ich noch ein Aquarell mit gelben Lilien und grünem Meer...« (13. März 1949).

200 Bildnis Fred Conway 1949

Kohle; 60 x 45 cm
Bez. u. r. : Beckmann/Mai 1949/St. L.
Joan Conway Crancer

Fred Conway, tätig an der Fakultät der
Washington University Art School, wurde ein
guter Freund Beckmanns während dessen
Lehrtätigkeit in St. Louis. Nach dem ›Beaux
Arts‹-Ball der Art School notiert Beckmann
in seinem Tagebuch: »...I like Conway...«
(22. Mai 1948). Es handelt sich um die Studie
zu einem Porträt, das nicht im Auftrag entstanden ist (Kat. 123). Beckmann erwähnt dieses

Werk mehrere Male in seinen Tagebüchern
(Göpel 1, S. 481, Nr. 792). Das Gemälde verändert die Armhaltung des Porträtierten, fügt auf
der linken Seite das Motiv einer Flasche hinzu
und deutet die Rücklehne eines Stuhles an.
Die Zeichnung steht im kühnen und malerischen Umgang mit dem Medium dem vorangehenden Blatt nahe.

201   Frau mit beschattetem Gesicht 1949
Schwarze Kreide; 57 x 39 cm
Bez. u. r. : for Perry Rathbone / Beckmann / April 18 /
1949, Perry T. Rathbone
Bielefeld 211

Die kraftvolle, energische und geheimnisvolle
Zeichnung zeigt in Halbfigur eine Frau, die mit
der linken Hand ihr Gesicht verschattet und
die rechte Hand mit nach außen gekehrter In-
nenfläche in einer Art Abwehrgestus vor die
Brust hebt. Wie Göpel bereits betont hat, steht
die leichte, breitlinige und malerische Verwendung der Kreide im engen Zusammenhang mit

Beckmanns später Malerei. Vergleichbar frü-
heren Zeichnungen wendet Beckmann sein
Augenmerk auf die expressive Gestaltung von
Gesicht und Händen.

202   Park in Boulder 1949
Schwarze Kreide und Feder; 58,5 x 44,4 cm
Bez. u. r.: Beckmann 49
New York, Catherine Viviano Gallery
Bielefeld 216

Park in Boulder erinnert in manchem an Beckmanns frühere Ansichten bayerischer Landschaften, insbesondere an das Aquarell *Holzweg bei Ohlstadt*, 1934 (Bielefeld 148). Nun beeindruckt von der neuen Umgebung, macht Beckmann in seinen Tagebüchern gesonderte Bemerkungen zur Colorado-Landschaft. Der folgende Kommentar mag sich speziell auf diese Zeichnung beziehen: »Nachmittag machte ich noch eine Zeichnung ›Park im Gebirge‹, na dann ziemlich müde noch im Park gesessen...« (23. August 1949).

Laut Göpel malte Beckmann in diesem Sommer überhaupt nicht, sondern widmete sich nur dem Medium der Zeichnung. Das Gemälde *Boulder-Felslandschaft* von 1949 (Kat. 127) entstand erst im New Yorker Atelier als Erinnerung an die so inspirierende und faszinierende Szenerie des amerikanischen Westens.

203   Brunhild und Krimhild
(Kampf der Königinnen) 1949

Feder über schwarzer Kreide; 58 x 44 cm
Bez. u. r.: Beckmann/Boulder 9.8.49
Privatbesitz
Bielefeld 214

Beckmann transponiert ein zentrales Motiv der Nibelungensage, nämlich den Konflikt zwischen den beiden Königinnen Brunhild und Krimhild, auf einen bühnen- und theaterähnlichen Schauplatz. In den Tagebüchern finden sich aufschlußreiche Kommentare zu dieser Darstellung. Am 9. August 1949 schreibt er: »Nachmittag Zeichnung ›Kampf der Königinnen‹.« Am 11. August: »Habe die Simrokschen Nibelungen zu Ende gelesen. Große Sache, doch nun muß ich noch die nordische Version lesen. Viel von der ganzen unsinnigen Gier und Tragik – auch das Heroische ist da prophetisch vorhergesehen.« Am 13. August heißt es: »Viel Gewitter today und Fabrication von ›Krimhilde‹ (Zeichnung).«

204 Selbstbildnis mit Fisch 1949
Pinsel über gewischter Kreide; 59,7 x 45 cm
Bez. u. r.: Beckmann/Boulder/8. August 49
Hamburger Kunsthalle
Bielefeld 213

Für das Sommersemester 1949 nahm Beckmann eine Dozentur an der Universität von
Colorado in Boulder an. Das Selbstbildnis
zeigt ihn in Halbfigur und Rückenansicht, wie
er über die Schulter sein Gesicht dem Betrachter zuwendet. Der breitkrempige Hut verstärkt
den eindringlichen Blick und den demonstrativen Charakter des Motivs, denn der Künstler
nähert mit festem Griff seinem Gesicht einen
Fisch, so daß das Auge des Tieres in seine Au-
genhöhe gelangt. Beckmann hat den Fisch als
Symbol häufig und mit wechselnder Bedeutung
im Werk eingesetzt. Nach Weisner mag das
Motiv im allgemeinen als Zeichen der Fruchtbarkeit, aber auch als phallisches Motiv fungieren (Weisner 1977, S. 78, Nr. 213). Fischer
schlägt ergänzende Bedeutungen vor: Demnach könnte der Fisch auch Zeichen für übernatürliche Kraft und Regeneration des Lebens,
für Existenz und Prinzip der Seele sein.

Stilistisch bringt der rigorose Pinselstrich viel
Lebendigkeit in dieses späte Werk. Der Kon-
trast zwischen dem Schwarz der Tinte und dem
Weiß des Papiers erzeugt einen Ausdruck von
Energie und Monumentalität, der besonders in
der Partie des Blattes zum Tragen kommt, wo
Gesicht und Hut sich akzentuiert vom schwar-
zen Hintergrund abheben.

205 Frühe Menschen 1946, 1948/49
Aquarell oder Gouache und Tinte; 50,2 x 64,8 cm
dat. 1946, 1948/49 überarbeitet
Privatsammlung
Bielefeld 197

Ein eiförmiges, an Hieronymus Bosch erinnerndes Wesen, vielbrüstige weibliche Gestalten, zwei vorbeiziehende Fische, dunkle maskenhafte Gesichter und ein mächtiges Paar
vielzehiger Füße: alle diese seltsamen Existenzen verkörpern wohl, gemäß religionsphilosophischer Anschauungen, eine Welt ursprünglicher Einheit, eine Welt, die vor dem Sündenfall befindlich, noch nicht in Geist und Materie
geschieden ist. Wie ein Blick in die Zukunft
erscheint mitten in dieser Szenerie, gedreht um
90 Grad, ein Ausschnitt aus der Gegenwart
Beckmanns (Varieté oder Bar).

206 Selbstbildnis 1950

Kugelschreiber auf Pergamentpapier; 25 x 20,4 cm
Bez. u. r.: Beckmann / Carmel Juni 50
Privatbesitz
Bielefeld 219

Das zu den letzten gezeichneten Selbstbildnissen zählende Blatt wurde während eines Ferienaufenthaltes in Carmel/Kalifornien ausgeführt. Beckmann hat sich selten im strengen Profil dargestellt. Die ausdrucksvolle Charakterisierung dokumentiert seine große Fähigkeit, das eigene Wesen mit den sparsamsten Mitteln präzise zu erfassen.

207 Quappi mit Katze 1949

Kohle; 61 x 40,8 cm
Bez. u. r.: Beckmann / Bou 49
Joan Conway Crancer

Während der ganzen Ehe war Quappi Beckmanns Lieblingsmodell. Hier zeigt er sie in Halbfigur, das Gesicht leicht zur Seite gewandt, ohne Blickkontakt zum Betrachter, die kleine Katze zärtlich an die Brust gedrückt. Möglicherweise diente die Zeichnung als Studie für das Gemälde *Vor dem Ball (Zwei Frauen mit Katze)* von 1949.

209 Selbstporträt mit Angel 1949

Feder und Bleistift; 60,2 x 45,5 cm
Bez. u. r.: Beckmann / Boulder 49
Ann Arbor, The University of Michigan Museum
of Art

Dieses Blatt ist im selben Sommer wie *Selbst-bildnis mit Fisch* entstanden (Kat. 204). Die beiden Zeichnungen markieren einen offen-sichtlichen Gegensatz, was die Wahl der Mittel betrifft; im Unterschied zu dem früheren, mit breiter, malerischer und reicher Pinselspur ausgeführten Blatt ist diese Zeichnung streng über den konzentrierten und vereinfachten Strich der Feder aufgebaut. Der Blick nimmt nun direkten Kontakt zum Betrachter auf. An seinem letzten Tag in Boulder machte Beck-mann folgende Tagebucheintragung: »...Mor-gens doch noch das letzte Selbstporträt fabri-ziert mit Seil...« (27. August 1949). Vielleicht bezieht sich dieser Kommentar auf die vor-liegende Zeichnung; in diesem Fall wäre das mit einer Fischangel identifizierte Attribut als Stück eines Seiles oder Stricks anzusehen.

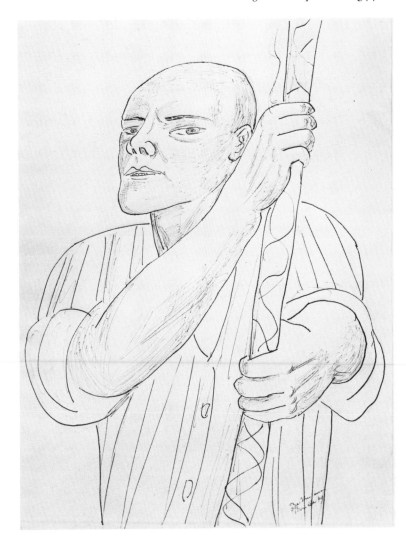

208 Bildnis Georg Swarzenski 1950

Schwarze Kreide auf blauem Papier; 60 x 45 cm
Bez. u. r.: Beckmann / N.Y. 50
Privatbesitz
Bielefeld 220

Diese Zeichnung, die Georg Swarzenski, den ehemaligen Direktor des Städel-Museums in Frankfurt und einen der engsten Freunde Beckmanns darstellt, wurde ausgeführt für die Festschrift ›Beiträge für Georg Swarzenski zum 11. Januar 1951‹, Berlin. Als das Porträt entstand, hatte Swarzenski ein Forschungs-stipendium für Skulptur und Kunst des Mittel-alters am Museum of Fine Arts, Boston, inne.

In einem im Bielefelder Ausstellungskatalog publizierten Brief schildert Swarzenskis Sohn Hanns die Umstände, die zu diesem Porträt führten. Die Idee stammte von Oswald Goetz, einem ehemaligen Assistenten Swarzenskis in der Frankfurter Zeit, der damals am Art In-stitute of Chicago tätig war. Das Bildnis wurde in Beckmanns New Yorker Atelier gemalt. Hanns Swarzenski erinnert sich daran, daß sein Vater ihm nach der Sitzung erzählt habe, wie anstrengend es gewesen sei, mit welch großer Intensität und Konzentration Beckmann gear-beitet habe. Diese Stimmung extremer An-spannung und Unruhe scheint sich direkt auf den Porträtierten übertragen zu haben (Brief vom 6. Mai 1977).

Radierungen, Lithographien und Holzschnitte

Der Katalog der Druckgraphik bezieht sich in Chronologie, Datierung und Formatangaben auf das in Vorbereitung befindliche Verzeichnis der Druckgraphik von Max Beckmann, bearbeitet von James Hofmaier und herausgegeben im Auftrag der Max Beckmann Gesellschaft von Klaus Gallwitz. Es wird hier als VG zitiert. James Hofmaier hat mir großzügig mit Kenntnissen und Informationen zur Seite gestanden. Ich schulde ihm herzlichen Dank.

Der Verweis *Gallwitz* bezieht sich auf: Klaus Gallwitz: Max Beckmann – Die Druckgraphik – Radierungen, Lithographien, Holzschnitte, Karlsruhe 1962. Der Verweis *Glaser* gilt der Publikation: Curt Glaser, Julius Meier-Graefe, Wilhelm Fraenger, Wilhelm Hausenstein: Max Beckmann, München 1924. Die Maße sind in Zentimetern angegeben, wobei Höhe vor Breite steht. Die Maße der Ätzungen und Kaltnadelradierungen beziehen sich auf die Platte, die der Lithographien und Holzschnitte auf das Bild. Die Bezeichnungen führen Signatur und Vermerk Beckmanns an.   *Judith C. Weiss*

210 Selbstbildnis 1901

Kaltnadel; 21,8 x 14,3 cm
Bez.u.r.: Beckmann/Januar 1901
Privatbesitz
VG 2 Probedruck; Gallwitz 1; nicht bei Glaser

Die Radierung, die früheste mit dem Thema Selbstporträt, fertigte Beckmann als siebzehnjähriger Student an der Großherzoglichen Kunstschule Weimar an. Laut Hofmaier ist dies der einzig bekannte Abzug; er wurde niemals veröffentlicht. Es handelt sich um eine sorgfältige physiognomische Studie des jungen Künstlers, mit der er den extremen Augenblick eines Schreies oder eines verzerrenden Gähnens untersucht. Die Technik ist einfach, das Motiv skizzenhaft mit einer Reihe dünner paralleler Striche unmittelbar auf die Druckplatte gezeichnet.

211 Selbstbildnis mit Bart, ca. 1903

Lithographie; 17,4 x 11,2 cm
Privatbesitz
VG 3 Probedruck; weder bei Gallwitz noch bei Glaser

Von dieser ersten Lithographie des Künstlers sind nur drei Abzüge bekannt; sie steht in direktem Zusammenhang mit einer Bleistiftzeichnung, dem *Selbstporträt mit Bart, en face* (von Wiese 4), die monogrammiert ist und die Jahreszahl 1903 trägt. Daß Beckmann die Zeichnung als Vorlage benutzte, geht aus der Frisur hervor: Der Scheitel erscheint im Vergleich zur Zeichnung seitenverkehrt. Darüber hinaus änderte er jedoch auch Details des Motivs, indem er den Kragen und den Schlips wegließ, die linke Seite des Gesichts verschattete und das Bild oben und unten beschnitt.

212 Selbstbildnis 1904

Ätzung und Kaltnadel; 23,7 x 18,1 cm
Bez. u. l.: Selbstportrait; u. r.: Beckmann/1904
Privatsammlung
VG 4 II/II Probedruck; Gallwitz 2;
nicht bei Glaser

Auch dieses Selbstporträt ist nur in wenigen,
nämlich zwei Abzügen bekannt. Der Probedruck des ersten Zustandes weist mit Bleistift
vorgenommene Ergänzungen entlang der Konturen des Kopfes sowohl oben als auch an der
linken Seite und in der Schattierung der Halsschleife auf. Bei dem vorliegenden zweiten Zustand sind diese Korrekturen in die Radierung
übertragen.

Im Gegensatz zum *Selbstbildnis mit Bart*
(Kat. 211), in dem Beckmann stark mit Schatten arbeitete, dokumentiert dieser Druck sein
Interesse für Lichtprobleme. Die Gesichtszüge
des Künstlers enthüllen sich bei sparsamster
Linienführung. Die charakteristischen Merkmale werden durch leichtgeätzte, kurze paral

lele Striche skizziert; der Kontur der linken
Gesichtshälfte ist nicht markiert.

Obwohl das Selbstporträt in demselben Jahr
ausgeführt wurde wie das vorangehende, erscheint der junge Mann hier von größerer Weltgewandtheit und Selbstsicherheit. Er nimmt die
Aufmerksamkeit des Betrachters direkt für sich
in Anspruch.

In technischer Hinsicht läßt der Druck ein
unabhängigeres Experimentieren mit dem Medium erkennen, reichere Tonkontraste und
eine skizzenhaftere, freiere Strichführung. Das
Gemälde *Selbstbildnis Florenz* 1907 (Kat. 8)
vermittelt eine ähnliche Stimmung und vergleichbares Selbstgefühl.

213 Selbstbildnis 1911

Lithographie; 25 x 18,8 cm
Bez. u. r. auf dem Stein: 1911; u. l.: Beckmann
Hannover, Kunstmuseum Hannover mit Sammlung
Sprengel
VG 23 Zustandsdruck; Gallwitz 12; Glaser 18

Laut Hofmaier gab es von diesem Druck zwei
Auflagen; die erste 1911 bei E.W. Tieffenbach,
Berlin, und die zweite um 1920 bei I.B.
Neumann, Berlin. Hier handelt es sich um
einen Probedruck für die erste Auflage. Im
Vergleich zu dem *Selbstbildnis mit Bart*
(Kat. 211) zeigt der Druck, daß Beckmann in
der Technik der Lithographie größere Ge-
schicklichkeit erworben hat. Er macht sich die
breite Tonskala des Mediums zunutze, indem
er sein Porträt gegen einen dichten dunklen
Hintergrund setzt und durch eine Lichtquelle
von unten her beleuchtet; so schafft er eine
diffus-schemenhafte Atmosphäre.

214 Die Vergnügten 1912

Kaltnadel; 12,1 x 18,1 cm
Bez. u. l.: Probedruck; u. r.: Beckmann 12
Frankfurt a. M., Städtische Galerie im Städelschen
Kunstinstitut
VG 51 Zustandsdruck; Gallwitz 34; Glaser 46

Zusammen mit den zwei frühen Selbstporträts
von 1901 und 1904 sind dieses und das Blatt
Bordell in Hamburg die frühesten Beispiele für
Beckmanns Arbeit mit der Kaltnadel. Durch
heftiges Bearbeiten der Platte gelingt es ihm,
einen Eindruck von der Hast und dem lebhaften Gedränge einer überfüllten Großstadtstra-
ße zu vermitteln. Die Wiederholung der gebogenen Linien innerhalb der Figuren betont die
Vorwärtsbewegung über das Blatt von links
nach rechts. Beckmanns spätere Kaltnadelradierungen mögen eine größere Beherrschung
des Mediums bezeugen, aber hier erreicht er
einen überzeugenden Eindruck von Unmittelbarkeit.

215 Simson und Delila 1911

Lithographie; 22,5 x 30cm
Bez. u. r.: Beckmann; u. l.: 4/5; u. l. auf dem Stein:
MB/11
Berlin, Staatliche Museen Preußischer Kulturbesitz,
Kupferstichkabinett
VG 26 II/II; Gallwitz 15; Glaser 21

Stilistisch ist das Blatt der im selben Jahr entstandenen Serie über das Neue Testament zuzuordnen. Das ein Jahr später vollendete Gemälde zu diesem Thema schließt sich formal
und kompositionell eng an die Lithographie
an.

216   Ulrikusstraße in Hamburg 1912

Lithographie; 26,3 x 30,7 cm
Bez. u. r.: Beckmann
Hannover, Kunstmuseum Hannover mit Sammlung
Sprengel
VG 37; Gallwitz 27; Glaser 31

Beckmanns Interesse galt dem Stadtleben, der
Atmosphäre von Cafés, von Bordellen und
Bars. Die Lithographie hat stilistische Ähnlichkeit mit *Admiralscafé* (Kat. 217), wo Beckmann einen vergleichbar breiten Umfang an
Tonwerten erreicht. In beiden Fällen variiert
er den Strich, indem er auch die Breitseite des
Lithostifts benutzt. Nach Hofmaier wurde dieser Druck wahrscheinlich nur in einer kleinen
Auflage veröffentlicht, da ihm lediglich sechs
nicht numerierte Abzüge bekannt sind.

217   Admiralscafé 1911/12

Lithographie; 26,3 x 30,7 cm
Bez. u. r.: auf dem Stein in Spiegelschrift:
Beckmann 12
Bez. u. l.: Admiralscafé; u. r.: Beckmann 12
Stuttgart, Staatsgalerie, Graphische Sammlung
VG 32 II/II Zustandsdruck; Gallwitz 23; Glaser 26

Szenen, die das Leben in den Cafés, Tanzsälen
und Nachtklubs beschreiben, tauchen in Beckmanns Werk immer wieder auf. Dieses Blatt
hat sowohl in der Stimmung als auch in der
Ausführung Ähnlichkeit mit Lithographien
von Toulouse-Lautrec und Steinlen. An dem
ersten Zustand wurden mehrere Änderungen
vorgenommen; so sitzt anstelle der männlichen
Figur jetzt eine sich nach vorn beugende Frau
im Vordergrund. Auch spielte sich die Szene
ursprünglich im Freien ab. Aufgrund eines si-
gnierten und datierten Probedrucks des I. Zustands nimmt Hofmaier 1911 als Arbeitsbeginn
und 1912 als Fertigstellung an.

218   Abendgesellschaft 1912

Ätzung und Kaltnadel; 14,6 x 19,7 cm
Bez. u. r.: Beckmann
Berlin, Staatliche Museen Preußischer Kulturbesitz,
Kupferstichkabinett
VG 52 III/III; Gallwitz 43; Glaser 52

Fünf Personen haben sich zu einer Abendgesellschaft eingefunden und unterhalten sich
miteinander oder lesen in einem von Lampenlicht erhellten Raum. Es gibt drei Zustände
dieses Druckes. Der erste, die reine Ätzung,
stellt die Ausgangskomposition dar. In den
nächsten zwei hat Beckmann nachgeätzt, ge-
glättet und Kaltnadelstriche hinzugefügt. Dadurch hat er den Schatten verstärkt, die Figuren klar umrissen und den Raum erweitert.
Gerade im dritten Zustand dominiert die Wirkung des Lampenlichts, das die Figuren und
den Raum erhellt und zugleich in Schatten
taucht.

219   Kleines Selbstbildnis 1913

Kaltnadel; 15,4 x 12,2 cm
Bez. u. r.: Beckmann 12
Berlin, Staatliche Museen Preußischer Kulturbesitz,
Kupferstichkabinett
VG 60 II/II; Gallwitz 35; Glaser 54

Das kleine und intime Selbstporträt offenbart
Beckmanns Fähigkeit, direkt in die Platte zu
zeichnen, als ob er auf dem Papier skizziere.
Er bezieht den durch die Kaltnadel entstandenen Grat in die Zeichnung ein und verleiht dadurch den Augen und dem Umfeld der rechten
Gesichtshälfte dramatische Schatten. Die Platte wurde im zweiten Zustand oben und unten
verkleinert (ursprünglich 25 x 20 cm), die Wirkung der Zeichnung somit gesteigert.

220   Millionenbrücke 1914

Kaltnadel; 16 x 21,8 cm
Bez. u. r.: Beckmann; u. l.: Millionenbrücke
(Handprobedruck)
München, Staatliche Graphische Sammlung
VG 68 Probedruck; Gallwitz 47; Glaser 63

Dieser früheste, eine Stadtlandschaft darstel-
lende Druck beschreibt die Swinemünder
Brücke in Berlin. Wegen der extrem hohen
Konstruktionskosten bürgerte sich im Berliner
Volksmund der Name ›Millionenbrücke‹ für
sie ein. Eng verwandt mit dem Gemälde *Blick
auf den Bahnhof Gesundbrunnen* von 1914
(Abb. S. 97), ist die Ansicht jedoch seitenver-

222 Selbstbildnis 1914
Kaltnadel; 24 x 17,8cm
Bez. u. r.: Beckmann
New York, The Museum of Modern Art, Gift of Paul
J. Sachs
VG 72 II/II Zustandsdruck; Gallwitz 51; Glaser 67

kehrt, und die Vordergrundsfiguren sind eliminiert. Die Himmelfahrtskirche, die sowohl auf
dem Blatt als auch dem Gemälde im Hintergrund zu sehen ist, wurde im Zweiten Weltkrieg zerstört. Die Station Gesundbrunnen lag
an der Strecke zwischen Berlin und dem Vor-
ort Hermsdorf, in dem Beckmann wohnte.

Obwohl der Druck niemals veröffentlicht
wurde und nur mehrere Probedrucke davon
bekannt sind, vermerkt Hofmaier eine Eintragung »Modelldruck 2 – Zustand« (Privatsammlung), die nach seiner Meinung bedeuten
könnte, daß Beckmann eine Edition in Erwägung zog.

221 Weinende Frau 1914
Kaltnadel; 24,8 x 19,7cm
Bez. u. l.: Beckmann 14; u. r.: Weihnachten 1915
Frankfurt a. M., Städtische Galerie im Städelschen
Kunstinstitut
VG 70 III/IV Zustandsdruck; Gallwitz 49; Glaser 65

In den späteren Zuständen der Radierung hat
Beckmann die kräftigen Kaltnadellinien in Gesicht und Hut der vorderen, im Hut der hinteren Figur und im Hintergrund links mit dem
Polierstahl entfernt. Das Hauptaugenmerk galt
der Bearbeitung der Gesichtszüge bei der Vor-
dergrundsfigur, deren Augen, Wangenkno-
chen und Kinn er drastisch veränderte. Hier
sind die Gesichtszüge der Frau feiner gezeichnet. Das Gesicht ist ovaler geworden und
weicht leicht in den Hintergrund zurück.

Ob die Tränen der Frau mit dem Ausbruch
des Ersten Weltkrieges zusammenhängen, ein
Thema, das Beckmann in einem anderen
Druck aus jenem Jahr (*Die Kriegserklärung*,
Kat. 224) behandelte, bleibt ungewiß. Die Frau
wird häufig als Frau Tube, Beckmanns erste
Schwiegermutter, identifiziert, deren Sohn
Martin im Oktober 1914 fiel (vgl. Kat. 223).

223 Bildnis des verwundeten Schwagers Martin Tube 1914

Lithographie ; 30,3 x 25,1 cm
Bez. u. l. : Probedruck ;
u. r. : Beckmann 14/3 Zustand
Hannover, Kunstmuseum Hannover mit Sammlung Sprengel
VG 74 III/VII Zustandsdruck ; Gallwitz 53 ; Glaser 69

Das Porträt vermittelt einen Eindruck der Zuneigung Beckmanns zu seinem Schwager, die sich nicht nur in der mitleidsvollen Darstellung, sondern auch in der Inschrift auf dem letzten Zustand der Lithographie manifestiert, die in vergrößertem Format, in ›Kriegszeit‹ (›Künstlerflugblätter‹, Nr. 11, 4. November 1914, S.4), einer von Paul Cassirer in Berlin herausgegebenen patriotischen Zeitschrift, veröffentlicht wurde. Dieses Blatt, das die Kriegsmoral stützen sollte und in der Zeit vom 31. August 1914 bis Ende März 1916 erschien, brachte kurze Texte, Gedichte und Illustrationen von Ernst Barlach, Käthe Kollwitz, Max Liebermann u. a.

Die Komposition bleibt bis zum sechsten Zustand im wesentlichen unverändert, in dem sie verkleinert und die Inschrift auf den Stein lithographiert wurde. Von diesem Zustand wurde eine kleine Auflage abgezogen. Im siebten und endgültigen Zustand ist die Komposition noch weiter verkleinert, und die gekürzte Inschrift erscheint in Schreibmaschinenschrift auf dem unteren Rand. Sie lautet : »Andenken an einen gefallenen Freund / Martin Tube, Hauptmann und Kompagniechef im Inf.Reg. Nr. 59 / Verwundet bei Tannenberg im August. Gefallen bei Iwangorod am 11. Oktober.«

224 Die Kriegserklärung 1914

Kaltnadel ; 20 x 24,9 cm
Bez. u. l. : Die Kriegserklärung (Probedruck) ;
u. r. : Beckmann
Privatbesitz
VG 76 III/III Zustandsdruck ; Gallwitz 57 ; Glaser 73

Die Komposition schildert die Reaktionen einer Menschengruppe auf Deutschlands Kriegserklärung. Sie reichen von Gleichgültigkeit über Neugierde bis hin zu Betroffenheit. Das Thema ist einer Gruppe von Skizzen verwandt, in denen Beckmann die Menschenmengen darstellt, die sich Anfang August 1914 in Erwartung des Kriegsbeschlusses der Regierung vor dem Kronprinzenpalais versammelten (von Wiese 169-175 ; 176-180).

225 Die Nacht 1914

Kaltnadel; 22,5 x 27,5 cm
Bez. u. r.: Beckmann 16; u. l.: 2 Zustand Die Nacht
In der Platte in Spiegelschrift bez. u. l.: Beckmann
19.4.16
New York, The Museum of Modern Art, Purchase
Fond
VG 75 III/v Zustandsdruck; Gallwitz 54; Glaser 70

Obwohl Todesszenen auch in Beckmanns früherem Werk vorkommen, stehen sie doch immer in einem biblischen oder mythologischen
Kontext. Die Nacht jedoch beschreibt ein Ereignis, das sich im Bereich des Alltagslebens,
in einem Bordell, abzuspielen scheint. Offensichtlich hat ein Kampf stattgefunden, denn
der Körper eines Toten ist halb vom Bett geglitten. Blut strömt aus einer Kopfwunde, und
in der Nähe des Körpers liegt ein Messer. Drei
Personen drängen sich um den Leichnam. Die
Personen könnten Zeugen eines Mordes gewesen sein; wahrscheinlicher ist jedoch, daß sie
aktiv daran beteiligt waren. Beckmann hat den
Druck sowohl ›Die Nacht‹ als auch ›Der

Mord‹ betitelt und damit nur den einen Anhaltspunkt geliefert.

In den endgültigen Zuständen erschien dieser Druck in dem 1918 von der Marées-Gesell-
schaft herausgegebenen Werk ›Shakespeare-
Visionen: Eine Huldigung deutscher Künstler‹, einer Mappe, die Drucke von 28 Künstlern enthielt. Ob *Die Nacht* sich auf eine bestimmte Szene aus Shakespeares Werk bezieht,
ist nicht klar.

Bei einer Überarbeitung der Komposition
nahm Beckmann wichtige Veränderungen vom
zweiten zum dritten Zustand (der erste ist nicht
bekannt) vor. So zog er u. a. die Umrisse einiger Figuren und Details nach und fügte auf
der rechten Seite eine zweite weibliche Figur
hinzu.

Man hat vermutet, daß *Die Nacht* auf ein
Erlebnis zurückgeht, das Beckmann 1912 während eines Aufenthalts in Hamburg hatte, wo
er sich häufig in Hafenkneipen aufhielt. Der
Druck entstand zwar zwei Jahre nach Beckmanns Besuch, es gibt jedoch zwei Zeichnungen aus dieser Periode, die die ursprüngliche

Bildidee erkennen lassen (von Wiese 101,
102). Darüber hinaus wurden 1912 zwei Druk-
ke mit Szenen aus dem Hamburger Prostitu-
ierten-Milieu vollendet (VG 37, 50).

Von Wiese (S. 154-158) verweist auf zwei
Graphiken, die als Vorlagen für Beckmanns
Komposition gedient haben dürften. Die erste
ist Honoré Daumiers berühmte Lithographie
›Rue Transnonain‹ aus dem Jahre 1834. Sie
zeigt eine Innenraum-Szene mit Toten, Opfern
einer nächtlichen Mordtat. Die zweite ist William Hogarths ›The Idle Prentice betray'd by
his Whore and taken in a Night Cellar with his
Accomplice‹ aus dem Jahre 1747.

226 Musterung 1914

Kaltnadel; 29,6 x 23,7 cm
Bez. u. l.: Berlin Die Musterung; u. r.: Beckmann 14
New York, Privatsammlung
VG 77 III/III Zustandsdruck; Gallwitz 58; Glaser 74

Beckmann stellt frisch rekrutierte Soldaten
bei der ärztlichen Musterung dar, ein Thema,
das er in einer Zeichnung mit dem Titel *Musterung II,* 1944, noch einmal aufgriff. Während
das Blatt von 1914 die Szene mitleids- und würdevoll darstellt, verhöhnt die spätere Zeichnung den Vorgang, der die Alten und Schwachen der Erniedrigung einer Zwangsaushe-
bung aussetzt. Überraschend in der frühen Variante des Themas ist die kritische Haltung, die
der immer wieder zitierten Kriegsbegeisterung
des Künstlers widerspricht. Sich selbst stellt
Beckmann als zynischen, aber auch betroffenen Beobachter in der Mitte dar.

Die Granate, 3. Zustand

Die Granate, 4. Zustand

228 Die Granate 1914

Kaltnadel; 38,6 x 28,9 cm
Bez. u. l.: Die Granate (3. Zustand);
u. r.: Beckmann 15
Frankfurt a. M., Städtische Galerie im Städelschen
Kunstinstitut
VG 78 III/IV Probedruck; Gallwitz 62; Glaser 78

Eine Granate explodiert zwischen Soldaten: die zerstörerische Wirkung dieses Ereignisses vermittelt Beckmann eindringlich anhand der bildnerischen Mittel. Die ausstrahlende Lichterscheinung der zerplatzenden Kugel öffnet gewaltsam die dicht gefügte Komposition. Der entsetzt wegspringende Soldat verliert seine Körperlichkeit und wird transparent. Diese Verwandlung betrifft in weniger ausgeprägter Form alle Figuren: Durch den nervösen Strich werden ihre Umrisse und Volumen aufgelöst. Das Auseinanderstreben der Komposition vergegenwärtigt unmittelbar das Chaotische des Geschehens, dem die Figuren, auch die kämpfenden, sinnlos ausgeliefert sind.

Die Vergleichsabbildung aus dem Besitz von Perry T. Rathbone (rechts) zeigt den vierten Zustand.

◁ 227 Das Leichenhaus 1915

Kaltnadel; 25,9 x 35,9 cm
Bez. u. l.: 2 Zustand Das Leichenhaus;
u. r.: Beckmann 15
Frankfurt a. M., Städtische Galerie im Städelschen
Kunstinstitut
VG 81 II/IV Probedruck; Gallwitz 59; Glaser 75

Beckmanns Erlebnisse als Sanitäter spiegeln sich in diesem Blatt, das nüchtern analysierend die Situation in einem Leichenhaus aufzeichnet. Die mittlere Figur nimmt das von Mantegna geprägte Motiv des toten Christus in veränderter Form auf: Durch die steile Aufsicht und die Abdeckung des Kopfes wird der Tod des Individuums zum anonymen, armseligen Ereignis, fern jeder heroischen Sicht. Auffällig ist die an traditionelle Schmerzensmanndarstellungen erinnernde offen dargebotene Handfläche – eine Geste, die Beckmann häufiger, so auch bei einem eigenen Bildnis (Kat. 31) einsetzte. Beckmann wiederholte diese Komposition in einem Holzschnitt mit dem Titel *Totenhaus,* 1922 (Kat. 286). Darüber hinaus gibt es zwei verwandte Zeichnungen, die Studien für die Figuren links und im Zentrum zu sein scheinen (von Wiese 285 und 296).

Kaltnadel; 26 x 32 cm
Bez. u. l.: Gesellschaft 1915 (Probedruck);
u. r.: Beckmann 15
Privatbesitz
VG 84 III/IV Zustandsdruck; Gallwitz 63; Glaser 79

Der Druck zeigt eine Abendgesellschaft bei den Battenbergs. Von links nach rechts sehen wir Klara, das Dienstmädchen der Battenbergs, Major von Braunbehrens, Lilis Vater, Fridel Battenberg, Lili von Braunbehrens, die dem Betrachter den Rücken zuwendet, Ugi Battenberg und Wanda von Braunbehrens, Lilis Mutter. Die Battenbergs kommen in Beckmanns Werk häufig vor. Die Schriftstellerin Lili von Braunbehrens arbeitete mit Beckmann zusammen an der Mappe *Stadtnacht,* 1920 (Kat. 258, 259). Ihr Vater war Präsident der Einberufungskommission, und seinem Einfluß verdankte Beckmann seine frühe Entlassung als Freiwilliger aus dem medizinischen Corps. Auch Klara taucht in Beckmanns Werk nochmals auf (Göpel 192, VG 84, 116). Beckmann malt im selben Jahr *Gesellschaft III, Battenbergs* (Göpel 188, Abb. S. 56).

230 Liebespaar I 1916,
Blatt 4 der Mappe › Gesichter ‹
Kaltnadel; 23,8 x 30 cm
Bez. u. l.: Im Bordell; u. r.: Beckmann 17
New York, Privatsammlung
VG 86 III/III Zustandsdruck; Gallwitz 65; Glaser 81

Die Mappe *Gesichter,* 1919 veröffentlicht, enthält 19 Kaltnadelradierungen, die in den Jahren von etwa 1915 bis 1918 angefertigt wurden. Die Drucke waren zwar nicht chronologisch angelegt, die Sequenz hätte jedoch eine Bildgeschichte ergeben können (Vogler 1973, S. 18-20, 33; dargestellt in der Sequenz S. 34-52).

Liebespaar I, manchmal › Im Bordell ‹ genannt, zeigt ein nacktes, wie leblos schlafendes Paar im Bett. Eine wichtige Funktion nimmt das Tigerfell ein, denn der Tigerkopf, der leicht erhoben ist und dem Betrachter die Zähne zeigt, scheint das einzige Anzeichen von Leben zu sein. Vielleicht benutzte Beckmann das Tigerfell als Symbol für animalische Lust und für das Unbefriedigende käuflicher Liebe (Vogler 1973, S. 19). Beckmann nahm das Thema mehrfach auf, wie in den Drucken *Liebespaar,* 1916 (VG 99) und *Liebespaar II,* 1918 (VG 124).

Im Technischen weist die Ausführung Ähnlichkeit auf mit den Blättern *Die Nacht, Musterung* und *Gesellschaft* (Kat. 225, 226, 229). In allen Fällen trägt die Druckplatte Spuren früherer Kompositionen, durch die die Oberfläche wie zerkratzt wirkt. Beckmann benutzt die gleichen unruhigen, nervös-flüchtigen Striche, um seine Komposition festzuhalten.

231 Theater 1916,

Blatt 8 der Mappe › Gesichter ‹

Kaltnadel; 13,1 x 18,1 cm
Bez. u. l.: Theater (2. Zustand) Handdruck;
u. r.: Beckmann 16
Frankfurt a. M., Städtische Galerie im Städelschen
Kunstinstitut
VG 87 II/III Probedruck; Gallwitz 66; Glaser 83

Beckmann hat in diesem Blatt eine Szene aus
Giuseppe Verdis Oper › Rigoletto ‹ dargestellt:
Wir sehen Rigoletto, den Hofnarren des Herzogs von Mantua, und seine Tochter Gilda, die
sich, entgegen den Wünschen ihres Vaters, in
den Herzog verliebt hat. Die Darstellung der
Szene erzeugt die Illusion, als säßen wir im
Zuschauerraum direkt unterhalb der Bühne.
Die Gesichter sind von unten drastisch beleuchtet, wodurch ihr Ausdruck gesteigert und
verzerrt wird. Im Hintergrund ist die teilweise
verdeckte Figur des Dirigenten zu sehen, der
eine starke Ähnlichkeit mit Beckmanns
Freund Ugi Battenberg hat.

232 Der Abend
(Selbstbildnis mit Battenbergs) 1916,

Blatt 10 der Mappe › Gesichter ‹

Kaltnadel; 24 x 17,9 cm
Bez. u. l.: Der Abend (Probedruck);
u. r.: Beckmann /16
Zürich, Kunsthaus
VG 88 II/IV Probedruck; Gallwitz 67; Glaser 84

Wahrscheinlich verbrachte Beckmann viele
Abende wie den hier dargestellten bei den Battenbergs in der zwanglosen Gesellschaft von
Freunden. In dem engen von oben gesehenen
Raum sind die Figuren von Fridel und Ugi Battenberg, Max Beckmann und ganz rechts einer
Person, die aussieht wie Walter Carl, Fridel
Battenbergs Bruder, zu einer dichten Gemeinschaft zusammengedrängt (vgl. Göpel 199).

233   Selbstbildnis mit Griffel 1916 (?),
Blatt 19 der Mappe › Gesichter ‹
Kaltnadel; 29,6 x 23,6cm
Bez. u. l.: Probedruck; u. r.: Beckmann
Hannover, Kunstmuseum Hannover mit Sammlung
Sprengel
VG 103 III/III Zustandsdruck; Gallwitz 82; Glaser 82

Beckmann baute das Porträt aus langen parallelen Strichen und Partien mit Kreuzschraffuren auf, wodurch er den Eindruck vibrierender
Energie und Bewegung, aber auch den visionä-
rer Intensität erreichte. Der Künstler ist mit
einem Radierstift in der Hand dargestellt, im
Begriff, eine Platte zu bearbeiten. Die im Hintergrund angedeuteten Schattenmuster lassen
an einen Abend bei Lampenlicht denken. Dieser Druck ist Blatt 19 der Mappe *Gesichter* und
nicht, wie Gallwitz angibt, Blatt 1.

◁ 234 Selbstbildnis mit aufgestützter
Wange 1916

Kaltnadel mit Bleistiftergänzungen; 17,8 x 12,1 cm
Bez. u. l.: Selbstportrait (Handdruck)/3 Exemplare;
u. r.: Beckmann 16
New York, Privatsammlung
VG 98 II/II Probedruck; Gallwitz 77; Glaser 105a

Es handelt sich um ein unveröffentlichtes
Selbstporträt, von dem nur vier Abzüge bekannt sind. Bleistiftergänzungen finden sich
am rechten Auge und entlang der rechten
Wange und sind mit einer dünnen Auflage des
Plattentons gedruckt. Anders als in den meisten Selbstporträts Beckmanns ist das Gesicht
nicht dem Betrachter zugewandt. Wir sehen
ihn vielmehr im Dreiviertelprofil, den Kopf auf
die rechte Hand aufstützend, was ihm ein Flair
entspannter Weltläufigkeit verleiht, das an
Porträts von Lovis Corinth und Max Liebermann erinnert. Im Vergleich zu dem Selbstporträt 1914 (Kat. 222) sind die Linien fließender
und die Kreuzschraffuren reduzierter. Die Radierung ist dem Selbstporträt von 1913
(Kat. 219) insofern verwandt, als Beckmann
den Grat des Radierstrichs in die Komposition
integriert.

◁ 235 Der Raucher (Selbstbildnis) 1916

Kaltnadel; 17,5 x 12,5 cm
Bez. u. l.: Der Raucher (Probedruck);
u. r.: Beckmann 16
Frankfurt a. M., Heinz Friedrichs
VG 96 II/III Probedruck; Gallwitz 81; Glaser 92

Die im selben Jahr wie *Selbstbildnis mit aufgestützter Wange* (Kat. 234) entstandene Radierung zeigt trotz Nahsicht den still in sich versunkenen Beckmann. Die vor dem Gesicht
aufsteigenden Rauchringe vermitteln die Situation der inneren Abwesenheit, eine Situation,
in der die elegante Geste der Hand ein beton-
tes Eigenleben führt.

236 Adam und Eva 1917

Kaltnadel; 23,7 x 17,5 cm
Bez. u. r.: Beckmann
New York, Privatsammlung
VG 108 III/III; Gallwitz 88; Glaser 100

Unter den verschiedenen Darstellungen zu diesem Thema stehen der Druck und das Gemälde (Kat. 16) von 1917 einander nahe: Die Figuren sind seitenverkehrt angeordnet, und in beiden Fällen ersetzt Beckmann den Apfel, das
traditionelle Motiv des Sündenfalls: Eva bietet
Adam ihre Brust dar.

Auf dem Druck ist der Hintergrund verdunkelt, so daß die drohende Schlange, die sich
um den Baum zwischen den beiden Figuren
ringelt, der einzige erkennbare Hinweis auf
den Garten Eden ist. Beckmann hat die Figuren in den unmittelbaren Vordergrund gerückt
und durch den sehr flachen, beengten Raum
eine suggestive Wirkung erreicht.

237 Bildnis Mink 1917

Lithographie; 24,5 x 24,1 cm
Bez. u. r.: Beckmann; am unteren Rand notiert:
Existieren nur 3 Exemplare
Privatbesitz
VG 119 II/II Probedruck; Gallwitz 20; nicht bei
Glaser

Minna Beckmann-Tube erscheint oft im Werk
ihres Mannes. Diese Lithographie wurde zunächst von Gallwitz auf 1911 datiert, neuerdings jedoch von Hofmaier aufgrund der stilistischen Ähnlichkeit mit dem Bildnis Peter
(Kat. 240) dem wahrscheinlicheren Datum
1917 zugeordnet. In beiden Fällen handelt es
sich um private und bewegende Porträts von
Menschen, die Beckmann nahestanden. Vermutlich waren beide Blätter nie zur Veröffent-
lichung bestimmt, da sie nur in wenigen Exemplaren existieren. Als Beckmanns erste Lithographien seit 1914 kündigen sie den Gebrauch
eines Mediums an, das er wiederholt einsetzte;
einzigartig im Werk bleibt jedoch die malerische Qualität, die sich in dem breitgeführten
Strich ausdrückt.

238 Selbstbildnis von vorn,
im Hintergrund Hausgiebel 1918

Kaltnadel; 30,5 x 25,6 cm
Bez. u. r.: Beckmann
Berlin, Staatliche Museen Preußischer Kulturbesitz,
Kupferstichkabinett
VG 123 IV/IV; Gallwitz 96; Glaser 106

Neben dem hier gezeigten vollendete Beckmann 1918 noch ein weiteres radiertes Selbstbildnis. In beiden erscheint er als depressiver
Mensch, der den Betrachter eindringlich und
starr ansieht. Gallwitz führt fälschlicherweise
diesen und einen weiteren Druck (VG 135) als
Blatt Nr. XIX der *Gesichter*-Mappe auf; tatsächlich handelt es sich jedoch bei dem Blatt
Nr. XIX um *Selbstbildnis mit Griffel* (Kat. 233).

239 Familienszene
(Familie Beckmann) 1918,

Blatt 2 der Mappe › Gesichter ‹

Kaltnadel; 30,6 x 25,9 cm
Bez. u. l.: Familienszene (Probedruck)/
Musterdruck; u. r.: Beckmann 18
Privatbesitz
VG 125 II/II Zustandsdruck; Gallwitz 98; Glaser 108

Das Familienporträt zeigt Beckmann mit Frau,
Sohn und Schwiegermutter. Es berührt selt-
sam, ist jedoch für den Künstler charakteristisch, daß in der Darstellung von Menschen,
die ihm am nächsten standen, keine Figur
Blickkontakt zu einer anderen aufnimmt. Frau
Tube und Peter sehen in die Ferne, Minna
Beckmann schaut auf ein Buch und Beckmann
selbst, der sich im Hintergrund aus einem Fenster lehnt, hat die Augen geschlossen. Die
Komposition ist auf engem Raum zusammengedrängt. Ein Balkon, der Aussicht auf eine
Stadtstraße gewährt, bildet den Rahmen der
Szenerie, die in einem früheren Druckzustand
ein Interieur gewesen sein könnte. Die Komposition ist der des Blattes *Die Gähnenden,*
1918 (Kat. 244), ebenfalls aus der Mappe *Gesichter,* nicht unähnlich.

240 Bildnis Peter 1917

Lithographie; 24,3 x 33,2 cm
Bez. u. r.: Beckmann
Hannover, Kunstmuseum Hannover mit Sammlung
Sprengel
VG 120 I/II Probedruck; Gallwitz 110; nicht bei
Glaser

Das Porträt von Beckmanns Sohn Peter, 1908
in Berlin geboren, nimmt zusammen mit dem
seiner Frau Minna (Kat. 237), dem es in der
Ausführung gleicht, innerhalb der Druckgraphik eine Sonderstellung ein. Die Gestaltung
erinnert an Munch, Klimt und Schiele, besonders in der Sorgfalt, mit der Gesicht und Hände dargestellt sind, während der Rest des Körpers nur in Umrissen skizziert ist.

241 Kleine Stadtansicht 1917

Kaltnadel; 15,7 x 20,2 cm
Bez. u. l.: Stadtansicht (Handdruck);
u. r.: Beckmann 17
R. E. Lewis, Inc.
VG 117 Probedruck; Gallwitz 92; Glaser 104

Die Radierung zeigt den Dom und den Main
mit dem Eisernen Steg, der auch in dem Gemälde *Der Eiserne Steg* (Kat. 30) und einem
mit diesem verwandten Druck (VG 242) dargestellt ist. Der Aussichtspunkt auf der unteren
Mainbrücke stimmt weitgehend mit dem eines
späteren Gemäldes, nämlich *Eisgang,* 1923
(Göpel 224), und einer verwandten Radierung
Stadtansicht mit Eisernem Steg, 1923 (VG 286),
überein. Beckmann muß die Komposition unmittelbar auf die Platte gezeichnet haben, da
die Ansicht im Druck seitenverkehrt erscheint.
Der Druck wurde wahrscheinlich nicht veröffentlicht und ist nur in zwei weiteren Abzügen
bekannt.

242 Mainlandschaft 1918,

Blatt 6 der Mappe › Gesichter ‹

Kaltnadel mit Bleistiftergänzungen; 25,1 x 30 cm
Bez. u. l.: Mainlandschaft (Handprobedruck zweiter
Zustand); u. r.: Beckmann 18
St. Louis, Fielding Lewis Holmes
VG 126 II/IV Probedruck; Gallwitz 99;
Glaser 109

Die Radierung zeigt den Blick von der Untermainbrücke in Richtung Sachsenhausen und
damit die Gegend Frankfurts, in der Beckmann wohnte. Oben rechts ist die Kuppel des
Städel-Museums zu sehen, im Hintergrund die
Friedensbrücke. Die Untermainbrücke mündet in die Schweizer Straße, wo sich im Haus
Nr. 3 Beckmanns Studio befand. Beckmann
zeichnete direkt auf die Platte, so daß die Szene seitenverkehrt erscheint. Spontan skizzierende Striche, die die fließende, wirbelnde Bewegung des Gewässers andeuten, wiederholen
sich in der Darstellung des bewölkten Himmels. Obwohl der Panoramablick auf den Main
und seine geschäftigen Ufer relativ unbelebt
ist, bestimmen Vitalität und Lebenskraft die
Situation.
   Es existieren zwei vorbereitende Zeichnungen mit dem Titel *Mainlandschaft I*, 1918
(Kat. 153) und *Mainlandschaft II*, 1918 (von
Wiese 409), von denen die erste, die detaillier-
ter in der Ausführung ist, einen breiteren Ausschnitt als die zweite wählt und möglicherweise

an Ort und Stelle ausgeführt wurde. Die zweite
Zeichnung zeigt einen enger zusammengedrängten Raum, geht in der Ausführung weniger in die Einzelheiten, bringt jedoch mehr gegenständliche Motive, die dann auch in den
Druck übernommen werden.

243 Landschaft mit Ballon 1918,

Blatt 14 der Mappe › Gesichter ‹

Kaltnadel; 23,3 x 29,5 cm
Bez. u. r.: Beckmann
Privatbesitz
VG 132 II/II; Gallwitz 105; Glaser 115

In der *Gesichter*-Mappe folgt die *Landschaft
mit Ballon* unmittelbar auf die Darstellungen
Kreuzabnahme, 1918, *Auferstehung*, 1918
(Kat. 246), und *Frühling*, 1918. Man hat vermutet, daß *Frühling* die Frühlingsfeier des
Osterfestes darstelle und *Landschaft mit Ballon* Christi Himmelfahrt symbolisch veran-
schauliche (Vogler 1973, S. 20). Obwohl diese
beiden Blätter auch anders interpretiert werden können, bleiben die Ähnlichkeiten und
Wiederholungen der kreuzförmigen Bäume
und der lanzenähnlichen Fahnenstangen auffallend und deuten auf eine inhaltliche Beziehung zwischen den Darstellungen hin. Bei dem
Druck handelt es sich um die seitenverkehrte
Wiederholung des Gemäldes *Landschaft mit
Luftballon*, 1917 (Göpel 195). Göpel vermutet,
daß die dargestellte Straße die Darmstädter
Landstraße im Stadtteil Sachsenhausen ist, der
gegen Ende des Ersten Weltkrieges einen
Flughafen für Flugzeuge und Ballons besaß.
Beckmann hat der Radierung das Sonne- und
Mond-Element sowie die Fahnenstangen, die
aus den Häuserfassaden herausragen, hinzuge-
fügt.

244　Die Gähnenden 1918,

Blatt 7 der Mappe › Gesichter‹

Kaltnadel; 30,8 x 25,5 cm
Bez. u. l.: Die Gähnenden (Probedruck) gehört mir;
u. r.: Beckmann 18
Zürich, Kunsthaus
VG 127 v/v Zustandsdruck; Gallwitz 100;
Glaser 110

Der Künstler porträtiert hier sich selbst und seine Freunde, gelangweilt von der Welt, der Gesellschaft und dem Leben. Beckmann erscheint in der Mitte oben, neben ihm Ugi Battenberg, der die Augen geschlossen hat und seine Nase berührt, unter ihm vermutlich Fridel Battenberg. Sogar deren Katze wird von dieser › gähnenden‹ Langeweile ergriffen, die nur das Dienstmädchen nicht teilt, das eifrig ein Tablett mit Karaffe und Gläsern hereinträgt.

Die Komposition gleicht jener von *Der Abend,* 1916 (Kat. 232), und *Familienszene,* 1918 (Kat. 239), von Blättern, in denen ein eng zusammengepreßter Raum ohne jede Andeutung von Perspektive und mit nur sparsamer Skizzierung einer Inneneinrichtung dargestellt ist. Da die Augen der wichtigen Figuren geschlossen sind, konzentriert sich Beckmanns Aufmerksamkeit auf die Gestaltung der Hände, die in der Komposition ein verbindendes Element bilden.

245　Theaterloge 1918

Kaltnadel; 29,8 x 24 cm
Bez. u. l.: Theater (Probehanddruck); u. r.:
Beckmann 18; u. M. in Spiegelschrift: An Frau Tube
(in der Platte) Mr. and Mrs. Paul L. McCormick
VG 136 II/II Zustandsdruck; Gallwitz 109;
Glaser 118

Über die Schulter von Minna Beckmann-Tube, die in einer Theaterloge sitzt, beugt sich eine nicht identifizierte männliche Figur, die Ähnlichkeit mit einer Figur in *Christus und die Sünderin,* 1917 (Kat. 18), aufweist. Die Wahl des Ortes mag indirekt auf Minnas Verbindung zu Oper und Bühne anspielen. Beckmann hat sich hier ganz auf die Frau konzentriert und die Komposition so beschnitten, daß sie betont die Loge zeigt. Die Enge des Raumes wird dadurch aufgelockert, daß Minnas linker Ellbogen auf der Balustrade ruht und den Rand der Komposition durchbricht.

246 Auferstehung 1918,
Blatt 12 der Mappe › Gesichter ‹
Kaltnadel; 24 x 33,2 cm
Bez. u. l.: Probedruck; u. r.: Beckmann
New York, Privatsammlung
VG 130 III / III Zustandsdruck; Gallwitz 103;
Glaser 113

Die Radierung steht in direkter Beziehung zu
Beckmanns Gemälde *Auferstehung* (Abb.
S. 85), das 1916 angefangen wurde und unvollendet blieb. Sie gibt das Gemälde seitenverkehrt wieder und weist Ergänzungen auf, die
dort nicht mehr aufgenommen wurden. Es existieren drei verwandte Zeichnungen: Zwei
Studien von 1914 (von Wiese 204, 205) spiegeln wahrscheinlich Beckmanns ursprüngliche
Bildidee. Die dritte Zeichnung von 1918 (von
Wiese 390) zeigt eine viel größere Ähnlichkeit
mit dem Gemälde, enthält jedoch Details, die
weder dort noch im Druck erscheinen.

Zwei Drucke aus *Die Fürstin* (VG 110, 113)
wiederholen Details aus dem Gemälde *Auferstehung*. Der erste zeigt die waagerecht schwebende erlöste Seele seitenverkehrt zu deren
Position auf der Zeichnung von 1918 und dem
Gemälde. Der zweite zeigt Beckmann, seine
Frau Minna und zwei weitere nicht identifizierte Figuren.

247

247-257 Die Hölle 1919

Lithographien auf Umdruckpapier
Jedes Blatt ist vom Künstler am unteren Rand
signiert, numeriert und betitelt
Privatbesitz
VG 137-147; Gallwitz 113-123; Glaser 121-131

247 Titelblatt – Selbstbildnis, 37,1 x 27cm
248 Blatt 1 – Der Nachhauseweg,
              73,3 x 48,8cm
249 Blatt 2 – Die Straße, 67,3 x 53,5cm
250 Blatt 3 – Das Martyrium, 54,5 x 75cm
251 Blatt 4 – Der Hunger, 62 x 49,8cm
252 Blatt 5 – Die Ideologen, 71,3 x 50,6cm
253 Blatt 6 – Die Nacht, 55,6 x 70,3cm
254 Blatt 7 – Malepartus, 69 x 42,2cm
255 Blatt 8 – Das patriotische Lied,
              77,5 x 54,5cm
256 Blatt 9 – Die Letzten, 75,8 x 46cm
257 Blatt 10 – Die Familie, 76 x 46,5cm

Die Mappe *Die Hölle* nimmt wie das Gemälde
Die Nacht (Kat. 19) die soziale, wirtschaftliche
und politische Situation im Nachkriegsdeutschland zum Anlaß, um eine Metapher für den
Widersinn des Lebens zu geben. Betroffenheit
ist die Grundstimmung dieser Szenenfolge, die
mit dem entsetzten und visionären Blick des
Künstlers eingeleitet wird (Titelblatt). Die
Hölle findet auf der Straße und in den Häusern
statt. Verwundete Veteranen bringen die
schreckliche Realität des Krieges in das nächtliche Stadtbild ein. Beckmanns Frage nach
dem Weg ist wohl auch im übertragenen Sinn

248

249

250

252

253

254

255

gemeint (Blatt 1). Mord und Totschlag vor den Augen gleichgültiger und hämischer Bürger: Die beiden Blätter *Die Straße* und *Das Martyrium* beziehen sich auf die Folgen der Novemberrevolution, so die Ermordung der Rosa Luxemburg (Blatt 3), wobei dieser politische Mord von Beckmann hier religiös überhöht wird. Die Gestalt der Frau nimmt die traditionelle Bildform des Gekreuzigten auf. Elend und Grausamkeit brechen auch in den Privatbereich ein: Hunger vermittelt sich bei der um einen Tisch sitzenden Familie nicht nur in der Kärglichkeit der Mahlzeit und des Raumes, sondern auch in der sperrigen, bewußt auf Schönlinigkeit verzichtenden Bildstruktur (Blatt 4); die Lithographie *Die Nacht*, die das Gemälde von 1918/19 in den wesentlichen Zügen wiederholt, behandelt das Thema einer Opfer und Täter gleichermaßen prägenden Sinnlosigkeit und Brutalität (Blatt 6). Die Blätter *Die Ideologen, Malepartus, Das patriotische Lied* und *Die Letzten* repräsentieren unterschiedliche Formen der Selbstbetäubung und Verblendung, sei es in Fanatismus, Ekstase oder dumpfem Patriotismus. Die Serie schließt mit dem Blatt *Die Familie*, in dem ein Nebeneinander von kindlich-naivem Kriegsspiel, Betroffenheit des Erfahrenen und besänftigendem, schützendem Ausgleich gefaßt ist. (Zum biographischen Hintergrund der Szene siehe Peter Beckmanns Beitrag in diesem Katalog.)

Für folgende sieben Blätter existieren Originalzeichnungen auf Umdruckpapier: *Die Straße, Das Martyrium* (Kat. 158), *Die Ideologen* (von Wiese 413), *Malepartus* (von Wiese 414), *Das patriotische Lied* (von Wiese 415), *Die Letzten* (von Wiese 416) und *Die Familie* (von Wiese 417). Für *Die Letzten* gibt es außerdem eine Alternativzeichnung (von Wiese 418). *Die Nacht* ist, abgesehen von einigen Änderungen, nach dem gleichnamigen Gemälde gezeichnet, das 1919 vollendet wurde (Kat. 19). Die Figur der Frau Tube in *Die Familie* hat starke Ähnlichkeit mit dem *Bildnis Frau Tube*, einem Gemälde aus dem Jahre 1919 (Göpel 201). Das Porträt Peter Beckmanns auf diesem Blatt gleicht dessen Darstellung in *Peter mit Handgranate*, 1919, einer Zeichnung, die ursprünglich als Druck katalogisiert war (Gallwitz 128, Abb. S. 12).

256

257

258 Trinklied 1920,

Blatt 1 aus › Stadtnacht ‹

Lithographie auf Umdruckpapier ; 19 x 16,7cm
Bez. u. l. : Probedruck zur Stadtnacht ;
u. r. : Beckmann 20
New York, Privatsammlung
VG 163 II/III Probedruck ; Gallwitz 136 ; Glaser 142

◁ 259 Stadtnacht 1920,
Blatt 2 aus › Stadtnacht ‹
Lithographie auf Umdruckpapier; 19 x 15,3 cm
Bez. u. l.: Probedruck zur Stadtnacht;
u. r.: Beckmann
New York, Privatsammlung
VG 164 I/II; Probedruck; Gallwitz 137;
Glaser 143

Beide Drucke gehören zu einer Mappe von
sechs Lithographien mit einer Titelseite, die als
Illustrationen zu den expressionistischen Gedichten von Lili von Braunbehrens geschaffen
wurden. Die Gedichte beschreiben das zeitgenössische Leben in Frankfurt und konzentrieren sich dabei auf das Milieu der unteren Klassen. Beckmanns Darstellungen lehnen sich eng
an Lili von Braunbehrens Gedichttexte an.

Im *Trinklied* sitzen vier den abstoßenden
Bürgertypen des George Grosz verwandte
Männer bei abendlichem Gelage um einen
Tisch. Ein fünfter ist schon zusammengebro-
chen, von ihm sind nur noch die hoch in die
Luft ragenden Füße zu sehen. Der um die
Komposition gezogene Rahmen verstärkt visuell den Eindruck der Beengtheit und der sinnlosen Völlerei. *Stadtnacht* stellt eine Bordellszene dar. Bei beiden Blättern verstärkt die
kompositionelle Anordnung, die das Gefühl
von Eingeschlossensein und Enge vermittelt,
die unerklärliche bedrohliche Stimmung der
grotesken Szenerien.

◁ 260 Weihnachten 1919
Kaltnadel; 17,7 x 23,7 cm
Bez. u. r.: Beckmann; in der Platte in Spiegelschrift
bez. u. M.: Weihnachten / 1919
Privatbesitz
VG 153 II/II; Gallwitz 126; Glaser 134

Dieser sowie der Druck *Großes Selbstbildnis*
(Kat. 261) sind wahrscheinlich in Berlin entstanden, wo Beckmann seine Familie möglicherweise während der Feiertage besuchte.
Weihnachten setzt Beckmanns Caféhaus-Dar-
stellungen fort und erinnert an die frühere
Lithographie *Admiralscafé,* 1911 (Kat. 217).
Aber in den dazwischenliegenden Jahren haben sich Technik und Ausdrucksmittel wesentlich verändert. Während die Räume in dem
früheren Werk klar umgrenzt und die Figuren
in traditionellerer Weise gestaltet sind, erscheint der Raum hier perspektivisch verkürzt
und zusammengedrängt, sind die Figuren eckig
und verzerrt skizziert. Hauptfigur ist ein blinder Krüppel am Stock. Tastend und bettelnd
steht der Mann, wohl ein Kriegsinvalide, in
dem Restaurant, in dem nur die Neureichen zu
Gast sind.

Das Blatt zeigt noch Spuren einer Überarbeitung der Platte. Besonders an den Händen
des Blinden ist die Veränderung auffallend und
vermittelt den Eindruck von Bewegung, der
die hilflose Haltung des Invaliden optisch unterstreicht.

261 Großes Selbstbildnis 1919
Kaltnadel; 23,7 x 19,7 cm
Bez. u. l.: Selbstportrait Weihnachten 1919 Berlin /
(Probedruck); u. r.: Beckmann der / kleinen Pumi
Frankfurt a. M. / 16. 1. 20; in der Platte in Spiegelschrift
bez. u. r.: Weihnachten / 1919 Berlin / B.
Frankfurt a. M., Städtische Galerie im Städelschen
Kunstinstitut
VG 151 Zustandsdruck; Gallwitz 124; Glaser 132

In diesem Selbstbildnis schaut Beckmann den
Betrachter fragend an. Die Wirkung des Bildes
geht nicht nur von dem durchdringenden Blick
aus; sie wird noch verstärkt durch die extrem
perspektivische Verkürzung. Der Kopf füllt
fast das ganze Blatt aus. Harte, breite Kaltnadellinien markieren den Umriß der Form und
die Gesichtszüge dieses dramatischen und
grüblerischen Porträts.

262   Selbstbildnis 1920
Kaltnadel; 19,6 x 14,6cm
Bez. u. l. : Selbstportrait 20 (Probedruck);
u. r. : Beckmann
New York, Privatsammlung
VG 170 II/II Zustandsdruck; Gallwitz 144;
Glaser 150

Vergleichbar dem *Großen Selbstbildnis* von
1919 (Kat. 261) rückt Beckmann sich in dichte-
ste Nähe zum Betrachter. Die psychische Situation ist jedoch eine andere, denn er verschließt sich nun in Blick und Haltung, die Augen auf ein nur ihm erkennbares Ziel gerichtet.

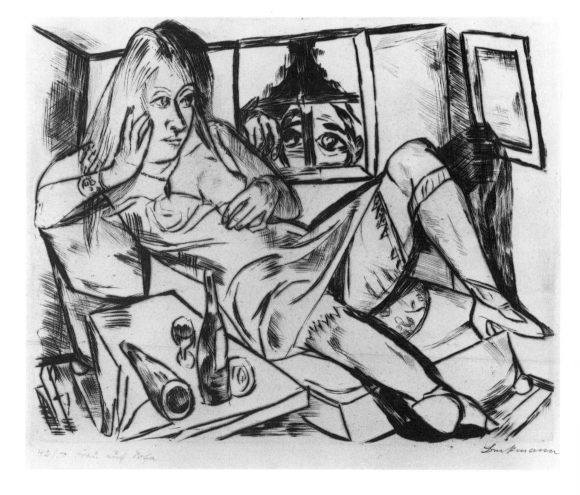

264

265

263 Frau in der Nacht 1920

Kaltnadel; 24,7 x 31,9 cm
Bez. u. l.: 42/50 Frau auf Sofa; u. r.: Beckmann
Portland, Portland Art Museum, The Vivian and
Gordon Gilkey Graphic Arts Collection
VG 173 II/II; Gallwitz 147; Glaser 153

Bei der bedrängenden Szene *Frau in der Nacht*
könnte es sich um eine Bordellszene wie auch
um eine Traumvision handeln: Eine Frau liegt
mit weit geöffnetem Kleid und gespreizten Beinen auf einem Sofa, auf dem Tisch zwei Wein-
flaschen und zwei Gläser, im Hintergrund ein
Mann mit gierigem Blick, der an die Scheibe
klopft, und Schatten, die eine schwüle und
gleichzeitig unheimliche Atmosphäre schaffen.
Das relativ kleine Blatt wird formal von der
Frau bestimmt, die damit gleichzeitig das Geschehen inhaltlich beherrscht. Beckmann hat
das Motiv in abgewandelter Form in zwei
späteren Drucken wiederholt; in *Verführung*,
1923, und in *Siesta*, 1923 (VG 279).

264 Frau mit Kerze 1920

Holzschnitt; 30,3 x 15,3 cm
Bez. u. l.: Probedruck; u. r.: Beckmann
Privatbesitz
VG 169 I/III Probedruck; Gallwitz 143;
Glaser 149

265 Frau mit Kerze 1920

Holzschnitt; 30,3 x 15,3 cm
Bez. u. l.: II/xxx; u. r.: Beckmann
Privatbesitz
VG 169 III/III; Gallwitz 143; Glaser 149

Frau mit Kerze gehört zu Beckmanns frühesten
Holzschnitten. Im Gegensatz zu den Künstlern
der ›Brücke‹ und des ›Blauen Reiters‹ hat
Beckmann sich relativ selten mit dieser Technik beschäftigt; sein druckgraphisches Werk
enthält bei insgesamt über 300 Drucken nur
18 Holzschnitte. Es sind drei Probedrucke des
1. Zustands und zwei des 2. Zustands bekannt,
die verdeutlichen, wie Beckmann die Komposition bis hin zu der eigentlichen Auflage straff-
te, die vom 3. Zustand gemacht wurde. Ein si-

gnierter Probedruck des zweiten Zustands ist
bezeichnet ›Mink (Probedruck)‹, was bedeutet, daß das Modell Beckmanns Frau Minna
war. Die Bezeichnung befindet sich an einer
Stelle, an der Beckmann gewöhnlich die Titel
seiner Drucke einzeichnete und scheint demnach keine Widmung für seine Frau gewesen
zu sein.

266

267

268

266   Selbstbildnis mit steifem Hut   1921

Kaltnadel; 31,3 x 24,7cm
Bez. u. l.: Selbstportrait 1921 (Handprobedruck
1 Zustand); u. r.: Beckmann
New York, Privatsammlung
VG 179 II/IV Probedruck; Gallwitz 153;
Glaser 157

267   Selbstbildnis mit steifem Hut   1921

Kaltnadel; 31,3 x 24,7cm
Bez. u. l.: 2 Zustand; u. r.: Beckmann
Chicago, The Art Institute of Chicago
VG 179 III/IV Gallwitz 153; Glaser 157

268   Selbstbildnis mit steifem Hut   1921

Kaltnadel; 31,3 x 24,7cm
Bez. u. r.: Beckmann
Hannover, Kunstmuseum Hannover mit Sammlung
Sprengel
VG 179 IV/IV; Gallwitz 153; Glaser 157

Von dieser Radierung, einer der bekanntesten
Beckmanns, existieren drei Zustände, wobei
die bedeutendsten Veränderungen vom ersten
zum zweiten Zustand vorgenommen wurden.
Im ersten Zustand zeigt sich Beckmann in einem Innenraum, vermutlich dem Atelier,
durch eine Lampe von hinten her hell ausge-
leuchtet. Er präsentiert sich im traditionellen
Typus des Brustbildes, nicht als Künstler, sondern als wohlsituierter Bürger mit Bowler-Hut,
Anzug, Krawatte und Zigarette gekennzeich-

net. Im Arm hält er eine Katze. Er wirkt wie durchsichtig und zerbrechlich, allen Verletzungen von außen schutzlos ausgeliefert. Im zweiten Zustand verändert Beckmann die Szenerie und gewinnt durch stärkere Schattenpartien an Festigkeit. Im dritten Zustand ist weitgehend auf Hintergrunddetails verzichtet, um das Wesentliche der Figur, Strenge, Konzentration und Verschlossenheit, zu unterstreichen. Die die Komposition seitlich abschließenden Motive von Katze und Petroleumlampe verrätseln das Bild schon im zweiten Zustand. Das Licht der Lampe ist abgeschirmt und erhellt damit nichts, die Katze wird zur strengen Idolfigur, wie sie Beckmann in vergleichbarer Form häufiger benutzt.

269 Königinbar (Selbstbildnis) 1920

Kaltnadel; 32 x 25 cm
Bez. u. l.: 1/10 In der Königinbar / (von der unverstählten Platte); u. r.: Beckmann; in der Platte in Spiegelschrift u. l.: Königin
Hannover, Kunstmuseum Hannover mit Sammlung Sprengel
VG 174 II/II; Gallwitz 148; Glaser 154

Die Königinbar war ein Berliner Nachtklub. Sie erscheint sowohl in einer Radierung von 1923 (VG 269) als auch in einem Gemälde von 1935 (Göpel 417). Dieser Druck jedoch steht hinsichtlich der Bildkomposition in engerer Beziehung zu Beckmanns Gemälde *Selbstbildnis mit Sektglas* (Kat. 22) aus dem vorhergehenden Jahr. In beiden Fällen sitzt der Künst-

ler im Raum eines Nachtklubs oder Restaurants, die Schulter dem Betrachter zugewandt, den Kopf unnatürlich gegen die Körperbewegung gedreht, den Blick auf ein unbestimmtes Ziel außerhalb des Bildraums gerichtet. Formal versperrt er den Zugang zu dem hinter ihm sich ereignenden Geschehen; inhaltlich weist er es jedoch mittels seiner demonstrativen Körperhaltung dem Betrachter vor. Das Vergnügen wird als zwanghafte Handlung und als Mittel zur Selbstbetäubung gedeutet und entspricht damit Beckmanns pessimistischer Sicht dieser Nachkriegszeit.

270   Schöne Aussicht
(Winterlandschaft) 1920

Kaltnadel; 24,8 x 31,5 cm
Bez. u. l.: Schöne Aussicht (Handprobedruck)
Herrn Reinhard Piper mit freundlichem Gruß;
u. r.: Beckmann 20
St. Louis, The Saint Louis Art Museum, Purchase,
Friends Fund
VG 175 Zustandsdruck; Gallwitz 149; Glaser 155

In der ›Schönen Aussicht‹, einer Straße entlang des Mainufers, bezogen die Battenbergs
1919 das Haus Nr. 19. Der hier gewählte Blick
geht jedoch wahrscheinlich von Beckmanns
Atelier aus, das in der Schweizer Straße am
jenseitigen Ufer lag. Der Ausschnitt umfaßt
Häuserfronten, Schlepper auf dem Main und
eine einzelne Figur, die am Fluß entlang-
geht, möglicherweise Beckmann selbst. Im
Vergleich zu der *Mainlandschaft* von 1918
(Kat. 242) ist diese Flußansicht konzentrierter.
Der Künstler hat eindringlich eine Szenerie beschrieben, die seinem Lebensgefühl entspricht,
wie er es wenig früher ähnlich in dem Bild *Synagoge* (Kat. 24) ausgedrückt hat. Beckmanns
Auflagendrucke sind im allgemeinen sauber
abgerieben und gleichmäßig gedruckt. Hier
handelt es sich um einen Sonderdruck, den er
seinem Verleger widmete und eigenhändig
abzog.

271   Der Ausrufer (Selbstbildnis) 1921,
Blatt 1 der Mappe ›Der Jahrmarkt‹

Kaltnadel; 33,5 x 25,6 cm
Bez. u. l.: Der Ausrufer (Handprobedruck);
u. r.: Beckmann
New York, Privatsammlung
VG 190 III / III Zustandsdruck; Gallwitz 163;
Glaser 166

Beckmann beginnt die Mappe *Der Jahrmarkt*,
die zehn Drucke zum Themenkomplex Zirkus,
Varieté und Fastnacht enthält, mit diesem
Selbstbildnis. Er sieht sich hier nicht als ange-
sehenen Künstler, sondern als Ausrufer, der
die Glocke läutet, um das Publikum in den
Beckmann-Zirkus zu locken. Darin deutet sich
bereits die Selbstinterpretation als Weisender
an, der dem staunenden Publikum den Vorhang zum Jahrmarkt des Lebens öffnet.

272 Hinter den Kulissen 1921,

Blatt 3 der Mappe › Der Jahrmarkt ‹

Kaltnadel; 21,7 x 31,8 cm
Bez. u. r.: Beckmann 21; u. l.: Garderobe I
(Handprobedruck)
Philadelphia, Philadelphia Museum of Art,
Gift of I. B. Neumann
VG 192 Zustandsdruck; Gallwitz 165
Glaser 168

273 Das Karussell 1921,

Blatt 7 der Mappe › Der Jahrmarkt ‹

Kaltnadel; 29,3 x 25,9 cm
Bez. u. l.: Karussell II (Handprobedruck);
u. r.: Beckmann 21
Portland, Portland Art Museum, The Vivian and
Gordon Gilkey Graphic Arts Collection
VG 196 III/III Zustandsdruck; Gallwitz 169;
Glaser 172

Das Karussell findet in dem von Beckmann
skizzierten, eng begrenzten Raum kaum Platz.
Die übertriebene und verzerrte Anordnung
und die Aufwärtsneigung des Karussells verstärken den Eindruck beschleunigter Bewegung. Ob hier bereits die Idee des Lebensrads
anklingt, muß offenbleiben. Allerdings scheint
die Darstellung auf eine existentielle Grund-

situation anzuspielen. Eigenartig verzerrte
Menschen, nicht fröhliche Kinder, fahren hier
Karussell: u. a. vier › Narren ‹ in einem Narrenschiff, darunter Beckmann, nach außen grimassierend, eine Frau auf einem Schwein, das
auf drastische Weise Sexualität symbolisieren
mag. Beziehungslos steuert der Schausteller
das aus den Fugen geratene Karussell. Mas-
kenmotive und fast lebendig wirkende Karus-
selltiere bringen einen dämonischen Akzent
ins Bild. Zwei junge Zuschauer, der eine vermutlich Beckmanns Sohn Peter, sind noch
nicht in diesen Ablauf gezwungen.

274 Die Seiltänzer 1921,

Blatt 8 der Mappe › Der Jahrmarkt ‹

Kaltnadel; 25,8 x 25,8 cm
Bez. u. r.: Beckmann 21; u. l.: Seiltänzer
(Handprobedruck)
Philadelphia, Philadelphia Museum of Art,
Gift of I. B. Neumann
VG 197 II/II Zustandsdruck; Gallwitz 170;
Glaser 173

Der Drahtseilakt wird zur Metapher für eine
blinde Gesellschaft am Rande des Abgrundes
und zugleich für den prinzipiellen Balanceakt
menschlichen Lebens.

275

276

275 Die Nacht 1922,
Blatt 3 der Mappe › Berliner Reise ‹
Lithographie auf Umdruckpapier; 45,5 x 36cm
Bez. u. l.: Berlin-Nacht (Probedruck);
u. r.: Beckmann 22
Hannover, Kunstmuseum Hannover mit Sammlung
Sprengel
VG 214 Zustandsdruck; Gallwitz 184; Glaser 194

276 Nackttanz 1922,
Blatt 4 der Mappe › Berliner Reise ‹
Lithographie auf Umdruckpapier; 47,2 x 37,5 cm
Bez. u. l.: Nackttanz (Probedruck);
u. r.: Beckmann 22
New York, Privatsammlung
VG 215 Zustandsdruck; Gallwitz 185; Glaser 190

277 Das Theaterfoyer 1922,
Blatt 8 der Mappe › Berliner Reise ‹
Lithographie auf Umdruckpapier; 49 x 40cm
Bez. u. l.: Berlin-Theater Foyer (Probedruck);
u. r.: Beckmann
München, Staatliche Graphische Sammlung
VG 219 Zustandsdruck; Gallwitz 189; Glaser 188

278 Der Schornsteinfeger 1922,
Blatt 10 der Mappe › Berliner Reise ‹
Lithographie auf Umdruckpapier; 45 x 33,5 cm
Bez. u. l.: Berlin Der Schornsteinfeger,
Beckmann 22/(Probedruck)
New York, Privatsammlung
VG 221 Zustandsdruck; Gallwitz 191; Glaser 196

Die Metropole Berlin lieferte Beckmann den
Stoff für ein Panorama der gesellschaftlichen

277

278

Verhältnisse im Nachkriegsdeutschland. Die
Schilderung umfaßt Szenen aus dem Leben
von arm und reich, präsentiert Enttäuschte,
Gleichgültige und Gelangweilte. *Die Nacht*
zeigt eine Familie, die sich in ihrer engen, dürf-
tig ausgestatteten Behausung zusammen-
drängt. Durch Schrägstellung der Tragbalken,
Decke und Boden hat Beckmann den Eindruck der Verzweiflung verstärkt. Eine Zeichnung mit dem Titel *Die Mutter,* 1922 (von
Wiese 485), variiert diese Komposition. Beide
erinnern an zwei ältere Kompositionen Beckmanns: *Der Hunger,* 1919, aus der Mappe *Die
Hölle* (Kat.251), und *Möbliert,* 1920, aus der
Mappe *Stadtnacht.*

Das Bild *Nackttanz* gewährt den Blick in
einen der Berliner Nachtklubs, in denen
Nackttänzer auf der Bühne auftraten. Das elegante Publikum, das recht gelangweilt beim
Champagner die Aufführung verfolgt, könnte
in einigen Figuren von dem Satiriker George
Grosz typisiert sein. Drei Zeichnungen aus einem von Beckmanns Skizzenbüchern dienten
als Vorstudien zu einigen Figuren der Komposition (von Wiese 498-500).

Das *Theaterfoyer* versammelt Repräsentan-
ten der oberen Gesellschaftsklasse, die beziehungslos und selbstgefällig ihren öffentlichen
›Auftritt‹ genießen. Das letzte Blatt der Mappe zeigt den *Schornsteinfeger* als denjenigen,
der hoch über den Dächern der Großstadt, abgelöst von den Widersprüchen dieses Lebens,
den Blick frei in die Weite richtet.

279 Selbstbildnis 1922

Holzschnitt; 22,2 x 15,5cm
Bez. u. l.: Probedruck 2 Zustand; u. r.: Beckmann
St. Louis, The Saint Louis Art Museum, Purchase,
Friends Fund
VG 225 II/III Probedruck; Gallwitz 195;
Glaser 200

Bei diesem Holzschnitt handelt es sich um das
einzige ganzfigurige Selbstporträt in dieser
Technik. Obwohl sich Beckmann nie intensiv
mit der Holzschnittechnik beschäftigt hat, erreichte er hier eine Unmittelbarkeit des Aus-
drucks, wie wir sie sonst nur von den Radierungen kennen. Im Gegensatz zur Radierung
können hier Korrekturen kaum vorgenommen
werden. Das Selbstvertrauen, das Beckmann
in dem Porträt ausstrahlt, findet auch in der
virtuosen Technik eine Bestätigung.

280 Frauenbad 1922

Kaltnadel; 43,7 x 28,6cm
Bez. u. l.: Frauenbad (Probedruck mit Correktur);
u. r.: Beckmann
München, Staatliche Graphische Sammlung
VG 233 I/II handkorrigierter Probedruck;
Gallwitz 204; Glaser 208

282 Minette 1922

Kaltnadel; 25,3 x 20,5cm
Bez. u. l.: Minette (Probedruck); u. r.:
Beckmann 22; in der Platte u. l.: Minette/14.8.22
Hannover, Kunstmuseum Hannover mit Sammlung
Sprengel
VG 237 VI/VI Zustandsdruck; Gallwitz 208;
Glaser 212

Von den insgesamt sechs Zuständen ist dies der
endgültige. Eine in der Bildmitte liegende
männliche Gestalt hat Beckmann entfernt.
Durch die Senkung der Horizontlinie und ein
Stück Markise wird der Kopf der Frau gerahmt
und damit hervorgehoben. Darüber hinaus
verlagerte Beckmann die Punkte des Kleides in
den Meeresstreifen und dessen Struktur in das
Kleid, ein Effekt, der den Hintergrund durch-
sichtiger, die Figur jedoch kompakter macht.

283 In der Trambahn 1922

Kaltnadel; 29 x 43,4cm
Bez. u. r.: Beckmann
Middletown, Davison Art Center,
Wesleyan University
VG 234 III/III; Gallwitz 205; Glaser 209

Eigenartig ist die starre Haltung der drei die
gesamte Bildfläche bestimmenden Hauptfiguren. Eine resigniert mit geschlossenen Augen
dasitzende Frau, ein Mann mit einer Binde, die
Nase und Ohr verschließt, ein zweiter, in kind-
licher Haltung, der sich den Daumen in den
Mund steckt: diese Motive scheinen in negativer Form auf die Sinne – Sehen, Hören, Riechen, Sprechen – anzuspielen. Vermutlich
kannte Beckmann das populäre Symbol der
drei Affen, das, aus dem Buddhismus stam-
mend, negativ drei Sinne bildlich verkörpert:
Nichts Hören, Nichts Sehen, Nichts Fühlen.
Diese Metapher scheint hier auf die aktuelle
Situation der Nachkriegsjahre angewandt zu
sein.

◁ **281 Frauenbad 1922**

Kaltnadel; 43,4 x 28,7cm
Bez. u. l.: Frauenbad (Probedruck 2. Zustand)
Meiner kleinen Mink (links); u. r.: Max Beckmann
Privatbesitz
VG 233 II/II Zustandsdruck; Gallwitz 204;
Glaser 208

Die Radierung variiert das Gemälde gleichen
Themas von 1919 (Kat. 20). Die beklemmende
Raumsituation ist hier in eine eher grotesk
widersprüchliche Szenerie verwandelt, die an
Varietédarstellungen des Künstlers erinnert.
Durch die gepunktete Badekleidung von drei
Frauen, die die Komposition in der Fläche verspannt, gewinnt die Darstellung dekorative
und damit auch den Härten des Bildes widersprechende Ausdrucksformen. Der Münchner
Abzug weist Bleistiftergänzungen auf, die
nicht in den zweiten Zustand übernommen
wurden.

▷

284 Holzbrücke 1922

Kaltnadel; 28,6 x 23,8cm
Bez. u. l.: Holzbrücke (Handprobedruck);
u. r.: Beckmann
Hannover, Kunstmuseum Hannover mit Sammlung Sprengel
VG 241 Zustandsdruck; Gallwitz 212; Glaser 216

Die Radierung erschien in der Mappe ›Die zweite Jahresgabe des Kreises graphischer Künstler und Sammler‹ (Verlag Arndt Beyer, Leipzig 1924), die Drucke von neun Künstlern enthält, und zwar außer denen Beckmanns jene von Lyonel Feininger, Carl Hofer, Willy Jäckel, Alfred Kubin, Graf Luckner, Adolf Schinnerer, Otto Schubert, Richard Seewald und Walter Teutsch.

Die hier dargestellte Holzbrücke war eine Behelfsbrücke in Frankfurt, die errichtet wurde, als die Alte Mainbrücke ausgebessert wurde.

286 Totenhaus 1922

Holzschnitt; 37,2 x 47,7cm
Bez. u. l.: 3/35; u. r.: Beckmann
Privatbesitz
VG 251 II/II handkoloriert; Gallwitz 221; Glaser 227

Der Holzschnitt wiederholt seitenverkehrt die Radierung *Das Leichenhaus* (Kat. 227) von 1915. In diese Version wurden einige Änderungen eingefügt: Beckmann vergrößerte das Bildfeld und änderte verschiedene Einzelheiten. Die Szene erinnert jetzt stärker an eine Anatomiestudie, insbesondere in der mittleren Figur. Die Kopfbinden jedoch, ein Motiv, das

285 Strand 1922

Kaltnadel; 21,4 x 32,7cm
Bez. u. l.: Strand (Probedruck); u. r.: Beckmann 22
Ann Arbor, The University of Michigan Museum of Art, Gift of Jean Paul Slusser
VG 238 Zustandsdruck; Gallwitz 209; Glaser 213

Einer Anmerkung auf einem Abzug dieser Radierung in Bremen zufolge handelt es sich um einen Strand auf der Nordseeinsel Wangerooge. Höchstwahrscheinlich wurde der vorhergehende Druck *Minette* (Kat. 282) zur selben Zeit ausgeführt. Schon 1902 begann Beckmann damit, das Meer und Strandszenen zu malen (Kat. 1, 3, 4), ein Thema, das er sein Leben lang immer wieder aufgriff.

Beckmann in zahlreichen Kompositionen aufnahm, sind eher als Hinweise auf Trauer zu
verstehen. Die breiten, klaren Striche des
Holzschnitts verleihen der Komposition zusätzliche Ausdruckskraft. In dem handkolo-
rierten Druck verstärkt die Farbe die suggestive Wirkung des Bildes. Im Gegensatz zu vielen
seiner Zeitgenossen druckte Beckmann nie farbig. In seltenen Fällen allerdings kolorierte er
– wie hier – den Druck nachträglich. Weitere
Beispiele gibt es u. a. von *Frauenbad* (Kat. 280,
281) und der *Apokalypse* (Kat. 293).

287 Totenhaus 1922
Holzschnitt, 37,2 x 47,7 cm
Bez. u. r.: Beckmann
Privatbesitz
VG 251 II/II, Gallwitz 221 ; Glaser 227

288 Tamerlan 1923

Kaltnadel; 39,8 x 20cm
Bez. u. l.: 19/60; u. r.: Beckmann; in der Platte
u. l. Mitte (seitenverkehrt): TAMERLAN/10.4.
Privatbesitz
VG 283; Gallwitz 235; nicht bei Glaser

Ein von Tisch zu Tisch wandernder Geiger
bringt Beckmann und seiner Begleiterin – links
in der unteren Ecke – ein Ständchen. Ein
schnurrbärtiger Artist sitzt rittlings auf einem
Tier, das auf einem riesigen Ball balanciert.
Die eigentliche Handlung scheint sich jedoch
außerhalb unseres Gesichtskreises abzuspielen, denn wir sehen Kellner mit Tabletts voller
Getränke die Treppen zu den privaten Räumen hinaufsteigen.

In dem strengen Hochformat, das Beckmann in den zwanziger Jahren immer wieder
benutzte, wird das Geschehen eng zusammengedrängt und aufgetürmt. Ein von unten nach
oben zickzackförmig aufsteigender Treppenlauf verstärkt den Eindruck hektischer Be-
triebsamkeit.

289 Verführung 1923

Holzschnitt; 15,8 x 24,2cm
Bez. u. l.: Verführung Probedruck; u. r.: Beckmann
Privatbesitz
VG 256 II/II Probedruck; Gallwitz 222; Glaser 228

Das Thema Verführung vermittelt sich nicht
zwingend in der dargestellten Situation, denn
ob die Frau sich in kokett-verlockender oder
sich verschließender Haltung präsentiert,
bleibt offen. Die männliche Figur hinter dem
Vorhang – möglicherweise Beckmann selbst –
bleibt seltsam unberührt von dem Geschehen.
Angesprochen scheint vielmehr der Betrachter, der in die Rolle des Voyeurs versetzt wird.

Beckmann hat den Druck nicht veröffentlicht. Laut Hofmaier sind nur ein Probedruck
des ersten Zustands und vier Drucke des zweiten bekannt.

290   Gruppenbildnis, Edenbar 1923

Holzschnitt; 49,4 x 49,8 cm
Bez. u. l.: Edenhotel (Probedruck); u. r.: Beckmann
Chicago, The Art Institute of Chicago
VG 276 II/II Zustandsdruck auf grünem Papier;
Gallwitz 261; nicht bei Glaser

Der mondänen Gesellschaft, die Beckmann
immer wieder in ihren erstarrten, schalen Konventionen entlarvte, widmete er auch seinen
größten und damit vielleicht anspruchsvollsten
Holzschnitt. Drei elegant gekleidete, weltge-
wandte Personen sitzen in der Bar des Edenho-
tels in Berlin. Die Frau links ist Johanna Loeb,
die er auch in einem Gemälde (Göpel 176) sowie einem weiteren Druck (VG 209) porträtierte. Neben ihr vermutlich ihr Mann Karl.
Rechts Elisa Lutz, die mit Johanna Loeb gemeinsam auf der Lithographie *Zwei Frauen* erkennbar ist. Im Hintergrund befinden sich drei

Musiker, deren Köpfe vom Bildrand abgeschnitten sind.

Die Holzschnittechnik, im 20. Jahrhundert
eng mit expressionistischen Künstlern wie
Kirchner, Heckel und Nolde verknüpft, wird
von Beckmann in ganz eigener Weise eingesetzt. Es geht ihm weder um ornamentale Vereinfachung noch um drastische Verformung
der Figur, sondern vielmehr um möglichst präzise, sachliche Schilderung. So vergegenwärtigt
er mit den drei Figuren Eitelkeit und Kontakt-
losigkeit.

291 Badekabine 1924

Kaltnadel; 34,8 x 21,8cm
Bez. u. l.: Nach dem Bade (Probedruck); u. r.:
Beckmann 24; o. r. M. in der Platte bezeichnet:
15.7.24 Pirano
New York, Privatsammlung
VG 304 II/II Probedruck; Gallwitz 272; nicht bei
Glaser

Hier beobachtet Beckmann seine Frau Minna,
wie sie sich in einer Badekabine am Meer um-
zieht. Aufgrund der Bezeichnung in der Platte
und eines Briefes an I. B. Neumann wissen wir,
daß Beckmann und seine Familie im Sommer
1924 ihre Ferien in Pirano, einem Badeort an
der Adria, verlebten. Während dieser Reise
schuf er eine Anzahl Zeichnungen (von Wiese
552-558); auch das Gemälde *Lido* (Kat. 40)
stammt aus dieser Zeit.

293 Der Vorhang hebt sich 1923

Kaltnadel; 29,9 x 21,7cm
Bez. u. l.: Der Vorhang hebt sich (Probedruck);
u. r.: Beckmann/Das Mysterium aller Mysteriums
von Max
Privatbesitz
VG 284 II/II Zustandsdruck; Gallwitz 240; nicht bei
Glaser

Der Vorhang hebt sich und gibt den Blick frei
auf einen Ausschnitt aus Beckmanns Welttheater, das sich in seinem Werk in unterschiedlichsten Bildzeichen und Symbolen konkretisiert.
Charakteristische Figuren und Attribute, die
uns in zahlreichen Bildern Beckmanns begegnen – beispielsweise die auf einem Reptil rei-
tende Rückenfigur mit ihrer Entsprechung in
dem Bild *Die Reise* (Kat.103) – sind hier zu
einem kaleidoskopartigen Nebeneinander arrangiert, das sich jeder eindeutigen Interpretation entzieht.

◁ 292 Varieté 1924

Kaltnadel; 40,3 x 20,4cm
Bez. u. l.: 10/30; u. r.: Beckmann; in der Platte
in Spiegelschrift
oben: O NO WE HAVE NOT/BANANES
New York, Privatsammlung
VG 303; Gallwitz 273; nicht bei Glaser

In *Varieté* steppen Kabarett-Tänzerinnen mit
hochgeworfenen Beinen zur Melodie eines populären amerikanischen Schlagers, den Beckmann humoristisch fehlzitiert mit »O no we
have not bananes«. Die Komposition setzt die
Kenntnis ähnlicher Darstellungen von Degas,
Seurat und Toulouse-Lautrec voraus. Besonders eng verwandt ist sie mit Seurats › Le Cha-
hut ‹ von 1889/1890.

Die Linienführung in Beckmanns Radierungen ist jetzt beherrschter, die Einzelformen
sind virtuoser hingeworfen; die Kreuzschraffuren und Schattierungen sind selten geworden.
Auch hier ist die Darstellung auf engem Raum
zusammengedrängt, jedoch entsteht durch die
Offenheit der Komposition zu den Rändern
hin nicht das Gefühl von Eingeschlossenheit.
Ein faszinierendes Spiel gegenläufiger Diagonalen ergibt sich aus den Linien der Bühnen-
kante, den Bodendielen und den hochgeworfenen Beinen der Tänzerinnen.

unterscheiden sich in der Kolorierung wesentlich von Nr. 9. Die Kolorierung von Nr. 9 ist dagegen sehr ähnlich den Exemplaren Nr. 13 in Münchner Privatbesitz, Nr. 23 im Kunstmuseum Hannover mit Sammlung Sprengel und auch dem unnumerierten Exemplar aus dem Fundus der Bauerschen Gießerei, in der Staatsbibliothek München, die alle, wie wahrscheinlich auch Nr. 9, nicht vom Künstler selbst koloriert worden sind. Einige geringe Abweichungen fügen die Exemplare Nr. 9, Nr. 23 und das in der Staatsbibliothek München zu einer eigenen Gruppe, von der sich Nr. 13 unterscheidet. Vielleicht hat das als Vorlage eigenhändig kolorierte Exemplar, das bisher noch nicht identifiziert wurde, abweichende Kopien zur Folge gehabt, die ihrerseits als Vorlage der weiteren Kopien dienten.

Peter Beckmann hat mich freundlicherweise darauf hingewiesen, daß es eine »Hartmann-Liste« in seinem Besitz gäbe, auf der die Exemplare 1, 8 und 9 als eigenhändig koloriert aufgeführt seien. Liste und Werke müssen daraufhin noch genauer überprüft werden.

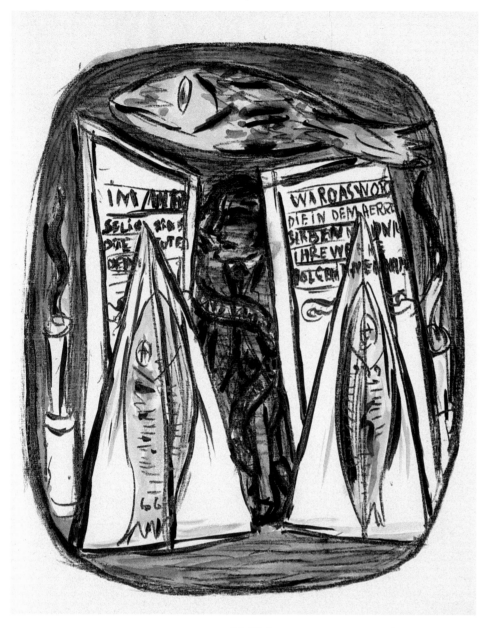

1 Titelblatt
Joh.-Ev. 1,1: *Im Anfang war das Wort,* und Off. Joh. 14,13: *Selig sind die Toten...*

294 Apokalypse 1941/1942

82 Seiten, mit 27 Lithographien, in Aquarell koloriert
Format 40 x 30cm, Satzspiegel 25 x 20cm
Impressum: »Im vierten jahre des zweiten weltkrieges, als gesichte des apokalyptischen sehers grauenvolle wirklichkeit wurden, ist dieser druck entstanden. Die bilder des buches sind handkolorierte steinzeichnungen von Max Beckmann. Als textschrift fand die von F. H. E. Schneidler entworfene ›Legende‹ verwendung.
Privatdruck der Bauerschen Gießerei, Frankfurt am Main, 1943
Es wurden vierundzwanzig numerierte Exemplare gedruckt, von denen ist dieses Nr. eins.
Vom Künstler persönlich mit der Hand koloriert für Georg Hartmann«
Privatbesitz
VG 329-355; Gallwitz 287; nicht bei Glaser

Literatur: Tagebücher 1940-1950. – Goergen 1955. – Buchheim 1959, S. 127. – Göpel in: Blick auf

Beckmann 1962, S. 257f. – Jannasch 1969, S. 10f. – Fischer in: Kat. Zürich 1976, S. 24f. – P. Beckmann 1982, S. 69ff. – Lenz 1982, Anm. 14. – (E. H.), Weltkriegsapokalypse. In: Thesaurus Librorum. 425 Jahre Bayerische Staatsbibliothek. Wiesbaden 1983, Nr. 124

Bei Drucklegung der ersten Auflage dieses Kataloges ist dem Verfasser zu spät bekannt geworden, daß weder den schwarzweißen noch den farbigen Abbildungen das ausgestellte Exemplar Nr. 9 zugrundeliegen würde. Erstere gehen auf ein unkoloriertes Exemplar zurück, letztere – nach Auskunft von Frau Maja Beckmann – auf das eigenhändig kolorierte Exemplar in New Yorker Privatbesitz. Inzwischen hat Ernst Wagner freundlicherweise auf das Exemplar aufmerksam gemacht, das Max Beckmann für Georg Hartmann koloriert hat. Dessen Illustrationen sind nun abgebildet. Sie

Göpel, der mit Beckmann gut bekannt und über die Entstehung der *Apokalypse* unterrichtet war, schreibt: »Die Lithographien wurden von Max Beckmann in Amsterdam im Laufe des Jahres 1941 auf lithographisches Umdruckpapier gezeichnet und in Frankfurt auf den Stein übertragen [...] Die Auflage wurde begrenzt, da nach einer damals geltenden Bestimmung Privatdrucke mit einer Auflage unter 25 Exemplaren den Zensurstellen des Propagandaministeriums nicht vorgelegt zu werden brauchten. Die tatsächliche Auflage dürfte sich auf zirca 30-35 Exemplaren belaufen. Die überzähligen Exemplare wurden nicht numeriert. Max Beckmann hat sicher eigenhändig mit Aquarellfarben koloriert ein Exemplar für Georg Hartmann, ein Exemplar für Mathilde Q. Beckmann, ein Exemplar für Dr. Erhard Göpel (verschollen), ein Exemplar für Frau L. von Schnitzler. Es ist möglich, daß Beckmann noch ein oder zwei weitere Exemplare eigenhändig koloriert hat. Der größere Teil der Auflage wurde an Koloristinnen in Frankfurt zum Kolorieren gegeben. Diese Kolorierungen sind schwer von den eigenhändigen Kolorierungen zu unterscheiden, sie sind merkwürdigerweise expressionistischer als die von Beckmann selbst, der sich an sehr präzise innere Vorstellungen hielt. Probeabzüge, besonders der Kopfleisten, befanden sich um 1946 bei Heinrich Jost (†), dem künstlerischen Leiter der Bauerschen Gießerei.

Prof. Ernst Holzinger [Direktor des Städel in Frankfurt], der seinerzeit den Auftrag von Georg Hartmann an Max Beckmann überbrachte und auch bei den weiteren Arbeiten entscheidend beteiligt war, hat auf der 2. Tagung der Max Beckmann Gesellschaft in München am 22. Oktober 1955 einen aufschlußreichen Vortrag ›Zur Entstehungsgeschichte der Beckmannschen Illustrationen zur Apokalypse‹ gehalten.«

Leider wurde weder der Vortrag gedruckt, noch ist – nach Auskunft von Frau Dr. Holzinger – das Manuskript erhalten.

Der Auftraggeber Georg Hartmann (13. Juli 1870-24. Oktober 1954) entstammte einer alten Frankfurter Familie und war als Geschäftsmann äußerst erfolgreich. Mit 28 Jahren erwarb er die Bauersche Schriftgießerei in Frankfurt, dann die Schriftgießerei de Neufville in Barcelona; schließlich gründete er eine Filiale in New York. Er betrieb sogar eine bedeutende Fabrik für zahnärztliche Apparate (EMDA), deren Formen er vom Bildhauer Petraschke entwerfen ließ. Durch die Berufung hervorragender Schriftkünstler wie Emil Rudolf Weiß, F. H. Ernst Schneidler, Rudolf Koch, Imre Reiner und andere an die Bauersche Gießerei gelang Georg Hartmann sukzessive eine Erneuerung der Buch- und Schriftkunst von weltweiter Wirkung. Zeigt sich schon darin eine Ergänzung und Erweiterung seiner kaufmännischen Begabung, so hatte er darüber hinaus noch eine ausgeprägte Neigung zur Musik und zur Bildenden Kunst. Er legte sich eine ansehnliche Sammlung mittelalterlicher Skulpturen zu und erwarb Werke der neueren Kunst, so unter anderem von Rodin, Despiau und auch von Beckmann. 1943 erteilte er Beckmann den Auftrag zur Illustration des Faust II. Mit seinen Begabungen, Neigungen und Erfolgen war Georg Hartmann prädestiniert, aktiv fördernd und mäzenatisch tätig zu werden. Dementsprechend war er wichtigen kulturellen Institutionen seiner Vaterstadt verbunden. So stand er dem Freien Deutschen Hochstift vor und war von 1935 bis zu seinem Tode Mitglied der Administration des Städel. Er gehörte außerdem zum Vorstand der Stadtbibliothek und setzte sich mit Energie für den Wiederaufbau von Goethehaus und Alter Oper ein. 1950 wurde er Ehrenbürger der Stadt Frankfurt a. Main.

Das große Verdienst von Georg Hartmann bestand nicht zuletzt darin, daß er während der dunklen Zeit des Nationalsozialismus Beckmann als ›entarteten‹ Künstler tatkräftig unterstützt und ihn so in seinem Schaffen ermutigt hat. – Über die Arbeit an den Illustrationen der Apokalypse unterrichtet das Tagebuch des Künstlers recht eingehend. Ob Beckmann – wie bei den Faust-Illustrationen – zuerst Entwürfe angefertigt und dafür ein Arbeitsexemplar mit dem Text genutzt hat, ist nicht bekannt. Peter Beckmann erinnert sich jedoch, in der Bibliothek seines Vaters eine kleine Ausgabe der Apokalypse mit Entwurfszeichnungen gesehen zu haben. Unter dem 22. August 1941 heißt es: »Apo angefangen.« Am 23. Dezember ist die Arbeit offenbar schon weit gediehen, denn nun wird die Apokalypse bereits angesehen. Vier Tage später notiert Beckmann seinen »Endspurt«, und am 28. Dezember schreibt er: »Endgültig Apo.« Im März des nächsten Jahres erhält er die ersten Abzüge der Lithographien aus Frankfurt, die er im Monat darauf zu kolorieren beginnt. Am 29. Dezember 1942 sind »2 farbige Apo fertig«.

Der Text des Impressums weist ausdrücklich auf den Zusammenhang zwischen der Apokalypse und dem eigenen Zeitgeschehen. Die wichtigsten Ereignisse seien deshalb gerafft in Erinnerung gebracht. Am 19. Juli 1937 emigriert Max Beckmann nach Amsterdam, nachdem er 1933 seine Stellung in Frankfurt verloren hatte und einer der ›prominentesten‹ unter

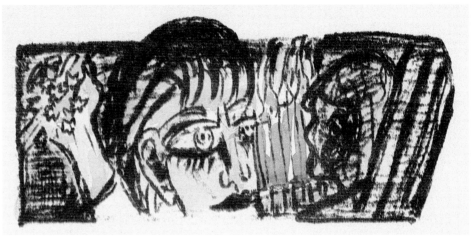

2 Off. Joh. 1, 16: *Sein Angesicht leuchtete wie die helle Sonne*

3 Off. Joh. 2, 10: *Sei getreu bis in den Tod...*

4 Off. Joh, 2, 29: *Wer Ohren hat...*

5 Off. Joh. 3, 17-18: *Und salbe deine Augen...*

6 Off. Joh. 4, 2 - 8: *Die Vision vom Thron Gottes*

den sogenannten ›entarteten‹ Künstlern geworden war. Seine Hoffnung auf Übersiedlung
nach Paris zerschlägt sich durch den Kriegsausbruch am 1. September 1939.

Nachdem Polen noch im September von
Deutschland besiegt, im April 1940 Dänemark
und Norwegen besetzt worden waren, werden
im Mai Belgien und die Niederlande angegriffen, von dort aus stößt das deutsche Heer nach
Frankreich vor. Die Niederlande kapitulieren
am 15. Mai und stehen von nun an unter deutscher Besatzung. Somit ist Beckmann neuerlich Gefahren ausgesetzt. War Rotterdam bereits in einem verheerenden Luftangriff unter-
gegangen, so tobt von August 1940 bis Mai
1941 die ›Luftschlacht von England‹, bei der
unter anderem Coventry und Birmingham zerstört werden. Der Krieg weitet sich immer
mehr aus, vor allem durch den Angriff auf die

Sowjetunion am 22. Juni 1941. Als Beckmann
den Auftrag zur Illustration der Apokalypse
erhält, offenbar Juli/August 1941, ist also der
Brand allenthalben entfesselt.

1

Ganzseitig
Beschriftung der Tafeln:

IM ANFA[NG]	WAR DAS WORT
SELIG SIND	DIE IN DEM HERRN
DIE TOTEN	S[T]ERB[EN,] VON N[UN] AN
DENN	IHRE WERKE
	FOLGEN IHNEN NACH

Dargestellt sind vor purpurfarbenem Grund
zwei weiße Tafeln, die wie ein stehendes, auf-
geschlagenes Buch erscheinen. Zwischen ihnen
ist aber eine Lücke, in der man hinten den
Künstler im grünen Anzug, umwunden von einer großen gelben Schlange, erblickt. Vor den

rechteckigen stehen zwei dreieckige Tafeln mit
je einem großen Fisch; ein dritter Fisch liegt
über den Tafeln. Zur Seite der Tafeln brennen
zwei große Kerzen, die den feierlichen Charakter der Darstellung mit ihrer symmetrischen
Komposition und den bedeutungsvollen Zeichen erhöhen, so daß alles an einen Altar erinnert. Der feierliche Charakter beruht nicht zuletzt auf den Worten, die der Inschrift auf den
Gesetzestafeln des Moses gleichen.

Der erste Satz findet sich gar nicht in der
Apokalypse, sondern ist der Anfang des Jo-
hannes-Evangeliums: »Im Anfang war das
Wort.« Der zweite Satz zieht zwei Sätze der
Apokalypse zusammen. Der Text lautet vollständig: »Selig sind die Toten, die in dem
Herrn sterben, von nun an. Ja, der Geist
spricht, daß sie ruhen von ihrer Arbeit; denn
ihre Werke folgen ihnen nach« (14, 13). In
Beckmanns Zitat müssen unter Werken seine
eigenen, die Kunstwerke verstanden werden.
Den Anfang des Johannes-Evangeliums hatte
Beckmann bereits auf dem Mittelbild des Triptychons *Versuchung* (Kat. 73) als Schlüssel eingeführt, indem die Worte dort einerseits auf
den Zusammenhang der Darstellung mit der
Welt in ihrer Totalität, zum anderen aber auf
die Johannes-Figur verweisen, die für Beckmann ein Prototyp des Künstlers war. Auch in
der vorstehenden Lithographie identifiziert
sich Beckmann mit Johannes.

Die Schlange ist das alte Symbol der Weis-
heit. Sehr ähnlich hat Beckmann sie schon
im Triptychon *Akrobaten* 1939 dargestellt
(Kat. 89). Auch der Fisch hat als Symbol eine
lange Tradition und wird im Christentum in
mehrfachem Sinne mit Christus selbst in Verbindung gebracht.

Beckmann hat mit dem Titelbild also keine
einzelne Stelle der Apokalypse illustriert, sondern hat eine programmatische Deutung für
das Ganze geschaffen, die sinnvoll am Beginn
steht. Als ob ein Tor aufginge oder ein Buch
aufgeschlagen würde, so öffnen sich die
Schrifttafeln. Sie geben den Blick frei auf den
Künstler selbst. Er steht im Zentrum, wie Johannes.

2

Leiste 80 x 200 mm   VG 330

Dargestellt ist nach 1, 16 Johannes gegenüber
der Messias mit den sieben Sternen in der rechten Hand. »Sein Angesicht leuchtete wie die
helle Sonne.« Beckmann hat die als ganze be-
schriebene Figur auf das Gesicht mit den strah-
lend-durchdringenden Augen konzentriert und
sie dadurch unmittelbarer dem Johannes konfrontiert, der in den Schatten zurückgedrängt
wird. Mit dem überwältigenden Anblick des
Gesichts verbindet sich die erhobene Hand als
tatkräftige Geste der Macht. Hand, Gesicht
und die Flammen der Kerzen sind durch helles
Gelb in eins gebunden und bringen so das
Strahlen der Erscheinung insgesamt zur Anschauung.

3

Leiste 80 x 200 mm   VG 331

In dieser Rahmenleiste ist nach 2, 9-10 ein Text
aus dem Schreiben an die Gemeinde in Smyrna
illustriert. Der Kopf rechts zeigt beispielhaft

7 Off. Joh. 5, 6-7: *Ein Lamm, wie es erwürget wäre*

8 Off. Joh. 6, 1-8: *Die apokalyptischen Reiter* ▷

die erwähnten Lästerer, während die liegende Figur des Elenden, vielleicht sogar Toten, in der sich Beckmann selbst dargestellt hat, und die goldene Krone vorne sich auf die Aufforderung beziehen, die bevorstehenden Leiden auszuhalten. »Sei getreu bis an den Tod, so will ich Dir die Krone des Lebens geben.«

4

Leiste 40 x 160 mm   VG 332

Diese drei geneigten Köpfe mit den großen Ohren veranschaulichen lapidar die Worte »Wer Ohren hat, der höre, was der Geist den Gemeinen sagt« (2, 29).

5

Leiste 40 x 180 mm   VG 333

Nach 3, 17-18 zeigen diese Köpfe die Törichten, die sich über sich selbst täuschen, die geistig blind sind und Augensalbe nehmen sollen, damit sie sehend werden. Solches Sehen hat Beckmann in dem zweiten Kopf von links dargestellt.

9 Off. Joh. 7, 2-3: *Die Versiegelten*

10 Off. Joh. 7, 17: *Gott wird abwischen alle Tränen von ihren Augen...*

6

Ganzseitig   VG 334

Diese erste große, bildmäßige Darstellung innerhalb des Textes, die farbig von hellem Blau bestimmt wird, zeigt nach 4, 2-8 in einer Vision den offenen Himmel mit dem Thron Gottes und den vierundzwanzig Ältesten in hellgelben Gewändern sowie den vier Tieren, die einem Löwen, einem Stier, einem Menschen und einem Adler gleichen. Beckmann hat sich vor allem darin vom Text gelöst, daß er das Antlitz Gottes darstellt, während es bei Johannes heißt: »Der da saß, war gleich anzusehen wie der Stein Jaspis und Sarder«.

11   Off. Joh. 8, 1 - 13 : *Die vier ersten Posaunen...*   12   Off. Joh. 9, 1 - 12 : *Die fünfte Posaune*

Die offenen bewegten und energischen Formen des Antlitzes sind aber insofern wieder
sehr textgenau, als sie die Worte veranschaulichen: »Und von dem Stuhl gingen aus Blitze,
Donner und Stimmen«. Den Regenbogen
»wie ein Smaragd«, den Johannes um den
Thronenden sieht, hat Beckmann zur Grund-
form für den unregelmäßgien Dreipaß genommen, der die Figuren umfängt.

7
Dreiviertelseitig 200 x 200 mm   VG 335

Das Bild geht auf 5, 6-7 zurück, wo das Lamm
mit den sieben Hörnern und sieben Augen geschildert wird, »wie es erwürget wäre«. Es ist
allein würdig, das Buch mit den sieben Siegeln
aus der Hand Gottes zu öffnen. Beckmann hat
das Lamm in Rosa vor dem grauen Buch dargestellt, während die Würgeschnur in Gelb gegen Tier und Buch kontrastiert.

8
Ganzseitig   VG 336

Die Lithographie zeigt nach 6, 1-8 die vier apokalyptischen Reiter, die bei der Öffnung
der ersten vier Siegel jeweils auf den Ruf eines
der Tiere erscheinen. »Und ihnen ward Macht
gegeben, zu töten das vierte Teil auf der Erde
mit dem Schwert und Hunger und mit dem Tod
und durch die Tiere auf Erden.« Beckmann hat
die Reiter gegen einen brennenden Himmel in
Rotviolett an seinem Fenster vorüberziehend

dargestellt. Es ist in seinem Werk das erste
Beispiel dafür, wie der Blick durchs Fenster
zugleich eine überirdische Erscheinung zeigt.
Vorbereitet durch die Radierung *Knaben am
Fenster,* 1922, folgen später in diesem Zu-
sammenhang die *Mater gloriosa* der Faust-Illu-
strationen und *The Beginning,* 1946-1949
(Kat. 122).

9
Leiste 80 x 180 mm   VG 337

Dargestellt sind rechts der Engel, »der hatte
das Siegel des lebendigen Gottes« und links
»die Knechte unseres Gottes« mit Siegeln an
den Stirnen (7, 2-3). Es sind die Auserwählten,
die vom Strafgericht verschont werden.

10
Leiste 80 x 180 mm   VG 338

Die Szene bezieht sich auf den Text über die
Märtyrer und deren Leiden, wo es heißt:
»Gott wird abwischen alle Tränen von ihren
Augen« (7, 17). Der Künstler hat den Text einerseits ganz wörtlich genommen, andererseits
aber in der Gestalt links nicht Gott dargestellt,
sondern vielleicht sich selbst als Tröstenden.

11
Ganzseitig   VG 339

Das große Bild ist der Eröffnung des Siebten
Siegels, insbesondere den vier ersten Posaunen
gewidmet, deren Klang Verderben über die
Erde und den Himmel bringt, so daß jeweils

der dritte Teil in Hagel, Feuer und Blut vernichtet wird (8, 1-13). Beckmann hat das au-
ßerordentliche Ereignis als Entfesselung des
Chaos in einem purpurfarbenen Licht dargestellt, wobei die dunklen Öffnungen der Posaunen den wilden Klang suggerieren und der
Stern unten links (sein Name »heißt Wer-
mut«), der aus dem Wasser auftauchende
graugrüne Fisch sowie Sonne und Mond, die zu
einem Drittel verfinstert sind, auf weiteren
Einzelheiten im Text beruhen.

12
Ganzseitig   VG 340

Die fünfte Posaune (9, 1-12) läßt einen Stern
zur Erde fallen, der den »Brunnen des Abgrunds« öffnet und daraus einen gewaltigen
Rauch aufsteigen läßt. Aus diesem kommen
riesige Heuschrecken, »gleich den Rossen, die
zum Kriege bereitet sind; und auf ihrem Haupt
wie Kronen dem Golde gleich, und ihr Antlitz
gleich der Menschen Antlitz; und hatten Haare wie Weiberhaare, und ihre Zähne waren wie
der Löwen [...]«. Die fielen allein über die
Menschen her und quälten sie fünf Monate
lang.

Beckmann hat um die beiden großen grünen
Bestien, die Menschen zwischen den Zähnen
haben, und um die übrigen Figuren den grün-
gelben Leib einer großen Schlange in Bogen-
schwüngen geführt, deren Kopf rechts hervor-
blickt. Er bezieht sich damit auf die Worte:
»Und hatten über sich einen König, den Engel
des Abgrunds«.

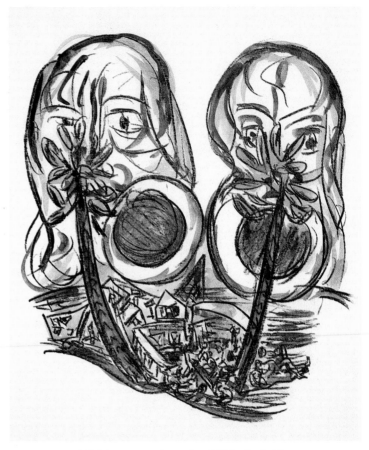

13 Off. Joh. 10,6-7: *... daß hinfort keine Zeit mehr sein soll*

14 Off. Joh. 11,3-13: *Das zehnte Teil der Stadt fiel...*

13

Ganzseitig VG 341

Die Darstellung illustriert den feierlichen Schwur eines der gewaltigen Engel, »daß hinfort keine Zeit mehr sein soll; sondern in den Tagen der Stimme des siebenten Engels, wenn er posaunen wird, so soll vollendet werden das Geheimnis Gottes, wie er hat verkündiget seinen Knechten, den Propheten« (10,6-7).

Beckmann hat den hohen Sinn der Worte ganz lapidar dadurch dargestellt, daß er die zwei Engel die Zeiger der gelben Uhr auf ›zwölf‹ anhalten läßt. Der Pfeil, der von der Uhr aus nach unten geht und wie ein abgefallener Zeiger wirkt, durchschneidet den Liegenden nicht allein, sondern vernichtet als radikales, abstrahiertes Zeichen geradezu dessen lebendige, ›zeitliche‹ Existenz.

»*Zeit* ist eine Erfindung der Menschen, *Raum* ist der Palast der Götter«, äußerte Beckmann später. Seine ganzen Vorstellungen zielten auf den ›Raum‹. Deshalb mußte ihm die Stelle der Apokalypse, wo vom Ende der Zeit die Rede ist, besonders wichtig sein.

14

Ganzseitig VG 342

Auf dem Blatt sind nach 11,3-13 die zwei mächtigen ›Zeugen‹ Gottes dargestellt, die im Text durch Ölbäume und Fackeln symbolisiert werden (Beckmann hat eine Art Palmen und Gestirne dargestellt.) Sie werden durch das Tier des Abgrunds überwunden, durch Gott jedoch auferweckt. »Und sie stiegen auf

in den Himmel in einer Wolke, und es sahen sie ihre Feinde. Und zu derselben Stunde ward ein groß Erdbeben, und das zehnte Teil der Stadt fiel, und es wurden ertötet in dem Erdbeben sieben tausend Namen der Menschen.« Mit aschgrauem Haar erscheinen die beiden Köpfe tatsächlich wolkenähnlich über dem Boden, während die Bäume mit ihren dunkelbraunen Stämmen und den grünen Kronen den festen, irdischen Bereich darstellen.

15

Ganzseitig VG 343

In 12,1-17 erscheint die Vision von dem schwangeren Weib, das unter Qualen einen Knaben gebiert, und dem Drachen als Verkörperung des Teufels, der sie und ihr Kind verfolgt. Beckmann hat das Weib viel einfacher und derber dargestellt, als es im Text geschildert wird. Dem Text nach besiegt Michael den Drachen und wirft ihn zusammen mit dessen Gefolge auf die Erde. Dieses Gefolge hat Beckmann in der Vertreibung oben gezeigt, während links davon die lobpreisenden, siegreichen Engel dargestellt sind. In der Mitte des Bildes ist noch einmal das Weib zu sehen, das Flügel erhalten hat, um vor dem Drachen zu fliehen. »Und die Schlange schoß nach dem Weibe aus ihrem Mund ein Wasser wie einen Strom, daß er sie ersäufte.« Da in Beckmanns Darstellung das Weib nicht flieht, sondern kämpferisch auf den feurigen Drachen zufliegt, wird mit dieser Figur zugleich die Vorstellung vom siegreichen Michael verbunden.

16

Ganzseitig VG 344

Den langen und bildhaft detaillierten Text zum Tier und dem falschen Propheten (13,1-18) hat Beckmann im Bilde stark gerafft und merklich verändert. Das pantherähnliche Tier mit sieben Häuptern und zehn Hörnern ist als Frau dargestellt, wodurch dessen Sinn, nämlich die Gott verdeckende und lästernde Macht, in die Macht des Lasters gewandelt ist. Neben ihr ist, violett, »Ein ander Tier« mit zwei Hörnern zu sehen, nicht weniger mächtig, das alle zur Anbetung des ersten Tieres bringt. Dieses zweite ist der falsche Prophet.

Vorn rechts ist offenbar ein ›Lehrer‹ dargestellt, der dem falschen Propheten folgt und die Jugend zur Anbetung des Tieres zwingt. Der Kopf unterhalb seines erhobenen Armes würde dementsprechend zu einem der Menschen gehören, die das Tier nicht anbeten und deshalb getötet werden.

Im Text wie auch in der Darstellung liegt also der Sinn in der Verführung zum Bösen. Unter den Nationalsozialisten hatte dieser Sinn wieder einmal besondere Aktualität, nicht zuletzt für den ›entarteten‹ Künstler Beckmann.

17

Ganzseitig VG 345

In dieser Lithographie sind die auf dem Titelbild zitierten Worte illustriert »Selig sind die Toten...« sowie der nachfolgende Text »Und ich sah, und siehe, eine weiße Wolke, und auf

15   Off. Joh. 12, 1 - 17: *Das Weib und der Drache*

der Wolke saß einer, der gleich war eines Menschen Sohn; der hatte eine güldene Krone auf seinem Haupt und in seiner Hand eine scharfe Sichel [...], mit der die Erde ward geerntet« (14,13-16). Auf hölzerner Pritsche liegt im Totenhemd eine Figur, während unten und oben hellblaue Wolken wallen, in denen golden die zwei Engel und die Gestalt mit der Sichel erscheinen.

18
Ganzseitig VG 346

Hier sind die sieben Engel mit den letzten sieben Plagen dargestellt, »denn mit denselbigen ist vollendet der Zorn Gottes«. Von ihren hellen Gewändern halb verdeckt ist das Tier zu sehen, das nun überwunden ist (15,1 und 16,1).

19
Leiste 80×190 mm VG 347

Totschlag und Laster zeigen die Menschen, »die das Malzeichen des Tieres hatten und die sein Bild anbeteten« (16,2). Die ocker- und fleischfarbenen Töne, umfangen von giftigem Grün unten, verstärken den üblen Charakter der Dargestellten.

20
Leiste 110×190 mm VG 348

Einer der Engel mit den sieben Plagen spricht zu Johannes: »Komm ich will dir zeigen das Urteil der großen Hure [Rom unter dem symbolischen Namen Babylon], [...] mit welcher gehuret haben die Könige auf Erden, und die da wohnen auf Erden, trunken worden sind von dem Wein ihrer Hurerei« (17,1-2). Vor schwülem, tiefrotem Grunde leuchten die entblößten Körperteile der Frau, während ihr blondes Haar mit den goldenen Kronen der Könige korrespondiert.

21
Ganzseitig VG 349

Der Text zu diesem Bilde schließt unmittelbar an den vorhergehenden an. Das Bild zeigt vor nachtblauem Grunde die große Hure »auf einem scharlachfarbenen Tier [... mit] einem güldenen Becher in der Hand, voll Greuels und Unsauberkeit ihrer Hurerei [...] und ich sah das Weib trunken von dem Blut der Heiligen und von dem Blut der Zeugen Jesu« (17,3-6). Rechts steht, umfangen von einem feuerroten Bogen, der Engel mit zwei Schwertern, der die Hure vernichten wird.

22
Leiste 105×215 mm VG 350

Nachdem in 18,9-13 geschildert ist, wie die Könige und die Kaufleute über den Fall der Stadt Rom, die große Hure, klagen werden, heißt es in 18,14: »Und das Obst, da deine Seele Lust an hatte, ist von dir gewichen, und du wirst solches nicht mehr finden.«
Beckmann hat Obst und Brot, farbig begehrenswert, hinter einem Gitter dargestellt, des-

16 Off. Joh. 13,1-18: *Das Tier und der falsche Prophet*

sen schwarzblauer Ton zusammen mit dem kalten Blau des Grundes das Unerreichbare der erwähnten Dinge anschaulich macht. Damit ist nicht nur der Text illustriert, sondern zugleich auf die im Krieg zu erlebende Not gewiesen, deren schlimmstes Ausmaß 1941 freilich noch bevorstand.

23
Ganzseitig VG 351

Der Darstellung liegt nach 19,11-21 der Text über die erste eschatologische Schlacht zur Vernichtung der Heidenvölker zugrunde. Gekleidet in ein blutiges Gewand, bekrönt und mit flammenden Augen sprengt der Richtende auf einem weißen Pferd heran. Er besiegt das Tier und die Könige der Erde mit ihren Heeren, die von wilden Vögeln gefressen werden, »und alle Vögel wurden satt von ihrem

Fleisch«. Der Künstler hat sich nicht an die Farbigkeit im Text gehalten, sondern den Reiter in blauem Gewande auf hellgelbem Pferde dargestellt, während die Getöteten giftig grün gehalten sind und die Vögel blutige Schnäbel haben, so das Grauenvolle des Geschehens anschaulich machend.

24
Ganzseitig VG 352

In dieser Lithographie ist das Weltgericht dargestellt (20,11-13). Beckmann hat den Weltenrichter, »vor des Angesicht floh die Erde und der Himmel«, als leuchtend gelben Kopf ergänzend zum Text mit der Dornenkrone dargestellt. Vor ihm erscheinen die Toten »groß und klein«, die nach ihren Werken gerichtet werden. Sie sind meist in graurosa Inkarnat gegeben, bekleidet mit ihren weißen Totenhemden.

17   Off. Joh. 14, 13 - 16: *Selig sind die Toten...*

18   Off. Joh. 15, 1 und 16, 1 : *Die letzten sieben Plagen*

19   Off. Joh. 16, 2 :
... die das Malzeichen des Tieres hatten

25
Ganzseitig VG 353

Max Beckmann hat hier zum zweitenmal eine
Stelle des Textes illustriert, in der von Gottes
Trost die Rede ist (vgl. VG 338). Johannes
schreibt bei der Vision vom Himmlischen Jerusalem, Gott werde dann mit den Menschen
sein und »abwischen alle Tränen von ihren Augen; und der Tod wird nicht mehr sein, noch
Leid noch Geschrei noch Schmerz wird mehr
sein« (21,4). Der Künstler hat diese Worte
ganz persönlich genommen, indem er sich
selbst als denjenigen dargestellt hat, dem der
Engel Gottes die Tränen abwischt. Wahrscheinlich bezieht sich auf ihn die Eintragung
im Tagebuch am 31. Dezember 1941 : »Besuch
des Todesengels.« Der Engel ist in goldgelbem

20   Off. Joh. 17, 1 - 2 :
*Die Könige huren und trinken mit der großen Hure
Babylon*

Kleid und mit blauen Flügeln dargestellt. Als Lichtvision in einem Regenbogenkreis erscheinen hinten das hellblaue Meer, der hellgrüne Himmel und ungewöhnliche Gestirne. Sie beziehen sich auf die Eingangsworte des Kapitels »Und ich sah einen neuen Himmel und eine neue Erde; der erste Himmel verging, und das Meer ist nicht mehr« (21,1).

26
Ganzseitig VG 354

Auf dem letzten großen Blatt zeigt »einer von den sieben Engeln, welche die sieben Schalen voll hatten der letzten sieben Plagen« (21,9) Johannes das messianische Jerusalem. Wiederum hat Beckmann sich selbst als Johannes dargestellt, mit geschlossenen Augen vom inneren Gesicht erfüllt. Der Engel kontrastiert nicht nur durch seinen strahlenden Blick, sondern auch durch die ganz lichte, zarte Farbigkeit in Rosa und Weiß als überirdische Erscheinung zu Johannes, der in Braun gehalten ist. Indem Beckmann hinten groß das Meer erscheinen läßt, bezieht er sich offenbar auf die Worte: »Und er zeigte mir einen lautern Strom des lebendigen Wassers« (22,1). Es ist der Hinweis auf ein baldiges erlöstes Dasein der Menschen. »Und wird keine Nacht da sein, und werden nicht bedürfen einer Leuchte [dessen Johannes/Beckmann hier noch bedarf] oder des Lichts der Sonne; denn Gott der Herr wird sie erleuchten« (22,5).

27
Leiste 110×205 mm VG 355

Nach dem großen Schlußbild, in dem ein neues Leben verkündet wird, hat Beckmann abschließend diese vignettenartige Darstellung geschaffen. Mit den großen Blüten vor dem hellblauen Wasser bezieht er sich nochmals auf das »Wasser des Lebens«, das auch im Text ein zweites Mal erwähnt wird (22,17). Die symmetrische Dreiheit der fremdartigen Gestirne vor purpurfarbenem Himmel kontrastiert zu den lebendigen Pflanzen und wirkt einerseits wie ein Siegel des Unabänderlichen, welches das gesprochene Wort beschließt, und andererseits wie eine kosmische Zelle, die die neue Welt hervorbringt.

21 Off. Joh. 17,3-6: *Die große Hure auf dem Tier*

22 Off. Joh. 18,14:
Das Obst, da deine Seele Lust an hatte, ist von dir gewichen…

23   Off. Joh. 19,11-21:
... und alle Vögel wurden satt von ihrem Fleisch

24   Off. Joh. 20, 11-13: *Das Weltgericht* ▷

Beckmann hat die Lithographien als eine
wechselnde Folge ganzseitiger und kleiner Bilder geschaffen, die in den Text verflochten
sind. Für Anfang und Ende gibt es besondere
Darstellungen, dazwischen Höhepunkte, aber
auch etliche weniger gewichtige Bilder, so daß
die illustrierte Apokalypse insgesamt von eigener Gestalt ist, die im Lesen und Schauen das
Interesse mannigfaltig belebt.

Phantasievoll erweist er sich auch im Umgang mit dem Text. Hat er sich in einigen Fällen genau an die Worte gehalten, so hat er in
manchen Bildern auseinanderliegende Textstellen zusammengefaßt oder in anderer Weise
den Text als Grundlage genommen, um seine
eigenen Vorstellungen zu entwickeln. Wo er
von dem Bild einer Vision oder einer bildhaf-
ten Erzählung des Johannes ausgeht, verändert
er diese mehr oder minder stark. Aber stets
schafft er sein eigenes Bild auf den Sinn des
Textes hin. Bei den gewaltigsten der Visionen
war die Aufgabe insofern besonders schwierig,
als das durch die Worte geschaffene Bild bereits derartig ›farbig‹, differenziert, derartig
reich ist, daß der bildende Künstler kaum etwas Entsprechendes darzustellen vermag. Wie
sinnvoll es sein kann, statt einer solchen Vision
im ganzen nur einen wesentlichen Teil von ihr
zu gestalten, das zeigt zum Beispiel das Bild
des Messias (VG 330), wo überirdische Strahl-
kraft und göttliche Macht eine äußerst knappe,
prägnante Form gefunden haben.

Beckmann ist aber nicht nur von den Visionen, von den verschiedenen Bildern ausgegangen, sondern hat auch bildhafte Redewendun-
gen – »Krone des Lebens«, »Wasser des Lebens«, »Große Hure« – oder abstrakte Vorstellungen – »Keine Zeit« – wörtlich genommen. Indem er sie aus der Umschreibung und
Andeutung ins Bild überführt, das Bildhafte
als das Gegebene genommen hat, hat er diesen
ein so hohes Maß an Wirklichkeit geschaffen,
daß sogar der dahinterliegende Sinn zurück-
tritt. Das ist bei Dürers Illustrationen nicht anders.

Für Beckmann ergab sich durch den Auftrag
zur Illustration der Apokalypse seit vielen Jahren wieder einmal die Gelegenheit, Druckgraphik zu schaffen. Nach den Lithographien und
Radierungen, die 1901 einsetzen, von 1914 bis
Mitte der zwanziger Jahre in besonders großer
Zahl erscheinen und zu dieser Zeit wesentliches Medium für den Künstler sind, entsteht in
der zweiten Hälfte der zwanziger Jahre nur
noch wenig Druckgraphik. Um Beckmann,
dessen Verkaufsmöglichkeiten durch Verfemung und Emigration sehr beschnitten waren,
finanziell zu unterstützen, erteilte ihm Stephan
Lackner 1937 den Auftrag zur Illustration seines Buches ›Der Mensch ist kein Haustier‹ wie
später Georg Hartmann zur Illustration der
Apokalypse. Mit beiden Werken schließt
Beckmann an die Reihe seiner früheren Illustrationen an, von denen hier nur die Lithographien zu ›Eurydikes Wiederkehr‹ (1909) von
Johannes Guthmann, zum ›Bad der Sträflinge‹
(1913) von Dostojewski und die Radierungen
zu Brentanos ›Fanferlieschen‹ (1924) genannt
seien. Beckmann, literarisch außerordentlich
bewandert, war also mit Illustrationen lange
vertraut, als er die Bilder zur Apokalypse begann. Dieser Auftrag war dennoch neu und

einzigartig, da es sich hier um farbige Blätter handelt. Farbige Druckgraphik hat Beckmann, sieht man von Abzügen auf farbigem Papier ab, überhaupt nicht geschaffen. Wohl aber gibt es wenige aquarellierte Radierungen und mindestens einen aquarellierten Holzschnitt aus den zwanziger Jahren (Kat. 280, 286). Dabei handelt es sich um einzelne Blätter für private Zwecke, während die Auflage unkoloriert blieb.

Die *Apokalypse* war offenbar von vornherein koloriert gedacht. Ein Vergleich zwischen den schwarz-weißen Lithographien und den farbigen erweist, daß – anders als bei der entsprechenden Druckgraphik der zwanziger Jahre – die Farbe hier wesentlichen, notwendigen Anteil an den Bildern hat. So stehen die Illustrationen zur Apokalypse in doppelter Hinsicht Beckmanns Gemälden jener Zeit nahe, während sich bei den weit mehr graphisch aufgefaßten Faust-Illustrationen 1943/ 1944, ungeachtet einiger Bezüge zur *Apokalypse*, deutlich eine Rückwendung zur Graphik der zwanziger Jahre erkennen läßt.

Max Beckmann hat, wie alle seine Werke, die Bilder der *Apokalypse* auf sich bezogen. Er ist Johannes, dem die Gesichte vom Untergang der Welt und vom Heraufkommen einer neuen Welt werden. Er steht aber zugleich für diejenigen, die Trübsal, Armut und Lästerung zu erleiden haben und denen doch die Krone des Lebens verheißen wird, denen die Tränen abgewischt werden. Waren die Vorstellungen des Künstlers, die in zahlreichen Werken ihren Ausdruck fanden, seit je auf Jenseits und Erlösung gerichtet und in hohem Maße vom apokalyptischen Aufbruch einer neuen Welt bestimmt, so boten ihm die Illustrationen neuerlichen Anlaß, Bilder zu schaffen, in denen seine Not und seine Hoffnung als Beispiel für die Not und Hoffnung der Menschen überhaupt dargestellt wurden. Das vermochte er jedoch nur, weil ihn zugleich etwas von den anderen unterschied: als Künstler zu sehen und zu bezeugen, was er gesehen hat – wie Johannes.

C. L.

26 Off. Joh. 22,1 : *Und er zeigte mir einen lautern Strom des lebendigen Wassers...*

27 Leiste am Ende des Textes.

25 Off. Joh. 21,4 :
◁ *und Gott wird abwischen alle Tränen*

295 Selbstbildnis 1946,
Blatt 1 der Mappe › Day and Dream ‹
Lithographie auf Umdruckpapier; 32 x 26,5 cm
Bez. u. l.: 57/90; u. r.: Beckmann
St. Louis, The Saint Louis Art Museum,
Gift of Buchholz Gallery
VG 356; Gallwitz 289; nicht bei Glaser

Die *Day and Dream*-Mappe, Beckmanns letzte
große Arbeit auf dem Gebiet der Druckgraphik, enthält 15 Lithographien. Sie wurde von
seinem New Yorker Kunsthändler, Curt Valentin, in Auftrag gegeben und war für ein ameri-
kanisches Publikum bestimmt, dem Beckmann
mit dieser Arbeit bekannt gemacht werden
sollte. Doch blieb das Thema der Mappe dem
Künstler völlig überlassen. Die Originalzeichnungen für die Lithographien befinden sich in
der Sammlung der Library of Congress, Washington, D.C.

Beckmann entschied sich für kein bestimmendes Einzelthema, sondern beschäftigte
sich in den einzelnen Blättern mit unterschiedlichen, zum Teil verschlüsselten Inhalten. In
einem Brief an Curt Valentin (Archiv des Museum of Modern Art Library) gibt er zu verstehen, daß es sich um biblische und mythologische Motive handeln könnte oder um solche,
die einen Bezug haben zur Welt des Theaters,
des Zirkus oder des Cafés. Er sagt sogar, es sei
möglicherweise ein »Alles ist eins-Ding«, für
das er leicht einen Titel finden könne. (Karen
F. Bea, › Max Beckmann: Day and Dream ‹, in:
The Quarterly Journal of the Library of Congress, Januar 1970, S. 8). Der erste Titel für die
Serie hieß › Time-Motion ‹, er wurde später jedoch in › Day and Dream ‹ geändert.

296 Wetterfahne 1946,
Blatt 2 der Mappe › Day and Dream ‹
Lithographie auf Umdruckpapier ; 37 x 27,5 cm
Bez. u. l. : 57/90 ; u. r. : Beckmann
St. Louis, The Saint Louis Art Museum,
Gift of Buchholz Gallery
VG 357 ; Gallwitz 290 ; nicht bei Glaser

297 Christus und Pilatus 1946,
Blatt 15 der Mappe › Day and Dream ‹
Lithographie auf Umdruckpapier ; 35 x 27,5 cm
Bez. u. l. : 57/90 ; u. r. : Beckmann
St. Louis, The Saint Louis Art Museum,
Gift of Buchholz Gallery
VG 370 ; Gallwitz 303 ; nicht bei Glaser

Anhang

Doris Schmidt

Dokumentation zu Leben und Werk

Abb. 1 Wohnung der Familie Beckmann in Leipzig (1891-1894), Rosenthalgasse 12/III

◁ Max Beckmann an der Ostsee, malend, 1907.

Abb. 2 Max Beckmann: Bildnis der Mutter, 1906, Privatbesitz

Abb. 3 Max Beckmann als Konfirmand

1 Erinnerungen von Minna Beckmann-Tube (unpubliziert)

1884

Am 12. Februar kommt Max Beckmann in Leipzig zur Welt. Die Eltern, Carl Christian Heinrich Beckmann (1839-1894) und Antoinette Henriette Bertha, geb. Düber (1846-1906), stammten aus niedersächsischen Bauernfamilien in der Gegend von Braunschweig, wo die Familie bis vor 1880 gelebt hatte. Der Vater war dort Grundstücksmakler und Mehlhändler, in Leipzig befaßte er sich mit chemischen Experimenten; er wollte künstlichen Meerschaum erfinden. Max Beckmann hatte zwei ältere Geschwister, Grethe und Richard.

1892

Bis 1894 geht Max Beckmann in Falkenburg in Pommern zur Schule, er lebt im Haus seiner dort verheirateten Schwester Grethe Lüdecke.

1894

Tod des Vaters. Die Mutter zieht mit den beiden Söhnen zurück nach Braunschweig. Max Beckmann besucht nacheinander Schulen in Braunschweig und Königslutter und ein hartes privates Internat in Gandersheim, das er eines Nachts heimlich verläßt, um zu seiner Mutter zurückzukehren. In der Schule und im Internat zeichnet er auch während des Unterrichts; im Internat stehen oder sitzen ihm die Mitschüler Modell, er ›bezahlt‹ sie mit dem Inhalt der Lebensmittelpakete, die ihm die Mutter zur Aufbesserung der schlechten Internatsverpflegung schickt. Das Triptychon *The Beginning,* 1946/49 (Kat. 122), spiegelt Erinnerungen an Kindheit und Schulzeit.

Beckmann erreicht die ›Mittlere Reife‹, das sogenannte ›Einjährige‹ nicht, er bereitet sich während der Akademiezeit in Weimar darauf vor, schafft die Prüfung dort nicht, besteht sie erst später in Braunschweig.[1]

1895

Beckmann malt ein Aquarell zum ›Märchen vom Hirtenbüblein‹, der auf die Frage des Königs, wieviel Sekunden die Ewigkeit habe, antwortet: »In Hinterpommern liegt der

Abb. 4 Max Beckmann: Diamantberg, Aquarell,
um 1896, Privatbesitz

Abb. 5 ›Natur‹-Klasse von Frithjof Smith an der
Kunstakademie Weimar, 1902(?). Max
Beckmann in der ersten Reihe links neben Smith

Demantberg…, dahin kommt alle hundert Jahre ein Vögelein und wetzt sein Schnäbelein
daran, und wenn der ganze Berg abgewetzt ist, dann ist die erste Sekunde der Ewigkeit
vorbei.« Das Aquarell wird nicht so sehr von dem fast weißen Diamantberg mit der Burg,
sondern vom violettroten Himmel und dem dunkelbraunen Land beherrscht.

Als Kind in Leipzig hat Beckmann mit einem Freund einmal dessen Wasserfarbkasten
gegen eine Schachtel mit über hundert Zinnsoldaten getauscht, weil ihn die Farben so
faszinierten – ein Tausch, den seine Eltern wieder rückgängig machten.[2]

1897

Beckmann malt sein erstes *Selbstbildnis* (bei Göpel 1899 datiert). In diesem oder im folgenden Jahr liest er ein Buch über den Amazonas und bewirbt sich als Kabinensteward bei einer
Schiffahrtsgesellschaft; er erhält eine Absage, da er zu jung ist.

Die großen Themen des späteren Lebenswerks sind schon in der Kindheit angelegt: die
Frage nach der Ewigkeit, das Interesse an den Menschen, die Befragung des eigenen Ich im
Selbstbildnis und der Wunsch, die Welt und fremde Kulturen kennen zu lernen.

1899

Beckmann bewirbt sich um Aufnahme in die Dresdner Akademie. Er wird abgelehnt, weil er
in der Probe-Zeichnung nach dem Gipsabguß einer griechischen Statue im Hintergrund
Details hinzugefügt hatte.[3]

1900

Beckmann wird an die Kunstschule in Weimar zugelassen; ab 21. Juni ist er in der Antiken-
Klasse von Otto Rasch zur Probe, am 10. Oktober wird er endgültig aufgenommen.

1901

Erstes radiertes Selbstbildnis: *Selbstbildnis mit aufgerissenem Mund* (Kat. 210). Im April geht
Beckmann in die ›Natur‹-Klasse von Frithjof Smith (1859-1917), einem Norweger.
Seit dem Unterricht bei Smith hat Beckmann dessen Methode der Vorzeichnung mit Kohle
auf der Leinwand beibehalten. Einer seiner Mitschüler in derselben Klasse war der
Maler Ugi Battenberg (1879-1957). Beginn der lebenslangen Freundschaft.

1902

Beckmann erhält ein Belobigungsdiplom der Akademie im Zeichnen. Auf einem Faschings-
fest der Kunstschule lernt er seine spätere Frau, Minna Tube (1881-1964) kennen, Tochter
des Militäroberpfarrers Dr. Paul Friedrich Abraham Tube und seiner Frau Ida Concordia
Minna, geb. Römpler, von Beckmann später oft »Buschchen« genannt und mehrfach porträtiert. Minna Tube hatte schon in München bei Heinrich Knirr und anschließend an der

2 Mathilde Q. Beckmann, *Mein Leben mit Max
Beckmann*, München 1983, S. 111 ff.

3 Ebenda, S. 116

Abb. 6 Max Beckmann: Minna Tube, Mitte Dezember 1903, Federzeichnung in Beckmanns Tagebuch, Privatbesitz

Abb. 7 Max Beckmann auf dem Balkon in Berlin, Pariser Straße 2, der Wohnung von Frau Oberpfarrer Minna Tube, 1904/05

Abb. 8 Das Brautpaar Max Beckmann und Minna Tube am 21. 9. 1906 in Berlin

4 Max Beckmann, *Sichtbares und Unsichtbares*, hrsg. von Peter Beckmann, Stuttgart 1965, S. 46

Münchner Akademie bei Christian Landenberger studiert. In Weimar war sie Hans Oldes Schülerin, in Berlin arbeitete sie 1903/04 bei Lovis Corinth.

1903

Am 19. Oktober, nach dem Sommersemester, verläßt Beckmann – gleichzeitig mit Minna Tube – die Akademie. Er geht nach Paris, mietet in der Rue Notre-Dame des Champs 117 ein Atelier und malt dort unter anderen sein bisher größtes Bild, einen Reiter in pointillistischer Manier. Es bleibt unvollendet und Beckmann schneidet es in Stücke. Nachhaltiger Eindruck der Werke von Cézanne. Im Dezember besucht er Minna Tube in Amsterdam, die dort Rembrandt und van der Helst kopiert.

Beckmanns Lektüre in diesen Jahren, laut Tagebuch: Keller, Maupassant, Prévost, Goethe, Maeterlinck, Kant und Nietzsche. Eine Tagebuchnotiz am 29. August 1903 in Weimar macht die Skepsis und Ironie deutlich, die für Beckmanns Begriff vom ›Welttheater‹, der sein Werk durchzieht, typisch ist: »Eine logische, in schwarz gehaltene Abschiedsfeier steht bevor. In grotesk würdevollen Freundschaftsschwüren mit viel stark betonten gegenseitigen Wünschen für später. O ja, wir sind sehr hochherzig. O, ich muß so lachen, es ist alles so dumm, diese steife Grazie. Mit so kläglich viel Selbstbeobachtung und ohne jede Tollheit ... ich werde sogar, nachdem ich eine Abschiedsrede mit ernster Würde und fast entwickelter Reife vorgetragen habe, mit geknicktem Herzen wieder abfahren, da – ich sehe mich schon sitzen auf der Bahn mit den zwei Schwermutsfalten auf der Stirn, Blick auf vorbeifliegende, grau melancholische Landschaft, im Busen milde Wogen des Schmerzes und der Selbstironie, kurz all die Kulissen, die zu dieser Reihenfolge von kleinen Schauspielen nötig sind. Nun spielen wir also die üblichen Rollen gut, daß wenigstens ein leidlicher Stil dabei herauskommt. Denn auf den Stil kommt es an, das ist die Hauptsache.«⁴

1904

Beckmann bleibt in Paris bis Ende März. Liest u. a. Schopenhauer. Reist über Fontainebleau (1. April), Chattelux (7. April), Lorms, St. Emilion, La Lelle, Chalons-sur-Saône (bis 12. April) nach Genf (14.-17. April) und von dort über Frankfurt nach Berlin (Ankunft 28. April). Wiedersehen mit Minna Tube. Den Sommer verbringt er am Meer; es entstehen Landschaften, Meerbilder. Das Meer wird von da an eines seiner großen Themen. Ab Herbst wohnt er in Berlin-Schöneberg, Eisenacher Straße 103.

1905

Beckmann malt *Junge Männer am Meer* (Abb. S. 115), die Nr. 1 in seinem von da an geführten Bildverzeichnis. Sommer in Agger, Westjütland. Er malt dort zwölf Strandlandschaften und Meerbilder vor der Natur, darunter *Sonniges grünes Meer* und *Große graue Wellen* (Kat. 3, 4).

Auf *Junge Männer am Meer* findet sich die Signatur »HBSL« (= »Herr Beckmann seiner Liebsten«) zum ersten Mal; es kommt auch »MBSL« (= »Max Beckmann seiner Liebsten«) vor; die »Liebste« ist Minna Tube. Die Signatur »HBSL« ist 1913, auf dem Bild *Christi Geburt*, zum letzten Mal verwendet.

1906

In der dritten Ausstellung des Deutschen Künstlerbundes im Juni in Weimar erhält Beckmann für *Junge Männer am Meer* den mit einem Stipendium für einen Studienaufenthalt in der Villa Romana in Florenz verbundenen Ehrenpreis des Deutschen Künstlerbundes. Das Gemälde wird vom Großherzoglichen Museum für Kunst und Kunstgewerbe in Weimar erworben.

Im Frühjahr und Herbst stellt er zum ersten Mal in der Berliner Sezession aus, von nun an regelmäßig bis zu seinem Austritt 1913.

Porträt-Aufträge in Niebusch in Schlesien (Kurt von Mutzenbecher, Hedwig von Schmeling).

Im Sommer stirbt die Mutter qualvoll an Krebs. Er malt die *Große Sterbeszene* (Kat. 5) und die *Kleine Sterbeszene* (Kat. 6). Zuvor war *Drama*, eine Kreuzigung, entstanden, 1943 in Köln bei einem Luftangriff verbrannt.

Am 21. September Vermählung mit Minna Tube. Hochzeitsreise nach Paris.

Liest ›Parerga und Paralipomena‹ von Schopenhauer, der seine Lebensphilosophie nachhaltig bestimmt. Ab 1. November in der Villa Romana in Florenz.

1907

In Florenz entsteht u. a. das *Selbstbildnis Florenz* (Kat. 8). Nach der Rückkehr malt er in Berlin *Die Schlacht* (Abb. S. 17).

Bau des Hauses in Berlin-Hermsdorf, Ringstraße 8, wesentlich von Minna Beckmann-Tube bestimmt.

Im Sommer Aufenthalt in Vietzkerstrand an der Ostsee, im Haus des Ehepaares Pagel. Bildnisse *Herr Pagel* und *Frau Pagel*.

Im März in Weimar im Großherzoglichen Museum für Kunst und Kunstgewerbe Ausstellung › Georg Minne – Max Beckmann‹ mit 18 Gemälden von Beckmann. Beteiligung an der › 1. Deutsch-Nationalen Kunstausstellung‹ in Düsseldorf (Mai/Juni), in Berlin an Ausstellungen der Berliner Sezession und im Kunstsalon Paul Cassirer.

1908

Am 31. August Geburt des Sohnes Peter.

Hauptwerke: *Unterhaltung [Gesellschaft 1]* (Kat. 7), *Beweinung, Mars und Venus, Sintflut* (Abb. S. 72), *Drei Frauen im Atelier, Bildnis Augusta Gräfin von Hagen*.

Ausstellungsbeteiligung: Berliner Sezession. – Paul Cassirer in Berlin. – Dresden, Große Kunstausstellung im Kunstpalast. – Bremen, Deutsche Kunstausstellung in der Kunsthalle.

Max Liebermann (nicht, wie vielfach angenommen, Edvard Munch) ermutigt Beckmann, auf dem mit der *Großen Sterbeszene*, 1906, begonnenen Weg zu bleiben.

Am Jahresende mit den Malern Waldemar Roesler und Wilhelm Schocken Pläne einer › Neuen Sezession‹, d. h. Trennung von der Berliner Sezession, erörtert.

Am 27. Dezember im Tagebuch Bericht über ein Gespräch zur Kunst des Hans von Marées, das Beckmanns Kunstauffassung spiegelt: »Ich betonte im Verhältnis zu Hans von Marées der momentan so sehr auf das Schild gehoben wird eine starke Individualisierung der Figuren und stellte aus dem Grunde Böcklin als künstlerisches Prinzip höher da er naiver und kraftvoller seine Figuren lebensfähig zu bilden verstünde während die Figuren bei Marées mir zu sehr absichtliche Träger von Linien und Licht und Schatten darstellten, also zu abstrakt wären, mir wohl ein gewisses ästhetisches Wohlgefallen aber kein so unmittelbares individualisiertes Lebensgefühl abnötigten wie manche Intentionen von Böcklin. Von Rubens und Rembrandt natürlich garnicht zu sprechen. Verglich Marées mit Stefan George. Beide nicht vulgär genug. Schocken und Rösler waren in gewisser Hinsicht meiner Meinung nur wollte Schocken noch einiges einwenden. Ich gebe selbstverständlich die Berechtigung dieser das heißt der Maréesschen Kunstgattung zu doch scheint sie mir eben einer speziell zu artistischen Kunstwelt anzugehören, die sich augenblicklich mit meiner ganz auch auf das gegenständlich individualisierte Leben gerichteten malerischen Lebensempfindung nicht verträgt.«[5]

1909

Hauptwerke: *Auferstehung* (Abb. S. 87), *Fest, Szene aus dem Untergang von Messina* (Kat. 10), *Doppelbildnis Max Beckmann und Minna Beckmann-Tube, Kreuzigung Christi* (Kat. 9). Die erste Folge von Lithographien, Illustrationen zu › Eurydikes Wiederkehr‹ von Johannes Guthmann, erscheint im Verlag Paul Cassirer, Berlin.

Ausstellungsbeteiligung bei der Berliner Sezession: *Sintflut, Schiffbruch, Auferstehung* und *Szene aus dem Untergang von Messina* werden negativ kritisiert. Mit einem Gemälde ist Beckmann an der Internationalen Kunstausstellung im Münchner Glaspalast vertreten. Zum ersten Mal stellt er in Paris, im Salon d'Automne im Grand Palais, aus.

Wie aus der oben zitierten Tagebuchnotiz hervorgeht, hat Beckmann nichts für ästhetisierte »abstrakte«, »zu artistische« Kunst übrig. Nach dem Besuch einer Ausstellung chinesischer Kunst notiert er am 9. Januar 1909: »Mein Herz schlägt mehr nach einer roheren gewöhnlicheren vulgäreren Kunst, die nicht verträumte Märchenstimmungen lebt zwischen Poesien, sondern dem Furchtbaren, Gemeinen, Großartigen, Gewöhnlichen Grotesk-Banalen im Leben direkten Eingang gewährt. Eine Kunst die uns im Realsten des Lebens immer unmittelbar gegenwärtig sein kann.«[6] Diese Einstellung erreicht 1912 in einer von Mißverständnissen nicht freien Auseinandersetzung mit Franz Marc in der Zeitschrift › Pan‹ ihren vorläufigen Höhepunkt. Beckmann beruft sich auf Cézanne und hebt ihn gegenüber Gauguin und Matisse hervor: »... steht es doch in seinem [Cézannes] ganzen Werk geschrieben, daß seine Begabung im wesentlichen koloristisch war, und die Qual seines Lebens, daß er nicht vermochte, das künstlerisch Sachliche, die räumliche Tiefenwirkung und das damit verbundene plastische Gefühl immer stark genug zum Ausdruck zu bringen.

Abb. 9 Max Beckmann: »Le Début – Meim lieben Minkchen«, Porträt Minna Tube, Bleistift, gezeichnet am 22. 4. 1906, Privatbesitz

Abb. 10 Max Beckmann und Hans Purrmann in Florenz, 1906

5 Max Beckmann, *Leben in Berlin*, hrsg. v. Hans Kinkel, 2. Aufl., München 1983, S. 6

6 Ebenda, S. 22

7 Max Beckmann, › Gedanken über zeitgemäße und unzeitgemäße Kunst‹. Eine Erwiderung von Max Beckmann, in: *Pan*, II, 1912, S. 499-502

8 Max Beckmann, › Das neue Programm‹, in: *Kunst und Künstler*, XII, 1914, S. 301

Abb. 11 Haus Beckmann in Berlin-Hermsdorf, Ringstraße 8

Abb. 12 Max Beckmann vor › Auferstehung I‹, 1909 im Atelier Berlin-Hermsdorf

Abb. 13 Doppelbildnis Max und Minna Beckmann, 1909, Halle/Saale, Staatliche Galerie Moritzburg

Ich selbst verehre in Cézanne ein Genie. Er konnte durch seine Bilder auf eine neue Weise die mysteriöse Weltempfindung ausdrücken, die vor ihm schon Signorelli, Tintoretto, Greco, Goya, Géricault und Delacroix beseelte.

Wenn ihm dies nun gelungen ist, so hat er es selbst nur seinen Bemühungen zu danken, seine koloristischen Visionen der künstlerischen Sachlichkeit und dem Raumgefühl, diesen beiden Grundgesetzen der bildenden Kunst, anzupassen. Nur dadurch hat er es verstanden, seine guten Bilder vor der Gefahr kunstgewerblicher Verflachung zu bewahren...«[7]

Beckmann geht es um künstlerische Sachlichkeit und Raumgefühl als Grundgesetz der bildenden Kunst. Er unterscheidet zwei Richtungen, die »flach und stilisierend dekorative« und die »raumtiefe« Kunst. »Was mich selbst anbetrifft, so folge ich mit meiner ganzen Seele der raumtiefen Malerei und suche in ihr meinen Stil zu gewinnen, der im Gegensatz zur äußerlich dekorativen Kunst der Natur und der Seele der Dinge so tief wie möglich auf den Grund gehen soll. Daß viele meiner Empfindungen bereits vorhanden gewesen sind, weiß ich sehr wohl. Ich kenne aber auch das, was ich neu aus meiner Zeit und ihrem Geist in mir fühle. Dies will und kann ich nicht definieren. Es steht in meinen Bildern.«[8]

1910

Die 1909 begonnene *Ausgießung des heiligen Geistes* wird beendet, es entstehen weiter großfigurige Kompositionen, u. a. *Die Gefangenen* und *Christus verkündet seinen letzten Aufbruch nach Jerusalem.*

Beckmann wird, als jüngstes Mitglied, in den Vorstand der Berliner Sezession gewählt.

Ausstellungsbeteiligungen in Berlin, Bremen, Darmstadt, Dresden, Leipzig und München.

Im Juni Aufenthalt auf Wangerooge, anschließend mit Wilhelm Giese, den er seit der Weimarer Akademiezeit kennt, in Bad Nenndorf bei Hannover zum Malen.

Im Winter wohnt Familie Beckmann von 1910 bis 1914 in Berlin im Haus Nollendorfplatz 6 in einer Atelierwohnung.

1911

Hauptwerke: *Kreuztragung, Gesellschaft [II], Amazonenschlacht* (Kat. 11), *Bildnis Hanns Rabe.* (Rabe war ein homöopathischer Arzt in Berlin und früher Beckmann-Sammler.)

Ausstellungsbeteiligungen in Berlin, Dresden, Düsseldorf, Leipzig und Magdeburg.

Beginn der Verbindung mit Israel Ber Neumann, Berlin, der Beckmanns Graphik verlegt. Neumann übernimmt auch die *Sechs Lithographien zum Neuen Testament*, deren erste Auflage auf Japanpapier im Verlag E. W. Tieffenbach, Berlin 1911, erschienen war.

1912

Hauptwerk: *Untergang der Titanic* (Kat. 12), gemalt aufgrund von Zeitungsberichten. Es entstehen neun Lithographien zu Dostojewskis ›Aus einem Totenhaus‹ mit dem Titel *Das Bad der Sträflinge.* Bis 1912 hat Beckmann in seiner Graphik, abgesehen von zwei radierten frühen Selbstbildnissen von 1901 und 1914, überwiegend die Technik der Lithographie verwendet.

Erste Einzelausstellungen: Magdeburg, Kunstverein (32 Gemälde) und Weimar, Großherzogliches Museum für Kunst und Kunstgewerbe (28 Gemälde: Überblick über das Schaffen von 1905 bis 1912). Ausstellungsbeteiligungen u. a. in Amsterdam und Wien. In der Berliner Sezession werden *Amazonenschlacht* (Kat. 11), *Das Liebespaar,* 1912, und das *Bildnis Hanns Rabe,* 1911, gezeigt.

Erste Begegnung mit dem Münchner Verleger Reinhard Piper, der Beckmann in Berlin besucht. Zusammentreffen mit Ludwig Meidner. Besuch bei dem Hamburger Sammler Henry B. Simms. Im Mai auf Helgoland. Im November in Davos (Bildnisauftrag Karl Simms).

Kontroverse mit Franz Marc in der Zeitschrift ›Pan‹ (siehe 1909).

Ein Inserat: »Schule für moderne Malerei – Steglitzer Straße Nr. 27 – Künstlerische Leitung Max Beckmann« erscheint im Katalog der Berliner Sezession, Nr. 26, und wird 1913 wiederholt. Über eine Lehrtätigkeit Beckmanns damals ist jedoch nichts bekannt.

1913

Max Beckmann ist mehrfach in Hamburg, malt dort das *Familienbild Simms* und im Hause des Kaufmanns und Sammlers Albert Kaumann im Juli/August das Porträt von dessen Tochter *Jeanne Kaumann.* Heftig expressive Bilder entstehen, u. a. *Stürzender Rennfahrer* (Abb. S. 77), *Paar am Strand*, dazu Berliner Straßenszenen und, als letztes, *Christi Geburt.*

Einzelausstellung: Im Januar/Februar große Retrospektive – die erste in Berlin –
mit 47 Gemälden bei Paul Cassirer; gleichzeitig erscheint im Verlag Paul Cassirer die erste
Beckmann-Monographie von Hans Kaiser. Ausstellungsbeteiligung: Chicago,
›Contemporary German Art‹, The Art Institute (Lithographie-Folgen *Eurydikes Wieder-
kehr,* 1909, und *Sechs Lithographien zum Neuen Testament,* 1911). – Zürich, Kunstsalon
Wolfsberg (20 Gemälde). – Berlin, Berliner Sezession (*Untergang der Titanic,* 1912, und
Familienbild Simms).

Im Sommer Reise nach Italien über Südtirol mit kurzem Aufenthalt in Klobenstein im
Haus von Simms. Ende August in Venedig.

Beckmann tritt mit vielen anderen Künstlern, angeführt von Max Liebermann, aus
der Berliner Sezession aus. Im Herbst Ausstellung der Ausgetretenen am Kurfürstendamm;
Beckmann ist Mitglied der Ausstellungskommission und der Jury. Elf Gemälde von ihm
werden gezeigt.

1914

Hauptwerke: *Die Straße* (Kat. 14) und *Im Auto* (Abb. S. 97) – dargestellt ist beide Male das
Ehepaar Beckmann mit Sohn Peter –, *Blick auf den Bahnhof Gesundbrunnen* (Abb. S. 97),
Stilleben mit Flieder, Stilleben mit roten Rosen.

Gründung der Berliner Freien Sezession, Beckmann wird in den Vorstand gewählt.
Außerdem ist er auswärtiges Mitglied der Münchner Neuen Sezession. Beteiligt an den
Jahresausstellungen beider Gruppen auch in den folgenden Jahren.

Nach Kriegsausbruch Begleiter eines von der Gräfin Hagen organisierten Liebesgaben-
transportes an die Ostfront. Im Spätherbst als freiwilliger Krankenpfleger in Ostpreußen.
Rückkehr nach Hermsdorf.

Der Schwager Martin Tube fällt (Kat. 223).

Seit 1914 entstehen Radierungen, die Kriegseindrücke spiegeln: Menschen, Kampfhand-
lungen, Bilder aus Operationssälen, das Leben hinter den Linien, Bordellszenen, dazwischen
Porträts der Freunde, Selbstbildnisse – Bilder einer sich verändernden, den Menschen auf
die Probe stellenden Zeit. Zum ersten Mal erscheint das Thema › Die Nacht‹ als Radierung
(Kat. 225), eine Mordszene, wie ein Vorgriff auf das Gemälde *Die Nacht,* 1918/19 (Kat. 19).

1915

Beckmann wird freiwilliger Sanitätssoldat in Belgien, arbeitet in einem Typhuslazarett,
später in einem Operationssaal in Courtrai. Malt Ende März im Auftrag des Oberstabsarztes
Prof. Kühn in der Badeanstalt des Feldlazaretts 9 in Wervik das Wandbild *Reiter mit Lanzen
vor Wervik,* das im Verlauf des Krieges wieder zerstört wird. Reist nach Lille, Brüssel, Gent
und Ostende, trifft dort Erich Heckel, der als Sanitäter eingesetzt ist.

Er bekommt den Auftrag, das Kriegsliederbuch des xv. Armeekorps zu illustrieren, das
mit 13 Federzeichnungen bei Paul Cassirer in Berlin erscheint.

Er erleidet im Juli einen Zusammenbruch, wird nach Straßburg versetzt, im Oktober aus
dem Sanitätsdienst beurlaubt, geht nach Frankfurt am Main, wo ihn seine Freunde Ugi und
Fridel Battenberg aufnehmen. Er wohnt in Battenbergs Atelier Schweizerstraße 3. Er malt in
Straßburg *Selbstbildnis als Krankenpfleger* (Kat. 15) und in Frankfurt *Gesellschaft III, Battenbergs* (Abb. S. 56). Seine Radierungen spiegeln zunehmend Deformationen und Verunsiche-
rung durch den Krieg.

Minna Beckmann-Tube, die schon 1906 mit einer Gesangsausbildung begonnen und diese
1912 wieder aufgenommen hatte, wird an die Oper in Elberfeld engagiert. In einem Brief aus
Belgien vom 12. 4. 15 schreibt Beckmann an sie: »Ich freue mich, daß Du jetzt so viel
Gelegenheit hast, Deine schöne Stimme hören zu lassen und Dich dadurch selber noch mehr
zu fühlen, denn darauf läuft doch schließlich die ganze Kunst hinaus. Selbstgenuß. Natürlich
in seiner höchsten Form. Existenzempfindung.«[9]

1916

Beckmann, noch beurlaubt, malt in Frankfurt *Die Angeklagten* und die riesige unvollendet
gebliebene *Auferstehung* (Abb. S. 85). Die *Auferstehung,* in die er die Worte »Zur Sache«
geschrieben hat, zeigt den Wandel, der sich bei ihm vollzogen hat, die nun für Beckmann
typisch werdende Verschmelzung von Erlebtem und Vision.

Er prägt damals das Wort von der »transzendenten Sachlichkeit«, gebraucht an anderer
Stelle die Formulierung »Sachlichkeit den inneren Gesichten« – Begriffe, die wie zwei Seiten
einer Münze erscheinen. Im ›Welttheater‹ gibt es für ihn künftig die Rolle des Zuschauers

Abb. 14 Max Beckmann zu Pferd, Hamburg,
Harvestehuder Weg, 1913

Abb. 15 Max Beckmann im Hause Kaumann in
Hamburg, Harvestehuder Weg 122, 1913

9 Max Beckmann, *Briefe im Kriege,* München 1955,
S. 34/35

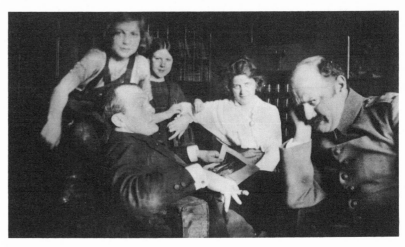

Abb. 16 Max Beckmann: Ypern, 1915, Tuschfederzeichnung, Privatbesitz

Abb. 17 Max Beckmann im Hause Dr. Hermann
Feith, Wolfgangstraße 51 in Frankfurt, mit Ugi
und Fridel Battenberg und den Töchtern Eva und
Beate Feith, 1916 oder 1917

Abb. 18 Max Beckmann: Bildnis Walter Carl,
Radierung, 1917

nicht mehr, er ist mit seiner Existenz vollkommen beteiligt, was kritisch-ironische Distanz nicht ausschließt. In den Radierungen werden die psychischen Schäden der Zeit immer deutlicher; die Selbstbildnisse dienen der Vergewisserung und Selbstbehauptung.

In Frankfurt gewinnt Beckmann neue Freunde, so den Antiquitätenhändler Walter Carl (Bruder von Fridel Battenberg) und seine Frau Käthe – sie sind hier seine ersten Sammler –, Major Fritz von Braunbehrens, der sich später für Beckmanns Entlassung aus dem Sanitätsdienst einsetzen wird, und seine Tochter Lili von Braunbehrens. Im Winter Bekanntschaft mit Kasimir Edschmid.

Beckmanns ›Briefe im Kriege‹, gesammelt und leicht gekürzt von Minna Beckmann-Tube, erscheinen als Buch bei Bruno Cassirer. In ihnen spiegeln sich die Spannungen, denen Beckmann ausgesetzt war:

»Eben bin ich in der Feste B. gewesen, etwas, das für eine Zivilperson sonst sehr schwer ist. Es ist ein wildes und merkwürdiges Leben, was ich heute führe, nirgends ist mir der unsagbare Widersinn des Lebens deutlicher geworden.« (24.9.1914)

»... mein Lebenswillen ist augenblicklich stärker als je, trotzdem ich schon furchtbare Sachen miterlebt habe und selbst schon einigemale mit gestorben bin. Aber je öfter man stirbt, um so intensiver lebt man. Ich habe gezeichnet, das sichert gegen Tod und Gefahr.« (3.10.1914)

»Ich selbst schwanke andauernd zwischen großer Freude über alles Neue, was ich sehe, zwischen Depression über den Verlust meiner Individualität und einem Gefühl tiefer Ironie über mich und auch gelegentlich über die Welt. Schließlich nötigt sie mir aber doch immer wieder Bewunderung ab. Ihre Variationsfähigkeit ist unbeschreiblich und ihre Erfindungsfähigkeit grenzenlos.« (2.3.1915)

»Ich ging über die Felder (vermied die grade Chaussee) an den Scharfschießständen vorbei, wo die Leute auf ein kleines Hügelwäldchen schießen, welches an Stelle der Frühlingsblumen Gräberreihen mit Holzkreuzen hat. Zu meiner Linken schossen sie mit dem harten, scharfen Knall des Infanteriegeschosses, zu meiner Rechten donnerten vereinzelte Kanonenschüsse von der Front her, und darüber der klare Himmel und die Sonne, hart und scharf über den weiten Räumen. Es war so wundervoll da draußen, daß selbst der wilde Wahnsinn dieses Riesenmordens, dessen Musik ich immer wieder hörte, mich nicht in meinem tiefen Genuß stören konnte.« (28.3.1915)

»Immer begleiteten mich am Himmel die kreisrunden zitternden Löcher der Scheinwerfer der Franzosen und Belgier, wie seltsame transzendentale Aeroplane, das nervöse, ununterbrochene Infanteriegewehrfeuer und der wunderbare apokalyptische Ton der Riesengeschütze. Ein Reiter im Dunkel in vollem Galopp, ab und zu große Ratten aus den schlammigen Weggräben, Dinger wie junge Katzen, die jetzt das nützliche Werk vollbringen, die Leichen, die vor den Schützengräben liegen, zu begraben. Es ist doch amüsant, wie das viel verfluchte und bestöhnte Leben des Friedens jetzt mit eiserner Logik zum Paradies aufrückt.« (5.4.1915)

»Ich amüsiere mich oft über meinen eigenen so blödsinnig zähen Willen zum Leben und zur Kunst. Ich sorge wie eine liebende Mutter für mich, spucke, würge, stoße, drängle, ich muß leben und ich will leben. Ich habe niemals bei Gott oder so etwas, mich gebückt, um Erfolg zu haben, aber ich würde mich durch sämtliche Kloaken der Welt, durch sämtliche Erniedrigungen und Schändungen hindurch winden, um zu malen. Ich muß das. Bis auf den letzten Tropfen muß alles, was an Formvorstellung in mir lebt, raus aus mir, dann wird es mir ein Genuß sein, diese verfluchte Quälerei loszuwerden.« (26.4.1915)

Abb. 19 Max Beckmann: Bildnis Kasimir Edschmid, Radierung, 1917

Abb. 20 Max Beckmann: Bildnis I. B. Neumann, Radierung, 1919

Abb. 21 Der Schriftsteller Benno Reifenberg, Ende der vierziger Jahre in Frankfurt a. Main

»Immer arbeite ich an der Form. Im Zeichnen und im Kopf und im Schlaf. Manchmal denke ich, ich muß verrückt werden, so ermüdet und quält mich diese schmerzliche Wollust. Alles versinkt, Zeit und Raum, und ich denke nur immer, wie malst du den Kopf des Auferstandenen gegen die roten Gestirne am Himmel des Jüngsten Tages. Oder wie bringst du es fertig, den Schnurrbart des Unteroffiziers D. und seine rötliche Nase zu einem lebendigen Ornament zusammenzuschmelzen, oder wie wirst du jetzt Minkchen [Minna Beckmann-Tube] malen, mit emporgezogenem Knie, auf die Hand den Kopf gestützt, gegen die gelbe Wand mit ihrem Rosa, oder das glitzernde Licht, das sich in dem blendenden Weiß der Fliegergranaten am bleiweißen Sonnenhimmel spiegelt, und die nassen, scharfen, spitzen Schatten der Häuser dazu, oder, oder ... Was ich bis jetzt gemacht habe, war alles noch Lehrjahre, ich lerne immer noch und erweitere mich ... Im wirklichen Leben frißt mich die Malerei. Ich armes Schwein kann nur im Traum leben.« (11. 5. 1915)

»Seitdem ich draußen im Feuer war, erlebe ich jeden Schuß mit und habe die wildesten Visionen. Die Entwürfe für Platten, die ich radieren will, schwellen an wie ein Sieg in Galizien.« (14. 5. 1915)

1917

Hauptwerke: *Bildnis Max Reger* (Abb. S. 24), im Auftrag von Simms, vermutlich nach einem Photo gemalt; *Kreuzabnahme* (Kat. 17) schon 1918 im Städelschen Kunstinstitut, 1919 für die Städtische Galerie in Frankfurt von Georg Swarzenski angekauft; *Christus und die Sünderin* (Kat. 18), 1919 von Fritz Wichert für die Städtische Kunsthalle in Mannheim erworben; *Selbstbildnis mit rotem Schal* (Abb. S. 54, 102), *Adam und Eva* (Kat. 16), sechs Radierungen und das Titelblatt zu Kasimir Edschmids › Die Fürstin‹. Zwei Blätter davon beziehen sich auf Partien der großen *Auferstehung II*, 1916 (Abb. S. 85).

Einzelausstellung: Berlin, I. B. Neumann (110 Blatt Druckgraphik, rund 100 Zeichnungen). Ausstellungsbeteiligung: Frankfurt, Münchner Neue Sezession im Kunstsalon Ludwig Schames. – Frankfurt, Kunstverein. – Zürich, Kunsthaus, › Deutsche Malerei des 19. und 20. Jahrhunderts‹.

In Frankfurt im Juli Besuch von I. B. Neumann und Reinhard Piper. Angesichts der *Auferstehung* äußert Beckmann zu Piper: »Ich will noch vier so große Bilder malen, dazu moderne Andachtshallen bauen. Wilhelm II. wird ja für meine Kunst nichts übrig haben. So hoffe ich also auf eine deutsche Republik. Kurz und gut, wie Sie sehen: ich bin mal wieder ziemlich größenwahnsinnig! Zunächst will ich aber einmal drei Jahre überhaupt nicht ausstellen. Vorher muß noch viel fertig werden! Von Frau Battenberg lasse ich mir Bach vorspielen, vor allem die große Orgel-Toccata. Die Matthäus-Passion ist für mich das Kolossalste, was es gibt.« [10]

1918

Hauptwerke: *Bildnis Käthe und Walter Carl, Die Nacht* (Kat. 19), im August begonnen. Zwölf Radierungen zur Mappe *Gesichter* (Kat. 230-233, 239, 242-244, 246).

Abb. 22 Max Beckmann im Atelier Schweizerstraße 3 in Frankfurt, Anfang der zwanziger Jahre

Abb. 23 Max Beckmann: Bildnis Georg
Swarzenski, Lithographie, 1921

Kasimir Edschmids › Die Fürstin ‹ mit Beckmann-Radierungen vom Vorjahr erscheint im Verlag Gustav Kiepenheuer, Weimar.

In der › Tribüne der Kunst und Zeit ‹, herausgegeben von Kasimir Edschmid, erscheint unter dem Titel › Schöpferische Konfession ‹ Max Beckmanns › Bekenntnis 1918 ‹: » Meine Form ist die Malerei und ich bin zufrieden damit, denn ich bin eigentlich von Natur mundfaul, und höchstens ein Interesse an einer Sache kann mich zwingen, etwas aus mir herauszuquälen. Heute, wo ich oft mit Erstaunen redebegabte Maler beobachten kann, ist es mir ja manchmal etwas schwül geworden, daß mein armer Mund so gar nicht den inneren Enthusiasmus und die brennenden Passionen zu den Dingen der sichtbaren Welt in schöne und schwungvolle Worte fassen kann. Aber schließlich habe ich mich darüber beruhigt und bin nun eigentlich ganz zufrieden, indem ich mir eben sage, du bist ein Maler, tue dein Handwerk und lasse reden, wer reden kann. «[II]

Minna Beckmann-Tube wird an die Oper in Graz engagiert. In den nächsten Jahren häufige Reisen Max Beckmanns nach Graz.

1919

Hauptwerke: *Die Nacht* (Weiterarbeit bis März, Kat. 19), *Frauenbad* (Kat. 20), *Bildnis Frau Tube, Selbstbildnis mit Sektglas* (Kat. 22) und *Synagoge* (Kat. 24).

Die Hölle, zehn Lithographien mit einem Titelblatt, erscheint im Verlag I. B. Neumann, Berlin (Kat. 247-257).

Im Juni veranstaltet die Buchhandlung Tiedemann & Uzielli, Frankfurter Vereinigung für Neue Kunst, eine Ausstellung seiner neuesten Werke.

Beckmann lehnt die Berufung der Weimarer Kunstschule als Leiter der Akt-Klasse ab.

Er wird Gründungsmitglied der unter Leitung von Kasimir Edschmid sich konstituierenden Darmstädter Sezession.

Im Frühsommer in Berlin.

Beckmann wohnt in Frankfurt vorübergehend in der Westendstraße 27 (bei Hänsel) und von Mai bis Juli im Haus von Heinrich Simon (› Frankfurter Zeitung ‹) am Untermainkai 3, wo auch Benno und Maryla Reifenberg leben. Ab Juli in Untermiete in der 4. Etage Schweizerstraße 3. Battenbergs ziehen ins Haus Schöne Aussicht Nr. 9.

1920

Hauptwerke: *Bildnis Fridel Battenberg* (Kat. 21) – die Porträtierte war Musikerin, auch Komponistin (1880-1965) –, *Fastnacht* mit den Darstellungen von I. B. Neumann und Fridel Battenberg, die einander nie begegnet sind, und, klein in der Maske am Boden, Beckmann selbst, *Familienbild* (Kat. 25), sechs Lithographien mit Titelblatt: *Stadtnacht* zu Gedichten von Lili von Braunbehrens (Kat. 258, 259).

Beckmann beginnt die Tragödie › Das Hotel ‹ zu schreiben (unpubliziert, jetzt zum Druck vorgesehen) und verfaßt die Komödie › Ebbi ‹. Die Arbeit daran zieht sich bis ins nächste Jahr.

Einzelausstellung: Frankfurt, Zinglers Kabinett für Bücherfreunde › Max Beckmann-Graphik ‹. Zingler verlegt einige Radierungen und übernimmt die Vertretung Beckmanns in Frankfurt. Ausstellungsbeteiligung: Darmstadt, Darmstädter Sezession, Mathildenhöhe. – Lübeck, Overbeck-Gesellschaft.

Feste Abmachung mit I. B. Neumann in Berlin, Beginn einer langjährigen Zusammenarbeit.

1921

Hauptwerke: *Der Traum* (Kat. 23), *Das › Nizza ‹ in Frankfurt am Main* (Kat. 29), *Selbstbildnis als Clown* (Kat. 31) und *Varieté* (Kat. 32). Graphik: *Selbstbildnis mit steifem Hut* (Kat. 266-268), Bildnisse von *Reinhard Piper, Georg Swarzenski* und *Fridel Battenberg*, zehn Radierungen der Serie *Der Jahrmarkt* (Kat. 271-274).

Stadtnacht mit Gedichten von Lili von Braunbehrens erscheint bei Piper in München als bibliophiler Druck (Kat. 258, 259).

Einzelausstellungen: Berlin, I. B. Neumann (Gemälde). – Frankfurt, Kunstverein (17 Gemälde, 6 Aquarelle, 24 Zeichnungen und 157 Blatt Druckgraphik). Ausstellungsbeteiligung: München, Neue Sezession, Westflügel des Glaspalastes (14 Gemälde).

Beckmann lernt in München den Schriftsteller Wilhelm Hausenstein kennen und in Berlin den Kunsthändler Günther Franke. Peter Zingler bringt ihn mit dem Schauspieler Heinrich George zusammen, der in Frankfurt › Orpheus und Eurydike ‹ von Kokoschka inszeniert.

Kurzer Aufenthalt in Dresden (Lithographie *Bildnis Dr.Weidner*).

Benno Reifenberg hat den durch den Ersten Weltkrieg verursachten Bruch in Beckmanns Psyche und Schaffen treffend beschrieben:

»Als ungeheuerliche Liquidation des großen Nichts kam der europäische Krieg. Es kamen die Ereignisse der letzten Jahre. Man konnte in ihnen eine Reinigung erblicken, ein Klarmachen. Man versuchte sich zu trösten, es sei gut, daß die Augen geöffnet, die Fassaden eingerissen würden. Aber dann hätte auch die große, die brennende Revolution folgen müssen. Die fehlte. Es ist beinahe fraglich, ob revolutioniert wurde ... Die Geschehnisse besitzen keine Durchschlagskraft mehr; die Liquidation läuft Gefahr, sich unversehens als betrügerischer Bankerott zu entpuppen: man beginnt den Krieg zu vergessen ... Und damit erscheint des Krieges Qual sinnlos, der Zusammenbruch europäischer Welt vollends besiegelt zu sein. War selbst in diesem quantitativ höchsten Energieaufwand nur Sinnlosigkeit, bleibt nicht abzusehen, wie auf gleichem Boden nun noch Sinnvolles erstehen solle. Die letzte Möglichkeit des Sichsammelns verstrich ungenützt. Die Geistigen, die Verantwortung fühlten, die führen sollten, zerstoben weiter in alle Winde. Sie fliehen noch jetzt. Zum Kommunismus, aufs Land, in Gartenstädte; nach Asien, auch zum Exotischen.

Max Beckmann ist nicht geflohen ... Dem Maler hat der Krieg zur Wirklichkeit verholfen. Zum neuen Gegenstand. Wenn man Verwundete zur Bahre trägt, durch weiße Binden Blut sickert, die Schwestern hier sich neigen, den Arzt dort mit aufgekrempelten Ärmeln schneiden sieht, dann bleiben sehr geringe Zweifel an der Existenz dieser leidvollen Welt. Des Leides voll; gewiß und fürchterlich. Aber nicht mehr leer, gähnend vom Nichtsnutz alles Kaffeehausgespräches, vor Langeweile. Dem Maler war inmitten der Kriegsnacht eine neue Sonne aufgegangen. Ein düsterer, dunkler Ball, der gleichmütig und drohend am Horizont glühte. Aber während die anderen in ihre Verzweiflung oder in ihre Ideologien sich verkrochen, auf ein unbestimmtes ›Nachher‹ hoffend, dumpfen Schlaf schliefen, blieb Beckmann wach. Und wie es sich ereignen kann, daß die Wirkung des mittäglichen Sonnenlichtes etwas Schwarzes an sich hat, so war ihm umgekehrt die Kraft gegeben, in die Dunkelheit ein Licht einzusprengen. Das Licht war die wilde Freude am Gestalten ...«[12]

Abb. 24 Max Beckmann: Bildnis Reinhard Piper, Lithographie, 1921

1922

Hauptwerke: Die Frankfurter Stadtlandschaften *Der Eiserne Steg* (Kat. 29) und *Landschaft bei Frankfurt mit Fabrik*, außerdem *Vor dem Maskenball* (Kat. 26), das auf Wunsch von Reinhard Piper in der Art des *Familienbildes* von 1920 (Kat. 25) gemalt ist, sowie *Bildnis Frau Dr. Heidel* (Astrid Matthias; Abb. S. 65). Die *Berliner Reise* (Kat. 276–278), zehn Lithographien mit Umschlag und Titelbild, die bei I. B. Neumann in Berlin erscheinen, ist das wichtigste Graphik-Werk der Jahre 1922 und 1923, in denen Beckmann mit über neunzig Blättern ein Drittel seines gesamten druckgraphischen Œuvres schafft. Darunter ist auch der berühmte Holzschnitt *Selbstbildnis* (Kat. 279) mit Blick in die Ferne, der merkwürdig an Bildnisse Martin Luthers erinnert.

Einzelausstellung: Frankfurt, Peter Zinglers Kabinett. Ausstellungsbeteiligung: Stockholm, Liljevalchs Konsthall, Ausstellung deutscher Kunst, von Gustav Pauli in Hamburg zusammengestellt. – Venedig, XIII. Biennale (Druckgraphik).

Von Kasimir Edschmid erscheinen zwei Aufsätze über Beckmann in ›Deutsche Graphik des Westens‹, Weimar, und in ›Die Zukunft‹, Berlin.

Im Dezember Reise nach München, Besuch bei Piper. In der Alten Pinakothek beeindruckt Beckmann besonders ein Werk, das damals noch Gabriel Mäleßkircher zugeschrieben war: der 1438 gemalte Kalvarienberg mit den Heiligen Koloman, Quirin, Kastor und Chrysogonus des inzwischen als ›Meister der Tegernseer Tabula magna‹ ermittelten Malers.[13] Von dem im Zusammenhang mit Beckmanns Wertschätzung des Gabriel Mäleßkircher in der Literatur verschiedentlich erwähnten Jerg Ratgeb besitzt die Pinakothek in München kein Werk, besaß sie auch damals, 1922, keines. Doch gibt es im Städel in Frankfurt zwei Bildnisse von Claus und Margaretha Stalburg auf den Flügeln des Altars der Hauskapelle der Stalburg, die im Verzeichnis der Gemälde des Städel von 1924 als Werke des Jerg Ratgeb figurierten, inzwischen aber einem anonymen ›Meister der Stalburg-Bildnisse‹ zugeschrieben werden. Beckmann muß die Ratgeb-Fresken im Frankfurter Karmeliterkloster und den Herrenberger Altar von Ratgeb in der Württembergischen Staatsgalerie in Stuttgart gekannt haben. Reinhard Piper berichtet, wie er mit Beckmann im Städel vor allem den in seiner Bedeutung noch wenig erkannten großen Flügelaltar von Holbein dem Älteren betrachtet habe.[14] Der Altar kam 1922 durch einen Bildertausch mit dem Frankfurter Historischen Museum in Frankfurt ins Städel.

12 Benno Reifenberg, ›Max Beckmann‹, in: *Ganymed* III, 1921, hrsg.v.Julius Meier-Graefe

13 Die Tabula magna befindet sich im Bayerischen Nationalmuseum in München. Im Germanischen Nationalmuseum in Nürnberg und im Bode-Museum in Berlin (DDR) gibt es ebenfalls Werke dieses anonymen Meisters.

Abb. 25 Max Beckmann: Bildnis Dr. Heinrich Simon, Lithographie, 1922

Abb. 26 Max Beckmann: Porträt Fritz Wichert, Bleistiftzeichnung, 1923 (?) Gemeente Museum, Den Haag

14 Reinhard Piper, a.a.O., S. 330
15 Brief an I. B. Neumann, in: Göpel, *Max Beckmann – Katalog der Gemälde,* Bern 1976, Bd. I, bei Nr. 234

1923

Hauptwerke: *Selbstbildnis vor rotem Vorhang* (Abb. S. 62), in dem Beckmann sich als eine Art Zirkusdirektor darstellt, *Das Trapez* (Kat. 33), das denn auch in die Welt des Varietés führt, *Selbstbildnis auf gelbem Grund mit Zigarette* (Kat. 36), *Doppelbildnis Frau Swarzenski und Carola Netter, Tanz in Baden-Baden* (Kat. 34), *Eisgang.* Aus der Fülle der Radierungen ragen hervor: *Fanferlieschen* – acht Blätter zu Clemens von Brentano, sowie *Stilleben mit Globus* als erste Stilleben-Radierung.

In München zeigt die Moderne Galerie Thannhauser am Jahresende eine Ausstellung von Zeichnungen und Druckgraphik Beckmanns aus der Sammlung Reinhard Piper.

I. B. Neumann geht nach New York und überträgt Günther Franke die Leitung seines Graphischen Kabinetts in München in der Barer Straße.

Reise Beckmanns nach Baden-Baden, dort Treffen mit dem Maler und Zeichner Rudolf Grossmann (1882-1941).

Beckmann erhält Rundbrief von G. F. Hartlaub, dem Direktor der Städtischen Kunsthalle Mannheim, wegen der für 1925 dort geplanten Ausstellung › Neue Sachlichkeit ‹.

1924

Hauptwerke: *Käthe von Porada, Elsbeth Goetz, Minna Beckmann-Tube* (Kat. 37), *Schlafende* (Kat. 35) und *Irma Simon.* Unter den drei Vorstadtlandschaften, die in diesem Jahr entstehen, erinnert *Seelandschaft mit Pappeln* (Kat. 39) deutlich an Bilder von Henri Rousseau. Das *Stilleben mit Grammophon und Schwertlilien* (Kat. 38) leitet die seitdem nicht abreißende Reihe der Stilleben ein, in denen die Dinge – vor allem Blumen – weit über ihre Natur hinaus gesteigert werden und häufig symbolische Bedeutung erhalten. »Ich male Porträts Stilleben Landschaften Visionen von Städten die aus dem Meer auftauchen, schöne Frauen und groteske Scheusäler, Badende Menschen und weibliche Akte. Kurz ein Leben. Ein einfach daseiendes Leben. Ohne Gedanken oder Idee. Erfüllt von Farben und Formen aus der Natur und aus mir selber. So schön wie möglich…«[15]

Einzelausstellungen: Berlin, Paul Cassirer, Januar. – Frankfurt, Kunstverein in Gemeinschaft mit Zinglers Kabinett, Oktober/November. Ausstellungsbeteiligung: Stuttgart, › Neue deutsche Kunst ‹, Kunstgebäude am Schloßplatz, Mai bis August (9 Gemälde). – Wien, Sezession, Internationale Kunstausstellung der Gesellschaft zur Förderung moderner Kunst, September/Oktober (3 Gemälde).

Die sechs Radierungen von *Fanferlieschen,* 1923, erscheinen bei F. Gurlitt in Berlin, die Komödie › Ebbi ‹ mit sechs Radierungen kommt in Wien im Verlag Johannespresse heraus.

Verträge mit Peter Zingler in Frankfurt und Paul Cassirer in Berlin.

Beckmann lernt im Frühjahr im Hause von Henriette von Motesiczky in Wien in der Brahmsstraße 7 Mathilde von Kaulbach kennen, jüngste Tochter des Malers August Friedrich von Kaulbach. Sie studiert in Wien bei Frau Schlemmer-Ambros Gesang, wohnt bei den Motesiczkys und trägt dort den Spitznamen › Quappi ‹. Marie-Louise von Motesiczky wird › Piz ‹ oder › Pizzi ‹ genannt, und Beckmann bekommt den Spitznamen › Becki ‹. 1927/28 wird Marie-Louise Beckmanns Schülerin in Frankfurt.

Im Juli reist Beckmann mit seiner Familie für zwei Wochen an die Adria nach Pirano südlich von Triest, auf der Rückreise macht man Station im Landhaus der Motesiczkys in Hinterbrühl.

Die erste Monographie über Beckmann von Curt Glaser, Julius Meier-Graefe, Wilhelm Fraenger und Wilhelm Hausenstein erscheint bei Piper in München. Hausenstein berichtet über jene Zeit:

»Ich sehe ihn vor mir, wie ich ihn bei freundschaftlichen Begegnungen antraf – damals, 1924, als wir zu viert, Julius Meier-Graefe, Wilhelm Fraenger, Curt Glaser und ich, uns um eine erste Monographie über Beckmann bemühten, die dann bei Piper in München erschienen ist. Es ging auf Mitternacht. Ich wußte, wo ich ihn finden würde: in jenem leeren Saal des Restaurants im Frankfurter Hauptbahnhof, unter dem unbarmherzigen Weiß elektrischer Lampen, mit einer Sektflasche und einer Brazilzigarre ganz allein. Da saß er, breitschultrig, schwer, abwesend, nachdenklich, das Imaginäre, nein das virtuelle Wirkliche, scharf beobachtend, als hätte es Kanten. Da lehnte er, blaß, in einem kalten Fieber fixiert, an der Stirne Schweißperlen wie ein erschöpfter Träger, der seine Last beiseite geworfen hätte; mit den Gewittern nervöser Reflexe auf dem zugleich sensiblen und athletischen Gesicht. So war der Mann, der tagsüber in seinem Atelier verborgen steckte, dort oben über der Schweizerstraße, ob der Ecke zum Mainkai, unweit des › Städel ‹, das den von seinem Auge und Geist geliebten Altar des älteren Holbein aus der Frankfurter Dominikanerkirche enthielt. So sah er aus – er, der nicht so sehr eine Vision des Frankfurter Doms oder des

Römerbergs malen mochte, als vielmehr die technische Grimasse des Eisernen Stegs über dem milde strömenden Fluß und unter der goldsilbernen Atmosphäre des Westens. Er sah die Verbindlichkeit dieser Atmosphäre nicht – sah diese süße Luft nicht mehr. Sie hatte früheren Generationen gehört. Er fühlte sich anders verpflichtet. Er fühlte sich von ihr ausgeschlossen. Niemals habe ich denn auch einen so einsamen Menschen erlebt. Und wahrhaftig: ihn kann man nicht nachahmen wollen.«[16]

Zu Beckmanns Freunden in Frankfurt gehörten neben dem Ehepaar Battenberg und dem Ehepaar Carl der Mitinhaber und Redakteur der › Frankfurter Zeitung‹, Dr. Heinrich Simon, und seine Frau Irma (sie hatte Beckmann 1920 in Wien mit ihren Freunden von Motesiczky bekannt gemacht), Benno Reifenberg, der 1924 die Leitung des Feuilletons der › Frankfurter Zeitung‹ übernahm, der Direktor des Städelschen Kunstinstituts, Professor Georg Swarzenski, und seine zweite Frau Marie, geb. Mössinger (Kat. 170), und Dr. Hanns Swarzenski, sein Sohn aus erster Ehe, schließlich die Industriellengattin Lilly von Schnitzler (Kat. 175), die 1924 ihre Beckmann-Sammlung begann. 1927 kam Marie-Louise von Motesiczky nach Frankfurt. Fritz Wichert, zuvor Direktor der Städtischen Kunsthalle Mannheim, hatte 1923 die Leitung der mit der Kunstgewerbeschule zusammengelegten Städelschule übernommen. Zur Tischrunde im Hause Simon kamen mit Beckmann auch die Dichter Rudolf G. Binding, Fritz von Unruh und der Schweizer Privatgelehrte Christoph Bernoulli.[17] Für einen Privatdruck zum zwanzigjährigen Bestehen des Piper Verlags am 19. Mai 1924 verfaßt Beckmann folgende Autobiographie:

Abb. 27 Max Beckmann im Hause von Henriette von Motesiczky in Wien mit Marie-Louise von Motesiczky (links) und Mathilde von Kaulbach, genannt » Quappi« (rechts), 1924

»1. Beckmann ist ein nicht sehr sympathischer Mensch.

2. Beckmann besitzt das Pech, von der Natur nicht mit einem Bank-, sondern einem Malalent ausgestattet zu sein.

3. Beckmann ist fleißig.

4. Beckmann hat in Weimar, Florenz, Paris und Berlin seine Erziehung zum europäischen Bürger in Angriff genommen.

5. Beckmann liebt Bach, Pelikan [Anm. Ölfarben], Piper und noch 2 bis 3 Deutsche.

6. Beckmann ist Berliner und lebt in Frankfurt a. M.

7. Beckmann ist in Graz verheiratet.

8. Beckmann schwärmt für Mozart.

9. Beckmann krankt an einer nicht tot zu bekommenden Vorliebe für die mangelhafte Erfindung › Leben‹. Die neue Theorie, daß die Erdatmosphäre mit einer Riesenschale aus gefrorenem Stickstoff umgeben sein soll, stimmt ihn schwermütig.

10. Beckmann hat jedoch festgestellt, daß es ein › Südlicht‹ gibt. Auch die Idee der Meteore beruhigt ihn.

11. Beckmann schläft noch immer sehr gut«.[18]

1925

Hauptwerke: *Fastnacht* (Abb. S. 22) und *Doppelbildnis Karneval* (Kat. 43), die das Paar vor der Heirat zeigen; *Bildnis Quappi Beckmann*; Frankfurter Stadtlandschaften mit Main und Dreikönigskirche, betitelt *Mainufer und Kirche* und *Mondlandschaft*; die schon in Frankfurt gemalten Italienbilder *Strand bei Viareggio* und *Kleine Landschaft Viareggio; Selbstbildnis mit Sektglas auf gelbem Grund* (in München 1944 verbrannt; Abb. S. 63); *Galleria Umberto*, ein Bild, das die spätere Geschichte vorwegzunehmen scheint.

Einzelausstellung: Düsseldorf, Alfred Flechtheim, März (Gemälde und Graphik von 1910 bis 1924). Ausstellungsbeteiligung: Mannheim, Städtische Kunsthalle, › Neue Sachlichkeit‹, Juni bis September (5 Gemälde) – in veränderter Form geht diese Ausstellung nach Dresden, Erfurt, Halle und Jena. – Zürich, Internationale Kunstausstellung im Kunsthaus (12 Gemälde). – London, International Society of Sculptors, Painters & Engravers, Royal Academy of Arts.

Vertrag mit I. B. Neumann für drei Jahre Alleinverkauf der Gemälde, jährlich 10 000 Mark Garantie.

Beckmann bricht sich am Beginn des Jahres am Semmering bei Wien die linke Hand, anschließend liegt er in einer Klinik in Wien.

Scheidung – in gegenseitiger Übereinstimmung – von Minna Beckmann-Tube, die als Sängerin viel Erfolg hat. Verlobung mit Mathilde von Kaulbach, die seinetwegen ein Angebot der Dresdner Staatsoper ablehnt. Heirat am 1. September in München. Reise nach Italien: Rom, Neapel, Viareggio. In Frankfurt wohnen Beckmanns bis Mai 1926 im Hotel Monopol-Metropol am Hauptbahnhof. Das Atelier Schweizerstraße 3 mit zugehörigem Zimmer wird bis 1933 behalten.

16 Benno Reifenberg und Wilhelm Hausenstein, *Max Beckmann,* München 1949, S. 39/40

17 Christoph Bernoulli, *Ausgewählte Vorträge und Schriften*, hrsg. v. Peter Nathan, Privatdruck, Zürich 1967, S. 194 ff.

18 Zuletzt abgedruckt in: Peter Beckmann, *Max Beckmann – Leben und Werk*, Stuttgart/Zürich 1982, S. 52

Abb. 28 Max Beckmann: Marie-Louise von
Motesiczky, Bleistift, 1924, Privatbesitz;
früher Nationalgalerie Berlin

Im Oktober wird Beckmann in ein Meisteratelier der vereinten Städelschule-
Kunstgewerbeschule (Direktor Fritz Wichert) berufen. Die Meisterateliers befinden sich
im Atelierbau neben dem Städelschen Kunstinstitut, Dürerstraße 10. Nach dem Zweiten
Weltkrieg wurde dort die Staatliche Hochschule für bildende Künste – Städelschule
eingerichtet.

Beckmanns Schüler in Frankfurt in den Jahren von 1925-1933 waren Carla Brill (1927),
Inge Dinand (1932), Theo Garve (1926-1930), Georg Heck (1928-1932), Walter Hergenhahn
(1928-1931), Anna Krüger (1927-1928), Leo Maillet (Mayer) (1930-1933), Hella Mandt
(1931), Friedrich Wilhelm Meyer (1928-1929), Marie-Louise von Motesiczky (1927-1928),
Alfred Nungesser (1926), K. Th. Schmidt, Karl Tratt (1926-1932).[19]

1926

Hauptwerke: *Selbstbildnis mit weißer Mütze* (Abb. S. 66), *Landschaft mit Vesuv: Neapel, Die
Barke* (Kat. 42), *Großes Stilleben mit Musikinstrumenten* (Abb. S. 28), *Bildnis Quappi in
Blau* (Kat. 45), *Bildnis einer alten Schauspielerin* (Kat. 44), *Notre-Dame, Chinesisches Feuer-
werk*.

Einzelausstellungen: Leipzig, Kunstverein (Retrospektive mit 40 Gemälden und mit
Graphik). – New York, Galerie New Art Circle von I. B. Neumann (keine Verkäufe).
Ausstellungsbeteiligung: Venedig, XV. Biennale. – Berlin, Nationalgalerie im Kronprinzen-
palais, Junge Künstler aus Deutschland, England, Frankreich, USA (3 Gemälde) – die Aus-
stellung geht anschließend in veränderter Form nach Bern, Paris und New York. – Dresden,
›Internationale Kunstausstellung – Jahresschau Deutscher Arbeit‹ (6 Gemälde).

Das Ehepaar Beckmann zieht im Juli in eine Wohnung in der Steinhausenstraße 7/II am
Sachsenhäuser Berg.

Reisen nach Berlin (Januar) und Paris (Herbst). Im August und September in Spotorno an
der Italienischen Riviera.

Beckmann kann seine graphischen Blätter (4000) von Piper nicht zurückkaufen,
sie werden von Günther Franke erworben.

1927

Hauptwerke: *Der Strand* (verschollen), *Der Hafen von Genua* (Kat. 49), *Selbstbildnis im
Smoking* (Kat. 53), *Großes Stilleben mit Fernrohr [Saturnstilleben]* (Abb. S. 29), *Bildnis
N. M. Zeretelli* (Kat. 52), *Waldlandschaft mit Holzfäller, Großes Fischstilleben* (Kat. 48),
Weiblicher Akt mit Hund.

Die Barke, 1926, kommt als Geschenk von Kunstfreunden als erstes Werk von Beckmann
in die Nationalgalerie Berlin.

Einzelausstellungen: Dresden, Galerie Neue Kunst Fides (Graphik). – München,
Graphisches Kabinett (Handzeichnungen der Nachkriegszeit und Druckgraphik 1911-
1924). – New York, Galerie New Art Circle von I. B. Neumann (Gemälde). Ausstellungsbeteiligung: Berlin, Frühjahrsausstellung der Preußischen Akademie der Künste. – Berlin,
Alfred Flechtheim, ›Das Problem der Generation‹ (5 Gemälde). – Dresden, Deutscher
Künstlerbund, Akademie der Künste (Staatliche Gemäldegalerie), ›Werke deutscher
Künstler: Malerei und Plastik‹. – Hamburg, ›Europäische Kunst der Gegenwart‹ (Kunst-
halle/Kunstverein). – München, Neue Sezession im Glaspalast. – Paris, Grand Palais, Salon
d'Automne (mit der Berliner Sezession).

Im Sommer drei Wochen in Rimini.

In die Abmachungen mit I. B. Neumann wird Alfred Flechtheim einbezogen.

In diesem Jahr, in dem das *Selbstbildnis im Smoking* entsteht, schreibt Beckmann den
Aufsatz ›Der Künstler im Staat‹[20]:

»Der Künstler im neuen Sinn der Zeit ist der bewußte Former der transzendenten Idee ...
der Künstler im neuen Sinn ist der eigentliche Schöpfer der Welt, die vor ihm nicht existierte.
Die neue Idee, die der Künstler und mit ihm zu gleicher Zeit die Menschheit zu formen hat,
ist Selbstverantwortung. Autonomie im Verhältnis zur Unendlichkeit. Die Lösung des
mystischen Rätsels des Gleichgewichts, *die endgültige Vergottung des Menschen ...* dieses das
Ziel ... Wir haben nichts mehr von außen zu erwarten. Nur noch von uns selbst. *Denn wir
sind Gott.* By Jove – noch ein recht unzulänglicher und armseliger Gott – aber immerhin –
Gott ... Da haben wir unser eigenes Bild. *Die Kunst ist der Spiegel Gottes, der die Menschheit
ist.* Es soll nicht abgeleugnet werden, daß diese Spiegel zu gewissen Zeiten bereits großartiger und erschütternder waren, als sie heute sind. ...

Ernüchtert und glaubenslos starrt die zum Mann herangereifte Menschheit in öde Leeren
und ist sich ihrer Kraft noch nicht bewußt.

Was uns also fehlt, ist ein neues Kulturzentrum, ein neues Glaubenszentrum. Es sind nötig
neue Gebäude, in denen dieser neue Glaube und der neue Kultus des erreichten Gleichge-

19 *Max Beckmanns Frankfurter Schüler 1925-1933*,
Ausstellungskatalog Kommunale Galerie im
Karmeliterkloster Frankfurt am Main 1980/81;
*Städelschule Frankfurt am Main. Aus der Geschichte
einer deutschen Kunsthochschule*, Frankfurt/Main
1982
20 Max Beckmann, ›Der Künstler im Staat‹, in:
Europäische Revue 3, 1927, S. 288-291

wichts getrieben wird. In denen alles gesammelt erscheinen soll, was im Gleichgewicht vollkommen geworden ist. Es handelt sich darum, eine elegante Beherrschung des Metaphysischen zu erreichen. Straffe, klare, disziplinierte Romantik unserer eigenen, im äußersten
Maße unwirklichen Existenz zu leben. Die neuen Priester dieses neuen Kulturzentrums
haben im schwarzen Anzug oder bei festlichen Zeremonien im Frack zu erscheinen, wenn es
uns nicht gelingt, mit der Zeit ein noch präziseres und eleganteres männliches Kleidungsstück
zu erfinden. Und zwar, was wesentlich ist, soll auch der Arbeiter im Smoking oder im Frack
erscheinen. Das soll heißen: wir wünschen eine Art aristokratischen Bolschewismus. Einen
sozialen Ausgleich, dessen Grundgedanke aber nicht die Genugtuung des reinen Materialismus ist, sondern der bewußte und organisierte Trieb, selbst Gott zu werden. Der äußere
Erfolg innerhalb dieses Staatssystems würde nicht mehr oder nur unwesentlich in Geld
bestehen, sondern dem zufallen, der die größere Summe von Gleichgewicht erreicht hat und
dem daher auch ein größeres Maß von Macht und Einfluß zusteht. Also Macht und Einfluß
auf der Basis der Selbstverantwortung. Ich bin mir wohl bewußt, hierbei eine Utopie auszu-
sprechen. Jedoch es muß ein Anfang gemacht werden. Und wenn es nur in der Idee ist...
   ...Wir sind auch die nächste Generation und alle Kommenden. Also wird dieser unser
Wille uns auch im nächsten Leben wieder begegnen und uns helfen – weiter helfen aus dieser
schlamasselhaften Sklavenexistenz, die wir jetzt Leben nennen. Eingesperrt wie Kinder in
einem dunklen Zimmer, sitzen wir gottergeben da und warten darauf, daß man uns die Tür
aufmacht und uns zur Hinrichtung, zum Tode führt. Wenn der Glaube, daß wir selbst entscheiden können, erst einmal festen Fuß in uns gefaßt hat, dann wird auch die Selbstverantwortung stärker werden. Nur dadurch, daß das Schwache, Egoistische und sogenannte Böse
zurückgedrängt wird zugunsten der gemeinsamen Liebe, die uns ermöglichen wird, *die
großen entscheidenden Arbeiten als Menschheit gemeinsam* auszuführen, werden wir die
Kraft finden, selbst Gott zu werden. Das heißt, frei zu werden – selbst entscheiden können,
ob leben oder sterben. Bewußte Besitzer der Unendlichkeit – frei von Zeit und Raum...«

Abb. 29 Max Beckmann, 1927

1928

Hauptwerke: *Die Loge [1]* (Abb. S. 159), *Zwei Damen am Fenster, Zigeunerin [1]* (Kat. 54),
Luftakrobaten, Scheveningen, fünf Uhr früh (Kat. 50), *Nachtstraße, Neubau, Der Wendels-*
weg; unter den Radierungen *Bildnis Swarzenski* und *Bildnis Rudolf Freiherr von Simolin*.
   Die Nationalgalerie Berlin erwirbt *Selbstbildnis im Smoking*, 1927.
   Beckmann bekommt den Reichsehrenpreis Deutscher Kunst 1928 (1000 Mark), mit
dem u. a. auch Max Liebermann, Erich Heckel, Ernst Ludwig Kirchner und Max Slevogt
ausgezeichnet werden. Die Goldene Medaille der Stadt Düsseldorf (ohne Geldpreis) wird
ihm für das *Große Stilleben mit Fernrohr,* 1927, verliehen.
   Einzelausstellungen: Mannheim, Städtische Kunsthalle, Februar bis April, › Max Beckmann – Das gesammelte Werk 1905-1927‹ (106 Gemälde, 6 Aquarelle zum *Verlorenen Sohn,*
56 Zeichnungen, 110 Blatt Druckgraphik. Katalogtext von G. F. Hartlaub und Max Beckmann › Sechs Sentenzen zur Bildgestaltung‹). Teile der Ausstellung anschließend in Berlin
bei Alfred Flechtheim (55 Gemälde 1925-1928). – München, 50. Ausstellung des Graphischen Kabinetts Günther Franke: › Max Beckmann – Gemälde aus den Jahren 1920-1928‹
(23 Gemälde, 6 Zeichnungen). – Stuttgart, Kunsthaus Schaller. Ausstellungsbeteiligung:
Berlin, Nationalgalerie, › Zweite Ausstellung der nachimpressionistischen Kunst aus Berliner
Privatbesitz‹ (5 Gemälde). – Düsseldorf, Kunstpalast, › Deutsche Kunst‹. – Venedig,
XVI. Biennale (1 Gemälde). – Außerdem in Berlin, Frankfurt und München.
   Im Frühsommer verbringt Beckmann mehrere Wochen in Scheveningen.
Reisen nach Berlin und Paris. Jahreswechsel in St. Moritz.
   Rudolf Freiherr von Simolin erwirbt *Großes Fischstilleben,* 1927, und *Zigeunerin,* 1928.
Beginn seiner bedeutenden Beckmann-Sammlung.

1929

Hauptwerke: *Fußballspieler [Rugbyspieler]* (Kat. 56), *Der Wels, Bildnis Curt Glaser, Bildnis*
eines Argentiniers (Kat. 55), *Bildnis Gottlieb Friedrich Reber, Liegender Akt* (Kat. 59),
Stilleben mit umgestürzten Kerzen.
   Beckmann erhält den Titel › Professor‹. Der Ehrenpreis der Stadt Frankfurt wird ihm
zusammen mit Richard Scheibe, Jakob Nußbaum, Reinhold Ewald verliehen. *Die Loge [1],*
1928, wird mit der › Fourth Honorable Mention‹ ausgezeichnet (Pittsburgh, 28th International Exhibition of Paintings, Museum of Art Carnegie Institute, Oktober bis Dezember).
   Einzelausstellungen: Frankfurt, Kunstverein, Oktober/November (46 Gemälde,
9 Pastelle, 6 Zeichnungen aus den Jahren 1923-1929). – Frankfurt, Kunstsalon Schames

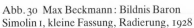

Abb. 30 Max Beckmann: Bildnis Baron
Simolin I, kleine Fassung, Radierung, 1928

Abb. 31 Max Beckmann: Porträt Dr. Ernst Levi,
11.9.29, Bleistiftzeichnung, Privatbesitz

Abb. 32 Max Beckmann: Bildnis Curt Glaser,
Bleistiftzeichnung, 1929, Privatbesitz

Abb. 33 Max und Mathilde Q. Beckmann vor
dem Hotel Esplanade in Berlin, 1929

(Graphik). – Braunschweig, Freunde Junger Kunst im Braunschweiger Schloß (Gemälde
und Graphik). Beteiligungen an Graphikausstellungen in New York, Paris, Stockholm,
Warschau und Zürich.

Zwischen 1929 und 1932 wohnt Beckmann stets von September bis Mai in Paris und fährt
jeden Monat für eine Woche nach Frankfurt in die Städelschule zur Korrektur. Er hat ein
Atelier, 23 bis Boulevard Brune, Paris XIVᵉ, und von 1929-1930 eine möblierte Wohnung,
24 Rue d'Artois, Paris VIIIᵉ.

Im April und Mai in Berlin. Er malt dort das *Bildnis Curt Glaser*. Im Herbst bei dem
Sammler Gottlieb Friedrich Reber in Lugano. Sommerferien in Viareggio, Jahreswechsel in
St. Moritz.

1930

Hauptwerke: *Bildnis Valentine Tessier, Großes Stilleben mit Kerzen und Spiegel* (Kat. 58),
Selbstbildnis mit Saxophon (Abb. S. 67), *Fastnacht Paris* (Kat. 60), *Winterlandschaft, Land-
schaft bei St. Germain, Das Bad* (Kat. 62), *Claridge [I], Bildnis Minna Beckmann-Tube*
(Kat. 63), *Stilleben mit Musikinstrumenten* (Supraporte in der Friedrich-Ebert-Schule in
Frankfurt, Verbleib ungeklärt; Abb. S. 28).

In der Städtischen Galerie im Städelschen Kunstinstitut in Frankfurt hängen 13 Gemälde
von Beckmann, zeitweise in einem eigenen Saal (u. a. *Selbstbildnis*, 1905, *Gesellschaft III
Battenbergs*, 1915, *Kreuzabnahme*, 1917, *Das Nizza in Frankfurt am Main*, 1921, *Doppelbildnis Frau Marie Swarzenski und Carola Netter*, 1923, *Doppelbildnis Karneval*, 1925, *Großes
Stilleben mit Musikinstrumenten*, 1926, *Der Strand*, 1927, verschollen, *Zwei Damen am Fenster*, 1928).

Einzelausstellungen: Basel, Kunsthalle, August (100 Gemälde, 21 Pastelle, Gouachen,
Zeichnungen). – Zürich, Kunsthaus, September/Oktober (85 Gemälde, 23 Pastelle,
Gouachen und Zeichnungen, 113 Blatt Druckgraphik). – Dresden, Galerie Neue Kunst
Fides, Oktober/November (Gemälde und Zeichnungen aus den Jahren 1906-1930). –
München, Graphisches Kabinett Günther Franke, Februar/März, ›Arbeitsstadien in
Max Beckmanns graphischem Schaffen‹ (Sammlung Piper). Ausstellungsbeteiligungen:
St. Louis, Pittsburgher Ausstellung des Museum of Art Carnegie Institute von 1929. –
Venedig, XVII. Biennale (6 Gemälde). Außerdem in Berlin, Dresden, Düsseldorf,
München, Saarbrücken, New York, Cambridge (Mass.).

Beckmanns Dienstvertrag über Lehrtätigkeit an der Frankfurter Kunstgewerbeschule/
Städelschule bis Ende September 1935 verlängert.

In Paris Umzug in eine Wohnung in Passy, 26 Rue des Marronniers.
Beckmann arbeitet jetzt überwiegend in Paris. Reisen nach Cap Martin und Nizza, Bayern
und Bad Gastein (Herbst). Trifft Baron von Simolin in der Schweiz.

Monographie von Heinrich Simon, ›Max Beckmann‹, Berlin/Leipzig, erscheint.
Vertrag mit I. B. Neumann und Alfred Flechtheim um sieben Jahre verlängert.
In Frankfurt Ausstellung der Beckmann-Schüler in der Galerie F. A. C. Prestel.

Abb. 34 Max Beckmann: Verschollene, vermutlich zerstörte Supraporte mit Musikinstrumenten
(über dem Eingang zur Aula der Friedrich-Ebert-
Schule in Frankfurt), 1930

Abb. 35 Max-Beckmann-Ausstellung im Kunstmuseum Basel, 1930. Von links: Selbstbildnis mit
rotem Schal, 1917; Selbstbildnis als Clown, 1921;
Frauenbad 1919; Die Synagoge, 1919;
Familienbild, 1920

1931

Hauptwerke: *Bildnis Quappi auf Rosa und Violett, Bildnis Rudolf Freiherr von Simolin,
Gesellschaft Paris* (Kat. 60), *Holzsäger im Wald, Landschaft bei Saint-Cyr-sur-mer, Kirche in
Marseille.*

Einzelausstellungen: Paris, Galerie de la Renaissance, März/April (36 Gemälde). –
Brüssel, Galerie Le Centaure, Mai. – Hannover, Kestnergesellschaft, Februar, ›Max Beck-
mann, Gemälde und Graphik 1906-1930‹ (29 Gemälde, 4 Aquarelle, Zeichnungen und
Druckgraphik 1911-1929). Ausstellungsbeteiligungen: Frankfurt, Städelsches Kunstinstitut,
Juni/Juli, ›Vom Abbild zum Sinnbild‹ (6 Gemälde, 1 Pastell, 16 druckgraphische Blätter). –
New York, Museum of Modern Art, ›German Painting and Sculpture‹ (6 Gemälde). –
Außerdem in Bad Homburg, Belgrad, Berlin, Cambridge (Mass.), München, New York,
Pittsburgh, Toronto.

Das Gemälde *Waldlandschaft mit Holzfäller,* 1927, wird für das Musée du Jeu de Paume in
Paris erworben.

Differenzen mit Wichert wegen seltener Präsenz in der Städelschule; Beckmann kündigt
am 26. Oktober, wird aber von Oberbürgermeister Landmann, Kulturdezernent Michel und
Prof. Swarzenski zum Bleiben bewegt.

Von nationalsozialistischer und faschistischer Seite in der Presse Angriffe auf Beckmanns
Malerei, vor allem gegen die Ausstellung in Paris und die Auswahl für die Biennale in
Venedig 1930.

Reisen nach Marseille und Saint-Cyr-sur-mer im Frühjahr, nach Ohlstadt im Sommer,
nach Gastein und Wien im Herbst. Jahreswechsel in Garmisch, Rückreise über München.

1932

Hauptwerke: *Schlittschuhläufer* (Kat. 66), *Selbstbildnis im Hotel* (Abb. S. 67), *Zigeunerin
[II], Große Gewitterlandschaft, Mann und Frau [Adam und Eva]* (Kat. 64), *Bildnis eines
Franzosen,* Beginn der Arbeit am Triptychon *Abfahrt [Departure]* (Abb. S. 40).

Einzelausstellungen: Berlin, Alfred Flechtheim, März (23 Gemälde). – Berlin, Nationalgalerie: Ludwig Justi richtet im Kronprinzenpalais einen ständigen Beckmann-Saal ein
(10 Gemälde, davon 4 aus dem Besitz der Nationalgalerie). – Paris, Galerie Bing
(17 Gemälde). Ausstellungsbeteiligungen u. a. in Chicago, Danzig, Frankfurt, München und
New York.

Das *Selbstbildnis im Hotel* spiegelt den politischen Druck, dem Beckmann sich zunehmend
ausgesetzt sieht. Die häufiger werdenden Angriffe von nationalsozialistischer Seite (auch auf
Georg Swarzenski und seinen Kreis) und die Wirtschaftskrise lassen Beckmann Atelier und
Wohnung in Paris aufgeben.

Flechtheim löst nach der Ausstellung im Frühjahr den Vertrag mit Beckmann und
I. B. Neumann.

Im Frühjahr in Paris Begegnung mit Erhard Göpel.

1933

Hauptwerke: *Selbstbildnis im großen Spiegel mit Kerze* (Kat. 67), *Geschwister* (Kat. 69),
Der kleine Fisch (Kat. 65), *Walchensee, Abendlicher Garten mit Gewitter, Ochsenstall.*

Abb. 36 Max-Beckmann-Saal im Kronprinzen-
palais/Nationalgalerie in Berlin, 1932/33: Selbst-
bildnis als Clown, 1921; Landschaft Saint-
Germain, 1930; Die Barke, 1926; Landschaft bei
Saint-Cyr-sur-mer, 1931; Golden Arrow, 1930;
Selbstbildnis im Smoking, 1927

Abb. 37 Ludwig Mies van der Rohe, 1932

Einzelausstellungen: Hamburg, Kunstverein, Februar/März (Gemälde).
Ausstellungsbeteiligung in Kassel, Deutscher Künstlerbund (4 Aquarelle), anschließend in
Magdeburg, Kunstverein. – Worcester (Mass.) College Art Association, ›International 1933‹
(1 Gemälde). – Chicago, Weltausstellung, Juni bis November, ›A Century of Progress-
Exhibition of Paintings and Sculpture lent from American Collections‹ (2 Gemälde).

Im Januar Übersiedlung nach Berlin, Hohenzollernstraße 27, später umbenannt
in Graf-Spee-Straße 3. Begegnung mit Ludwig Mies van der Rohe.

Hitlers Machtergreifung am 30. Januar. Am 29. März wird Direktor Wichert von der
Städelschule beurlaubt. Beckmann wird am 31. März zum 15. April gekündigt, ebenso
Willi Baumeister, Richard Scheibe und Jakob Nußbaum.

Der Beckmann-Saal im Kronprinzenpalais der Nationalgalerie Berlin wird nach Ludwig
Justis Entlassung aufgelöst. Im Erfurter Museum wird die Eröffnung einer Beckmann-
Ausstellung untersagt. Stephan Lackner kauft dort aus dem Keller das Gemälde *Mann und
Frau [Adam und Eva], 1932*. In mehreren deutschen Städten werden die moderne Kunst
diffamierende und politisch verdächtigende Ausstellungen gezeigt, u. a. in Dresden, Karls-
ruhe, Mannheim (›Kulturbolschewismus‹), München, Nürnberg und Stuttgart.

Im Sommer hält sich Beckmann in Ohlstadt auf. Er arbeitet im Atelier von Friedrich
August von Kaulbach.

1934

Hauptwerke: *Selbstbildnis mit schwarzer Kappe* (Abb. S. 67), *Quappi in rosa Jumper, Reise
auf dem Fisch* (Kat. 70), *Badeszene [Der grüne Mantel], Stilleben mit großer Glaskugel und
Kornähre, Blick auf Zandvoort bei Abend, Bildnis Naila*. Erste Skulptur: *Mann im Dunkeln*.

Ausstellungsbeteiligungen: New York, Museum of Modern Art, Januar, ›Fifth
Anniversary Exhibition‹. – New York, New Art Circle I. B. Neumann, April und Sommer. –
Pittsburgh, Museum of Art Carnegie Institute, Oktober bis Dezember, ›The 1934
International Exhibition of Paintings‹.

Zum 50. Geburtstag von Max Beckmann erscheint ein einziger Aufsatz (von Erhard
Göpel) in den ›Leipziger Neuesten Nachrichten‹.

Reisen nach Ascona (zu Curt Glaser), Zandvoort, Ohlstadt, wo im Kaulbach-Atelier
mehrere Gemälde entstehen, und Gstadt am Chiemsee.

1935

Hauptwerke: Triptychon *Abfahrt* (Abb. S. 40) vollendet; *Der Leiermann* (Abb. S. 45),
Großes Frauenbild, Familienbild Heinrich George (Kat. 74), *Bildnis Rudolf G. Binding,
Die Stourdza-Kapelle [Regentag in Baden-Baden], Meeresstrand*.

Ausstellungsbeteiligung: Berlin, Berliner Sezession, Januar bis März, Erste Ausstellung
nach der Neubildung 1934 (1 Gemälde). – München, Neue Pinakothek, März bis Mai,
›Berliner Kunst in München‹ (3 Gemälde).

In Berlin Begegnung mit dem Buch- und Kunsthändler Karl Buchholz und mit Curt
Valentin, der seit 1933 die Galerie im oberen Stockwerk der Buchhandlung Buchholz leitet.
Freundschaft mit Hanns Swarzenski.

Reisen nach Ohlstadt, Baden-Baden, Zandvoort.

Beckmann an Reinhard Piper: »Ich bemühe mich, durch intensive Arbeit über den talent-
losen Irrsinn der Zeit hinwegzukommen. So lächerlich gleichgültig wird einem auf die Dauer
dieses ganze politische Gangstertum, und man befindet sich am wohlsten auf.der Insel
seiner Seele...«[21]

Beckmann an Curt Valentin über das Triptychon *Departure*: »Für mich ist das Bild eine
Art vom Rosenkranz oder ein Ring von farblosen Figuren, der manchmal, wenn der Contakt
da ist einen heftigen Glanz annehmen kann und mir selber Wahrheiten sagt, die ich nicht mit
Worten ausdrücken kann und auch vorher nicht gewußt habe. – Es kann nur zu Menschen
sprechen, die bewußt oder unbewußt ungefähr den gleichen metaphysischen Code in sich
tragen.

Abfahrt, ja, Abfahrt vom trügerischen Schein des Lebens zu den wesentlichen Dingen an
sich, die hinter den Erscheinungen stehen...

Festzustellen ist nur, daß › die Abfahrt‹ kein Tendenzstück ist und sich wohl auf alle Zeiten
anwenden läßt. – (...)«[22]

Abb. 38 Max Beckmann: In der Küche, 1936,
Privatbesitz. Dargestellt: Mathilde Q. Beckmann
mit der Hausmeisterin Frau Ruppelt, die 1937 für
Verpackung und Transport von Beckmanns
Œuvre sorgte und der Kontrolle durch die
Gestapo zuvorkam.

Abb. 39 Ausstellung ›Entartete Kunst‹, 1937 in
München am Hofgarten. Links das große
›Strandbild‹ von Beckmann, 1927 (verschollen,
wahrscheinlich zerstört). Offizielle Postkarte der
Ausstellung

1936

Hauptwerke: *Selbstbildnis mit Glaskugel* (Abb. S. 69), *Traumtheater, Quappi mit Papagei,
Landungskai im Sturm, Waldweg im Schwarzwald, Blick aus dem Fenster in Baden-Baden,
Mutter und Kind, Matrose, Femina-Bar, Artistin.* Skulptur: *Selbstbildnis.*

Beginnt mit dem Triptychon *Versuchung.* Das Triptychon, vielen Deutungen unterworfen,
macht Beckmanns Fähigkeit zur mythischen Verschlüsselung deutlich wie kein Werk vorher.
Die Anregung aus › La Tentation de St. Antoine‹ von Flaubert, der im Bild sichtbare Hinweis
auf den Anfang des Johannes-Evangeliums, »im Anfang war das Wort«, verbinden sich mit
Vorstellungen aus Beckmanns langjähriger Beschäftigung mit indischer Philosophie, mit der
Kabbala, mit gnostischen Lehren und mit der Theosophie.[23]

Einzelausstellung: Hamburg, Kunstkabinett Dr. Hildebrand Gurlitt (Gemälde und Aqua-
relle); Beckmanns letzte Ausstellung in Deutschland vor 1946. Ausstellungsbeteiligungen:
Hamburg, Kunstverein, April/Mai und Juli/September. – Buffalo, The Buffalo Fine Arts
Academy Albright-Knox Art Gallery, ›The Art of Today‹. – New York, Museum of Modern
Art, Januar/Februar, ›Modern Paintings and Drawings, Gift of Mr. and Mrs. John D.
Rockefeller Jr.‹. – New York, New Art Circle I. B. Neumann. – Pittsburgh, Museum of Art
Carnegie Institute, Oktober/Dezember, ›The 1936 International Exhibition of Paintings‹.

›Vorläufige‹ Schließung der modernen Abteilung im ehemaligen Kronprinzenpalais
(Nationalgalerie) in Berlin für die Öffentlichkeit auf Anordnung des Kultusministers Rust
vom 30. Oktober. Im November Verbot der Kunstkritik in Deutschland.[24]

Beckmann reist nach Paris, um Auswanderungsmöglichkeiten nach USA mit Stephan
Lackner und dessen Vater Siegmund Morgenroth zu erörtern. Er erhält den Auftrag, das
Drama ›Der Mensch ist kein Haustier‹ von Stephan Lackner zu illustrieren.

Reisen nach Hamburg, Baden-Baden und Zandvoort.

21 Reinhard Piper, a. a. O., S. 340

22 Max Beckmann, Brief an Curt Valentin,
11. 2. 1938, zitiert nach Göpel, a. a. O., Bd. 1, S. 276

23 Vgl. Friedhelm W. Fischer, *Max Beckmann –
Symbol und Weltbild,* München 1972, S. 136 ff. –
Peter Beckmann, *Die Versuchung. Zu dem
Triptychon von Max Beckmann,* Heroldsberg bei
Nürnberg 1977. – Stephan Lackner, *Max Beckmann,*
New York 1978, S. 126. – Ausstellungskatalog *Max
Beckmann – Die Triptychen,* Städelsches
Kunstinstitut, Frankfurt a. M. 1981

24 Alfred Hentzen, ›Das Ende der Abteilung der
Nationalgalerie im ehemaligen Kronprinzenpalais‹,
in: *Jahrbuch Preußischer Kulturbesitz* VIII/1970,
Berlin 1971, S. 24-89

25 Franz Roh, *Entartete Kunst – Kunstbarbarei im
Dritten Reich,* Hannover 1962. Paul Ortwin Rave,
Kunstdiktatur im Dritten Reich, Berlin 1949

26 Originalmanuskript in Mathilde Q. Beckmann,
a. a. O., S. 189-198 und S. 235 f.

27 Vgl. Stephan Lackner: *Ich erinnere mich gut an
Max Beckmann.* Mainz 1967, S. 51-78

Abb. 40 Haus Rokin 85, Amsterdam, Beckmanns Wohnung und Atelier von 1937-1947

Abb. 41 Wetterfahne › Kleine Meerjungfrau ‹,
Rokin 85, Amsterdam

1937

Hauptwerke: Triptychon *Versuchung* (Kat. 73) vollendet, *Selbstbildnis im Frack* (Kat. 75), *Sinnende Frau am Meer, Blick auf den Tiergarten mit weißen Kugeln, Die Stourdza-Kapelle in Baden-Baden, Strelitzien-Porträt, Der König* (Kat. 78), *Der Befreite* [Selbstbildnis] (Kat. 80), *Geburt* (Kat. 81), *Quappi mit weißem Pelz, Tabarin, Stilleben mit gelben Rosen* (Kat. 83), *Blick auf das Meer bei Marseille* (Kat. 77). Sieben Lithographien zu Stephan Lackners › Der Mensch ist kein Haustier ‹, Editions Cosmopolites, Paris 1937 (Abb. S. 148).

   Ausstellungsbeteiligung: New York, New Art Circle I. B. Neumann, Februar (Gemälde).

   Sanatoriumsaufenthalt Baden-Baden im März und April. Reise nach Wangerooge.

   In der Aktion › Entartete Kunst ‹ werden in deutschen Museen 28 Gemälde, außerdem Aquarelle, Zeichnungen und Druckgraphik, insgesamt 590 Arbeiten von Beckmann beschlagnahmt.

   Bei der Ausstellung › Entartete Kunst ‹ in München im Alten Galeriegebäude in der Galeriestraße 4 am Hofgarten (die Gipsabgüsse nach den Antiken hatte man ausgeräumt) sind acht oder neun, nach Reinhard Piper zwölf Gemälde von Beckmann und etwa ebensoviele graphische Blätter zu sehen. Ein genaues Verzeichnis ist nicht vorhanden, die Ausstellung wird in den ersten Tagen noch ergänzt. Sie dauert vom 19. Juli bis Oktober und hat rund zwei Millionen Besucher.[25]

   Nach Anhören von Hitlers Rede am 18. Juli bei der Eröffnung des Hauses der Deutschen Kunst in München verläßt Beckmann mit seiner Frau am nächsten Tag Deutschland. Das Ehepaar wird begleitet von der Schwester seiner Frau, Hedda Schoonderbeek, die in Amsterdam mit einem Organisten verheiratet ist. Beckmann hat Deutschland nie mehr wiedergesehen. Sein in Berlin lagerndes Werk und die Möbel werden durch die Haus-meistersfrau Ruppelt verpackt, bevor die Gestapo eingreifen kann. Der Kunsthistoriker Dr. Hans Jaffé, der Beckmann von Berlin kennt und vor ihm nach Amsterdam ausgewandert ist, besorgt Wohnung und Atelier in ehemaligem Tabakspeicher im Haus Rokin 85 (zwei Zimmer im 1. Stock, Kochgelegenheit im Treppenhaus).

   Im September Reise nach Paris, Treffen mit Rudolf Freiherr von Simolin und Stephan Lackner, der mehrere Gemälde, darunter das Triptychon *Versuchung*, erwirbt. Winter in Amsterdam.

1938

Hauptwerke: *Selbstbildnis mit Horn* (Kat. 86), *Apachentanz, Hölle der Vögel* (Kat. 84), *Atelier [Nacht]* (Kat. 85), *Quappi mit grünem Sonnenschirm, Selbstbildnis auf Grün mit grünem Hemd, Mädchen am Meer, Frau bei der Toilette mit roten und weißen Lilien, Tod* (Kat. 82), *Blaues Meer mit Strandkörben* (Abb. S. 151), *Kleine Landschaft aus Bandol.*

   Einzelausstellungen: Bern, Kunsthalle, Februar/März (48 Gemälde, 19 Blatt Druck-graphik). – Winterthur, Kunstverein, Ausstellung im Museum, April/Mai (45 Gemälde, 14 Blatt Druckgraphik). – Zürich, Galerie Aktuarius, Juni (16 Gemälde), danach Basel, Galerie Bettie Thommen (ca. 20 Gemälde). Die Schweizer Ausstellungen wurden durch Stephan Lackner, Käthe von Porada und Max Gubler initiiert. – New York, Buchholz Gal-lery Curt Valentin, Januar/Februar, › Exhibition of Recent Paintings by Max Beckmann ‹ (20 Gemälde 1930-1937, Triptychon *Departure*, 5 Aquarelle), die Ausstellung wird anschließend in Kansas City, Los Angeles, San Francisco, St. Louis, Portland und Seattle gezeigt.

   Die New Burlington Galleries in London eröffnen am 7. Juli die › Exhibition of 20th Century German Art ‹. Beckmann ist mit *Versuchung, Hafen von Genua*, 1927, *Schlittschuh-läufer*, 1932, *Holzsäger im Wald*, 1931/32, *Der König*, 1933 und 1937, *Quappi mit weißem Pelz*, 1937, Radierung *Tamerlan*, 1923, beteiligt, alles Leihgaben von Stephan Lackner und Käthe von Porada. Chairman der Ausstellung ist Sir Herbert Read, Schirmherren sind u. a. Le Corbusier, Ensor, Maillol, Picasso, H. G. Wells, Sir Kenneth Clark, Axel Munthe, der Lord-Bishop von Birmingham. Oto Bihalji-Merin, dessen Buch › Modern German Art ‹ (unter Pseudonym Peter Thoene) mit Einleitung von Herbert Read als Penguin Book erscheint, bleibt im Katalog zwar ungenannt, ist aber einer der Initiatoren der Ausstellung, an den Vorbereitungen wesentlich beteiligt. Bei der Eröffnung hält Beckmann seine berühmte Rede › Über meine Theorie der Malerei ‹ in deutscher Sprache, simultan gedol-metscht, die später zum Teil in Rückübersetzungen aus dem Englischen verbreitet wird.[26] Stephan Lackners für die Ausstellung geschriebenes Essay › Das Welttheater des Malers Beckmann ‹ liegt in englischer Sprache auf.[27]

   Weitere Ausstellungsbeteiligungen: Columbus, Ohio, März, › Modern German Painting ‹. – Hartford, Conn., Januar/Februar. – Toledo, Ohio, The Toledo Museum of Art,

November/Dezember, ›Contemporary Movements in European Painting‹ (2 Gemälde). –
Wie alljährlich in Pittsburgh.

Im Juni reist Beckmann nach Zürich, trifft dort Rudolf Freiherr von Simolin. Vom 20. Juli
bis 2. August ist er mit Lackner in London; in der Tate Gallery ist er besonders beeindruckt
von William Blake. Aufenthalt mit Lackner in Bandol.

Im September Vertrag mit Lackner: Monatlich zwei Gemälde gegen feste Monatszahlung.

Ab Oktober leben Beckmanns in Paris. Möblierte Wohnung 17 Rue Massenet, Paris XVIᵉ
(bis Juni 1939).

Ein Teil der in deutschen Museen beschlagnahmten Kunstwerke wird gegen Zahlung in
ausländischer Währung einer kleinen Gruppe von Kunsthändlern in Deutschland zum
Verkauf freigegeben. Karl Buchholz und später Günther Franke erwerben mehrere Bilder,
die nicht öffentlich ausgestellt werden dürfen. Ein Teil der beschlagnahmten Gemälde von
Beckmann geht an Curt Valentin nach New York.

Abb. 42 Max Beckmann im Atelier im Speicher
Rokin 85, Amsterdam 1938

1939

Hauptwerke: Triptychon *Akrobaten* (Kat. 89), *Mars und Venus, Kinder des Zwielichts*
(Kat. 87), *Krieger und Vogelfrau* (Kat. 88), *Bildnis Stephan Lackner* (Abb. S. 149),
*Cap Martin, Hafen bei Bandol [grau] und Palmen, Meerlandschaft mit Agaven und altem
Schloß, Nordseelandschaft mit Zelten, Mädchen in Schwarz auf Grün.*

Einzelausstellung: New York, Buchholz Gallery Curt Valentin, Februar/März, ›Max
Beckmann Recent Paintings‹ (13 Gemälde 1932-1938). Ausstellungsbeteiligungen: Boston,
The Institute of Modern Art, November/Dezember, ›Contemporary German Art‹
(4 Gemälde). – Cleveland, Ohio, Januar/Februar, The Cleveland Museum of Art, ›Expres-
sionism and Related Movements‹ (2 Gemälde). – New York, The Museum of Modern Art,
Mai, ›Art in our Time‹. – Buchholz Gallery Curt Valentin, Mai und September/Oktober. –
San Francisco, ›Golden Gate International Exhibition of Contemporary Art‹ (Triptychon
Versuchung). – San Francisco, California Palace of the Legion of Honor and the M. H. de
Young Memorial Museum, ›Seven Centuries of Painting‹ (Triptychon *Departure*). – Spring-
field, Mass., Museum of Fine Art, Januar, ›Modern German Art‹. – München,
Graphisches Kabinett Günther Franke, September, ›Schwarz-Weiß-Ausstellung‹.

Beckmann wird in San Francisco in der Golden Gate International Exhibition of Contemporary Art für das Triptychon *Versuchung* mit dem Ersten Preis ausgezeichnet (1000 Dollar).

Bis Juni Wohnung in der Rue Massenet. Beckmann erhält die Carte d'Identité und
überlegt, ob er nicht ganz nach Paris ziehen soll. Kur in Abano Terme in Italien. Fahrt nach
Genf, um die dort ausgestellten Gemälde des Prado zu sehen. In Amsterdam im Stedelijk
Museum Besichtigung der Ausstellung ›Parijssche Schilders‹ mit u. a. 28 Gemälden von
Picasso.

Sommer in Amsterdam; Beschluß, hier zu bleiben wegen drohender Kriegsgefahr. Nach
Kriegsausbruch Besuch von Günther Franke. Bemühung der Freunde in USA (Neumann,
Valentin, Georg Swarzenski, Hanns Swarzenski, Ludwig Mies van der Rohe), Beckmann
dort einen Lehrauftrag zu vermitteln.

Im Frühjahr wird in Berlin im Hof der Berliner Feuerwache der weitaus größere Teil
der 1939 beschlagnahmten sog. ›entarteten Kunst‹ verbrannt. Dabei sollen 1004 Gemälde
und Plastiken, 3825 Aquarelle, Zeichnungen und Graphiken vernichtet worden sein.

Am 30. Juni werden in einer Auktion in Luzern bei Theodor Fischer Gemälde und
Plastiken moderner Meister aus deutschen Museen versteigert. Insgesamt drei Gemälde von
Beckmann (zwei nach der Versteigerung) werden verkauft.

1940

Hauptwerke: *Selbstbildnis mit grünem Vorhang* (Abb. S. 68), *Damenkapelle* (Kat. 91), *Große
Rivieralandschaft, Akrobat auf der Schaukel, Große liegende Frau mit Papagei, Zwei Frauen
[in Glastür], Im Artistenwagen [Zirkuswagen]* (Kat. 94), *Blick auf Menton mit Lilientopf,
Bauernholzträger [Heimkehrende], Die Möwen.*

Einzelausstellung: New York, Buchholz Gallery Curt Valentin, Januar, ›Max Beckmann
Paintings 1936-1939‹ (14 Gemälde und Triptychon *Versuchung*). Ausstellungsbeteiligungen
in Chicago, Minneapolis, New York, San Francisco.

Beckmann erhält das Angebot, einen Sommerkurs an der Kunstschule des Chicago Art
Institute zu halten. Der US-Generalkonsul in Den Haag verweigert das Visum mit Hinweis
auf den bevorstehenden Kriegseintritt der USA.

Am 10. Mai Einmarsch der deutschen Truppen in Holland. Beckmann und seine Frau
verbrennen ihre seit 1925 geführten Tagebücher, beginnen aber bald neue. Marie Louise von

Abb. 43 Max Beckmann im Atelier in Amsterdam, 1938

Abb. 44 Max Beckmann: Abbruch des russischen Pavillons nach der Weltausstellung in Paris, im März 1938 von Max Beckmann gezeichnet

Abb. 45 Günther Franke, 1942

Motesiczky vermittelt Beckmann die Bekanntschaft mit ihrer Tante Ilse Leembruggen in Den Haag, die Beckmann-Bilder zu sammeln beginnt. Lilly von Schnitzler besucht Beckmann in Amsterdam. Sein Sohn aus erster Ehe, Dr. Peter Beckmann, kommt als Truppenarzt. Er kann Gemälde nach Deutschland mitnehmen. Erhard Göpel, Kunstschutzoffizier in Holland, kann das Ehepaar im Laufe der Jahre einigermaßen abschirmen.

Im Mai trifft die letzte Zahlung von Stephan Lackner ein. Das Leben in Amsterdam wird durch die deutsche Besatzung für Beckmanns immer schwieriger.

1941

Hauptwerke: *Doppelbildnis Max Beckmann und Quappi* (Kat. 95), *Perseus-Triptychon* (Abb. S. 42), *Selbstbildnis mit grauem Schlafrock* (Kat. 93), *Apollo, Quappi und Inder, Quappi mit großem Stilleben, Fischstilleben mit Netz, Nächtlicher Park Baden-Baden* (1935 und 1941). Beginn der Arbeit am Triptychon *Schauspieler*. Von August bis Dezember entstehen die Lithographien zur *Apokalypse* (Kat. 294).

Einzelausstellung: New York, Buchholz Gallery Curt Valentin, August/September, ›Paintings by Max Beckmann‹ (16 Gemälde, Mittelbild Triptychon *Versuchung*, 13 Blatt Druckgraphik). Ausstellungsbeteiligungen: Cincinnati, Art Museum Cincinnati Modern Art Society, April/Mai, ›Expressionism – An Exhibition of Modern Paintings . . . to Commemorate the 400th Anniversary of El Greco‹. – St. Louis, City Art Museum, August/September, ›Loan Exhibition of 20th Century European Art‹.

Im April Besuch von Ernst Holzinger, Direktor des Städelschen Kunstinstituts in Frankfurt, der den Auftrag von Georg Hartmann, Besitzer der Bauerschen Gießerei in Frankfurt, übermittelt, die ›Apokalypse‹ zu illustrieren. Besuche von Peter Beckmann und Günther Franke, der Bilder kauft. Peter Beckmann nimmt sie gerollt im Sanitätswagen mit und erklärt sie an der Grenzkontrolle als von ihm selbst gemalte Faschingsdekoration für ein Fronttheater.

Im Sommer am Meer in Zandvoort. Besuche in Den Haag, Radtouren nach Hilversum. Im September drei Wochen in Valkenburg, Provinz Limburg.

Freunde in den Amsterdamer Jahren sind Dr. Helmuth Lütjens und seine Frau Nelly (Paul Cassirer, Amsterdam), der Kunsthistoriker Dr. Hans Jaffé, der aus Frankfurt emigrierte Jurist Dr. Rudolf Heilbrunn und seine Frau Lore, geb. Grages; der Arzt Dr. Jo Kijzer und seine Frau Mimi, geb. Lanz; Ilse Leembruggen, der Schriftsteller Wolfgang Frommel, der Mittelpunkt eines Widerstandskreises ist; die aus Deutschland ausgewiesenen Maler Friedrich Vordemberge-Gildewart und Otto Herbert Fiedler, die holländische Glasmalerin Giselle Waterschoot-van der Gracht sowie der Regisseur Ludwig Berger.[28]

1942

Hauptwerke: Triptychon *Schauspieler* vollendet (Abb. S. 43), *Selbstbildnis in der Bar, Großes Varieté mit Zauberer und Tänzerin, Traum des Soldaten* (Kat. 98), *Abschied* (Abb.

28 Über das Leben in Amsterdam siehe: Max Beckmann, *Tagebücher 1940-50,* München 1979; Mathilde Q. Beckmann, a.a.O.; Erhard Göpel, *Max Beckmann in seinen späten Jahren,* München 1955; Rudolf Heilbrunn, › Rokin 85 ‹ in: *Frankfurter Allgemeine Zeitung,* Nr. 88, 29. 4. 1978; Ludwig Berger, *Wir sind vom gleichen Stoff aus dem die Träume sind – Summe eines Lebens,* Tübingen 1953, S. 373-375.

S. 46), *Prometheus* (Kat. 92), *Eisenbahnlandschaft mit Regenbogen, Weiblicher Kopf in Blau und Grau* (Kat. 96), *Riviera-Landschaft mit Felsen* (Abb. S. 158), *Aufziehendes Gewitter am Meer, Stilleben mit roten Rosen und Butchy, Stilleben mit Geige und Flöte, Frankfurter Hauptbahnhof* (Abb. S. 157). Triptychon *Karneval* begonnen.

Einzelausstellung: Chicago, The Arts Club of Chicago, Januar, ›Max Beckmann Exhibition‹ (38 Gemälde 1917-1939, 4 Aquarelle, 4 Gouachen, 10 Blatt Druckgraphik). Ausstellungsbeteiligungen: Wanderausstellung durch die USA ›Twentieth Century Portraits‹, vom Museum of Modern Art organisiert. – New York, Buchholz Gallery Curt Valentin, ›Aspects of Modern Drawing‹.

Im Mai und Juni Aufenthalt in Valkenburg.

Im Juni Musterungsbefehl der deutschen Wehrmacht. Rückkehr nach Amsterdam, Besuch bei Göpel in Den Haag. Musterung am 15. Juni, dienstuntauglich. Tagebuchkommentare zu diesen Tagen: »Dienstag, 9. Juni. Im Bett gelegen. G.[öpel] in Tätigkeit gewesen den ganzen Tag, kehrte mit guten Nachrichten zurück... Donnerstag, 11. Juni, Untersuchung im Gasthuis. Spannung den ganzen Tag. – Abends bei Spaziergang kleiner Rückfall (Herz) ... 15. Juni. Früh im Auto hin. – Tierquälerei – weil doch nicht ganz sicher. Schwerer Abend. Dienstag, 16. Juni. Wieder früh im Auto hin. Endlich Entscheidung. Afgekeurd – – ›Sie sollen Ihren Lebensabend in Ruhe zu Ende leben‹ sprach die Stimme des ›Erzengels mit Breaches‹ ... Donnerstag, 18. Juni. Es scheint langsam besser zu werden mit meiner Existenz. – Aber? Was wird aus Deutschland? – Dunkel ist Alles, aber nach dem was mit mir in den letzten Tagen vorgefallen ist, sollte man wirklich fatalistisch werden. Nun ja, es war eine Krise – eine sehr ernste. – 4 Bilder entworfen...«

Besuch von Peter Beckmann, Klaus Piper, Karl Buchholz, Lilly von Schnitzler, die zwei Gemälde kauft. Das Museum of Modern Art, New York, kauft das Triptychon *Abfahrt* an.

1943

Hauptwerke: Triptychon *Karneval* beendet (Abb. S. 39), *Selbstbildnis gelb-rosa, Les Artistes mit Gemüse* (Kat. 99), *Odysseus und Kalypso, Traum von Monte Carlo* (1939, 1940-1943, Abb. S. 48), *Junge Männer am Meer* (Kat. 100), *Quappi auf Blau mit Butchy, Tänzerinnen in Schwarz und Gelb, Eyckenstein-Zypressen, Erinnerung an Cap Martin, Stilleben mit Helm und rotem Pferdeschwanz*. Von April 1943 bis Februar 1944 Arbeit an den 143 Federzeichnungen zu Goethes ›Faust, II. Teil‹ im Auftrag von Georg Hartmann, Frankfurt.

Erscheinen der *Apokalypse* mit 27 Lithographien von Max Beckmann (Kat. 294) als Privatdruck in 24 numerierten Exemplaren bei der Bauerschen Gießerei, Frankfurt a. Main.

Ausstellungsbeteiligungen: Zürich, Kunsthaus, Juli/September, ›Ausländische Kunst in Zürich‹ (1 Gemälde, 4 Blatt Graphik). – New York, Buchholz Gallery Curt Valentin, ›Early Works by Contemporary Artists‹.

Im Februar übernimmt Helmuth Lütjens für die Amsterdamer Niederlassung von Paul Cassirer & Co den größten Teil von Beckmanns Gemälden in sein Haus, Keizersgracht 109,

Abb. 46 Max Beckmann: Illustration zu Goethes Faust II.: »Die Sterne bergen Blick und Schein«, Federzeichnung, 1943/44, Frankfurt a. M., Freies Deutsches Hochstift, Frankfurter Goethe-Museum

Abb. 47 Max Beckmann: Last public Notice (Letzte Musterung), Amsterdam, 1944, Federzeichnung, Privatbesitz

Abb. 48 Max Beckmann: Familienbild Lütjens, Amsterdam, 1944, Privatbesitz

Abb. 49 Max Beckmann: Bildnis Erhard Göpel, 31. Mai 44, Bleistiftzeichnung, Privatbesitz

Abb. 50 Max Beckmann: Bildnis des Schriftstellers Wolfgang Frommel, 1945 und 1949, New York, Privatbesitz

um sie vor möglicher Beschlagnahme durch die deutsche Besatzung zu bewahren; auch die folgende Produktion wird dort sicher gelagert. Enge Freundschaft mit Familie Lütjens, die dem Ehepaar Beckmann in jeder Weise hilft.

Besuche von Peter Beckmann, Theo Garve, Beckmanns Schüler in Frankfurt, und Günther Franke, der das *Perseus*-Triptychon erwirbt.

Mehrmals in Laren. Verschärfung der Luftbombardements.

1944

Hauptwerke: *Selbstbildnis in Schwarz* (Kat. 101), *Quappi in Blau und Grau* (Kat. 105), *Familienbild Lütjens, Bildnis Erhard Göpel* (Abb. S. 155), *Akademie I, Akademie II, Die Reise* (Kat. 103), *Messingstadt* (Kat. 102), *Stilleben mit zwei Blumenvasen;* Zeichnungen zum ›Faust II. Teil‹ beendet (Abb. S. 156), Triptychon *Blindekuh* begonnen.

Einzelausstellungen: Seeshaupt, Atelierhaus Günther Franke, März, ›Max Beckmann, Bilder der Sammlung Günther Franke und dort deponierte Leihgaben‹. – Santa Barbara, Museum of Art, ab Juni, ›Third Anniversary Show‹ (Gemälde der Sammlungen Lackner und Morgenroth). Ausstellungsbeteiligungen: New York, The Museum of Modern Art, Mai/Oktober, ›Art in Progress, A Survey Prepared for the 15th Anniversary of the Museum of Modern Art‹ (Triptychon *Versuchung*). – Dayton, Ohio, The Dayton Art Institute, ›Religious Art of Today‹. – Basel, Kunsthalle, August/September.

Beckmann erkrankt im Februar an Lungenentzündung und Herzbeschwerden. Am 31. Mai erneute Musterung (in Begleitung von Erhard Göpel). Er wird für dienstuntauglich erklärt.

Erschwerung der Lebensumstände durch die Landung der Alliierten am 6. Juni in der Normandie. Als mit Kämpfen in Amsterdam gerechnet wird, lebt das Ehepaar Beckmann vorübergehend bei Lütjens. Verbindungen nach Deutschland reißen ab.

Juli/August: Tagesausflüge nach Overveen und Haarlem.

Tagebuch, Ende Juli: »Ad infinitum segeln ohne Fuß – ohne Ziel – welch merkwürdiger Einfall! Welch grausame Fantasie – immer warten, ob sich nun das Geheimnis entschleiern wird und immer mit dummem Gesicht vor dem grauen Vorhang sitzen, hinter dem die Geister rumoren oder auch das Nichts … Glaubst Du an einen Sinn des Rummels, wirst Du selig werden – oh so weit weg – glaubst Du dem Zufall, so ist es Dein Pech. – Du mußt mir aber immerhin zugeben, daß es doch eine Leistung ist, aus dem Nichts ein Vorstellungs-geflecht zu schaffen, was immerhin alles in einer stetig gesteigerten Spannung erhält? › Geht aber nur durch ein Versteckspiel Deines Selbst.‹ – Alles um Euch zu unterhalten.«

31. Dezember 1944: »… Finish 1944/ein schweres Jahr/Wird 45 noch schwerer?«

1945

Hauptwerke: Triptychon *Blindekuh* beendet (Abb. S. 38 f.), *Abtransport der Sphinxe, Totenkopfstilleben, Selbstbildnis in Olive und Braun* (Abb. S. 55), *Bildnis Ludwig Berger, Vor dem Kostümfest, Schiphol, Ostende* (1931 und 1945).

Abb. 51 Max Beckmann: Bildnis Dr. Rudolf
M. Heilbrunn, 1946, Amsterdam, Bleistiftzeichnung, Privatbesitz

Abb. 52 Max Beckmann: Bildnis Hanns
Swarzenski, 1946, Amsterdam, Bleistiftzeichnung, Privatbesitz

Abb. 53 Max Beckmann: Bildnis Curt Valentin,
1947, Amsterdam, Bleistiftzeichnung, Privatbesitz oder New York, The Museum of Modern
Art

Einzelausstellung: Amsterdam, Stedelijk Museum, September/Oktober
(ca. 14 Gemälde). Ausstellungsbeteiligungen in New York, Karl Nierendorf Gallery,
Oktober, ›Forbidden in the Third Reich‹, außerdem in Paris und San Francisco.

Das Stedelijk Museum erwirbt *Doppelbildnis Max und Quappi Beckmann,* 1941.

Tagebuch, 15. September: »Hörte von Bildern Beckmanns, ausgestellt
im Stedelijk Museum. . . . 15. September, 45 historisch, erstes Ausstellen in Europa seit 1932
– 12 Jahre verfemt–.«

Ausflüge in Holland nach Hilversum, Laren, Naarden, Zandvoort, Overveen.

Erneute Isolierung als Deutscher nach Ende der deutschen Besatzung. Anfang Mai bei
Lütjens. Im Juni erste Nachrichten aus Deutschland: Minna Beckmann-Tube, aus Berlin
geflüchtet nach Gauting, hatte ihre Gemälde von Beckmann in Hermsdorf zurücklassen
müssen; bis auf wenige kamen sie 1950 wieder in ihren Besitz. Freiherr von Simolin nahm
sich auf seinem Gut Seeseiten, als die Amerikaner es beschlagnahmten, das Leben.
Lebenszeichen von Günther Franke, dessen Sammlung unversehrt geblieben ist.

Im Juli droht Beckmann (als Deutschem) Vermögensbeschlagnahme, was jedoch
abgewendet werden kann. Alle Deutschen unter Kontrolle. Postverbindung mit den USA
und England, die Freunde melden sich, schicken Care-Pakete mit Lebensmitteln,
auch Malmaterial. Beckmann nimmt Unterricht in Englisch.

Tagebuch, 25. August 1945: »Es ist schon ein verfluchtes Schicksal, das zu sein, was ich
bin. In äußersten Räuschen der Empfindung leben und dann wieder Demütigungen wie ein
kleiner Bureau-Angestellter zu erleiden. – Die Sprünge sind groß. – Allhier nimmt
allgemeine Verwirrung zu und auch sonst ist meine Stimmung düster. [...]«

1946

Hauptwerke: *Begin the Beguine* (Kat. 111), *Soldatenkneipe, Bildnis Quappi in grünem Jum-
per, Bildnis Curt Valentin und Hanns Swarzenski, Tänzerin mit Tambourin* (Kat. 107), *Bildnis
eines Teppichhändlers* (Kat. 106), *Große Landschaft aus Laren mit Windmühlen* (Abb.
S. 158), *Alte Dame mit Tochter. Day and Dream,* xv *Lithographs by Max Beckmann*
(Kat. 295-297) erscheint bei Curt Valentin in New York in 100 Exemplaren. (4 koloriert
Beckmann 1948 auf Wunsch von Valentin.)

Einzelausstellungen: Bad Nauheim, Ausstellungssaal Bangers, April/Mai, Graphik aus
dem Besitz von Ugi und Fridel Battenberg. – New York, Buchholz Gallery Curt Valentin,
April/Mai, ›Beckmann – His Recent Work from 1939 to 1945‹ (14 Gemälde, Triptychon
Akrobaten, 15 Zeichnungen) fast alle Bilder verkauft. – Boston, School of the Museum of
Art, Juli/September. – San Francisco, Museum of Art, Juni/Juli. – München, Galerie
Günther Franke, Teil I Juni/Juli, Teil II Juli/August in der Stuckvilla: ›Max Beckmann‹
(74 Gemälde, 2 Bronzen, 3 Aquarelle, 6 Pastelle und Zeichnungen, 26 Blatt Druckgraphik
und *Apokalypse*). – Stuttgart, Württembergische Staatsgalerie/Graphische Sammlung,
September, Holzhaus hinter dem Museum der Bildenden Künste (4 Gemälde,

Abb. 54 Max und Mathilde Q. Beckmann mit Butchy in ihrer Amsterdamer Wohnung, 1947

Abb. 55 Max-Beckmann-Ausstellung in der Buchholz Gallery (Curt Valentin), 32 East 57th Street, New York, April 1946. Von links: Les Artistes mit Gemüse, 1943; Vor dem Kostümfest, 1943; Bildnis Ludwig Berger, 1945

3 Zeichnungen, 111 druckgraphische Blätter, darunter *Hölle, Stadtnacht* und *Berliner Reise*). Ausstellungsbeteiligungen: Baltimore, Boston, Braunschweig, Dresden, Iowa City. – Köln, Alte Universität, Oktober/Dezember, Sammlung Haubrich (wandert 1947 nach Stuttgart, Mannheim, Hamburg, Oldenburg und 1948 nach Wiesbaden und Konstanz, teilweise mit eigenem Katalog). – New York und Chicago, Wanderausstellung des Museums of Modern Art, ›Landscapes – Real and Imaginary‹.

Erste Kontaktaufnahme mit Deutschland durch den Kunsthändler Heinz Berggruen, der bei der US-Besatzungsbehörde tätig ist, auch über eventuellen Besuch Beckmanns in Deutschland.

The University of Iowa, Museum of Art, in Iowa City erwirbt Triptychon *Karneval*.

1. März 1946 Brief Beckmanns an Curt Valentin: »Es ist schön und lebendig für mich, daß wir nun in einer engeren Art von Verbindung stehen und ich hoffe, daß sich das mit der Zeit befestigen wird. [...] Hier ist alles noch unglaublich eingeengt und nichts zu bekommen. [...] Na, man hat aber wenigstens Ruhe vor den Bomben. [...] Brauche dringend entsetzlich viel Leinwand möglichst in der Art wie ›Akrobaten‹ (nicht zu grob und halb Oel oder dreiviertel Oel). – Ebenso fehlt mir Cremser Weiß und Preußisch Blau. – Nehme alles, bin in fruchtbarster Arbeitsperiode!!! Hier ist fast nichts zu bekommen. Die letzten Bett-Tücher sind vermalt.«[29]

Berufungen nach München (Akademie der Bildenden Künste) und Darmstadt (Leitung der späteren Werkkunstschule) abgelehnt.

Im August wird Beckmann die ›Non-Enemy‹-Eigenschaft zuerkannt, somit besteht keine Ausweisungsgefahr aus Holland mehr.

Besuche von Curt Valentin und Hanns Swarzenski.

Längerer Aufenthalt in Laren im Mai/Juni und September/Oktober. Anfang September in Nordwijk. Wiederholte Tagesfahrten nach Zandvoort.

1947

Hauptwerke: *Selbstbildnis mit Zigarette, Luftballon mit Windmühle* (Kat. 114), *Blumenkorso in Nizza, Bakkarat, Baou de Saint-Jeannet, Opfermahl, Mädchenzimmer* (Kat. 113), *Stilleben mit zwei großen Kerzen* (Kat. 115), *Bildnis Euretta Rathbone*.

Einzelausstellungen: Buffalo, Albright Knox Art Gallery, The Buffalo Fine Arts Academy, April, ›Max Beckmann Paintings from 1940 to 1946‹ (13 Gemälde). – Frankfurt a. M., Städelsches Kunstinstitut, Juni/Juli (65 Gemälde, außerdem Aquarelle, Zeichnungen, darunter Illustrationen zu Goethes ›Faust II. Teil‹, Druckgraphik). – Hamburg, Kunstverein, Mai (Gemälde). – New York, The Museum of Modern Art, April/Mai (Triptychon *Blindekuh*). – New York, Buchholz Gallery Curt Valentin, November/Dezember, (18 Gemälde, 1944-1947). – Philadelphia, The Philadelphia Art Alliance, Januar/Februar, ›Max Beckmann Oils‹ (14 Gemälde, Triptychon *Karneval*). – Princeton, University Art

29 Göpel, a.a.O., Bd. I., S. 27

Abb. 56 Jane Sabersky, aus München stammende,
in New York lebende Kunsthistorikerin
und enge Freundin des Ehepaars Beckmann

Abb. 57 Campus der Washington University in
St. Louis. Im Ateliergeschoß links Wohnung
Beckmanns von 1947-49

Abb. 58 Max Beckmann: Kapelle im Campus der
Washington University, St. Louis, 1948 (?),
Schwarze Kreide, Privatbesitz

Museum, November/Dezember, ›Recent Watercolors by Max Beckmannn‹. Ausstellungs-
beteiligungen: Wanderausstellung ›Landscapes – Real and Imaginary‹ des Museum of
Modern Art in Bloomfield Hills, Mich.; Bloomington, Indiana University; Grand Rapids,
Mich.; Honolulu, Hawaii; West Palm Beach; San Francisco. – Wanderausstellung
›Symbolism in Painting‹, ebenfalls vom Museum of Modern Art, in Austin, Texas, University
of Texas; San Antonio, Minneapolis und St. Louis.

Beckmann lehnt Berufung an die Hochschule der Bildenden Künste, Berlin, ab.

Im März erste Auslandsreise nach dem Krieg. Ehepaar Beckmann drei Wochen in Nizza.
Auf der Hin- und Rückfahrt Aufenthalt in Paris, Besuch des Louvre. Im Mai zehn Tage in
Laren. Tagesfahrten nach Den Haag und Zandvoort.

Einladung von Ernst Holzinger zur Beckmann-Ausstellung nach Frankfurt. Pläne, dafür
zwei Wochen nach Deutschland zu reisen, werden nicht realisiert. Angebot von Henry
R. Hope aus Bloomington, Lehramt an der Indiana University Department of Fine Arts zu
übernehmen; Anregung dazu kommt von Cola und Bernhard Heiden, dem aus Frankfurt
emigrierten Musikprofessor. Angebot aus St. Louis, Washington University Art School, die
vorübergehend vakante Professur von Philip Guston zu übernehmen. Die Anregung dazu
geht von Curt Valentin und Perry T. Rathbone aus, damals Direktor des St. Louis City Art
Museum. Beckmann nimmt an.

2. Juli: Besuch von Rathbone in Amsterdam, der Bilder für die Beckmann-Ausstellung
(1948) im City Art Museum, St. Louis, aussucht. Besuche von Curt Valentin, Hanns
Swarzenski, Richard L. Davis, dem Direktor des Institute of Arts in Minneapolis, und von
Marie-Louise von Motesiczky aus London.

19. August: Abfahrt von Rotterdam auf der ›Westerdam‹, auf der u. a. auch das Ehepaar
Thomas Mann reist. 7. 9. bis 17. 9. in New York, Hotel Gladstone. Wiedersehen mit alten
Berliner und Frankfurter Freunden und der in USA verheirateten Schwägerin Doris
MacFerguson-Cooper. Ludwig Mies van der Rohe zeigt Beckmanns am ersten Abend die
City, führt sie anschließend aufs Empire State-Building.

Tagebuch 18. September 1947: »St. Louis. Endlich ein Park. Endlich Bäume, endlich
Boden unter den Füßen. Ein herrlicher Traum im Park des Morgens in St. Louis. [...] Es ist
möglich, daß es hier noch einmal möglich sein wird zu leben.«

Beckmanns wohnen im Chase Hotel, ab Oktober 6916 Millbrook Boulevard.

Erster Unterricht am 23. September. Ansprache von Max Beckmann an die Studenten
wird englisch von Frau Mathilde Q. Beckmann verlesen, die auch während des Unterrichts
dolmetscht.[30] Guter Kontakt zu den Studenten, besonders zu Walter Barker und Warren
Brandt. Beckmann will nicht täglich bei den Studenten sein, um sie selbständig arbeiten zu
lassen, und nur zweimal in der Woche zur Korrektur kommen. Diese Probevereinbarung
bewährt sich.

Bei der Jury für die ›Seventh Annual Missouri Exhibition‹ in St. Louis tritt Beckmann
für eine Auswahl nach modernen Gesichtspunkten, für die Aufnahme auch abstrakter und
surrealistischer Bilder ein. Das löst Aufregung und Kritik in der Presse aus.

15. bis 19. November: Beckmann in New York zur Eröffnung seiner Ausstellung bei Curt
Valentin.

Ende Dezember Besuch vom Leiter des Art Department am Stephens College Columbia,
Miss., Mr. Montmini, der Beckmann um einen Vortrag im Februar 1948 bittet.

30   Text und deutsche Übersetzung in: Mathilde
Q. Beckmann, a.a.O., S. 198-200, 236/37
30a Text in: Mathilde Q. Beckmann, a.a.O.,
S. 200-206

Abb. 59 Max Beckmann während der Lecture in der Museum Art School des Museum of Fine Arts in Boston, 13.3.1948. Links hinter Beckmann Professor Georg Swarzenski

Abb. 60 Max Beckmann und Mathilde Q. Beckmann (dolmetschend) mit Studenten der Museum Art School, Boston

1948

Hauptwerke: *Christus in der Vorhölle, Cabins* (Abb. S. 165), *Großes Frauenbild. Fischerinnen* (Kat. 121), *Selbstbildnis mit Handschuhen, Bildnis Quappi in Grau* (Kat. 119), *Bildnis Perry T. Rathbone* (Kat. 118), *Rettung, Maskerade* (Kat. 117), *Souvenir de Chicago.*

Einzelausstellungen: St. Louis, City Art Museum, Mai/Juni, ›Max Beckmann – Retrospective Exhibition‹ (44 Gemälde, die Triptychen *Abfahrt, Schauspieler, Blindekuh,* 30 Zeichnungen, 8 Aquarelle, 5 aquarellierte Zeichnungen, 4 Gouachen zum *Verlorenen Sohn,* 41 Blatt Druckgraphik, 5 illustrierte Bücher). Umfassendste Beckmann-Retrospektive in den USA mit ausführlichem Katalog. Wird anschließend gezeigt in Detroit (Juli), Los Angeles (August/September), San Francisco (September/Oktober) und in Cambridge, Mass. (Dezember). – Chicago, The Art Institute of Chicago, Januar/März (69 Aquarelle und Zeichnungen, 59 Blatt Druckgraphik, ein von Beckmann koloriertes Exemplar der *Apokalypse*). – Columbia, Miss., Februar (5 Gemälde und Graphik). – Boston, Mass., März (ca. 12 Gemälde). – Hamburg, Dr. Ernst Hauswedell, Graphik. Ausstellungsbeteiligungen: Wanderausstellung ›Symbolism in Painting‹ von 1947 in Oberlin, Baltimore, Poughkeepsie, Wellesley, Baton Rouge, San Francisco, Portland, Evanston, Muskegon, Boston. – Iowa City, Minn., und Minneapolis, Minn., ›Displaced Paintings, Refugees from Nazi Germany‹ (2 Gemälde, Triptychon *Karneval*). Außerdem in New York, Oklahoma City, San Francisco, St. Louis, München und Zürich.

Beckmanns ›Drei Briefe an eine Malerin‹ (engl. Übersetzung von Perry T. Rathbone und Mathilde Q. Beckmann)[30a] in Columbia, Mo., am Stephens Art College am 3. Februar, in Boston auf Einladung von Professor Georg Swarzenski am 13. März, in der Art School des Museum of Fine Arts, und in St. Louis während der großen Beckmann-Retrospektive im City Art Museums, und im Radio von Frau Beckmann gelesen.

Aufenthalt in New York (13.-17. März), Bekanntschaft mit René d'Harnoncourt, langjähriger Direktor des Museum of Modern Art. In Bloomington, Ind., Teilnahme an einer Jury, Bekanntschaft mit Henry Hope, dem Direktor der Art School der Indiana University.

Lehrauftrag St. Louis bis Juni 1949 verlängert.

Angebot aus Hamburg, Leitung der dortigen Landeskunstschule zu übernehmen.

Im Juni Schiffsreise nach Holland, bis Ende September in Amsterdam. Auflösung der Wohnung am Rokin. Über New York nach St. Louis zurück. Dort stellt Beckmann am 5. Oktober einen Antrag, die amerikanische Staatsbürgerschaft zu bekommen.

Bekanntschaft mit dem mexikanischen Maler Rufino Tamayo, der einen Workshop an der Brooklyn Museum Art School in New York leitete. Verhandlungen wegen Lehrtätigkeit an der Brooklyn Museum Art School nach dem Weggang von Tamayo. Besuch von Bildhauer George Rickey und Frau.

Weihnachten und Neujahr in New York. Telegraphisches Angebot, bis zur Rückkehr Philip Gustons im Jahr 1950 in St. Louis zu bleiben.

29. Dezember Party zu Ehren von Max Beckmann im ›Plaza‹, gegeben vom Künstler-Klub ›Artist's Equity‹ mit 300 Gästen.

1949

Hauptwerke: Triptychon *The Beginning* vollendet (Kat. 122), *Jupiter* (1930, 1946, 1948, 1949), *Der verlorene Sohn* (Kat. 120), *Morgen am Mississippi, Bildnis Morton D. May, Bild-*

Abb. 61 Max Beckmann, zeichnend, 1949

Abb. 62 Max Beckmann im Atelier 234 East 19th Street, New York, am 10. 2. 1950

Abb. 63 Max Beckmann: Bildnis Kenneth E. Hudson, Dekan der Washington University Art School, St. Louis, 1950, Privatbesitz

Abb. 64 Max Beckmann: Bildnis Morton D. May, St. Louis, 1949, The Saint Louis Art Museum, Bequest of Morton D. May

nis *Edith Rickey, Hotel de l'Ambre, Bildnis Wolfgang Frommel* (1945 und 1949), *Bildnis Fred Conway* (Kat. 123), *Bildnis Kenneth E. Hudson, Boulder-Felslandschaft* (Kat. 127), *Großes Stilleben mit schwarzer Plastik* (Kat. 124). Triptychon *Argonauten* begonnen.

Einzelausstellungen: Retrospektive 1948 aus St. Louis in Minneapolis, Minn., Institute of Fine Arts, im Januar mit Vortrag von Perry T. Rathbone eröffnet und in verringertem Umfang im Juni/Juli in Boulder, Col., University of Colorado Museum gezeigt. – Hannover, Kestner-Gesellschaft, Februar/März (39 Gemälde, Triptychon *Perseus,* 1 Bronze, 16 Blätter Druckgraphik, darunter *Day and Dream*). – Memphis, Tenn., Brooks Memorial Art Gallery, Februar (16 Gemälde). – New York, Buchholz Gallery Curt Valentin, Oktober/November, ›Max Beckmann – Recent Works‹ (21 Gemälde, Triptychon *The Beginning,* 1 Bronze). – New York, Brooklyn Museum, Oktober/November, ›Prints and Drawings by Max Beckmann, 1924-1948‹. – St. Louis, City Art Museum, ab März, ›Federation Exhibition‹ (14 Gemälde, 7 Aquarelle und Zeichnungen, 14 druckgraphische Blätter). Ausstellungsbeteiligung in Amsterdam, Köln, München, Philadelphia, Pittsburgh, Zürich. – New York, Whitney Museum of American Art, ›Annual Exhibition of Contemporary American Painting‹, ab Dezember.

Im Januar mit dem Ehepaar Rathbone Reise nach Minneapolis zur Eröffnung der Beckmann-Ausstellung. Beckmann am 17. Januar im Tagebuch: »... Dann wieder Exposition, Rede von Perry, – oh Gott mein eigenes Leben zog an mir vorüber in Bildern – wie ein Traum begleitet von Perry's Stimme und Slydes. Ich mußte mich verbeugen oh – Gott, und erntete Beifall – oh Gott. Herr Beckmann wurde beklatscht...«. 19. Januar: »... Wieder Exposition ... – Abschied von meinen Bildern. – Fast zu spät zur Bahn...«

Im April Reise nach New Orleans.

Porträtauftrag des Kaufmanns, Kunstmäzens und Sammlers Morton D. May (1914-1983). Seine Beckmann-Sammlung wurde die bedeutendste der Welt.

Am 15. Juni Abschied von St. Louis, wo Beckmann Freunde und Sammler gefunden hat: Perry und Euretta Rathbone und Morton D. May, den Verleger und Publizisten Joseph Pulitzer jr. und Frau Louise, den Maler und Lehrer Fred Conway, den Maler und Universitätsdekan Kenneth E. Hudson, den Maler Werner Drewes (früher am ›Bauhaus‹), den Kunsthistoriker Horst W. Janson, den Anthropologen Jules Henry und seine Frau Zunia. Zunia Henry unterrichtete am Konservatorium in St. Louis Klavier. Sie musizierte häufig mit Mathilde Q. Beckmann. Beide spielten im Winter in zwei öffentlichen Konzerten in St. Louis; die Geigerin Mathilde Q. Beckmann erhielt gute Kritiken.

Im Sommer unterrichtet Beckmann an der Kunstschule der Universität in Boulder, Colorado. Ausflüge in die Rocky Mountains. Über Denver und Chicago fährt das Ehepaar dann nach New York. Wohnung nahe dem Gramercy Park, 234 East 19th Street.

Ende September Unterrichtsbeginn an der Art School des Brooklyn Museum.

Beckmann erhält in der Ausstellung ›Painting in the United States‹ im Carnegie Institute Pittsburgh für *Großes Frauenbild. Fischerinnen* den Ersten Preis in Höhe von 1500 Dollar.

Von Benno Reifenberg und Wilhelm Hausenstein erscheint bei Piper in München die

31   Zitiert nach: *In Memoriam Benno Reifenberg,* Druck der Max Beckmann Gesellschaft, München-Bremen 1970, S. 16

32   Abgedruckt in deutscher Sprache in: Mathilde Q. Beckmann, a.a.O., S. 207-209

Abb. 65 Max Beckmann beim Unterricht in der Brooklyn Museum Art School, 1950. In der Mitte Mathilde Q. Beckmann

Abb. 66 Wohnhaus 38 West 69th Street, New York

Abb. 67 Max Beckmann: Porträt William R. Valentiner, gezeichnet am 5. November 1950, Schwarze Kreide, Raleigh, The North Carolina Museum of Art, Estate of W. R. Valentiner

Monographie ›Max Beckmann‹. Am 9. März schreibt Beckmann an Reifenberg: »Je mehr man auch herum kommt umso mehr sieht man auch die Wiederholung ein und desselben, besonders wenn der fremde Schimmer der Sprache langsam abfällt. So habe ich eigentlich keinen Grund, große Veränderungen in mir wahr zu nehmen. Mein Weltbild hat sich seit Frankfurt nicht geändert. Ob ich, mit Nerven und überhaupt mit der Physis noch auf derselben Höhe bin, kann ich natürlich schwer beurteilen. Das müssen meine Arbeiten beweisen. – Immerhin habe ich noch viel zu tun... Über Amerika kann ich mich nicht beklagen. Es ist viel Lärm und Erfolg um mich und ich stehe noch immer mitten im Kampf – aber das ist nun einmal mein Schicksal und wird wohl bleiben bis ans Ende...«[31]

1950

Hauptwerke: Triptychon *Argonauten* (Abb. S. 37), *Selbstbildnis in blauer Jacke* (Kat. 126), *The Town* (Kat. 131), *Abstürzender* (Abb. S. 165), *San Francisco* (Abb. S. 169), *Gruppenbildnis Hope, Stilleben mit Cello und Baßgeige, Fastnacht-Maske grün, violett und rosa [Columbine]* (Kat. 130), *Mann mit Vogel, Backstage*, Triptychon *Ballettprobe* begonnen (Kat. 132). Skulpturen: *Der Akrobat, Kopf eines Mannes, Schlangenbeschwörerin* (Abb. S. 141).

Einzelausstellungen: Beverly Hills, Cal., Frank Perls, November/Dezember (15 Gemälde). – Düsseldorf, Kunsthalle, Kunstverein für die Rheinlande und Westfalen, Februar/April (25 Gemälde, 6 Zeichnungen, 59 druckgraphische Blätter). – München, Galerie Günther Franke, Stuck-Villa, Januar/Februar (25 Bilder aus den Jahren 1906-1949). – Oakland, Cal., The Mills College Art Gallery, Juli/August (25 Gemälde der Sammlungen Lackner, Morgenroth und anderer, 25 Zeichnungen und druckgraphische Blätter). – Stuttgart, Württembergische Staatsgalerie (rund 30 Gemälde aus der Sammlung Günther Franke). – St. Louis, Washington University, Juni, Ausstellung von 9 Gemälden anläßlich der Verleihung der Ehrendoktorwürde an Beckmann. – Venedig, xxv. Biennale (14 Gemälde).

Ausstellungsbeteiligungen: Buffalo, N.Y., The Buffalo Fine Arts Academy Albright Knox Gallery, April/Mai, ›Bosch to Beckmann‹. – New York, Art School of the Brooklyn Museum, September, ›Faculty Show‹ (3 Gemälde). – Poughkeepsie, N.Y., Vassar College, Februar (6 Gemälde). Außerdem Beteiligung an weiteren Ausstellungen in USA sowie in Deutschland, Italien und der Schweiz.

Beckmann erhält den Conte Volpi-Preis der Biennale in Venedig.

Der Vertrag mit der Brooklyn Museum Art School wird um sechs Jahre verlängert.

Anfang April hält sich Beckmann drei Tage in Bloomington auf, um Studien für das *Gruppenbildnis Hope* zu machen. Anfang Mai Einzug in die Wohnung 38 West 69th Street nahe Central Park.

Reise nach St. Louis zur Verleihung der Ehrendoktorwürde der Washington University am 6. Juni. Seine Rede verliest Beckmann bei der Feier in englischer Sprache selbst. Für die Freunde der Universität hat seine Frau sie schon am 5. Juni gelesen.[32]

Abb. 68 Ehrenpromotion an der Washington University, St. Louis, am 6. Juni 1950. Von links: Eugene P. Wigner, Max Beckmann, Luther E. Smith, Madam Vijaya L. Pandit, Bernard M. Baruch und Alexander Langsdorf

Abb. 69 Max Beckmanns Atelier in New York, ▷
38 West 69th Street, nach seinem Tod

Tagebuch, 2. Juni 1950: »Im Zug nach St. Louis. . . . Ich fahre einem Ehrendoktor in St. Louis entgegen und überlege ob ich eigentlich New York schon liebe. I don't know – jedenfalls ist mir die Stadt nicht unsympathisch. Man muß arbeiten und alles vergessen, nur um arbeiten – weiter arbeiten zu können, fahre ich nun weiter zu träumen –.«

Anschließend Reise nach Carmel bei San Francisco (bis 4. Juli). Geplante Europareise wegen Korea-Krise aufgegeben. Im Juli und August Sommerkurs in Mills College, Oakland, Cal., auf Einladung von Alfred Neumeyer. In Oakland Bekanntschaft mit Darius Milhaud. Fahrten nach San Francisco und durch die Wüste Nevada nach Reno.

Ab 22. August in New York Unterricht in der American Art School, einer privaten Kunstschule in der 56th Street.

Beckmanns erwerben ein Auto, Frau Beckmann chauffiert.

Besuche von Hanns Swarzenski, Stephan Lackner und am 1. Dezember von Ernst Holzinger, der Beckmann für eine Lehrtätigkeit oder als malenden Gast für die Städelschule in Frankfurt gewinnen möchte. Beckmann denkt an Sommerkurse in Frankfurt, in der übrigen Zeit des Jahres weiterhin Unterricht an der Brooklyn Museum Art School in New York.[33]

Beckmann arbeitet in seinen letzten Lebenstagen um Weihnachten fieberhaft an dem *Argonauten*-Mittelbild (Jüngling mit Vogel) und an *Backstage*. Am 27. Dezember verläßt er kurz nach zehn Uhr die Wohnung, um durch den Central Park zum Metropolitan Museum zu gehen und sein in der Ausstellung ›American Painting Today‹ hängendes *Selbstbildnis in blauer Jacke* anzusehen. An der Ecke 61th Street/Central Park West bricht er tot zusammen.[34]

In seinem letzten Brief vom 17. Dezember 1950 an seinen Sohn Peter schreibt Beckmann: ». . . es dürfte schließlich nicht so belangvoll sein, ob man den Ortswechsel einige Jahre früher oder später unternimmt . . . ›Traum der mit Tränen begann und endete mit dem Weinen des Todes‹ (Klopstock) ist wohl mehr unser wirkliches Los auf dieser Bewußtseinsebene. – Jedoch bitte das nicht als Pessimismus aufzufassen, ich male eben Tryptic ›die Argonauten‹ und in ›Dodona‹ sehen wir uns wieder . . . Wenn ich kann und es Herr Stalin erlaubt komme ich ziemlich sicher im Sommer, dann können wir die Sache weiter discutieren . . .«[35]

33   Brief von Ernst Holzinger an Hans Mettel, Direktor der Städelschule, auszugsweise in: Mathilde Q. Beckmann, a. a. O., S. 217/18: »Ich war gestern endlich bei Max Beckmann [. . .] habe bei ihm große und großartige Bilder gesehen und ihn selber wieder sehr imponierend gefunden, ruhiger, milder und ohne ›force‹. Ich nehme an, daß er von Natur einen starken lyrischen Zug hat [. . .] Ich deutete nur so die Möglichkeit eines Ateliers in der [Städel]-Schule an, und er schwärmte von seiner alten Wohnung, die er am liebsten wieder hätte. Er sagte dann, daß Hamburg sich um ihn bemühe, daß er aber, wenn nach Deutschland, am liebsten nach Frankfurt ginge . . . In Frankfurt habe er seine entscheidenden Jahre verlebt . . . Wenn ein Unterricht in der Schule, dachte er sich eine 2malige Korrektur in der Woche, was ich völlig richtig finde. Es kämen für ihn ja nur ganz fortgeschrittene Schüler infrage . . .«

34   Genaue Schilderung der letzten Lebenstage in: Mathilde Q. Beckmann, a. a. O., S. 173 ff.

35   Zitiert nach: *In Memoriam Max Beckmann 12. 2. 1884 - 27. 12. 1950*, Max Beckmann Gesellschaft, Frankfurt a. M. 1953, S. 55

Bibliographie

1. Schriften von Max Beckmann

Max Beckmann, Leben in Berlin, Tagebücher 1908/1909, 1912/13, hrsg. von Hans Kinkel, München 1966, 1983

[Beitrag ohne Titel, in:] *Im Kampf um die Kunst.* Die Antwort auf den ›Protest deutscher Künstler‹, München 1911, S. 37

›Gedanken über zeitgemäße und unzeitgemäße Kunst.‹ Eine Erwiderung von Max Beckmann, in: *Pan* 2 (1912) S. 499ff.

[Beitrag zu einer Umfrage der Redaktion] ›Das neue Programm‹, in: *Kunst und Künstler* 12 (1914) S. 301

Briefe im Kriege, Gesammelt von Minna Tube, Berlin 1916, München 1955

›Schöpferische Konfession‹, in: *Tribüne der Kunst und Zeit.* Eine Schriftensammlung, hrsg. von Kasimir Edschmid, Bd. XIII, Berlin 1920 (1. Auflage 1918), S. 61ff.

›Über den Wert der Kritik‹ (Eine Rundfrage an die Künstler), in: *Der Ararat* 2 (1912), S. 132

Das Hotel, Drama in vier Akten, Typoskript, verfaßt 1921

Ebbi, Komödie von Max Beckmann, Wien 1924

›Autobiographie‹, in: *Dem Verlag R. Piper & Co. zum 19. Mai 1924,* o.O.o.J., S. 10f.

›Der Künstler im Staat‹, in: *Europäische Revue* 3 (1927), S. 288ff.

›Sechs Sentenzen zur Bildgestaltung‹, in: Katalog Mannheim 1928

[Antwort zur Umfrage] ›Nun sag', wie hast Du's mit der – Politik?‹, in: *Frankfurter Zeitung* Weihnachts-Ausgabe 1928

›On my painting‹, New York 1941, Buchholz Gallery Curt Valentin, in: Mathilde Q. Beckmann, *Mein Leben mit Max Beckmann,* München 1983

Tagebücher 1940-1950, Zusammengestellt von Mathilde Q. Beckmann, hrsg. von Erhard Göpel, München 1955, München und Wien 1979

›Speech given to his first class in the United States at Washington University‹, St. Louis, Mo., 1947, in: Mathilde Q. Beckmann, *Mein Leben mit Max Beckmann,* München 1983

›Letters to a woman painter‹ (Briefe an eine Malerin), in: Mathilde Q. Beckmann, *Mein Leben mit Max Beckmann,* München 1983

›Ansprache für die Freunde und die Philosophische Fakultät der Washington University in St. Louis‹, 1950, (Erstveröffentlichung) 1953, in: Mathilde Q. Beckmann, *Mein Leben mit Max Beckmann,* München 1983

›Can painting be taught? Beckmann's answer‹, Interview (mit Dorothy Seckler) in: *Art News* 50 (1951), Nr. 1, S. 39f.

Franke Günther, ›Zwanzig Briefe von 1926-1950‹, in: *Briefe an Günther Franke.* Porträt eines deutschen Kunsthändlers, Köln 1970

2. Ausstellungskataloge

Mannheim 1928, Städtische Kunsthalle, *Max Beckmann, Das gesammelte Werk, Gemälde, Graphik, Handzeichnungen aus den Jahren 1905 bis 1927*

München 1928, Graphisches Kabinett Leitung Günther Franke, *Fünfzigste Ausstellung Max Beckmann, Gemälde aus den Jahren 1920-1928*

New York 1946, Buchholz Gallery Curt Valentin, *Beckmann – His recent work from 1939 to 1945*

St. Louis, Mo., 1948, City Art Museum, *Max Beckmann 1948 – Retrospective exhibition*

St. Louis, 1948, City Art Museum, *St. Louis collections.* An exhibition of 20th century art

München 1951, Haus der Kunst, *Max Beckmann zum Gedächtnis 1884-1950*

New York 1959, Catherine Viviano Gallery, *The eight sculptures of Max Beckmann*

Karlsruhe 1962, Badischer Kunstverein, *Max Beckmann, Die Druckgraphik – Radierungen, Lithographien, Holzschnitte*

Karlsruhe 1963, Badischer Kunstverein, *Max Beckmann – Das Portrait, Gemälde, Aquarelle, Zeichnungen*

New York 1964/65, The Museum of Modern Art, *Max Beckmann*

New York 1964/65, Catherine Viviano Gallery, *Max Beckmann, An exhibition of paintings sculptures, watercolors and drawings*

Hamburg 1965, Kunstverein, *Max Beckmann – Gemälde, Aquarelle, Zeichnungen*

Bremen 1966, Kunsthalle, *Max Beckmann – Gemälde und Aquarelle der Sammlung Stephan Lackner, USA; Gemälde, Handzeichnungen und Druckgraphik aus dem Besitz der Kunsthalle Bremen*

Bielefeld 1968, Kunsthalle, *Deutsche Expressionisten aus der Sammlung Morton D. May St. Louis, USA* (auch Bremen 1969, Kunsthalle)

München 1968/69, Haus der Kunst, *Max Beckmann*

London 1971, Versteigerung bei Sotheby & Co. am 1.12.1971, *The Complete Series of Drawings by Max Beckmann for Goethe's ›Faust II‹*

New York 1973, Catherine Viviano Gallery, *Max Beckmann. Paintings, sculptures, drawings and water colors*

Tucson 1973, Art Center, *Max Beckmann Graphics. Selected from the Ernest and Lilly Jacobson collection*

Hamburg 1973/74, Kunsthalle, *Kunst in Deutschland 1808-1973* (München 1974, Städtische Galerie im Lenbachhaus)

Berlin 1974, Nationalgalerie, *Realismus und Sachlichkeit.* Aspekte deutscher Kunst 1919-1933

Bremen 1974, Kunsthalle, *Max Beckmann in der Sammlung Piper.* Handzeichnungen, Druckgraphik, Dokumente 1910-1923

Bremen 1974, Kunsthalle, *Die Stadt.* Druckgraphische Zyklen des 19. und 20. Jahrhunderts

Hoechst 1974, Jahrhunderthalle, *Max Beckmann. Druckgraphik*

London 1974, Marlborough Fine Art Ltd., *Max Beckmann. A small loan retrospective of paintings, centred around his visit to London in 1938* (New York 1975, Marlborough Gallery Inc.)

Bielefeld 1975/76, Kunsthalle, *Max Beckmann,* 2 Bde.

München 1975, Galerie Günther Franke, *180 Zeichnungen und Aquarelle aus deutschem und amerikanischem Besitz von Max Beckmann*

New York 1975, Carus Gallery, *Max Beckmann. Drawings, Sculptures*

Hamburg 1976, o.O., *25 Jahre Castrum Peregrini Amsterdam.* Dokumentation einer Runde

Innsbruck 1976, Galerie im Taxispalais, *Max Beckmann, 1884-1950. Graphik*

Zürich 1976, Kunsthaus, *Max Beckmann. Das druckgraphische Werk*

Berlin 1977, Große Orangerie im Schloß Charlottenburg, *Tendenzen der Zwanziger Jahre*

Bielefeld 1977, Kunsthalle, *Max Beckmann. Aquarelle und Zeichnungen 1903-1950* (Tübingen 1978, Kunsthalle und Frankfurt 1978, Städtische Galerie im Städel)

Los Angeles 1977, Frederik S. Wright Art Gallery, *The Robert Gore Rifkind Collection.* Prints, drawings, illustrated books, periodicals, posters – German Expressionist art

Paris 1978, Centre Pompidou, *Paris – Berlin, 1900-1933*

London 1978/79, Hayward Gallery, *Neue Sachlichkeit and German Realism of the Twenties*

Hamburg 1979, Kunstverein, *Stadtnächte. Der Zeichner und Grafiker Max Beckmann* (Darmstadt 1980, Kunsthalle)

Frankfurt/M. 1980/81, Kommunale Galerie im Refektorium des Karmeliterklosters, *Max Beckmanns Frankfurter Schüler 1925-1933*

London 1980/81, Whitechapel Art Gallery, *Max Beckmann. The Triptychs* (Frankfurt 1981, Städtische Galerie im Städel und Amsterdam 1981, Stedelijk Museum)

New York 1980/81, Solomon R. Guggenheim Museum, *Expressionism. A German Intuition 1905-1920* (San Francisco 1981, Museum of Modern Art)

Amsterdam 1981, Stedelijk Museum, *Triptieken* (London 1980/81, Whitechapel Art Gallery und Frankfurt 1981, Städtische Galerie im Städel)

Frankfurt/M. 1981, Städtische Galerie im Städel, *Max Beckmann. Die Triptychen im Städel* (London 1980/81, Whitechapel Art Gallery und Amsterdam 1981, Stedelijk Museum)

Köln 1981, o.O., *Westkunst. Zeitgenössische Kunst seit 1919*

München 1981, Kunstgalerie Esslingen, *Max Beckmann. Radierungen, Lithographien, Holzschnitte*

New York 1981/82, Grace Borgenicht Gallery, *Max Beckmann, Paintings & Sculpture*

Bielefeld 1982, Kunsthalle, *Max Beckmann. Die frühen Bilder* (Frankfurt/M. 1983, Städtische Galerie im Städel)

Bonn-Bad Godesberg 1982, Wissenschaftszentrum, *Goethe in der Kunst des 20. Jahrhunderts. Weltliteratur und Bilderwelt* (Frankfurt/M. 1982, Goethe-Museum u. Düsseldorf 1982, Goethe-Museum)

Berlin 1983, Kupferstichkabinett, *Max Beckmann. Die Hölle, 1919*

Frankfurt 1983/84, Städtische Galerie im Städel, *Max Beckmann. Frankfurt 1915-1933*. Eine Ausstellung zum 100. Geburtstag

Esslingen 1984. *Max Beckmann. Druckgraphik*

Köln 1984, Kunsthalle, *Max Beckmann*

Bremen 1984, Kunsthalle, *Max Beckmann – Gemälde, Handzeichnungen, Druckgraphik*

Hannover 1983, Kunstmuseum mit Sammlung Sprengel, Max Beckmann

Leipzig 1984, Museum der bildenden Künste, Max Beckmann. Graphik, Malerei, Zeichnungen

3. Autoren

Anderson, Eleanor, › Max Beckmann's Carnival triptych‹, in: *Art Journal* 24 (spring 1965) S. 218ff.

Arndt, Karl, › Max Beckmann. Selbstbildnis mit Plastik. Stichworte zur Interpretation‹, in: *Ars Auro prior*. Studia Ioanni Białøstocki sexagenario dedicata, Warschau 1981, S. 719ff.

Beckmann, Mathilde Q., [Einführung] in Kat. New York 1964/65

– *Mein Leben mit Max Beckmann* (übersetzt aus dem Amerikanischen von Doris Schmidt), München u. Zürich 1983

Beckmann, Peter, *Max Beckmann*, Nürnberg 1955

– (Hrsg.), *Max Beckmann – Sichtbares und Unsichtbares*, Stuttgart 1965

– *Die Versuchung. Eine Interpretation des Triptychons von Max Beckmann*, Heroldsberg b. Nürnberg 1977

– › Graphik als Selbstprüfung. Zum graphischen Werk Max Beckmanns‹, in: Kat. München 1981, S. 5ff.

– *Max Beckmann. Leben und Werk*, Stuttgart u. Zürich 1982

Blick auf Beckmann: Dokumente und Vorträge, hrsg. von Hans Martin Frhr. von Erffa und Erhard Göpel, München 1962

Braunbehrens, Lili von, *Gestalten und Gedichte um Max Beckmann*, Dortmund 1969

Buchheim, Lothar-Günther, *Max Beckmann*, Feldafing 1959

Buenger, Barbara C., *Max Beckmann's Artistic Sources*. The Artist's Relation to Older and Modern Tradition. Dissertation, New York 1979 (Typoskript)

– › Kreuztragung‹, in: Kat. Bielefeld 1982, S. 203ff.

Busch, Günter, *Max Beckmann: Eine Einführung*, München 1960

– *20th Century German Art*, London 1938, 1968

– *Entartete Kunst, Geschichte und Moral*, 1969

Clark, Margot O., *Max Beckmann*. Sources of Imagery in the Hermetic Tradition, Dissertation, Washington University, St. Louis 1975

– › The Many-Layered Imagery of Max Beckmann's Temptation Triptych‹, in: *The Art Quarterly* 1, 1978, No 3, S. 244ff.

– › Beckmann and Esoteric Philosophy‹, in: Kat. London 1980/81, S. 33ff.

– › Beckmanns Vorstellung vom metaphysischen Selbst‹, in: Kat. Frankfurt 1983/84, S. 37ff.

Dube, Wolf-Dieter, › Anmerkungen zum Triptychon Versuchung von Max Beckmann‹, in: *Pantheon* XXXVIII, 1980, S. 393ff.

– *Max Beckmann. Das Triptychon › Versuchung‹*, München 1981

– › Auferstehung im Werke Max Beckmanns‹, in: *Kunst und Kirche* 2, 1982, S. 65ff.

– *Der Expressionismus in Wort und Bild*, Genf 1983

Dückers, Alexander, › Max Beckmann – Die Hölle 1919‹ in: Kat. Berlin 1983

Edschmid, Kasimir, *Lebendiger Expressionismus*, München 1961

Einstein, Carl, *Die Kunst des 20. Jahrhunderts*, Berlin 1926, S. 154ff.

Erpel, Fritz, *Max Beckmann*, Berlin (DDR) 1981

Evans, Arthur a. Catherine, › Max Beckmanns Self-Portraits‹, in: *Art International* 18, 1974, H. 9, S. 13ff.

Fischer, Friedhelm Wilhelm, *Max Beckmann – Symbol und Weltbild*. Grundriß zu einer Deutung des Gesamtwerkes, München 1972

– *Der Maler Max Beckmann*, Köln 1972

Fraenger, Wilhelm, › Max Beckmann – Der Traum – Ein Beitrag zur Physiognomik des Grotesken‹ 1924 in: *Blick auf Beckmann: Dokumente und Vorträge*, München 1962, S. 36ff.

Gäßler, Ewald, *Studien zum Frühwerk Max Beckmanns*. Eine motivkundliche und ikonographische Untersuchung zur Kunst der Jahrhundertwende, Dissertation, Göttingen 1974

Gallwitz, Klaus (Hrsg.), Kat. Karlsruhe 1962

Gandelman, Claude, › Max Beckmanns Triptychen und die Simultanbühne der 20er Jahre‹, in: Kat. Frankfurt/M. 1981, S. 102ff. (Kat. London 1980/81, S. 26ff., englisch)

Glaser Curt, Julius Meier-Graefe, Wilhelm Fraenger und Wilhelm Hausenstein, *Max Beckmann*, München 1924

Göpel, Erhard, *Max Beckmann der Zeichner*, München 1954, 1958

– *Max Beckmann in seinen späten Jahren*, München 1955

– › Beckmanns Farbe‹ 1956, in: *Blick auf Beckmann: Dokumente und Vorträge*, München 1962, S. 133ff.

– *Max Beckmann, Die Argonauten – Ein Triptychon*, Stuttgart 1957

– *Max Beckmann der Maler*, München 1957

– › Max Beckmann und Wilhelm R. Valentiner‹ 1962, in: *Blick auf Beckmann: Dokumente und Vorträge*, München 1962, S. 90ff.

– und Barbara, *Max Beckmann. Katalog der Gemälde* (2 Bde.), Bern 1976

Gosebruch, Martin, *Mythos ohne Götterwelt*, Esslingen 1984

Grosz, George, *Briefe 1913-1959*, Hrsg. v. Herbert Kunst, Reinbek 1979, (bes. S. 436 u. 449f.)

Güse, Ernst-Gerhard, *Das Frühwerk Max Beckmanns*. Zur Thematik seiner Bilder aus den Jahren 1904-1914, Dissertation, Hamburg, Frankfurt/M. u. Bern 1977

– › Das Kampf-Motiv im Frühwerk Max Beckmanns‹, in: Kat. Bielefeld 1982, S. 189ff.

Haftmann, Werner, *Malerei im 20. Jahrhundert, Eine Entwicklungsgeschichte*, München 1955, 1965

Hartlaub, Gustav Friedrich, *Kunst und Religion*, Leipzig 1919, S. 82ff.

– *Die Graphik des Expressionismus in Deutschland*, Stuttgart 1947

Hausenstein, Wilhelm, › Max Beckmann‹, in: Kat. München 1928

Heckmanns, Friedrich W., › Zu den Entwurfszeichnungen der Nacht‹, in: Kat. Frankfurt 1983/84, S. 26ff.

Jedlicka, Gotthard, › Max Beckmann in seinen Selbstbildnissen‹ 1959, in: *Blick auf Beckmann: Dokumente und Vorträge*, München 1962, S. 111ff.

Kaiser, Hans, *Max Beckmann*, Berlin 1913

Kaiser, Stephan, *Max Beckmann*, Stuttgart 1962

Kalnein, Wend von, › Max Beckmann, Quappi in Blau und Grau‹, in: *Düsseldorfer Museen Bulletin* 1 (1969) S. 28

Kesser, Armin, › Das mythologische Element im Werk Max Beckmanns‹ 1958, in: *Blick auf Beckmann: Dokumente und Vorträge*, München 1962, S. 25ff.

Kessler, Charles S., *Max Beckmann's triptychs*, Cambridge, Mass. 1970

Kinkel, Hans, › Die Sache des Lebens oder Der schlechte deutsche Sekt. Ein Brief Beckmanns an Baron Simolin vom 20.8.1930‹, in: Kat. Frankfurt 1983/84, S. 290ff.

Klötzer, Wolfgang, › Frankfurt am Main 1915-1933‹, in: Kat. Frankfurt 1983/84, S. 299ff.

Lackner, Stephan, *Max Beckmann 1884-1950*, Berlin 1962

– *Max Beckmann – Die neun Triptychen*, Berlin 1965

– *Ich erinnere mich gut an Max Beckmann*, Mainz 1967

– *Max Beckmann*, Bergisch Gladbach 1968

– *Beckmann*, New York 1977, Köln 1978

– *Peter Beckmann im Bild seines Vaters*, Murnau 1978

– › Ballettprobe. Max Beckmanns unvollendetes Triptychon‹, in: Kat. Frankfurt/M. 1981, S. 82ff.

– › Sehr schwarz, sehr weiß‹, in: Kat. München 1981, S. 11ff.

– *Max Beckmann*, München 1983

Lenz, Christian, › Mann und Frau im Werke von Max Beckmann ‹, in: *Städel Jahrbuch* N.F. 3, 1971, S. 213 ff.

– › Max Beckmanns Synagoge ‹, in: *Städel Jahrbuch* N.F. 4, 1973, S. 299 ff.

– › Max Beckmann – Das Martyrium ‹, in: *Jahrbuch der Berliner Museen* 16, 1974, S. 185 ff.

– *Max Beckmann und Italien*, Frankfurt/M. 1976

– › Max Beckmann in seinem Verhältnis zu Picasso ‹, in: *Niederdeutsche Beiträge zur Kunstgeschichte* 16, 1977, S. 236 ff.

– › Moderne Kunst. Ernst Ludwig Kirchner und Max Beckmann ‹, in: *Universitas* 35, 1980, S. 1187 ff. und in: *Universitas* 24, 1982, No. 2, S. 123 ff. (engl.)

– › Die Zeichnungen Max Beckmanns zum Faust ‹, in: Kat. Bonn - Bad Godesberg 1982, S. 82 ff.

– › Max Beckmanns Zeichnungen zum Faust ‹, in: *Neue Zürcher Zeitung* v. 27. 8. 1982, S. 31 f.

– *Max Beckmann – Ewig wechselndes Welttheater*, Esslingen 1984

Linfert, Carl, › Beckmann oder Das Schicksal der Malerei ‹ 1935, in: *Blick auf Beckmann: Dokumente und Vorträge*, München 1962, S. 57 ff.

Marc, Franz, › Anti-Beckmann ‹, in: *Pan* 2 (1912), S. 555 f.

Marwitz, Herbert, › Der Herr. Zur Genealogie des modernen Menschenbildes ‹, in: *Wandlungen. Studien zur antiken und neueren Kunst*. Festschrift E. Homann–Wedeking, Waldsassen 1975, S. 312 ff.

Meier-Graefe, Julius, › Gesichter – Vorrede zu einer Mappe mit 19 Radierungen von Max Beckmann ‹ 1919, in: *Blick auf Beckmann: Dokumente und Vorträge*, München 1962, S. 50 ff.

– *Entwicklungsgeschichte der modernen Kunst in drei Bänden*, München 1924

Metken, Günter, › Somnambulismus und Bewußtseinshelle. Beckmanns Umgang mit der Tradition ‹, in: Kat. Frankfurt 1983/84, S. 43 ff.

– › Max Beckmanns Schriften 1920-1928. Eine Einleitung ‹, in: Kat. Frankfurt 1983/84, S. 15 ff.

Mitschke, Hans-Joachim, › Düsseldorf, Kunstsammlungen des Landes Nordrhein-Westfalen, Neuerwerbungen ‹, in: *Pantheon* XXVIII, 1970, S. 248 f.

Myers, Bernard S., *Expressionism, a generation in revolt*, London, Köln, 1957

Neumann, I. B., *Sorrow and champagne*, New York 1958 (Typoskript)

Paret, Peter, *The Berlin Secession*. Modernism and its Ennemies in Imperial Germany, Cambridge, London 1980

Piper, Reinhard, *Nachmittag, Erinnerungen eines Verlegers*, München 1950

– *Mein Leben als Verleger, Vormittag, Nachmittag*, München 1964

– › Max Beckmann ‹ in: *Briefwechsel mit Autoren und Künstlern 1903-1953*, München 1979, S. 158 ff.

Poeschke, Joachim, › Der frühe Max Beckmann ‹, in: Kat. Bielefeld 1982, S. 127 ff.

– › Der Neubeginn in Frankfurt. Beckmann in den Jahren 1915-1919 ‹, in: Kat. Frankfurt 1983/84, S. 21 ff.

– *Max Beckmann in seinen Selbstbildnissen*, Esslingen 1984

Rave, Paul Ortwin, *Kunstdiktatur im Dritten Reich*, Hamburg 1949

Reifenberg, Benno, › Max Beckmann ‹ 1921, in: *Blick auf Beckmann: Dokumente und Vorträge*, München 1962, S. 101 ff.

– und Wilhelm Hausenstein, *Max Beckmann*, München 1949

Roh, Franz, › Der Maler Max Beckmann ‹, in: *Prisma* I (1946-1947) Nr. 2, S. I-II

– *Entartete Kunst, Kunstbarbarei im Dritten Reich*, Hannover 1962

Schade, Herbert SJ, › Max Beckmann: Gestaltung ist Erlösung ‹, in: *Stimmen der Zeit* 94 (1969) S. 231 ff.

Scheffler, Karl, › Berliner Chronik. Max Beckmann ‹, in: *Kunst und Künstler* 31 (1932) S. 146

Schiff, Gert, › Max Beckmann: Die Ikonographie der Triptychen. Umrisse einer geplanten Arbeit ‹, in: *Munuscula Discipulorum*, Hans Kauffmann zum 70. Geburtstag 1966, hrsg. von Tilmann Buddensieg und Matthias Winner. Berlin Hessling, 1968, S. 265 ff.

– › Die neun vollendeten Triptychen von Max Beckmann ‹, in: Kat. Frankfurt/M. 1981, S. 62 ff.

Schmidt, Diether (Hrsg.), › *Manifeste, Manifeste 1905-1933* ‹, Schriften deutscher Künstler des zwanzigsten Jahrhunderts, Bd. I, Dresden 1964, S. 26; S. 139 ff.

Schmidt, Georg, *Die Malerei des 20. Jahrhunderts in Deutschland*, Königstein im Taunus 1960

Schmied, Wieland, *Neue Sachlichkeit und Magischer Realismus in Deutschland 1918-1933*, Hannover 1969

Schmoll, J. A., *Fensterbilder*, München 1970, S. 60

Schneede, Uwe M. (Hrsg.), *Die Zwanziger Jahre*. Manifeste und Dokumente deutscher Künstler, Köln 1977

Schubert, Dietrich, › Nietzsche – Konkretionsformen in der bildenden Kunst 1890-1933 ‹, in: *Nietzsche-Studien*. Internationales Jahrbuch für die Nietzsche-Forschung 10/11, 1981/82, S. 278 ff.

– › Die Beckmann-Marc-Kontroverse von 1912. Sachlichkeit versus innerer Klang ‹, in: Kat. Bielefeld 1982, S. 175 ff.

Schulz-Mons, Christoph, › Kirchner und Beckmann in Frankfurt ‹, in: *Zeitschrift für Kunstgeschichte* 43, 1980, S. 203 ff.

– › Zur Frage der Modernität des Frühwerks von Max Beckmann ‹, in: Kat. Bielefeld 1982, S. 137 ff.

Seiler, Harald, *Hannover – Niedersächsische Landesgalerie*, Köln 1969

Selz, Peter, *German expressionist painting*, Berkeley and Los Angeles 1957

– › Max Beckmann ‹, in: Kat. New York 1964, S. 9-99

– › Max Beckmann 1933-1950. Zur Deutung der Triptychen ‹, in: Kat. Frankfurt/M. 1981, S. 14 ff.

Snyder, Margaret L., *A Bibliographical Study of Max Beckmann*. Magisterarbeit, Illinois 1975 (Typoskript)

Swarzenski, Georg, [Vorwort] in: Kat. New York 1946

Swarzenski, Hanns, › Prefatory Note ‹, in: Kat. St. Louis 1948 (Retrospective), S. 5 ff.

Valentiner, W. R., › Max Beckmann ‹ um 1955, in: *Blick auf Beckmann: Dokumente und Vorträge*, München 1962, S. 83 ff.

Vogt, Paul, *Geschichte der deutschen Malerei im 20. Jahrhundert*, Köln 1972

Wachtmann, Hans G., *Max Beckmann*. Von der Heydt-Museum Wuppertal. Kommentare zur Sammlung 2, Wuppertal 1979

Wankmüller, Rike u. Zeise, Erika, › Zu einigen Faust-Illustrationen von Max Beckmann ‹, in: *Münchner Jahrbuch der Bildenden Kunst* 3. F., XXXIII, 1982, S. 173 ff.

Weisner, Ulrich, [Kommentare], in: Kat. Bielefeld II 1976

– › Konstanten im Werk Max Beckmanns ‹, in: Kat. Bielefeld 1982, S. 157 ff.

Wichmann, Hans, *Max Beckmann*, Berlin, Darmstadt, Wien 1961

Wiese, Stephan von, *Graphik des Expressionismus*, Stuttgart 1976.

– › Sachlichkeit den inneren Gesichten. Zum zeichnerischen Werk Max Beckmanns ‹, in: Kat. Bielefeld 1977, S. 6 ff.

– *Max Beckmanns zeichnerisches Werk 1903-1925*, Düsseldorf 1978

– › Fessel-Entfesselung. Antinomien im zeichnerischen Frühwerk von Max Beckmann ‹, in: Kat. Bielefeld 1982, S. 213 ff.

– › Die Welt – ein Inferno. Zu Beckmanns Zyklus Die Hölle ‹, in: Kat. Frankfurt 1983/84, S. 29 ff.

Wolk, Joan, › Das Vanitas-Motiv bei Max Beckmann und Jean Paul: Symbole der Unsterblichkeit und der Liebe ‹, in: Kat. Frankfurt 1983/84, S. 51 ff.

Zenser, Hildegard, *Max Beckmanns Selbstbildnisse*, Dissertation, München 1981 (unveröffentlicht)

Namenregister

Photonachweis

Der Verlag dankt den in den Bildlegenden genannten Besitzern für die freundliche Überlassung der Abbildungsvorlagen, ferner folgenden Photographen und Bilderdiensten:

Al Monner-Photography, Portland, Oreg.; Jörg P. Anders, Berlin; Artothek, Planegg bei München; Oliver Baker, New York; Barney Burstein, Boston; Christie's, London; Geoffrey Clements, New York; Prudence Cuming Ass.; Fred Ebb, New York; Ursula Edelmann, Frankfurt; Foto Goertz, München; Studio Grünke, Hamburg; Tom Haartsen, Oudenkerk a/d Amstel; Gerhard Heisler, Saarbrücken; Colorphoto Hinz, Allschwil-Basel; John Kennard; George Lantis, Middletown, Conn.; Mak-Photoline, Bielefeld; Marlborogh, London; Colin Mc Rae, Berkeley, Cal.; Rosemarie Nohr, München; Piaget-Studio, Saint Louis, Mo.; Eric Pollitzer, New York; Repro-Studio Peter, München; Foto-Studio van Santvoort, Wuppertal; Savage; Walter Schmidt, Karlsruhe; Soichi Sunami, New York; Joseph Szaszfai, Branford, Conn.; Charles Uht, New York; Catherine Viviano Gallery, New York; A. J. Wyatt, Philadelphia, Pa.

Die Überlassung der Photos für die Dokumentation zu Leben und Werk Beckmanns dankt der Verlag Frau Mathilde Q. Beckmann, New York; dem Archiv Dr. Peter Beckmann, Murnau; dem Archiv der Max Beckmann Gesellschaft, München; dem Archiv der Frankfurter Societätsdruckerei, Frankfurt am Main, sowie folgenden Photographen und Bilderdiensten: Geoffrey Clements, New York (58), Hugo Erfurth, Köln (45), Felicia Feith (27), Helga Fietz (42, 43), Barbara Göpel (57, 68), Photo Hess, Frankfurt (29), Jeanne Kaumann (14, 15), Mak-Photoline, Bielefeld (12), The New York Times GmbH Bilddienst, Berlin (33), Photo J. Raymond, New York (Frontispiz des Katalogs; 61), Saint-Gaudens, Carnegie Institute, Pittsburg (62), Hanns Swarzenski, Wilzhofen (56), Adolph Studly (53), Bilderdienst des Süddeutschen Verlags, München (37), Erika Wachsmann, Bad Homburg v. d. Höh (21), Paul Weller, New York (65), Gordon Wilkey, Oregon (54).

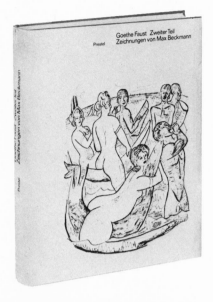

Goethe Faust Zweiter Teil
Zeichnungen von Max Beckmann

Text in Handsatz aus der Weiß-Antiqua. 143 faksimilierte Federzeichnungen von Max Beckmann.

412 Seiten. Format 24×29 cm. ISBN 3-7913-0328-7. Leinen.

»Beckmanns Zeichnungen zum Zweiten Teil von Goethes Faust kann man im Bereich der deutschen Kunst nichts Vergleichbares an die Seite stellen. Eine der größten deutschen Dichtungen, illustriert vom bedeutendsten deutschen Maler unseres Jahrhunderts: Durch diese Zeichnungen wurde der Faust unserem Jahrhundert durch Bilder, durch eine neue Beziehung von Idealität und Realität zurückgewonnen.« *Süddeutsche Zeitung*

»Die 1943 im Auftrag des Frankfurter Schriftgießers und Verlegers Georg Hartmann entstandenen Federzeichnungen erscheinen bei Prestel zum ersten Mal vollständig. Eine größere Genauigkeit, bis in die Tönung des Papiers, ist kaum vorstellbar: Ein großartiges Buch, ein herrlicher Text, begleitet von herrlichen Illustrationen.« *Rheinischer Merkur*

Willem de Kooning – Retrospektive
Zeichnungen – Gemälde – Skulpturen

Katalog der Ausstellung in der Akademie der Künste, Berlin (März-April 1984). Mit Beiträgen von Paul Cummings, Jörn Merkert und Claire Stoullig und Texten des Künstlers.

328 Seiten mit 305 Abbildungen, davon 143 in Farbe, sowie 45 Photos in der Biographie. Format 21×30 cm. ISBN 3-7913-0659-6. Leinen.

Dieses ist die erste umfassende Darstellung des Werkes von Willem de Kooning anläßlich der großen Retrospektive in New York, Berlin und Paris. De Kooning, einer der bedeutendsten amerikanischen Künstler des 20. Jahrhunderts, hat die Kunst unserer Zeit nachhaltig beeinflußt.

1984 erhält Willem de Kooning den Max-Beckmann-Preis der Stadt Frankfurt a. M. und den Kaiserring der Stadt Goslar.

»Willem de Kooning ist einer der letzten aus der großartigen Generation der Abstrakten Expressionisten, der für die amerikanische Kunst Weltklasserang erreicht.« *The New York Times*

Ernst Ludwig Kirchner (1880-1938)

Katalog der Retrospektive 1979/80. Herausgegeben von Lucius Grisebach und Annette Meyer zu Eissen.

320 Seiten mit 561 Abbildungen, davon 186 in Farbe. Format 21×30 cm. ISBN 3-7913-0488-7. Gebunden.

»Diese große Retrospektive gibt ein umfassendes Bild von Kirchners Lebenswerk und zeigt ihn als Maler, als Bildhauer, als Zeichner und als Graphiker in einer Auswahl, wie sie bisher noch nie zusammen war.

Kirchner war Mitglied der 1906 in Dresden gegründeten Künstlergruppe ›Die Brücke‹, er war in diesem Kreis der bedeutendste Maler. Farbige Gewalt, strenge Form und leidenschaftliche Handschrift sind im Werk von Ernst Kirchner zu einer Einheit verschmolzen. Solche Identität haben die anderen Maler der ›Brücke‹ nicht erreicht. Der hervorragend knappe, handliche und aufschlußreiche Katalog ist ein Schlüssel für jeden, der sich mit Kirchner ernsthaft beschäftigen will.« *Süddeutsche Zeitung*

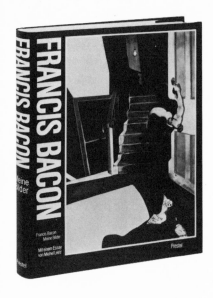

Francis Bacon – Meine Bilder

Die vom Künstler getroffene Auswahl der ihm wichtigsten Gemälde.
Mit einem Essay von Michel Leiris.

260 Seiten mit 146 Farbtafeln, davon 12 Ausfalttafeln, Chronologie und Bibliographie.
Format 25,5 x 29,5 cm. ISBN 3-7913-0599-9. Leinen im Schuber.

»Der große, dauerhafte Ruhm Francis Bacons erfuhr in den letzten Jahren eine überraschende
Aktualisierung: Die junge, expressiv malende Generation entdeckte den englischen
Künstler für sich. Für ein gründlicheres Verständnis von Bacons existentialistischer Sicht auf
den deformierten Menschen fehlte es indes an Publikationen. Die frühen Monographien
und Kataloge sind vergriffen. 1982 brachte der Prestel-Verlag die wichtigste Textquelle, die
Bacon-Interviews von David Sylvester, heraus. Jetzt folgt der Bildband, für den Bacon die
Auswahl selbst getroffen hat.«   *Süddeutsche Zeitung*

Amerikanische Malerei 1930-1980

Katalog der Ausstellung im Haus der Kunst, München 1981/82.
Herausgegeben von Tom Armstrong.

304 Seiten mit 297 Abbildungen, davon 103 in Farbe, sowie 127 Porträtphotos. Format 22 x 27 cm.
ISBN 3-7913-0572-7. Gebunden.

»Kataloge sind heute oft besser, interessanter und wissenschaftlich einwandfreier gemacht als
viele Kunstbücher. Die großen Ausstellungen werden meist von umfangreichen theoreti-
schen Bestandsaufnahmen begleitet, die auf lange Jahre als Standard- und Nachschlagewerk
dienen können. Der Prestel-Verlag hat sich deshalb darauf spezialisiert, wichtige Arbeiten
dieser Art in Buchform zu verlegen. So ist auch der Katalog zur Ausstellung ›Amerikanische
Malerei‹ aus der Feder von Tom Armstrong zu einer Gesamtmonographie geworden,
die zumindest den Zeitraum von 1930 bis heute vorzüglich umreißt und kulturhistorisch
untermauert.«   *Tagesspiegel/Berlin*

Erich Heckel (1883-1970)

Gemälde – Aquarelle – Zeichnungen – Graphik

Katalog der Ausstellung im Museum Folkwang, Essen und im Haus der Kunst,
München 1983/84. Herausgegeben von Zdenek Felix.

240 Seiten mit 313 Abbildungen, davon 87 in Farbe. Format 21 x 30 cm. ISBN 3-7913-0646-4. Leinen.

»Erich Heckel, der mit Ernst Ludwig Kirchner zu den Begründern der ›Brücke‹ gehörte,
war in dieser Gruppe ein eher romantisch veranlagter Künstler, der schon früh ein recht
guter Holzschneider gewesen sein muß, was sicherlich mitbewirkt hat, daß die ›Brücke‹ auf
Graphik besonderes Gewicht legte. Als Maler setzte er leuchtende, pastos aufgetragene
Farben in kühnen Kontrasten gegeneinander. Die Gedächtnisausstellung zum 100. Geburtstag und der dazugehörige Katalog werden dazu beitragen, den Expressionisten Heckel als
eigenständigen Künstler richtig zu erkennen.«   *PAN*